NAUX
esses

Nord de Bali
p. 231

Montagnes du Centre
p. 216

Ouest de Bali
p. 246

Ubud et environs
p. 137

Est de Bali
p. 179

Îles Gili
p. 288

Lombok
p. 259

Kuta et Seminyak
p. 48

Sud de Bali et les îles
p. 94

PAGE
363

BALI ET LOMBOK PRATIQUE

TOUT POUR S'ORGANISER
Transports en commun, voyages
organisés, hébergements

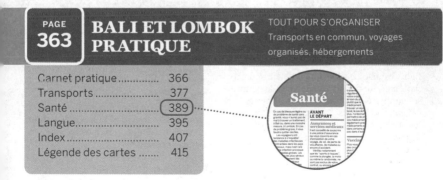

Santé

AVANT LE DÉPART

Assurances et services médicaux

ÉDITION MISE À JOUR PAR

Ryan Ver Berkmoes,
Adam Skolnick

Bienvenue à Bali et à Lombok

Un lieu unique

Bali n'est comparable à aucune autre destination au monde. La richesse de sa culture se manifeste à chaque instant : à travers les délicates offrandes de pétales de fleurs ou les longues processions d'habitants parés de couleurs vives qui bloquent la circulation lorsqu'ils s'acheminent vers l'un des innombrables temples, ou encore dans la musique et la danse traditionnelles, au raffinement sublime, que l'on peut voir dans toute l'île.

Un supplément d'âme

Certes, l'île offre des plages, des vagues propices au surf, des fonds marins superbes et des stations balnéaires pour tous les goûts, mais c'est tout autre chose qui en fait bien plus qu'un petit paradis ensoleillé. L'image du Balinais toujours souriant est certes un cliché, mais les habitants de cette petite île sont vraiment généreux et chaleureux. Derrière leurs sourires se cache aussi un vrai sens de l'humour. En voyant un touriste chauve, beaucoup vont par exemple s'exclamer *"bung ujan"* (la pluie est annulée aujourd'hui), car une tête sans cheveu ressemble à un ciel sans nuage.

Une île, des ambiances

À Bali, on peut se perdre dans le chaos de Kuta, goûter au raffinement de Seminyak ou de Kerobokan, surfer au large des sauvages plages du Sud ou flâner à Nusa Lembongan. Sanur est idéale en famille,

Le nom de Bali évoque à lui seul le paradis. Bien plus qu'une destination, c'est une attente, un état d'esprit, un état d'âme tropical.

(à gauche) Le Champlung au couchant (p. 82), plage de Seminyak
(ci-dessous) Dans les rizières en terrasses d'Ubud (p. 137)

tandis que la péninsule de Bukit se prête à un luxueux séjour en amoureux. Mais c'est à Ubud, le cœur de Bali serti de somptueuses rizières en terrasses et orné de vénérables monuments, que l'esprit et la culture de l'île sont le plus facilement accessibles. Le centre de Bali est dominé par de spectaculaires volcans et des temples à flanc de falaise comme le Pura Luhur Batukau (l'un des quelque 20 000 que compte l'île). Enfin, s'ils sont moins peuplés, le Nord et l'Ouest offrent des spots de surf et de plongée qui méritent amplement le déplacement.

Lombok et les îles Gili

Presque aussi vaste que Bali, la toute proche Lombok est bien moins connue. Son centre volcanique et ses plages idylliques, à l'image de Mawun, séduisent les voyageurs curieux. Beaucoup sont comme aimantés par l'imposant Gunung Rinjani, le deuxième volcan d'Indonésie. Les rivières et cascades qui s'écoulent sur ses flancs fissurés arrosent les cultures, tandis que son sommet, qui comporte des sources chaudes et un éblouissant lac de cratère, attire autant les randonneurs que les pèlerins, pour qui le Rinjani est une montagne sacrée. Quant aux Gili, ce sont trois exquis îlots tropicaux bordés de sable blanc, de cocotiers et de récifs coralliens grouillant de vie marine. La vie nocturne aussi peut y être animée, en particulier sur Gili Trawangan.

❯ Bali et Lombok

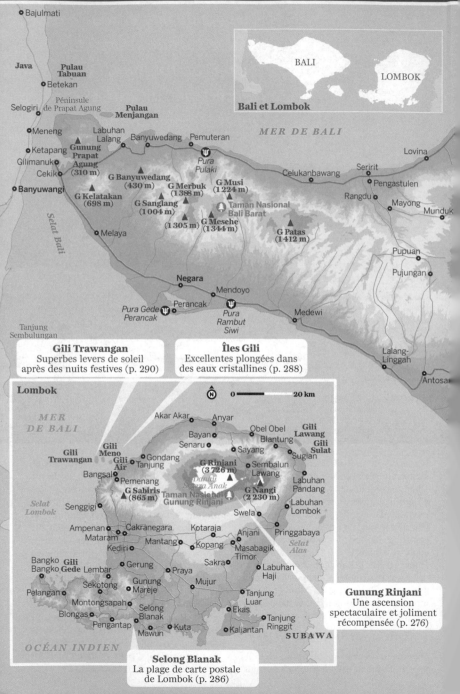

Java

Bajulmati

Pulau
Tabuan

Betekan

Péninsule
Selogiri de Prapat Agung

Meneng

Ketapang

Gilimanuk

Cekik

Banyuwangi

Labuhan
Lalang

Gunung
Prapat
Agung
(310 m)

G Kelatakan
(698 m)

Melaya

Selat Bali

Tanjung
Sembulungan

Pulau
Menjangan

Banyuwedang

G Banyuwedang
(430 m)

G Sanglang
(1 004 m)

Pemuteran

Pura
Pulaki

G Merbuk
(1 388 m)

MER DE BALI

G Musi
(1 224 m)

(1 305 m)

G Mesehe
(1 344 m)

Taman Nasional
Bali Barat

Celukanbawang

Lovina

Seririt

Pengastulen

Rangdu

Mayong

Munduk

G Patas
(1 412 m)

Pupuan

Pujungan

Negara

Mendoyo

Pura Gede
Perancak

Perancak

Pura
Rambut
Siwi

Medewi

Lalang-
Linggah

Antosa

Gili Trawangan
Superbes levers de soleil
après des nuits festives (p. 290)

Îles Gili
Excellentes plongées dans
des eaux cristallines (p. 288)

Lombok

MER
DE BALI

0   20 km

Akar Akar

Anyar

Gili
Trawangan

Gili
Meno

Gili
Air

Gondang

Tanjung

Bayan

Senaru

Obel Obel

Blantung

Sayang

Gili
Lawang

Gili
Sulat

Sugian

Bangsal

Pemenang

Selat
Lombok

G Sabiris
(865 m)

Taman Nasional
Gunung Rinjani

G Rinjani
(3 726 m)

Danau
Segara Anak

Sembulun
Lawang

G Nangi
(2 230 m)

Labuhan
Pandang

Labuhan
Lombok

Senggigi

Swela

Ampenan

Mataram

Cakranegara

Kediri

Mantang

Kotaraja

Kopang

Anjani

Masabagik
Timor

Pringgabaya

Selat
Alas

Bangko
Bangko

Gili
Gede

Lembar

Gerung

Praya

Sakra

Labuhan
Haji

Sekotong

Gunung
Mareje

Mujur

Pelangan

Montongsapah

Selong
Blanak

Tanjung
Luar

Blongas

Pengantap

Mawun

Kuta

Ekas

Kaliantan

Tanjung
Ringgit

SUBAWA

OCÉAN INDIEN

Gunung Rinjani
Une ascension
spectaculaire et joliment
récompensée (p. 276)

Selong Blanak
La plage de carte postale
de Lombok (p. 286)

BALI

LOMBOK

Bali et Lombok

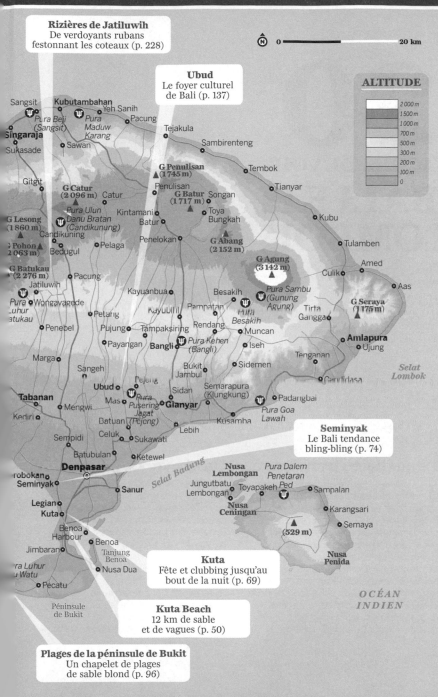

Rizières de Jatiluwih
De verdoyants rubans
festonnant les coteaux (p. 228)

Ubud
Le foyer culturel
de Bali (p. 137)

ALTITUDE

2 000 m
1 500 m
1 000 m
700 m
500 m
300 m
200 m
100 m
0

Seminyak
Le Bali tendance
bling-bling (p. 74)

Kuta
Fête et clubbing jusqu'au
bout de la nuit (p. 69)

Kuta Beach
12 km de sable
et de vagues (p. 50)

Plages de la péninsule de Bukit
Un chapelet de plages
de sable blond (p. 96)

20
FAÇONS DE VOIR
BALI ET LOMBOK

Le quotidien transfiguré

1 Alors que vous êtes en train de siroter un café à Seminyak ou à Ubud, les accents d'un gamelan retentissent et la circulation s'arrête en un cri sonore pour laisser passer une foule apprêtée : pyramides de fruits, parasols ornés de pompons et Barong hirsutes. Cette procession, qui s'en est allée aussi vite qu'elle est arrivée, laisse derrière elle des restes fugaces d'éclats d'or, de soie blanche et de pétales d'hibiscus. Des douzaines de processions se déroulent ainsi à Bali quotidiennement. Cérémonie balinaise, à Kuta, Bali

Un spa vers le paradis

2 Que l'on recherche un profond apaisement de l'esprit et du corps ou un peu de sérénité, il est courant de passer de nombreuses heures (voire des jours) à Bali à se faire masser, gommer, parfumer, bichonner... sur la plage, dans un jardin ou encore dans un cadre où l'élégance le dispute au luxe. Cocktail de techniques – étirements, longs mouvements, palper-rouler et pressions de la paume et du pouce –, le massage balinais procure un intense sentiment de bien-être. Un soin avec enveloppement dans des feuilles de bananier, à Ubud (p. 144)

Un séjour de sybarite

3 Il n'est pas si étonnant qu'une île qui célèbre autant les arts et la sérénité abrite certains des plus beaux hôtels et *resorts* de la planète. Des havres de luxe dans le sud de Bali, sur les superbes plages de Kerobokan ou de Seminyak, aux nids douillets perchés sur les falaises de la péninsule de Bukit, ces établissements sont aussi ravissants à l'extérieur qu'ils sont luxueux à l'intérieur. D'autres *resorts* d'architectes célèbres sont installés dans les vallées d'Ubud et dans des lieux idylliques isolés du littoral. À Nusa Lembongan (p. 127)

Gastronomie balinaise

4 Il est impossible de ne pas être conquis lorsqu'on entre dans un *warung* pour déjeuner et que l'on se retrouve face à des douzaines de plats fraîchement préparés. Et pour cause, cette terre fertile offre une profusion d'ingrédients à la base de plats frais et savoureux. Des spécialités locales, comme le *babi guling* (cochon de lait rôti mariné dans des épices), peuvent même susciter une forte dépendance ! Un déjeuner dans l'un des excellents cafés balinais de Denpasar (p. 123) convaincra les plus sceptiques. Une assiette riche en saveurs indonésiennes à Ubud

Offrandes

5 Une volute de fumée s'échappe d'un bâton d'encens posé sur un lit de pétales de fleurs, disposés sur une petite feuille de banane... On trouve partout ces offrandes balinaises : à la porte de sa chambre d'hôtel, sur la plage ou dans un bar. De tailles et de formes variées, elles sont confectionnées de jour comme de nuit. Alors que certaines, faites de fruits et de nourriture, se distinguent par leur taille, la majorité sont petites et apparaissent comme par magie.

Artisanat local

6 Assis à l'ombre d'un frangipanier, un artisan balinais façonne un petit chef-d'œuvre avec un couteau qu'un autre utiliserait pour peler une pomme. Certes, vous trouverez à foison des souvenirs de piètre qualité, mais il existe aussi un authentique artisanat local au savoir-faire ancestral. Les sculptures en bois sont ainsi utilisées lors de cérémonies religieuses ou de spectacles traditionnels comme le Barong, dans lequel les masques colorés font partie intégrante de l'histoire. Et, à Batubulan (p. 174), les tailleurs de pierre transforment la roche en œuvre d'art.
Un sculpteur sur bois à Ubud

Ubud

7 Célébré dans les livres et les films, le cœur artistique de Bali respire sans conteste la spiritualité. Les rues sont parsemées de galeries où artistes, grands ou petits, s'adonnent à leur art. De très beaux spectacles, illustrant la riche culture de l'île, honorent des dizaines de lieux chaque soir, les musées exposent les créateurs puisant l'inspiration dans leurs racines locales... Pendant que d'autres cherchent dans les rizières l'emplacement idéal pour méditer sur la vie comme elle va. Ubud, c'est un état d'esprit qui élève l'âme.

Femmes portant des offrandes au temple, Ubud

Danse balinaise

8 La danse à Bali semble à l'opposé de l'indolence qui paraît y régner. Les Occidentaux sont même souvent surpris de voir un peuple qui aime laisser du temps au temps, être à l'origine d'un art exigeant une telle précision. Une danseuse de *legong* passe des années à apprendre minutieusement une série de mouvements, qui possèdent chacun un sens et composent un langage exprimant une grâce hypnotique. Vêtus de soie et d'ikat, les artistes racontent des histoires imprégnées des croyances et des traditions de l'hindouisme balinais.

Danseuses de legong, Ubud

Nuit blanche à Kuta

9 Il y a d'abord les cafés et les bars chics de Seminyak, des espaces en plein air où tout semble embelli par le scintillement des bougies et les rythmes envoûtants qui s'échappent des maisons. Puis les meilleurs clubs de Kuta (p. 70), à Bali, vous attirent avec leurs célèbres DJ internationaux et leurs mix endiablés, dans un décor des plus glamour. Un peu avant l'aube, les clubs enfiévrés de Kuta vous entraînent pour ne vous relâcher qu'au petit jour, épuisé mais heureux.

Bar de plage, la nuit

Rizières de Jatiluwih

10 Des rubans de verdure ondulent à flanc de coteaux : les anciennes rizières en terrasses de Jatiluwih (p. 228) sont aussi ingénieuses qu'élégantes, et témoignent de l'amour et du respect séculaires des riziculteurs balinais pour leur terre. À pied, à vélo ou en voiture, les mots vous manqueront pour décrire ce camaïeu de verts vu de la petite route qui serpente au milieu de ce bassin fertile. En 2012, l'Unesco a reconnu la zone entière en ajoutant les traditions de la riziculture de Bali à la liste du patrimoine mondial.

Les dessous des îles Gili

11 Pour plonger, il y a peu d'endroits aussi beaux que les îles Gili, cernées de superbes récifs coralliens où croisent des raies manta. La plongée sous-marine y rencontre un vif succès et plusieurs écoles recommandables proposent des cours adaptés à tous les niveaux. De la plage, les récifs sont faciles d'accès pour les amateurs de snorkeling, qui ont de bonnes chances d'apercevoir des tortues. Pour aller un peu plus loin, essayez l'apnée – Trawangan abrite l'un des seuls clubs de *freediving* en Asie (p. 294). Vue de Gili Trawangan (p. 290)

10

PETE ATKINSON/GETTY IMAGES ©

11

KIMBERLEY COOLE/GETTY IMAGES ©

Plonger
à Bali

12 Comme on se sent petit au passage majestueux d'une raie manta qui vous enveloppe de son ombre et de sa grâce... Une autre passe pour laisser place à la suivante. Et, alors que vous êtes sûr que cette plongée ne pourrait être plus spectaculaire, surgit un poisson-lune de 2,5 m de longueur, vous toisant, immobile. Nusa Penida (p. 134) est l'un des nombreux sites de plongée de Bali. Vous serez sans aucun doute électrisé par le légendaire tombant de 30 m de Pulau Menjangan (p. 257). À l'intérieur de l'épave du *Liberty* (p. 213)

Selong
Blanak

13 La beauté sauvage et la faible fréquentation du littoral sud de Lombok laissent songeur quant au potentiel touristique de la région. Un regard sur la plage immaculée de Selong Blanak (p. 286) suffit pour s'en rendre compte. Du village, un pont branlant conduit à une parfaite plage de sable bordée d'une eau turquoise où la baignade est délicieuse. La baie se termine par un croissant de sable blanc et fin. La plupart du temps, cette plage de rêve est quasi déserte.
Bateaux sur la plage de Selong Blanak

La péninsule
de Bukit

14 Un trait de sable blanc surgit de l'océan Indien pour épouser la courbe d'une crique surplombée de falaises calcaires, elles-mêmes coiffées d'une végétation tropicale de toute beauté... La côte ouest de la péninsule de Bukit, dans le sud de Bali, est parsemée de ces plages idylliques : Balangan (p. 99), Bingin (p. 101) et Padang Padang. Mis à part de sympathiques bars de surfeurs construits sur pilotis, la vue est imprenable. Il n'y a plus qu'à se laisser aller. Un café perché sur la falaise, Ulu Watu, péninsule de Bukit

14

Surfer à Bali

15 Bali regorge d'endroits parfaits pour surfer. Il s'agit d'ailleurs de la première destination d'Asie qui a vu le surf décoller en tant que discipline sportive, pour ne jamais s'essouffler depuis. Bien au contraire ! Les surfeurs sillonnent l'île à moto à la recherche de la vague idéale. La houle est retombée ? Le prochain spot est à 5 minutes ! Et même si vous ne chevauchez pas les vagues, vous apprécierez l'ambiance et la culture surf, comme à Balian Beach (p. 251). Surfeurs au couchant sur la plage de Kuta, Bali

15

Kuta Beach

16 C'est là que le tourisme à Bali a vu le jour. Et c'est bien normal. Sa plage s'étend en arc de cercle vers un nord-est infini. La vague, née au large dans l'océan Indien, vient s'y éteindre en longs *breaks* symétriques. Douze kilomètres de plage offrent, au sud, massages, bières fraîches et amitiés, tandis que le nord est plutôt dévolu à la solitude méditative. Kuta Beach est et restera toujours la meilleure plage de Bali.
La plage de Kuta à l'heure de la promenade, au couchant, Bali

Seminyak

17 À Seminyak (p. 74), on se demande souvent si l'on est encore à Bali. La créativité balinaise s'exprime ici à plein, et la capitale du faste accueille des boutiques originales tenues par des stylistes locaux, des restaurants parmi les plus éclectiques et les plus intéressants, et de petits hôtels de charme qui rompent avec les clichés de l'île. Et, surtout, Balinais, expatriés et touristes communient dans une tranquille joie de vivre à la terrasse des cafés. Ku De Ta (p. 83), Seminyak

MICHELE FALZONE/GETTY IMAGES ©

ANDREY ARTYKOV/GETTY IMAGES ©

TJETJEP RUSTANDI/GETTY IMAGES ©

L'ascension du Rinjani

18 Dominant tout le nord de Lombok, le Gunung Rinjani (p. 276), avec ses 3 726 m, est le deuxième plus haut volcan d'Indonésie. Y organiser une randonnée n'est pas un parcours de santé : il faut prendre un guide, des porteurs et ne pas avoir peur de l'effort. La route serpente vers le sommet jusqu'à une immense caldeira d'où l'on peut jouir d'une vue spectaculaire sur le lac sacré en contrebas (un lieu de pèlerinage important), ainsi que sur le nouveau cône du volcan, le Gunung Baru, encore très actif. Le Danau Segara Anak et le Gunung Baru, dans le cratère du Gunung Rinjani

Surfer à Lombok

19 Presque la moitié du globe sépare Lombok de l'Antarctique, ce qui constitue une distance suffisamment grande pour que les rouleaux de l'océan Indien gagnent en vitesse et en force. Il n'est donc pas étonnant que le littoral de l'île offre des vagues spectaculaires, comme celle, légendaire et périlleuse, de Tanjung Desert (ou Desert Point). Si cela vous intimide, dirigez-vous plutôt vers la ville de Kuta, à proximité de laquelle vous attendent des dizaines de spots d'intérêt, comme Mawi et Gerupak.

Lever de soleil sur Trawangan

20 Si vous pensez que Gili Trawangan (p. 290) est époustouflante de jour, attendez de la voir à l'aube, après une nuit de tête au son des meilleurs DJ de la région. Ici, pas de décor clinquant ou surfait, ni de prix d'entrée exorbitants. Le lieu a gardé un côté brut, du temps où des raves y étaient organisées. Les DJ locaux y mixent généralement des sons ethniques, tandis que les DJ de renom se montrent plus imprévisibles. Les fêtes ont lieu trois soirs par semaine – mais à une moindre fréquence pendant le mois du ramadan. Petit matin calme à Gili Trawangan

L'essentiel

Devise
» Rupiah (Rp)

Langue
» Bahasa indonesia et balinais.

Quand partir

Nord de Bali
Toute l'année

Ubub
• Toute l'année

Sud de Bali
Toute l'année

Îles Gili
Toute l'année

Lombok
Toute l'année

Climat tropical, saisons humide et sèche
Climat tropical, pluie toute l'année

Haute saison
(juil-août)

» Les prix grimpent de 50%, voire plus.

» Beaucoup d'hôtels sont complets et il faut réserver dans les bons restaurants.

» Même envolée des prix et affluence pour Noël et le Nouvel An.

Saison intermédiaire
(mai, juin et sept)

» Conditions météo optimales.

» Bonnes affaires et réservations de dernière minute possibles.

» Meilleure période pour de nombreuses activités, comme la plongée.

Basse saison
(jan-avr, oct et nov)

» Bonnes affaires à foison et billets d'avion intéressants.

» Les pluies restent supportables.

» La plupart des activités sont possibles, sauf les treks sur les volcans.

Budget quotidien

Moins de
100 $US

» Chambre en *guesthouse/homestay* : moins de 50 $US

» Repas et boissons bon marché, surtout si la cuisine est du cru

» Il est possible de s'en sortir avec 40 $US/jour

Moyen
100 à 220 $US

» Chambre d'hôtel de catégorie moyenne : 50-150 $US

» Repas et boissons à peu près n'importe où

» Spa et autres prestations luxueuses envisageables

À partir de
220 $US

» Chambre d'hôtel ou dans un *resort* de luxe : plus de 150 $US

» Parmi les plus grosses dépenses : les spas grand luxe

Argent

» Distributeurs de billets (ATM) partout à Bali, sauf zones rurales, à Lombok dans les zones touristiques. CB acceptées dans les hôtels et restaurants de catégories moyenne et supérieure.

Visas

» Dans la plupart des cas : délivré à l'arrivée et valable 30 jours.

Téléphones portables

» Les cartes SIM locales, très bon marché, fonctionnent dans n'importe quel portable GSM débloqué.

Conduite

» La conduite se fait à gauche. Le volant se trouve à droite.

Sites Internet

» **Bali Advertiser** (www.baliadvertiser. biz). Le journal des expatriés de Bali, riche en conseils. En anglais.

» **Info Indonésie** (www. infoindonesie.com/ bali.htm). Une fiche complète sur Bali.

» **La Gazette de Bali** (www.lagazettedebali. info). Une foule de bons tuyaux pour les francophones.

» **Lombok Guide** (www. thelombokguide.com). Complet mais en anglais.

» **Lonely Planet** (www. lonelyplanet.fr). Informations, réservations d'hôtels, forum et plus.

Taux de change

Canada	1 C$	8 880 Rp
Suisse	1 FS	9 367 Rp
Zone euro	1 €	12 505 Rp

Pour connaître les derniers taux de change, connectez-vous au site www.xe.com

Numéros utiles

Bali possède six codes téléphoniques correspondant à des zones précises. Lombok en a deux. Ils sont indiqués dans les chapitres correspondants. Les numéros des portables débutent par 08. Ne composez pas le premier 0 des numéros quand vous appelez de l'étranger.

Indicatif Indonésie	☏62
Code d'accès international	☏001/017
Renseignements internationaux	☏102
Annuaire téléphonique	☏108

Arriver à Bali

» **Ngurah Rai Airport** ("Denpasar" ou "Bali" ; DPS) à Bali

Taxis pour Kuta : 50 000 Rp

Pour Seminyak : 80 000 Rp

Pour Ubud : 210 000 Rp

» **Lombok International Airport (LOP) près de Praya**

Taxis pour Kuta : 60 000 Rp

Pour Mataram : 100 000 Rp

Pour Senggigi : 150 000 Rp

Trop facile la vie à Bali

Vous avez oublié quelque chose à la maison ? Vous pourrez l'acheter à Bali. Vous ne parlez pas la langue ? Les Balinais parlent peut-être la vôtre et sûrement l'anglais. Peur de tomber malade ? Pas besoin de vaccins, et vous trouverez partout eau potable et nourriture saine. Des craintes par rapport aux transports ? De sympathiques chauffeurs sont toujours prêts à vous conduire pour un prix raisonnable. Où dormir ? Vous avez l'embarras du choix. Et la sécurité dans tout ça ? Bali est probablement plus sûre que votre ville d'origine. N'y a-t-il pas des rabatteurs et des escrocs ? On peut facilement les éviter sur 98% du territoire. Comment garder contact ? Les réseaux Wi-Fi et téléphoniques sont de qualité dans les zones touristiques. Est-ce que la nourriture est trop épicée ? Pas toujours et, de plus, des plats internationaux sont toujours à disposition. Votre plus grande crainte ? Devoir repartir.

Quoi de neuf ?

Pour cette nouvelle édition de Bali et Lombok, nos auteurs ont traqué ce qu'il y avait de nouveau, de changé et de branché dans l'île. En voici une sélection. Pour les recommandations de dernière minute, consultez notre site : www.lonelyplanet.fr

Reconnaissance par l'Unesco

1 Après des années d'attente, Bali s'est réjouie de voir l'Unesco ajouter sa riziculture traditionnelle au patrimoine mondial. Les rizières en terrasses de Jatiluwih et le Pura Taman Ayun en font notamment partie. (p. 228 et p. 249)

Le succès de Canggu

2 Boutiques, restaurants et auberges confèrent de la vie aux villas et aux rizières de la région de Canggu. Les longues plages léchées par les vagues n'en sont que plus prisées. (p. 90)

Plage de Kerobokan

3 De somptueux *resorts* et clubs fleurissent le long de la plage, au nord de Kerobokan, comme le W Resort et les clubs de plage Mozaic et Potato Head. (p. 86)

La folie de Bukit

4 De Jimbaran à Ulu Watu, les jolies petites plages de la péninsule accueillent de plus en plus d'hébergements de charme et de cafés originaux et souvent créatifs. (p. 96)

Un aéroport rénové

5 D'ici à 2014, l'aéroport de Ngurah Rai sera équipé d'un immense et nouveau terminal. Reste à savoir si les dizaines de bureaux de l'immigration seront pourvus de personnel. (p. 377)

Une nouvelle route à péage

6 En 2014, il sera possible de rouler au-dessus des mangroves du littoral sud en empruntant une route surélevée à péage qui reliera Sanur, Nusa Dua et l'aéroport. (p. 378)

Plan de circulation

7 Visiteurs comme résidents en ont assez des embouteillages incessants de Bali. Un nouveau carrefour entre la rocade Jl Ngurah Rai Bypass et Sunset Rd, à l'est de Kuta, est notamment censé y remédier. (p. 168)

L'aéroport de Lombok

8 Après de longs travaux, le nouvel aéroport international de Lombok, près de Praya, a enfin ouvert, et propose de nombreux vols internationaux et domestiques. (p. 378)

Une flopée d'écoles de plongée

9 L'apparition de nouvelles écoles de plongée sur les îles Gili a donné lieu à la Gili Island Diving Association en 2012, qui s'efforce de préserver les récifs et leurs occupants. (p. 33)

Les autres Gili

10 Techniquement, elles font aussi partie des Gili, mais Gili Gede et Gili Asahan possèdent une atmosphère beaucoup plus isolée, sauvage et paisible que leurs célèbres voisines. (p. 266)

Dans l'ouest de Lombok

11 La spectaculaire plage de sable blanc de Selong Blanak et la baie isolée de Blongas abritent des villas de luxe, un café chic, des requins marteaux et des raies. (p. 286)

Trawangan toujours bon marché

12 Ce n'est plus le royaume des routards, mais avec l'ouverture de l'auberge de jeunesse, de bungalows branchés (Woodstock) ou isolés (Exile), l'esprit bohème de Gili T perdure. (p. 290)

Envie de...

Plages

Les plages qui cernent l'île ne sont pas toutes de sable blanc – la plupart varient du brun au gris. Les conditions de surf peuvent changer du tout au tout en fonction de la présence d'un récif côtier.

Seminyak Beach Cette longue étendue de sable est battue par des vagues qui font la joie des surfeurs autant que des baigneurs. L'endroit est apprécié des habitants comme des visiteurs, surtout au coucher du soleil (p. 76).

Balangan Beach Un beau croissant de sable blanc de la péninsule de Bukit, quelques bungalows et une ambiance très décontractée : un lieu parfait pour prendre un verre ou piquer un somme (p. 99).

Plages des îles Gili Ces trois îlots sont frangés de plages superbes. Dotées de sable blanc, d'excellents spots de snorkeling, elles attirent les routards depuis des lustres (p. 288).

Selong Blanak Un coin idyllique de Lombok qui laisse bouche bée la première fois (p. 286).

Temples

La diversité des quelque 20 000 temples de Bali est telle qu'il est difficile de les cataloguer. Les plus importants reflètent le caractère singulier du bouddhisme de l'île, façonné pendant des siècles par les prêtres et les prophètes.

Pura Luhur Batukau L'un des plus illustres de Bali, situé sur les flancs du volcan homonyme. Un endroit isolé et nimbé de brume, empreint de spiritualité (p. 229).

Pura Taman Ayun Un somptueux sanctuaire entouré de douves et au passé royal ; classé par l'Unesco au patrimoine mondial avec les rizières de Bali (p. 249).

Pura Pusering Jagat Célèbre temple de Pejeng, datant du XIVe siècle, quand la cité était encore puissante (p. 172).

Pura Luhur Ulu Watu Aussi important que prisé : vue magique sur l'océan Indien, spectacles de danse au coucher du soleil et singes chapardeurs (p. 103).

Vie nocturne

Les discothèques de Bali et des îles Gili attirent des voyageurs de toute l'Asie du Sud-Est. Le grand nombre de touristes aisés et l'absence de lois réglementant la vente d'alcool ont permis l'apparition de clubs où mixent des DJ de renommée mondiale. Il est courant de passer d'un club à l'autre durant toute la nuit : fièvre garantie !

Seminyak Commencez votre soirée dans un endroit branché où tout le monde est beau à la lueur des bougies (p. 74).

Kuta Énergie à l'état brut et mélange incroyable de fêtards. Une plongée dans la vie moderne de Bali (p. 50).

Gili Trawangan Rythmes effrénés et mix entêtants, trois fois par semaine (p. 290).

» Un orchestre de gamelan durant le Bali Arts Festival (p. 122)

Culture

L'héritage culturel de l'île est omniprésent. Les spectacles de danse et de musique sont le fruit d'une culture séculaire en constante évolution. Les villages honorent d'ailleurs tout artiste qui y a élu domicile. La spécificité de cette culture, vivante et accessible, hisse à cet égard Bali au rang de destination unique.

Danse La précision des chorégraphies et le niveau de la discipline font de la danse balinaise un art au raffinement sans égal. Ne partez pas sans avoir assisté à un spectacle traditionnel (p. 339).

Gamelan Bambou et instruments en bronze : cet orchestre traditionnel est présent à chaque spectacle de danse ou à l'occasion d'une cérémonie religieuse (p. 341).

Peinture Les styles balinais et occidental ont fusionné au XXᵉ siècle, donnant souvent un résultat extraordinaire. De belles pièces sont notamment à voir dans les musées d'Ubud (p. 343).

Gastronomie

La cuisine balinaise est relevée et audacieuse. Des saveurs d'Inde du Sud, de Malaisie et de Chine la rendent unique. Elle est riche d'années d'échanges culturels et commerciaux maritimes, voire du contact des pirates des mers d'Asie. Mais le choix n'est pas limité aux seuls plats locaux : vous trouverez aussi des mets issus du monde entier.

Seminyak Le plus grand choix de bonnes tables. Un tour du monde de la cuisine (p. 80).

Kerobokan L'endroit le plus tendance héberge les meilleurs restaurants, mais aussi de très bons et modestes *warung* balinais (p. 86).

Denpasar Authentiques cafés locaux qui servent de la nourriture balinaise et indonésienne exceptionnelle (p. 123).

Ubud Nombreux restaurants et cafés. La plupart sont bio (p. 159).

Shopping

Certains ne viennent à Bali que pour y faire du shopping. L'île regorge en effet de boutiques et d'étals divers, des vendeurs de T-shirts bon marché aux charmantes boutiques d'articles ménagers et de vêtements réalisés par des créateurs locaux à la renommée internationale.

Seminyak Il paraît difficile de ne pas croiser de styliste à Seminyak, car la plupart des gens ici le sont. Le monde de la mode est en mouvement permanent : de nouvelles boutiques naissent, d'autres disparaissent, certaines se transforment, tandis que d'autres encore prennent de l'ampleur. Vos chances de croiser une future star sont grandes (p. 83).

Kerobokan C'est la prochaine Seminyak. Elle commence à égaler sa petite voisine du sud en termes d'énergie et de créativité (p. 89).

Mois par mois

À ne pas manquer

1 **Nyepi**, mars ou avril

2 **Galungan et Kuningan**, variable

3 **Ubud Writers & Readers Festival**, octobre

4 **Bali Arts Festival**, juin-juillet

5 **Perang Topat**, novembre ou décembre

Février

La saison des pluies laisse un peu de répit, après les fêtes de fin d'année (haute saison).

Fête du Nyale

La récolte rituelle des vers marins *(nyale)* a lieu sur la plage de Seger, à côté de Kuta à Lombok. Des joutes poétiques et des spectacles de gamelan s'enchaînent jusqu'à l'aube, quand les vers apparaissent. En général en février mais parfois en mars.

Mars

La fin de la saison des pluies correspond à la basse saison touristique.

Nyepi (Jour du silence)

Fête hindoue majeure de Bali, Nyepi (p. 328) célèbre le passage à la nouvelle année. Toute activité cesse pour convaincre les mauvais esprits que l'île est inhabitée afin qu'ils s'en aillent. La nuit précédente est organisé le traditionnel *ogoh-ogoh* : d'énormes dragons en papier mâché sont brûlés. Mars ou début avril.

Avril

Le climat devient sec après la mousson, mais les îles sont encore préservées des visiteurs.

Bali Spirit Festival

Un festival de musique, de danse et de yoga en plein essor (www.balispiritfestival.com) organisé par le personnel du Yoga Barn à Ubud. Plus de 100 ateliers et concerts, un marché... Généralement entre fin mars et début avril.

Malean Sampi

Courses de buffles sur des terrains gorgés d'eau, à côté de Mataram (Lombok). Les participants sont cramponnés à un attelage composé de deux buffles. Dangereux, boueux et amusant. Début du mois.

Mai

Mois idéal. Ce n'est pas la haute saison, les pluies ont cessé (quelques précipitations sont envisageables). Les randonnées sont possibles, mais les eaux des rivières sont trop hautes pour le rafting.

Bali Art Festival de Buleleng

Chaque année à Singaraja, dans le nord de Bali, a lieu ce grand festival d'art. Pendant une semaine, danseurs et musiciens de la région se produisent, la troupe de Jagaraga par exemple.

Juin

Bien que l'aéroport commence à s'animer un peu plus, le mois de juin reste une excellente période.

Bali Arts Festival

Le festival artistique de Denpasar (p. 122) est l'événement majeur de l'agenda culturel de Bali. Installé dans le centre des arts Taman

Wedhi Budaya, il met à l'honneur la danse et la musique traditionnelles. Des groupes de toute la région s'y produisent. Mi-juin à mi-juillet.

Juillet

Juillet, comme août, est un mois d'affluence à Bali et sur les îles Gili (Lombok est plus calme). Pensez à réserver pour profiter pleinement de votre séjour.

✦✦ Bali Kite Festival

Dans le sud de Bali, la pratique du cerf-volant est courante toute l'année. Souvent immenses (10 m et plus), ils volent à des altitudes qui inquiètent les pilotes. Forts de leur symbolique religieuse, ils incitent les dieux à garantir des récoltes abondantes. Pendant le festival (p. 116), le ciel s'emplit de ces étonnantes créations.

Octobre

Le ciel s'obscurcit plus souvent avec les pluies saisonnières, mais le climat reste agréable et l'activité revient à la normale.

✦✦ Ubud Writers & Readers Festival

Organisé à Ubud, ce festival (www.ubudwritersfestival. com) accueille bon nombre d'auteurs et de lecteurs du monde entier pour célébrer la littérature, surtout celle relative à Bali.

(Ci-dessus) Cerfs-volants lors du Bali Kite Festival (p. 116)
(Ci-dessous) Des masques de démons (p. 350) paradent dans le sud de Bali

✯ Carnaval de Kuta

Grande fête sur la plage de Kuta (www.kutakarnival. com) : jeux, art, concours, surf et bien d'autres divertissements. Premier week-end d'octobre et jours suivants.

Novembre

Il pleut davantage mais pas au point de gâcher votre séjour. Un mois plus tranquille.

✯ Perang Topat

Cette amusante guerre du riz se déroule au Pura Lingsar, à la sortie de Mataram (Lombok). Défilés costumés et batailles de boules de *ketupat* (riz gluant) entre les communautés hindoues et *wektu telu*, Novembre ou décembre.

Décembre

Mois chargé pour Bali et les îles Gili, surtout pendant les fêtes de fin d'année. Hôtels, restaurants et boutiques tournent à plein régime.

👁 Peresean

Il s'agit d'un art martial pratiqué à

GALUNGAN ET KUNINGAN

Galungan, qui commémore la mort d'un tyran légendaire du nom de Mayadenawa, est l'une des festivités majeures de Bali. Pendant 10 jours, toutes les divinités descendent sur terre pour l'occasion. Des Barong (créature mythique mi-lion, mi-chien) paradent de temple en temple et de village en village, alors que les habitants festoient et visitent leurs familles. Les célébrations culminent avec le festival Kuningan, à l'occasion duquel les Balinais remercient les dieux et leur disent au revoir.

Tous les villages de Bali célèbrent Galungan et Kuningan en grande pompe et les visiteurs sont les bienvenus.

Le calendrier de 210 jours *(wuku)*, aussi appelé Pawukon, est utilisé pour déterminer les dates des festivals. Il comprend 10 types de semaines différentes – composées de 1 à 10 jours – qui se superposent. Le chevauchement de ces semaines délimite les jours de bon augure. Voici les dates des prochaines célébrations de Galungan et de Kuningan :

ANNÉE	GALUNGAN	KUNINGAN
2013	27 mars et 23 oct	6 avr et 2 nov
2014	21 mai et 17 déc	31 mai et 27 déc
2015	15 juil	25 juil

Lombok. Les concurrents, torse nu, se battent avec des bâtons et des boucliers en cuir. Le premier qui fait couler le sang gagne. Tous les ans à Mataram. Fin du mois.

Itinéraires

Que vous disposiez d'une semaine ou de deux mois, ces itinéraires constituent des bases pour élaborer un voyage inoubliable. Encore en manque d'inspiration ? Consultez le forum des voyageurs de Lonely Planet à l'adresse www.lonelyplanet.fr/forum.

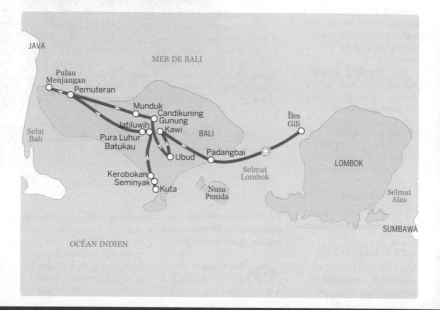

Deux semaines
Bali et les îles Gili

Commencez par **Seminyak**, où vous trouverez les meilleurs restaurants, bars et boutiques. Prévoyez au moins 3 jours pour profiter des charmes raffinés de **Kerobokan** et des nuits festives de **Kuta**. Ensuite, faites route vers le nord pour découvrir les rizières de **Jatiluwih** et le **Pura Luhur Batukau**, un temple perché dans les nuages. Au nord-ouest, les hébergements décontractés de **Pemuteran** vous donnent accès au plus beau site de snorkeling et de plongée de Bali : **Pulau Menjangan**. En revenant vers l'est, arrêtez-vous à **Munduk**, d'où vous pourrez entreprendre des randonnées vers des cascades isolées.

Gagnez **Ubud**, le centre spirituel de l'île, via **Candikuning**. Après une journée de marche dans la paisible campagne, profitez des spectacles culturels. Faites un crochet d'une journée à **Gunung Kawi** pour ses monuments. Descendez vers la jolie petite ville portuaire de **Padangbai** avant de vous rendre en bateau rapide vers les **îles Gili**. Épuisez les plaisirs de ces îles, de la vie nocturne sur Gili Trawangan au snorkeling à la recherche d'une tortue.

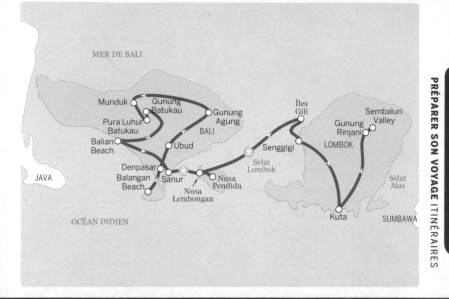

Trois semaines
Tout Bali et Lombok

Commencez par **Balangan Beach** pour récupérer du décalage horaire. Arrêtez-vous à **Denpasar** pour y savourer un authentique déjeuner balinais, puis montez vers **Ubud** où vous vous imprègnerez de la culture de l'île. Ensuite, partez tôt pour grimper au sommet du **Gunung Agung**, le centre spirituel de l'île, et pour profiter de la vue avant que s'amoncellent les nuages et la brume.

Après l'ascension de ce pic légendaire, allez vers l'ouest jusqu'au village de **Munduk**, qui surplombe la mer. Une promenade vous fera découvrir des cascades, des hameaux, des vergers sauvages et des rizières qui ourlent les versants des montagnes. Dirigez-vous ensuite vers le sud jusqu'au merveilleux temple de **Pura Luhur Batukau** et tentez l'ascension du deuxième plus haut sommet de Bali, le **Gunung Batukau**. Descendez vers **Balian Beach**, une plage qui a le vent en poupe sur la côte ouest, et profitez d'une ambiance "surf", décontractée et festive.

De **Sanur**, prenez un bateau jusqu'à **Nusa Lembongan**, l'île située derrière **Nusa Penida**. Au large de la côte sud-est de Bali, cette dernière, quasi déserte et sauvage, à la fois luxuriante et aride, est idéale pour s'échapper le temps d'une journée. Contemplez les vues époustouflantes depuis ses falaises et plongez sous les vagues pour admirer la vie marine.

De Nusa Lembongan, prenez le bateau qui rejoint directement les **îles Gili** pour compléter vos aventures insulaires et pratiquer la plongée. De là, rejoignez en bateau **Senggigi** à Lombok, mais, plutôt que de vous arrêter dans l'un de ses complexes hôteliers, mettez le cap vers le sud. Peu fréquentées, les plages autour de **Kuta** sont splendides et d'excellents spots de surf récompenseront les plus aventureux. Les petites routes de l'arrière-pays, très peu fréquentées, mènent à de minuscules villages, où vous pourrez notamment découvrir le formidable artisanat local. Nombre d'entre elles conduisent aussi jusqu'aux flancs du **Gunung Rinjani**, le volcan qui recèle la verdoyante **vallée de Sembalun**. Marcher d'un village à l'autre sur le rebord du cratère peut prendre des jours mais constitue à coup sûr un trek inoubliable.

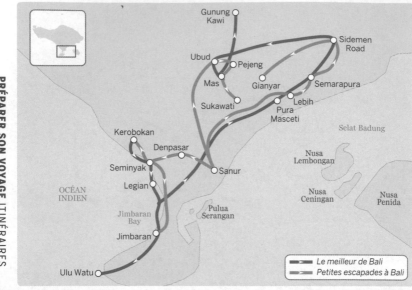

Le meilleur de Bali
Petites escapades à Bali

Une semaine
Petites escapades à Bali

Cet itinéraire s'adresse aux voyageurs qui souhaitent poser leur valise une fois pour toutes et explorer Bali en plusieurs escapades à la journée. Louez une chambre en bord de plage à **Sanur**, par exemple à l'Hotel La Taverna ou au Tandjung Sari, qui combinent charme, raffinement et décontraction.

Escapade 1 : les marchés et musées de la toute proche **Denpasar**, suivis par les boutiques de **Seminyak** et de **Kerobokan**. Terminez la journée par un dîner de poisson et de fruits de mer à **Jimbaran**.

Escapade 2 : faites route vers **Ubud** et profitez de ses rues, de ses boutiques, de ses galeries et de ses musées. Découvrez les temples de **Pejeng**, les sculpteurs de **Mas** et le marché de **Sukawati**.

Escapade 3 : suivez la côte qui longe les plages volcaniques vers le nord-est. Arrêtez-vous à **Lebih** pour son temple et sa plage de mica étincelant au soleil. Enfoncez-vous dans les terres à la découverte des ruines du temple de **Semarapura** et de son marché, puis, vers le nord, longez la pittoresque **Sidemen Road**. Enfin, direction le sud-ouest pour découvrir **Gianyar**, où vous visiterez des fabriques de textiles traditionnels.

Une semaine
Le meilleur de Bali

Louez une chambre en bord de mer à **Seminyak** ou à **Kerobokan** et profitez des boutiques et de la plage. Dînez de poisson et de fruits de mer dans la **baie de Jimbaran**, au retour d'une escapade d'une journée au temple peuplé de singes d'**Ulu Watu**.

À l'est, suivez la route côtière pour accéder à des plages sauvages comme celle proche de **Pura Masceti**, puis aux ruines de la cité royale de **Semarapura**. Remontez vers le nord par la spectaculaire **Sidemen Road**, qui longe des rizières, de verdoyantes vallées et des montagnes drapées de nuages. Cap à l'ouest ensuite pour rejoindre **Ubud**, étape obligée de tout séjour balinais.

Pour un séjour parfait, choisissez l'un des nombreux hôtels d'Ubud avec vue sur les rizières et les cours d'eau. Faites-vous dorloter dans un spa avant d'essayer l'un des excellents restaurants. C'est à Ubud que la riche culture balinaise est la plus accessible, avec des spectacles de danse tous les soirs. Visitez les ateliers d'artisans, comme celui de sculpture sur bois de **Mas**. Promenez-vous à travers les rizières jusqu'aux vallées et explorez les musées foisonnant de peintures. Enfin, découvrez au nord les monolithes millénaires du **Gunung Kawi**.

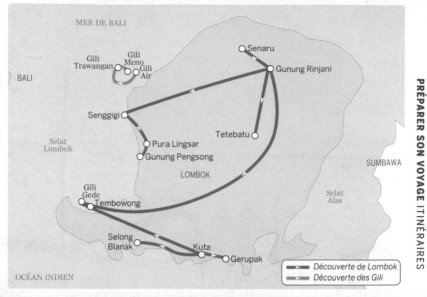

MER DE BALI

BALI

Gili Trawangan
Gili Meno
Gili Air

Senaru

Gunung Rinjani

Senggigi

Pura Lingsar
Gunung Pengsong

Tetebatu

Selat Lombok

LOMBOK

SUMBAWA

Gili Gede
Tembowong

Selat Alas

Selong Blanak

Kuta

Gerupak

OCÉAN INDIEN

Découverte de Lombok
Découverte des Gili

Deux semaines
Découverte de Lombok

Une semaine
Découverte des Gili

Installez-vous à **Kuta** et profitez un ou deux jours de ses belles plages. À l'est ou à l'ouest, une douzaine de baies, dont la superbe **Selong Blanak**, vous enchanteront. Une fois sur place, goûtez aux joies du surf dans le sud de l'île. **Gerupak** est l'endroit parfait pour prendre des cours ou se mesurer à des vagues épiques. Le Sud-Ouest est plus tranquille ; idéal pour des baignades dans de paisibles eaux turquoise ou pour la navigation entre une douzaine de petites îles. La petite **Gili Gede** constitue une base parfaite : vous pouvez la rejoindre en bateau de **Tembowong**.

Il vous reste à découvrir le **Gunung Rinjani**, auquel on accède par Tembowong. On peut explorer ses contreforts à **Tetebatu** ou à **Sapit**, ou en entreprendre l'ascension depuis **Senaru** pour gagner le cratère, le lac ou le sommet (selon le temps, l'énergie et la motivation dont vous disposez). Après le Rinjani, votre corps accueillera avec bonheur des séances de spa à **Senggigi** : massages et traitements pour tous les budgets. Couronnez ce périple par une ou deux escapades vers les sites autour de Mataram, comme le fascinant temple **Pura Lingsar** ou le **Gunung Pengsong**, un sanctuaire perché en haut d'une colline.

C'est à **Gili Air**, avec son front de mer tropical propice à la détente, que l'on adoptera le rythme insulaire. Il est en effet aisé d'y lâcher prise, en lisant, en piquant une tête après un bon bain de soleil, en faisant du snorkeling (peut-être verrez-vous une tortue ?) ou en se délectant de fruits de mer bon marché. Difficile de repartir...

Vient alors la découverte de la dynamique **Trawangan** (ou Gili T). Une journée type commencerait par une sortie de plongée, à **Shark Point**, par exemple, se poursuivrait avec un déjeuner, puis une sieste. Plus tard, louez un vélo pour explorer les rivages et arrêtez-vous au coucher du soleil pour boire un cocktail sur la côte ouest. Après dîner, vous n'aurez que l'embarras du choix pour danser aux sons d'une des innombrables fêtes qui font la célébrité de Gili T, à moins que votre amour du reggae ne vous conduise au Sama Sama.

Troisième étape, l'idyllique et tranquille **Gili Meno**. Une fois votre hébergement réservé, vous n'aurez rien d'autre à faire que de vous émerveiller de la beauté de l'île et de la clarté de ses eaux. Si vous parvenez à vous éloigner de la plage, profitez-en pour visiter une réserve de tortues.

» (ci-dessus) Mushroom Bay,
à Nusa Lembongan (p. 127)
» (à gauche) L'une des cascades
de Munduk (p. 226)

Sports et activités

Quand partir

La saison sèche, d'avril à septembre, est idéale pour faire du vélo, de la randonnée sur les volcans et de la plongée. Le reste de l'année, il pleut modérément, il est donc possible de profiter des beautés de l'île. Il faut surfer à l'est pendant les mois en "r" et à l'ouest durant les autres, dit un adage.

Meilleurs spots de surf

Ulu Watu. Mondialement connu (p. 103).
Tanjung Desert (Desert Point). Légendaire et difficile à atteindre, à Lombok (p. 267).
Batu Bolong. Un spot parfait, toute l'année (p. 92).

Meilleurs spots de plongée/snorkeling

Pulau Menjangan (p. 257). Un tombant spectaculaire de 30 m.
Tulamben (p. 212). L'épave d'un cargo, snorkeling et plongée près de la côte.
îles Gili (p. 288). Plongée et snorkeling dans des eaux splendides.

Les plus belles randonnées

Munduk (p. 226). Luxuriant, parfumé d'épices et paysages parsemés de cascades.
Ubud (p. 145). Belles balades.
Tirta Gangga (p. 204). Rizières en terrasses, vues splendides et temples.

Bien plus qu'un simple paradis de carte postale, Bali est un endroit sensationnel pour s'adonner à de nombreuses activités de plein air. Vous ne regretterez pas de vous être arraché à votre serviette de plage.

Les eaux qui cernent l'île offrent des plongées de première classe, avec des récifs, des épaves et une faune marine parfois aussi énorme que rare. Plus près du rivage, ces mêmes eaux forment des vagues qui comptent parmi les plus réputées au monde pour le surf.

La terre ferme invite à d'innombrables randonnées à travers rizières et vallées ou à l'assaut des trois principaux volcans de l'île. Les superbes paysages balinais peuvent aussi se parcourir à vélo.

Lombok ne jouit certes pas d'autant d'infrastructures, mais elle est, elle aussi, appréciée pour ses spots de plongée, de surf (souvent au large) et son célèbre trek à l'assaut du volcan Rinjani.

Surf

C'est le surf qui, dans les années 1960, a donné un coup de fouet au tourisme à Bali. De nombreux Balinais s'y sont mis, avec un style que d'aucuns disent influencé... par les danses traditionnelles locales.

Les spots de surf de Bali et de Lombok

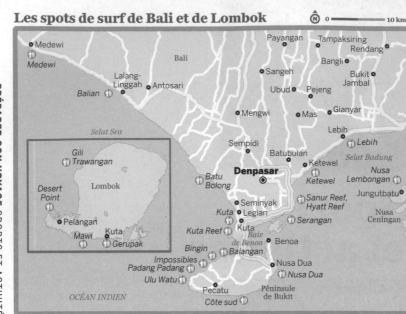

Où surfer à Bali

Les vents arrivant de l'océan Indien, les spots de surf sont situés dans la partie sud de l'île et, étonnamment, sur la côte nord de Nusa Lembongan, où la houle s'engouffre dans le détroit formé avec la côte balinaise.

Pendant la saison sèche (d'avril à septembre), la côte ouest offre les meilleures vagues, car les vents arrivent du sud-est ; c'est aussi en cette saison que le site de Nusa Lembongan est le plus propice au surf. Pendant la saison humide, préférez la partie est de l'île, de Nusa Dua à Padangbai. En cas de vent du nord – ou si le vent est tombé –, essayez la côte sud de la péninsule de Bukit.

Notez que les spots répertoriés ici sont presque toujours assortis d'une bonne plage du même nom.

Balangan

Traversez la station touristique de Pecatu Indah et suivez la route qui part sur la droite pour rejoindre le *warung* de Balangan. Balangan est une gauche rapide qui déroule sur un fond rocheux peu profond, impossible à surfer à marée basse, mais intéressante à mi-marée lorsque les déferlantes dépassent 1 m. Lorsque les vagues atteignent 2,5 m, il devient l'un des spots incontournables des environs.

Balian

Quelques pics partent de l'embouchure de la Sungai Balian (rivière Balian) dans la partie ouest de Bali. La meilleure vague est une belle gauche, régulière et surfable à mi-marée ou à marée haute si le vent ne souffle pas. De nombreux lieux d'hébergement ont vu le jour récemment.

Batu Bolong

Au nord de Kerobokan, à l'extrémité nord de la baie, Batu Bolong (souvent appelé Canggu) possède une belle plage de sable blanc qui fait la joie de nombreux surfeurs. Les vagues atteignent de 1,5 à 2 m au maximum. Une belle droite vous attend à marée haute.

Bingin

Situé au nord de Padang Padang et accessible par la route, ce spot attire parfois les foules. Allez-y de préférence à mi-marée, avec une houle de 2 m, vous y trouverez des gauches tubulaires courtes mais parfaites. Les falaises qui surplombent la plage sont parsemées d'hébergements originaux.

Impossibles

Juste au nord de Padang Padang, cette vague qui déroule au large donne trois pics changeants avec des tubes gauches rapides qui se rejoignent quand les conditions sont optimales.

Ketewel et Lebih

Ces deux plages s'étirent au nord-est de Sanur. Ce sont deux *beach breaks* avec des droites qui peuvent être difficiles à marée basse et ferment à plus de 2 m.

Région de Kuta

Pour votre premier plongeon dans l'océan Indien, essayez les *beach breaks* de Kuta ; à marée haute, lancez-vous à proximité du club de sauvetage, à l'extrémité sud de la route qui longe la plage. À marée basse, testez les tubes de **Halfway Kuta**, sans doute le meilleur spot de Bali pour les débutants. Si vous vous sentez un peu rouillé, commencez par les *beach breaks*, mais restez tout de même vigilant.

Plus au nord, les vagues de **Legian Beach** sont parfois très puissantes, avec des gauches et des droites sur les bancs de sable au niveau de Jl Melasti et de Jl Padma.

Les plus expérimentés pourront se diriger vers les récifs situés au sud des *beach breaks*, à environ 1 km au large de la côte. **Kuta Reef**, vaste étendue de coraux, offre différents types de vagues. Vous pouvez atteindre le spot en pagayant une vingtaine de minutes, mais le mieux est de s'y rendre en bateau, moyennant quelques dollars. La vague principale est une gauche classique qu'il vaut mieux surfer à mi-marée ou à marée haute, avec une houle allant de 1,5 à 2 m, lorsqu'elle déferle rapidement sur le récif et déploie un beau tube.

En cas de doute, n'hésitez pas, ici comme ailleurs, à demander conseil aux surfeurs locaux.

Medewi

Plus loin sur la côte sud de l'ouest de Bali, vous pourrez surfer une gauche plus douce appelée Medewi. Déferlant sur fond de rocher, elle pourra vous mener jusqu'à l'embouchure de la rivière. Passé le *take off* vertical, la vague déroule bien. Hébergement disponible à proximité.

Nusa Dua

Durant la saison humide, surfez de préférence du côté est de l'île, où vous trouverez de beaux *reef breaks*. Le récif situé à proximité de Nusa Dua offre des houles très régulières. La vague principale est située à 1 km de la plage au sud de Nusa Dua

– passez le golf et vous verrez une rangée de *warung* et de bateaux que vous pourrez emprunter. Vous y trouverez des gauches et des droites idéales à marée basse ou à mi-marée par faible houle. Plus au nord, devant le Club Med, on surfe un *reef break* de droite rapide avec tubes, appelé **Sri Lanka**, de préférence à mi-marée.

Nusa Lembongan

Cette île qui fait partie du groupe de Nusa Penida est séparée de la côte sud-est de Bali par le Selat Badung (détroit de Badung).

Le détroit est très profond et forme d'énormes houles qui viennent se briser sur les récifs au large de la côte nord-ouest de Lembongan. **Shipwreck**, que l'on voit clairement depuis la plage, est la vague la plus fréquentée ; il s'agit d'une longue droite assortie d'un bon tube à mi-marée avec une houle de près de 2 m.

Un peu plus au sud, **Lacerations** est une droite creuse très rapide qui déferle sur des rochers très peu profonds qui lui ont valu son nom. Encore plus au sud, vous pourrez vous attaquer à une gauche plus facile appelée **Playground**. Le spot de Lembongan est à son avantage par vent d'est, à savoir durant la saison sèche.

Padang Padang

Souvent appelé Padang tout court, ce *reef break* gauche court et très peu profond est situé immédiatement au nord d'Ulu Watu. Encore une fois, renseignez-vous bien avant de vous aventurer sur ce spot. Il s'agit d'une vague très difficile à surfer, qui ne marche qu'à partir de 2 m à mi-marée ou à marée haute – un superbe site à observer depuis le sommet de la falaise.

Inutile de vous y essayer si vous ne savez pas surfer les tubes, que ce soit dos ou face à la vague : Padang est *le* tube par excellence. Après un *take off* vertical, il faut prendre de la vitesse en bas de vague avant de remonter dans le tube. À ne tenter que si vous avez le cœur bien accroché et si le spot n'est pas trop fréquenté.

Sanur

Sanur Reef déroule une vague creuse avec d'excellents rouleaux. Elle est irrégulière et ne marche qu'avec une houle d'au moins 2 m, mais elle devient de première classe au-dessus de 2,5 m et très délicate au-dessus de 3 m. On trouve d'autres récifs plus au large, la plupart surfables.

Hyatt Reef, à plus de 2 km du rivage, comprend un pic droit irrégulier qui peut se révéler excellent à marée haute. Une droite classique se trouve au large du Grand Bali Beach Hotel.

Serangan

Le projet de développement de Pulau Serangan (île de la Tortue) a entraîné d'énormes levées de terre, dans le sud et dans l'est de l'île, qui se sont révélées favorables à la pratique du surf, mais désastreuses du point de vue esthétique et écologique. La nouvelle digue a rendu l'île beaucoup plus accessible, et une dizaine de *warung* font face à des gauches et à des droites d'au moins 1 m.

Côte sud

La côte de l'extrême sud de la péninsule de Bukit accueille des surfeurs à toute époque de l'année par vent du nord ou sans vent – partir très tôt pour éviter les vents du large. La péninsule est bordée de récifs et il y a de grosses houles, mais l'accès au spot est difficile. Plusieurs routes mènent au site, mais la côte n'est guère qu'une falaise. Essayez de descendre sur la plage par les marches du Pura Mas Suka ou prenez un bateau par une journée sans vent et avec une houle faible.

Ulu Watu

Lorsque les vagues de Kuta Reef atteignent 1,5 à 2 m, celles d'Ulu Watu, le *break* le plus célèbre de Bali, font de 2 à 2,5 m. Kuta et Legian sont situées dans une baie immense, Ulu Watu se trouve à l'extrémité sud et reçoit régulièrement plus de vagues que Kuta.

Teluk Ulu Watu (la baie d'Ulu Watu) ne semble vivre que pour le surf – des jeunes des environs se proposeront de waxer votre planche, de vous apporter des boissons et de les porter pour vous jusqu'à la grotte, point habituel d'accès aux vagues. En outre, vous trouverez des *warung* et des hébergements pour toutes les bourses.

Ulu Watu compte environ *7 breaks* différents. Le **Corner** est juste en face de vous, sur la droite. Il s'agit d'une gauche creuse, montant à 2 m environ et qui casse vite. Le fond rocheux est très peu profond, aussi tâchez d'éviter de tomber la tête la première. Par marée haute, essayez l'excellent **Peak**, efficace de 1,5 à 2,5 m, avec à l'occasion des vagues plus grosses en plein sur le Peak même. Vous pouvez partir à l'*inside* de ce côté ou plus bas sur le *line up* (où les surfeurs attendent la vague). C'est une très bonne vague.

Il y a une autre gauche au large de la falaise qui forme le flanc sud de la baie. Elle casse à l'*outside* par forte houle et, dès qu'elle atteint un bon 2 m, une gauche se forme devant un temple à l'extrémité sud. Derrière le Peak, lorsqu'il est à son maximum, se crée un *bombora* (récif submergé) baptisé **Bommie**. C'est une autre grosse gauche, qui ne se forme que lorsque la houle dépasse 3 m. Avec des vagues normales de 1,5 à 2,5 m, on observe aussi des *breaks* au sud du Peak.

Regardez où les autres surfeurs pagaient et suivez-les. Dans le doute, demandez à quelqu'un : mieux vaut en savoir le maximum avant de se lancer. Descendez dans la grotte et commencez à ramer pour en sortir. Si la houle est forte, vous serez emporté sur votre droite, mais pas de panique, il est assez facile de contourner le bouillon des vagues en longeant la falaise. Pour revenir, vous devrez regagner la grotte. Par forte houle, dirigez-vous du côté sud de la grotte, car le courant se dirige vers le nord.

Où surfer à Lombok

Lombok possède plusieurs bons spots et peu de touristes, les vagues seront donc tout à vous.

Desert Point

Situé dans un endroit reculé et difficile d'accès, Desert Point est une vague d'exception, élue "meilleure vague du monde" par le magazine *Tracks*. Réservée aux surfeurs très expérimentés, elle offre un tube gauche qui, les bons jours, peut permettre un *ride* de 300 m. Dans une région où les vagues sont généralement longues et plates, elle ne cesse de grossir du départ à l'arrivée (qui se fait sur des coraux extrêmement coupants). Desert Point ne se forme vraiment que lorsqu'il y a une grosse houle – c'est de mai à septembre que l'on a le plus de chances d'avoir de bonnes conditions. Casque et bottes sont nécessaires à marée basse. L'hébergement le plus proche se trouvant à Pelangan, à 12 km, nombre de surfeurs choisissent de camper sur place ou de venir dans le cadre d'un surf safari au départ de Bali.

Gerupak

Cette immense baie de 6 km à l'est de Kuta offre quatre spots qui permettent de surfer quels que soient le temps ou les marées. Meilleur à la marée montante, et praticable toute l'année, **Bumbang** offre un tube droit idéal pour tous les niveaux. **Gili Golong** est excellent à moyenne et haute marée, entre octobre et avril. **Don-Don** a besoin d'une plus grosse houle pour offrir de très bonnes conditions mais reste suffisant toute l'année. Enfin, **Kid's Point** (ou Pelawangan) ne se forme qu'avec une très forte houle. Quand c'est le cas, les tubes n'en finissent pas. Vous devez prendre un bateau pour remonter chaque vague (environ 70 000 Rp).

Gili Trawangan

Plus connue pour être la Mecque de la plongée sous-marine, Trawangan possède aussi un spot de surf peu connu du côté de la pointe sud-ouest de l'île, au large de l'hôtel Vila Ombak. C'est une droite rapide qui se casse en deux sections, dont l'une est plus abrupte et se brise sur du corail pointu. Elle peut être surfée toute l'année, mais mieux vaut toujours privilégier la marée haute.

Mawi

À 18 km environ à l'ouest de Kuta, la splendide baie de Mawi offre une belle gauche avec un *take off* tardif et un tube sur la fin. Elle est à son mieux à la saison sèche, de mai à octobre, avec des vents *offshore* et une houle sud-ouest. Faites très attention, car il y a des rochers et des coraux dangereux sous l'eau, sans compter les forts contre-courants. Malheureusement, des vols ont déjà été constatés sur la plage et il convient donc de ne laisser traîner aucun objet de valeur. Il peut être aussi prudent de proposer un pourboire à un habitant pour qu'il surveille, le cas échéant, votre véhicule.

Matériel : acheter ou louer ?

Les planches courtes conviennent bien aux petites vagues, mais quelques centimètres de plus par rapport à votre longueur habituelle ne seront pas superflus. Pour les plus grosses vagues (de plus de 2,5 m), il faut prévoir l'artillerie lourde : une planche de 7' (2,10 m environ) sera parfaite pour un surfeur de taille et de corpulence moyennes.

Sachez que les autorités douanières balinaises voient souvent d'un mauvais œil les voyageurs transportant plus de deux ou trois planches.

Vous trouverez des boutiques de surf à Kuta et ailleurs dans le sud de Bali. Il est possible de louer des planches de qualité variable (entre 30 000 et 50 000 Rp par jour) et tout l'équipement dans la plupart des lieux touristiques où se pratique le surf. Si vous avez besoin d'une réparation, renseignez-vous auprès des autres surfeurs, les adresses ne manquent pas.

Autres équipements recommandés :

» Un sac de transport solide pour le voyage en avion

» Une sangle pour le transport

» De bonnes chaussures pour descendre sur les rochers

» Votre wax préférée (si vous êtes difficile)

» Des bottes néoprènes *(reef booties)*

» Un T-shirt en néoprène ou autre protection contre les coups de soleil, le vent ou les égratignures

» Un casque de surf pour se protéger des récifs (également utile à moto)

Écoles de surf

Les écoles de surf sont basées tout près de Kuta Beach, à Kuta et Legian.

Wave Hunter (p. 51). Location de *paddle boards*, cours et excursions très abordables vers les plages offrant les meilleures conditions météorologiques.

Surf Goddess (☎0858 997 0808 ; www surfgoddessretreats.com). Séjours de surf pour femmes comprenant des cours et l'hébergement dans une pension chic de Seminyak.

PLONGÉE ET SNORKELING

Avec ses eaux tièdes, ses immenses récifs coralliens et sa fabuleuse faune marine, Bali a tout pour plaire aux férus de plongée et de snorkeling. De nombreuses écoles de plongée dignes de confiance forment les débutants ou organisent des sorties adaptées aux plus chevronnés. Les îles Gili sont une excellente destination, et Lombok offre également de bons spots, notamment sur la côte nord-ouest.

Du matériel de snorkeling est disponible sur la plupart des sites, mais si vous comptez plonger à plusieurs reprises, mieux vaut apporter votre propre matériel de manière à pouvoir explorer certaines côtes moins visitées. Les îles Gili possèdent désormais une école d'apnée (p. 294), pour ceux qui veulent aller plus loin que le snorkeling, ainsi que la Gili Islands Dive Association (Gida), regroupement d'écoles de plongée qui œuvre pour définir des normes professionnelles et protéger l'environnement.

JOHN BORTHWICK/GETTY IMAGES ©

» (ci-dessus) Snorkeling dans les eaux translucides de Gili Meno (p. 300)
» (à gauche) Chevauchée sur le sable (p. 281)

Matériel : acheter ou louer ?

Si vous n'êtes pas difficile, vous trouverez tout le matériel nécessaire à Bali, à Lombok et sur les îles Gili (la qualité, la taille et l'âge du matériel sont variables). Si vous apportez le vôtre, vous pouvez bénéficier d'une réduction sur la plongée. Pensez aux petites choses faciles à transporter, comme les gants, les pièces de rechange ou les ampoules pour votre torche.

Petit tour d'horizon :

» Masque, tuba et palmes C'est une bonne idée de les apporter. La location de matériel de snorkeling (souvent en piètre état) s'élève à environ 30 000 Rp/jour.

» Bouteilles et ceintures de plomb Généralement comprises dans le prix de la plongée.

» Combinaison longue Pour se protéger des piqûres d'animaux ou d'éventuelles coupures sur les coraux. Apportez la vôtre si vous préférez. Si vous plongez à Nusa Penida, assurez-vous de porter une combinaison de plus de 3 mm d'épaisseur, la température de l'eau tombant souvent à 18°C.

» Régulateurs et gilets stabilisateurs ("Stab", ou BCV en anglais). La plupart des clubs de plongée en ont des convenables.

Écoles de plongée

Les grands centres de plongée des régions touristiques peuvent organiser des excursions jusqu'aux principaux sites de l'île, mais les distances étant parfois importantes, mieux vaut séjourner assez près du spot souhaité. Comptez entre 50 et 90 $US par personne pour deux plongées (équipement inclus). Il devient courant de proposer des tarifs en euros.

Là où il y a un spot de plongée à Bali, un magasin de plongée n'est pas loin. Des récifs en bon état sont accessibles en bateau. Voici quelques suggestions de sites où l'on trouve des boutiques :

» Amed

» Candidasa

» Lovina

» Nusa Lembongan

» Padangbai

» Pemuteran

» Sanur

» Gili Air

» Gili Meno

» Gili Trawangan

» Kuta (Lombok)

» Senggigi

LES MEILLEURS SPOTS DE PLONGÉE ET DE SNORKELING

Nous avons répertorié ici les meilleurs spots de plongée et de snorkeling de Bali et de Lombok.

OÙ ?	QUOI ?	POUR QUI ?
Nusa Penida	Fameuse plongée : bancs de raies manta et de poissons-lunes de 2,5 m	Les plongeurs chevronnés relèveront le défi, mais les novices et les snorkeleurs seront dépassés
Pulau Menjangan	Tombant spectaculaire de 30 m. Parfait pour la plongée et le snorkeling	Plongeurs et snorkeleurs de tous niveaux et âges
Tulamben	L'épave d'un cargo de la Seconde Guerre mondiale, proche de la plage	Plongeurs et snorkeleurs bons nageurs
Îles Gili	Tout type de plongée et de snorkeling dans des eaux limpides	Plongeurs et snorkeleurs de tous niveaux et âges. Certains sites demandent plus de technique
Sud-ouest de Lombok	Beaux récifs	Plongeurs et snorkeleurs bons nageurs

Choisir une école de plongée

D'une manière générale, la plongée à Bali et à Lombok est bien encadrée, le personnel est qualifié et compétent et le matériel bien entretenu. Voici quelques conseils pour choisir un centre sérieux et sûr :

» Le personnel est-il qualifié ? Demandez à voir le brevet des moniteurs – aucun club recommandable ne sera offensé par une telle requête. Les guides doivent au moins être en possession du niveau "full instructor" pour enseigner. Pour accompagner des plongeurs sur un récif, un guide doit au moins détenir la certification "rescue diver" et, mieux encore, le "dive master".

» Le bateau est-il équipé pour la sécurité ? Au minimum, un bateau de plongée doit disposer de bouteilles d'oxygène et d'une trousse de premiers secours. Une radio ou un téléphone mobile sont aussi importants.

» Le matériel est-il en bon état et l'air des bouteilles est-il propre ? C'est souvent la chose la plus difficile à évaluer pour un néophyte. Voici des pistes :

» Fiez-vous à votre nez : ouvrez un peu la valve d'une bouteille et sentez. Si l'air est sec et sent légèrement le caoutchouc, c'est normal. Si en revanche l'air sent l'huile ou les gaz d'échappement, c'est le signe que le prestataire ne filtre pas son air convenablement.

» Une fois votre équipement assemblé, y a-t-il de grosses fuites d'air ? Il n'est pas anormal d'avoir de petites fuites ; cependant, si l'air s'échappe à gros jets de n'importe quelle partie de l'équipement, demandez qu'on vous le change.

» Le centre fournit-il des explications ? Les centres les plus sérieux vous expliqueront que vous ne devez pas toucher le corail ou prendre des coquillages sur le récif. Souvent, ces clubs travaillent en association avec les pêcheurs locaux pour s'assurer de la protection de certaines zones. Et certains nettoient même les plages !

Plongée responsable

Voici quelques recommandations à respecter afin de préserver les récifs.

» Ne jetez jamais l'ancre, et veillez à ne pas vous échouer, sur les coraux.

» Évitez de toucher ou de marcher sur des organismes marins vivants ou de traîner du matériel sur les récifs.

» Utilisez vos palmes avec précaution, car même si vous ne touchez pas le milieu naturel, les coraux sont fragiles et peuvent être endommagés par la pression qu'exercent les battements de vos

jambes. Veillez aussi à ne pas soulever trop de sable, ce qui pourrait leur nuire.

» Suivez un entraînement sérieux et contrôlez au maximum votre flottabilité. Il arrive souvent que des plongeurs descendent trop vite et endommagent le récif en le heurtant.

» Ne ramassez ni n'achetez de coraux ou de coquillages, et ne ramassez rien sur les sites archéologiques marins (comme les épaves).

» Veillez à bien récupérer tous vos déchets et tous les détritus que vous pourriez trouver. Les sacs en plastique sont nuisibles à la faune marine.

» Ne nourrissez pas les poissons.

» Intervenez le moins possible dans la vie des animaux marins. Ne montez *jamais* sur le dos des tortues et informez-vous le plus possible sur l'habitat naturel de la faune.

Apprendre à plonger

Si vous souhaitez vous initier à la plongée à Bali, vous avez le choix entre plusieurs options, certaines comprenant leçons et hébergement de qualité.

Un baptême ou un cours d'initiation (60 à 100 $US) conviendra aux novices qui veulent se frotter à la plongée ; les formations de trois à quatre jours (300 $US) – très prisées dans les *resorts* – permettent aussi d'acquérir les bases. Pour la certification Padi, reconnue internationalement, comptez entre 350 et 400 $US.

Randonnée et trekking

Vous pourriez sillonner Bali et Lombok toute une année sans pour autant tout voir. La petite superficie de ces îles permet néanmoins de les découvrir petit à petit : les randonnées d'une journée sont faciles à organiser. Les guides vous aideront à venir à bout des volcans, tandis que les agences vous conduiront vers des régions reculées et des vallées de couleur émeraude parsemées de rizières et de cours d'eau. N'oubliez pas d'emporter de bonnes chaussures de montagne pour les randonnées et de solides sandales de marche pour les balades.

Où randonner à Bali

Bali est idéale pour la randonnée. Quel que soit votre lieu de résidence, vous pouvez vous renseigner sur les itinéraires possibles et partir à l'aventure. Ubud, la région de Sidemen et Munduk sont pour la marche des destinations de premier choix.

Même à Kuta ou à Seminyak, il vous suffira de rejoindre la plage, de prendre à droite et de marcher vers le nord, le long d'un superbe océan, à l'écart de la civilisation.

Mis à part l'ascension des volcans et les excursions dans le Taman Nasional Bali Barat, Bali offre peu de possibilités de longues randonnées en pleine nature. En général, les parcours se font sur une journée au départ du village le plus proche, en partant avant l'aube pour éviter les nuages qui recouvrent les sommets en milieu de matinée, et vous n'aurez pas besoin de matériel de camping.

Où randonner à Lombok

Le Gunung Rinjani attire des randonneurs du monde entier. Ce volcan, le deuxième d'Indonésie par l'altitude, possède une signification culturelle et spirituelle pour les populations locales. Il est aussi d'une beauté stupéfiante : le rebord de la vaste caldeira domine un lac d'un bleu cobalt large de 6 km, à quelque 600 m en contrebas.

Les services d'un guide sont essentiels, car chaque année on déplore des accidents mortels. On peut organiser l'ascension du Rinjani dans la vallée de Sembalun, à Senaru et à Senggigi.

Matériel : acheter ou louer ?

Prévoyez tout le matériel nécessaire. Les guides fournissent parfois quelques articles, mais n'y comptez pas trop cependant. Selon la randonnée, prévoyez :

» Lampe de poche

» Vêtements chauds pour les hautes altitudes

RANDONNÉES : LES INCONTOURNABLES

Bali

La randonnée est un des plaisirs de Bali, qui offre de belles balades partout sur l'île. Elles peuvent durer entre une heure et un jour.

OÙ ?	QUOI ?
Danau Buyan et Danau Tamblingan	Lacs de montagnes, peu de monde
Gunung Agung	Couchers du soleil et temples isolés
Gunung Batukau	Ascensions dans les nuages, peu de monde
Gunung Batur	Rabatteurs mais paysages uniques
Munduk	Luxuriant, embaumé d'épices et paysages parsemés de cascades
Région de Sidemen Road	Rizières en terrasses, collines luxuriantes et temples isolés. Hébergements confortables
Taman Nasional Bali Barat	Isolé, nature et animaux sauvages
Tirta Gangga	Rizières en terrasses et temples isolés dans les montagnes
Ubud	Belles balades, d'une heure à une journée. Rizières en terrasses, vallées luxuriantes et monuments anciens

Lombok

Lombok offre aussi des chemins de randonnée souvent isolés, difficiles ou les deux.

OÙ ?	QUOI ?
Air Terjun Sindang Gila	L'une des nombreuses cascades
Îles Gili	Farniente, plage et bateau
Gunung Rinjani	Superbe pour des randonnées : grimpez les 3 726 m, puis redescendez vers le lac de cratère sacré et les sources chaudes
Vallée de Sembalun	Sentiers d'ail sur les flancs du Rinjani

VÉLO : QUELQUES SUGGESTIONS

Impossible de se perdre sur une île aussi petite que Bali. Voici quelques endroits à visiter à vélo :

OÙ ?	QUOI ?
Péninsule de Bukit	Falaises, criques et plages à découvrir sur les côtes est et sud. Promenade le long de la mer à Nusa Dua. Évitez la zone de l'aéroport
Montagnes du Centre	Ambitieux. Danau Bratan, Danau Buyan et Danau Tamblingan à explorer. Descente de la côte nord par Munduk et vers le sud par des petits chemins partant de Candikuning
Est de Bali	Route côtière. Le nord de la côte, parsemé de rizières en terrasses, est peu fréquenté. Sur Sidemen Road, des lodges parfaits pour cyclistes
Nord de Bali	Lovina : bon point de départ pour des balades d'une journée (temples et cascades). Complexes hôteliers prisés des cyclistes traversant Bali
Nusa Lembongan	Petite île. Faisable en une demi-journée. Jolies plages isolées
Nusa Penida	Pour cyclistes aguerris. Peu de circulation. Paysages de mer, de falaises abruptes, de sable blanc et de nature luxuriante
Ubud	Beaucoup de prestataires sont installés ici. Petites routes de montagne, monuments anciens et vue prodigieuse sur les rizières en terrasses
Ouest de Bali	Rizières et jungle à Tabanan, à Kerambitan et à Bajera. Plus à l'ouest, de petites routes mènent à des torrents de montagne, à des plages désertes et à des temples cachés

» Habits imperméables – les averses sont fréquentes et la brume est présente dans la plupart des montagnes

» Bonnes sandales ou chaussures de marche – autant d'articles que vous ne trouverez pas sur place

Guides et agences

Vous trouverez des guides et des agences de randonnée dans les régions d'Ubud, de Gunung Agung et de Tirta Gangga, à Bali, et dans la vallée de Sembalun, à Lombok. Parmi les autres agences balinaises, citons :

Bali Nature Walk (☑0817 973 5914 ; dadeputra@hotmail.com). Randonnées dans des zones reculées de la région d'Ubud, avec des parcours à personnaliser selon vos envies.

Bali Sunrise Trekking & Tours (☑0818 552 669 ; www.balisunrisetours.com). Treks dans les montagnes du Centre.

Consignes de sécurité pour la randonnée

Quelques conseils à suivre pour partir d'un bon pied :

» Vous devez régler les frais et obtenir toutes les autorisations requises par les autorités locales.

» Vous devez être en bonne forme physique et vous sentir prêt à marcher pendant plusieurs jours.

» Renseignez-vous sur les conditions physiques et environnementales de votre itinéraire. Par exemple, le temps peut se révéler froid et humide sur les volcans.

» Assurez-vous auprès de votre guide qu'il ne vous emmènera que sur des sentiers correspondant à votre niveau.

» Soyez équipé en conséquence. En fonction du parcours et de la saison, vous devrez emporter des vêtements de pluie ou une réserve d'eau supplémentaire. Prenez une lampe-torche ; votre guide n'en possédera peut-être pas.

Vélo

Le vélo est un merveilleux moyen de découvrir Bali et les petites routes permettent aisément d'oublier la circulation intense du Sud.

Le principal avantage du vélo est qu'il permet de s'immerger totalement dans l'environnement : vous pourrez entendre le bruissement du vent dans les rizières ou le son d'un gamelan (orchestre traditionnel), tout en humant le parfum des fleurs.

Lombok se prête aussi à la découverte à vélo. Dans les régions densément peuplées, les routes sont planes et la circulation est moins dangereuse qu'à Bali.

Certains visiteurs évitent le vélo à cause de la chaleur tropicale. Toutefois, lorsque vous roulez sur un terrain plat ou en descente, la brise modère réellement les effets de la chaleur.

Où faire du vélo à Bali

Il est beaucoup plus facile d'indiquer les endroits à éviter sur Bali : de Denpasar, au sud, jusqu'à Sanur, à l'est, et de Kerobokan à Kuta, à l'ouest, la circulation est dense et les routes étroites.

Où faire du vélo à Lombok

À l'est de Mataram, plusieurs sites sont intéressants pour une journée d'excursion – vous pouvez aller vers le sud jusqu'à Banyumulek via Gunung Pengsong, avant de revenir vers Mataram. Certaines routes côtières sont aussi vallonnées et sinueuses que des montagnes russes – roulez vers le nord de Senggigi à Pemenang, puis (si vous êtes en forme) revenez en faisant l'ascension abrupte du col de Pusuk. Les îles Gili sont également adaptées au vélo, malgré leur petite superficie.

Matériel : acheter ou louer ?

Les cyclistes aguerris choisiront de prendre leur matériel personnel ou loueront du matériel haut de gamme auprès de **Planet Bike Bali** (☎0361-746 2858 ; Jl Gunung Agung 148, Denpasar). Nombreuses marques en stock. Les autres peuvent louer des vélos et des casques.

Agences

Les circuits réputés partent des hauteurs des montagnes du Centre, dans des endroits comme Kintamani ou Bedugal. Votre agence vous conduira au sommet, d'où vous descendrez par des routes de montagne assez tranquilles au milieu de paysages luxuriants, de villages typiques et de paysages tropicaux. Comptez entre 35 et 70 $US avec le vélo, l'équipement et le déjeuner. Le transport de/vers les hôtels du sud de Bali et d'Ubud est généralement inclus.

Voici une liste de prestataires :

Archipelago Adventure (☎0361-808 1769 ; www.archipelago-adventure.com). Plusieurs circuits, dont un sur Java. À Bali,

il propose des balades autour de Jatiluwih et Danau Buyan, et du VTT sur des chemins partant de Kintamani.

Bali Bike-Baik Tours (☎0361-978052, 0813 3867 3852 ; www.balibike.com). Des descentes de Kintamani, avec un accent sur l'immersion culturelle et de fréquents arrêts dans des hameaux et des fermes rizicoles.

Bali Eco Cycling (☎0361-975557 ; www.baliecocycling.com). Ses circuits partent de Kintamani et empruntent des petites routes à travers la campagne, jusqu'à Ubud. Autres formules possibles autour de la culture rurale.

Banyan Tree Cycling Tours (p. 148). Cette agence gérée par Bagi propose des excursions d'une journée au fil de villages perdus dans les collines qui dominent Ubud. Très prisés, ces circuits (à partir de 450 000 Rp) mettent l'accent sur les échanges avec les villageois.

C.Bali (☎0813 5342 0541 ; www.c-bali.com). Excellents circuits à vélo à Gunung Batur et dans les environs.

Rafting

Le rafting est très apprécié, le plus souvent sous la forme d'excursions d'une journée au départ du sud de Bali ou d'Ubud. Le prestataire vient vous chercher, vous conduit sur le lieu du départ, fournit l'équipement et l'instructeur, et vous ramène à l'hôtel en fin de journée. Mieux vaut choisir la saison humide (novembre à mars) ou juste après ; pendant la saison sèche (d'avril à septembre), les meilleurs rapides ont un débit très affaibli.

Quelques agences optent pour la Sungai Ayung (rivière Ayung, près d'Ubud), où l'on compte de 19 à 25 rapides de catégorie II à III (spectaculaires mais sans danger). La Sungai Telagawaja, près de Muncan, dans l'est de Bali, plus accidentée et plus sauvage, est aussi très prisée.

Les prix annoncés vont de 55 à 80 $US, mais les réductions sont fréquentes.

Essayez les adresses suivantes :

Bali Adventure Tours (☎0361-721480 ; www.baliadventuretours.com ; descente en rafting adulte/enfant à partir de 79/52 $US). Sungai Ayung. Propose aussi du kayak.

Mega Rafting (☎0361-246 724 ; www.megaraftingbali.com). Sungai Ayung.

Sobek (☎0361-768 050 ; www.balisobek.com). Expéditions sur la Sungai Ayung et la Sungai Telagawaja.

Voyager avec des enfants

Sur les plages

Les écoles de surf de Kuta Beach et les cerfs-volants de Sanur Beach. Pour les enfants de tous âges.

Dans l'eau

Jeux dans l'océan à Nusa Lembongan, plongée ou snorkeling à Pulau Menjangan ou dans les îles Gili... Et pourquoi ne pas patauger dans les eaux boueuses des rizières, peuplées d'amusantes créatures ?

À cœur joie

Les singeries sont acceptées au Bali Treetop Adventure Park de Candikuning et les jeux d'eau encouragés au Waterbom Park, au sud de Kuta. Sinon, il y toujours le rafting et les escapades à vélo.

Avec les animaux

À Ubud, le Sacred Monkey Forest Sanctuary, au sud d'Ubud, le Bali Bird Park et le Rimba Reptile Park, au nord d'Ubud, l'Elephant Safari Park, sans oublier le Bali Safari & Marine Park dans l'est de l'île.

Jouer à Indiana Jones

Dans les sources sacrées de Tirta Empul, dans le palais aquatique de Tirta Gangga, au nord-est d'Ubud, et le Pura Luhur Ulu Watu, superbe temple peuplé de singes.

Si voyager avec des *anak-anak* demande beaucoup d'énergie et d'organisation, à Bali, les obstacles sont moindres tant l'enfant est accueilli avec plaisir. Pour les Balinais, les enfants font partie intégrante de la communauté et tout le monde, pas seulement les parents, doit se sentir responsable de leur bien-être. Lorsqu'un jeune enfant pleure, les Balinais rejettent souvent la faute sur ses parents. Ils sont parfois très déçus de l'attitude des parents occidentaux et insistent pour le choyer et le nourrir eux-mêmes. Cette scène devient rare dans les régions touristiques, mais reste courante dans les villages traditionnels.

Bali et Lombok pour les enfants

Les enfants représentent un atout social à Bali, et tout le monde se montrera très intéressé par le vôtre. Vous devrez apprendre à dire son âge et son sexe en bahasa indonesia – *bulau* (mois), *tahun* (année), *laki-laki* (garçon) et *perempuan* (fille). Pensez aussi à poser les mêmes questions à votre interlocuteur.

Lombok est en général plus calme que Bali et la circulation est moins dangereuse. Les habitants adorent les enfants, mais ils sont moins démonstratifs que les Balinais. Les services destinés aux enfants sont également moins développés.

VOS ENFANTS EN SÉCURITÉ

Le danger majeur pour les enfants – comme pour les adultes –, c'est la circulation, et le mauvais état des trottoirs et des chaussées dans les quartiers animés.

Les installations, protections et services que les parents occidentaux considèrent comme allant de soi ne sont pas toujours présents. Par exemple, rares sont les restaurants pourvus de chaises hautes. De même, les points d'observation surélevés ne sont pas équipés de rambardes de protection et les boutiques peuvent mettre des objets fragiles à la hauteur de votre enfant. Compte tenu de la présence de la rage à Bali, tenez vos enfants éloignés des chiens errants.

Pour les enfants, l'atout essentiel de la destination est, bien sûr, la richesse des activités de plein air. Toutefois, de nombreuses sorties "culturelles" peuvent aussi leur plaire.

Danse – Ennui assuré ? Eh bien non ! Les décors d'une soirée de Barong au palais d'Ubud ou au Pura Dalem Ubud leur rappelleront irrésistiblement ceux de *Tomb Raider*. Certes, le *legong* est déconseillé aux plus remuants, mais le Barong met en scène singes, monstres, sorcières et autres créatures fascinantes.

Marchés – Une visite dans un temple ? Il faudra alors à vos bambins un sarong. Donnez-leur 80 000 Rp et laissez-les en choisir un et le marchander au marché. Les vendeurs seront ravis de les aider à assembler les combinaisons les plus colorées (rien n'est trop voyant pour un temple).

Temples – Choisissez les plus impressionnants. À Bedulu, on pénètre par la gueule d'un monstre dans la Goa Gajah (la grotte de l'Éléphant). Quant au Pura Luhur Batukau, au milieu de la jungle dense de la région du Gunung Batukau, il est doté d'un lac et d'une cascade.

Préparer son voyage

Une décision cruciale : où poser ses valises pour l'ensemble des vacances ?

Hébergement

Un hôtel doté d'une piscine, de la clim et d'un emplacement au bord de l'eau distraira les enfants et détendra les parents. Heureusement, de tels établissements ne manquent pas.

La plupart des hôtels et pensions proposent un tarif "spécial famille" : les enfants jusqu'à 12 ans peuvent dormir gratuitement dans la chambre des parents, le piège étant que les lits supplémentaires sont payants ; nombre d'entre eux louent aussi des chambres familiales. À la réservation, cela vaut toujours la peine de demander s'il y a des chambres familiales ou des chambres avec cuisine.

Les grands hôtels internationaux offrent souvent des programmes spécifiques ou des activités surveillées pour les enfants. Lorsque ce n'est pas le cas, vous pourrez au moins demander une baby-sitter.

Le personnel est en général très aimable, aussi n'hésitez pas à vous adresser à eux en cas de besoin.

À emporter

Les grands supermarchés du sud de Bali, comme Carrefour, disposent de la plupart des produits présents chez leurs homologues d'Europe ou d'Amérique du Nord (nourriture occidentale, alimentation pour bébé, couches, lait UHT ou maternisé...). Inutile de s'embarrasser : mieux vaut emporter le livre ou le jouet préféré de son enfant. Voici quelques suggestions selon l'âge :

Bébés et petits enfants

» Un porte-bébé : les rues de Bali sont difficilement praticables avec un landau ou une poussette.

» Un tapis à langer portable, du gel pour se laver les mains, etc. – rares sont les installations pour changer les bébés.

» Siège-auto pour enfants : les voitures, louées avec ou sans chauffeur, en sont rarement équipées.

De 6 à 12 ans

» Jumelles pour jeunes aventuriers. Idéales pour observer la nature, les temples, les spectacles de danse, etc.

» Une caméra ou un Smartphone équipé de la vidéo pour égayer une visite ou une balade potentiellement ennuyeuse à cet âge.

» Cahier d'activités, bloc de feuilles, stylos, carnet de voyage et sac à dos pour enfants.

Adolescents

» Un moyen de se connecter au Wi-Fi (vérifiez bien les tarifs) pour tout raconter aux amis restés à la maison.

LES MEILLEURES RÉGIONS POUR LES ENFANTS

Bien que Bali et Lombok soient des destinations faciles avec des enfants, certains endroits sont plus pratiques que d'autres.

OÙ ?	POUR	CONTRE
Gili Air	Petite île, où les enfants ne se perdent pas. Vagues paisibles. Nombreuses installations et activités, comme le snorkeling	On peut s'y trouver à l'étroit et l'île est toute proche de Gili T la débauchée
Legian	Même chose qu'à Kuta (voir plus bas). Complexes balnéaires sur la plage	Même chose qu'à Kuta sans la circulation entre la plage et les hôtels. Vagues puissantes
Lovina	Hôtels calmes et modestes proches de la plage. Circulation modérée. Plages protégées avec de petites vagues	Éloigné du reste de Bali. Ennuyeux pour ados et adultes. Divertissements limités
Nusa Dua	Grands complexes hôteliers en bord de mer. Plages protégées, petites vagues. Circulation modérée. Calme	Peut-être ennuyeux pour ados et adultes ; isolé du reste de Bali
Sanur	Complexes hôteliers en bord de mer. Plages protégées, petites vagues. Activités pour enfants à proximité. Circulation modérée	Peut être ennuyeux, surtout pour les ados et les adultes
Seminyak	Attrayant pour tous les âges. Grands hôtels sur la plage	Circulation. Vagues puissantes
Senggigi	Hôtels calmes et modestes sur la plage. Circulation modérée. Plages protégées par des récifs avec petites vagues	Un peu isolé. Ennuyeux pour ados et adultes. Lombok offre peu de divertissements pour les enfants
Tanjung Benoa	Complexes hôteliers en bord de plage. Plages protégées avec petites vagues. Activités pour enfants à proximité	Éloigné du reste de Bali. Ennuyeux pour adolescents et adultes
Ubud	Calme par endroits. Beaucoup de choses à voir et à faire. Balades, marchés, boutiques	Pas de plage. Exige de l'imagination pour occuper les enfants en soirée. Les adultes aiment
Kuta	Les ados adorent ! Ils peuvent y acheter toutes sortes de souvenirs, se couvrir de faux tatouages et se faire tresser les cheveux. Cours de surf	Les ados risquent de trop adorer. Circulation entre la plage et les hôtels. Beaucoup de monde. Vagues puissantes

» Lunettes de soleil ou tout autre accessoire indispensable au look adéquat à la descente d'avion.

Manger avec des enfants

Manger en famille est l'un des grands plaisirs du voyage à Bali et à Lombok. Les enfants sont traités comme des rois par le personnel admiratif, trop heureux de s'en occuper (surtout des bébés) pendant que les parents dînent tranquillement.

Bali est tellement décontractée que les enfants peuvent s'en donner à cœur joie. Dans de nombreux restaurants haut de gamme à Seminyak et ailleurs, les enfants ont la possibilité de jouer pendant que leurs parents profitent de leur repas.

Au menu

Bananes, œufs, fruits et *bubur* (riz cuit en bouillie dans du bouillon) auront les faveurs des petits.

Si vos enfants n'aiment pas les plats épicés, évitez la cuisine locale. Beaucoup de *warung* servent à la demande des plats sans sauce, comme du riz blanc, du *tempe* ou du tofu, du poulet, des légumes bouillis et des œufs durs.

La plupart des restaurants proposent les éternels favoris que sont hamburgers, nuggets de poulet, pizzas et pâtes, et sachez que l'on trouve des chaînes de restauration rapide dans tout le sud de Bali.

Les régions en un clin d'œil

Kuta et Seminyak

Plages ✓✓✓
Vie nocturne ✓✓✓
Shopping ✓✓✓

Sud de Bali et les îles

Plages ✓✓✓
Surf ✓✓✓
Plongée ✓✓

Kuta et Seminyak sont les villes majeures de la partie la plus touristique de Bali, à savoir le magnifique ruban de plages de sable qui s'étire au sud, d'Echo Beach à l'aéroport. La péninsule de Bukit, à l'extrême sud, offre à la fois des spots de surf isolés et de grands complexes balnéaires.

Dans tous les sens du terme, Ubud est le cœur de Bali. Ses rizières sont les plus belles de l'île, avec celles qui s'étirent dans l'Est. Cette dernière région est dépourvue de grandes villes, mais la station de Padangbai ou la côte autour d'Amed sont très prisées.

De spectaculaires volcans dominent le centre de Bali. Peu peuplés, le nord et l'ouest de l'île offrent de beaux spots de plongée.

Lombok est essentiellement montagneuse, volcanique et rurale, tandis que les petites îles Gili sont bordées de récifs coralliens et ourlées de sable blanc.

Plages
Le célèbre croissant de sable battu par les flots de Kuta s'étire sur 12 km. Après Legian, Seminyak, Kerobokan et Canggu, il s'achève sur les rochers d'Echo Beach. À Kuta, bars de plage et marchands sont légion. Ils sont de moins en moins nombreux en allant vers le nord-ouest.

Vie nocturne
Seminyak et Kerobokan abritent parmi les meilleurs restaurants et cafés de Bali. Certains offrent de superbes couchers du soleil, tandis que les bars et les discothèques prennent des airs chics. La vie nocturne de Legian et de Kuta est survoltée.

Shopping
Seminyak est le royaume du shopping à Bali. Le choix est fantastique.

p. 48

Plages
Les plages constellent le sud de Bali : les petites criques de sable blanc de Balangan sont idylliques ; celles de Nusa Dua, de Tanjung Benoa et de Sanur plus familiales. L'île de Nusa Lembongan mérite largement une escapade.

Surf
Il n'y a pas de mot pour décrire les *breaks* de la côte ouest de la péninsule de Bukit : les nombreux spots autour d'Ulu Watu sont connus dans le monde entier. Les surfeurs peuvent loger à côté.

Plongée
Les meilleurs spots se trouvent autour des îles : Nusa Lembongan charme par ses récifs, ses mangroves, mais Nusa Penida n'est pas en reste avec ses spectaculaires tombants.

p. 94

Ubud et ses environs

Culture ✓✓✓
Bien-être ✓✓
Balades ✓✓✓

Culture
Ubud est le centre de la culture balinaise. Des spectacles de danse, de musique et de marionnettes ont lieu chaque soir. On y trouve toutes sortes d'artistes, dont des graveurs sur bois qui fabriquent les masques des spectacles.

Bien-être
Spas, médecine traditionnelle ou yoga sont autant de manières de vous faire du bien à Ubud. Praticiens du monde entier et guérisseurs locaux s'appliquent à soigner votre corps et votre esprit.

Balades
Les rizières d'Ubud sont parmi les plus pittoresques de Bali. Vous pouvez y marcher une heure ou une journée, profiter des vallées, des villages et vous imprégner de la beauté de la nature.

p. 137

Est de Bali

Plages ✓✓
Histoire ✓✓
Randonnées ✓✓

Plages
On trouve des plages presque partout sur la côte est. La route côtière est bordée de plages de sable gris et de temples majeurs. Pasir Putih est charmante, tout comme les petites criques d'Amed.

Histoire
Taman Kertha Gosa abrite les émouvantes ruines d'un palais de la famille royale, qui a préféré le suicide à la reddition aux Néerlandais en 1908.

Randonnées
Les rizières et paysages les plus beaux de Bali se trouvent à l'est. Vous n'aurez que l'embarras du choix le long de Sidemen Road. Tirta Gangga offre de délicieux temples isolés. Le Gunung Agung attirera les plus courageux.

p. 179

Montagnes du Centre

Randonnées ✓✓
Culture ✓✓
Solitude ✓✓

Randonnées
Le centre de l'île est le paradis des randonneurs. Le paysage unique du Gunung Batur, encore actif, ne laisse personne indifférent. Autour de Munduk, vous apprécierez les balades dans la brume à travers les plantations d'épices ou de café.

Culture
Temple majeur, le Pura Luhur Batukau émeut ceux qui le découvrent sur les flancs du Gunung Batukau. Les rizières de Jatiluwih témoignent de l'importance du riz dans l'imaginaire balinais.

Solitude
Ces montagnes où le climat est plus frais invitent à la solitude. Une visite au Pura Luhur Batukau peut être suivie d'une retraite dans l'un des lodges voisins.

p. 216

Nord de Bali

Resorts ✓✓
Plages ✓
Plongée ✓

Resorts
Le croissant d'hôtels sur la plage de Pemuteran fait la fierté du nord de Bali. Belle architecture, capacité d'accueil raisonnable, les hôtels ne sont pas bondés et proches de Pulau Menjangan. Lovina est bon marché et tranquille.

Plages
La côte nord de Bali abrite plusieurs plages de sable brun ou gris. Elles sont souvent protégées par des récifs et les vagues sont petites.

Plongée
Les récifs sont plutôt en bon état ici, mais l'attraction majeure reste la plongée de nuit autour de Lovina. Des sorties organisées permettent de voir une riche faune marine invisible le jour.

p. 231

Ouest de Bali

Plongée ✓✓✓
Surf ✓✓
Plages ✓

Plongée
Pulau Menjangan n'usurpe pas sa réputation : un récif au tombant de 30 m, une faune et une flore variées – allant de la sardine à la baleine – qui enchantent plongeurs et snorkeleurs. L'île, non exploitée, fait partie d'un parc national.

Surf
Les *breaks* de Balian Beach et de Medewi ont leurs adeptes. D'ailleurs, à Medewi, une petite communauté de surfeurs a mis sur pied des pensions originales et un hôtel plutôt chic.

Plages
Balian Beach est la plage principale de la côte ouest. Elle vaut le détour, que vous soyez surfeur ou non.

p. 246

Lombok

Randonnées ✓✓
Littoral ✓✓✓
Chic tropical ✓✓

Randonnées
L'aura du Gunung Rinjani, volcan majestueux, imprègne le nord de Lombok. Des chemins de randonnée serpentent jusqu'à sa stupéfiante caldeira, où son lac de cratère, ses sources chaudes et son petit cône fumant sont éblouissants.

Littoral
La superbe côte sud de Lombok, restée sauvage, est battue par des vagues, qui en ont fait une Mecque pour les surfeurs. Il y a aussi des plages désertes, propices à de merveilleuses baignades.

Chic tropical
Lombok excelle dans le "chic tropical", comme à Sire, où le luxe atteint des sommets, ou dans les classieux hôtels et restaurants de Senggigi.

p. 259

Îles Gili

Plongée ✓✓✓
Aventure ✓✓
Détente ✓✓✓

Plongée
Les îles Gili vous subjugueront par leur vie marine fascinante, l'une des plus riches d'Indonésie. Idéales pour la plongée, le snorkeling et même l'apnée. Possibilité de voir des tortues.

Aventure
Bien que minuscules, les îles Gili ne manquent pas d'activités : kayak, équitation, apnée, surf, cours de yoga et de méditation. Il y en a pour tous les goûts !

Détente
C'est ici que vous trouverez la plage de vos rêves : palmiers, sable blanc étincelant, eau turquoise, quelques fruits de mer et la cabane en bambou qui vend boissons et poisson frais.

p. 288

> Les établissements sont cités par ordre de préférence des auteurs

> Les pictos pour se repérer :

 Les coups de cœur des auteurs

 Les adresses écoresponsables

GRATUIT Entrée, accès libre

Voir aussi l'index p. 407 où figurent toutes les localités couvertes dans ce guide

Sur la route

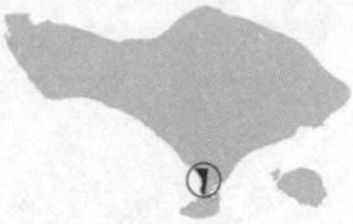

Kuta et Seminyak

Le top des restaurants

» Sardine (p. 86)

» Biku (p. 87)

» Warung Sulawesi (p. 87)

» Mama San (p. 80)

Le top des hébergements

» Hotel Tugu Bali (p. 90)

» Oberoi (p. 79)

» Un's Hotel (p. 56)

» Samaya (p. 79)

Pourquoi y aller?

Bondée et frénétique, la partie sud de Bali bordant l'immense ruban de plages qui commence à Kuta est la région par où la plupart des touristes commencent et achèvent leur visite dans l'île.

À Seminyak et à Kerobokan fleurissent restaurants, cafés, boutiques de créateurs, spas, etc., qui n'ont rien à envier au reste du monde, tandis que Kuta et Legian continuent d'attirer clubbeurs et familles de vacanciers.

Boutiques branchées, discothèques ouvertes toute la nuit, restaurants et couchers du soleil fabuleux, et un tourbillon continu d'activités en tout genre complètent le tableau. Et alors que ce monde semble bien loin de la spiritualité et de la sérénité censées caractériser l'île de Bali, voilà qu'une procession religieuse de Balinais en route vers l'un des nombreux temples bloque toute la circulation... et vient balayer tous vos doutes.

Quand partir

Vu le succès toujours grandissant de Bali, mieux vaut éviter la haute saison (juillet-août et autour de Noël et du Nouvel An) pour visiter Kuta, Seminyak et leurs alentours. L'afflux de vacanciers rend alors difficile d'obtenir une chambre avec vue, de réserver des tables dans les meilleurs restaurants et de faire du shopping. Il est souvent préférable de venir entre avril et juin, ou en septembre : il y a moins de monde et le temps est plus sec et légèrement plus frais.

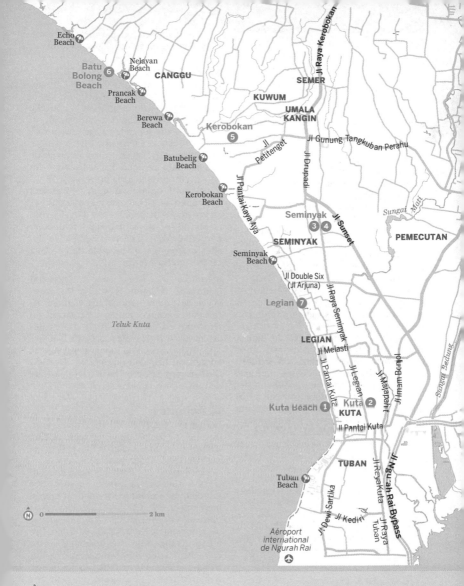

À ne pas manquer

1 Une journée de farniente à **Kuta Beach** (p. 50), véritable aimant à touristes de Bali

2 Une nuit endiablée dans les clubs animés et le tourbillon nocturne de **Kuta** (p. 68)

3 Une bonne dose de shopping à travers la myriade de boutiques de **Seminyak** (p. 83)

4 Un spa, pour décompresser, à **Seminyak** (p. 76)

5 Un repas savoureux dans l'un des fabuleux restaurants, toujours plus nombreux, de **Kerobokan** (p. 86)

6 Une escapade loin de la foule à **Batu Bolong Beach** (p. 92), paisible étendue de sable près de Canggu

7 Un coucher de soleil en sirotant une bière achetée à un marchand sur la plage de **Legian** (p. 50)

Kuta et Legian

📍 0361

Bruyante, frénétique et tapageuse sont les termes couramment employés pour décrire la région de Kuta et Legian, épicentre du tourisme de masse à Bali. Il y a à peine vingt ans, les hôtels locaux accrochaient leurs panneaux sur les palmiers. Aujourd'hui, où règne une cacophonie totale, une telle image paraît aussi éloignée que la vision des rizières d'antan. Pis, certains endroits sont devenus vraiment laids, comme les rues disgracieuses qui vont vers les terres depuis la plage.

C'est le premier endroit où la plupart des visiteurs atterrissent à Bali, bien qu'il ne soit pas au goût de tout le monde. Les étroites rues de Kuta sont en effet bordées de cafés bon marché et de surf shops et elles sont sillonnées en permanence par des motos et des vendeurs de T-shirts. Cependant, les centres commerciaux et chaînes d'hôtels tape-à-l'œil récemment installés laissent présager un avenir plus aseptisé.

Les clubs les plus animés de Bali se concentrent sur ses axes principaux et on peut encore trouver une chambre modeste pour 15 $US dans un de ses multiples hôtels. Legian attire une clientèle un peu plus âgée (une plaisanterie consiste à dire que les adeptes de Kuta s'y retrouvent une fois mariés). Le commerce y fleurit autant et un chapelet d'hôtels familiaux bordent la plage. Tuban présente une ambiance un peu différente, mais le pourcentage de touristes en séjour tout compris y est plus élevé.

Et quel océan ! Les vagues déferlent sur la plage qui a rendu célèbre Kuta. Le ruban de sable qui s'étire sur plusieurs kilomètres de Tuban à Kuta, Legian, Seminyak et Echo Beach encore plus au nord reste un haut lieu du surf, des loisirs, du bien-être, de la décontraction et des fêtes, souvent arrosées.

UNE PLAGE DE LEGIAN

À l'écart de toute route, ombragée par des arbres, la plage en face du Sari Beach Inn (p. 65) n'est jamais très peuplée, les vendeurs y somnolent et aucun cours d'eau douteux ne la traverse. Une immense étendue de sable tout à soi, où l'on entend le bruit des vagues : un plaisir rarement rencontré plus au sud, vers Kuta.

Jl Legian, à peu près parallèle à la plage, va de Seminyak, au nord, jusqu'à Kuta.

👁 À voir

L'atout majeur de Kuta est bien entendu sa plage. On peut goûter à la vie locale sans même se baigner grâce à la nouvelle promenade qui débute à hauteur de Jl Pantai Kuta et longe le rivage vers le sud, presque jusqu'à l'aéroport. Elle constitue un balcon sur l'océan et sur la plage de Tuban, qui a presque disparu malgré les efforts entrepris pour la préserver.

Les motifs de fascination, de ravissement mais aussi d'irritation ne manqueront pas au gré de vos déambulations dans les rues et les allées, au milieu d'un tohu-bohu perpétuel. Vous y découvrirez même des sites inattendus, à l'exemple de ce vieux **temple chinois** (carte p. 52).

Mémorial   MONUMENT
(carte p. 52 ; Jl Legian ; 🕐 24h/24). Des voyageurs de toutes nationalités viennent se recueillir devant ce mur commémoratif qui témoigne du caractère international des attentats de 2002 (voir p. 318). La liste des 202 victimes, dont 35 Indonésiens, suscite en général beaucoup d'émotion. Du **Sari Club** (carte p. 52), il ne reste qu'un parking de l'autre côté de la rue.

🏃 Activités

De Kuta, il est facile de pratiquer le surf, la voile, la plongée, la pêche ou le rafting n'importe où dans le sud de Bali et de revenir avant le coucher du soleil.

La plupart des activités sont concentrées autour de la superbe **plage**. Des marchands ambulants y vendent sodas, bières et en-cas. On peut louer chaises et parasols (10 000-20 000 Rp, à négocier) ou simplement lézarder sur le sable. Les jeunes étrangers bronzés bombant le torse côtoient des familles balinaises qui font trempette tout en restant très pudiques. À marée basse, la plage s'étend sur des kilomètres, que l'on peut parcourir à pied. Dans tout le sud de l'île, au coucher du soleil, la plage devient un lieu de rendez-vous, et le théâtre d'un embrasement coloré. Quand le temps s'y prête, c'est un spectacle qui vaut tous les feux d'artifice.

Malgré la circulation, la région de Kuta convient plutôt bien aux enfants. Ils peuvent s'ébattre sur la plage pendant des heures. Presque tous les hôtels et complexes hôteliers ont une piscine, et beaucoup prévoient des activités pour

LES COW-BOYS DE KUTA DÉSARÇONNÉS

On les voit sur toutes les plages du sud de Bali. Ces jeunes gens ont la peau ambrée et tatouée, les cheveux longs et affichent tous la même amabilité. Surnommés les "Kuta cow-boys", ils inversent le cliché de la jeune femme locale avec un Occidental plus âgé. Cela fait des décennies que les femmes d'un certain âge (du Japon, d'Australie ou d'ailleurs) trouvent des compagnons sur les plages de Bali pour répondre à leur besoin de romantisme, d'aventure ou autre.

Les rapports entre ces étrangères et les Balinais ne se résument pas à un simple échange d'argent contre des services sexuels (une pratique illégale à Bali) : si les cow-boys de Kuta ne reçoivent pas d'argent directement, leurs compagnes leur paient généralement repas, cadeaux, et même parfois le loyer.

Ce phénomène balinais bien connu a soudain fait la une, en 2010, lors de la sortie du documentaire *Cow-Boys in Paradise* (www.cowboysinparadise.com). Son réalisateur, Amit Virmani, a eu l'idée de ce film après qu'un jeune garçon balinais lui a dit vouloir "offrir ses services sexuels aux filles japonaises" quand il serait grand. Ce documentaire se penche sur la vie des cow-boys de Kuta en explorant les effets économiques et affectifs de ces flirts éphémères et répétés avec des touristes.

Le film fit le buzz, ce qui fit craindre aux autorités locales que cette mise en avant du commerce de l'amour ternisse l'image de Bali. La police arrêta 28 hommes sur la plage de Kuta suspectés de se prostituer. Outre ces questions d'"image", les autorités sanitaires soulignent le problème du sida : l'épidémie est en croissance à Bali, l'une des régions les plus touchées d'Indonésie.

les petits. Amazone (carte p. 56 ; Discovery Shopping Mall, Jl Kartika Plaza, Tuban ; ☉10h-22h) regroupe des centaines de jeux vidéo bruyants au dernier étage de la galerie marchande.

Très courue, la **Double Six Beach** (Jl Arjuna), à l'extrémité nord de Legian, reste animée toute la journée par des parties de football et de volley-ball avec des partenaires de rencontre. Un bon endroit pour faire connaissance avec des gens du pays.

Surf

Le *break* de surf appelé Halfway Kuta, non loin de l'Hotel Istana Rama, est le meilleur endroit pour les débutants. Des *breaks* plus difficiles déferlent sur les bancs de sable changeants, au large de Legian vers l'extrémité de Jl Padma, ainsi qu'à Kuta Reef, à 1 km au large de Tuban Beach.

Des magasins petits et grands vendent du matériel de surf de marque. Des échoppes, dans les petites rues, louent des planches de surf (30 000 Rp/jour, à négocier) et des boogie-boards, réparent les planches ("dings") et en vendent neuves et d'occasion. Certaines organisent aussi le transport vers des spots voisins. Comptez environ 200 $US pour une planche d'occasion en bon état. Pour en savoir plus sur le surf, voir p. 29.

Quelques-unes des écoles et boutiques de surf :

Wave Hunter   SURF
(carte p. 52 ; www.supwavehunter.com ; Jl Sunset 18X, angle Jl Imam Bonjol ; location 250 000 Rp/jour). Location de planches de stand up paddle, cours et transport pas cher depuis et vers les plages où les conditions du jour sont bonnes.

Pro Surf School   SURF
(carte p. 52 ; www.prosurtschool.com ; Jl Pantai Kuta ; cours à partir de 45 €). Située le long de la célèbre Kuta Beach, cette école réputée fait monter des débutants sur des planches depuis des années. Chouette café.

Rip Curl School of Surf   SURF
(carte p. 52 ; ☎735858 ; www.ripcurlschoolofsurf. com ; Jl Arjana ; cours à partir de 650 000 Rp). La fameuse marque australienne a son école de surf. Vous pourrez apprendre à surfer au célèbre Double Six Beach ; cours pour enfants.

Naruki Surf Shop   SURF
(carte p. 52 ; ☎765 772 ; près de Poppies Gang II ; ☉10h-20h) L'une des nombreuses boutiques spécialisées de ce *gang* de Kuta. Le personnel, sympathique, loue et répare les planches, prodigue des conseils et dispense des cours.

Kuta et Legian

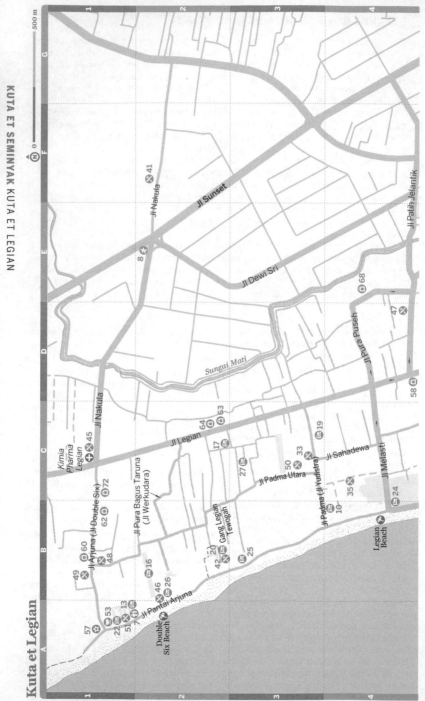

500 m

Jl Nakula

Jl Sunset

Jl Dewi Sri

Jl Patih Jelantik

Sungai Mati

Jl Nakula

Jl Pura Puseh

Kimia
Pharma
Legian

Jl Legian

Jl Sahadewa

Jl Padma Utara

Jl Melasti

Jl Double Six

Jl Arjuna (Jl Double Six)

Jl Padma (Jl Yudistra)

Jl Pura Bagus Taruna
(Jl Werkudara)

Gang Legian
Tewogah

Legian
Beach

Jl Pantai Arjuna

Double
Six Beach

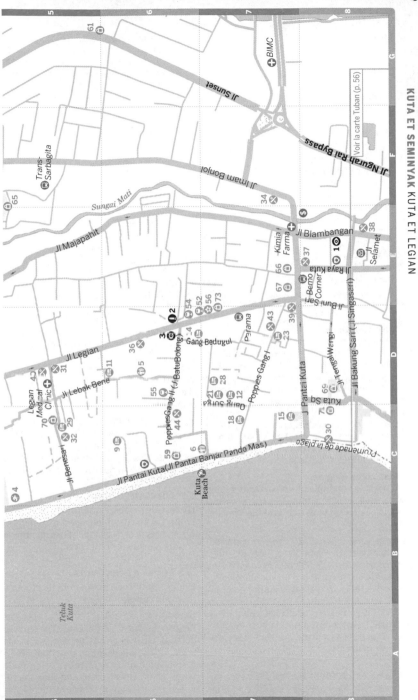

Jl Sunset

BIMC

Voir la carte Tuban (p. 56)

Jl Ngurah Rai Bypass

Trans-Sarbagita

Jl Imam Bonjol

Sungai Mati

Jl Majapahit

Kimia Farma

Jl Blambangan

Jl Selamet

34

38

37

1

Jl Raya Kuta

66

Berno Corner

Jl Buni Sari

67

Jl Bakung Sarri (Jl Singasari)

54

52

56

73

2

Jl Legian

36

3

Gang Bedugul

43

Jl Tengal Wangi

Pajama

39

5

Jl Lebak Bene

Legian Medical Clinic

31

11

Poppies Gang II (Jl Batu Bolong)

55

28

21

12

Dang Surga

Jl Pantai Kuta

Kuta Sq

65

70

29

32

44

Poppes Gang I

18

15

30

9

Jl Benesari

59

6

Promenade de la plage

Jl Pantai Kuta (Jl Pantai Banjar Pando Mas)

Kuta Beach

4

Teluk Kuta

61

65

23

27

Kuta et Legian

Parc aquatique

Waterbom Park PARC D'ATTRACTIONS
(carte p. 56 ; ☑755 676 ; www.waterbom-bali.
com ; Jl Kartika Plaza ; adulte/enfant 31/19 $US ;
☺9h-18h). Au sud de Kuta, ce parc aquatique
de 3,5 ha se compose de jardins tropicaux
paysagers, de divers toboggans, piscines et
aires de jeux, d'un parc surveillé pour les
enfants de moins de 5 ans et d'une *"lazy
river"*, une rivière artificielle. On apprécie également la *"pleasure pool"*, l'espace
restauration, le bar et le spa.

Massages et spas

Les spas se multiplient, en particulier dans
les hôtels, et offrent toutes sortes de prestations. Faites un petit tour avant de choisir.

Jamu Spa SPA
(carte p. 52 ; ☑752 520 ; www.jamutraditio-
nalspa.com ; Jl Pantai Kuta, Alam Kul Kul ;
massage à partir de 550 000 Rp ; ☺9h-21h).
Dans le cadre paisible d'un complexe hôtelier, les salles de massages donnent sur un
joli jardin intérieur. Si vous avez toujours
rêvé de vous transformer en cocktail de
fruits, profitez des soins à la noix de coco,
à la papaye et autres, souvent dans des
bains odorants.

Miracle SPA
(carte p. 52 ; ☑769 019 ; www.miracle-clinic.com ;
Istana Kuta Galeria, Block PM 1/20 ; massage
à partir de 30 $US ; ☺8h30-20h). Grâce à la

technique Arctic de projection d'air froid
sur la peau, vous ne sentirez rien lors de
votre peeling à l'acide. La vaste gamme de
soins de beauté attire une clientèle fidèle,
dont bon nombre d'habitants de Kuta et
d'expatriés.

Garbugar MASSAGE
(carte p. 52 ; ☑769 121 ; Istana Kuta Galleria,
Block OG 09 ; massage à partir de 100 000 Rp ;
☺10h-20h). Les masseurs experts sont
aveugles. Pas de chichis, mais, en matière
de relaxation, on fait difficilement mieux.

☞ Circuits organisés

Il existe de nombreux circuits pour parcourir Bali, d'une demi-journée à trois jours, à
réserver auprès des hôtels et des nombreux
stands tapissés de brochures.

✦ Fêtes et festivals

Des **compétitions de surf** ont lieu tout au
long de l'année.

Kuta Karnival CARNAVAL
Le premier carnaval de Kuta s'est tenu en
2003 et avait pour but de célébrer la vie
après la tragédie de 2002. Il se tient désormais chaque année en octobre sur la grande
plage. L'événement comprend jeux, manifestations artistiques, concours, surf et plus
encore (voir la page Facebook du carnaval).

🛏 Où se loger

Kuta, Legian et Tuban comptent des centaines d'hébergements. Les plus onéreux se situent sur le front de mer, ceux de catégorie moyenne dans les grandes artères entre Jl Legian et la plage, et ceux pour petits budgets se nichent dans les ruelles entre les deux. Tuban et Legian abritent surtout des établissements de catégories moyenne et supérieure ; les adresses bon marché se trouvent plutôt à Kuta et au sud de Legian. Pratiquement tous les hôtels, dans toutes les gammes de prix, possèdent climatisation et piscine. Allez dans le moins cher et vous contribuerez à la préservation de l'environnement.

Les hôtels situés dans Jl Pantai Kuta sont séparés de la plage par une grande artère au sud de Jl Melasti. Au nord de Jl Melasti, à Legian, la route de la plage est protégée par des grilles excluant presque toute circulation automobile. Les hôtels y jouissent d'une promenade en bord de mer.

Tout établissement situé à l'ouest de Jl Legian se trouve à moins de 10 minutes de marche de la plage.

TUBAN
Un chapelet de grands hôtels, fréquentés par les groupes, jalonne la plage (parfois inexistante) de Tuban.

Discovery Kartika Plaza Hotel RESORT $$$
(carte p. 56 ; ☏751 067 ; www.discoverykartika-plaza.com ; Jl Kartika Plaza ; ch 160-300 $US ; ❊@☎✈). Les 312 chambres spacieuses qui occupent ces bâtiments de 3 étages donnent sur de vastes jardins et une immense piscine. On peut s'offrir le luxe de louer l'une des villas privées sur l'eau (les n°s 2 à 7 étant les plus agréables).

KUTA
Arpenter ruelles et *gang* à la recherche d'une chambre bon marché tient souvent du rite de passage. Malgré le nombre croissant de chaînes, les petits établissements familiaux sont encore nombreux. Certains des hôtels de Jl Legian sont du genre à supposer qu'un homme seul qui réserve une chambre simple souhaite en réalité une chambre double, et cherche de la compagnie.

SUR LA PLAGE
Hard Rock Hotel RESORT $$$
(carte p. 52 ; ☏761 869 ; www.hardrockhotels.com ; Jl Pantai Kuta ; ch à partir de 300 $US ; ❊@☎✈). Rien n'est sobre dans cet hôtel ostentatoire de 418 chambres. L'énorme piscine est plus un décor qu'un équipement de loisir. Personnel doué pour la vente, surtout à la grande boutique. Sur la plage.

Tuban

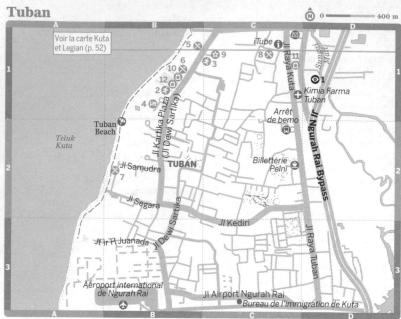

Tuban

⊙ À voir
1 Tombe de Mads Lange D1

✪ Activités
2 Amazone... B1
3 Waterbom Park...................................... C1

🛏 Où se loger
4 Discovery Kartika Plaza Hotel B1

🍴 Où se restaurer
5 B Couple Bar n' Grill B1

Discovery Mall .... (voir 10)
6 Kafe Batan Waru B1
7 Pantai.. B2
8 Warung Nikmat C1

🎭 Où sortir
9 DeeJay Cafe.. C1

🛍 Achats
10 Discovery Mall B1
11 Joger C1
12 Periplus Bookshop................................. B1

CENTRAL KUTA

♥ Un's Hotel HÔTEL $$
(carte p. 52 ; ☎757 409 ; www.unshotel.
com ; Jl Benesari ; ch 35-80 $US ; ❄🛜🏊).
L'entrée, bien cachée, laisse augurer de
la tranquillité de cet hôtel. Deux bâti-
ments à étage (celui du sud est le plus
calme) abritent 30 chambres spacieuses
(les moins chères avec ventilateur), agré-
mentées de meubles anciens, de chaises
longues en rotin et de sdb extérieures.
Les balcons, ornés de bougainvillées,
donnent sur la piscine.

Poppies Cottages HÔTEL $$
(carte p. 52 ; ☎751 059 ; www.poppiesbali.com ;
Poppies Gang I ; ch 95-120 $US ; ❄@🛜🏊). Une
institution de Kuta. Le luxuriant domaine
accueille 20 bungalows à toit de chaume
et baignoire extérieure encastrée dans le
sol. Possibilité de lits jumeaux ou extra-
larges. Piscine entourée de sculptures et
de fontaines, au milieu d'un jardin, à en
oublier qu'on est en ville.

Kuta Puri Bungalows HÔTEL $$
(carte p. 52 ; ☎751 903 ; www.kutapuri.com ;
Poppies Gang I ; ch 60-130 $US ; ❄🛜🏊). Dans

Les plus belles plages de Bali

Plages »
Surf »
Plongée »
Vie marine »

Vue de Gili Meno et de ses eaux cristallines

Plages

Bali et Lombok sont entourées de plages de sable allant du blanc au noir, où déferlent de belles vagues. Elles attirent de nombreux visiteurs qui en profitent pour surfer, jouer et bronzer.

Les plages sont l'un des principaux attraits des îles. Les activités sont tellement variées qu'il y en aura certainement une – ou plusieurs – à votre goût. Sur les plages orientées vers l'ouest, on cesse toute activité pour contempler le coucher du soleil ou, pour les Balinais, s'adonner à des purifications et autres cérémonies.

Vous pouvez profiter de la vie nocturne débridée ou apprécier la solitude totale, à vous de choisir.

1. Parachute ascensionnel, Nusa Dua (p. 105) 2. Ulu Watu (p. 103) 3. Restaurant de plage, Legian (p. 69) 4. Plage au crépuscule, Legian (p. 50)

60

1. L'emblématique Kuta Beach (p. 50) 2. Planches de surf sur une plage balinaise 3. Falaises d'Ulu Watu (p. 103)

JOHN W BANAGAN/GETTY IMAGES ©

Surf

Kuta Beach

1 Kuta Beach, la première plage de surf de Bali, a toujours du succès. D'abord, l'endroit entier respire la culture surf, avec notamment les fameux centres de plongée du front de mer. Ensuite, il est facile de s'initier au surf grâce aux multiples écoles qui proposent des leçons toute la journée. Enfin, les *breaks* y sont très réguliers.

Echo Beach

2 Echo Beach rassemble de puissantes vagues et une foule de spectateurs. C'est une extension de Batu Bolong, mais là où les vagues font face à une bande de sable souvent calme, Echo Beach est bordée de cafés fréquentés par de nombreux fans. Habitants et visiteurs s'y côtoient.

Ulu Watu

3 Ulu Watu est un spot de surf légendaire. C'est l'apogée d'une série de vagues qui déferlent le long de la côte ouest de la péninsule de Bukit. Les conditions sont parfois difficiles et l'on peut passer des jours à jauger la situation. Des cafés typiques de surfeurs bordent les falaises.

Nusa Lembongan

4 Nusa Lembongan, au large de Bali, est excellente pour surfer des jours durant. Les *breaks* sont à proximité, derrière les récifs. Mais on y trouve surtout des hébergements bon marché avec vue sur les surfeurs, idéal pour choisir à quel moment se jeter à l'eau.

Desert Point

5 Desert Point à Lombok est acclamée, et pas uniquement par les surfeurs se félicitant d'avoir réussi à atteindre ce spot reculé. La saison y est courte – mai à septembre – et ce *break*, vague d'exception, difficile même pour les plus expérimentés, est une récompense pour tous.

Plongée

Tulamben

1 Sur la route côtière de l'est de Bali, Tulamben semble sans intérêt jusqu'à ce que l'on remarque tous les centres de plongée. La principale attraction, le cargo *Liberty,* coulé lors de la Seconde Guerre mondiale, gît à un jet de pierre de la rive. Vous pourrez plonger et snorkeler sur l'épave, prendre des cours et participer à des excursions grâce aux nombreux prestataires.

Gili Trawangan

2 L'îlot est fabuleux pour la plongée et le snorkeling, et l'on y trouve d'excellents centres de plongée. Les sites où explorer les profondeurs et les récifs ne manquent pas autour des trois îles Gili. On y pratique le *freediving* (apnée) et le snorkeling est possible directement depuis les plages.

1. Gorgone et crinoïde, Tulamben (p. 212) **2.** Récif artificiel Biorock (p. 291), Gili Trawangan **3.** Raie manta, Nusa Penida (p. 133)

Nusa Penida

3 Rarement visitée, Nusa Penida est entourée de fonds dignes d'un parc à thème sous-marin. Les conditions peuvent être difficiles – les services d'un excellent centre de plongée sont indispensables – mais, selon l'époque de l'année, il est possible de croiser d'énormes poissons-lunes (3 m d'envergure) et des raies manta.

Nusa Lembongan

4 Une bonne base pour explorer les dizaines de sites de l'île et de ses deux voisines, Penida et Ceningan. Bien encadré, vous pouvez faire une plongée dérivante entre Nusa Ceningan et Lembongan. Les mangroves se prêtent à des heures de snorkeling et de plongée.

Pulau Menjangan

5 C'est le spot le plus connu de Bali, concentrant des dizaines de sites splendides. La plongée y est excellente : poissons tropicaux emblématiques, coraux mous, visibilité (souvent) excellente, grottes et un tombant spectaculaire. L'endroit se visite de préférence lors d'une excursion d'une nuit dans un *resort* de Pemuteran.

Vie marine

Il existe autour des îles une riche variété de coraux, d'algues, de poissons et d'autres espèces marines que vous pourrez facilement observer avec masque et tuba. En revanche, il vous faudra plonger avec une bouteille pour voir la grande faune marine.

Les rencontres les plus spectaculaires ont lieu suivant les saisons autour de Nusa Penida : les énormes et paisibles poissons-lunes et raies manta attirent des plongeurs du monde entier.

On trouve des dauphins autour des îles, et ils sont devenus une attraction au large de Lovina. Vous aurez autant de chances de croiser des bancs de dauphins en vous rendant de Bali aux Gili en bateau rapide.

Les requins sont toujours impressionnants et il en passe parfois de grands spécimens dans la région, comme des requins blancs. Contrairement à la côte est de l'Australie, ici, ils ne sont pas considérés comme une menace importante. Dans les îles Gili, on aperçoit facilement des requins de récifs à Shark Point.

Également communes, bien que très menacées, les tortues de mer ont longtemps été pour les Balinais un mets raffiné. Les écologistes se battent pour les protéger des braconniers. Cependant, on peut toujours en voir, notamment autour des îles Gili lors d'explorations sous-marines, avec ou sans bouteille.

De nombreux spots autour des îles abritent de plus petits poissons et des coraux. L'étape appréciée de tous est Menjangan, à Bali. Des espèces aussi grosses que les requins-baleines y sont visibles, mais ce qui réjouit les visiteurs chaque jour, c'est la beauté multicolore d'un ensemble de coraux, d'éponges, de gorgones de dentelles, etc. Les étoiles de mer abondent et vous croiserez facilement des poissons-clowns et autres créatures polychromes.

Ci-dessous
Poissons-papillons et plongeur

un style bungalow, 47 chambres (certaines avec ventilateur) bien tenues, nichées dans une végétation tropicale. Piscine avec petit bassin pour enfants.

Bali Bungalo HÔTEL $$
(carte p. 52 ; ☑755 109 ; www.bali-bungalo.com ; près de Jl Pantai Kuta ; ch 500 000-600 000 Rp ; ❄🛜🏊). De grandes chambres proches de la plage mais calmes font le charme de cet hôtel ancien, bien tenu. Des statues de chevaux encadrent la piscine. Les 44 chambres (certaines avec Wi-Fi) occupent des bâtiments à deux niveaux agrémentés de patios/porches.

Suji Bungalow HÔTEL $
(carte p. 52 ; ☑765 804 ; www.sujibglw.com ; près de Poppies Gang I ; ch 38-50 $US ; ❄@🛜🏊). Très gai, le Suji regroupe 47 bungalows et chambres autour d'une piscine (toboggan pour enfants) dans un vaste et paisible jardin. Vérandas et terrasses invitent au farniente. Wi-Fi dans certaines chambres.

Berlian Inn HÔTEL $
(carte p. 52 ; ☑751 501 ; près de Poppies Gang I ; ch 120 000-250 000 Rp ; ❄). Plus élégantes que la moyenne dans cette gamme de prix, ces 24 chambres bénéficient d'un cadre paisible, de dessus-de-lits en *ikat* et d'une sdb ouverte originale. Clim et eau chaude pour les plus chères.

Mimpi Bungalows HÔTEL $
(carte p. 52 ; ☑751 848 ; kumimpi@yahoo.com. sg ; ch 200 000-500 000 Rp ; ❄🛜🏊). Les moins chères des 10 chambres sont les plus avantageuses (mais n'ont que des ventilateurs). Le jardin, agrémenté d'orchidées, offre de l'ombre et une piscine correcte. Made Supatra, le propriétaire, ne se lasse pas de promouvoir Kuta. Plusieurs autres hébergements aux alentours.

Gemini Star Hotel HÔTEL $
(carte p. 52 ; ☑750 558 ; aquariushotel@yahoo. com ; Poppies Gang II ; ch 140 000-300 000 Rp ; ❄🏊). Seuls quelques borborygmes de surfeurs paraissent troublent la quiétude de cet hôtel de 12 chambres, niché dans une ruelle. Les 2 bâtiments à étage entourent une grande piscine ensoleillée. Chambres d'entrée de gamme avec ventilateur et eau chaude ; supérieures avec clim et réfrigérateur.

Bendesa HÔTEL $
(carte p. 52 ; ☑754 366 ; www.bendesaaccommodation.com ; près de Poppies Gang II ; ch 15-45 $US ; ❄🛜🏊). Les 42 chambres occupent un bâtiment de 3 niveaux donnant sur la piscine. L'endroit réussit

à rester tranquille, au cœur de l'agitation. Proprettes, les chambres les moins chères ont l'eau froide (parfois avec baignoire) et un ventilateur. Elles n'ont pas toutes le Wi-Fi.

LEGIAN

SUR LA PLAGE
Les constructions fleurissent sur le front de mer de Legian.

Bali Mandira Hotel HÔTEL $$$
(carte p. 52 ; ☑751 381 ; www.balimandira.com ; Jl Pantai Kuta ; ch 140-250 $US ; ❄🛜🏊). Le jardin où fleurissent des oiseaux de paradis est à l'image de cet hôtel de 191 chambres aux prestations complètes. Les bungalows, au décor moderne, sont équipés d'une sdb semi-extérieure. La spectaculaire piscine perchée au-dessus d'un bel édifice en pierre (qui abrite un spa) offre une magnifique vue sur l'océan, à l'instar du café.

Maharta Beach Resort HÔTEL $$
(carte p. 52 ; ☑751 654 ; www.mahartabeach. com ; Jl Padma Utara ; ch 90-140 $US ; ❄🛜🏊). Sur un minuscule emplacement en bordure de la plage, cet hôtel sans prétention se porte bien, malgré son âge. Sa situation constitue son meilleur atout. Un mobilier en bois balinais garnit les 34 chambres, avec patios ou balcons, parfois baignoires et carrelage, mais sans vue.

Sari Beach Inn HÔTEL $$
(carte p. 52 ; ☑751 635 ; www.saribeachinn. com ; près de Jl Padma Utara ; ch 70-100 $US ; ❄🛜🏊). Au bout d'un long *gang*, cet hôtel en bord de plage propose des prix attrayants. Chacune des 21 chambres est dotée d'un patio et les plus belles, d'une grande baignoire. Petites statues et jeux d'eau animent le verdoyant jardin.

Seaside Villas VILLAS $$$
(carte p. 52 ; ☑737 138 ; www.seasidebali.com ; 18 Jl Pantai Arjuna ; villas 140-400 $US ; ❄🛜🏊). Sur une portion de plage prisée au sud de la très branchée Double Six Beach, ces 3 villas de 1 à 3 chambres entourées de jardins luxuriants rappellent vaguement les constructions d'adobe de Santa Fé (Nouveau-Mexique) et jouissent d'une intimité étonnante vu leur emplacement. La plage n'est qu'à quelques mètres, après une double porte, une fontaine et un parking.

Pullman Bali
Legian Nirwana HÔTEL-CLUB $$$
(carte p. 52 ; ☑762 500 ; www.accorhotels.com ; Jl Melasti 1 ; ch 140-300 $US ; ❄@🛜🏊). Cet immense complexe hôtelier dispose de

KUTA, BERCEAU DU TOURISME À BALI

En 1839, Mads Lange, marchand de coprah et aventurier danois, implanta avec succès un comptoir près de l'actuelle Kuta et devint un médiateur apprécié entre les rajas (princes ou seigneurs) locaux et les Hollandais qui cherchaient à étendre leur territoire. Son entreprise déclina dans les années 1850 et il mourut subitement, probablement empoisonné, alors qu'il s'apprêtait à retourner au Danemark. Sa **tombe** (carte p. 56 ; Jl Tuan Langa) se trouve là où il vivait, un coin tranquille et ombragé, près de la rivière. Lange élevait des dalmatiens et, aujourd'hui, les habitants croient un peu le revoir dans tout chien tacheté de noir et blanc.

Le tourisme balnéaire a démarré à Bali dans les années 1930, quand Bob et Louise Koke – couple de globe-trotters américains – ont ouvert une petite pension sur la plage de Kuta, alors quasi déserte. Leurs hôtes, des Européens et des Américains pour la plupart, logeaient dans des paillotes de style balinais. Bob a appris aux gens du pays le surf, que lui-même avait découvert à Hawaii.

Kuta changea vraiment à la fin des années 1960, lorsqu'elle devint une étape sur l'itinéraire des hippies entre l'Australie et l'Europe. Au début des années 1970, on pouvait y trouver des *losmen* (petits hôtels de style balinais) installés dans de ravissants jardins, des restaurants accueillants, des vendeurs de champignons magiques et une exquise douceur de vivre. Des Indonésiens entreprenants comprirent qu'ils pouvaient exploiter les possibilités économiques offertes par l'arrivée des touristes et des surfeurs, s'associant souvent pour cela à des étrangers qui cherchaient une excuse pour demeurer sur l'île.

Legian, le village au nord, commença à se développer au milieu des années 1970 comme une alternative à Kuta. On a bien du mal aujourd'hui à voir où commence une localité et où s'arrête l'autre.

387 chambres ou suites, au riche mobilier en bois. Vu l'architecture des lieux, déployée comme un jeu de cartes, nombre des chambres ont une fenêtre avec vue sur le voisin. La plage est de l'autre côté d'une rue passante. Les alentours comptent d'autres complexes du genre, dont "The Stones".

CENTRE DE LEGIAN

Island   HÔTEL $$

(carte p. 52 ; ☑762 722 ; www.theisland-hotelbali.com ; Gang Abdi ; dort 25 $US ; ch 550 000-700 000 Rp ; ✷@🛜✸). Une trouvaille ! Caché dans un joli lacis de venelles à l'ouest de Jl Legian, ce nouvel hôtel se situe au croisement des *gang* 19, 21 et Abdi. Rare à Bali, il possède un dortoir de luxe à 8 lits. Les chambres, raffinées, entourent une jolie piscine.

Sri Beach Inn   GUESTHOUSE $

(carte p. 52 ; ☑755 897 ; Gang Legian Tewngah ; ch 150 000-300 000 Rp ; ✷🛜) Au bout d'une série de sentiers menant au cœur du vieux Legian, là où bruissent les palmiers, vous attendent 5 chambres d'hôtes, avec eau chaude, clim et réfrigérateur pour les plus chères. Le jardin embellit chaque année.

Legian Beach Bungalow   HÔTEL $

(carte p. 52 ; ☑751 087 ; legianbeachbungalow@yahoo.co.id ; Jl Padma ; ch 150 000-250 000 Rp ; ✷✸). Derrière l'entrée peu engageante, à l'image du quartier, se cache un hôtel simple, mais joli. Les moins chères des 22 chambres ont l'eau froide, mais toutes ont la clim. Les bâtiments à un ou deux niveaux entourent la piscine.

DOUBLE SIX BEACH

Hotel Kumala Pantai   HÔTEL $$

(carte p. 52 ; ☑755 500 ; www.kumalapantai.com ; Jl Werkudara ; ch 700 000-1 000 000 Rp ; ✷@🛜✸). L'une des meilleures offres de Legian : 108 chambres spacieuses, avec sdb en marbre (douche et baignoire distinctes), dans des bâtiments de 3 niveaux, au cœur d'un luxuriant jardin, face à la très courue Double Six Beach. Copieux petit-déjeuner buffet. Tarifs Wi-Fi élevés.

O-CE-N Bali   HÔTEL $$$

(carte p. 52 ; ☑737 400 ; www.outrigger.com ; Jl Arjuna 88X ; ch 160-300 $US ; ✷@🛜✸). Cet hôtel clinquant domine une partie recherchée de Double Six Beach. Ses 112 chambres réparties dans des constructions en béton vont de la chambre d'hôtel simple à l'appartement de luxe.

Blue Ocean HÔTEL **$**
(carte p. 52 ; ☑730 289 ; près de Jl Pantai Arjuna ; ch 200 000-400 000 Rp ; ✳ ✿). Quasi sur la plage, c'est un établissement propre et basique avec eau chaude et d'agréables sdb en extérieur. Sur les 24 chambres, beaucoup ont une cuisine. Les environs sont animés de jour comme de nuit.

✗ Où se restaurer

On ne compte plus les endroits où se restaurer à Kuta et à Legian, notamment les cafés servant sandwichs, pizzas et petits plats indonésiens. Au milieu de tout cela se cachent d'authentiques *warung* balinais.

Si vous recherchez l'atmosphère décontractée des cafés de voyageurs, il suffit d'arpenter les *gang* en suivant la foule. Pour faire des provisions, les épiceries Circle K, omniprésentes, sont ouvertes 24h/24.

Quant aux vastes restaurants de Jl Sunset, qui font l'objet d'une intense promotion, ils souffrent du bruit de la circulation et visent une clientèle de groupes qui vont là où les cars les déposent.

TUBAN
Tous les hôtels du front de mer possèdent des restaurants ou cafés, parfaits pour un en-cas ou un verre au coucher du soleil.

B Couple Bar n' Grill POISSON **$$**
(carte p. 56 ; ☑761 414 ; Jl Kartika Plaza ; plats 80 000-200 000 Rp , ⏱24h/24). Un joyeux mélange de familles balinaises aisées et de touristes (la carte est même traduite en russe) se régale de poisson grillé à la mode de Jimbaran dans un cadre épuré. Billards, musique live et cuisine ouverte contribuent à l'animation.

Warung Nikmat INDONÉSIEN **$**
(carte p. 56 ; ☑764 678 ; Jl Banjar Sari ; plats 15 000-25 000 Rp ; ⏱10h-15h). Favori des Javanais, ce *warung* est réputé pour ses authentiques plats halal : bœuf *rendang*, *perkedel* (croquettes de maïs), gâteau aux crevettes, *sop buntut* (soupe de queue de bœuf), curries et plats de légumes. Venez avant 14h pour avoir le choix.

Pantai POISSON **$$**
(Carte p 56 ; ☑753 196 ; Jl Wana Segara ; plats 50 000-150 000 Rp). Tout est dans l'emplacement : en bordure de la plage. Ce modeste grill-bar sert une banale cuisine pour touristes (fruits de mer, classiques indonésiens, pâtes, etc.), mais la vue sur l'océan est idyllique. Sans la prétention (ni les prix) des cafés d'hôtels du coin. Suivez le chemin de la plage vers le sud en dépassant le grand Ramada Bintang Bali.

Kafe Batan Waru INDONÉSIEN **$$**
(carte p. 56 ; ☑766 303 ; Jl Kartika Plaza ; 50 000-150 000 Rp). Cette succursale de l'un des meilleurs restaurants d'Ubud, version améliorée d'un *warung*, sert une cuisine régionale et asiatique excellente et créative. Bon café, savoureuses pâtisseries et plats appréciés des enfants.

Discovery Mall ESPACE DE RESTAURATION **$**
(carte p. 56 ; Jl Kartika Plaza ; ✳). Ce centre commercial compte une flopée d'endroits où manger, dont l'espace de restauration au dernier étage (repas 15 000-30 000 Rp) qui regroupe une foule de vendeurs de mets asiatiques frais et bon marché. On peut s'attabler sur une terrasse surplombant Kuta Beach. Le centre abrite aussi cafés et boulangeries.

KUTA ET SEMINYAK KUTA ET LEGIAN

❶ DES HÔTELS TROP EXCENTRÉS

Soyez vigilant lorsque vous réservez un hôtel dans le sud de Bali.

Avec l'explosion du tourisme, les chaînes d'hôtels se sont multipliées. La construction de grands établissements de plusieurs centaines de chambres est en train de modifier profondément l'âme des secteurs touristiques traditionnels de Kuta et de Legian, et de faire disparaître les petites auberges familiales bon marché.

Cependant, de nombreux clients recherchant l'isolement, les grands hôtels apparaissent également dans des coins éloignés de la plage. Si vous séjournez à plus de quelques centaines de mètres à l'est de Jl Legian et de son prolongement nord Jl Seminyak, c'est à peine si vous pourrez vous rendre à la plage à pied. À l'est de Jl Sunset, vous devrez prendre l'un des rares taxis pour vous rendre dans les coins les plus intéressants de la conurbation de Kuta-Seminyak. À l'est de Jl Ngurah Rai Bypass, vous serez du mauvais côté d'une route très empruntée qu'il est dangereux de traverser à pied, et sans rien à proximité.

KUTA

L'immense centre commercial en bord de mer dans l'animée Jl Pantai Kuta renferme des chaînes de restaurants. Les marchands sur la plage ne vendent quasi que des boissons.

CENTRE DE KUTA

♥ **Ajeg Bali** BALINAIS $
(carte p. 52 ; Kuta Beach ; plats 15 000 Rp ; ☺8h-15h). Ce stand sans prétentions de Kuta Beach sert l'une des cuisines locales les plus fraîches du coin. Le top du top : un bol de *garang asem* épicé, une soupe au tamarin avec du poulet ou du porc fermier, et divers assaisonnements traditionnels. Venez tôt, car souvent il n'y a plus rien après 10h. Quand Jl Pantai Kuta tourne vers le nord, prenez le sentier allant au sud sur 100 m.

Poppies Restaurant OCCIDENTAL, INDONÉSIEN $$
(carte p. 52 ; ☎751 059 ; Poppies Gang I ; plats à partir de 90 000 Rp). Poppies fut l'un des premiers restaurants de Kuta (il a même donné son nom à Poppies Gang I). Célèbre pour son jardin luxuriant, il est orné de petits galets au sol et dégage une atmosphère romantique et quelque peu mystérieuse. Le restaurant haut de gamme sert une cuisine délicieuse.

Made's Warung INDONÉSIEN $$
(carte p. 52 ; Jl Pantai Kuta ; plats à partir de 40 000 Rp). Le premier *warung* touristique de Kuta a vu sa carte indo-occidentale copiée au fil des ans. Des spécialités comme le *nasi campur* (riz et sa garniture) sont servies dans une salle ouverte à l'avant qui rappelle l'époque où les hauts lieux touristiques de Kuta étaient éclairés par des lanternes à gaz.

Marché nocturne de Kuta INDONÉSIEN $
(carte p. 52 ; Jl Blambangan ; plats 15 000-25 000 Rp ; ☺18h-24h). Habitants et employés du secteur touristique convergent vers les stands, animés, et s'attablent autour de plats de grillades ou d'autres mets fraîchement préparés.

Marché de Kuta MARCHÉ $
(carte p. 52 ; Jl Raya Kuta ; ☺6h-16h). Pas très grand, mais très fréquenté, ce qui garantit la fraîcheur des denrées. Achetez ici des fruits balinais peu courants, tels les mangoustans.

LE LONG DE JL LEGIAN

Les possibilités de restauration semblent infinies le long de Jl Legian ; elles sont loin d'être toutes bonnes.

Kopi Pot CAFÉ $$
(carte p. 52 ; ☎752 614 ; Jl Legian ; plats 60 000-150 000 Rp ; ☎). À l'ombre des arbres, une adresse très prisée pour ses cafés, ses milk-shakes et sa farandole de desserts. La salle à manger ouverte, sur plusieurs niveaux, se situe à l'écart de la pollution de Jl Legian.

Mama's ALLEMAND $$
(carte p. 52 ; ☎761 151 ; Jl Legian ; plats 80 000-270 000 Rp ; ☺24h/24 ; ☎). Ce restaurant allemand sert *Schnitzel*, charcuterie et même *Königsberger klopse* (boulettes de porc à la sauce blanche) à toute heure. La Bintang est servie au litre et l'on peut goûter aux autres bières d'importation, ainsi qu'à l'excellente Storm régionale, brassée artisanalement, dans l'ambiance animée du bar en plein air.

POPPIES GANG II ET ALENTOUR

Balcony INTERNATIONAL $$
(carte p. 52 ; ☎757 409 ; Jl Benesari 16 ; plats 50 000-150 000 Rp ; ☺à partir de 5h). Décor tropical aéré surplombant l'agitation de Jl Benesari. Partez d'un bon pied grâce au menu du petit-déjeuner proposant œufs et crêpes. Le soir : pâtes, viande grillée et quelques classiques indonésiens.

Rainbow Cafe INTERNATIONAL $
(carte p. 52 ; ☎765 730 ; Poppies Gang II ; plats à partir de 50 000 Rp). Des générations d'habitants de Kuta sont venues passer l'après-midi dans cet endroit bien ombragé. L'ambiance n'a guère changé, et les clients actuels sont parfois les enfants de routards qui se sont rencontrés ici.

À L'EST DE JALAN LEGIAN

Feyloon CHINOIS $$
(carte p. 52 ; ☎766 308 ; www.feyloonrestaurant. com ; Jl Raya Kuta 98 ; plats 80 000-250 000 Rp ; ✱). Un rutilant restaurant de poisson hongkongais. Dans l'entrée, toutes sortes de créatures marines évoluent dans des bassins avant de se retrouver dans votre assiette. Vaste choix et présentation artistique. Et, pour varier, d'excellents plats de canard. Au déjeuner, profitez d'une profusion de *dim sum*.

Take JAPONAIS $$
(carte p. 52 ; ☎759 745 ; Jl Patih Jelantik ; plats 70 000-300 000 Rp). À peine passé la porte surmontée d'une étoffe traditionnelle, vous voici à Tokyo. Sushis, sashimis et autres mets archi-frais sont préparés sous l'œil des chefs derrière le long comptoir. Au choix : table basse ou alcôve.

LEGIAN
Les rues de Legian abritent aussi bien de bonnes adresses que de très médiocres : prenez le temps de choisir.

Indo-National · OCCIDENTAL, POISSON $$
(carte p. 52 ; Jl Padma 17 ; repas à partir de 50 000 Rp). Ce populaire restaurant compte des légions de fans qui s'y sentent comme chez eux. Joignez-vous à eux pour une bière au bar, après quoi vous dégusterez un copieux plateau de poissons grillés.

Mang Engking · INDONÉSIEN $$
(carte p. 52 ; ☑882 2000 ; Jl Nakula 88 ; plats 100 000-200 000 Rp). Cuisine indonésienne dans un cadre très couleur locale avec ses pavillons à toit de chaume disséminés au milieu de plans d'eau. Très apprécié de la nouvelle classe moyenne balinaise, le long menu met l'accent sur les produits de la mer tout frais. Service rapide, mais aimable.

Warung Murah · INDONÉSIEN $
(carte p. 52 ; Jl Arjuna ; plats à partir de 30 000 Rp). Spécialisé dans les produits de la mer, cet authentique *warung* a un succès fou au déjeuner (venez plutôt avant 12h). Outre un choix de poisson grillé, il fait un succulent *satay ayam* pour trois fois rien.

Warung Asia · ASIATIQUE, CAFÉ $
(carte p. 52 ; près de Jl Arjuna et Jl Pura Bagus Taruna ; plats à partir de 30 000 Rp ; ☎). Au bout d'un *gang*, ce petit bijou, café chic en plein air, offre plats traditionnels thaïlandais et indonésiens. Il dispose d'une authentique machine à expresso italienne et quantité de journaux.

Aroma's Cafe · INTERNATIONAL $$
(carte p. 52 ; ☑751 003 ; Jl Legian ; plats 60 000-100 000 Rp ; ☎). L'agréable jardin entouré de fontaines en fait un lieu idéal pour démarrer la journée avec d'excellents jus de fruits, petits-déjeuners et cafés. Un agréable havre en retrait de Jl Legian.

Delicioso · GLACES $
(carte p. 52 ; Jl Padma) Ce petit glacier fait de véritables *gelati* italiens, parfumés et rafraîchissants tel l'irrésistible mélange de mangue et de menthe verte.

Warung Yogya · INDONÉSIEN $
(carte p. 52 ; ☑750 835 ; Jl Padma Utara ; plats à partir de 30 000 Rp). Caché en plein cœur de Legian, ce *warung* simple et impeccable a récemment été modernisé. On y sert des plats locaux copieux à des prix qui tenteraient presque les Balinais. Le *gado gado*

est accompagné d'un grand bol de sauce aux arachides.

Saleko · INDONÉSIEN $
(carte p. 52 ; Jl Nakula 4 ; plats à partir de 15 000 Rp). En retrait de la frénésie de Jl Legian, cette devanture modeste attire les connaisseurs avec ses plats simples de Sumatra. Utilisez le *sambal* avec parcimonie sur le poulet et le poisson grillés, déjà épicés. L'endroit tout indiqué pour s'initier à une cuisine indonésienne n'ayant pas été repensée pour les palais timides des touristes. Tout est halal.

SUR LA PLAGE
On trouve plusieurs restaurants et cafés faisant face à la mer le long de Jl Pantai Arjuna, ainsi que dans Jl Padma Utara. Tous sont idéaux pour admirer le coucher du soleil.

♥ Mozarella · ITALIEN, POISSON $$
(carte p. 52 ; www.mozzarella-resto.com ; Maharta Bali Hotel, Jl Padma Utara ; plats à partir de 60 000 Rp). C'est le meilleur des restaurants en bord de mer de la rue piétonne de Legian. On y propose du poisson frais et une cuisine italienne plus élaborée et authentique que chez ses concurrents du sud de Bali. Service plutôt raffiné, divers espaces en plein air pour dîner à la belle étoile, et salle plus abritée.

Seaside · INTERNATIONAL $$
(carte p. 52 ; ☑737 140 ; Jl Double Six ; plats 60 000-180 000 Rp). Un élégant restaurant où l'on s'assoit face à la plage. En haut, le grand patio qui accueille de nombreuses tables est parfait pour compter les étoiles quand vient la nuit. Poisson et viande cuisinés avec style.

Zanzibar · OCCIDENTAL $$
(carte p. 52 ; ☑733 529 ; Jl Arjuna ; plats à partir de 50 000 Rp). Ce patio toujours bourdonnant d'activité fait face à une rue animée de Double Six Beach. Parfait pour admirer le coucher du soleil, en particulier depuis la terrasse à l'étage. La carte comprend notamment *nasi* et hamburgers. Si c'est complet, l'un des nombreux concurrents voisins fera très bien l'affaire.

🍸 Où sortir et prendre un verre
Tous les jours vers 18h, tout le monde vient admirer le coucher du soleil, en dégustant un verre dans un café donnant sur la mer ou une bière achetée à un marchand sur la plage. Plus tard, la vie nocturne s'intensifie. Nombreux sont les fêtards à passer le

ÉCHAPPÉE VERTE

Les voitures, les motos, les rabatteurs, les chiens et les trottoirs dangereux peuvent faire d'une promenade à travers Tuban, Kuta et Legian une aventure périlleuse et stressante. Vous aurez bien vite envie de visiter des lieux moins fréquentés et plus silencieux.

N'allez pas pour autant réserver un circuit sur-le-champ. Il est en effet possible de s'échapper dans la campagne sans quitter la région. Des bandes de terres non exploitées et des zones résidentielles modestes se cachent souvent derrière les rues commerçantes.

À Legian, il suffit de s'engager dans n'importe quel petit *gang* de la zone délimitée par Jl Legian, Jl Padma, Jl Padma Utara et Jl Pura Bagus Taruna. Vous gagnerez rapidement de petits chemins bordés de maisons typiques et d'un modeste *warung* ou d'une boutique. Promenez-vous au hasard des allées et profitez du silence, accentué par le bruissement des palmiers et le chant des oiseaux.

début de soirée dans l'un des bars branchés de Seminyak avant de poursuivre la soirée au sud jusqu'à l'oubli.

Vous n'aurez aucun mal à identifier les lieux en vogue du moment. Si les clubs chics de Seminyak sont appréciés des homos comme des hétéros, on trouve généralement le même genre de foules mélangées à Kuta et à Legian.

Le magazine gratuit *The Beat* (www.beatmag.com) offre un bon aperçu des clubs et de divers événements.

TUBAN

DeeJay Cafe CLUB
(carte p. 56 ; ☎758 880 ; Jl Kartika Plaza 8X, Kuta Station Hotel ; ⏰24h-9h). L'endroit tout indiqué pour terminer la nuit (ou commencer la journée) au son de l'underground tribal, de la trance progressive ou de l'électro house. Des lève-tôt débarquent à 5h du matin, le teint frais.

KUTA

Jl Legian est bordée de bars clonés, écumés par les habitués.

♥ Sky Garden Lounge BAR, CLUB
(carte p. 52 ; www.61legian.com ; Jl Legian 61 ; ⏰24h/24). Ce palace clinquant ne semble pas concerné par la hauteur réglementaire : de son bar sur le toit, tout Kuta scintille à vos pieds. On y va aussi pour son café au rez-de-chaussée, ses DJ de renom et ses apprentis paparazzi. Les affamés apprécient le grand choix d'en-cas et de plats, qu'ils arrosent souvent d'alcool. Installez-vous à l'un des étages de ce terrain de jeux vertical, où l'on finit toujours par passer à un moment ou un autre.

Apache Reggae Bar BAR
(Carte p 52 ; Jl Legian 146 ; ⏰23h-4h). L'un des endroits les plus tapageurs de Kuta, où s'entassent touristes et Balinais d'humeur dragueuse. La musique est forte, mais les maux de tête du lendemain sont plutôt dus à l'arak (alcool de palme) servi dans de grands brocs en plastique. Les clients naviguent souvent (tant bien que mal) entre ici et le Bounty.

Twice Bar BAR
(carte p. 52 ; Poppies Gang II ; ⏰17h-tard). Depuis la petite ouverture, pénétrer dans ce bar long et étroit s'apparente à entrer dans une vieille baraque de fête foraine aux murs noirs, avec l'éventualité d'une surprise à quelques pas de là. Derrière, cependant, vous trouverez le meilleur club de rock indé de Kuta, avec ambiance crado et moite à souhait.

Bounty CLUB
(carte p. 52 ; Jl Legian ; ⏰22h-6h). La discothèque dans toute sa splendeur. Ce vaste espace en plein air est installé sur un faux voilier au milieu d'une mini galerie marchande de nourriture et de boissons. Montez l'escalier éclairé de bleu pour rejoindre la dunette et vous déhancher sur des rythmes hip-hop, techno, house et autres. Soirées mousse, ambiance sexuelle débridée et alcool bon marché encouragent le tapage.

LEGIAN ET DOUBLE SIX BEACH

La plupart des bars de Legian sont plus intimes que ceux de Kuta, à l'exception notable des cafés et des clubs à l'extrémité de Jl Arjuna/Jl Double Six. De là, une ribambelle de bars de plage se déploie vers le nord le long de la promenade de Seminyak.

De Ja Vu Kitchen CAFÉ
(carte p. 52 ; www.dejavukitchen.com ; Jl Pantai Arjuna ; ◷11h-tard). Cette ancienne discothèque est devenue un café de bord de mer élégant avec ambiance musicale. On y passe encore de la house, mais l'on met désormais l'accent sur les cocktails aux noms improbables, à déguster en admirant la vue depuis le bar sur le toit.

Cocoon CLUB
(carte p. 52 ; www.cocoon-beach.com ; Jl Arjuna ; ◷10h-tard). Ce club hautement conceptuel (T-shirts à l'effigie de marques d'alcool interdits !) est doté d'une immense piscine entourée de sofas, chaises longues et espaces VIP donnant sur Double Six Beach et organise jour et nuit fêtes et manifestations. Le soir, des DJ parmi les meilleurs de l'île s'y produisent.

🛍 Achats

Kuta rassemble une grande quantité de boutiques bon marché, ainsi que d'immenses magasins de surf. En longeant Jl Legian vers le nord, vous remarquerez que la qualité s'améliore et vous découvrirez de petites boutiques charmantes, notamment après Jl Melasti. Jl Arjuna est jalonnée d'ateliers de gros, de magasins de vêtements et d'artisanat qui lui confèrent une atmosphère de bazar. Continuez jusqu'à Seminyak où voisinent des boutiques exceptionnelles.

De grands centres commerciaux font également leur apparition. À Tuban, le Discovery Mall, plutôt apprécié, a cependant été totalement éclipsé par la toute nouvelle galerie Beachwalk, dans Jl Pantai Kuta. Kuta Square reste à la traîne et aurait besoin d'un nouveau souffle.

Les stands de T-shirts, de souvenirs et d'articles de plage sont omniprésents (notamment dans Poppies Gang). Nombre de ces étals sont rassemblés dans des "marchés d'art", tels le Kuta Square Art Market ou le Jl Melasti Art Market, où la seule référence artistique se résume aux reproductions du logo Bintang.

Accessoires

Earthy Collection ACCESSOIRES
(carte p. 52 ; ☎748 8400 ; Jl Legian 456). Sacs de toutes les formes, tailles et couleurs imaginables, le plus souvent fabriqués avec des matériaux tissés à Bali. Le personnel vous aidera à commander un modèle personnalisé.

Djeremi Shop ACCESSOIRES
(carte p. 52 ; ☎0815 578 8169 ; Jl Legian). Articles tissés, à porter et pour la maison. Si vous rêvez d'une moustiquaire romantique drapée autour de votre lit, venez ici.

Arts et artisanat

À côté d'un flot d'articles de pacotille, on peut dénicher quelques objets intéressants.

Kiki Shop MUSIQUE
(carte p. 52 ; ☎0819 1612 4351 ; Jl Pantai Kuta). Fabrication d'instruments de musique à la demande, tel un tambour bongo.

Makmur Helmet CASQUES
(carte p. 52 ; ☎486 451 ; Jl Pura Puseh). Les casques sont obligatoires à moto (leur absence risque de vous valoir une amende). Vous trouverez ici de quoi vous équiper en jouant le grand style (Mohawk, Viking ou autre), même si les casques ne répondent pas toujours aux critères de sécurité internationaux.

Articles de plage et de surf

Quantité de boutiques de surf vendent des équipements de grandes marques, dont Mambo, Rip Curl, Quiksilver et Billabong. Les prix sont souvent à peine moins chers

---

ℹ **C'EST PAR OÙ LA FÊTE ?**

Les clubs les plus tendance de Bali se concentrent sur un rayon de 300 m autour du très prisé Sky Garden Lounge. Il est difficile de distinguer les bars des clubs, les établissements passant d'un style à l'autre selon l'heure de la nuit (ou du jour). L'entrée y est généralement gratuite et des offres spéciales et *happy hours* sont souvent proposés sur divers plages horaires jusqu'après minuit. Il est possible de faire la fête à moindre coût en suivant ces offres promotionnelles de lieu en lieu (les propriétaires espèrent que les clients, une fois attirés par les ristournes, auront la flemme d'aller à d'autres endroits pour poursuivre la soirée). Soyez à l'affût des bons de réduction pour les boissons.

Les établissements vont du repaire de surfeurs décontractés aux discothèques hautement conceptuelles avec cartes de 2 km et serveurs omniprésents. La prostitution a pris de l'ampleur dans certains clubs de Kuta.

À NE PAS MANQUER

LE COUCHER DU SOLEIL À LEGIAN

Les couchers de soleil balinais se traduisent souvent par des explosions de rouges, d'orange et de violets. À 18h, siroter une bière au rythme des vagues devant ce spectacle éblouissant devient l'activité par excellence. Le meilleur endroit de Legian pour cela est la portion de plage allant du nord de Jl Padma à l'extrémité sud de Jl Pantai Arjuna. Le long de cette bande de sable piétonne, de sympathiques garçons proposent chaises basiques et bières fraîches bon marché (15 000 Rp).

qu'à l'étranger. Parmi les marques locales figure Surfer Girl. La plupart ont des points de vente dans le sud de l'île.

Surfer Girl VÊTEMENTS DE SURF
(carte p. 52 ; www.surfer-girl.com ; Jl Legian 138). Le séduisant logo en dit long sur cette légende locale : une vaste boutique pour filles de tous âges avec vêtements, équipements, Bikini et quantité d'accessoires aux couleurs de chewing-gums.

Rip Curl ÉQUIPEMENT DE SURF
(carte p. 52 ; Kuta Sq). Troquez votre combi noire contre un modèle plus voyant ! Cette antenne du géant du matériel de surf propose un large choix de vêtements de plage, de combinaisons et de planches.

Next Generation Board Bags SURF SHOP
(carte p. 52 ; ☑0813 3700 0523 ; Jl Benesari). Choisissez parmi une myriade de motifs et de couleurs et faites confectionner votre housse de planche de surf en boutique en moins de deux jours (à partir de 250 000 Rp). Quantité d'autres enseignes familiales spécialisées se trouvent à proximité.

Librairies
Des stands proposant des livres d'occasion en anglais sont disséminés dans les *gang* et les rues, notamment le long de Poppies.

Kerta Bookshop LIBRAIRIE
(carte p. 52 ; ☑758 047 ; Jl Pantai Kuta 6B). Bourse d'échange proposant un choix plus intéressant que la moyenne.

Periplus Bookshop LIBRAIRIE
(carte p. 56 ; ☑769 757 ; Jl Kartika Plaza, Discovery Mall). Large choix de livres neufs.

Times Bookstore LIBRAIRIE
(carte p. 52 ; ☑767 198 ; Kuta Sq). Dans le grand magasin Matahari, cette librairie offre un bon choix de fiction.

Vêtements
L'industrie du vêtement, jadis centrée sur les articles de plage, a évolué vers le sportswear et la mode. Depuis l'intersection de Jl Padma et de Jl Legian, au nord de Seminyak, vous découvrirez les meilleurs magasins de vêtements.

Animale VÊTEMENTS
(carte p. 52 ; ☑754 093 ; Jl Legian 361). L'une des meilleures marques internationales de Bali présente ici l'ensemble de sa collection (nombreuses autres boutiques).

Desy Shop CHAUSSURES
(carte p. 52 ; ☑733 595 ; Jl Arjuna 61). Des milliers de sandales toutes fabriquées sur place.

Grands magasins et galeries marchandes

Beachwalk GALERIE MARCHANDE
(carte p. 52 ; www.beachwalkbali.com ; Jl Pantai Kuta ; ◷10h-24h). De Gap à Starbuck's, les chaînes internationales abondent dans ce vaste centre commercial en plein air avec immeubles résidentiels, en face de Kuta Beach. Une brume rafraîchissante jaillit des plafonds et des plans d'eau ponctuent la galerie tape-à-l'œil. Les autres projets de construction prévus alentour vont éclipser Poppies Gang II, au charme désuet et bas de gamme, et continuer la transformation de Kuta en station balnéaire internationale clinquante.

Discovery Mall GALERIE MARCHANDE
Construit à deux pas de l'eau, l'énorme et très fréquenté centre commercial de Tuban héberge toutes sortes de boutiques, dont les grands magasins **Centro** et le très branché **Sogo**.

Istana Kuta Galleria GALERIE MARCHANDE
(carte p. 52 ; Jl Patih Jelantik). Immense galerie marchande à ciel ouvert, un peu toc. Dans ce labyrinthe, on peut parfois trouver une boutique intéressante, comme cette quincaillerie à l'arrière qui dépannera ceux qui cherchent une ampoule ou du scotch.

Carrefour GALERIE MARCHANDE
(carte p. 52 ; ☑847 7222 ; Jl Sunset ; ◷9h-22h). L'hypermarché et quantité de petites boutiques (librairies, magasins d'informatique, échoppes de maillots de bain) se partagent la surface. Idéal pour se

réapprovisionner et profiter des espaces traiteur et restauration, mais cela reste une galerie marchande.

Matahari
GRAND MAGASIN
(carte p. 52 ; ☑757 588 ; Kuta Sq ; ◷9h30-22h). On y trouve pratiquement tout : des vêtements élégants, des bagages de bonne qualité, un étage plein de souvenirs, une bijouterie et un supermarché.

Tissus
Parcourez Jl Arjuna, à Legian, et sa multitude d'étals proposant des produits de gros : tissus, vêtements et articles de maison. Quelques adresses à recommander.

Busana Agung
TEXTILES
(carte p. 52 ; ☑733 442 ; Jl Arjuna). Batiks chatoyants et étoffes diverses.

Sriwijaya
TEXTILES
(carte p. 52 ; ☑733 581 ; Jl Arjuna 35). Confection sur commande, batiks et autres tissus dans une myriade de tonalités.

Mobilier
Dans Jl Patih Jelantik, entre Jl Legian et Jl Pura Puseh, se succèdent de nombreux magasins fabriquant aussi bien des "antiquités" que des statues de bois. Quelques-uns réalisent et vendent cependant du mobilier de jardin en teck d'excellente qualité à un bon prix. Une luxueuse chaise longue vaut entre 200 000 et 000 000 Rp. La plupart des boutiques travaillent avec des agences de fret.

ℹ Renseignements

Accès Internet
Ce ne sont pas les endroits qui manquent pour naviguer sur le Net, proposant souvent un accès lent facturé 300 Rp la minute.

Argent
Nombreux distributeurs (ATM) dans toute la ville, y compris dans les magasins Circle K et Mini Mart.

Central Kuta Money Exchange (☑762 970 ; Jl Raya Kuta). Une adresse fiable, qui change toutes sortes de devises.

Désagréments et dangers
Les rues et les gang sont généralement sûrs, mais, la nuit tombée, des prostituées à scooter harcèlent parfois les hommes seuls. Il n'est pas rare de se voir proposer des "massages" d'un genre particulier ou des "plantes" très spéciales. Toutefois, l'inconvénient majeur reste probablement la circulation, toujours plus chaotique.

INTOXICATION À L'ALCOOL On a recensé plusieurs cas de décès parmi les touristes et

les habitants dus à la consommation d'arak frelaté avec du méthanol, un alcool toxique. Évitez les cocktails gratuits et l'arak en général.

BAIGNADE ET SÉCURITÉ La mer peut devenir fort dangereuse, certaines marées s'accompagnant de courants puissants, surtout à Legian. Des maîtres-nageurs surveillent les zones de baignade de Kuta et de Legian, signalées sur les plages par des drapeaux rouges et jaunes. S'ils affirment que la mer est trop agitée, ou qu'il n'est pas prudent de se baigner, il faut les croire. L'interdiction est signalée au moyen de drapeaux rouges avec une tête de mort.

MARCHANDS AMBULANTS Si les carrioles se font rares dans le quartier touristique de Kuta, très contrôlé, les marchands ambulants sévissent partout ailleurs, notamment dans Jl Legian, où ils peuvent se montrer agressifs. La plage reste supportable, sauf dans sa partie haute, investie par les vendeurs de souvenirs et les masseurs.

POLLUTION DE L'EAU La mer, autour de Kuta, subit des rejets de déchets urbains et agricoles, en particulier après les fortes pluies. Nagez loin des rivières, celle de Double Six Beach, souvent sale et malodorante, incluse.

VOL Les vols ont lieu dans des chambres d'hôtel non fermées à clé (et parfois même dans celles qui le sont) et sur la plage. Évitez d'aller vous baigner en laissant vos effets personnels en évidence sur le sable. Les vols à l'arraché par

À NE PAS MANQUER

LE MAGASIN LE PLUS COURU DE KUTA

Massée devant l'entrée, la foule semble prête à la ruée. À l'intérieur, c'est un tohu-bohu monstre. Bienvenue chez **Joger** (carte p. 56 ; Jl Raya Kuta ; ◷11h-18h), le magasin le plus populaire du sud de Bali, devenu légendaire. Aucun touriste indonésien n'imaginerait quitter l'île sans un petit chiot en plastique aux yeux attendrissants (4 000 Rp) ou l'un des milliers de T-shirts arborant une inscription ironique, drôle ou simplement inexplicable (presque toujours en édition limitée). En devanture, l'enseigne indique "Pabrik Kata-Kata", qui signifie "fabrique de mots". Lors de notre passage, l'article le plus vendu disait "I love you" comme un haïku en anglais, en chinois et en indonésien. Attention : c'est vraiment la folie à l'intérieur de ce magasin exigu.

un délinquant en scooter sont de plus en plus répandus. Mieux vaut déposer les objets de valeur à la réception de l'hôtel.

Office du tourisme

Les lieux se présentent comme des "*tourist information centres*" sont des agences de voyages ou, pis, des espaces de vente d'appartements en multipropriété.

Hanafi (📞0818 568 364 ; www.hanafi.net ; Jl Pantai Kuta 1E). Source d'information précieuse, ce guide et agent de voyages exerce à Kuta depuis une petite clinique vétérinaire qu'il partage avec sa sœur.

Poste

Des bureaux de poste, permettant d'envoyer du courrier mais pas d'en recevoir, se trouvent un peu partout en ville.

Poste principale (Jl Selamet ; ⏰7h-14h lun-jeu, jusqu'à 11h ven, jusqu'à 13h sam). Située dans une ruelle à l'est de Jl Raya Kuta, ce petit bureau efficace dispose d'un système de poste restante en libre-service et a l'habitude des paquets importants.

Services médicaux

Consultez la p. 390 pour les adresses des autres cliniques de l'île.

Kimia Farma Legian (Jl Legian ; ⏰24h/24) ; Kuta (📞755 622 ; Jl Pantai Kuta ; ⏰24h/24) ; Tuban (📞757 483 ; Jl Raya Kuta 15 ; ⏰24h/24). Chaîne locale de pharmacies bien approvisionnées, notamment en articles difficiles à trouver, comme les bouchons d'oreilles (utiles contre les fêtards du petit matin).

Legian Medical Clinic (📞758 503 ; Jl Benesari ; ⏰garde 24h/24). Ambulance et soins dentaires. Comptez 600 000 Rp pour une consultation avec un médecin balinais parlant anglais. Possibilité de visites à votre hôtel.

Urgences

Commissariat (📞751 598 ; Jl Raya Kuta ; ⏰24h/24). Demandez à parler à la police touristique.

Police touristique (📞784 5988 ; Jl Pantai Kuta ; ⏰24h/24). Une annexe du poste central situé à Denpasar. Installés en front de plage, les agents (qui sont aussi sauveteurs) se montrent courtois.

ℹ️ Depuis/vers Kuta

Bemo

Des *bemo* (minibus) de couleur bleu foncé font régulièrement la navette entre Kuta et la gare routière de Tegal à Denpasar (8 000 Rp). Ils partent de Jl Raya Kuta, près de Jl Pantai Kuta, font une boucle par la plage et continuent dans Jl Melasti, avant de revenir par le Bemo Corner pour le trajet retour vers Denpasar.

Bus

Quelle que soit votre destination sur l'île, vous devrez tout d'abord vous rendre à la gare *ad hoc* à Denpasar.

Perama (📞751 551 ; www.peramatour.com ; Jl Legian 39 ; ⏰7h-22h), la principale compagnie du genre, vient parfois prendre ou déposer les voyageurs à leur hôtel pour 10 000 Rp supplémentaires (faites-vous confirmer cette option au préalable). La compagnie assure au moins un bus quotidien pour chacune de ces destinations :

Destination	Tarif (Rp)	Durée
Candidasa	60 000	3 heures 30
Lovina	100 000	4 heures 30
Padangbai	60 000	3 heures
Sanur	25 000	30 minutes
Ubud	50 000	1 heure 30

ℹ️ Comment circuler

La circulation automobile constitue l'obstacle principal aux déplacements dans le sud de Bali. Outre les nombreux taxis, vous pouvez aussi louer une moto (généralement équipée d'un support pour planche de surf) ou un vélo ; renseignez-vous dans votre hôtel. L'un des moyens les plus agréables de parcourir la région reste de longer la plage à pied.

Depuis/vers l'aéroport

Un taxi depuis l'aéroport revient à 35 000/50 000/60 000 Rp jusqu'à Tuban/Kuta/Legian. À destination de l'aéroport, prenez un taxi avec compteur : il vous en coûtera moins.

Taxi

Bluebird Taxi (📞701 111) est la meilleure compagnie. En cas d'embouteillages, une course à Seminyak peut atteindre les 50 000 Rp et durer plus d'une demi-heure ; longer la plage à pied est plus rapide.

Seminyak
📞0361

Chic, clinquante et surfaite, la ville attire les habituels mannequins filiformes et de nombreux expatriés, dont beaucoup tiennent des boutiques, créent des vêtements, pratiquent le surf ou ne font rien. Située juste au nord de Kuta et de Legian, Seminyak offre un tout autre visage.

Il s'agit par ailleurs d'une ville très dynamique, qui compte quantité de restaurants et de discothèques. Des hôtels internationaux jalonnent la plage, aussi large et dorée que celle de Kuta, mais moins fréquentée.

NOMS DE RUES

Les venelles et allées qui serpentent dans la ville sont appelées *gang*. Or, la plupart de ces *gang* sont dépourvus de panneau, voire de nom. Certains sont désignés par le nom de l'artère d'où ils partent. Ainsi, Jl Padma Utara correspond au *gang* partant de Jl Padma en direction du nord.

Par ailleurs, certaines rues de Kuta, de Legian et de Seminyak possèdent souvent plusieurs noms. Beaucoup sont officiellement baptisées d'après un temple ou un établissement connu, ou bien encore suivant leur direction. Ces dernières années, les autorités ont tenté d'imposer des noms officiels, à la consonance plus balinaise. Cependant, les noms anciens demeurent les plus couramment utilisés.

Voici un tableau récapitulatif, listant les rues du nord au sud :

Ancien nom (officieux)	Nouveau nom (officiel)
Jl Oberoi	Jl Laksmana
Jl Raya Seminyak	Partie nord : Jl Basangkasa
Jl Dhyana Pura/Jl Gado Gado	Jl Abimanyu
Jl Double Six	Jl Arjuna
Jl Pura Bagus Taruna/Rum Jungle Rd	Jl Werkudara
Jl Padma	Jl Yudistra
Poppies Gang II	Jl Balu Bolong
Jl Pantai Kuta	Jl Pantai Banjar Pande Mas
Jl Kartika Plaza	Jl Dewi Sartika
Jl Segara	Jl Jenggala
Jl Satria	Jl Kediri

La frontière entre Seminyak et Kerobokan, juste au nord, est floue, comme souvent à Bali. Notez que, malgré le côté branché, tous les hôtels du front de mer ne sont pas des palaces exorbitants. Le choix de restaurants et de discothèques est le meilleur de tout Bali en matière de style et de budget. Les boutiques sélectes côtoient les ateliers de grossistes. Et, pour décompresser, il suffit de rejoindre un coin tranquille de la plage.

👁 À voir

Pura Petitenget   TEMPLE
(carte p. 76 ; Jl Pantai Kaya Aya). Au nord du chapelet d'hôtels de Jl Kaya Aya, en face de la plage, le Pura Petitenget est un sanctuaire important où se déroulent de nombreuses cérémonies. Il fait partie de la série de temples de la mer qui s'étendent du Pura Luhur Ulu Watu, sur la péninsule de Bukit, au nord jusqu'à Tanah Lot, dans l'ouest de Bali. Le *peti tenget* ou "coffre magique" appartenait à Nirartha, prêtre emblématique du XVIe siècle et réformateur de la religion balinaise, qui visita souvent le temple.

Sur le même site se dresse le **Pura Masceti** (carte p. 76), un temple agricole où des fermiers prient pour que leur récolte soit épargnée par les rats – et où des promoteurs sollicitent le pardon en déposant des offrandes... avant de construire une autre villa dans les rizières.

Plages

Seminyak est dans le prolongement de la longue Kuta Beach. Vous trouverez une jolie plage près du Pura Petitenget, généralement assez calme et dotée de nombreuses places de stationnement (2 000 Rp). Elle accueille souvent des cérémonies religieuses ou du surf. Pour ce dernier, louez une planche à **Deluta Surf** (carte p. 76 ; Jl Petitenget 40x), juste à côté du temple.

Une autre belle plage s'étend vers le sud depuis la fin de Jl Abimanyu jusqu'à Jl Arjuna à Legian. Les vendeurs y sont décontractés et une chaise longue avec une Bintang glacée coûte environ 15 000 Rp. Un sentier rend plus facile la promenade sur ce tronçon, parsemé de plusieurs bars de plage. Venez-y pour le coucher du soleil.

L'accès par la route étant limité, les plages de Seminyak sont moins bondées

Seminyak et Kerobokan

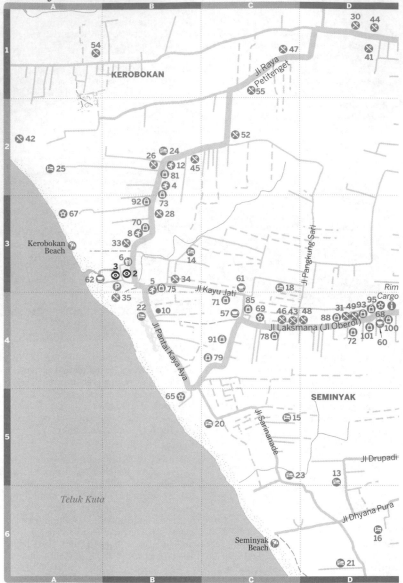

KEROBOKAN

Jl Raya Petitenget

Jl Pangkung Sari

Rim Cargo

Jl Kayu Jati

Jl Laksmana (Jl Oberoi)

Kerobokan Beach

Jl Pantai Kaya Aya

SEMINYAK

Jl Sarinanade

Jl Drupadi

Teluk Kuta

Jl Dhyana Pura

Seminyak Beach

qu'à Kuta, au sud. En contrepartie, la surveillance des baigneurs et des eaux est moins bien assurée. Les risques de dangereux courants et autres périls sont toujours présents, en particulier quand on remonte vers le nord.

🏃 Activités

Massages et spas

Les spas de Seminyak (et de Kerobokan) sont parmi les meilleurs de Bali et disposent d'un grand choix de soins, traitements et autres plaisirs.

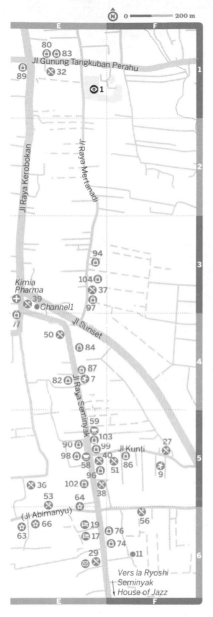

KUTA ET SEMINYAK SEMINYAK

qui mettent l'accent sur le rythme. Pour beaucoup, cet établissement de massage, maintes fois récompensé, est considéré par beaucoup comme le meilleur à Bali.

Prana SPA
(carte p. 76 ; ☑730 840 ; www.thevillas.net ; Jl Kunti ; massage à partir de 450 000 Rp ; ☺10h-22h). Avec sa décoration de palais maure, c'est de loin le spa le plus somptueux de Bali. On y fait aussi bien des massages basiques d'une heure que des soins du visage et toutes sortes de traitements esthétiques. Les soins ayurvédiques sont idéaux pour se sentir purifié.

Mana Holistics MÉDECINE DOUCE
(carte p. 76 ; ☑318 5634 ; www.manaholistics.com ; Jl Petitenget ; environ 500 000 Rp/soin ; ☺9h-20h). Rolfing, shiatsu et homéopathie ne sont que quelques-unes des techniques utilisées dans ce centre de santé aux allures de spa qui met l'accent sur les méthodes naturelles. Pour reprendre des couleurs, offrez-vous un programme de purification (intérieur et extérieur) du corps ou de détox.

Bodyworks SPA
(carte p. 76 ; ☑733 317 ; www.bodyworks-bali.com ; Jl Kayu Jati 2 ; massage à partir de 222 000 Rp ; ☺9h-22h). Epilation, coiffure, massage et bien d'autres services sont proposés dans ce spa très apprécié situé en plein cœur de Seminyak. Salles spacieuses et ambiance zen et décontractée.

Écoles de cuisine
♥ **Sate Bali** COURS DE CUISINE
(carte p. 76 ; ☑736 734 ; Jl Laksmana 22 ; cours à partir de 400 000 Rp ; ☺9h30-13h30). Sate Bali organise un excellent cours de cuisine balinaise, sous la houlette du chef réputé Nyoman Sudiyasa. Les participants apprennent à préparer les épices et les *sambal*, qui servent ensuite à parfumer le canard, le poisson et le porc. Si vous ne voulez pas prendre de cours, vous pouvez essayer le délicieux restaurant.

🛏 Où se loger
Les hébergements ne manquent pas à Seminyak, qu'il s'agisse d'hôtels internationaux, comme l'Oberoi, ou de modestes établissements cachés dans les ruelles. C'est aussi ici que débute la zone des villas, qui s'étend vers le nord en empiétant sur les rizières. On peut louer certaines d'entre elles.

Nombre des hôtels les plus agréables de Seminyak se situent dans les ruelles qui partent des grands axes tels Jl Abimanyu

♥ **Jari Menari** SPA
(carte p. 76 ; ☑736 740 ; Jl Raya Seminyak 47 ; soins à partir de 300 000 Rp ; ☺10h-21h). Comme l'indique le nom de l'enseigne ("doigts dansants"), les masseurs, exclusivement masculins, utilisent des techniques

Seminyak et Kerobokan

et Jl Laksmana. Ils sont à la fois au calme et proches de l'animation.

JALAN ABIMANYU ET ALENTOUR

Raja Gardens GUESTHOUSE $$
(carte p. 76 ; ☎730 494 ; jdw@eksadata.com ; Jl Abimanyu ; ch 500 000-700 000 Rp ; ✳🖤🌀). Pratiquement sur la plage, cette maison d'hôtes bénéficie du calme et de vastes pelouses. Ses 9 chambres, plutôt monacales, sont équipées d'une sdb extérieure et d'une multitude de plantes en pot. Selon le prix, vous aurez un ventilateur, ou la clim et un réfrigérateur.

Green Room GUESTHOUSE $
(carte p. 76 ; ☎731 412 ; www.thegreenroom-bali.com ; Jl Abimanyu 63B ; ch 40-70 $US ; ✳🌀🖤). Une adresse abordable avec un petit côté "île de Robinson Crusoé". Piscine et *bale* (pavillon traditionnel) doté d'un espace média. Décor tropical

dans certaines des 14 chambres (les moins chères avec ventil).

Sarinande Beach Inn HÔTEL $$
(carte p. 76 ; ☎730 383 ; www.sarinandehotel.com ; Jl Sarinande 15 ; ch 450 000-600 000 Rp ; ✳🌀🖤). Excellent rapport qualité/prix pour ces 26 chambres (sur 2 niveaux) encadrant une petite piscine. La décoration est un peu vieillotte, mais l'endroit, impeccable. Parmi les commodités figurent réfrigérateur, TV satellitaire et un café, sans oublier la plage, à 3 minutes à pied.

Bali Agung Village HÔTEL $$
(carte p. 76 ; ☎730 367 ; www.bali-agung.com ; près de Jl Abimanyu ; ch/villas à partir de 85/150 $US ; ✳🖤). En retrait d'une ruelle, ce séduisant hôtel possède 42 chambres réparties dans des sortes de bungalows au milieu de jardins luxuriants. Décoration de style balinais avec une profusion de sculptures en bois et en pierre.

Ned's Hide-Away GUESTHOUSE **$**
(carte p. 76 ; ☎731 270 ; nedshide@dps.centrim.
net.id ; Gang Bima 3 ; ch à partir de 120 000 Rp ;
❄). Dix-huit chambres basiques d'un bon
rapport qualité/prix situées derrière le
Bintang Supermarket. Une nouvelle extension comprend des chambres à prix modique.

Inada Losmen GUESTHOUSE **$**
(carte p. 76 ; ☎732 269 ; putuinada@hotmail.
com ; Gang Bima 9 ; ch à partir de 150 000 Rp).
Adresse ultra-économique cachée dans un
gang derrière le Bintang Supermarket, à
quelques minutes à pied des clubs, de la
plage et des autres joies de Seminyak. Les
12 chambres sont petites et assez sombres.

JALAN LAKSMANA ET ALENTOUR
💙 **Oberoi** HÔTEL **$$$**
    (carte p. 76 ; ☎730 361 ; www.oberoihotels.
com ; Jl Laksmana ; ch/villas à partir de 260/500 $US ;
❄@🛜🏊). Face à l'océan, ce magnifique hôtel

de style balinais, au luxe raffiné et discret,
compte parmi les plus beaux qui soient au
monde. Chaque logement possède sa propre
véranda et les villas avec vue sur la mer dispo-
sent même d'une piscine à l'abri des regards.
Du café dominant la plage quasi privée aux
nombreuses prestations, ce n'est que luxe,
calme et volupté.

💙 **Samaya** VILLA **$$$**
    (carte p. 76 ; ☎731 149 ; www.thesamaya-
bali.com ; Jl Pantai Kaya Aya ; villas à partir de
400 $US ; ❄@🛜🏊). Discret mais raffiné, le
Samaya est l'une des meilleures options sur
la plage dans le sud de Bali. Complètement
reconstruit, il compte désormais 30 villas
neuves dotées de beaux intérieurs et de
petites piscines. Le "Royal Compound",
de l'autre côté de la route, s'occupe de la
location de villas plus importantes. La
nourriture est excellente, à commencer
par le petit-déjeuner.

ℹ️ LES MÉANDRES DE SEMINYAK

Le cœur de Seminyak borde Jl Laksmana (ou Jl Oberoi), une artère tortueuse. Depuis la très animée Jl Raya Seminyak, elle part en direction de la plage, puis bifurque vers le nord à travers une partie de Seminyak que certains appellent Petitenget (le nom officiel, mais peu usité, de la rue est Jl Pantai Kaya Aya). Quand elle s'incurve dans Seminyak et entre dans Kerobokan, cette artère est bordée d'une profusion de restaurants, de boutiques haut de gamme et d'hôtels. On l'appelle généralement Jl Raya Petitenget lorsqu'elle finit par virer à l'est et croise Jl Raya Kerobokan. Comme souvent à Bali, ce serait une rue parfaite pour faire du lèche-vitrines ou se balader de café en café, n'était le manque de trottoir pour piétons qui oblige à esquiver sans cesse taxis et nids-de-poule !

Bali Baik Villa   VILLA **$$$**
(carte p. 76 ; ☑847 8192 ; www.balibaikvilla.com ; Jl Telaga Waja 18 ; ch à partir de 200 $US ; ❄️🛜🏊). À une dizaine de minutes de marche de la plage, Bali Baik est au cœur des villas de Seminyak. On apprécie la taille généreuse aussi bien des maisons que des piscines privatives. Les espaces communs extérieurs sont spacieux et les murs d'enceinte permettent de s'amuser à l'abri des regards indiscrets. Le personnel apparaît en un éclair pour servir un petit-déjeuner frais ou offrir d'autres services.

Casa Artista   GUESTHOUSE **$$$**
(carte p. 76 ; ☑736 749 ; www.casaartistabali.com ; Jl Sari Dewi ; ch à partir de 150 $US ; ❄️🛜🏊). Une élégante maison d'artiste dont la propriétaire est danseuse professionnelle de tango et donne des cours. Les 10 chambres, bien agencées, s'étagent sur 2 niveaux autour de la piscine.

Mutiara Bali   HÔTEL **$$**
(carte p. 76 ; ☑734 966 ; www.mutiarabali.com ; Jl Braban 77 ; ch 100-140 $US, villas à partir de 250 $US ; ❄️@🛜🏊). Caché dans une petite rue derrière Jl Laksmana, le Mutiara est à 2 minutes de bons restaurants et à 5 minutes de la plage. Grandes et joliment meublées, les 29 chambres sont réparties dans des bâtiments de 2 niveaux autour

d'une piscine bordée de frangipaniers. Il y a aussi 17 grandes villas sur l'autre moitié du domaine. Tarif Wi-Fi cher.

🍴 Où se restaurer

Outre la concentration de restaurants dans Jl Laksmana, on trouve de bonnes tables pour tous les budgets un peu partout. Notez que certains restaurants se transforment en night-clubs la nuit et, inversement, que certains bars et discothèques servent une bonne cuisine.

JALAN ABIMANYU
Warung Mimpi   INDONÉSIEN **$**
(carte p. 76 ; ☑732 738 ; Jl Abimanyu ; plats à partir de 40 000 Rp). Délicieux petit *warung*, ouvert sur la rue, au milieu de la cacophonie nocturne. Mari et femme mitonnent des classiques indonésiens frais et savoureux.

La Sal   ESPAGNOL **$$**
(carte p. 76 ; ☑738 321 ; www.lasalbali.com ; Jl Drupadi ; plats à partir de 15 $US ; ⏱17h-23h). Vous dégusterez ici des tapas, notamment du *manchego* (fromage) venu d'Espagne, de la paella ou du steak, dans le jardin scintillant ou dans la salle d'inspiration mauresque, ouverte sur le côté. Bonne sélection de vins rouges.

JALAN RAYA SEMINYAK
❤️ **Mama San**   FUSION **$$**
(carte p. 76 ; ☑730 436 ; www.mama-sanbali.com ; Jl Raya Kerobokan 135 ; plats 60 000-120 000 Rp). C'est au 2ᵉ niveau que tout se passe dans cet immense restaurant animé au bord des rues Seminyak et Sunset. La longue carte des cocktails comprend mojitos revisités et quantité de breuvages aux saveurs tropicales. Côté cuisine, on sert de petits plats de toute l'Asie du Sud-Est.

Warung Taman Bambu   BALINAIS **$**
(carte p. 76 ; Jl Plawa 10 ; plats à partir de 20 000 Rp ; 🛜). En chemin pour le joli jardin à l'arrière, l'attention est forcément happée par les alléchants plats présentés à l'avant. Si ce *warung* classique semble plutôt banal de l'extérieur, ses nombreux plats frais et épicés sont un cran au-dessus de la moyenne – tout comme les tables confortables. Petit stand vendant du *babi guling* (cochon de lait) juste à côté.

Made's Warung II   INDONÉSIEN **$$**
(carte p. 76 ; ☑732130 ; www.madeswarung.com ; Jl Raya Seminyak ; plats 40 000-160 000 Rp). Le succès de l'annexe nord de Made's,

récemment agrandie, ne se dément pas malgré les années. Sa cuisine indonésienne reste toujours divine et présentée artistiquement. Même les sachets d'encas croustillants balinais sont exquis. En haute saison, réservation nécessaire pour éviter l'attente.

Warung Italia ITALIEN **$$**
(carte p. 76 ; ☎737 437 ; Jl Kunti 2 ; plats 40 000-100 000 Rp ; ⊗8h-19h ; ✸). Comme dans tous les *warung*, les clients se ruent au déjeuner devant les présentoirs. Ici, c'est le *warung* à l'italienne, avec un assortiment de pâtes, de salades et d'autres mets de la péninsule. À côté de l'espace en plein air on trouve une partie restaurant à la carte, avec four à pizzas.

Mannekepis BELGE **$$**
(carte p. 76 ; ☎847 5784 ; www.mannekepis-bistro.com ; Jl Raya Seminyak 2 ; plats 60 000-200 000 Rp ; ☎). Une reproduction du Manneken Pis de Bruxelles trône à l'avant de ce bon bistrot belge. Sélection d'excellents steaks, accompagnés de frites. Des concerts de jazz et de blues animent souvent les soirées. Terrasse à l'étage, à l'écart de la frénésie de la rue.

Warung Ibu Made INDONÉSIEN **$**
(carte p. 76 ; Jl Raya Seminyak ; plats 15 000 Rp ; ⊗7h-19h). Ici, les woks grésillent quasi du lever au coucher du soleil dans un brouhaha continu, à l'angle de la très passante Jl Raya Seminyak, où plusieurs étals offrent une nourriture fraîche à l'ombre d'un immense figuier.

Bali Deli ÉPICERIE FINE **$$**
(carte p. 76 ; Jl Kunti 117X). Viennoiseries, viandes et fromages d'importation remplissent les étals de cette superbe épicerie fine située dans un marché tout proche de Jl Sunset. Idéal pour trouver une bonne bouteille de vin à boire dans sa villa ou de quoi faire un pique-nique qui tue.

Bintang Supermarket SUPERMARCHÉ **$**
(carte p. 76 ; ☎730 552 ; Jl Raya Seminyak 17). Ce grand supermarché a la faveur des expatriés (et pour rival Carrefour). Crème solaire, antimoustiques et autres produits à prix abordables.

JALAN LAKSMANA
Parfois surnommée "East Street", cette artère bordée de restaurants offre de multiples choix à prix abordables. Parcourez-la pour voir ce qui vous tente.

♥ **Ultimo** ITALIEN **$$**
(carte p. 76 ; www.balinesia.co.id ; Jl Laksmana 104 ; plats 60 000-220 000 Rp). Ce vaste établissement toujours très prisé situé dans un secteur de Seminyak truffé de restaurants a tout pour plaire : tables donnant sur la rue animée, dans les jardins à l'arrière ou à l'intérieur ; carte étonnamment authentique ; et armada de serveurs aux petits soins.

Sate Bali INDONÉSIEN **$$**
(carte p. 76 ; Jl Laksmana ; plats à partir de 90 000 Rp ; ⊗11h-22h). Bien que situé au beau milieu d'une brochette de magasins, on apprécie ce petit café pour la cuisine balinaise traditionnelle du chef Nyoman Sudiyasa (qui tient aussi ici une école de cuisine). Le menu *rijsttafel* (165 000 Rp) est une symphonie de saveurs et de plats, dont le *babi kecap* (porc à la sauce soja) et le *tum bebek* (canard émincé dans une feuille de bananier).

La Lucciola FUSION **$$$**
(carte p. 76 ; ☎730 838 ; Jl Pantai Kaya Aya ; plats à partir de 120 000 Rp). Restaurant de bord de mer raffiné offrant une belle vue sur les vagues à l'étage, par-delà la jolie pelouse et la plage. Les clients se pressent au bar pour le coucher de soleil. Carte créative et internationale aux accents italiens.

Hu'u FUSION **$$$**
(carte p. 76 ; ☎736 443 ; www.huubali.com ; Jl Petitenget ; ⊗11h-2h). Le soir, une myriade de petites bougies confère une ambiance romantique aux tables sous les étoiles. La carte comprend steaks, poissons, bon choix de plats végétariens, et spécialités locales intéressantes. Service courtois. Plus tard dans la soirée, l'ambiance club prend le relais.

Tuesday Night Pizza Club PIZZERIA **$$**
(carte p. 76 ; ☎730 614, 876 6600 ; Jl Laksmana ; pizzas 25 000-200 000 Rp ; ⊗18h-24h). Ici, les savoureuses pizzas se déclinent en cinq tailles (une *medium* ira bien si vous avez faim) et portent des noms inspirés de la culture pop. "Hawaii Five-O" ("Hawaï police d'État") est ainsi au jambon et à l'ananas. Quelques tables sont disposées dans un décor postindustriel, mais nombre de clients optent pour la livraison, efficace et rapide, à l'hôtel ou aux villas.

Mykonos GREC **$$**
(carte p. 76 ; ☎733 253 ; Jl Laksmana ; plats 10-20 $US). Ce vénérable restaurant sert des classiques de la terre d'Apollon, dont d'excellentes crevettes parfumées à l'ail et au citron.

COUCHERS DE SOLEIL KITSCH À SEMINYAK

En arrivant à la mer au bout de Jl Abimanyu, deux solutions s'offrent à vous : prendre à droite vers les clubs de plage branchés, ou à gauche pour vivre une expérience bien plus amusante. Vous y découvrirez des établissements aux décors simili-mauresques avec quantité d'énormes coussins pour s'affaler et toutes sortes de bars modestes au bord du chemin. Bien plus voyant que les vendeurs de bières et leurs glacières de Legian, mais tout aussi réjouissant. Il y a même souvent des concerts à la tombée de la nuit.

L'un de nos préférés est le Champlung, doté de beaux coussins et de sièges disposés sur le sable et d'ombrelles de cérémonie balinaises traditionnelles à volants aux couleurs chatoyantes.

Earth Cafe   CAFÉ **$**
(carte p. 76 ; Jl Laksmana ; plats à partir de 40 000 Rp ; 🖋). L'accent est mis sur le bio dans ce café-boutique végétarien au beau milieu des commerces haut de gamme de Seminyak. Faites votre choix parmi salades créatives, sandwichs ou délices aux céréales complètes. La partie boutique vend potions, lotions et livres.

Warung Aneka Rasa   INDONÉSIEN **$**
(carte p. 76 ; Jl Laksmana ; plats à partir de 15 000 Rp). Vous pouvez prendre un en-cas sec et insipide de l'omniprésent Circle K ou opter pour un délice indonésien de cette petite merveille locale. Un conseil : choisissez la dernière option. On y vend des préparations intrépides et relevées, ainsi que toutes sortes de spécialités locales dans un cadre on ne peut plus simple.

Ibu Mangku   BALINAIS
(carte p. 76 ; Jl Kayu Jati ; plats à partir de 20 000 Rp). Ce restaurant en bambou avec un paisible jardin à l'arrière est la cantine favorite des chauffeurs de taxis. Sa grande spécialité : un satay de poulet émincé parfumé à la citronnelle et aux épices. On recommande le *nasi campur*.

🍷 Où prendre un verre

Les cafés ont envahi Seminyak, et l'on peut traîner des heures aux terrasses.

JL RAYA SEMINYAK

💛 **Buzz Cafe**   CAFÉ
(carte p. 76 ; Jl Raya Seminyak 99 ; 🖥). Ce café animé est situé derrière les quelques rares arbres de Seminyak juste au croisement de Jl Kunti et de Jl Seminyak. La façade ouverte permet de regarder passer le beau monde. La boisson baptisée Green Hornet (mélange de citron, citron vert et menthe) est recommandée, et la nourriture est fraîche et simple (repas à partir de 30 000 Rp).

Café Seminyak   CAFÉ
(carte p. 76 ; 📞736 967 ; Jl Raya Seminyak 17). Juste en face du Bintang Supermarket, un charmant café décontracté réputé pour ses smoothies et ses sandwichs au pain frais.

Café Moka   CAFÉ
(carte p. 76 ; 📞731 424 ; Jl Raya Seminyak). On apprécie ici les baguettes et autres spécialités françaises. Nombreux sont ceux qui s'attardent des heures au café, au frais. Tableau de petites annonces de villas à louer.

JALAN LAKSMANA

Grocer & Grind   CAFÉ
(carte p. 76 ; Jl Kayu Jati 3X ; plats à partir de 40 000 Rp ; 🖥). Ce qui s'apparente de prime abord à un énième café australien pimpant est l'un des établissements les plus branchés de Bali. De la cuisine sortent sandwichs classiques, salades et petits-déjeuners copieux. À déguster dehors ou à table dans l'espace épicerie climatisé.

Bali Bakery   CAFÉ
(carte p. 76 ; Jl Laksmana ; 🖥). Ses tables ombragées et sa belle carte de pâtisseries, de salades, de sandwichs et d'autres délices en font l'endroit le plus agréable de cette galerie marchande branchée de Seminyak Square. Un bon endroit pour faire une pause avant de retourner faire du shopping.

Café Zucchini   CAFÉ
(carte p. 76 ; 📞736 633 ; Jl Laksmana 49). Dissimulé par des arbres, des arbustes et une bâche rayée jaune vif, ce café italien fait un refuge idéal face à la pression commerciale alentour. On y sert des jus de fruits frais et toutes sortes de cafés, et quelques mets italiens.

Mano   CAFÉ
(carte p. 76 ; Petitenget Beach). Niché derrière le Pura Petitenget, ce modeste café donne sur une belle plage qui se

distingue par son calme, chose rare à Seminyak. À des années-lumière de la foule et des mondanités, savourez une bière devant un coucher du soleil spectaculaire.

☆ Où sortir

À Seminyak, la ligne de démarcation entre restaurants, bars et discothèques est un peu floue. Si l'on n'y trouve pas de club proprement dit ouvert jusqu'à l'aube, les inconditionnels peuvent se replier au petit matin dans les établissements de Kuta et de Legian, au sud.

Jl Abimanyu est bordée de nombreux bars s'adressant aussi bien aux homos qu'aux hétéros ; le voisinage veille à la limitation du niveau sonore.

JALAN ABIMANYU

Ryoshi Seminyak House of Jazz   JAZZ
(Jl Raya Seminyak 17 ; ☺à partir de 20h lun, mer, ven). Sous un toit de chaume traditionnel, cette filiale d'une chaîne locale de restaurants japonais organise des concerts de jazz trois soirs par semaine sur une scène intime. S'y produisent parmi les meilleurs talents du coin et de passage.

Bali Jo   CONCERTS
(carte p. 76 ; Jl Abimanyu ; ☺10h-3h). Les dragqueens font vibrer la maison, la foule dans la rue et le quartier entier en chantant à tue-tête tous les soirs. Curieusement, c'est un endroit intime où il fait bon siroter quelques verres.

Obsession   BAR-LOUNGE
(carte p. 76 ; Jl Abimanyu ; ☺18h-2h). Un établissement plutôt luxueux et intimiste aux rythmes latino, blues, soul et autres.

JP's   CAFÉ, BAR
(carte p. 76 ; www.jps-warungclub.com ; Jl Abimanyu). Depuis une modeste façade ouverte sur la rue, JP's se déploie en un ensemble de pièces qui s'ajoutent à un bar en U assez grand, offrant ainsi divers espaces (salle à manger, dance floor, détente) pour toutes les envies. Côté concerts, on trouve aussi bien groupes de rock locaux que musique cubaine ou encore un grand flûtiste de jazz.

JALAN LAKSMANA

Red Carpet Champagne Bar   BAR
(carte p. 76 ; Jl Laksmana 42). Dans ce bar à champagne du quartier huppé de Seminyak, tout est conçu pour vous donner le sentiment d'être une star : foulez avec désinvolture le tapis rouge, puis buvez quelques flûtes en dégustant des huîtres au milieu des froufrous. Le bar ouvre sur la rue (mais en hauteur), afin que vous puissiez observer la plèbe.

Ku De Ta   CLUB
(carte p. 76 ; Jl Laksmana ; ☺7h-1h). Le Tout-Bali (et ceux qui souhaitent en faire partie) se retrouve au Ku De Ta. La journée, des m'as-tu-vu surjouent les blasés en regardant les vagues à l'arrière. La foule afflue au coucher du soleil pour fumer un cigare au bar ou pour déguster une cuisine éclectique. Au fil de la nuit, la musique se fait de plus en plus forte.

Zappaz   MUSIQUE
(carte p. 76 ; ☎742 5534 ; Jl Laksmana ; ☺11h-24h). Le Britannique Norman Findlay se produit ici tous les soirs. Il continue de jouer et de chanter avec le même enthousiasme, et le même niveau, depuis des années.

🛍 Achats

Les magasins de Seminyak peuvent vous occuper des journées entières. Boutiques de créateurs – la jeune industrie de la mode balinaise est très dynamique –, échoppes excentriques, galeries d'art clinquantes, grands magasins à prix de gros et ateliers familiaux figurent au nombre des tentations locales.

Le meilleur secteur commence à Jl Raya Seminyak (alias Jl Basangkasa), vers le Bintang Supermarket. Les détaillants se concentrent dans la zone immobilière chic de Jl Laksmana et dans la parvenue Jl Kayu Jati puis au nord dans Jl Raya Kerobokan jusqu'à Kerobokan. Ne vous laissez pas trop éblouir par les paillettes des magasins balinais ou vous risquez de tomber dans un des trous béants des trottoirs (Jl Raya Seminyak a cependant été récemment équipée de nouveaux trottoirs facilitant la promenade).

Si vous avez besoin d'aide pour vous y retrouver dans ce paradis de la consommation, jetez un coup d'œil à la rubrique "Retail Therapy" dans le *Bali Advertiser* (www.baliadvertiser.biz). C'est écrit par une dénommée **Marilyn** (retailtherapym@yahoo.com.au), qui connaît très bien la scène locale. Elle donne aussi des "consultations" à ceux qui veulent en savoir plus.

Accessoires

Street Dogs ACCESSOIRES
(carte p. 76 ; Jl Laksmana 60). Bracelets en coquillages et en résine aussi bien qu'en laiton recyclé.

Vivacqua ACCESSOIRES
(carte p. 76 ; Jl Raya Seminyak 8). Vend des sacs de toutes formes et de toutes tailles, des stylés et minuscules que l'on prend pour aller dans un restaurant chic de Kerobokan aux grands capables d'accueillir toutes sortes d'affaires de plage.

Luna Collection BIJOUX
(carte p. 76 ; ☎0811 398 909 ; Jl Raya Seminyak). Bijoux en argent fin, tous uniques et réalisés par des artisans locaux très créatifs, déclinés dans de nombreux modèles. Les pièces en nacre sont magnifiques.

Sabbatha ACCESSOIRES
(carte p. 76 ; ☎731 756 ; Jl Raya Seminyak 97). La profusion d'articles voyants, glamour et dorés a de quoi éblouir les amateurs de "bling-bling". De somptueux sacs à main et autres articles sont exposés comme autant de trésors.

Articles de plage

Blue Glue VÊTEMENTS POUR FEMMES
(carte p. 76 ; Jl Raya Kerobokan). Cette nouvelle boutique vend des maillots de bain tendance conçus à Bali, parfaits pour exhiber ses formes sur les plages, où l'on vient pour voir et être vu, en particulier dans la très branchée Seminyak.

Drifter ARTICLES DE PLAGE
(carte p. 76 ; ☎733 274 ; Jl Laksmana 50). Matériel et mode de plage haut de gamme (marques telles que Obey and Rhythm), et livres.

Librairie

Periplus Bookshop LIVRES
(carte p. 76 ; Seminyak Sq). Cette chaîne de belles librairies, présente sur toute l'île, possède suffisamment d'ouvrages de design pour refaire entièrement sa décoration dans le style balinais, ainsi que des best-sellers, des journaux et des magazines.

Vêtements

♥ **Dinda Rella** VÊTEMENTS POUR FEMMES
(carte p. 76 ; ☎734 228 ; www.dindarella. com ; Jl Raya Seminyak). Cette marque haut de gamme très réputée fait dessiner et fabriquer à Bali ses robes de soirée. C'est là que vous dénicherez une petite robe de cocktail sexy. Autre boutique sur Jl Laksmana.

Milo's VÊTEMENTS
(carte p. 76 ; www.milos-bali.com ; Jl Laksmana). L'emblématique couturier balinais de parures en soie possède une somptueuse boutique en plein dans le secteur des créateurs. À ne pas manquer : les batiks aux motifs d'orchidées colorés.

Lily Jean VÊTEMENTS POUR FEMMES
(carte p. 76 ; Jl Laksmana). Petites culottes coquines viennent compléter une ligne de vêtements pour femmes osée et séduisante, en majorité fabriquée à Bali.

Divine Diva VÊTEMENTS POUR FEMMES
(carte p. 76 ; Jl Laksmana 1A). Les beautés pulpeuses trouveront ici une joyeuse collection de modèles fabriqués sur l'île.

Paul Ropp VÊTEMENTS
(carte p. 76 ; www.paulropp.com ; Jl Laksmana). La boutique principale de l'un des grands couturiers de Bali. Ses articles, pour la plupart fabriqués à quelques kilomètres de là dans les collines au-dessus de Denpasar, combinent des soies et des cotons somptueux à des couleurs chatoyantes, voire tape-à-l'œil, dans un style largement inspiré des tie and dye des années 1960.

Nico Perez VÊTEMENTS POUR HOMMES
(carte p. 76 ; Jl Laksmana). Ce créateur français basé à Bali propose une ligne de vêtements en lin dans des tons neutres ou colorés.

Samsara VÊTEMENTS
(carte p. 76 ; Jl Raya Seminyak). Il est de plus en plus difficile de trouver de véritables textiles balinais, la production étant déplacée vers Java où d'autres lieux où la main-d'œuvre est moins chère. Pourtant, la famille qui tient cette jolie boutique utilise encore des batiks teints à la main pour confectionner sa ligne "sport".

Biasa VÊTEMENTS
(carte p. 76 ; www.biasabali.com ; Jl Raya Seminyak 36). Boutique principale de la créatrice Susanna Perini, installée à Bali, dont la ligne exotique et élégante pour hommes et femmes mêle coton, soie et broderie, et aurait toute sa place dans une station balnéaire huppée.

Allegra VÊTEMENTS POUR FEMMES
(carte p. 76 ; Jl Kayu Jati). Vêtements à la fois très féminins mais aussi girly et excentriques. Ce magasin est devenu un haut lieu de Jl Kayu Jati, une rue en plein essor.

Lilla Lane CHAUSSURES
(carte p. 76 ; Jl Raya Seminyak). Sandales haut de gamme de toutes formes, adaptées aussi bien à un usage local que pour flâner dans les Hamptons ou à Cannes.

Le Toko VÊTEMENTS
(carte p. 76 ; Jl Kunti). Vêtements élégants de style tropical qui compenseront tout ce que vous n'avez pas pu acheter avant de quitter votre pays glacé.

Coco Rose VÊTEMENTS
(carte p. 76 ; Jl Kayu Jati). Dans une rue commerçante en plein essor, cette boutique vend des vêtements ultradécontractés – le genre de robes d'été que l'on enfile par-dessus son Bikini pour pouvoir faire la belle en rejoignant sa chambre d'hôtel.

Inti VÊTEMENTS POUR FEMMES
(carte p. 76 ; Jl Raya Seminyak 11). Ici point de taille XXS, mais un large choix de vêtements pour femmes mûres.

Bamboo Blonde VÊTEMENTS POUR FEMMES
(carte p. 76 ; 780 5919 ; Jl Laksmana 61). Une jolie boutique de créateurs emplie de robes à froufrous, de tenues sport ou sexy et de vêtements plus classiques.

Galeries
Theater Art Gallery MARIONNETTES
(carte p. 76 ; Jl Raya Seminyak). Spécialiste des marionnettes du théâtre traditionnel bali-nais vendant des modèles anciens et des reproductions. Vaut le coup d'œil.

Biasa Art Space ART
(carte p. 76 ; /44 2902 ; www.biasaart.com ; Jl Raya Seminyak 34). Cette vaste et belle galerie – espaces intérieurs sur plusieurs niveaux et extérieurs autour d'un jardin – appartient à Susanna Perini, créatrice de la marque de vêtements Biasa. Les expositions privilégient les œuvres audacieuses.

Kody & Ko ART
(carte p. 76 ; Jl Kayu Cendana). Les bouddhas polychromes en vitrine donnent le ton de cette boutique d'art et d'articles de décoration. Des expositions sont régulièrement organisées dans la grande galerie mitoyenne.

Kemarin Hari Ini GALERIE
(carte p. 76 ; 735 262 ; Jl Raya Seminyak). Les objets en verre créés avec du papier japonais brillent dans la lumière de cette galerie claire et spacieuse. Des œuvres primitives voisinent avec des objets modernes épurés.

Articles pour la maison
Ashitaba ARTISANAT
(carte p. 76 ; Jl Raya Seminyak 6). C'est à Tenganan, un village bali-aga de l'est de l'île, que sont fabriqués ces beaux articles ouvragés : récipients, bols et porte-monnaie notamment (à partir de 5 $US) au tressage soigné.

Folk Art Gallery ARTISANAT
(carte p. 76 ; 738 113; Jl Laksmana). Adorable petite boutique où sont joliment présentés des objets d'art populaire de toute l'Asie.

Les Enfants du Paradis CADEAUX, BEAUTÉ
(carte p. 76 ; www.enfants-paradis.com ; Jl Raya Seminyak). Beau magasin empli de cadeaux intéressants et de produits de beauté. Les articles de papeterie aux notes japonaises vous donneront peut-être envie d'écrire avec autre chose qu'un clavier ; quant aux cosmétiques bio, ils font rêver.

St Isador TEXTILES
(carte p. 76 ; 738 836 ; Jl Laksmana 44). Les ateliers en étage produisent une foule de ravissants draps, oreillers et autres avec des tissus importés de toute l'Asie.

ⓘ Renseignements

Seminyak partage de nombreux services avec Kuta et Legian.

Argent
On trouve des distributeurs (ATM) dans toutes les artères principales.

Désagréments et dangers
Seminyak est dans l'ensemble beaucoup plus tranquille que Kuta et Legian. Mais ne manquez pas de lire les avertissements signalés plus haut, en particulier ceux qui concernent la mer et la pollution de l'eau.

Poste
Agence postale (761 592 ; Jl Raya Seminyak 17, Bintang Supermarket)

Services médicaux
Kimia Pharma (916 6509; Jl Raya Kerobokan 140; 24h/24) Située à un grand carrefour, elle fait partie de la meilleure chaîne de pharmacies de Bali et on y trouve tous les médicaments prescrits.

ⓘ Comment s'y rendre et circuler

Vous n'aurez aucun mal à héler un taxi équipé d'un compteur. Une course dans un taxi officiel coûte environ 80 000 Rp depuis l'aéroport et la moitié dans l'autre sens. Vous pouvez aussi longer la plage à pied vers le sud. Legian n'est qu'à 15 minutes.

KUTA ET SEMINYAK SEMINYAK

Kerobokan

📞 0361

Kerobokan, qui part du nord de Seminyak, abrite certains des plus beaux restaurants de Bali, des trains de vie fastueux et encore des plages. Ici, les hôtels sont surclassés par les villas qui poussent comme des champignons. En certains endroits, le mélange de commerces et de rizières en terrasses est détonnant.

👁 À voir

Si ce n'est pour manger, prendre un verre, faire du shopping ou dormir, il y a peu de raisons de visiter Kerobokan, à une exception près : **Batubelig Beach**, dans le prolongement de la plage de Kuta, au sud. Cette portion battue par les vagues est généralement peu fréquentée. Plusieurs cafés de plage rustiques furent détruits en 2012 et le secteur n'attend plus que les promoteurs.

L'un des points de repère dans le paysage est la **prison de Kerobokan** (carte p. 76), de sinistre réputation, où se trouve toujours le Français Michaël Blanc (condamné en 2000 à la détention à perpétuité pour trafic de drogue, mais qui ne cesse de clamer son innocence).

🏃 Activités

Amo Beauty Spa SPA

(carte p. 76 ; 📞 275 3337 ; www.amospa. com ; 100 Jl Petitenget ; massage à partir de 180 000 Rp ; ⊙9h-21h). Avec tous les top-modèles asiatiques que l'on y croise, on se croirait dans un studio de *Vogue*. En plus des massages sont proposés soins capillaires, pédicures ou encore épilations à la cire unisexes.

Spa Bonita SPA

(carte p. 76 ; 📞 731 918 ; www.bonitabali.com ; Jl Petitenget 2000X ; massage à partir de 100 000 Rp ; ⊙9h-21h). Intégré au charmant Waroeng Bonita, ce spa pour hommes propose tout un éventail de prestations dans un cadre simple et raffiné.

Umalas Stables ÉQUITATION

(carte p. 91 ; 📞 731 402 ; www.balionhorse. com ; Jl Lestari 9X ; promenades sur la plage à partir de 72 $US). Faites votre choix parmi les 30 chevaux et poneys de ce beau centre équestre pour une promenade d'une demi-heure dans les rizières ou une balade de 2 ou 3 heures sur la plage (un moment inoubliable pour beaucoup de touristes). Des cours sont également proposés pour les cavaliers débutants à expérimentés (y compris dressage et saut d'obstacles).

🛏 Où se loger

À Kerobokan, les rizières sont striées par les murs d'enceinte des nombreuses villas. Voir p. 372 pour en savoir plus sur la location de villas.

Taman Ayu Cottage HÔTEL $$

(carte p. 76 ; 📞 730 111 ; www.tamanayucottage. com ; Jl Petitenget ; ch 50-100 $US ; ❄ @ 🛜 🏊). Hôtel d'un excellent rapport qualité/prix dans une partie de Kerobokan en plein essor. La plupart des chambres se situent dans des bâtiments à 2 étages autour d'une piscine ombragée par de vénérables arbres. Les lapins de compagnie de l'hôtel font un peu oublier le fait que tout dans cet établissement est un peu fatigué.

Grand Balisani Suites HÔTEL $$

(carte p. 91 ; 📞 730 550 ; www.balisani.com ; Jl Batubelig ; ch 100-160 $US ; ❄ @ 🛜 🏊). Sur la plage de Batubelig, de plus en plus fréquentée, cet hôtel, entre catégories moyenne et supérieure, est bien agencé. Ses 96 grandes chambres sont vastes, dotées de meubles en teck et de terrasses.

W Retreat & Spa Bali – Seminyak COMPLEXE HÔTELIER $$$

(carte p. 76 ; 📞 473 8106 ; www.starwoodhotels. com ; Jl Petitenget ; ch à partir de 300 $US ; ❄ @ 🛜 🏊). Cet énorme complexe hôtelier a surgi de la plage de Kerobokan sous le label "tendance W". Si l'on y retrouve l'ambiance habituelle ultrasoignée mais un peu froide, on ne peut bouder l'emplacement sur une plage sauvage et la vue époustouflante. On y trouve restaurants et bars élégants et branchés.

Les chambres ont toutes un balcon mais ne donnent pas systématiquement sur l'océan. En flânant dans la longue allée d'entrée, vous remarquerez qu'elle offre le meilleur accès à la plage des environs.

🍴 Où se restaurer

Kerobokan compte certaines des meilleures tables de l'île, aussi bien haut de gamme qu'économiques.

JALAN PETITENGET

💛 **Sardine** POISSON $$$

(carte p. 76 ; 📞 738 202 ; www.sardine-bali.com ; Jl Petitenget 21 ; plats 20-50 $US). Abrité sous un beau pavillon de bambou, ce restaurant, élégant mais intimiste, excellemment dirigé par Pascal et Pika Chevillot, est spécialisé dans les produits de la mer, en direct du marché de Jimbaran. Les tables en terrasse donnent sur une rizière privée où évoluent des canards. Le bar créatif est un must, il est ouvert jusqu'à 1h. La carte varie selon les produits du jour. Réservation indispensable.

♥ **Biku**　　　　　　　　　　FUSION $$
(carte p. 76 ; ✆857 0888 ; www.bikubali. com ; Jl Petitenget ; plats 40 000-120 000 Rp). Aménagé dans une ancienne boutique d'antiquaire, le Biku a conservé le charme intemporel de son prédécesseur. Sa cuisine allie influences indonésiennes et asiatiques avec celle de l'Occident. Petits-déjeuners, spécialités locales ou encore burger à la balinaise : tout régale le palais et les yeux. Grand choix de thés et de cocktails rafraîchissants. Table de gâteaux à se pâmer. Réservez pour le déjeuner ou le dîner.

Waroeng Bonita　　　　INDONÉSIEN $$
(carte p. 76 ; www.bonitabali.com ; Jl Petitenget 2000X ; plats 70 000-200 000 Rp). Entre autres spécialités balinaises maison, ce mignon restaurant avec tables sous les arbres propose de l'*ikan rica-rica* (poisson frais avec une sauce au piment vert). Si l'ambiance enjouée attire du monde tous les soirs, Bonita fait régulièrement l'unanimité avec ses spectacles de drag queens, où se mêlent personnalités et commis de cuisine.

Cafe Degan　　　　　　ASIATIQUE $$
(carte p. 76 ; Jl Petitenget 9 ; plats 90 000-160 000 Rp). Créé par un jeune couple, ce petit *warung* est une réussite. La carte, plutôt indonésienne, propose des plats de la région qu'on ne trouve pas ailleurs, tel le *daging sambal hijau* (bœuf aux piments verts). Une petite boulangerie climatisée offre un appétissant choix de desserts.

Warung Kolega　　　　INDONÉSIEN $
(carte p. 76 ; Jl Petitenget ; plats 25 000 Rp ; ⊘11h-15h). Classique restaurant javanais halal. Après le riz (nous préférons le jaune parfumé), choisissez parmi les appétissants plats du jour tels le *tempeh* au piment doux, le *sambal terung* (aubergine épicée) ou l'*ikan sambal* (poisson grillé épicé). La plupart des indications sont en anglais.

Tulip　　　　　　　　　　TURC $$
(carte p. 76 ; ✆785 8585 ; www.tulipbali.com ; Jl Petitenget 69 ; plats 60 000-200 000 Rp). On

---

LA CRÈME DU WARUNG À KEROBOKAN

Malgré ses airs huppés, Kerobokan ne manque pas de bonnes adresses de cuisine locale. L'une des meilleures est le **Warung Sulawesi** (carte p. 76 ; Jl Petitenget ; plats à partir de 25 000 Rp ; ⊘10h-18h). Dans une propriété familiale calme, on sert une nourriture balinaise et indonésienne fraîche dans le style traditionnel du *warung*. Choisissez un riz, puis servez-vous parmi un éventail fascinant de plats. Goûtez au dolique asperge (ou haricot-kilomètre)... un délice !

y sert aussi bien toute une ribambelle de petits plats aux accents méditerranéens que des mets plus élaborés à base de viande grillée et de poisson. Le bel espace de restauration est ouvert sur l'extérieur et donne sur une rizière. Il y a régulièrement des concerts et des DJ le soir et le bar propose des chichas.

Sarong　　　　　　　　FUSION $$
(carte p. 76 ; ✆737 809 ; www.sarongbali.com ; Jl Petitenget 19X ; plats 10-30 $US ; ⊘12h-22h). Dans ce très élegant restaurant, la magic opère en cuisine comme dans le cadre. La salle, confortable et scintillante de bougies, ouvre largement sur la brise du soir. Optez plutôt pour le dîner sous les étoiles, sur les tables à l'arrière. La cuisine fait voyager dans le monde entier et les petites assiettes plaisent beaucoup pour passer la soirée installé au vaste bar.

Bali Catering Co　　　BOULANGERIE $
(carte p. 76 ; ✆732 115 ; Jl Petitenget 45 ; en-cas à partir de 30 000 Rp ; ✜). Un bijou de boulangerie-traiteur offrant de délicieuses petites choses raffinées. Irrésistible glace crémeuse à la mangue, croissants à se damner.

Métis　　　　　　　　　FUSION $$$
(carte p. 76 ; ✆737 888 ; www.metisbali.com ; Jl Petitenget 6 ; plats 15-40$US). Le Métis entend devenir l'un des meilleurs restaurants de Bali. Son chef vient de l'ancien Cafe Warisan alors réputé (l'établissement actuel n'a plus rien à voir). Fièrement installé face à ce qui reste de rizière, le restaurant et sa cuisine préparée avec soin sont au mieux quand règne l'animation (en haute saison).

VIRÉE SHOPPING

À l'est de Seminyak et de Kerobokan s'étend une succession de rues bordées de toutes sortes de magasins intéressants qui vendent souvent des produits de leur fabrication : articles de maison, colifichets, tissus... Arrivé à la prison de Kerobokan, suivez vers l'est Jl Gunung Tangkuban Perahu durant 2 km, puis bifurquez vers le sud dans une rue portant le même nom (c'est Bali !).

Cette Jl Gunung Tangkuban Perahu particulière a été surnommée "la rue de la stupéfaction" par un ami qui adore chiner. Elle serpente vers le sud jusqu'à Jl Gunung Soputan, bordé de boutiques de part et d'autre, et vire alors vers l'est pour s'achever à l'intersection de Jl Sunset et de Jl Kunti.

Steven's (☑733 435 ; Jl Gunung Tangkuban Perahu 199). Trésors de toute l'Indonésie.

Heider (☑0819 1644 7400 ; Jl Gunung Tangkuban Perahu 100). Sacs vintage de Lombok ; collection de sculptures dans le genre primitif.

IQI (☑733 181 ; Jl Gunung Tangkuban Perahu 274). Sets de table (5 $US environ l'ensemble) et autres articles tissés sur place.

Wijaya Kusuma Brass (☑0813 3870 4597 ; Jl Gunung Soputan). Accessoires en cuivre pour l'ameublement et la maison.

Matrái Shop (☑729 813 ; Jl Gunung Atena). Charmante boutique qui fait d'exquis récipients en fil de fer et en perles.

AILLEURS À KEROBOKAN

♥ **Warung Sobat**　　　　　POISSON $
(carte p. 76 ; ☑738 922 ; Jl Batubelig 11 ; plats 50 000-150 000 Rp). Dans la cour en brique d'une sorte de bungalow, ce restaurant à l'ancienne (et pas cher du tout) excelle dans la préparation de produits de la mer frais, concoctés avec une touche italienne (ail en abondance !). Quand on s'y rend pour la première fois, on a l'impression d'avoir fait une grande découverte, et ce d'autant plus si l'on opte pour la fabuleuse assiette de homard (à seulement 350 000 Rp pour 2), à commander d'avance. Réservez.

Mozaic Beach Club　　　　FUSION $$$
(carte p. 76 ; ☑473 5796 ; www.mozaic-beachclub.com ; Jl Pantai Batubelig ; plats 300 000-1 000 000 Rp). Le restaurant d'origine, situé à Ubud, est réputé pour l'attention presque fanatique qu'on y accorde aux détails, tradition qui perdure dans ce beau restaurant de bord de mer. Ici, on ne regarde pas à la dépense (surtout les clients), avec une carte fournie et axée sur les ingrédients de saison et les produits de la mer. Autour de la piscine, le bar décontracté sert un grand choix de boissons et tapas (dont plusieurs au foie gras) onéreuses.

L'Assiette　　　　　FRANÇAIS $$
(carte p. 76 ; Jl Raya Mertanadi 29 ; plats 50 000-100 000 Rp ; 🛜). Le vaste et paisible jardin à l'arrière de ce café spacieux est l'endroit idéal pour déguster des classiques français frais et savoureux. Et si la salade

niçoise, le steak-frites ou la terrine ne vous tentent pas, vous pourrez toujours opter pour un plat aux accents asiatiques.

Naughty Nuri's　　　INDONÉSIEN $$
(carte p. 91 ; Jl Batubelig 41 ; plats à partir de 50 000 Rp). Ce grand café de Kerobokan a su s'émanciper du succès de son grand frère très branché d'Ubud en se concentrant sur une nourriture solide et des martinis maison à tomber. Des côtelettes grillent sur du charbon de bois à l'avant, et si l'enseigne principale affiche souvent complet, vous trouverez ici presque toujours une place pour déguster une Bintang fraîche ou quelque chose de plus audacieux.

Marché aux primeurs　　　MARCHÉ $
(carte p. 76 ; angle Jl Raya Kerobokan et Jl Gunung Tangkuban Perahu ; ⊙7h-19h). Grâce à une grande diversité de zones climatiques (chaud et humide près de l'océan, froid et sec sur les versants des volcans), quasi tous les fruits et légumes peuvent pousser dans les confins de Bali. Admirez cette riche production sur les nombreux étals, où vous découvrirez des fruits singuliers, tel le mangoustan, à l'aspect noueux.

☆ Où sortir

Certains des restaurants les plus branchés de Kerobokan, comme Sardine et Tulip, disposent de bars chics restant ouverts tard.

Potato Head CLUB
(carte p. 76 ; Jl Petitenget ; ☎). Ce club fréquenté de Kerobokan est le plus cool du sud de Bali. Allez-y à pied par le sable ou suivez la longue route d'accès en voiture pour découvrir cette création tout bonnement fascinante. Le design ingénieux est époustouflant et les tentations ne manquent pas, de la séduisante piscine au café ou au restaurant chic.

🛍 Achats

Des boutiques chics s'implantent sur Jl Petitenget. Jl Raya Kerobokan, au nord de Seminyak, compte d'intéressants magasins de déco et d'articles pour la maison. Jl Raya Mertanadi offre une ribambelle constamment renouvelée de magasins d'articles pour la maison, dont beaucoup sont plus des fabriques que des showrooms.

JJ Bali Button ART ET ARTISANAT
(carte p. 76 ; Jl Gunung Tangkuban Perahu). Des milliards de perles et de boutons en coquillage, plastique, métal et autres matériaux sont proposés dans cet endroit qui s'adresse aux créatifs. Les boutons en bois aux gravures travaillées coûtent 700 Rp. Les enfants auront du mal à partir.

Bathe BEAUTÉ, ARTICLES POUR LA MAISON
(carte p. 76 ; Jl Petitenget 100X). Améliorez encore le confort de votre villa avec des bougies et des sels de bain artisanaux achetés dans cette boutique dont l'atmosphère rappelle celle des dispensaires français du XIXᵉ siècle. On ne peut s'empêcher de sourire devant la baignoire remplie de canards en plastique.

Namu VÊTEMENTS
(carte p. 76 ; Jl Petitenget). La créatrice Paola Zancanaro confectionne des vêtements de plage confortables et décontractés pour des hommes et des femmes pour qui le style ne prend jamais de vacances. Tissus délicieusement agréables au toucher, nombreuses soieries peintes à la main.

Horn RÉTRO
(carte p. 76 ; Jl Petitenget). Très bon choix de vêtements rétro pour tous les âges. Soieries classiques irrésistibles et accessoires amusants.

Ganesha Bookshop LIBRAIRIE
(carte p. 76 ; Jl Petitenget). Dans un coin du restaurant Biku, cette minuscule antenne de la meilleure librairie de l'île (à Ubud) recèle des trésors de la littérature et sur la région.

2nd Skin VÊTEMENTS
(carte p. 76 ; www.2ndskinonline.com ; Jl Petitenget). Sacs à main, vestes, minijupes, sandales et autres articles de cuir emplissent cette boutique aux riches effluves. Mais le réel point fort est le volet confection et fabrication sur mesure.

Hobo ARTICLES POUR LA MAISON
(carte p. 76 ; Jl Raya Kerobokan). L'élégance s'allie à l'insolite dans cette jolie boutique où sont exposés cadeaux et articles pour la maison, dont la plupart logeront sans problème dans votre bagage à main. Cette partie de Jl Raya Kerobokan compte de nombreux magasins intéressants.

Pourquoi Pas ANTIQUITÉS
(carte p. 76 ; Jl Raya Mertanadi). L'Assiette, attenante, appartient à la même famille de Français que cette boutique qui croule sous les trésors de tout l'archipel et d'Asie du Sud-Est en général.

Lio ARTICLES POUR LA MAISON
(carte p. 76 ; Jl Raya Kerobokan). Une série de boutiques alignées sur cette partie de la rue vend des articles pour la maison, des objets anciens en rotin et des reproductions, etc.

Nôblis DÉCORATION
(carte p. 76 ; ☎0815 5800 2815 ; Jl Raya Mertanadi 54). Un choix royal vous attend ici, avec des articles de décoration princiers du monde entier.

You Like Lamp ARTICLES POUR LA MAISON
(carte p. 76 ; ☎733 755 ; Jl Raya Mertanadi). De jolies petites lampes en papier de toutes formes – beaucoup peuvent recevoir des bougies – à des prix imbattables. Si vous ne trouvez pas votre bonheur dans les rayons, le personnel, à l'étage, vous confectionnera en un tournemain la lampe souhaitée.

ℹ Comment s'y rendre et circuler

Comptez au moins 100 000 Rp pour un taxi depuis l'aéroport. Aux heures de pointe, le trajet peut durer presque une heure, quel que soit le sens. Gardez également à l'esprit que Jl Raya Kerobokan est parfois extrêmement polluée sur de longues périodes.

Même le plus malin des chauffeurs de taxi peut se perdre dans le labyrinthe des villas ; mieux vaut donc toujours avoir un plan ou des indications précises lors de ses déplacements. Pour héler un taxi, rejoignez un axe principal.

Bien que la plage puisse sembler irrésistiblement proche, peu de routes et de *gang* y mènent depuis l'est.

Nord de Kerobokan
📍 0361

L'expansion se poursuit vers le nord et l'ouest, le long du littoral, générée par l'étendue de plages sans fin, qui restent, malgré tout, sauvages par endroits. Kerobokan laisse ensuite place à Canggu, tandis qu'Echo Beach, toute proche, est un grand site de construction. Les villas isolées empiètent petit à petit sur les rizières. La circulation peut vite devenir infernale, car, ici comme ailleurs, le réseau routier a toujours une ou deux décennies de retard sur le développement immobilier. Voir l'encadré p. 92 pour en savoir plus sur les différentes plages.

CANGGU

Davantage un état d'esprit qu'un lieu à proprement parler, Canggu est le nom fourre-tout donné à cette portion de terre truffée de villas entre Kerobokan et Echo Beach. De plus en plus de cafés, restaurants et endroits tendance y poussent également. Les plages sont nombreuses, notamment Berewa et Batu Bolong (désignées par le terme générique "Canggu Beach").

Si vous en avez assez du sable, allez admirer les œuvres de certains des meilleurs artistes de Bali à **Sukyf Arch & Art** (carte p. 91 ; www.sukyf.com ; Jl Subak Sari 4 ; ☉10h-18h), une belle galerie au beau milieu d'un quartier en pleine expansion, près du Canggu Club.

🏃 Activités

Spot de surf réputé, Canggu attire quantité de Balinais et d'expatriés le week-end. On y trouve des espaces de stationnement (généralement 2 000 Rp) et des cafés et *warung* où se restaurer après avoir passé du temps dans l'eau ou sur la plage.

Desa Seni YOGA
(carte p. 91 ; 📞844 6392 ; www.desaseni.com ; Jl Kayu Putih 13 ; cours à partir de 120 000 Rp ; ☉variables). Hôtel luxueux installé dans des maisons traditionnelles en bois. Les non-résidents peuvent aussi choisir parmi un vaste choix de cours de yoga dispensés tous les jours, très appréciés notamment des expatriés.

Canggu Club CLUB DE SPORT
(carte p. 91 ; 📞844 6385 ; www.cangguclub. com ; Jl Pantai Berawa ; pass journalier adulte/famille 60/85 $US ; 📞). Une clientèle huppée se retrouve au Canggu Club, version modernisée d'un cercle de l'époque de l'Empire britannique. La vaste pelouse verdoyante et soignée se prête au croquet. On peut aussi jouer au tennis, au squash, au polo et au cricket, ou encore profiter du spa et du bassin de 25 m. L'accès au club est souvent compris dans la location des villas.

🛏 Où se loger

♥ Hotel Tugu Bali HÔTEL $$$
(carte p. 91 ; 📞731 701 ; www.tuguhotels. com ; Jl Pantai Batu Bolong ; ch 200-500 $US ; ✴@🛜🏊). Sur Batu Bolong Beach, cet hôtel ravissant est entouré par la plage et les rizières. Son décor oscille entre musée et galerie d'art, notamment dans les pavillons Walter Spies et Le Mayeur, aux chambres ornées de souvenirs de ces artistes.

L'étonnante collection d'antiquités et d'œuvres d'art se retrouve dans tout l'hôtel. Spa et nombreuses possibilités de restauration ; cours de cuisine onéreux (à partir de 100 $US).

Desa Seni HÔTEL $$$
(carte p. 91 ; 📞844 6392 ; www.desaseni.com ; Jl Kayu Putih 13 ; ch 150-400 $US ; ✴@🛜🏊). Le Desa se veut un "village *resort*". Et quel village ! Dix maisons traditionnelles en bois, vieilles de 220 ans, ont été importées d'Indonésie et aménagées pour offrir tout le confort. Les résidents profitent d'une cuisine saine et bio et de cours de yoga.

🏷 Villa Serenity GUESTHOUSE $
(carte p. 91 ; www.balivillaserenity.com ; Jl Nelayan ; ch 150 000-500 000 Rp ; ✴🛜🏊). Ce superbe hôtel, véritable oasis au milieu des villas stériles et barricadées, comprend aussi bien des chambres simples avec sdb commune que des jolies doubles avec clim et sdb. Le domaine, superbement fantaisiste, comprend un café et une immense DVDthèque. La plage est à 5 minutes à pied. Yoga et location de planches de surf, de vélos, de voitures et autres.

Legong Keraton HÔTEL $$
(carte p. 91 ; 📞730 280 ; www.legongkeratonhotel.com ; ch 100-210 $US ; ✴@🏊). Face à la plage tranquille de Berewa, le Legong Keraton est un hôtel bien tenu de 40 chambres, le genre idéal pour un séminaire d'entreprise. Le jardin profite de l'ombre des palmiers et la piscine jouxte la plage. Les meilleures chambres occupent des bungalows face à l'océan.

Green Room HÔTEL $$
(carte p. 91 ; 📞923 2215 ; www.thegreenroombali.com ; Jl Subak Catur ; ch 60-140 $US ; 🛜🏊). Ambiance hippie chic dans ce lieu très

Canggu et Echo Beach

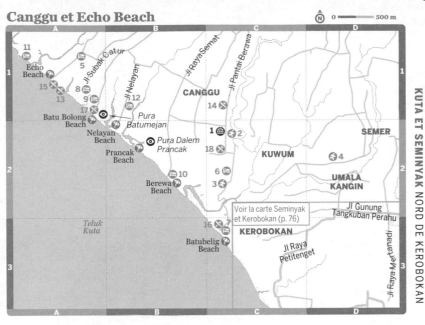

Canggu et Echo Beach

prisé des surfeurs. Allongé sur la véranda à l'étage, on contemple les vagues (et la villa en construction) au loin. Les 14 chambres sont confortables et aérées.

✕ Où se restaurer

♥ **Green Ginger**   ASIATIQUE **$**
(carte p. 91 ; Jl Pantai Berawa ; plats à partir de 30 000 Rp ; 🖊). Œuvres d'art, profusion de plantes à fleurs et meubles originaux caractérisent ce chouette café bohème situé dans une rue de Canggu en rapide mutation. On y mange des plats végétariens frais et savoureux de toute l'Asie.

Trattoria   ITALIEN **$$**
(carte p. 91 ; Jl Pantai Berawa ; plats 90 000-160 000 Rp). Le dernier-né de cette enseigne de Seminyak a trouvé sa place parmi les restaurants installés dans la jolie cour du complexe de Canggu Square, dans le centre de Canggu. La longue carte comprend pizzas et autres grands classiques italiens. À côté, vous trouverez un restaurant de sushis et un bon café.

Om Cafe   INTERNATIONAL **$**
(carte p. 91 ; Jl Pantai Batu Bolong ; plats à partir de 30 000 Rp ; 🖊). À part la nourriture,

Jl Pantai Batu Bolong

Jl Nelayan

Jl Pamelisan Agung

Jl Raya Semat

CANGGU

Teluk Kuta

Circuit à pied
Promenade balnéaire à Canggu

❯ En longeant les plages de Canggu, vous parcourrez de longues étendues de sable désertes et passerez à gué quelques cours d'eau, avec le seul bruit des vagues. Quelques villages, des temples, de belles villas et des cafés agrémentent la promenade. Soyez prêt à vous mouiller et prévoyez des sacs imperméables pour vos affaires.

Commencez à ❶ **Batubelig Beach**. En regardant vers le nord-ouest, on peut voir les constructions d'Echo Beach au loin. À 500 m de là vous attend le plus gros obstacle de toute la promenade : une ❷ **rivière** et une lagune se jetant dans l'océan, avec une profondeur oscillant entre 0 et 1 m, voire bien plus après les pluies. Dans ce dernier cas de figure, empruntez le petit pont piétonnier sur la lagune en direction du Warung Agung Kayu Putih, qui offre une nourriture basique et un téléphone pour appeler un taxi.

❸ **Berewa Beach**, où le sable gris volcanique descend abruptement dans l'eau écumeuse, dispose de deux cafés de surfeurs donnant sur les vagues rugissantes.

Environ 1 km plus loin, il faut franchir un autre cours d'eau (peu profond) à ❹ **Prancak Beach**, près du Pura Dalem Prancak. Un ou deux vendeurs de boissons s'y trouvent parfois.

Une série de bateaux de pêche et de paillotes indiquent la paisible ❺ **Nelayan Beach**, qui fait face à des villas dans les terres.

Sur la plage de ❻ **Batu Bolong** se dresse le vaste ensemble du Pura Batumejan avec son grand temple aux allures de pagode. Il est possible d'y louer des planches de surf (100 000 Rp/jour) et d'y prendre des cours à l'improviste. On trouve aussi de chouettes cafés et un marchand 200 m plus loin fournissant des chaises longues.

Les constructions le long du littoral signifient que vous êtes arrivé à ❼ **Echo Beach**, où vous pourrez vous remettre de votre périple dans un café. Vous pourrez remplacer vos vêtements détrempés dans les boutiques alentour de plus en plus nombreuses, et photographier la célèbre déferlante.

tout semble y être fait en bambou. Faites votre choix parmi une belle sélection de plats frais aux notes asiatiques devant les vagues déferlantes. Un endroit parfait où passer un après-midi, et un cran au-dessus des *warung* de plage habituels.

ℹ️ Comment s'y rendre et circuler

Pour rejoindre Canggu par la route depuis le sud, prendre Jl Batubelig vers l'ouest à Kerobokan, presque jusqu'à la plage, puis bifurquer vers le nord, après d'énormes villas et boutiques d'expatriés, en suivant une route sinueuse. Le trajet par la route du Tanah Lot, fréquemment embouteillée, est bien plus long. De plus en plus de minuscules voies d'accès à la plage se faufilent de façon désordonnée à travers les rizières et les villas.

Comptez au moins 70 000 Rp pour rejoindre Canggu en taxi depuis Kuta ou Seminyak. S'il est rare de trouver un taxi dans la rue, n'importe quel commerçant pourra en appeler un pour vous.

ECHO BEACH

À 500 m au nord-ouest de Canggu Beach, Echo Beach est l'un des spots de surf les plus populaires de Bali. Tellement connu qu'il attire aussi aujourd'hui touristes, expatriés et Balinais qui viennent profiter des spectaculaires couchers du soleil les pieds dans l'eau, tandis que d'énormes villas envahissent le paysage. Si les cafés sont quelque peu bondés, il suffit de faire 200 m sur la plage pour se retrouver seul.

Les taxis d'une coopérative locale vous attendent pour vous ramener à Seminyak et vers le sud pour quelque 70 000 Rp.

🛏️ Où se loger et se restaurer

Des cafés, du plus basique au plus glamour, sont installés face à des vagues qui sont parmi les plus régulières de Bali. Sirotez une boisson tout en commentant les performances des surfeurs ou jetez-vous à l'eau !

Canggu Mart GUESTHOUSE **$**
(carte p. 91 ; 📞 824 7183 ; Jl P Batu Mejan 88 ; ch 150 000-350 000 Rp). À 300 m d'Echo Beach, cette enseigne sans prétention loue 4 chambres simples mais très confortables avec terrasses. La supérette, à l'avant, vend de la bière fraîche et pas chère.

Mandira Cafe CAFÉ **$**
(carte p. 91 ; Jl Pura Batu Mejan ; plats 25 000-50 000 Rp ; 📞). Dans un Echo Beach de plus en plus haut de gamme, ce repaire de surfeurs propose des tables de pique-nique cabossées au premier rang pour admirer le surf. Descendez une Bintang bon marché tout en prenant des photos du spectacle. La carte intemporelle comprend sandwichs chauds, crêpes à la banane, club sandwichs et *smoothies*.

Beach House CAFÉ **$$**
(carte p. 91 ; Jl Pura Batu Mejan ; plats 30 000-100 000 Rp ; 📞). Face à l'océan, l'élégant Beach House regroupe plusieurs chaises longues et sofas pour se détendre et tables de pique-nique. Le menu propose petit-déjeuner, salades, grillades ou calmars à l'aïoli. Le dimanche soir, son barbecue en plein air connaît un succès fou.

PERERENAN BEACH

Cette plage encore épargnée par les promoteurs est idéale pour profiter des vagues en toute tranquillité. Elle se situe à 300 m d'Echo Beach par la plage et les rochers et à plus de 1 km par la route. Pererenan Beach marque aussi la fin de la vaste étendue de sable qui part des environs de l'aéroport.

Si vous n'avez plus envie de repartir, adressez-vous à la sympathique équipe de **Pondok Wisata Nyoman** (carte p. 91 ; 📞 0812 390 6900 ; pondoknyoman@yahoo.com ; Jl Raya Pantai Pererenan ; ch 200 000-500 000 Rp), établissement juste derrière la plage comptant 4 chambres simples mais aux sdb colorées. L'endroit regroupe aussi deux bons cafés, moins fréquentés qu'à Echo Beach mais jouissant d'une vue tout aussi belle.

Sud de Bali et les îles

Le top des restaurants

» Bumbu Bali (p. 110)
» Cak Asm (p. 123)
» Teba Mega Cafe (p. 98)
» Manik Organik (p. 116)

Le top des hébergements

» Hotel La Taverna (p. 113)
» Indiana Kenanga (p. 130)
» Temple Lodge (p. 102)
» Alila Villas Ulu Watu (p. 105)

Pourquoi y aller

Vous ne connaîtrez pas tout à fait Bali si vous n'avez pas exploré sa partie sud. Denpasar, la capitale de l'île, s'étend dans toutes les directions. C'est un lieu animé qui compte des marchés traditionnels, de fastueux centres commerciaux et de délicieux restaurants. Elle conserve une grande richesse historique et culturelle, alors même qu'elle tend à absorber les plaques tournantes touristiques que sont Seminyak, Kuta et Sanur.

La péninsule de Bukit (extrême sud de Bali) regorge de possibilités. À l'est, Tanjung Benoa est dominée par les complexes hôteliers de catégorie moyenne en bord de plage, tandis que Nusa Dua se voudrait le royaume isolé des hôtels cinq étoiles. Toutefois, c'est à l'ouest que ça bouge vraiment. Criques et plages sont parsemées de petits hébergements originaux et d'établissements écologiques haut de gamme. Ici règne une atmosphère de liberté dans l'esprit surf d'Ulu Watu.

À l'est, l'île de Nusa Penida domine l'horizon, et celle de Nusa Lembongan constitue une escapade insulaire incontournable.

Quand partir

Pour profiter d'une visite du sud de Bali, l'idéal est d'éviter la saison haute – juillet, août et les fêtes de fin d'année. En effet, le nombre de visiteurs explose et les chambres à Bingin, Tanjung Benoa, Sanur ou Nusa Lembongan, notamment, sont prises d'assaut. Beaucoup préfèrent la période d'avril à juin, puis septembre. Pour surfer, rien de mieux que les célèbres spots de la côte ouest de la péninsule de Bukit, entre février et novembre, et la période de mai à août, particulièrement propice.

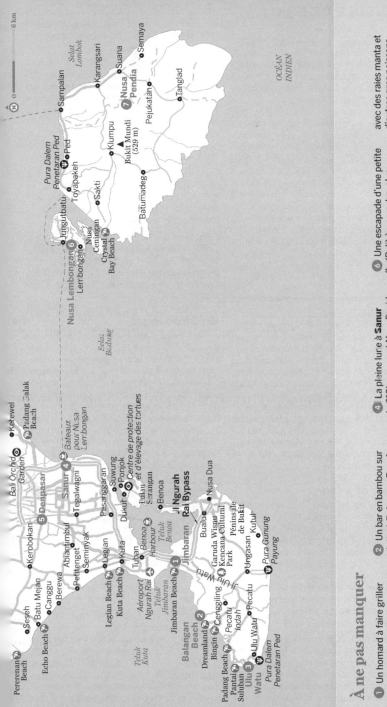

0 — 6 km

À ne pas manquer

1 Un homard à faire griller dans l'un des nombreux *warung* de fruits de mer au bord de l'eau, à **Jimbaran** (p. 96)

2 Un bar en bambou sur pilotis, à **Balangan Beach** (p. 99)

3 Le surf à **Ulu Watu** (p. 103), sur des vagues de réputation mondiale

4 La pleine lune à **Sanur** (p. 110), couvrant Nusa Penida d'un voile de mystère

5 Le meilleur des repas à 2 \$US, à **Denpasar** (p. 123)

6 Une escapade d'une petite île (Bali) à une autre, plus petite : **Nusa Lembongan** (p. 127)

7 La plongée à **Nusa Penida** (p. 134), où l'on peut nager

avec des raies manta et d'autres gros poissons

PÉNINSULE DE BUKIT

📞 0361

Chaude et aride, la péninsule méridionale se nomme Bukit ("colline" en bahasa indonesia). Du climat confiné de Nusa Dua aux retraites raffinées le long de la côte sud, la péninsule jouit d'une grande popularité auprès des visiteurs.

La côte ouest de Bukit, en plein essor, est, avec sa belle succession de plages, l'un des points névralgiques de l'île. Alors que des hébergements un peu branlants parsèment le sable de Balangan Beach, des lodges au charme singulier coiffent les falaises à Bongin et ailleurs. De nouveaux endroits apparaissent chaque jour. La plupart donnent sur des vagues qui attirent des surfeurs du monde entier et déferlent tout le long de la côte vers le sud, jusqu'à l'important temple d'Ulu Watu. Pour les détails concernant les spots de surf le long de la péninsule de Bukit et autour d'Ulu Watu, voir p. 29.

Jimbaran

Au sud de Kuta et de l'aéroport, Teluk Jimbaran (baie de Jimbaran) forme un superbe croissant de sable blanc, baigné par une mer bleue. Ourlée d'un long chapelet de *warung* de fruits de mer, la baie s'achève au sud par un promontoire couvert de buissons où se dresse le Four Seasons Jimbaran Bay.

Jimbaran est plus calme que Kuta et Seminyak plus au nord (et plus proche de l'aéroport !). Ses marchés font d'amusantes visites et, malgré l'apparition de nouveaux complexes hôteliers, elle reste un endroit paisible.

👁 À voir et à faire

💟 **Marché au poisson**　　　MARCHÉ
(Jimbaran Beach ; ⊙ 6h-15h). Ce marché au poisson odorant et animé est une étape populaire de toutes promenades matinales dans la péninsule de Bukit – prenez seulement garde où vous marchez. Des bateaux aux couleurs vives patientent le long du rivage, tandis que d'énormes caisses contenant de tout, des petites sardines aux impressionnantes langoustines, se vendent à une allure incroyable.

Jimbaran Beach　　　PLAGE
Parmi les meilleures plages de Bali, l'arc de sable de 4 km de long de Jimbaran fait face à la baie du même nom. Le sable est généralement très propre et les endroits où prendre un snack, boire un verre, manger des fruits

de mer ou louer un transat ne manquent pas. La baie rend les vagues moins fortes qu'à Kuta, mais certaines conviennent au body surf.

Marché matinal　　　MARCHÉ
(Jl Ulu Watu ; ⊙ 6h-12h). Ce marché est l'un des plus intéressants à visiter, car il est compact et permet de voir beaucoup de choses dans un périmètre restreint, et les marchands sont habitués au passage des touristes. Les chefs locaux vantent la qualité des fruits et légumes (on y trouve des choux énormes) qui y sont vendus.

Pura Ulun Siwi　　　TEMPLE
(Jl Ulu Watu). Face au marché matinal, ce temple ébène du XVIIIe siècle est un lieu endormi qui s'emplit de vie, d'offrandes et d'encens lors de fêtes religieuses.

Ganeesha Gallery　　　GALERIE
(📞 701 010 ; www.fourseasons.com ; Four Seasons Jimbaran Bay). Cette galerie expose des œuvres d'artistes internationaux et mérite une visite. Pour y accéder, longez la plage vers le sud.

🛏 Où se loger

Certains des complexes les plus luxueux de Bali se trouvent dans la région de Jimbaran, ainsi que quelques hôtels de catégorie moyenne près de la plage. La majorité propose des navettes en journée jusqu'à Kuta et plus loin. Un nouveau luxueux Meridien Resort va ouvrir près des *warung* de fruits de mer au sud.

Jimbaran a conservé une certaine "authenticité" et constitue une solution de rechange par rapport aux complexes monolithiques de Nusa Dua.

Four Seasons
Jimbaran Bay　　　RESORT $$$
(📞 701 010 ; www.fourseasons.com ; villas à partir de 800 $US ; ❉ @ 🛜 ☀). Les 147 villas sont conçues dans un style balinais traditionnel, avec un portail sculpté qui donne sur une salle à manger en plein air avec vue sur la piscine. Très sélect, le spa est réservé aux clients. L'hôtel est aménagé sur une colline surplombant Jimbaran Beach, facilement accessible à pied. La plupart des villas jouissent d'une belle vue sur la baie.

Keraton Jimbaran　　　HÔTEL $$
(📞 701 991 ; www.keratonjimbaranresort.com ; Jl Mrajapati ; ch à partir de 160-300 $US ; ❉ @ 🛜 ☀). Partager la même plage idyllique que les complexes voisins plus luxueux, c'est ce qu'offre cet hôtel discret, spacieux et typiquement balinais. Les

Jimbaran

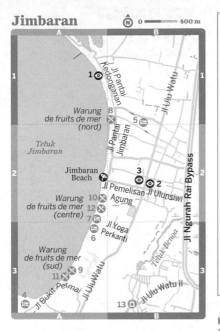

N 0 ▬▬ 400 m

SUD DE BALI ET LES ÎLES JIMBARAN

102 chambres sont aménagées dans des bungalows d'un ou deux niveaux. Prenez à droite juste en arrivant sur la plage ; vous êtes tout proche des *warung* de fruits de mer du centre.

Udayana Kingfisher Eco lodge   LODGE **$$**
(☎747 4204 , www.ecolodgesindonesia.com ; ch 70-85 $US ; ❇@☎❄✈). Vous vous sentirez comme un oiseau perché dans la canopée au deuxième niveau de ce lodge, qui n'est pas loin de faire figure d'oasis de Bukit. La vue sur le sud de Bali depuis son tertre de 70 ha de broussailles est superbe. Dix chambres confortables, bel espace commun et excellente bibliothèque. L'établissement économise et recycle l'eau. Il se trouve dans les terres, à côté de l'université Udayana, près de la route qui monte depuis le McDonald's de la rocade.

Jimbaran Puri Bali   HÔTEL **$$$**
(☎701 605 ; www.jimbaranpuribali.com ; Jl Yoga Perkanti ; bungalows à partir de 300 $US ; ❇@☎❄✈). Sous l'égide des Orient-Express Resorts, cet établissement de bord de mer est aménagé dans un joli cadre avec piscine donnant sur l'océan. Les 41 bungalows ont des jardins privés, de grandes terrasses, un design chic et des baignoires dans le sol. Somptueux mais discret.

Hotel Puri Bambu   HÔTEL **$$**
(☎701 377 ; www.hotelpuribambu.com ; Jl Pengeracikan ; ch 75-105 $US ; ❇@☎❄). À 200 m de la plage, le modeste Puri Bambu n'est pas neuf, mais il est bien tenu ; il affiche en outre le meilleur rapport qualité/prix de Jimbaran. Les 48 chambres standard (certaines avec baignoire) sont aménagées dans des bâtiments à 3 niveaux autour d'une grande piscine.

🍴 Où se restaurer

Les trois groupes de *warung* de fruits de mer de Jimbaran font griller tous les soirs poisson et crustacés fraîchement pêchés, attirant les touristes de tout le Sud. Ces échoppes, ouvertes sur les côtés et installées sur la plage, permettent de profiter de la brise marine et du coucher de soleil. Tables et chaises attendent sur le sable, au bord de l'eau.

Des plateaux de poisson et fruits de mer sont désormais souvent proposés à prix fixes. Cela évite d'avoir à choisir puis à payer au poids son poisson, pesé sur des balances qui font bien rire les gens du cru. Toutefois, si vous procédez au poids, mettez-vous d'accord sur le prix avant toute chose. En général, vous aurez beaucoup de fruits de mer grillés, des accompagnements et deux bières pour moins de 20 $US par personne. Le homard fait considérablement grimper la note.

Les meilleures cuisines font mariner le poisson dans de l'ail et du citron vert, y ajoutent du piment et de l'huile et le font griller sur des écorces de noix de coco. Les nuages de fumée font partie de l'ambiance, tout comme les groupes de musique, qui jouent des tubes internationaux. Les cartes de crédit sont acceptées presque partout.

Sur la plage, les cafés et restaurants des hôtels de luxe offrent une vue magnifique sur la mer et le coucher du soleil.

WARUNG DE FRUITS DE MER (NORD)

Les *warung* du nord, les plus nombreux, se situent au sud du marché au poisson. C'est là que les taxis vous déposeront spontanément. La plupart ressemblent à des restaurants, avec une salle et des tables à l'extérieur, sur le sable. Téléphonez pour un transport gratuit depuis/vers le sud. Dans cette zone prévaut la vente la plus agressive et nombre d'hommes ne cesseront de héler votre conducteur.

Blue Marlin   FRUITS DE MER **$$**
(Jl Pantai Kedonganan ; repas 80 000-200 000 Rp). La plupart des restaurants du nord ressemblent à cet établissement de briques.

WARUNG DE FRUITS DE MER (CENTRE)

Les *warung* du centre forment un groupe compact au sud de Jl Pantai Jimbaran et de Jl Pemelisan Agung. Ce sont les plus simples, avec leur toit de chaume et leurs côtés ouverts. Sur la plage, un peu plus sauvage, les bateaux de pêche sont tirés sur le sable. De grosses piles d'écorces de noix de coco attendent d'être brûlées.

Roman Café   FRUITS DE MER **$$**
(☎703 124 ; Jl Pantai Kedonganan ; plats 80 000-200 000 Rp). Probablement un petit cran au-dessus des autres.

Warung Bamboo   FRUITS DE MER **$$**
(Près de Jl Pantai Jimbaran ; repas 80 000-200 000 Rp). Légèrement plus attrayant que ses voisins, tous dotés d'un charme un peu canaille.

WARUNG DE FRUITS DE MER (SUD)

Les *warung* de fruits de mer du sud (également appelés groupe Muaya) forment un ensemble compact à l'extrémité sud de la plage. On trouve un parking près de Jl Bukit Permai, et la plage, bien entretenue, abrite de jolis arbres. Téléphonez pour le transport.

LES CONSEILS DU CHEF PASCAL CHEVILLOT

Propriétaire du très populaire restaurant Sardine à Kerobokan, Pascal Chevillot arpente le marché de poissons de Jimbaran 6 fois par semaine. Il ne s'approvisionne qu'en produits d'une fraîcheur irréprochable.

Le meilleur marché ?

Le marché au poisson de Jimbaran est constamment approvisionné en produits frais. Les crustacés sont excellents, et les surprises sont nombreuses au détour de chaque étal.

Les meilleurs poissons ?

Des dorades, des *mahi mahi*, des raies, du vivaneau, etc.

La meilleure manière de visiter le marché ?

Allez-y le plus tôt possible et perdez-vous. Flânez dans son intérieur sombre et labyrinthique. Vous serez surpris de découvrir ce que recèlent les eaux de Bali ! Les vendeurs sont plutôt contents de vous y voir ; ils se disent peut-être que vous allez devenir de plus grands consommateurs de leurs fruits de mer.

Teba Mega Cafe   FRUITS DE MER **$$**
(Près de Jl Bukit Permai ; repas 80 000-200 000 Rp). *Warung* préféré de nombreux expatriés de longue date à Bali. Ses plateaux de fruits de mer sont légèrement meilleurs qu'ailleurs.

Lei Lei Seaside Barbeque   FRUITS DE MER **$$**
(Près de Jl Bukit Permai ; repas 80 000-200 000 Rp). Particulièrement joyeux, avec ses viviers miroitant remplis de vos futurs plats.

🛍 Achats

Jenggala Keramik
Bali Ceramics   CÉRAMIQUES
(Jl Ulu Watu II ; ⊗9h-18h). Magasin moderne présentant de jolis articles de maison en céramique, l'un des achats favoris à Bali. Sur place, un café et un espace permettant d'observer la production. Des cours de céramique pour adultes et enfants sont proposés.

❶ Depuis/vers Jimbaran

De nombreux taxis attendent autour des *warung* de la plage le soir pour ramener les convives chez eux (environ 60 000 Rp jusqu'à Kuta). Certains des *warung* de fruits de mer vous transportent gratuitement si vous les appelez. Attendez-vous à payer 2 000 Rp par véhicule pour utiliser les routes d'accès à la plage.

Environs de Jimbaran

Entourant des falaises de calcaire, **Tegalwangi Beach**, à 4,5 km au sud-ouest de Jimbaran, est la première d'une série de criques de sable descendant le long de la côte ouest de la péninsule. Vous trouverez un petit parking en face du temple **Pura Segara Tegalwangi**, populaire pour s'adresser aux dieux des océans. Il y a généralement un vendeur de boissons pour vous rafraîchir avant ou après le difficile (mais court) parcours jusqu'à la plage. Au sud, le grand complexe Ayana s'étale à flanc de falaises.

De Jimbaran, suivez Jl Bukit Permai juste après le Four Seasons Jimbaran Bay sur 3 km jusqu'aux portes de l'Ayana, puis toujours Jl Bukit Permai vers l'ouest sur 1,5 km en direction du temple.

Centre de Bukit

Il Ulu Watu continue au sud de Jimbaran et grimpe sur 200 m la colline qui donne son nom à la péninsule et offre une vue sur le sud de Bali.

L'immense **Garuda Wisnu Kencana Cultural Park** (GWK ; carte p. 100 ; ✆703 603 ; entrée 15 000 Rp, parking 5 000 Rp ; ☺8h-18h ; ♿), un parc culturel toujours inachevé, doit accueillir une statue de Garuda haute de 66 m ; elle est supposée se tenir au sommet d'un complexe de boutiques et de galeries pour atteindre une hauteur totale de 146 m.

Jusqu'à présent, toutefois, seule la tête en bronze de la statue est achevée. Les bâtiments existants restent pratiquement vides. Il y a une bonne raison toutefois de visiter ce site : la **vue**. Depuis un petit café près du parking, on peut admirer tout le sud de Bali. Et, si le temps est assez dégagé pour voir les volcans, alors GWK vaut vraiment le détour sur la route d'Ulu Watu.

Environ 2 km au sud de GWK, à un important carrefour, on trouve l'utile **Nirmala Supermarket** (carte p. 100) qui renferme des distributeurs et quelques cafés.

Balangan Beach

Balangan Beach, une longue plage accotée à des falaises, recouverte de cocotiers, ourlée d'un sable presque laiteux et parsemée de parasols blancs, vaut le détour. Les bars de surfeurs, les cabanes-cafés et quelques bungalows à peine moins rustiques longent le rivage, où des Occidentaux huppés font bronzette au milieu de sommaires installations. Une espèce de Far West aux portes du Bali clinquant.

À l'extrémité nord se dresse un petit temple, le **Pura Dalem Balangan** (carte p. 100). Les huttes de bambou se dressent sur la partie sud et les touristes paressent, un œil sur la gauche rapide qui déferle ici.

🛏 Où se loger et se restaurer

Pour passer la nuit à Balangan Beach, deux choix s'offrent à vous. Premièrement, vous installer sur le promontoire, dans l'une

---

LE PILLAGE DE LA PÉNINSULE DE BUKIT

De nombreux environnementalistes voient dans l'aride péninsule de Bukit un signe avant-coureur des défis auxquels sera confrontée Bali – les réserves en eau sont insuffisantes pour l'aménagement du territoire tel qu'il se pratique. Les petits bungalows qui parsemaient jadis les plages de la côte ouest n'avaient qu'un faible impact sur l'environnement. Mais, avec l'explosion du tourisme, de vastes chantiers non réglementés ont vu le jour et exercent une pression importante sur les ressources de l'île. Outre le développement de Pecatu Indah, un nombre croissant de projets sont en passe de détruire les belles falaises en calcaire pour les remplacer par des structures en béton comme **Anantara** (www.balianantarauluwatu.com), un luxueux complexe d'appartements construit sur l'emplacement d'une étendue de côte jadis préservée.

Un nouveau mouvement environnementaliste de protestation est en train de remettre en question ces projets de développement. Son action déterminera le futur de Bali, au-delà de celui de la péninsule.

Balangan Beach et Ulu Watu

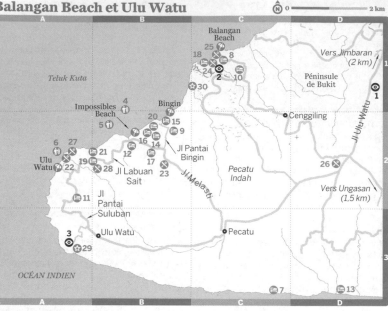

Balangan Beach et Ulu Watu

◉ À voir
1 Garuda Wisnu Kencana Cultural
   Park D1
2 Pura Dalem Balangan C1
3 Pura Luhur Ulu Watu A3
   Pura Mas Suka ....(voir 13)

➕ Activités
4 Impossibles B1
5 Padang Padang B2
6 Ulu Watu A2

🛏 Où se loger
7 Alila Villas Ulu Watu C3
8 Balangan Sea View Bungalows.............C1
9 Bingin Garden B2
10 Flower Bud Bungalows C1
11 Gong A2
12 Guna Mandala Inn................................B2
13 Karma Kandara D3
14 Merta Sari Bungalows..........................B2

15 Mick's Place B2
16 Mu..B2
17 Pink Coco Bali B2
18 Point C1
19 Sriyana B2
20 Temple Lodge B2
21 Thomas Homestay...............................B2

🍴 Où se restaurer
22 Delpi Rock Lounge A2
23 Jiwa Juice B2
24 Man Sis Cafe C1
25 Nasa Café C1
26 Nirmala Supermarket...........................D2
27 Single Fin..A2
   Trattoria ....(voir 17)
28 Yeye's Warung B2

⭐ Où sortir
29 Kecak Dance A3
30 Klapa C1

des simples mais agréables pensions avec piscine. La plage est à 5 minutes à pied.

Vous pouvez aussi trouver une chambre dans une des huttes de la plage, où de nombreux bars possèdent des petites chambres au toit de chaume sans fenêtre à côté des caisses de bière Bintang. Négociez le prix : pour moins de 100 000 Rp, vous serez sans doute prêt à oublier les éclats de rire de fêtards ivres.

Flower Bud Bungalows GUESTHOUSE $
(carte p. 100 ; ☑0828 367 2772 ; www.flowerbud-balangan.com ; ch 350 000-600 000 Rp ; 🖥🖵).
Sur le tertre. Huit bungalows en bambou occupent un vaste espace qui donne sur une piscine. Ambiance à la Robinson Crusoé, ventilateurs et oreillers en guise de petits "luxes".

Balangan Sea View
Bungalows GUESTHOUSE $
(carte p. 100 ; ☑0812 376 1954 ; robbyandrosita@hotmail.com ; ch 375 000-650 000 Rp ; 🖵). Un groupe de bungalows au toit de chaume, 25 chambres et une petite piscine dans un complexe attrayant. Accès Wi-Fi dans le petit café. En face du Flower Bud Bungalows.

Point GUESTHOUSE $
(carte p. 100 ; ☑0857 3951 8317 ; ch 200 000-300 000 Rp). Construit sur des rochers consolidés par du ciment, sur la plage, Point diffère de ses voisins en bambou sur pilotis. Les 5 chambres possèdent un ventilateur et des fenêtres. Quelques-unes ont vue sur la mer et d'autres en sont à une dizaine de mètres. Le café sous le porche est ombragé.

Nasa Café CAFÉ $
(carte p. 100 ; plats à partir de 30 000 Rp). Sous le toit de chaume de ce bar en bambou sur pilotis, installé sur le sable, le regard embrasse le ruban azur de la mer agitée. Les plats indonésiens simples sont raccord avec les chambres spartiates attenantes (environ 100 000 Rp), qui ne sont guère plus qu'un matelas posé au sol. Il existe une dizaine d'options similaires.

Man Sis Cafe CAFÉ $
(carte p. 100 ; 0819 1653 8049 ; plats à partir de 30 000 Rp). Une planche de surf cassée pour enseigne, une grand-mère découpant les légumes, des lits à l'étage (10 $US) et de la Bintang fraîche à toute heure. Ce café en bambou posé sur le sable ne manque pas de charme.

ⓘ Depuis/vers Balangan Beach

Balangan Beach est à 6,2 km de la route principale d'Ulu Watu, passant par Cenggiling. Prenez vers l'ouest au carrefour du Nirmala Supermarket, idéal pour se ravitailler, notamment en eau. La route menant à la plage est très sinueuse, mais elle est goudronnée et dotée de quelques panneaux. À proximité du promontoire, la route s'achève au niveau d'un grand parking à l'extrémité nord de la plage, où descendent des marches (et il faut encore marcher 300 m dans le sable).

Les taxis de Kuta demandent 50 000 Rp (au moins) l'heure pour l'aller-retour et l'attente.

Pecatu Indah

Ce **complexe balnéaire** (www.balipecatu.com) de 400 ha s'élève entre le centre de la péninsule de Bukit et la côte. Cette terre est aride, ce qui n'a pas empêché la construction d'un immense hôtel, d'appartements, de maisons et d'un parcours de golf de 18 trous très gourmand en eau, acheminée en partie par de nombreux camions depuis Denpasar.

Ici s'étendait autrefois une très jolie petite plage communautaire du nom de Dreamland. Aujourd'hui se dresse, entre autres bâtiments, le *beach club* criard **Klapa** (carte p. 100 ; ☑848 4581 ; Pecatu Indah ; entrée 100 000 Rp ; ⊙10h-23h), où des lumières disco vous accueillent à l'entrée. Toutefois, la vue est belle, ainsi que la piscine et la plage privée. Parking : 5 000 Rp ! Cette zone fait sa promotion sous le nom de "Nouvelle Kuta Beach".

Bingin

En constante évolution, Bingin compte plusieurs hébergements sympathiques, disséminés sur les falaises et sur la plage de sable blanc en contrebas. Une route accidentée de 1 km part de la route principale goudronnée (cherchez les panneaux des hôtels).

Un vieil habitant collecte une taxe de 5 000 Rp à une intersection en T (et vous proposera un DVD piraté) près du parking pour le sentier qui descend à la plage. Les vagues y sont souvent agitées, mais la plage est calme et les brisants, envoûtants.

Le paysage est superbe, avec ses falaises boisées qui s'élèvent au-dessus d'une rangée de cafés de surfeurs et de l'écume de la mer azur. La plage est à 5 minutes de marche au bas d'un chemin plutôt escarpé.

🛏 Où se loger et se restaurer

Plus d'une vingtaine d'hébergements sont disséminés le long des falaises et à proximité. Tous ont au moins un café, mais pour l'animation nocturne – comme ailleurs sur cette côte – mieux vaut aller à Kuta, au nord (à moins de préférer une soirée intime).

Les hébergements suivants sont tous plutôt petits et ne dénaturent pas le paysage au sommet des falaises de Bingin.

ⓘ SACRÉS SINGES

Le Pura Luhur Ulu Watu abrite des dizaines de singes gris. Quand ils ne sont pas occupés à copuler, ils attrapent tout ce qui passe, lunettes de soleil, sacs à main, chapeaux... Si vous voulez déclencher une émeute, montrez-leur une banane !

♥ **Temple Lodge**   HÔTEL DE CHARME **$$**
(carte p. 100 ; 🕿0857 3901 1572 ; www.thetemplelodge.com ; ch 60-230 $US ; 🛜❄). Joli ensemble sympathique et artistique, composé de huttes et de bungalows faits de chaume, de bois de grève et d'autres matériaux naturels. Sur la plate-forme surplombant la mer, la vue est splendide depuis la piscine à débordement et quelques-uns des 7 appartements. Possibilité de savourer de délicieux repas le soir.

Mick's Place   GUESTHOUSE **$$**
(carte p. 100 ; 🕿0812 391 3337 ; www.micksplacebali.com ; ch/villa à partir de 100/300 $US ; ❄🛜❄). L'eau turquoise de la petite piscine à débordement s'accorde à celle de la mer en contrebas. Cet établissement hippie-chic et agréable propose 6 huttes rondes installées dans un cadre luxuriant. Les bougies créent une atmosphère détendue le soir. Vue panoramique la journée. Ne vous attendez pas au grand luxe, l'endroit a du style mais reste rudimentaire.

Mu   GUESTHOUSE **$$**
(carte p. 100 ; 🕿847 0976 ; www.mu-bali.com ; ch 60-270 € ; ❄@🛜❄). Prenez à gauche après le péage pour l'adresse la plus chic de Bingin : 11 bungalows individuels aux toits de chaume pointus, dispersés dans un complexe doté d'une piscine panoramique sur la falaise. Tous ont des salons extérieurs, certains sont équipés de clim dans les chambres et d'une baignoire à eau chaude avec vue.

Bingin Garden   GUESTHOUSE **$**
(carte p. 100 ; 🕿0816 472 2002 ; tommybarrell76@yahoo.com ; ch à partir de 250 000 Rp). Six chambres basiques dans des bungalows autour de jardins soignés, à 300 m au nord du péage. Chambres pour deux, avec ventil et eau froide.

Merta Sari Bungalows   GUESTHOUSE **$**
(carte p. 100 ; 🕿0815 5805 8724 ; Jl Pantai Bingin ; ch 150 000-300 000 Rp). Juste avant le péage, 8 chambres simples sont installées dans un cadre luxuriant. L'endroit est très calme et

Ryan, l'aimable propriétaire, est serviable. Les chambres les plus chères ont l'eau chaude et la climatisation.

Jiwa Juice   CAFÉ **$**
(carte p. 100 ; 🕿742 4196 ; Jl Melasti ; plats 20 000-30 000 Rp ; ❄). Les jus de fruits et la nourriture fraîche et légère sont bons pour l'"âme" (Jiwa). Étape appréciée en bord de route, avec accès à Internet.

Impossibles Beach

À environ 100 m à l'ouest de Jl Pantai Bingin sur Jl Melasti, vous verrez un autre virage en direction de l'océan. Suivez cette route goudronnée sur 700 m et cherchez le panneau griffonné sur un mur indiquant Impossibles Beach. Suivez le chemin glissant et tortueux et, bientôt, vous comprendrez le nom et serez récompensé par une crique déserte où le sable comporte çà et là des blocs de roche.

Padang Padang

La **plage de Padang Padang** est une parfaite petite crique. Elle se trouve près de Jl Melasti, où une petite rivière se jette dans la mer. Il est facile de s'y garer et elle est accessible par une courte marche à travers un temple et sur un chemin bien goudronné.

Les plus aventuriers pourront éviter la foule et profiter d'une plus longue étendue de sable blanc désert qui démarre du côté ouest de la rivière. Demandez aux habitants comment vous y rendre.

Depuis Kuta, un taxi avec compteur coûte environ 150 000 Rp et met une heure, suivant la circulation.

🛏 Où se loger et se restaurer

La route principale près de Padang Padang voit apparaître de bons restaurants et hébergements.

Pink Coco Bali   HÔTEL **$$**
(carte p. 100 ; 🕿824 3366 ; www.pinkcocobali.com ; Jl Melasti ; ch 60-150 $US ; ❄🛜❄). L'une des piscines de cet hôtel romantique est joliment carrelée de rose. Dans un somptueux décor mexicain, les 21 chambres, agrémentées de touches artistiques, disposent de terrasses et de balcons. On y accueille des surfeurs. Location de vélos et autres équipements.

Thomas Homestay   GUESTHOUSE **$**
(carte p. 100 ; 🕿0813 3803 4354 ; ch à partir de 200 000 Rp). Admirez la magnifique vue

panoramique sur cette côte spectaculaire. Depuis la route principale, un chemin particulièrement accidenté de 400 m conduit à 7 chambres très simples. Des escaliers descendent jusqu'à une section généralement déserte de Padang Padang Beach, à l'ouest de la rivière.

Guna Mandala Inn HÔTEL $
(carte p. 100 ; ☑0815 5891 6575 ; Jl Melasti ; ch 150 000-250 000 ; ☎). Face à l'entrée de Padang Padang Beach, des bâtiments à étage entourent la cour de cet hôtel très bien tenu. Vingt chambres simples mais confortables, avec eau froide et chaises pour s'installer dehors.

Trattoria ITALIEN $$
(carte p. 100 ; Jl Melasti ; plats à partir de 60 000 Rp ; ☎). La gastronomie du secteur d'Ulu Watu est montée d'un cran avec l'ouverture d'une adresse de la chaîne balinaise de restaurants italiens. Plats de pâtes et excellentes pizzas, à savourer en plein air, en face de l'hôtel Pink Coco Bali.

Ulu Watu et ses environs

Ulu Watu désigne désormais communément la pointe sud-ouest de la péninsule de Bukit. Il comprend le temple sacré et le célèbre spot de surf du même nom.

À environ 2 km au nord du temple, des marches descendent une falaise spectaculaire jusqu'aux légendaires *breaks* d'Ulu Watu. Divers cafés et boutiques de surf sont installés sur la paroi presque à pic. La vue est magnifique, tout comme le cadre.

👁 À voir et à faire

Pura Luhur Ulu Watu TEMPLE
(carte p. 100 ; entrée avec location de sarong et de sash 20 000 Rp ; ☺8h-19h). Ce temple majeur est juché à la pointe sud-ouest de la péninsule, au sommet d'une falaise vertigineuse qui plonge dans les vagues incessantes. Un porche voûté inhabituel, flanqué de statues de Ganesh, mène à l'intérieur, où des sculptures élaborées du bestiaire mythologique balinais recouvrent les murs en brique de corail. Seuls les fidèles peuvent pénétrer dans le sanctuaire intérieur, sur la petite saillie de terre. La vue sur l'océan Indien depuis les falaises est magique. Au coucher du soleil, arpentez le sommet de la falaise vers la gauche (au sud) du temple pour vous isoler de la foule.

Ulu Watu fait partie des sanctuaires importants de la côte sud dédiés aux esprits de la mer. Le brahmane javanais Empu Kuturan fonda un premier temple à cet endroit au XIᵉ siècle, qui fut complété par Nirartha, un autre prêtre javanais connu pour avoir fondé les temples en bord de mer de Tanah Lot, de Rambut Siwi et de Pura Sakenan. Nirartha se retira à Ulu Watu à la fin de sa vie, quand il atteignit le *moksa* (libération des désirs terrestres).

Une danse *kecak* a lieu au coucher du soleil.

Spots de surf SURF
Ulu Watu (Ulu pour les intimes) est un spot légendaire, à la fois rêve et cauchemar. Non loin, **Pantai Suluban** le concurrence de près. Depuis le début des années 1970, ces spots ont attiré des surfeurs du monde entier et les longues gauches semblent se dérouler sans fin. On trouve dans la zone de nombreuses petites auberges et des *warung* qui vendent ou louent des planches de surf et fournissent nourriture, boissons et même des massages.

🛏 Où se loger et se restaurer

Les falaises surplombant les principaux *breaks* d'Ulu Watu sont bordées de cafés et de bars. On y trouve également nombre d'hébergements bon marché et de catégorie moyenne ; mieux vaut en visiter plusieurs.

Gong GUESTHOUSE $
(carte p. 100 ; ☑769 976 ; thegongacc@yahoo.com ; Jl Pantai Suluban ; ch à partir de 200 000 Rp ; 🅿🍽). Situé à 1 km au sud des cafés de la falaise d'Ulu Watu, le Gong fait presque l'unanimité. Face à un petit bâtiment doté d'une jolie piscine, 12 chambres propres, bien ventilées, disposent d'eau chaude et, certaines, d'une vue lointaine sur la mer.

Sriyana GUESTHOUSE $
(carte p. 100 ; ☑0878 6149 6402 ; Jl Pantai Suluban ; ch 300 000-400 000 Rp ; ☎🍽). Un nouvel hébergement bon marché pour surfeurs semble ouvrir chaque semaine à Ulu Watu. Le Sriyana propose 10 bungalows simples mais modernes, avec terrasse et vue sur la grande piscine. La falaise d'Ulu Watu est à une courte distance à pied vers l'ouest.

Delpi Rock Lounge CAFÉ $
(carte p. 100 ; plats à partir de 50 000 Rp). Dans ce café de l'empire Delpi, on s'installe dans un transat, sur la plate-forme d'un promontoire rocheux presque encerclé par la mer. Plus haut sur la falaise, un café loue 3 chambres simples (à partir de 300 000 Rp).

VAUT LE DÉTOUR

PANDAWA BEACH

Une vieille carrière sur la côte sud de la péninsule de Bukit est en train de se transformer en lieu d'excursion à la mode. Il faut dire que l'endroit a de quoi séduire. Quatre statues de 23 m, représentant des dieux hindous, sont taillées dans d'immenses niches des falaises calcaires qui dominent **Kutuh**, un village de bord de mer. En outre, à l'exception des quelques villageois cultivateurs d'algues, la longue étendue de sable appelée Pandawa Beach est presque toujours déserte.

Deux *warung* proposent rafraîchissements et transats à louer. L'eau, protégée par le récif, convient à la baignade. Cherchez les panneaux indiquant "Kantor Perbekel Desa Kutuh" sur la route principale entre Ungasan et Nusa Dua. Il reste alors 2 km jusqu'au village où vous pouvez vous garer près du sable.

Single Fin CAFÉ $
(carte p. 100 ; plats à partir de 50 000 Rp). À côté du parking à l'est, au-dessus des falaises et du *break* d'Ulu Watu, ce café avec vue panoramique est idéal pour ceux qui ne souhaitent pas descendre l'escalier raide en béton jusqu'aux cafés proches de l'animation. Menu typique des plages : sandwichs, fruits de mer et plats indonésiens. La carte des cocktails reflète l'élégance du bar.

Yeye's Warung CAFÉ $
(carte p. 100 ; Jl Labuan Sait ; plats à partir de 30 000 Rp). Lieu de rencontre à l'écart des falaises, entre Padang Padang et Ulu Watu. Ambiance détendue, bières bon marché et savoureuse cuisine indonésienne, occidentale et végétarienne. Beaucoup s'y retrouvent le soir pour la pizza.

☆ Où sortir

Danse kecak DANSE TRADITIONNELLE
(carte p. 100 ; Pura Luhur Ulu Watu ; 80 000 Rp ; ☉coucher du soleil). Même si le spectacle est clairement destiné aux touristes, le cadre magnifique du Pura Luhur Ulu Watu, dans un petit amphithéâtre d'une partie boisée, en fait l'un des plus évocateurs de l'île. La vue sur la mer est aussi belle que la danse.

❶ Depuis/vers Ulu Watu et ses environs

La meilleure façon de découvrir la région d'Ulu Watu est d'être motorisé. Attention, près de Pecatu Indah, la police contrôle souvent les Occidentaux à moto. Sachez que vous pouvez être verbalisé pour une simple jugulaire mal serrée.

En allant aux cafés des falaises d'Ulu Watu depuis l'est, sur Jl Melasti, vous croiserez d'abord un parking fermé (voiture/moto 5 000/3 000 Rp), tout de suite au niveau des falaises. Après le pont, une route secondaire conduit à un autre parking (voiture/moto 2 000/1 000 Rp), situé à 200 m au sud des cafés des falaises.

Comptez au moins 160 000 Rp pour vous y rendre en taxi. Louer une voiture avec chauffeur pour la journée est plus intéressant étant donné la souplesse que cela offre pour visiter.

Ungasan et ses environs

Si, à Ulu Watu, on célèbre le surf, à Ungasan, c'est le bien-être que l'on met en avant. Des carrefours situés près de ce village, par ailleurs quelconque, partent des routes qui gagnent la côte sud et les complexes, parmi les plus chics de Bali, qui y sont installés. Le turquoise infini des eaux de l'océan Indien, qui vont et viennent hypnotiquement, finit de convaincre : on a bien atteint le bout du monde et il se révèle très confortable.

❂ À voir

La **plage** la plus méridionale de Bali se trouve au bout d'une route de 3 km au départ du village d'Ungasan. On peut y visiter le **Pura Gunung Payung**, un temple qui surplombe la mer. De nouvelles marches en béton mènent, 200 m en contrebas, à une jolie parcelle de sable léchée par l'océan. Prévoir un pique-nique et un bon livre.

On accède au petit **Pura Mas Suka** (carte p. 100) par une route étroite et sinueuse à travers un paysage aride de pierres rouges qui change soudainement lorsqu'on atteint le complexe Karma Resort, attenant au temple. Exemple parfait de temple balinais au bord de la mer, il est souvent fermé. Pensez-y avant de vous lancer sur le chemin difficile qui y mène.

🛏 Où se loger et se restaurer

♥ Alila Villas Ulu Watu RESORT $$$
(carte p. 100 ; www.alilahotels.com ; ch à partir de 685 $US ; ✳@🌐🏊). Visuellement superbe, ce vaste complexe tout neuf a reçu la certification écologique Green Globe (ce que d'autres, dans la région, devraient peut-être imiter...). Conçu dans un style contemporain, à la fois spacieux et lumineux, il respire le luxe. Les 85 logements disposent d'un service de choix dans un cadre où le bleu de l'océan rivalise avec le vert des rizières attenantes (appartenant à l'hôtel). À 2 km de la principale route d'Ulu Watu et à environ 1 km au sud de Pecatu Indah.

Karma Kandara RESORT $$$
(carte p. 100 ; ☎848 2200 ; www.karmaresorts.com ; villas à partir de 600 $US ; ✳@🌐🏊). Plus méditerranéen que balinais, ce beau complexe est accroché au flanc de la colline qui descend vers la mer. Des chemins de pierre serpentent entre des villas drapées de bougainvillées et rehaussées de portes colorées, donnant une impression de village tropical. Une à quatre chambres par villa. On rejoint le très prisé **Di Mare** (plats 15-30 $US) par un petit pont. La crique en dessous est accessible grâce à un petit ascenseur. Prenez à gauche à l'embranchement sur la route principale d'Ulu Watu, à environ 1 km au sud du carrefour avec les routes vers Balangan Beach et Ungasan, et continuez sur 4 km jusqu'au Karma.

Nusa Dua

Nusa Dua (littéralement "deux îles") se compose en fait de deux petits promontoires, coiffés chacun d'un temple – dont le Pura Bias Tugal. L'endroit est surtout connu pour son ensemble clos de complexes hôteliers, un vaste espace impeccable et gardé, coupé du reste de l'île. Ici, les marchands ambulants, l'effervescence et la sympathique pagaille balinaise n'ont pas droit de cité, et même la façon de parler est plus paisible.

Nusa Dua a été créé dans les années 1970 pour concurrencer les grands complexes balnéaires construits ailleurs dans le monde. La "culture" balinaise y est présentée chaque soir sous la forme de danses et de spectacles élaborés pour les touristes.

Avec des milliers de chambres d'hôtel, Nusa Dua, à la hauteur de ses promesses en pleine saison, est assez désolé le reste du temps. L'architecture balinaise n'est pas très visible dans ce vaste complexe balnéaire, malgré les efforts de décoration de certains hôtels.

👁 À voir et à faire

♥ Pasifika Museum MUSÉE
(☎774 559 ; centre commercial Bali Collection, Block P ; 70 000 Rp ; ⏱10h-18h). En l'absence de groupes provenant des hôtels voisins, vous aurez probablement ce grand musée pour vous seul. Plusieurs siècles d'art et de cultures du Pacifique sont exposés (les tikis sont amusants). Les artistes européens du début du XXe siècle sont bien représentés. À voir : les œuvres d'Arie Smit, d'Adrien-Jean Le Mayeur de Merprès et de Theo Meier.

Pura Gegar TEMPLE
Au sud de Gegar Beach, un promontoire avec un bon café mène au Pura Gegar, un petit temple ombragé par de vieux arbres noueux. La vue est belle et des nageurs profitent des eaux calmes et peu profondes, en contrebas.

Promenade sur la plage PROMENADE
Longue de 5 km, la promenade qui s'étire le long de la station et continue au nord presque jusqu'au bout de la plage de Tanjung Benoa est très plaisante. Agréable à tout moment, elle permet également de découvrir les *resorts* du bord de mer. Les plages longeant la promenade sont propres ; les récifs au large étouffent le bruit des vagues.

Spas SPA
Tous les complexes hôteliers possèdent des spas qui offrent un vaste choix de soins, thérapeutiques ou relaxants. Les plus appréciés sont ceux de l'Amanusa, du Westin et du St Regis à Nusa Dua, et celui du Conrad à Tanjung Benoa. Tous acceptent les non-résidents. Attendez-vous à des massages à pas moins de 100 $US.

Fly Bali PARAPENTE
(☎0812 391 6918 ; www.flybali.info ; vol à partir de 80 $US ; ⏱mai-oct). De mai à octobre, les vents soufflant le long des falaises calcaires orientées vers le sud, près de Nusa Dua, sont propices au parapente. Possibilité de vol en tandem avec un moniteur (30 minutes au maximum) et atterrissage sur les plages de sable protégées par les récifs, au pied des falaises. Les parapentistes licenciés peuvent louer du matériel et des leçons sont proposées.

Nusa Dua

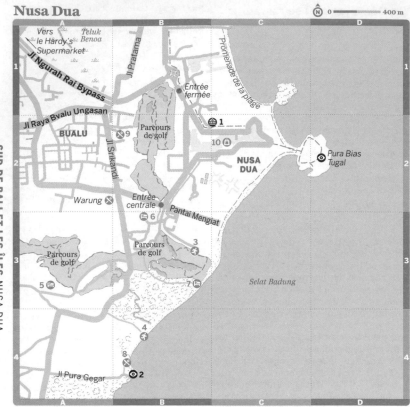

Nusa Dua

Bali National Golf Resort   GOLF
(☎771 791 ; www.baligolfandcountryclub.com).
Le parcours de 18 trous de ce club subit
une importante rénovation. Sa réouver-
ture est prévue pour 2013. Déjà haut
de gamme, il devrait devenir le paradis
des golfeurs et constituer un important
atout pour les complexes d'appartements
et les hôtels toujours plus nombreux qui
le bordent.

Gegar Beach   PLAGE
Autrefois splendide, cette plage est
aujourd'hui défigurée par un complexe hôtelier de 700 chambres. Des sports aquatiques
sont proposés, mais la plage ne vaut plus le
détour, malgré sa réputation légendaire.

🛏 Où se loger

Tous les hôtels de Nusa Dua se ressemblent : ils sont grands, voire immenses, et presque toutes les grandes enseignes internationales sont représentées. Ils possèdent plusieurs restaurants, bars et piscines et les aménagements habituels des complexes hôteliers (certains sont situés sur la plage même). Les différences résident dans les détails. Certains hôtels comme le Westin et le Grand Hyatt ont massivement investi dans des équipements (piscines luxueuses et clubs pour enfants) que le public attend aujourd'hui. D'autres ont peu changé depuis leur construction dans les années 1970, l'âge d'or de l'époque Suharto.

Si vous envisagez de séjourner à Nusa Dua, repérez les promotions sur Internet. En période creuse, les prix peuvent baisser de moitié.

Amanusa　　　　　　　RESORT **$$$**
(☎772 333 ; www.amanresorts.com ; villas à partir de 850 $US ; ✶@🛜🏊). L'un des meilleurs hôtels de Bali donne sur le golf et au-delà sur le Selat Badung. Architecture élégante et discrète, riches décorations, service parfait et superbe vue sont l'apanage des 35 villas individuelles. Plage privée tout près.

St Regis Bali Resort　　　RESORT **$$$**
(☎847 8111 ; www.starwoodhotels.com ; ste à partir de 600 $US ; ✶@🛜🏊). Ce complexe luxueux de Nusa Dua laisse les autres loin derrière. Toutes les prestations de grand standing sont fournies ici, de l'électronique à l'ameublement ou au majordome personnel. Nombreuses piscines et vastes chambres. Golf et plage à côté.

Novotel Nusa Dua　　　　HÔTEL **$$**
(☎848 0555 ; www.novotelnusaduabali.com ; ch 100-160 $US ; ✶@🛜🏊). Le sable le plus proche de ce complexe de 188 chambres est celui des bunkers du golf d'à côté. De grands appartements de 1 à 3 chambres, parfaits pour la famille. Plage à 10 minutes à pied.

🍴 Où se restaurer

Les grands complexes proposent des dizaines de restaurants aux prix élevés. Lorsqu'on est non-résidents, la meilleure raison pour s'y rendre est leur copieux brunch du dimanche.

De bons *warung* sont regroupés à l'angle de Jl Srikandi et de Jl Pantai Mengiat. Dans cette dernière, devant l'entrée centrale, une série de restaurants en plein air proposent une solution de rechange raisonnable par rapport aux adresses de Nusa Dua. Aucun ne gagnera un prix gastronomique, mais la plupart fournissent le transport.

Nusa Dua Beach Grill　INTERNATIONAL **$**
(Jl Pura Gegar ; plats 50 000-150 000 Rp). Joyau caché, ce café aux nuances chaudes se situe juste au sud de Geger Beach et de l'énorme complexe hôtelier Mulia à pied, mais à 1,5 km en voiture le long d'un chemin sinueux. Le choix de boissons est large, les fruits de mer sont frais et l'atmosphère est propice aux rendez-vous. Prélassez-vous le temps d'un après-midi dans son bar décontracté.

Warung Dobiel　　　　　BALINAIS **$**
(Jl Srikandi ; repas à partir de 25 000 Rp ; ⊙10h-15h). Îlot d'authenticité dans les rues ternes de Nusa, ce *warung*, où l'on partage sa table assis sur un tabouret, fait honneur au porc. Le succulent porc au satay a mariné pendant des heures avant d'être grillé. La soupe de porc est idéale pour éveiller les papilles, et le fruit du jaquier est parfumé.

☆ Où sortir

La majorité des hôtels proposent des danses balinaises, un ou plusieurs soirs par semaine, généralement dans le cadre d'un buffet. Des musiciens animent souvent les salons-bars en jouant des balades romantiques ou du rock mélodieux.

🛍 Achats

Bali Collection　　　CENTRE COMMERCIAL
(☎771 662). Cette galerie marchande, qui a changé plusieurs fois de nom, semble aujourd'hui bien vide. Seuls les employés du petit et glacial Sogo Department Store sont toujours en nombre. L'animation des autres galeries marchandes de l'île est inconnue ici.

ℹ Renseignements

On trouve des distributeurs dans le centre commercial Bali Collection, dans certains halls d'hôtels et dans l'immense Hardy's Supermarket sur la rocade.

ℹ Depuis/vers Nusa Dua

Bus
Le nouveau réseau de bus de Bali, Trans-Sarbagita, dessert Nusa Dua sur un itinéraire qui remonte la rocade Jl Ngurah Rai Bypass et contourne Sanur en direction de Batubulan.

SUD DE BALI ET LES ÎLES NUSA DUA

Navette

Renseignez-vous sur les services de navettes fournis par votre hôtel avant d'appeler un taxi. Environ toutes les heures, un **bus** (☎771 662 ; ⏲9h-22h) gratuit relie tous les *resorts* de Nusa Dua et de Tanjung Benoa au centre commercial Bali Collection. Une meilleure option : l'agréable promenade par la plage.

Taxi

La course en taxi depuis l'aéroport est fixée à 120 000 Rp ; un taxi avec compteur vers l'aéroport revient beaucoup moins cher. Les taxis depuis/vers Seminyak demandent environ 90 000 Rp, mais avec la circulation, le trajet peut durer 1 heure 30.

Tanjung Benoa

La péninsule de Tanjung Benoa s'étire au nord sur 4 km entre Nusa Dua et le village de Benoa. Plate et bordée de complexes hôteliers, pour la plupart de catégorie moyenne, elle accueille souvent des familles. Dans la journée, le bruit des engins à moteur envahit les plages. Des cars entiers déversent leur flot de voyageurs venus pour la journée.

Comme les plages de Sanur et de Nusa Dua, celles d'ici sont protégées des vagues par un récif au large, ce qui a favorisé le développement d'une industrie touristique. Dans l'ensemble, Tanjung Benoa est un lieu assez paisible et les plaisirs nocturnes de Kuta et de Seminyak sont à une distance dissuasive.

⦿ À voir

Petite bourgade de pêcheurs très plaisante à explorer à pied, **Benoa** est l'une des villes multiconfessionnelles de Bali. Elle abrite, dans un rayon de 100 m, un **temple bouddhique chinois** coloré, une **mosquée** à dôme et un **temple hindou** dont l'entrée triple est joliment sculptée. Profitez de la vue sur le chenal. Malheureusement, Benoa est aussi le centre du commerce illégal de tortues, malgré des contrôles de police réguliers.

⮜ Écoles de cuisine

Bumbu Bali
Cooking School   COURS DE CUISINE
(☎774 502 ; www.balifoods.com ; Jl Pratama ; cours 80 $US ; ⏲6h-15h). Heinz von Holzen gère cette école de cuisine très prisée dans son restaurant dont la cuisine met en valeur les racines de la cuisine balinaise. Les cours commencent par un passage au marché au poisson de Jimbaran et les autres marchés dès 6h, et se terminent avec le déjeuner.

⎙ Où se loger

La côte est de Tanjung Benoa offre essentiellement des complexes de catégorie moyenne adaptés aux groupes. Ils proposent des activités pour enfants et adorent fidéliser les vacanciers, lesquels peuvent ainsi être accueillis avec des pancartes personnalisées. On trouve aussi deux *guesthouses* simples.

LES CHARMES DE SANUR

Avant la Seconde Guerre mondiale, Sanur était l'un des lieux favoris des étrangers découvrant l'île. Les artistes Miguel Covarrubias, Adrien-Jean Le Mayeur de Merprès et Walter Spies, l'anthropologue Jane Belo et la chorégraphe Katharane Mershon y séjournèrent. Les premiers bungalows touristiques firent leur apparition dans les années 1940 et 1950, tandis que d'autres artistes s'installaient à Sanur. Cette popularité précoce entraîna la construction, à l'époque de Sukarno, du premier grand hôtel de Bali, le Grand Bali Beach Hotel.

Pendant cette période, Sanur était dirigée par des prêtres et des universitaires perspicaces, conscients des opportunités et des menaces que pouvait représenter l'essor du tourisme. Horrifiés par la tour du Grand Bali Beach Hotel, ils décidèrent qu'aucun bâtiment ne devait dépasser la hauteur d'un cocotier. Ils créèrent également des coopératives villageoises, propriétaires de la terre et gérantes des commerces touristiques, afin qu'une bonne part des bénéfices revienne à la communauté.

L'influence des prêtres demeure forte, et Sanur est l'une des rares localités toujours dirigées par la caste des brahmanes. Réputée abriter sorciers et guérisseurs, la ville est aussi un centre de magie noire et blanche. Le tissu à carreaux noirs et blancs appelé *kain poleng*, qui symbolise l'équilibre entre le bien et le mal, est emblématique de Sanur.

Tanjung Benoa Ⓝ 0 ▬ 380 m

Tanjung Benoa

◎ À voir
1 Temple bouddhiste chinois B1
2 Temple hindou..A1
3 Mosquée...A1

✪ Activités
4 Benoa Marine Recreation B1
  Bumbu Bali Cooking School ......(voir 12)

🛏 Où se loger
5 Bali Khama.. B2
6 Conrad Bali Resort...............................B3
7 Pondok Agung B1
8 Pondok Hasan Inn................................B1
9 Princess Benoa Beach Resort...........B1
10 Rumah Bali... B2

⊗ Où se restaurer
11 Bali Cardamon...................................... B2
12 Bumbu Bali.. B2
13 Tao B1

Rumah Bali
GUESTHOUSE **$$**
(📞771 256 ; www.balifoods.com ; ch 85-100 $US, villas à partir de 320 $US ; ✳@🛜🏊). Interprétation luxueuse d'un village balinais par Heinz von Holzen. Les clients logent dans de grandes chambres familiales ou dans des villas individuelles (jusqu'à 3 chambres) avec leur propre piscine. Outre une grande piscine commune, il y a un court de tennis. Plage proche à pied.

Conrad Bali Resort
RESORT **$$$**
(📞778 788 ; www.conradhotels.com ; Jl Pratama ; ch à partir de 260 $US ; ✳@🛜🏊). L'hôtel le plus tape-à-l'œil de Tanjung Benoa arbore un style balinais moderne avec une note rafraîchissante et décontractée. Parmi les 298 chambres spacieuses et bien conçues, certaines disposent d'un patio avec des marches qui descendent dans la piscine de 33 m, invitant au plongeon matinal ! Les bungalows possèdent leur lagon privé et un grand club accueille les enfants.

Pondok Agung
GUESTHOUSE **$**
(📞771 143 ; roland@cksadata.com ; Jl Pratama ; ch 250 000-500 000 Rp ; ✳🛜). Neuf chambres vastes et propres (souvent avec baignoire) dans une grande maison. Les plus chères ont une petite cuisine. Les grands jardins sont attrayants.

Princess Benoa Beach Resort
HÔTEL **$$**
(📞771 004 , www.princeebenoaresort.com ; Jl Pratama 101 ; ch 85-120 $US ; ✳@🛜). Le Princess aux 61 chambres, tout juste construit sur le site d'un ancien complexe hôtelier du même nom, se situe de l'autre côté de la rue, en face de la plage, ce qui éloigne un peu du bruit des jet-skis. L'endroit est vaste, tout comme la piscine de 25 m. Le service est typiquement balinais, détendu mais attentionné.

Pondok Hasan Inn
GUESTHOUSE **$**
(📞772 456 ; hasanhomestay@yahoo.com ; Jl Pratama ; ch 250 000 Rp ; ✳🛜). En retrait par rapport à la route principale, cet établissement familial dispose de 9 chambres impeccables (eau chaude et petit-déjeuner inclus). Les carreaux brillent sous la véranda, partagée par les chambres. Petit jardin.

Bali Khama
RESORT **$$$**
(📞774 912 ; www.thebalikhama.com ; Jl Pratama ; villas à partir de 200 $US ; ✳@🛜🏊). Aménagé sur son propre croissant de plage, à l'extrême nord de la promenade. Les villas individuelles sont vastes, jolies et entourées d'un mur – intimité garantie.

✕ Où se restaurer

Chaque hôtel possède plusieurs restaurants ; le Conrad Bali Resort en offre un bon choix. L'habituel ensemble de restaurants pour touristes se trouve le long de Jl Pratama : prix et qualité moyens pour des plats de pâte et de fruits de mer passe-partout.

♥ Bumbu Bali · BALINAIS $$

(☎774 502 ; www.balifoods.com ; Jl Pratama ; plats/menus fixes à partir de 90 000/225 000 Rp ; ☺12h-21h). Heinz von Holzen, résident de longue date et auteur de livres de cuisine, sa femme Puji et son personnel enthousiaste servent des plats délicieusement parfumés. Beaucoup choisissent l'un des copieux menus fixes. Le *rijstaffel* (sélection de plats indonésiens) illustre la gamme des plats cuisinés, des satay servis dans une noix de coco au tendre *be celeng base manis* (porc à la sauce de soja sucré), et une dizaine d'autres plats. Les savoureux *jaja batun bedil* (boulettes de riz collant au sucre de palme) sont d'autres délices à ne pas manquer. Les tables sont dressées sous les étoiles dans de petits pavillons. On entend le coassement des grenouilles dans les mares. Transport gratuit. Réservation conseillée.

Bali Cardamon · ASIATIQUE $$

(☎773745 ; www.balicardamon.com ; Jl Pratama 99 ; plats à partir de 60 000 Rp). Un cran au-dessus de la plupart des restaurants de Jl Pratama, cet établissement ambitieux propose une cuisine créative aux influences asiatiques. Il sert d'excellents plats comme le flanc de porc assaisonné à l'anis étoilé, à déguster sous les frangipaniers ou dans la salle. Personnel particulièrement enjoué.

Tao · ASIATIQUE $$

(www.taobali.com ; Jl Pratama 96 ; plats 60 000-100 000 Rp). Sur sa propre bande de sable blanc, Tao est l'un des rares établissements où l'on déjeune directement sur la plage de Tanjung Benoa. La route le sépare du Ramada Resort auquel il appartient sans le laisser deviner. Une grande piscine ondulante s'insinue entre les tables. La cuisine est un mélange éclectique de spécialités asiatiques (mais les plus difficiles trouveront tout de même un club-sandwich).

ⓘ Renseignements

Kimia Farma (☎916 6509 ; Jl Pratama). Chaîne de pharmacies fiable ; donne des adresses de médecins.

ⓘ Comment s'y rendre et circuler

De l'aéroport, la course en taxi revient à 120 000 Rp. Prenez un *bemo* pour Bualu, puis l'un des *bemo* verts, peu fréquents, qui font la navette le long de Jl Pratama (5 000 Rp) ; après 15h, ils deviennent très rares sur ces deux itinéraires.

Une **navette** (☎771 662 ; ☺9h-22h) gratuite relie, toutes les heures environ, Nusa Dua et les complexes hôteliers de Tanjung Benoa à la galerie marchande Bali Collection. On peut aussi emprunter la promenade le long de la plage.

SANUR

☎0361

Sanur ne possède ni la frénésie de Kuta ni le calme de Nusa Dua. Pour beaucoup, c'est le juste milieu, avec un bon mélange de restaurants et de bars qui ne sont pas tous rattachés à des hôtels.

La plage, bien qu'étroite, est protégée par des récifs et des brise-lames, et ses eaux limpides sont prisées des familles. Les hôtels sont variés, formant de bonnes bases pour explorer le sud, et le nord vers Ubud. Elle ne mérite pas son sobriquet local, "Snore" ("ronfler" en anglais).

Sanur s'étire sur 5 km le long d'une côte orientée à l'est, ponctuée par les jardins paysagés des complexes hôteliers donnant directement sur la plage. À l'ouest des hôtels du front de mer, l'artère principale, Jl Danau Tamblingan, très animée, est bordée d'hôtels, d'une ribambelle de boutiques touristiques, de restaurants et de cafés.

Souvent embouteillée, Jl Ngurah Rai, couramment appelée Bypass Rd, longe le flanc ouest du quartier des hôtels et constitue le principal itinéraire vers Kuta et l'aéroport. Ce secteur est sans charme.

⊙ À voir

La charmante promenade du front de mer offre des vues sur Nusa Penida et de jolies scènes de vie locale au milieu de l'agitation touristique.

♥ Museum Le Mayeur · MUSÉE

(☎286 201 ; adulte/enfant 10 000/5 000 Rp ; ☺7h30-15h30). L'artiste belge Adrien-Jean Le Mayeur de Merprès (1880-1958) arriva à Bali en 1932 et épousa trois ans plus tard une jeune danseuse de *legong*, Ni Polok, âgée de 15 ans. Le couple vécut dans cette propriété quand Sanur était encore un paisible village de pêcheurs et Ni Polok y résida jusqu'à sa mort, en 1985. Au bord de la plage, la maison élégante était remplie d'œuvres d'art et d'antiquités. Bel exemple d'architecture balinaise, elle comporte des volets en bois finement sculptés, représentant l'histoire de Rama et de Sita tirée du *Ramayana*.

Malgré des problèmes de sécurité (certaines toiles de Le Mayeur se sont vendues 150 000 $US) et de conservation, presque 90 toiles de Le Mayeur sont exposées dans le musée, dans un décor balinais de fibres tissées. Certaines des premières œuvres du peintre, de style impressionniste, témoignent de ses voyages en Afrique, en Inde, en Méditerranée et dans le Pacifique sud. Celles de ses débuts à Bali sont des représentations romantiques de la vie quotidienne et de Balinaises (souvent Ni Polok). Les travaux des années 1950, en meilleur état et plus joyeux, comportent les couleurs éclatantes qu'adopteront plus tard les Jeunes Artistes balinais. Admirez également les belles photos en noir et blanc de Ni Polok.

Pilier de pierre　MONUMENT ANCIEN

Ce pilier, en bas d'une route étroite à gauche du Pura Belanjong (lorsque vous y faites face), est le plus ancien monument daté de Bali et ses inscriptions relatent des exploits militaires vieux de plus de 1 000 ans. L'utilisation du sanskrit témoigne de l'influence hindoue 300 ans avant l'arrivée des Majapahit.

Bali Orchid Garden　JARDINS

(☎466 010 ; www.baliorchidgardens.com ; route côtière ; 50 000 Rp ; ◷8h-18h). Compte tenu du climat chaud et de la fertilité du sol volcanique, on ne s'étonnera pas de la profusion d'orchidées à Bali. Ce jardin en renferme des milliers. Il se trouve à 3 km au nord de Sanur le long de Jl Ngurah Rai, juste après le principal croisement avec la route côtière. C'est une halte facile lorsqu'on se rend à Ubud.

☀ Activités

La plage de Sanur s'incurve vers l'ouest et s'étend sur plus de 5 km. Elle est généralement propre et plutôt paisible – à l'image de la ville. Les récifs au large produisent des vaguelettes qui viennent lécher le rivage. Outre quelques regrettables exceptions, la plupart des complexes hôteliers du front de mer sont discrets et les plages peu fréquentées.

Jamu Traditional Spa　SPA

(☎286 595 ; www.jamutraditionalspa.com ; Jl Danau Tamblingan 41 ; massage à partir de 550 000 Rp). L'entrée en teck et en pierre

LES SPORTS NAUTIQUES À SANUR

Les centres de sports nautiques le long de Jl Pratama proposent plongée, croisières, planche à voile et ski nautique. Chaque matin, des cars arrivent de tout le sud de Bali et, dès 10h, les premiers parachutes ascensionnels s'élèvent au-dessus de l'eau.

Partout, les vendeurs mielleux vous proposent l'activité de vos rêves sous le toit de chaume des centres et cafés. Vérifiez l'équipement et les références avant de vous lancer, quelques touristes ont été victimes d'accidents mortels.

Parmi les opérateurs bien établis figure **Benoa Marine Recreation** (carte p. 109 ; ☎0361-77 1757 ; Jl Pratama). Tous proposent des tarifs similaires (négociables) pour les activités suivantes :

» **Tour en banana-boat** Chevauchée sauvage pour deux en tentant de se maintenir sur une banane pneumatique secouée par les vagues (20 $US/15 minutes).

» **Plongée** Autour de Tanjung Benoa, comptez 80/95 $US pour une/deux plongées, équipement compris.

» **Excursion en bateau à fond transparent** Une manière d'admirer les habitants des fonds marins sans se mouiller (50 $US/heure).

» **Jet-ski** Vitesse et gaz d'échappement (25 $US/15 minutes).

» **Parachute ascensionnel** Incontournable ; flottez au-dessus de l'eau tracté par un hors-bord (20 $US/vol de 15 minutes).

» **Snorkeling** Équipement et trajet en bateau jusqu'à un récif compris (25 $US/heure).

Le restaurant Tao (p. 110) propose une agréable façon de profiter de la plage : le prix d'une boisson donne accès à la piscine et à des transats dignes d'un complexe hôtelier.

joliment sculptée donne le ton de ce charmant spa. La gamme de traitements comprend le soin du corps "Earth & Flower Body Mask", très apprécié, et un gommage "Kemiri Nut Scrub".

Glo Day Spa
SPA

(☎282 826 ; www.glo-day-spa.com ; Jl Danau Poso 57, Gopa Town Centre ; séances à partir de 150 000 Rp ; ☺8h-18h). Apprécié par de nombreux expatriés à Sanur, Glo délaisse le cadre chic pour une devanture épurée. Multiples services et traitements, des soins de peau et manucure aux massages.

Spots de surf
SURF

Les *breaks* fluctuants de Sanur – les marées empêchent souvent la formation des vagues – se situent au large, le long du récif. Le meilleur, une droite appelée **Sanur Reef**, se situe devant l'Inna Grand Bali Beach Hotel. Un autre spot, le **Hyatt Reef**, se trouve devant le Bali Hyatt, mais n'est recommandé que par temps calme. Vous pouvez partir sur un bateau de pêche pour 200 000 Rp/heure.

Crystal Divers
PLONGÉE

(☎286 737 ; www.crystal-divers.com ; Jl Danau Tamblingan 168 ; introductions à la plongée à partir de 60 \$US). Élégant centre de plongée recommandé pour les débutants. Il possède son propre hôtel et une grande piscine derrière le bureau. Nombreux cours, dont l'Open Water de Padi à 450 \$US.

Surya Water Sports
SPORTS AQUATIQUES

(☎287 956 ; Jl Duyung 10 ; ☺9h-17h ; 🅿). Le plus grand des divers opérateurs de sports aquatiques sur la plage. Au menu : parachute ascensionnel (20 \$US par vol), snorkeling en bateau (35 \$US, 2 heures), planche à voile (30 \$US, 1 heure) ou location de kayak (5 \$US/heure).

🛏 Où se loger

En général, les meilleurs hôtels sont sur la plage, mais attention à ceux qui sont délabrés. Les voyageurs à petit budget se logeront confortablement du côté de Jl Danau Tamblingan, qui ne donne pas sur la plage.

Malgré le battage autour de lui, l'Inna Grand Bali a plutôt mal vieilli et n'est pas à la hauteur des meilleures adresses du coin.

FRONT DE MER

Vous trouverez de jolis petits hôtels de bord de mer à des prix très raisonnables, ainsi que des adresses plus ordinaires, mais à un très bon rapport qualité/prix.

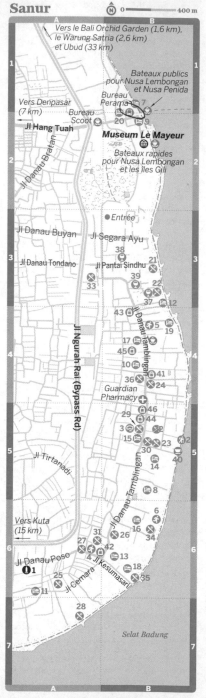

Sanur

Sanur

SUD DE BALI ET LES ÎLES SANUR

Hotel La Taverna HÔTEL $$$
(☎288 497 ; www.latavernahotel.com ; Jl Danau Tamblingan 29 ; ch 100-200 $US, ste à partir de 250 $US ; ❄@🛜🏊) L'un des premiers hôtels de Sanur, La Taverna, a été soigneusement rénové tout en conservant ses charmes simples. Le joli jardin et les chemins entre les bâtiments respirent l'énergie créative, comme les 36 bungalows au luxe raffiné. Tout semble intemporel et moderne à la fois. Art et objets anciens, vue admirable.

Tandjung Sari HÔTEL $$
(☎288 441 ; www.tandjungsari.com ; Jl Danau Tamblingan 29 ; bungalows à partir de 180 $US ; ❄@🛜🏊). Les vieux arbres de l'allée donnent le ton de ce vétéran de Sanur, l'un des premiers hôtels de charme de Bali. Depuis ses débuts en 1967, et grâce à son design, il continue de faire l'unanimité. Les 26 bungalows de style traditionnel sont décorés d'antiquités et d'artisanat. Le soir, les lumières dans les arbres au-dessus de la piscine sont magiques. Personnel très serviable. Des cours de danse balinaise sont prodigués par l'une des meilleures danseuses de Bali.

Bali Hyatt COMPLEXE HÔTELIER $$$
(☎281 234 ; www.bali.resort.hyatt.com ; Jl Danau Tamblingan ; ch 150-500 $US ; ❄@🛜🏊). Les grands jardins de Made Wijaya sont une véritable attraction dans ce complexe de 390 chambres sur le front de mer. Hibiscus, gingembre sauvage, lotus et plus de 600 espèces de plantes et d'animaux cohabitant ici. Les chambres, avec balcon, sont confortables. Celles du Regency Club comprennent nourriture et boissons gratuites, servies dans un pavillon tranquille. Deux immenses piscines : l'une d'elles est pourvue d'une grotte et d'une cascade.

À NE PAS MANQUER

LA PROMENADE DU FRONT DE MER DE SANUR

La **promenade du front de mer**, la première de Bali, fait depuis toujours le bonheur des habitants et des visiteurs. Elle s'incurve sur 4 km, longeant des complexes hôteliers, des cafés, des bateaux de pêche en bois en réparation et quelques élégantes villas anciennes, construites il y a des décennies par de riches expatriés tombés sous le charme de Bali. Au large, on aperçoit Nusa Penida.

À ne pas manquer : au nord du Bali Hyatt, de superbes villas, autrefois le centre de la vie des expats. Au sud du Hyatt, une vaste zone où des bateaux de pêche sont tirés pour être réparés, sous les arbres. Ne manquez pas ces visions surprenantes, ce pâturage près d'un hôtel de luxe ou un rabatteur qui s'ennuie et trace de beaux dessins très élaborés sur le sable.

Même si l'on ne séjourne pas à Sanur, la promenade fait une excursion ou une étape agréable en route vers une autre destination.

Kesumasari GUESTHOUSE **$**
(☑287 824 ; Jl Kesumasari 6 ; ch ventil/clim 200 000/400 000 Rp ; ✳🛜). Seul un petit sanctuaire vous sépare de la plage. Après les porches de la réception, les portes balinaises gravées multicolores ne vous préparent pas à l'avalanche de couleurs des 11 chambres originales de cet établissement familial.

Diwangkara Beach Hotel HÔTEL **$$**
(☑288 577 ; www.holidayvillahotelbali.com ; Jl Hang Tuah 54 ; ch à partir de 90 $US, villas à partir de 145 $US ; ✳@🛜🏊). Face à la mer au bout de Jl Hang Tuah, cet hôtel à l'architecture balinaise classique loue 38 chambres. Les villas ont une petite piscine juste devant leur terrasse en bois. Tout ici est discret, du personnel aux habitués somnolant au bord du bassin.

Hotel Peneeda View HÔTEL **$$**
(☑288 425 ; www.peneedaview.com ; Jl Danau Tamblingan 89 ; ch 850 000-1 600 000 Rp ; ✳@🏊). Petit hôtel de bord de mer basique parmi tant d'autres à Sanur, le Peneeda constitue un bon choix pour s'offrir la combinaison soleil, sable et room service à un prix raisonnable. Wi-Fi dans les parties communes.

Ananda Beach Hotel GUESTHOUSE **$**
(☑288 327 ; Jl Hang Tuah 143 ; ch 250 000-500 000 Rp ; ✳🛜🏊). Autour d'un grand sanctuaire, sur la plage, l'Ananda loue des chambres un peu sombres aux meubles vieillots. La chambre "deluxe" n° 7 a un joli balcon avec vue sur la mer. Certaines des 20 autres n'ont que des ventilateurs. Les bateaux pour Nusa Lembongan partent d'à côté.

À L'ÉCART DE LA PLAGE

Les établissements suivants se situent près de Jl Danau Tamblingan et à une courte distance à pied de la plage, des cafés et des boutiques. Comme leur décor manque de sable, ils semblent faire plus d'efforts que leurs confrères du front de mer (et sont beaucoup moins chers).

♥ Flashbacks GUESTHOUSE **$**
(☑281 682 ; www.flashbacks-chb.com ; Jl Danau Tamblingan 110 ; ch avec ventil/clim à partir de 250 000/410 000 Rp ; ✳🛜🏊). Établissement accueillant de 9 chambres de tailles différentes. Les meilleures sont les bungalows ou les suites, les plus modestes partagent une sdb et ont l'eau froide. La charmante décoration s'inspire du style balinais traditionnel. Le Porch Café est juste devant.

Hotel Palm Garden HÔTEL **$**
(Taman Palem ; ☑287 041 ; www.palmgarden-bali.com ; Jl Kesumasari 3 ; ch à partir de 450 000 Rp ; ✳🛜🏊). Tout est discret ici, des 17 chambres (avec TV sat et réfrigérateur) au service décontracté et au joli cadre. À 1 minute de la plage. Piscine de taille moyenne et petite cascade agréable. Wi-Fi dans les parties communes.

Gardenia GUESTHOUSE **$**
(☑286 301 ; www.gardeniaguesthousebali.com ; Jl Mertasari 2 ; ch 50-60 $US ; ✳🛜🏊). À l'instar de la fleur qui lui donne son nom, le Gardenia ne manque pas de charme. Les 7 chambres blanches sont jolies, bien à l'écart de la route voisine. Et les ravissantes vérandas font face à une petite piscine dans une agréable cour. Bon café en face.

Hotel Segara Agung HÔTEL **$**
(☑288 446 ; www.segaraagung.com ; Jl Duyung 43 ; ch 40-60 $US ; ✳@🏊). Dans une allée calme et sablonneuse, bordée

de villas, un hôtel à 3 minutes à pied de la plage. Les 18 chambres sont propres mais spartiates. Les moins chères ont ventil et eau froide seulement. Grande piscine privée.

Hotel Rita HÔTEL $
(📞287 969 ; ritabali2@yahoo.co.id ; Jl Danau Tamblingan 152 ; ch 300 000-350 000 Rp ; ❄). Idéal pour les vacanciers recherchant une chambre basique dans un joli jardin. Ce complexe isolé est bien à l'écart de l'agitation de Jl Danau Tamblingan. La plage est à 10 minutes à l'est.

Keke Homestay GUESTHOUSE $
(📞287 282 ; Jl Danau Tamblingan 100 ; ch 150 000-250 000 Rp ; ❄). Dans un *gang* à 150 m de la route bruyante, la famille du Keke (souvent occupée à préparer des offrandes) accueille les routards. Cinq chambres calmes et propres avec ventil ou clim.

Watering Hole I HÔTEL $
(📞288 289 ; www.wateringholesanurbali.com ; Jl Hang Tuah 37 ; ch 150 000-300 000 Rp ; ❄@🛜). Dans le nord de Sanur, un lieu animé et accueillant non loin des bateaux pour Nusa Lembongan. Loue 20 chambres agréables et propres, les moins chères ont des ventilateurs et l'eau froide. Wi-Fi dans les parties communes. Autre Watering Hole au sud de Jl Danau Tamblingan.

✗ Où se restaurer

Dîner sur la plage dans un pavillon traditionnel en plein air ou dans un bar sympathique – vous avez le choix à Sanur. Bien qu'il y ait une foule d'établissements sans charme le long de Jl Danau Tamblingan, il y a aussi quelques joyaux.

ⓘ DANGEREUSE PRATAMA

Restaurants et hôtels se succèdent le long de Jl Pratama, qui court sur toute la longueur de la péninsule. Du nord de Nusa Dua jusqu'à l'hôtel Conrad Bali Resort, les trottoirs inexistants rendent la marche dangereuse sur la chaussée étroite, aux virages sans visibilité. Vous pouvez y échapper en empruntant la délicieuse **promenade de la plage** – d'autant qu'elle se prolonge au nord jusqu'au Bali Khama.

Pour l'épicerie et autres articles, allez au grand **Hardy's Supermarket** (📞285 806 ; Jl Danau Tamblingan 136). Non loin se trouve le marché gourmet du Cafe Batu Jimbar.

Le dimanche, un **marché bio** (Jl Danau Tamblingan ; ⊙10h-14h) se tient sur le parking près du Cafe Batu Jimbar.

Le **marché nocturne Pasar Sindhu** (près de Jl Danau Tamblingan ; ⊙18h-24h) vend des légumes frais, du poisson séché, des épices et divers objets pour la maison.

PLAGE

Le chemin de la plage est bordé de restaurants, de *warung* et de bars où l'on peut se restaurer, prendre un verre ou un peu d'air marin. Les formules "coucher du soleil" sont courantes (bien que la plage soit orientée est, il vous faudra profiter de l'embrasement du ciel près de Nusa Penida). De nombreux cafés de plage appartenant aux complexes hôteliers proposent une cuisine classique à prix d'hôtel.

Bonsai Cafe PIZZA, FRUITS DE MER $
(Jl Danau Tamblingan 27 ; plats 40 000-90 000 Rp ; 🛜). Outre les plats classiques (et bons) de bord de plage, l'attrait principal est la découverte des centaines de bonsaïs de toutes tailles qui donnent leur nom au restaurant.

Sanur Bay POISSON $$
(📞200150 ; Jl Duyung ; plats 60 000-160 000 Rp). Bruit des vagues et clair de lune dans ce restaurant de poisson sur le sable, échoué au milieu des palmiers et des bateaux de pêche.

Donald's Beach Café INTERNATIONAL $$
(📞287 637 ; promenade sur la plage ; plats 50 000-100 000 Rp). De vieux arbres abritent les tables avec une superbe vue sur la mer. Le menu intemporel (ou vieillot ?) propose des standards indonésiens, des pizzas et des burgers.

Beach Café INTERNATIONAL $
(📞282 875 ; promenade sur la plage ; plats 50 000-100 000 Rp ; 🛜). Le cliché des palmiers et des chaises en plastique de Sanur, avec des airs méditerranéens. Paressez sur les canapés en osier ou sur un coussin posé sur le sable. Salades et produits de la mer.

Stiff Chili INTERNATIONAL $$
(Jl Kesumasari ; plats 50 000-150 000 Rp). Ce café près de la mer a une jolie vue dégagée. Pizzas et pâtes figurent en tête d'un menu étonnamment ambitieux.

DANS LE CIEL DE SANUR

Dans le sud de Bali, impossible de manquer les nombreux cerfs-volants qui flottent dans le ciel. Ces créations sont souvent gigantesques (10 m de large ou plus, avec une queue pouvant aller jusqu'à 160 m) et volent à des altitudes qui inquiètent les pilotes d'avion. Beaucoup ont des dispositifs bruyants appelés *gaganguan* qui bourdonnent ou vrombissent. Comme souvent à Bali, leurs origines sont spirituelles : les cerfs-volants sont supposés chuchoter dans les oreilles des dieux que des récoltes abondantes seraient une bonne chose. Pour beaucoup de Balinais, toutefois, c'est tout simplement un passe-temps agréable (sauf quand le cerf-volant s'écrase sur terre, blesse ou tue quelqu'un). Au mois de juillet, des centaines de Balinais et des équipes internationales investissent les espaces à découvert au nord de Sanur pour le **Bali Kite Festival**. L'action se déroule surtout autour de **Padang Galak Beach**, à environ 2 km de Sanur en montant le long de la côte. On peut apercevoir des cerfs-volants balinais survolant l'endroit entre mai et septembre.

JALAN DANAU TAMBLINGAN

♥ **Manik Organik** BIO $
(www.manikorganikbali.com ; Jl Danau Tamblingan 85 ; repas à partir de 50 000 Rp ; ✏). Café créatif et sain avec terrasse paisible à l'ombre des arbres. Destiné aux végétariens, il sert aussi des plats de viande, composés de poulet fermier, par exemple. Les *smoothies* comprennent le fortifiant "immune tonic" et des produits Manik Organik sont proposés à la vente.

Café Smorgås CAFÉ $$
(☑289 361 ; Jl Danau Tamblingan ; plats 50 000-150 000 Rp ; 🖥✏). Établissement prisé, à l'écart de la circulation. Grande terrasse avec chaises en osier et climatisation à l'intérieur. La carte de plats sains propose une cuisine fraîche occidentale : petit-déjeuner, sandwichs, soupes et salades.

Three Monkeys Cafe CAFÉ $$
(Jl Danau Tamblingan ; plats 60 000-150 000 Rp ; 🖥). Cette succursale n'est pas une simple copie du superbe café d'Ubud. L'établissement sur 2 niveaux, à l'écart de la route, diffuse du jazz en fond sonore et accueille des concerts certains soirs. Les meilleurs cafés de Sanur se dégustent dans un fauteuil ou un canapé. Le menu mêle saine cuisine occidentale et créations asiatiques.

Char Ming FUSION $$
(☑288 029 ; www.charming-bali.com ; Jl Danau Tamblingan 97 ; plats 100 000-200 000 Rp). Un barbecue à l'accent français. Le menu affiche les produits de la mer tout frais à griller ; bœuf et porc sont aussi proposés. Cadre très élégant, végétation luxuriante, boiseries sculptées et antiquités dehors

comme dedans. Une grande partie du bâtiment a été construite avec du bois récupéré sur de vieux bateaux et bâtiments.

Porch Cafe CAFÉ $
(☑281 682 ; Jl Danau Tamblingan ; plats à partir de 40 000 Rp ; 🖥). Face au charmant petit hôtel Flashbacks, ce café est installé dans un bâtiment traditionnel en bois doté d'un porche. Prenez une table à l'avant ou préférez l'intérieur climatisé. Le menu est un savoureux mélange de plats occidentaux comme les burgers et de compositions fraîchement préparées. Il y a du monde au petit-déjeuner ; longue liste de jus de fruits frais.

Massimo ITALIEN $$
(☑288 942 ; Jl Danau Tamblingan 206 ; plats 80 000-200 000 Rp). Association parfaite d'un intérieur semblable à un café milanais et d'un jardin de style balinais. Pâtes, pizzas et autres plats italiens sont préparés de façon authentique. Si vous n'avez pas le temps de déjeuner, prenez une glace à emporter au comptoir.

Cafe Batu Jimbar CAFÉ, BOULANGERIE $$
(☑287 374 ; Jl Tamblingan 152 ; en-cas à partir de 30 000 Rp). Bien qu'onéreux, cet attrayant café possède une terrasse en bois ombragée, installée devant la vaste salle. Succombez au meilleur *smoothie* banane de Bali, puis laissez opérer la magie des viennoiseries. Épicerie fine attenante.

SUD DE SANUR

Gardenia Cafe INTERNATIONAL $
(☑286 301 ; www.gardeniaguesthousebali.com ; Jl Mertasari 2 ; plats 30 000-80 000 Rp ; 🖥). Ce café en bord de rue, ombragé par des arbres

en fleurs, appartient à l'hôtel du même nom. Le menu propose un assortiment de mets simples (sandwichs, salades, plats asiatiques) mais très frais. Meilleurs cafés des environs.

Denata Minang INDONÉSIEN $
(Jl Danau Poso ; plats 15 000 Rp). L'un des meilleurs *warung* de style *padang*, juste à l'ouest du Café Billiard. Comme nombre de ses confrères, il sert une belle variété de fabuleux *ayam* (poulet) épicé, mais ici mieux.

Cat & Fiddle BRITANNIQUE $$
(282 218 ; Jl Mertasari 36 ; plats 30 000-100 000 Rp). Pub en plein air, prisé par les expatriés, servant de la cuisine de pub typique (petits-déjeuners, tourtes à la viande). Quelques surprises comme le "Blarnyschnitzel", à base de poulet.

Où prendre un verre
Beaucoup de bars de Sanur accueillent surtout des expatriés et sont climatisés. Ils ne restent pas ouverts très tard. De nombreux restaurants font également bars, et vice versa.

Sachez que Sanur a la réputation d'être un haut lieu de la prostitution. Les prostituées ne vont pas dans les bars publics à quelques exceptions près, autour de Jl Segara Ayu – mais de vastes maisons closes bordent discrètement Jl Danau Poso et ne sont trahies que par l'intense circulation qu'elles engendrent.

♥ Warung Pantai Indah CAFÉ
(front de mer). Prenez place sur un banc sur le sable, sous le toit de tôle d'un authentique café de plage de Sanur. Au nord de l'Hotel Peneeda View et près de certaines des villas les plus chères de Sanur, ce café joyeux propose bières bon marché et spécialités habituelles de produits de la mer grillées (100 000 Rp). Vue charmante, comme les propriétaires.

Kalimantan BAR
(289 291 ; Jl Pantai Sindhu 11). Aussi appelé Borneo Bob's, ce vétéran fait partie des nombreux bars décontractés de la rue. Boissons bon marché sous les palmiers, dans le jardin. Les plats mexicains comprennent des piments du jardin.

Bali Seaman's Club BAR
(283 992 ; Jl Danau Tamblingan 27 ; 9h-24h). Caché en bas d'une allée, c'est un endroit épatant où il vaut mieux s'abstenir de faire des plaisanteries sur les marins. Les hommes de la mer balinais s'y retrouvent pendant les escales et racontent parfois des histoires fascinantes. Plaisirs simples d'un bar à la nombreuse clientèle masculine.

Street Cafe BAR
(289 259 ; Jl Danau Tamblingan 21 ;). Un bar de rue tendant au chic, ambiance moderne, transats, tabourets ou tables au choix. Piano presque tous les soirs. Plats de viande au menu (en moyenne 70 000 Rp).

🔒 Achats
Sanur ne vaut peut-être pas Seminyak en termes de lèche-vitrines, mais quelques créateurs de là-bas commencent à s'installer ici. Vous pouvez passer un après-midi à écumer les boutiques de Jl Danau Tamblingan.

Pour des souvenirs bon marché, essayez l'un des divers marchés le long de la promenade du front de mer.

A-Krea HABILLEMENT
(Jl Danau Tamblingan 51). Cette charmante boutique aux couleurs de l'île propose une gamme de vêtements au style minimaliste, dessinés et fabriqués à Bali. Vêtements, accessoires, articles de maison et autres produits, tous faits main.

Ganesha Bookshop LIBRAIRIE
(Jl Danau Tamblingan 42). La meilleure librairie de Bali possède une nouvelle adresse au cœur de Sanur. Outre les romans, neufs ou d'occasion, Ganesha propose une sélection d'ouvrages liés à la culture et à l'histoire locale. Également un espace de lecture consacré aux enfants.

Red Camelia VÊTEMENTS POUR FEMMES
(270 046 ; www.redcamelia.com ; Jl Danau Tamblingan 156). Vêtements de vacances, amples et légers, introuvables sous d'autres cieux.

Nogo TISSUS
(288 765 ; Jl Danau Tamblingan 100). Vous trouverez un métier à tisser en bois devant cette boutique chic, autoproclamée "centre balinais de l'ikat." Des produits très agréables à admirer dans le confort de la clim.

Brothers & Sisters HABILLEMENT
(Jl Danau Poso 57, Gopa Town Centre). Avec ces jolis vêtements pour enfants dessinés et fabriqués à Bali, les bambins auront fière allure sur la promenade du front de mer. Les pièces amples et légères conviennent aux vacances sous les tropiques.

Hardy's Supermarket SUPERMARCHÉ
(☎285 806 ; Jl Danau Tamblingan 136). Hardy's Supermarket offre un choix d'articles à très bons prix à l'étage.

❶ Renseignements

Argent
Les changeurs ont ici une réputation douteuse. Il y a de nombreux ATM le long de Jl Danau Tamblingan et plusieurs banques.

Services médicaux
Guardian Pharmacy (☎284 343 ; Jl Danau Tamblingan 134). Cette pharmacie de chaîne a un médecin de garde.

❶ Depuis/vers Sanur

Bateau
Des bateaux publics et celui de Perama pour Nusa Lembongan quittent la plage au bout de Jl Hang Tuah.

Le bateau rapide **Scoot** (☎285 522 ; Jl Hang Tuah) possède un bureau à Sanur.

Des bateaux rapides partent d'une section de la plage à proximité. Aucun de ces services n'utilise de quai – préparez-vous à marcher dans l'eau jusqu'au bateau.

Gilicat (☎271 680 ; www.gilicat.com ; Jl Danau Tamblingan 51) a une agence à Sanur pour ses départs pour Lombok depuis Padangbai.

Bemo
Les *bemo* s'arrêtent à l'extrémité sud de Sanur, dans Jl Mertasari, et devant l'entrée principale de l'Inna Grand Bali Beach Hotel, dans Jl Hang Tuah. Vous pouvez héler un *bemo* n'importe où dans Jl Danau Tamblingan et dans Jl Danau Poso, mais vous serez sûrement sollicité d'abord par les chauffeurs.

Des *bemo* verts suivent Jl Hang Tuah jusqu'à la gare routière des *bemo* de Kereneng, à Denpasar (7 000 Rp).

Bus touristique
Le **bureau de Perama** (☎285 592 ; Jl Hang Tuah 39 ; ⏱7h-22h) se trouve à Warung Pojok, à l'extrémité nord de la ville. L'agence offre des navettes pour les destinations suivantes, généralement une fois par jour.

DESTINATION	TARIF (RP)	DURÉE
Candidasa	60 000	2 heures 45
Kuta	25 000	15 minutes
Lovina	125 000	4 heures
Padangbai	60 000	2 heures 30
Ubud	40 000	1 heure

❶ Comment circuler
Les taxis officiels de l'aéroport coûtent 100 000 Rp.

Des *bemo* sillonnent Jl Danau Tamblingan et Jl Danau Poso dans les deux sens (4 000 Rp) et constituent une solution plus écologique que les taxis. Vous pouvez héler un taxi équipé d'un compteur dans la rue, ou appeler **Bluebird Taxi** (☎701 111).

ENVIRONS DE SANUR

Pulau Serangan
Appelée aussi l'île de la Tortue, Pulau Serangan est un bel exemple des dégâts causés à l'environnement par un développement excessif. À l'origine, c'était une petite île de 100 ha au large des mangroves au sud de Sanur. Dans les années 1990, elle fut choisie par le tristement célèbre fils de Suharto, Tommy, comme site pour un nouveau projet de développement. L'île fut agrandie avec 300 ha de remblais, mais la crise économique asiatique fit patiner le projet. Récemment, les machines se sont remises en marche.

Sur la partie d'origine de l'île, les deux villages de pêcheurs, **Ponjok** et **Dukuh**, existent toujours, tout comme l'un des temples les plus sacrés de Bali, le **Pura Sakenan**, juste à l'est de la chaussée, plutôt insignifiant du point de vue architectural. Les fêtes de ce temple attirent cependant d'immenses foules de fidèles, surtout pendant Kuningan.

Benoa Harbour
Le principal port de Bali se trouve du côté nord de Teluk Benoa, la vaste et peu profonde baie de Benoa qui s'étend à l'est des pistes d'atterrissage de l'aéroport. Benoa Harbour se résume à un ensemble de quais bordés de bâtiments portuaires sur des terres asséchées, relié à la côte par une chaussée de 2 km. Le village de Benoa se tient quant à lui du côté sud de la baie.

Benoa Harbour est le port d'où partent les bateaux touristiques pour des expéditions d'une journée à Nusa Lembongan et des bateaux Pelni desservant d'autres destinations indonésiennes. Les eaux ne sont pas assez profondes pour permettre aux bateaux de croisière d'y accoster.

DENPASAR

📍0361

Tentaculaire, désordonnée et ne cessant de s'agrandir, la capitale de Bali a profité d'une forte croissance au cours des cinquante dernières années. L'endroit peut paraître chaotique, mais un peu de temps passé dans les rues arborées du quartier des administrations et des affaires de **Renon**, au sud-est du centre-ville, fait découvrir son côté plus raffiné. Renon possède de larges avenues, d'immenses parcs paysagers et des immeubles fastueux, construits à grands frais dans le style balinais moderne.

Sans être un paradis tropical, Denpasar appartient autant au "vrai Bali" que les rizières et les temples surplombant les falaises. Pour ses quelque 800 000 habitants, c'est le cœur de l'île, où vous trouverez centres commerciaux et parcs. Le nombre croissant d'**excellents restaurants** et cafés destinés à la classe moyenne naissante est bien plus engageant. Arrêtez-vous pour découvrir ses marchés, son intéressant musée et son atmosphère résolument moderne. La plupart des voyageurs séjournent dans les villes touristiques du Sud et visitent la capitale dans la journée (si la circulation le permet, on y vient en 15 minutes depuis Sanur et en 30 minutes depuis Seminyak). D'autres ne font que la traverser, pour changer de *bemo* ou prendre un bus à destination de Java.

Histoire

Denpasar, qui signifie "près du marché", fut un important centre marchand et le siège des rajas locaux avant la période coloniale. Les Néerlandais prirent le contrôle du nord de Bali au milieu du XIXe siècle, mais ne purent s'emparer du Sud avant 1906. Après que les trois princes balinais eurent détruit leurs propres palais à Denpasar et se furent suicidés dans un *puputan* rituel, les Néerlandais firent de la ville un grand centre des Indes néerlandaises. Lorsque le tourisme commença à se développer sur l'île dans les années 1930, la plupart des visiteurs séjournaient dans un ou deux hôtels d'État de Denpasar.

Singaraja, dans le Nord, demeura la capitale administrative néerlandaise, jusqu'à l'issue de la Seconde Guerre mondiale qui vit la construction d'un nouvel aéroport. En 1958, quelques années après l'indépendance de l'Indonésie, Denpasar devint la capitale de la province de Bali.

De nombreux habitants de la capitale descendent de communautés immigrées comme les mercenaires bugis (du Sulawesi) et les commerçants chinois, arabes et indiens. Plus récemment, la ville a accueilli des immigrants venus de Java et de toute l'Indonésie, attirés par l'enseignement et l'énorme potentiel de l'industrie touristique. En fait, les limites de Denpasar ont fusionné avec Sanur, Kuta et Seminyak.

👁 À voir

Prenez le temps de visiter le Museum Negeri Propinsi Bali, mais surtout plongez-vous dans la vie quotidienne de la capitale. Parcourez ses marchés traditionnels et ses centres commerciaux climatisés pour voir comment vivent les habitants aujourd'hui.

❤ **Museum Negeri Propinsi Bali**   MUSÉE

(📞222 680 ; adulte/enfant 10 000/5 000 Rp ; 🕐8h-12h30 ven, jusqu'à 16h sam-jeu). Voyez-le comme le musée du Louvre de la culture balinaise. Tout est là, mais, à la différence de son homologue français, vous devrez y mettre un peu d'ordre par vous-même.

Ce musée fut fondé en 1910 par un résident néerlandais inquiet face à l'exportation d'objets emblématiques de la culture balinaise. Détruit en 1917 par un tremblement de terre, il fut reconstruit dans les années 1920 et utilisé comme entrepôt jusqu'en 1932. À cette époque, l'artiste allemand Walter Spies et quelques fonctionnaires néerlandais recommencèrent à collectionner et à préserver le patrimoine local en créant un musée ethnographique. Assez bien conçu, il expose aujourd'hui des collections pour la plupart commentées en anglais. Grimpez au sommet d'une des tours du parc pour une vue d'ensemble.

Le musée se compose de plusieurs bâtiments et pavillons reproduisant l'architecture balinaise. L'édifice principal, à l'arrière, présente au rez-de-chaussée une collection d'objets préhistoriques, dont des sarcophages en pierre et des outils en pierre et en bronze. À l'étage sont exposés des objets traditionnels, dont certains sont toujours en usage. Remarquez les belles cages en bois et en rotin pour le transport des coqs de combat et celles, minuscules, destinées aux grillons.

Le **pavillon nord**, dans le style d'un palais tabanan, contient des costumes et des masques de danse, dont une sinistre Rangda (sorcière), un vigoureux Barong (créature mi-lion, mi-chien) et un immense Barong Landung (grand Barong).

Denpasar

Vers le terminal des bus et des bemo d'Ubung (1,5 km)

Terminal des bemo Wangaya

Jl Pattimura

Jl Setiabudi

Jl Sutomo

Jl Kartini

14

Jl Nakula

17

Jl Kedondong

Jl Werkudara

8

Jl Sahedawa

15

Jl Karna

Jl Veteran

Jl Durian

Jl Belimbing

Jl Melati

Jl Kamboja

Jl Plawa

4

Jl Arjuna

18

Jl Gajah Mada

Vers le terminal des bemo Gunung Arung (200 m)

23

24

19

Jl Sumatra

7

Jl Gajah Mada

3

12

Terminal des bemo Kereneng

Jl Surapati

Jl Thamrin

22

Jl Hasanudin

2

Jl Udayana

Jl Sugianyar

Museum Negeri Propinsi Bali

Jl Imam Bonjol

Terminal des bemo Tegal

Jl Kapten Agung

Jl Diponegoro

Jl Udayana

Jl Jayagiri

Jl Nusakambangan

20

Jl Ki Hajar Dewantara

RENON

10

Letda Tantular

21

Jl Teuku Umar

Compagnie nationale des chemins de fer

Kimia Farma

SANGLAH

6

Consulat australien

13

Vers le Nasi Uduk (700 m)

Terminal des bemo Sanglah

Rumah Sakit Umum Propinsi Sanglah

Jl Nias

Jl Pulau Kanrata

11

Jl Tukad Gangga

Vers Benoa Harbour (6 km)

Le **pavillon central**, doté d'une spacieuse véranda, ressemble aux pavillons du royaume de Karangasem (basé à Amlapura), où les rajas tenaient audience. Les collections se rapportent à la religion balinaise, avec des objets cérémoniels, des calendriers et des vêtements liturgiques.

Le **pavillon sud** (Gedung Buleleng) réunit une collection d'étoffes variées, telles que l'*endek* (méthode balinaise de tissage avec des fils préteints), l'ikat double, le *songket* (tissu de fils d'or et d'argent tissé à la main selon une technique de trame flottante) et le *prada* (application de feuilles d'or ou de fils d'or ou d'argent sur des vêtements traditionnels).

Le personnel du musée joue souvent du gamelan, ajoutant à la magie de la visite (à faire de préférence l'après-midi quand il y a moins de monde). Les "guides" offrant leurs services pour 5-10 \$US ne vous apporteront pas grand-chose.

Pura Jagatnatha
TEMPLE

(Jl Surapati). À côté du musée, le **temple d'État**, construit en 1953, est dédié au dieu suprême, Sanghyang Widi. Son importance réside en partie dans l'affirmation du monothéisme. Bien que les Balinais reconnaissent de nombreuses divinités, la croyance en un dieu suprême (qui possède de multiples formes) place l'hindouisme de l'île en conformité avec le premier principe du Pancasila, la croyance en un dieu unique.

Le *padmasana* (sanctuaire), en corail blanc, se résume à un trône vide (symbole du paradis) qui repose sur la tortue cosmique et deux *naga* (créatures ressemblant à des serpents mythologiques), symboles de la création du monde. Des bas-reliefs illustrant des scènes du *Ramayana* et du *Mahabharata* ornent les murs.

Deux grandes fêtes s'y déroulent chaque mois, à la pleine lune et à la nouvelle lune, et s'accompagnent de spectacles de *wayang kulit* (théâtre d'ombres).

Puputan Square
PARC

Ce parc urbain classique commémore la résistance héroïque et suicidaire des rajas de Badung face aux envahisseurs néerlandais en 1906. Un monument représente une famille balinaise dans une posture glorieuse, brandissant des armes dérisoires contre les fusils des colonisateurs. La femme tient des bijoux dans sa main gauche à l'instar des femmes de la cour qui auraient jeté leurs joyaux aux soldats néerlandais pour les railler. Le parc est fréquenté à l'heure du déjeuner et les familles aiment s'y promener au crépuscule.

Denpasar

Pura Maospahit   TEMPLE
(Près de Jl Sutomo). Édifié au XIVᵉ siècle quand les Majapahit arrivèrent de Java, ce temple fut endommagé par un tremblement de terre en 1917 et amplement restauré depuis. Les parties les plus anciennes se situent à l'arrière, et les éléments les plus intéressants sont les grandes statues de Garuda et du géant Batara Bayu.

Bajra Sandhi Monument   MONUMENT
(☎264 517 ; Jl Raya Puputan ; adulte/enfant 10 000/5 000 Rp ; ◷8h30-17h). Également appelé monument de la Lutte du peuple de Bali, cet immense monument domine un vaste parc à Renon. À l'intérieur de la structure (qui rappelle vaguement Borobodur), des dioramas retracent l'histoire de Bali. Dans la représentation de la bataille de 1906 contre les Néerlandais, le roi de Badung apparaît comme une cible facile.

Taman Wedhi Budaya   CENTRE CULTUREL
(☎222776 ; ◷8h-15h lun-jeu, jusqu'à 13h ven-dim). Ce centre des arts occupe un vaste ensemble de bâtiments à l'architecture grandiose dans la partie est de la ville. Créée en 1973, cette académie et salle d'exposition de la culture balinaise comprend une galerie d'art avec une collection intéressante, mais offre peu de spectacles ou d'autres manifestations.

De mi-juin à mi-juillet, le centre accueille le Bali Arts Festival, qui propose des danses, des concerts et des expositions d'artisanat de toute l'île. Vous devrez peut-être réserver pour les événements les plus prisés.

🏃 **Activités**
De nombreux Balinais n'acceptent de se faire masser que par des aveugles. Des écoles financées par le gouvernement proposent des cours assez longs pour les aveugles, procurant des diplômes en réflexologie, en massage shiatsu et en anatomie, etc. Les étudiants travaillent généralement dans des sites groupés comme **Kube Dharma Bakti** (☎749 9440 ; Jl Serma Mendara 3 ; massage 40 000 Rp/heure ; ◷9h-21h). Dans ce vaste bâtiment embaumant les liniments, vous avez le choix parmi une gamme de thérapies et contribuez en même temps à une très bonne cause.

🎭 **Fêtes et festivals**
Bali Arts Festival   ARTS
(www.baliartsfestival.com). Ce festival annuel, basé au centre des arts Taman Wedhi Budaya, dure environ un mois, de mi-juin à mi-juillet. Visiter Bali à cette époque permet de découvrir une grande variété de danses, de musiques et d'artisanat balinais traditionnels. Les ballets du *Ramayana* et du *Mahabharata* sont spectaculaires, de même que la cérémonie et le défilé d'ouverture dans la capitale. Les billets sont généralement en vente avant les spectacles et les programmes, disponibles dans tout le sud de Bali, à Ubud, à l'office du tourisme de Denpasar et en ligne.

Principal événement de l'année pour d'innombrables groupes de musiciens et de danseurs villageois, le festival donne lieu à une compétition farouche où se joue la fierté locale. Réussir sa prestation est un gage de succès pour le reste de l'année. Certains spectacles se déroulent dans un amphithéâtre de 6 000 places, où l'on peut jauger l'engouement pour la culture balinaise.

🛏 Où se loger

Si Denpasar compte de nombreux nouveaux hôtels de chaîne à prix moyen, il est difficile de trouver une raison d'y séjourner, à moins d'apprécier les animations de la ville.

♥ **Nakula Familiar Inn** GUESTHOUSE $
(☎226 446 ; www.nakulafamiliarinn.com ; Jl Nakula 4 ; ch 130 000-200 000 Rp ; ❄🛜). Établissement familial, déjà prisé des voyageurs bien avant l'apparition de Seminyak, avec 8 chambres propres (certaines climatisées, et eau froide uniquement) dotées de petits balcons. Le bruit de la circulation est supportable et au centre se trouvent une jolie cour et un café. Le *bemo* Tegal-Kereneng circule dans Jl Nakula.

Inna Bali HÔTEL $$
(☎225 681 ; www.innabali.com ; Jl Veteran 3 ; ch à partir de 500 000-800 000 Rp ; ❄@🛜). L'Inna Bali a des jardins simples, un énorme banian et un certain charme nostalgique, vestige de son prestigieux passé d'hôtel datant de 1927. Les chambres sont standard et assez défraîchies, mais beaucoup sont pourvues d'une véranda ombragée. Une bonne base pour les défilés *Ngrupuk* qui se tiennent la veille de Nyepi, car ils passent devant l'hôtel. Discutez avec les plus vieux employés : ils ont de belles histoires à partager. Vous pouvez essayer d'obtenir une réduction par rapport aux prix affichés.

🍴 Où se restaurer et prendre un verre

Denpasar propose le meilleur choix de cuisines indonésienne et balinaise de toute l'île. Habitants et expatriés ont chacun leurs *warung* et leurs restaurants favoris. Au **Pasar Malam Kereneng** (marché de nuit Kereneng ; Jl Kamboja ; ☺18h-5h), des dizaines de vendeurs proposent à manger jusqu'à l'aube.

On trouve de bonnes adresses dans Jl Teuku Umar, tandis qu'à Renon il y a un nombre impressionnant de restaurants dans Jl Cok Agung Trisna, entre Jl Ramayana et Jl Dewi Madri et le long de Letda Tantular. Vous y ferez probablement de belles découvertes.

♥ **Warung Satria** INDONÉSIEN $
(Jl Kedondong ; plats 8 000-15 000 Rp ; ☺11h-15h). Warung installé de longue date dans une rue tranquille. Goûtez le délicieux satay de fruits de mer accompagné de *sambal* aux échalotes. Sinon, choisissez parmi les plats présentés, mais ne venez pas trop tard ou il ne restera rien. Une **deuxième adresse** (Jl WR Supratman) se trouve près du carrefour entre la route principale pour Ubud et la rocade, à l'est du centre de Denpasar.

Warung Beras Bali BIO $
(☎247 443 ; Jl Sahedawa 26 ; plats 8 000-15 000 Rp). Le riz le dispute aux légumes bio et aux divers plats chinois de ce café ouvert. Longue carte de jus de fruits frais. Essayez l'inhabituel *saté sambal plecina*, bio et végétarien, goûteuse brochette d'épinards et de tomates grillées.

Nasi Uduk INDONÉSIEN $
(Jl Teuku Umar ; 8 000-15 000 Rp). Étal impeccable, ouvert sur la rue, pourvu de quelques chaises et proposant des saveurs javanaises comme le *nasi uduk* (riz à la noix de coco et à la sauce aux arachides) et le *lalapan* (simple salade de feuilles de basilic citronné).

Roti Candy DOUCEURS $
(☎238 409 ; Jl Nakula 31 ; douceur 3 000 Rp). Savourez un *pia*, sorte de pain fourré sucré, ou d'autres douceurs et gâteaux.

Bhineka Jaya Cafe CAFÉ
(☎224 016 ; Jl Gajah Mada 80 ; café 4 000 Rp ; ☺9h-16h). Cette boutique, qui accueille aussi le Bali's Coffee Co, vend du café local et propose un expresso inoubliable, à déguster à l'une des 2 petites tables en profitant de l'animation de la vénérable artère principale de Denpasar.

RENON
L'ambiance quelque peu embourgeoisée se mêle aux odeurs de bonne cuisine.

♥ **Cak Asm** BALINAIS $
(Jl Tukad Gangga ; plats à partir de 25 000 Rp). Employés du gouvernement et étudiants de l'université voisine savourent des plats préparés sur commande dans la cuisine animée. Commandez le *cumi cumi* (calmars) sauce *telor asin* (mélange divin d'œuf et d'ail). Ce délicieux plat croustillant pourrait bien être le meilleur de Bali. Rafraîchissantes boissons aux fruits.

Ayam Goreng Kalasan INDONÉSIEN $
(Jl Cok Agung Tresna 6 ; plats à partir de 25 000 Rp). Restaurant au nom révélateur : poulet frit *(ayam goreng)* du nom d'un temple javanais

(Kalasan) d'une région réputée pour son poulet épicé et croustillant. Facilement détachable de l'os, la viande est ici parfumée à la citronnelle grâce à une longue marinade, avant d'être plongée dans l'huile bouillante. La rue regroupe plusieurs autres excellents petits *warung*.

Warung Lembongan INDONÉSIEN $
(✆236 885 ; Jl Cok Agung Trisna 62 ; plats 10 000-30 000 Rp). Chaises pliantes argentées et longues tables, à l'ombre d'un auvent d'un vert criard. Des détails que vous oublierez vite après avoir goûté la spécialité maison : du poulet légèrement frit et délicatement croustillant. Le menu spécial coûte 17 000 Rp et comprend de l'*ayam* (poulet), du riz, une soupe et une boisson. Le KFC de Sanur facture 200 000 Rp pour sa propre version standardisée et bien moins bonne.

Pondok Kuring INDONÉSIEN $
(Jl Raya Puputan 56 ; plats à partir de 20 000 Rp). On sert ici des spécialités du peuple soundanais de l'ouest de Java. Légumes, viande et fruits de mer épicés sont parfumés aux herbes. Ce restaurant clinquant dispose d'une salle un peu *arty* et d'un joli jardin calme à l'arrière.

Café Teduh INDONÉSIEN $
(✆221 631 ; près de Jl Diponegoro ; plats 10 000-50 000 Rp ; 📶). Au milieu des grands centres commerciaux, cette petite oasis est cachée dans une allée. Orchidées suspendues, arbres, fleurs et bassins à fontaines créent une ambiance bucolique. Le menu propose de la viande comme l'*ayam bakar rica* (poulet grillé et ratatouille), mais les desserts sont les vraies délices. Goûtez l'*es cakalele,* sundae rafraîchissant au litchi et au lait de coco.

🛍 Achats
Pour une authentique plongée dans la vie locale, visitez les marchés traditionnels et les grands centres commerciaux climatisés.

Marchés
Du fait de leur proximité, les plus grands marchés traditionnels de Denpasar sont faciles d'accès, même si déambuler à travers leurs allées bondées est plus compliqué. Comme d'autres éléments de la vie balinaise, les grands marchés sont en devenir. Les grandes surfaces ont tendance à empiéter sur leur secteur, et la classe moyenne dit préférer les enseignes du type Carrefour à cause de l'hygiène et des produits importés. Mais c'est encore sur ces grands marchés que l'on achète des produits purement balinais : offrandes pour les temples, vêtements de cérémonie et divers mets indissociables de l'île, comme certaines espèces de mangoustan.

♥ Pasar Badung MARCHÉ
(Jl Gajah Mada). Le plus grand marché alimentaire de Bali est animé le matin et le soir (et ennuyeux et endormi entre 14h et 16h) ; l'endroit est idéal pour se promener et marchander. On y trouve des produits de toute l'île, ainsi que des offrandes pour les temples, faciles à assembler et très prisées par les femmes actives. Perdez-vous dans ce marché qui ne durera pas et admirez la multitude de fruits et d'épices. Ignorez les "guides" qui proposent leurs services.

Kampung Arab MARCHÉ
(Jl Hasanudin et Jl Sulawesi). Le quartier des bijouteries et des joailleries, tenues par des personnes d'ascendance moyen-orientale et indienne.

Pasar Kumbasari MARCHÉ
(Jl Gajah Mada). Artisanat, multitude de tissus aux couleurs chatoyantes et costumes ornés d'or ne sont qu'une partie des produits vendus dans cet immense marché situé de l'autre côté du fleuve par rapport au Pasar Badung. À cause de l'ouverture de centres commerciaux, de nombreux étals sont désormais vides.

Boutiques de tissus de Jalan Sulawesi
Suivez Jl Sulawesi vers le nord et vous verrez la rue se mettre à briller en approchant des boutiques de fabricants de tissus. Les textiles – coton, batiks, soies – sont de couleurs éclatantes. À l'est du Pasar Badung.

♥ Anis TEXTILES
(Jl Sulawesi 27). Coincée dans une enfilade de magasins de tissus située juste à l'est du Pasar Badung, cette boutique étroite se démarque par son vaste choix d'authentiques batiks balinais. Les couleurs et les motifs sont surprenants, tandis que les prix, clairement indiqués, restent eux très raisonnables.

Centres commerciaux
Le dimanche, les centres commerciaux de type occidental débordent de Balinais faisant leurs achats et d'ados qui flirtent ; les marques sont authentiques.

La plupart d'entre eux abritent un espace restauration, où des stands préparent une délicieuse cuisine asiatique, aux côtés de fast-foods internationaux.

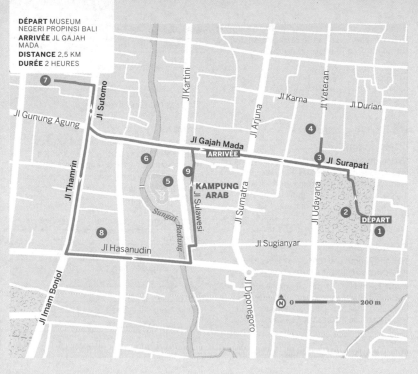

DÉPART MUSEUM
NEGERI PROPINSI BALI
ARRIVÉE JL GAJAH
MADA
DISTANCE 2,5 KM
DURÉE 2 HEURES

Promenade à pied
Flâner à Denpasar

❯ Si Denpasar peut paraître étouffée par la circulation, elle se prête bien à une exploration à pied. Ce parcours comprend la plupart des sites du centre historique et quelques vestiges de l'époque où Denpasar, ainsi que toute l'île étaient des lieux paisibles. Prévoyez du temps supplémentaire pour visiter le musée ou faire des achats.

Partez du **1 Museum Negeri Propinsi Bali**. En face se trouve le vaste et verdoyant **2 Puputan Square**.

De retour au coin de Jl Surapati et de Jl Veteran, la haute **3 statue de Catur Muka** représente Batara Guru, le seigneur des Quatre Directions. Doté de quatre visages et de huit bras, il surveille le flot de la circulation alentour. Continuez vers le nord sur 100 m dans Jl Veteran jusqu'à **4 l'Inna Bali hotel**, l'un des préférés de l'ancien dictateur indonésien Sukarno.

Revenez à la statue de Catur Muka et prenez Jl Gajah Mada (du nom d'un premier ministre Majapahit du XIVᵉ siècle) vers l'ouest. Passez devant les banques, les boutiques

et un café en direction du pont sur la rivière Sungai Badung. À gauche, juste avant le pont, on trouve le **5 Pasar Badung**, le principal marché de producteurs. Juste après le pont, sur la gauche, le **6 Pasar Kumbasari** recèle artisanats, tissus et costumes.

Au grand carrefour suivant, faites un détour au nord dans Jl Sutomo et empruntez à gauche un petit *gang* (allée) qui mène au **7 Pura Maospahit**.

Revenez sur vos pas et poursuivez vers le sud dans Jl Thamrin jusqu'au croisement de Jl Hasanudin. À l'angle, le **8 Puri Pemecutan**, un palais détruit lors de l'invasion néerlandaise de 1906, a été reconstruit depuis longtemps ; vous pouvez jeter un coup d'œil à l'intérieur, qui n'a rien de luxueux.

Suivez Jl Hasanudin en direction de l'est, puis vers le nord dans **9 Jl Sulawesi**, où sont installés des marchés. Continuez au nord après le Pasar Badung pour revenir dans Jl Gajah Mada. Gardez la visite du musée Negeri Propinsi Bali pour la fin, au moment où vous aurez besoin de vous économiser.

Bali Mall
CENTRE COMMERCIAL
(Jl Dipenegoro). Accueille le magasin huppé Ramayana, le plus grand de Bali.

Denpasar Junction
CENTRE COMMERCIAL
(Jl Teuku Umar). Centre commercial récent et luxueux, abritant de nombreuses chaînes internationales.

ℹ Renseignements

Office du tourisme
Office du tourisme de Denpasar (☎234 569 ; Jl Surapati 7 ; ⊙8h-15h30 lun-jeu, jusqu'à 13h ven). Il s'occupe du tourisme à Denpasar (qui inclut Sanur) et fournit des informations sur le reste de l'île. Sa brochure *Calendar of Events* (Calendrier des manifestations) peut se révéler utile.

Services médicaux
Voir p. 390 pour une liste de centres de soins médicaux à Denpasar et dans les environs.
Kimia Farma (☎227 811 ; Jl Diponegoro 125 ; ⊙24h/24). Le principal point de vente de la chaîne de pharmacie de l'île propose le plus grand choix de médicaments à Bali.

Urgences
Police touristique (☎224 111)

ℹ Depuis vers Denpasar
Denpasar est un nœud des transports routiers à Bali ; des bus et des minibus desservent les quatre coins de l'île.

Avion
Parfois appelé "Denpasar" sur les tableaux de vols, l'aéroport international de Ngurah Rai se trouve à 12 km au sud de Kuta.

Bemo
La ville compte plusieurs gares de *bemo*, ce qui implique souvent un déplacement d'une gare à l'autre si vous devez prendre une correspondance. Les *bemo* qui desservent le reste de l'île partent des gares d'Ubung, de Batubulan et de Tegal, tandis que ceux qui circulent dans la ville et aux alentours partent des gares de Gunung Agung, de Kereneng et de Sanglah. Des *bemo* relient régulièrement les gares entre elles (7 000 Rp). Bali a un réseau de *bemo* complexe. Les tarifs sont approximatifs, voire franchement subjectifs. Voir p. 382 pour plus d'informations.

UBUNG
Au nord de la ville, sur la route de Gilimanuk, la gare d'Ubung dessert le nord et l'ouest de Bali. Elle fut autrefois le terminal des bus longue distance, qui a été déplacé 12 km au nord-ouest, à Mengwi.

DESTINATION	TARIF (RP)
Gilimanuk (pour le ferry pour Java)	30 000
Mengwi	12 000
Munduk	27 000
Pancasari (pour le Danau Bratan)	22 000
Singaraja (via Pupuan ou Bedugul)	35 000

BATUBULAN
Mal située, à 6 km au nord-est de Denpasar, sur la route d'Ubud, cette gare dessert les destinations de l'est et du centre de Bali. C'est d'ici que des minibus conduisent au nouveau terminal des bus longue distance de Mengwi (20 000 Rp, 1 heure).

DESTINATION	TARIF (RP)
Amlapura	25 000
Gianyar	15 000
Padangbai (pour le ferry pour Lombok)	18 000
Sanur	7 000
Semarapura (Klungkung)	23 000
Singaraja (via Kintamani)	35 000
Ubud	13 000

TEGAL
À l'ouest de la ville, dans Jl Iman Bonjol, la gare routière de Tegal dessert Kuta et la péninsule de Bukit.

DESTINATION	TARIF (RP)
Aéroport	15 000
Jimbaran	17 000
Kuta	13 000
Ulu Watu	22 000

GUNUNG AGUNG
Cette gare routière, au nord-ouest de la ville (guettez les *bemo* orange) dans Jl Gunung Agung, regroupe les *bemo* à destination de Kerobokan et de Canggu (10 000 Rp).

KERENENG
Les *bemo* qui rallient Sanur (7 000 Rp) partent de Kereneng, à l'est du centre.

SANGLAH
De Sanglah, dans Jl Diponegoro, près de l'hôpital général au sud de la ville, des *bemo* se rendent à Suwung et à Benoa Harbour (10 000 Rp).

WANGAYA
Près du centre-ville, ce petit terminal est le point de départ des services de *bemo* vers le nord de Denpasar et la plus lointaine gare routière d'Ubung (8 000 Rp).

Bus

Les bus longue distance utilisent désormais un nouveau terminal situé à 12 km au nord-ouest de Denpasar, à Mengwi. Détails p. 383.

Train

Bien qu'il n'y ait pas de trains à Bali, la compagnie ferroviaire nationale a un **bureau** (☑227 131 ; Jl Diponegoro 150/B4 ; ☺8h30-18h30) à Denpasar. De là, des bus partent pour l'est de Java où il y a des correspondances avec le train à Banyuwangi à destination de, entre autres, Surabaya, Yogyakarta et Jakarta. Les prix et les horaires correspondent à ceux du bus, mais les trains climatisés sont plus confortables, même en classe économique.

❶ Comment circuler

Bemo

Les *bemo* empruntent divers itinéraires circulaires entre les différentes gares de bus/*bemo* de Denpasar – vous pouvez monter dans les *bemo* au départ des gares mais aussi les héler le long des artères principales. Ils desservent diverses destinations, indiquées par une pancarte sur le pare-brise. Le *bemo* Tegal Nusa Dua (bleu foncé) est pratique pour Renon. Le *bemo* Kereneng-Ubung (turquoise) suit Jl Gajah Mada et passe par le musée Negeri Propinsi Bali.

Taxi

Des taxis sillonnent les rues de Denpasar à la recherche de clients. Comme ailleurs, les taxis bleus de **Bluebird Taxi** (☑701 111) sont les plus fiables.

NUSA LEMBONGAN ET LES AUTRES ÎLES

La masse brumeuse de Nusa Penida domine l'horizon lorsque, du sud-est de Bali, les regards se tournent vers l'océan. Beaucoup de visiteurs se concentrent pourtant sur Nusa Lembongan, dans l'ombre de son bien plus grand voisin. C'est un paradis pour les surfeurs, les plages de sable blanc y sont calmes et l'ambiance détendue fait le bonheur des visiteurs. Destination prisée à juste titre, c'est l'excursion à ne surtout pas manquer lors de votre passage à Bali.

Nusa Penida est plus rarement visitée, ce qui signifie que vous pouvez en explorer tranquillement les paysages et les villages ancrés dans le temps. La minuscule Nusa Ceningan se blottit entre les plus grandes îles. Elle constitue une excursion intéressante depuis Lembongan.

Les îles sont restées pauvres pendant des années. La mince couche de terre et le manque d'eau douce ne permettent pas la culture du riz, mais d'autres plantes, tels le maïs, le manioc et les haricots, y poussent. La culture la plus rentable reste celle des algues, mais le tourisme assure désormais l'essentiel des revenus.

Nusa Lembongan
☑0366

Le Bali dont on rêve : des chambres simples sur le sable, des plats bon marché, des couchers du soleil incroyables, des journées entières à surfer et à plonger et des soirées à bouquiner ou à converser.

La popularité de Nusa Lembongan grandit chaque année, mais elle reste un endroit serein malgré la prolifération des locations. Cette nouvelle source de richesse est toutefois à l'origine de changements : des garçons se rendent à l'école, distante de 300 m, à moto, des temples sont rénovés à grands frais, des objets de luxe sont introduits et les habitants s'intéressent plus aux horaires des bateaux de touristes qu'au chant du coq.

◉ À voir

JUNGUTBATU

La **plage**, un arc de sable blanc baigné par une eau bleue et claire, offre une vue sur le Gunung Agung, à Bali. La plaisante nouvelle digue-promenade est idéale pour se balader, surtout au coucher du soleil.

Le village est charmant, avec ses rues tranquilles, sans voitures, et sa culture d'algues. Des cérémonies se déroulent fréquemment au **Pura Segara**, devant son énorme banian.

À la lisière nord du bourg se dresse fièrement le nouveau **phare** au pied métallique. Pour vous y rendre, suivez le chemin vers l'est pour rejoindre le **Pura Sakenan**, à environ 1 km.

PANTAI SELEGIMPAK

Longue et étroite étendue de **plage** généralement léchée par des vaguelettes, c'est un endroit isolé où l'on trouve quelques hôtels (l'un d'eux ayant malheureusement construit sa digue *sous* la marque de marée basse). À environ 200 m à l'est le long du chemin côtier, une fois franchi un monticule, on découvre une minuscule **crique**, avec un peu de sable, et un tout petit *warung*. Charmant.

Nusa Lembongan

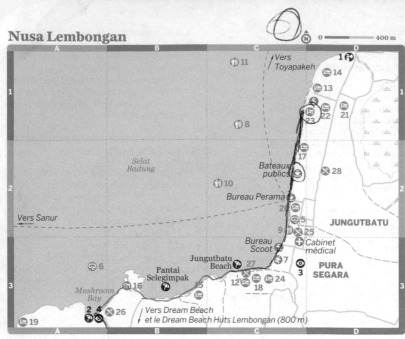

Nusa Lembongan

MUSHROOM BAY

Cette belle petite baie, baptisée d'après les coraux-champignons du large, arbore une **plage** de sable blanc en croissant. En journée, les *banana-boats* ("bateaux-bananes") ou les parachutes ascensionnels risquent d'en troubler la sérénité. Le reste du temps, c'est une plage de rêve. Cherchez l'énorme **arbre sacré**, juste à l'est du Waka Nusa Resort.

De Jungutbatu, l'itinéraire le plus intéressant est le sentier qui part de l'extrémité sud de la plage principale et suit le littoral sur 1 km. On peut aussi prendre un bateau à Jungutbatu moyennant 30 000 Rp.

DREAM BEACH

Au bout d'une piste, du côté sud-ouest de l'île, cette poche de sable blanc de 150 m est balayée par une forte houle et une jolie eau azur. Idéale pour s'évader, elle peut toutefois être envahie par des visiteurs d'une journée.

Un nouveau complexe hôtelier discret, le Dream Beach Huts Lembongan (p. 132), possède une piscine accessible pour 50 000 Rp et un café correct.

LEMBONGAN

La seconde localité de l'île donne sur le chenal, couvert de fermes d'algues, qui la sépare de Nusa Ceningan – un beau paysage d'eau limpide et de collines verdoyantes.

🏃 Activités

La plupart des établissements louent des équipements pour diverses activités aquatiques.

Surf

La saison sèche (d'avril à septembre), quand les vents soufflent du sud-est, est la meilleure période pour le surf. Totalement déconseillés aux débutants, les *breaks* sont dangereux, même pour les surfeurs chevronnés. Trois principaux spots aux noms évocateurs jalonnent le récif du nord au sud : **Shipwreck** (naufrage), **Lacerations** et **Playground** (terrain de jeu). Selon le point de départ, on peut ramer jusqu'au plus proche ; pour les autres, mieux vaut louer un bateau. Les tarifs, négociables, commencent à 30 000-50 000 Rp l'aller, et vous indiquerez au capitaine l'heure de votre retour. Un quatrième spot, **Racecourses**, émerge parfois au sud de Shipwreck.

Les *breaks* sont parfois très fréquentés, même s'il y a peu de monde sur l'île ; des bateaux d'excursion en provenance de Bali amènent quelquefois des groupes de surfeurs pour la journée (comptez au moins 800 000 Rp).

Monkey Surfing   SURF
(Jungutbatu Beach). On y loue des planches de surf (90 000 Rp/2 heures) et de paddleboard (120 000 Rp/2 heures). Leçons de surf : 500 000 Rp/2 heures 30. Sur la plage.

Plongée

Nusa Lembongan est une bonne base pour les plongeurs. Les centres de plongée se multiplient. Ils proposent généralement l'Open Water de Padi sur 5 jours (375 $US) et des explorations (27-40 $US par plongée) sur des sites autour des 3 îles.

World Diving   PLONGÉE
(☎081 2390 0686 ; www.world-diving. com). Installé dans le Pondok Baruna à Jungutbatu Beach, World Diving jouit d'une bonne réputation. Il offre un choix complet de cours et des sorties de plongée et de snorkeling sur des sites autour des 3 îles.

Bali Diving Academy   PLONGÉE
(☎0361-270 252 ; www.scubali.com ; bungalow n° 7). Ce centre de plongée ouvert depuis longtemps possède une longue expérience des eaux entourant Lembongan et Penida. Il propose une gamme complète de cours.

Snorkeling

Au large de Mushroom Bay et aux abords des **pontons de Bounty** près de Jungutbatu Beach, ainsi que dans les zones au nord de l'île, vous pouvez pratiquer le snorkeling. Prendre un bateau coûte 150 000 Rp l'heure, en fonction de la demande, de la distance et du nombre de passagers. Une expédition dans les eaux plus difficiles de Nusa Penida revient à 400 000 Rp pour 3 heures ; quant aux mangroves voisines, il faut compter environ 300 000 Rp. L'équipement de snorkeling se loue environ 30 000 Rp par jour. World Diving permet aux candidats de se joindre aux sorties de plongée et demande 230 000 Rp pour une excursion de 4 heures.

Le bras de mer recouvert de mangrove à l'ouest de Ceningan Point, entre Lembongan et Ceningan, offre de bonnes occasions de snorkeling.

Croisières

Plusieurs bateaux de croisière proposent des excursions d'une journée à Nusa Lembongan depuis le sud de Bali. Elles comprennent les transferts de l'hôtel, des activités nautiques, du snorkeling, des tours en *banana-boat*, la visite des îles et un déjeuner-buffet. Avec les transferts, elles occupent une longue journée.

Bounty Cruise   CROISIÈRE
(☎726 666 ; www.balibountycruises.com ; adulte/enfant 95/47,50 $US). Les bateaux sont amarrés à un ponton jaune au large, pourvu de toboggans aquatiques et d'autres divertissements.

Island Explorer Cruise   CROISIÈRE
(☎0366-728 088 ; www.bali-activities.com ; adulte/enfant à partir de 800 000/400 000 Rp). Affilié au Coconuts Beach Resort. Utilise un grand bateau qui sert de base pour des expéditions aquatiques d'une journée. Dispose aussi d'un voilier.

LES MOISSONNEURS DE LA MER

La prochaine fois que vous dégusterez une glace, ayez une pensée émue pour les cultivateurs d'algues de Nusa Lembongan et de Nusa Penida. Ils extraient de ces algues le *carragheen*, un émulsifiant utilisé pour épaissir les glaces, le fromage et d'autres produits laitiers. Il remplace également la matière grasse dans les aliments de régime. Dans la nature, il transforme l'eau de mer en gel qui donne aux algues leur consistance.

À Lembongan, 85% de la population travaille à la culture des algues, qui constitue la principale industrie de l'île. Raisonnablement lucratif, ce secteur demande un travail intensif et prenant, essentiellement effectué par les femmes.

En vous promenant dans les villages, vous verrez – et sentirez – de vastes espaces consacrés au séchage des algues. Dans l'eau, vous distinguerez le patchwork des plantations. De petits bouts d'une algue marine *(Eucheuma)* sont attachés à des ficelles tendues entre des piquets de bambou. Ces clôtures sous-marines sont visibles dans les bas-fonds entre Lembongan et Ceningan, à marée basse. La croissance est rapide et l'on peut récolter les nouvelles pousses tous les 45 jours. La région est propice à cette culture, grâce à ses eaux peu profondes et riches en nutriments. Les algues séchées, rouges et vertes, sont ensuite exportées dans le monde entier.

🛏 Où se loger et se restaurer

À quelques exceptions près, les chambres et les critères de confort se font de plus en plus chics à mesure que vous vous dirigez au sud et à l'ouest vers Mushroom Bay. Presque tous les établissements ont un café servant des plats indonésiens et occidentaux pour environ 30 000 Rp.

JUNGUTBATU

De nombreux hébergements à Jungutbatu ont délaissé le cliché des huttes de surfeurs pour des hébergements plus haut de gamme. Vous pouvez toutefois toujours trouver des chambres bon marché, avec ventilateur et eau froide.

Indiana Kenanga HÔTEL $$$
(www.indiana-kenanga-villas.com ; ch 110-460 $US ; ✳@🛜🛁). Jungutbatu ne sera plus jamais la même ! Six chambres stylées et deux villas chics se nichent près d'une piscine derrière la plage dans une adresse digne d'un magazine de décoration. Le propriétaire français a agrémenté l'endroit de fauteuils pourpres et d'autres touches fantaisistes. Le restaurant (plats 10-30 $US) propose un menu de fruits de mer, de sandwichs et d'autres mets concoctés par le chef français, servis toute la journée. Le fondant au chocolat est à se damner !

Pondok Baruna GUESTHOUSE $$
(✆0812 394 0992 ; www.pondokbaruna.com ; ch 250 000-700 000 Rp ; ✳@🛜🛁). Associé à World Diving, l'établissement, idéal pour les petits budgets, propose 4 chambres très

simples avec terrasse face à l'océan. Six somptueuses chambres climatisées entourent la piscine près de la plage. Huit autres chambres "Frangipani" ont été ajoutées derrière, au milieu des palmiers autour d'une vaste piscine. Le personnel, dirigé par Putu, est charmant.

Shipwrecks GUESTHOUSE $$
(✆0818 3739 9577 ; www.nusalembongan.com.au ; ch à partir de 600 000 Rp ; ✳🛜). Belle propriété à l'écart de la plage, dans un jardin ombragé par les cocotiers, conçue dans le style balinais ancien avec du bois naturel. Lits king-size et sdb en plein air. L'espace commun ouvert est agréable pour se détendre ou regarder un film. Minimum 2 nuits. Adultes seulement.

Two Thousand Cafe & Bungalows ⭐ GUESTHOUSE $
(✆0812 381 2775 ; ch 200 000-500 000 Rp ; ✳🛜🛁). Jardins herbeux pour ces 28 chambres (certaines avec eau chaude et clim) aménagées dans des bâtisses à deux niveaux. Un café-bar sympathique sur le sable offre différentes formules "coucher du soleil".

Nusa Indah Bungalows GUESTHOUSE $$
(✆081 139 8553 ; www.lembongansurferbeach-cafe.com ; ch 300 000-500 000 Rp ; ✳🛜🛁). Bungalows en dur et café prisé sur un terrain de taille raisonnable en bord de mer. Les chambres avec ventilateur uniquement conviennent aux petits budgets. Idéal pour se prélasser sur la plage.

Lembongan Beach Retreat GUESTHOUSE **$**
(carte p. 128 ; ☑0878 6131 3468 ; ch 150 000-
400 000 Rp). À l'extrême nord de la
plage, après la digue, ce petit lieu est
à la hauteur de son nom : une retraite
paisible, où se mélangent le clapotis
des surfeurs et le son imperceptible des
algues séchant au soleil.

♥ **Pondok Baruna Warung** INDONÉSIEN **$**
(carte p. 128 ; plats à partir de 40 000 Rp).
La partie restauration de l'empire Baruna
propose l'une des meilleures cuisines de
l'île : d'excellents plats balinais et un choix
de bons curries. En dessert, ne manquez pas
le brownies au chocolat.

99 Meals House INDONÉSIEN, CHINOIS **$**
(plats à partir de 13 000 Rp). Une famille cuisine
riz sauté, omelettes, poêlées chinoises
et autres plats dans cette minuscule
échoppe ouverte sur deux côtés. Excellent
rapport qualité/prix. La rue principale de
Lembongan est juste devant. Idéal pour un
en-cas et de l'eau bon marché.

À FLANC DE COTEAU
Au sud de Jungutbatu, le coteau abrupt
offre une très belle vue et un nombre
croissant de chambres luxueuses. Les plus
en hauteur offrent une vue fantastique sur
les eaux de Bali (quand le ciel est dégagé, on
peut voir le Gunung Agung), mais elles ont
un coût : 120 marches bien raides à grimper. Un chemin adapté aux motos circule
en haut de la colline, idéal pour ménager
ses jambes.

Playgrounds - HÔTEL **$$**
(☑24 524 ; www.playgroundslembongan.com ;
ch 70-175 $US ; ✳@☎✖). Sur la colline,
chambres avec vue, TV sat et réfrigérateur.
Les moins chères n'ont que des ventila-
teurs, mais leur long porche offre une jolie
vue. Les villas du haut récompensent les
grimpeurs avec de jolies sdb en plein air et
beaucoup d'espace.

Batu Karang HÔTEL **$$$**
(☑559 6376 ; www.batukaranglembongan.com ;
ch à partir de 230 $US ; ✳@☎✖). Ce complexe
haut de gamme propose une piscine
panoramique perchée sur une terrasse
et 23 chambres de luxe. Certaines, telles
des villas, ont plusieurs chambres et des
piscines privées. Toutes jouissent d'une sdb
en plein air et d'une terrasse en bois avec
vue panoramique.

PLONGER AUTOUR DES ÎLES

De superbes sites de plongée entourent les îles, depuis les récifs abrités et peu
profonds au nord de Lembongan et de Penida jusqu'aux spots difficiles et exposés
aux courants entre Penida et les deux autres îles. Les habitants ont su protéger leurs
eaux des braconniers qui pêchent à la dynamite, et les récifs sont relativement intacts.
D'autre part, la culture des algues a contribué à limiter la pêche. En 2012, les îles ont
également été désignées zone de conservation des fonds marins.

Si vous souhaitez organiser une sortie depuis Padangbai ou le sud de Bali,
adressez-vous aux centres les plus réputés, car les conditions peuvent être difficiles
et la connaissance du site est essentielle. Des accidents de plongée surviennent
régulièrement et des plongeurs meurent chaque année autour des îles.

Faites appel aux opérateurs recommandés de Nusa Lembongan pour entrer dans
le vif du sujet dès le début. Les grands animaux marins, tels les tortues, les requins et
les raies manta, constituent l'un des principaux attraits. L'énorme et exceptionnel *mola
mola* (poisson-lune, 3 m d'une nageoire à l'autre) fréquente parfois les alentours des îles
entre la mi-juillet et octobre et les raies manta évoluent souvent au sud de Nusa Penida.

Parmi les meilleurs sites figurent **Blue Corner** et **Jackfish Point**, près de Nusa
Lembongan, et **Ceningan Point**, au bout de l'île. Le chenal entre Ceningan et Penida
est réputé pour la plongée dérivante, mais requiert la présence d'un professionnel
capable d'évaluer les rapides changements de courants et les autres paramètres. Des
vagues venant du large peuvent refroidir des spots comme **Ceningan Wall**, l'un des
chenaux naturels les plus profonds au monde, peuplé de poissons de toutes espèces et
de toutes tailles.

Les spots proches de Nusa Penida comprennent **Crystal Bay**, **SD**, **Pura Ped**, **Manta
Point** et **Batu Aba**. Crystal Bay, SD et Pura Ped conviennent aux plongeurs débutants
et au snorkeling. En revanche, la mer au large de Penida est dangereuse, même pour les
plongeurs expérimentés.

RANDONNÉE À PIED ET À VÉLO À LEMBONGAN

Il est possible de parcourir toute l'île à pied en une journée, et moins à vélo. C'est une passionnante incursion dans la vie balinaise rurale. Partez sur le chemin à flanc de coteau de Jungutbatu en direction de la Mutiara Villa que vous dépasserez ; vous aurez parfois à vous écarter du chemin dans la mesure où des promoteurs en ont abîmé une partie. Au niveau de Pantai Selegimpak, ce sont des obstacles artificiels qui encombrent la plage. De là, le chemin pour Mushroom Bay devient ardu, naturellement cette fois, mais, avec un peu de dextérité, vous arriverez à le suivre (c'est la seule partie inaccessible à vélo, empruntez les routes à l'intérieur des terres).

De Mushroom Bay, rendez-vous à la plage de rêve de Dream Beach.

Ensuite, dirigez-vous vers le village de Lembongan, où vous pouvez prendre le pont suspendu jusqu'à Nusa Ceningan. De Lembongan, on peut aussi gravir à pied la côte goudronnée jusqu'à la colline pentue qui redescend vers Jungutbatu, ce qui réduit le circuit à une demi-journée.

Pour explorer le reste de l'île, restez sur la route en dur qui longe le bras de mer séparant Nusa Lembongan de Nusa Ceningan et serpente au nord le long des mangroves jusqu'au phare. Les chemins ne sont pas praticables à moto.

Ware-Ware
GUESTHOUSE $

(☎0812 397 0572 ; www.warewaresurfbungalows. com ; ch 400 000-700 000 Rp ; ❄🌐📶). Sur la colline, huttes traditionnelles rondes et carrées aux toits de chaume. Les chambres (parfois seulement équipées de ventilateur) sont vastes et disposent de canapés en rotin et d'une grande sdb. Le café jouit d'une situation panoramique imbattable et propose de très bons produits de la mer (plats 30 000-100 000 Rp).

Morin Lembongan
GUESTHOUSE $

(☎0812 385 8396 ; wayman40@hotmail.com ; ch 30-60 $US ; @). Plus luxuriant que ses voisins, le Morin loue 4 chambres en bois avec vue sur la mer depuis leur véranda. Bon choix pour se sentir à la fois proche et à l'écart de Jungutbatu.

Deck
CAFÉ $$

(carte p. 128 ; Batu Kareng ; en-cas à partir de 20 000 Rp ; 📶). À cheval sur le sentier principal de la colline, cet élégant bar/café de l'hôtel Batu Karang propose de boissons créatives, une magnifique vue et des en-cas intéressants (bonne boulangerie).

MUSHROOM BAY

Votre île au trésor ! Cette baie aux eaux peu profondes compte une jolie plage surmontée de nombreux arbres. On y trouve les chambres les plus agréables de Lembongan. De Jungutbatu, l'accès se fait par la route (15 000 Rp) ou en bateau (50 000 Rp).

Mushroom Beach
Bungalows
GUESTHOUSE $$

(☎24 515 ; www.mushroom-lembongan.com ; ch 60-90 $US ; ❄📶). Perché sur un minuscule monticule à l'extrémité est de Mushroom Bay, cet établissement familial loue une grande variété de chambres, certaines avec ventilateur seulement. Baignoires de bonne taille. Café (plats 40 000-150 000 Rp) très prisé pour voir le coucher du soleil. Des forfaits comprenant le transport direct depuis Sanur sont proposés.

Bar & Cafe Bali
INTERNATIONAL $

(☎24 536, 0828 367 1119 ; plats 30 000-60 000 Rp ; 📶). Suivez les traces des pas de poules dans le sable jusqu'aux tables ombragées, aménagées en gradins au-dessus de la marque de la marée. Pizzas, pâtes, produits de la mer et plats indonésiens. Le bar est animé. Possibilité d'arranger un transport depuis Jungutbatu.

AILLEURS SUR LEMBONGAN

Point Resort
Lembongan
AUBERGE DE CHARME $$$

(www.thepointlembongan.com ; ste à partir de 200 $US ; ❄🌐📶). À environ 500 m à l'ouest de Mushroom Bay, cet établissement renferme 4 somptueuses suites. La vue est époustouflante, surtout depuis la piscine à débordement. Service luxueux.

Dream Beach
Huts Lembongan
GUESTHOUSE $$

(☎0812 398 3772 ; www.dreambeachlembongan. com ; Dream Beach ; ch à partir de 75 $US ; 📶). Surplombant le côté nord de Dream Beach, cette *guesthouse* possède 17 chambres dans des huttes traditionnelles au toit de chaume et une piscine sur 2 niveaux. Le café est correct et sans concurrence locale, l'endroit idéal pour une escapade paisible sur la plage.

Renseignements

De petits marchés vendent quelques produits près de la banque, mais le choix est mince.

Accès Internet
Le Wi-Fi est désormais répandu.

Argent
Emportez suffisamment de rupiahs pour votre séjour, car l'île ne compte qu'un seul distributeur (qui ne fonctionnait pas lors de notre passage).

Si le nom **changeur** (⊗8h-21h) vous évoque des images d'usuriers chassés du temple, vous avez vu juste. Les avances en espèces sur présentation de la carte de crédit entraînent une commission de 8%.

Services médicaux
Medical Clinic (consultation 150 000 Rp). Ce centre médical dans le village soigne bien les petites blessures de surf et les problèmes d'oreilles.

Depuis/vers Nusa Lembongan

Plusieurs possibilités s'offrent à vous. Dans un ordre de vitesse décroissant, citons les vedettes comme celles de Scoot, le bateau de Perama et les bateaux publics. Sachez que si vous avez les moyens de prendre un bateau rapide, cela ne passera pas inaperçu ; méfiez-vous également des services de nuit pas toujours très sûrs.

Les bateaux jettent l'ancre au large, vous devez vous mouiller les pieds. Voyagez léger – les valises à roulettes sont mal adaptées à l'eau, au sable ou aux chemins de terre. Des porteurs vous aideront pour 20 000 Rp.

Des bateaux publics à destination de Nusa Lembongan partent de l'extrémité nord de la plage de Sanur à 8h (60 000 Rp, 1 heure 45 à 2 heures). C'est le bateau d'approvisionnement, il se peut donc que vous partagiez votre place avec un poulet.

Le bateau touristique de Perama quitte Sanur à 10h30 (aller-retour 180 000 Rp, 1 heure 45). Le **bureau de Lembongan** (www.peramatour.com ; Jungutbatu Beach) est situé près des Mandara Beach Bungalows. Il propose aussi des bateaux pour Lombok et les îles Gili.

Scoot (www.scootcruise.com), situé sur le front de mer de Nusa Lembongan, gère des hors-bord (aller-retour adulte/enfant 550 000/270 000 Rp, 30 à 4 minutes) qui filent entre les vagues. Plusieurs aller-retour par jour ; consultez les horaires en réservant. Les îles Gili sont aussi desservies.

Les bateaux de Nusa Penida font voyager les habitants entre Jungutbatu et Toyapakeh (1 heure) entre 5h30 et 6h pour 30 000 Rp. Sinon, prenez un bateau charter pour 150 000 Rp l'aller.

Comment circuler

L'île est assez petite et on y circule facilement à pied. Des vélos (25 000 Rp/jour) et de petites motos (50 000 Rp/heure) sont proposés à la location. Un aller simple à moto ou en camion coûte au minimum 20 000 Rp.

Nusa Ceningan

Un pittoresque et étroit pont suspendu enjambe la lagune entre Nusa Lembongan et Nusa Ceningan, ce qui permet d'explorer facilement les chemins à pied ou à vélo. À côté de la lagune remplie de casiers servant à la culture des algues, on peut voir de nombreuses parcelles agricoles et un village de pêcheurs. L'île est assez vallonnée, et si vous avez la forme, vous découvrirez de magnifiques paysages en vous promenant à pied ou à vélo sur les rudes chemins.

Pour savourer vraiment Nusa Ceningan, faites une visite de 2 jours de l'île avec **JED** (Village Ecotourism Network ; ☎366-9951 ; www.jed.or.id ; 130 $US/pers), qui offre un aperçu de la vie culturelle et villageoise. Les expéditions comprennent l'hébergement familial au village, des repas locaux, une visite passionnante des cultures d'algues et le transport depuis/vers Bali.

Le **break de surf** du récif de Ceningan est très exposé et surfable uniquement quand les autres sont trop petits.

Nusa Penida
☎0366

Largement ignorée des touristes, Nusa Penida attend d'être découverte et permet d'imaginer à quoi ressemblerait Bali aujourd'hui sans l'avènement du tourisme. Elle offre peu d'activités et de sites et l'on y vient pour explorer l'île et se détendre, adopter son rythme paisible et apprécier les plaisirs subtils de la nature. La vie est simple ; on voit encore des femmes âgées, seins nus, portant de lourdes charges sur la tête.

SUD DE BALI ET LES ÎLES NUSA PENIDA

SÉCURITÉ À BORD

Il y a eu des accidents de bateau entre Bali et les petites îles voisines. Ces services ne sont pas réglementés, et il n'y a aucun service de sécurité en cas de problème. Lire p. 382 pour savoir comment améliorer vos chances de voyager sans problème.

LA MEILLEURE FAÇON DE VISITER NUSA PENIDA

Séjournez dans une belle partie de Nusa Penida non fréquentée par les touristes, participez à la restauration de l'île, et vous aurez peut-être l'occasion d'admirer le bel étourneau de Bali que l'on pensait disparu. **Friends of the National Parks Foundation** (FNPF ; ☎0361-977 978 ; www.fnpf.org) est un groupe à but non lucratif qui s'occupe des parcs nationaux.

FNPF possède un centre dans le village de Ped, sur le littoral nord de l'île. Vous pouvez vous proposer pour toutes sortes de travaux utiles, notamment participer à la restauration d'espèces d'oiseaux indigènes. L'hébergement se fait en chambres simples mais confortables, avec ventilateur et eau froide. Vous pourrez manger aux *warung* du village.

Les tarifs varient mais sont en moyenne inférieurs à 20 \$US par personne et par nuit, sans le transport ni les repas. Les bénévoles travaillent sur le projet le matin et explorent l'île l'après-midi.

L'expérience est hautement recommandée, elle offre un aperçu de l'insaisissable "véritable" Bali que tant de visiteurs recherchent. Plus de renseignements sur le bénévolat p. 368.

L'île est un plateau calcaire, avec des plages de sable blanc du côté nord et la vue sur les volcans de Bali au loin. Dans l'ensemble, les plages ne se prêtent pas à la baignade, car la plupart des bas-fonds sont remplis de cadres de bambou utilisés pour la culture des algues. Sur la côte sud, des falaises calcaires hautes de 300 m plongent dans la mer devant une rangée d'îlots, formant un paysage déchiqueté et spectaculaire. L'intérieur vallonné est parsemé de maigres cultures et de villages traditionnels. Il ne pleut guère et certaines parties de l'île sont arides. On peut cependant apercevoir les traces d'anciennes rizières en terrasses.

La population, d'environ 60 000 âmes, est majoritairement hindoue et il y a une communauté musulmane à Toyapakeh. La culture locale diffère de celle de Bali : la langue est une ancienne forme de balinais qu'on ne parle plus ailleurs. La nature y est peu clémente. Autrefois terre d'exil pour criminels et indésirables bannis du royaume de Klungkung (aujourd'hui Semarapura), Nusa Penida conserve une réputation un peu sinistre. L'endroit est pauvre et dispose d'une seule source d'eau.

Les commerces se limitent aux petites échoppes des principaux villages. Emportez suffisamment d'espèces et tout ce dont vous pourrez avoir besoin.

🏃 Activités

Nusa Penida offre d'exceptionnels sites de **plongée**. Vous pouvez vous adresser à l'une des boutiques de plongée sur Nusa Lembongan. Si vous prévoyez de faire du **snorkeling**, apportez votre équipement.

La belle route plane qui longe la côte entre Toyapakeh et Sampalan se prête parfaitement à la pratique du **vélo**. Pour explorer cette île montagneuse, apportez un bon vélo, de préférence un VTT, ainsi que du matériel de camping. Les marcheurs entraînés pourront effectuer de belles **randonnées**.

SAMPALAN

Calme et plaisante, la principale localité de Penida comprend un marché, des écoles et des magasins, alignés le long de la route côtière incurvée. Le quartier du marché, où se rassemblent les *bemo*, se situe au centre du village. Un bon endroit pour goûter à la vie locale.

🛏 Où se loger et se restaurer

Peu de voyageurs séjournent ici, et l'abondance de l'offre rend la réservation inutile. Restaurez-vous dans l'un des petits *warung* du centre, à moins de 10 minutes à pied des hôtels.

Made's Homestay   CHEZ L'HABITANT **\$**
(☎0852 3764 3649 ; ch à partir de 150 000 Rp). Quatre petites chambres propres dans un jardin agréable. Petit-déjeuner léger compris. On y accède par une petite route entre le marché et le port.

Nusa Garden Bungalows   GUESTHOUSE **\$**
(☎0813 3812 0660 ; ch à partir de 150 000 Rp). Des chemins parsemés de corail écrasé entre des statues d'animaux relient les 10 chambres. Petit-déjeuner sommaire inclus. Prenez Jl Nusa Indah juste à l'est du centre.

UNE PLAGE DU BOUT DU MONDE

Au sud de Toyapakeh, une route de 10 km traversant le village de Sakti mène à l'idyllique **Crystal Bay Beach**, une plage préservée face à un site de plongée réputé. Le sable est d'une rare blancheur et vous serez probablement seul à le fouler. Si vous disposez du matériel, l'endroit est idéal pour camper.

TOYAPAKEH

Si vous arrivez en bateau de Nusa Lembongan, on vous déposera sans doute sur la plage de Toyapakeh, une jolie bourgade ombragée. Sable blanc, mer bleue et bateaux bien alignés se détachent devant le Gunung Agung, au loin. Sur la route qui longe la plage, des *bemo* vous conduiront à Ped ou à Sampalan (10 000 Rp).

Toyapakeh est mûr – depuis un certain temps d'ailleurs – pour accueillir des hébergements touristiques agréables. Vous pouvez aller voir si des adresses intéressantes ont enfin vu le jour. Vous pourrez toujours vous rabattre sur Sampalan, à côté, pour une chambre simple.

DANS L'ÎLE

Un circuit dans l'île, en longeant les côtes nord et est et en traversant l'intérieur vallonné, peut se faire en une demi-journée à moto ou une journée à vélo si vous êtes sportif. On peut prolonger le plaisir en s'attardant dans les temples et les villages et en marchant jusqu'aux endroits moins accessibles, mais on ne trouve pas d'hébergement en dehors des deux principales localités. L'itinéraire suivant part de Sampalan, dans le sens des aiguilles d'une montre.

De Sampalan, la route côtière s'incurve et descend le long des baies, remplies de bateaux de pêche et de fermes d'algues. Après 6 km, avant le village de Karangsari, des marches grimpent à droite de la route jusqu'à l'entrée étroite des grottes **Goa Karangsari**. Habituellement, des habitants proposent une lanterne et leurs services pour vous guider dans les grottes moyennant quelque 20 000 Rp. Les grottes calcaires, hautes de plus de 15 m par endroits, traversent la colline sur plus de 200 m et débouchent dans l'autre versant, au-dessus d'une vallée verdoyante.

Continuez vers le sud en passant devant une base navale et plusieurs temples avant d'arriver à **Suana**. La route tourne alors vers l'intérieur et grimpe dans les collines, alors qu'une piste très cahoteuse se dirige vers le sud-est, longe des temples plus intéressants et aboutit à **Semaya**, un village de pêcheurs avec une plage abritée et l'un des meilleurs sites de plongée de Bali, **Batu Aba**.

À 9 km au sud-ouest de Suana, **Tanglad** est un village très traditionnel et un centre de tissage. De mauvaises routes, au sud et à l'est, mènent à des portions de côte isolées.

Une route panoramique suit une crête vers le nord-ouest à partir de Tanglad. À Batukandik, une route accidentée et une piste de 1,5 km mènent à une spectaculaire **cascade** (*air terjun*) qui s'écrase sur une petite plage. Prenez un guide (20 000 Rp) à Tanglad.

Des falaises calcaires de plusieurs centaines de mètres plongent dans la mer. À leur pied, des cours d'eau souterrains relâchent de l'eau douce et un pipeline a été installé pour la récupérer. Jetez un coup d'œil aux vestiges d'un échafaudage de bois branlant, jadis utilisé par les femmes pour remonter de l'eau douce dans de grands récipients posés sur leur tête.

De retour sur la grand-route, poursuivez jusqu'à Batumadeg en passant par **Bukit Mundi** (le point culminant de l'île, à 529 m, d'où l'on peut voir Lombok par temps clair),

SUD DE BALI ET LES ÎLES NUSA PENIDA

LE DÉMON DE PENIDA

Nusa Penida est la demeure légendaire de Jero Gede Macaling, le démon qui a inspiré la danse *Barong landung*. De nombreux Balinais croient que l'île est enchantée, hantée par l'*angker* (puissance mauvaise), ce qui, paradoxalement, les attire. Peu d'étrangers la visitent, alors que des milliers de Balinais viennent chaque année pour des cérémonies religieuses destinées à apaiser les esprits mauvais.

L'île compte plusieurs temples intéressants dédiés à Jero Gede Macaling, dont le Pura Dalem Penetaran Ped, près de Toyapakeh. Il contient un sanctuaire, source de pouvoir pour ceux qui pratiquent la magie noire et lieu de pèlerinage pour ceux qui cherchent à se protéger du mal et de la maladie.

traversez Klumpu et rejoignez Sakti et ses bâtiments de pierre traditionnels. Retrouvez la côte nord à Toyapakeh, à 1 heure environ de Bukit Mundi.

Temple important, le **Pura Dalem Penetaran Ped** se dresse à Ped près de la plage, à quelques kilomètres à l'est de Toyapakeh. Il contient un sanctuaire dédié au démon Jero Gede Macaling (voir encadré p. 135). Dans ce temple tentaculaire, de nombreux habitants viennent faire des offrandes pour s'assurer une heureuse traversée depuis Nusa Penida.

En face du temple, le **Depot Anda** (repas 5 000-10 000 Rp ; ⊙6h-21h), simple et impeccable, sert de savoureuses spécialités locales. Dégustez un jus de banane au **Warung Ibu Nur** (plats à partir de 3 000 Rp).

De Sampalan à Toyapakeh, la route suit la côte escarpée et verdoyante.

❶ Depuis/vers Nusa Penida

Entre Nusa Penida et le sud de Bali, le détroit profond est sujet à de fortes houles. En cas de courant trop puissant, les bateaux doivent attendre. Vous devrez peut-être aussi patienter le temps que le bateau public fasse le plein de passagers. Les bateaux depuis/vers Kusamba ne sont pas recommandés.

SANUR Les hors-bord partent de la plage, au même endroit que les bateaux publics à destination de Nusa Lembongan. Maruti Express est le principal opérateur.

PADANGBAI Sur la plage, juste à l'est du parking de Padangbai, des bateaux en fibre de verre, à deux moteurs, traversent le détroit jusqu'à Buyuk, à 1 km à l'ouest de Sampalan sur Nusa Penida (50 000 Rp, 45 min, 4/jour, 7h-12h). Un car-ferry moderne assure un service quotidien depuis Kusamba (16 000 Rp, 2 heures).

NUSA LEMBONGAN Des bateaux publics font la traversée entre Toyapakeh et Jungutbatu (1 heure ; 30 000 Rp, 5h30-6h). Admirez la mangrove en chemin. Vous pouvez aussi louer un bateau pour 150 000 Rp.

❶ Comment circuler

Des *bemo* circulent régulièrement sur la route asphaltée entre Toyapakeh et Sampalan et continuent parfois jusqu'à Klumpu ; au-delà, les routes sont cahoteuses et les transports, limités. Vous devriez pouvoir louer votre propre *bemo* ou un véhicule privé avec chauffeur pour environ 50 000 Rp/heure, ou une moto pour 100 000 Rp/jour.

Un *ojek* (moto-taxi) devrait coûter environ 30 000 Rp l'heure.

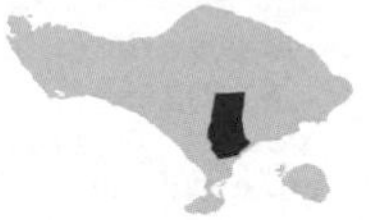

Ubud et ses environs

Le top des restaurants

» Sopa (p. 163)
» Mozaic (p. 164)
» Nasi Ayam Kedewatan (p. 164)
» Warung Teges (p. 163)

Le top des hébergements

» Matahari Cottages (p. 155)
» Swasti Cottage (p. 157)
» Maya Ubud (p. 158)
» Warwick Ibah Luxury Villas & Spa (p. 158)

Pourquoi y aller

Une danseuse bouge le bras, et 200 paires d'yeux admirent la précision du geste. Un joueur de gamelan exécute une mélodie, et 200 paires de pieds battent la mesure. Le *legong* entame sa deuxième heure avec une joyeuse danse du bourdon, et 200 spectateurs oublient l'inconfort de leur chaise en plastique.

Soir après soir, les spectacles de danse envoûtent les visiteurs à Ubud, la ville qui réunit toute la magie de Bali. Des représentations quotidiennes aux œuvres d'artistes inspirés par les rizières luxuriantes qui s'étagent alentour, Ubud est une fête pour le regard et l'esprit.

Malgré sa popularité grandissante, Ubud a su conserver son authenticité. Hôtels de luxe, cafés élégants et boutiques chics jalonnent les rues, mais la ville reste à échelle humaine. Des générations de voyageurs enchantés continuent de nouer des liens d'amitié avec les habitants et beaucoup séjournent dans l'une des innombrables chambres d'hôte, intégrant le rythme de la vie familiale ponctué par les offrandes et les cérémonies. Les plaisirs de la table, des boutiques et des spas ne font qu'ajouter à ses charmes.

Quand partir

Le climat est un peu plus frais et beaucoup plus humide que dans le Sud. La pluie peut tomber à tout moment. La nuit, la brise des montagnes rend inutile la climatisation ; par la fenêtre, on entend les grenouilles, les insectes et les gamelans qui se font écho par-delà les rizières. Dans la journée, la température tourne autour de 30°C, la nuit autour de 20°C, avec des pics éventuels. Vu la fréquence des pluies, il n'y a pas de variations saisonnières. Seule reste la question de la haute saison : juillet-août et vacances de Noël.

À ne pas manquer

❶ Une promenade dans les rizières d'**Ubud** (p. 138) et des environs

❷ L'ambiance d'un spectacle de **danses traditionnelles** (p. 166)

❸ Les rencontres et les heures de farniente dans un **café branché d'Ubud** (p. 159)

❹ La découverte de vos talents cachés lors d'un **cours d'art ou de cuisine** (p. 146)

❺ L'exploration de la luxuriante vallée tropicale de **Sungai Ayung** (Sayan ; p. 151)

❻ Les merveilles anciennes de **Gunung Kawi** (p. 173), où vous pourrez jouer les Indiana Jones

❼ Les trésors d'art et d'artisanat que l'on découvre dans les innombrables villages de la région d'Ubud, comme celui de **Mas** (p. 177)

UBUD

📱 0361

Synonyme de culture, Ubud possède également de bons restaurants et cafés, des boutiques qui vendent du bel artisanat fabriqué dans la région et une gamme d'hébergements qui convient à tous les budgets. Quel que soit le prix de votre hôtel, il reflétera l'esprit local : habile, créatif et serein.

Avec sa popularité toujours grandissante, Ubud voit les cars de touristes débarquer pour la journée et souvent créer des embouteillages dans les principales artères. La revue *Conde Nast Traveler*, qui a qualifié Ubud de plus belle ville d'Asie, n'a fait qu'ajouter au tapage engendré par le best-seller *Mange, prie, aime*. Heureusement, la ville s'adapte, et il suffit de s'éloigner un peu du croisement entre Jl Raya Ubud et Monkey Forest Rd pour retrouver du calme. Et rien de tel qu'une marche à travers les rizières pour recouvrer une parfaite sérénité.

Pour apprécier pleinement Ubud, il faut y passer quelques jours. Des jours qui, ici, peuvent facilement devenir des semaines, et les semaines des mois, comme en témoigne l'importante communauté d'expatriés.

Histoire

À la fin du XIXᵉ siècle, Cokorda Gede Agung Sukawati installa une branche de la famille royale Sukawati à Ubud et entama une série d'alliances et de conflits avec les royaumes voisins. En 1900, avec le royaume de Gianyar, Ubud devint – à sa demande – un protectorat néerlandais et se concentra sur sa vie culturelle et religieuse.

Dans les années 1930, les descendants de Cokorda encouragèrent des artistes et des intellectuels occidentaux, tels Walter Spies, Colin McPhee et Rudolf Bonnet, à venir dans la région. Ceux-ci donnèrent un nouvel élan à l'art local, lancèrent de nouvelles idées et techniques et furent à l'origine de la promotion de la culture balinaise dans le monde. Alors que le tourisme se développait à Bali, Ubud devint réputée pour les arts.

La famille royale continue de jouer un rôle important dans la vie d'Ubud, en contribuant à financer de grandes manifestations culturelles et religieuses, telles de mémorables cérémonies de crémation.

⊙ À voir

Palais et temples
Le **palais d'Ubud** (carte p. 153 ; angle Jl Raya Ubud et Jl Suweta) et le **Puri Saren Agung**

(carte p. 153 ; angle Jl Raya Ubud et Jl Suweta) partagent le même domaine au cœur d'Ubud. La famille royale habite toujours cet ensemble, en grande partie construit après le tremblement de terre de 1917. Vous pourrez vous promener dans la majeure partie de ce vaste enclos, découvrir les nombreux bâtiments traditionnels, sobrement décorés, et même passer la nuit sur place. Prenez le temps d'admirer les sculptures en pierre, dues pour beaucoup à des artistes locaux renommés comme I Gusti Nyoman Lempad.

Au nord, le **Pura Marajan Agung** (carte p. 153 ; Jl Suweta), temple privé de la famille royale, possède une porte superbe.

Le **Pura Desa Ubud** (carte p. 153 ; Jl Raya Ubud) est le temple principal des habitants d'Ubud. Un peu plus loin à l'ouest se tient le superbe **Pura Taman Saraswati** (carte p. 153 ; Jl Raya Ubud). Les eaux du temple, au fond du site, alimentent le bassin en façade, couvert de fleurs de lotus. Des sculptures représentent Dewi Saraswati, la déesse de la Sagesse et des Arts qui veille certainement sur Ubud. Des spectacles de danse ont lieu chaque semaine en soirée ; dans la journée, des peintres installent leur chevalet.

Sites naturels

Sacred Monkey Forest Sanctuary RÉSERVE NATURELLE (Mandala Wisata Wanara Wana , carte p. 153 ; 971 304 ; Monkey Forest Rd ; adulte/enfant 20 000/10 000 Rp ; 8h30-18h). Officiellement appelée Mandala Wisata Wanara Wana, cette poche de jungle dense et fraîche recèle trois temples sacrés. La réserve est habitée par une colonie de macaques à fourrure grise et à longue queue qui n'ont rien des singes au regard innocent des brochures. Le **Pura Dalem Agung** (carte p. 153), au cœur de la forêt, évoque le temple d'*Indiana Jones*. Remarquez les statues de Rangda dévorant des enfants à l'entrée du sanctuaire.

Trois entrées donnent accès à la réserve : la principale, à l'extrémité sud de Monkey Forest Rd ; à 100 m plus à l'est, près du parking ; ou, par le côté sud, sur le chemin venant de Nyuhkuning. La forêt a récemment bénéficié d'une manne financière. Des brochures pratiques sur la forêt, les macaques et les temples sont disponibles. Attention, les singes guettent les touristes, en quête de cacahuètes ou de bananes. Ne leur tendez pas directement de la nourriture.

En face de l'entrée principale, le bureau de la réserve accepte les dons dans le cadre de la compensation des émissions de carbone. Faire planter un arbre vous reviendra à 150 000 Rp.

Petulu RÉSERVE NATURELLE Chaque soir vers 18h, des milliers de **hérons** et d'**aigrettes** volent vers Petulu, à environ 2,5 km au nord de Jl Raya Ubud, et se perchent dans les arbres qui bordent la route. Les hérons, pour la plupart des crabiers malais, ont commencé à venir à Petulu en 1965 sans raison apparente. Malgré l'odeur et la saleté, les villageois les considèrent comme des porte-bonheur et les touristes apprécient le spectacle. Quelques *warung* se sont installés dans les rizières et l'on peut y boire un verre en profitant du spectacle.

Se rendre à Petulu à pied ou à vélo par l'un des nombreux itinéraires au nord d'Ubud est agréable, mais, si vous attendez l'arrivée des oiseaux, vous devrez revenir à la nuit tombée.

Musées

Museum Puri Lukisan MUSÉE (musée des Beaux-Arts · carte p. 153 ; 975 136 ; www.museumpurilukisan.com ; près de Jl Raya Ubud ; adulte/enfant 20 000 Rp/ gratuit ; 9h-17h). Ce musée possède de beaux exemples de toutes les écoles d'art balinais. La luxuriante composition du *Balinese Market* ("Marché balinais"), d'Anak Agung Gde Sobrat, illustre la vitalité de la peinture locale.

Les collections, bien présentées, sont commentées en anglais. Le musée abrite une bonne librairie et un café. L'extérieur verdoyant mérite à lui seul la visite.

L'art moderne balinais est né à Ubud, quand les artistes ont commencé à abandonner les thèmes purement religieux et les représentations de la cour royale au profit des scènes de la vie quotidienne. Rudolf Bonnet faisait partie de la coopérative d'artistes Pita Maha et a contribué, avec Cokorda Gede Agung Sukawati (un prince de la famille royale d'Ubud) et Walter Spies, à la création d'une collection permanente.

Le **premier pavillon**, en face de l'entrée, présente les premières œuvres d'Ubud et des villages alentour, notamment des peintures de style *wayang* classique, de beaux dessins à l'encre d'I Gusti Nyoman Lempad et à des toiles d'artistes Pita Maha. Remarquez la finesse des détails dans *The Dream of Dharmawangsa* ("Le rêve de Dharmawangsa") de Lempad.

Région d'Ubud

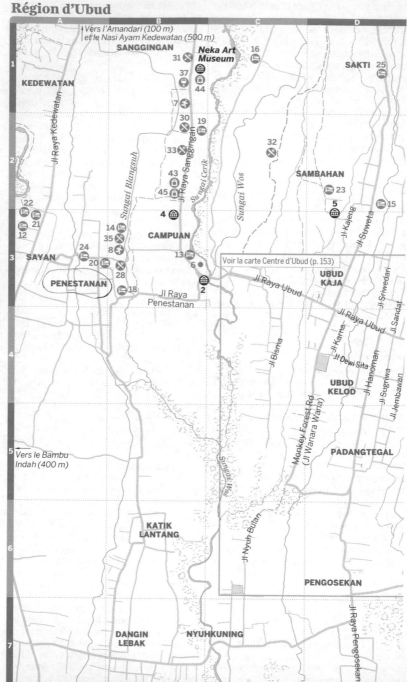

Vers l'Amandari (100 m)
et le Nasi Ayam Kedewatan (500 m)

SANGGINGAN

Neka Art Museum

SAKTI

KEDEWATAN

SAMBAHAN

CAMPUAN

Voir la carte Centre d'Ubud (p. 153)

JI Raya Ubud

UBUD KAJA

SAYAN

PENESTANAN

JI Raya Penestanan

JI Raya Ubud

JI Bisma

JI Karna

JI Dewi Sita

JI Sriwedari

JI Sandat

JI Hanoman

JI Sugriwa

JI Jembawan

UBUD KELOD

Vers le Bambu Indah (400 m)

Monkey Forest Rd (JI Wanara Wana)

PADANGTEGAL

KATIK LANTANG

Sungai Wos

JI Nyuh Bulan

PENGOSEKAN

JI Raya Pengosekan

DANGIN LEBAK

NYUHKUNING

JI Raya Kedewatan

Sungai Blangsuh

JI Raya Sanggingan

Sungai Cerik

Sungai Wos

JI Kajeng

JI Suweta

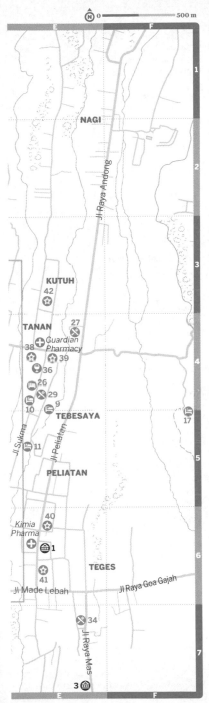

Le **deuxième pavillon**, sur la gauche, renferme des exemples colorés du style "Jeunes Artistes" et une belle sélection d'œuvres "traditionnelles modernes".

Le **troisième pavillon**, sur la droite, contient des peintures classiques et traditionnelles et accueille des expositions temporaires.

Neka Art Museum MUSÉE
(carte p. 140 ; ☑975 074 ; www.museumneka. com ; Jl Raya Sanggingan ; adulte/enfant 50 000 Rp/gratuit ; ⊙9h-17h lun-sam, 12h-17h dim). Ce musée a été créé par Suteja Neka, un collectionneur privé et marchand d'art balinais. La collection, excellente et diverse, permet de comprendre l'évolution de la peinture à Bali.

Le **Balinese Painting Hall** donne un aperçu des innombrables styles de peinture locaux. Les œuvres *wayang* témoignent de l'influence du théâtre d'ombres.

L'**Arie Smit Pavilion** présente les œuvres de Smit à l'étage et des exemples de l'école des Jeunes Artistes, qu'il inspira, au rez-de-chaussée. *The Wedding Ceremony* ("La cérémonie de mariage"), d'I Nyoman Tjarka, évoque les toiles de Bruegel.

Le **Lempad Pavilion** abrite la plus grande collection balinaise d'œuvres d'I Gusti Nyoman Lempad.

Le **Contemporary Indonesian Art Hall** renferme des peintures d'artistes venus d'autres îles d'Indonésie qui, pour beaucoup, ont travaillé à Bali. Le dernier étage de l'**East-West Art Annexe** est consacré à des artistes étrangers, tels que Louise Koke, Miguel Covarrubias, Rudolf Bonnet, Han Snel, Donald Friend et Antonio Blanco.

Comme son nom l'indique, le **Temporary Exhibition Hall** accueille des expositions temporaires. Le **Photography Archive Centre** contient des photos en noir et blanc de Bali dans les années 1930 et 1940. À voir également, la vaste collection de kriss (dagues) de cérémonie.

Le musée possède une excellente librairie et un café.

Agung Rai Museum of Art MUSÉE
(Arma ; carte p. 153 ; ☑976 659 ; www.armamuseum.com ; Jl Raya Pengosekan ; 50 000 Rp ; ⊙9h-18h tlj, danse balinaise ⊙15h-17h lun-ven, 10h30-12h dim). Fondé par Agung Rai en tant que musée, galerie et centre culturel, l'imposant Arma est le seul endroit de Bali où l'on peut voir les œuvres fascinantes de l'artiste allemand Walter Spies (1895-1942)

Région d'Ubud

et d'autres pièces majeures. Le musée occupe plusieurs bâtiments traditionnels, répartis dans un jardin sillonné de canaux.

Il présente des œuvres de l'artiste javanais du XIXe siècle Raden Saleh, des peintures classiques de Kamasan, des œuvres de style Batuan des années 1930 et 1940 et des créations de Lempad, d'Affandi, de Sadali, d'Hofker, de Bonnet et de Le Mayeur. Les œuvres sont commentées en anglais.

Remarquez l'énigmatique *Portrait of a Javanese Nobleman and his Wife* ("Portrait d'un noble javanais et de son épouse") de Raden Saleh, qui n'est pas sans évoquer *American Gothic*, peint plusieurs décennies plus tard par Grant Wood.

Essayez de visiter l'Arma lorsque des enfants pratiquent la **danse balinaise** et pendant des **répétitions de gamelan**. Il est possible d'assister à des spectacles de danse *legong* et *kecak*, et à d'innombrables cours.

On peut entrer dans le musée à l'extrémité sud de Jl Raya Pengosekan ou par le Kafe Arma, où il y a un parking.

Museum Rudana MUSÉE
(carte p. 140 ; ☎975 779 ; www.museumrudana.com ; 50 000 Rp ; ⊕9h-17h). Cet imposant musée a été fondé par Nyoman Rudana, un politicien local amateur d'art, et par son épouse, Ni Wayan Olasthini. Les trois étages contiennent plus de 400 peintures

traditionnelles, dont un calendrier des années 1840, quelques dessins de Lempad et des œuvres plus modernes. Le musée jouxte la Rudana Gallery, qui vend de nombreuses toiles.

Blanco Renaissance Museum   MUSÉE
(carte p. 140 ; ☑975 502 ; www.blancomuseum. com ; Jl Raya Campuan ; 50 000 Rp ; ☺9h-17h).
Le portrait d'Antonio Blanco prenant la pose avec Michael Jackson en dit long. Le Blanco Renaissance Museum reflète le sens théâtral de l'artiste. Parti d'Espagne, Blanco arriva à Bali après un séjour aux Philippines. Spécialisé dans l'art érotique et l'illustration de poèmes, il jouait à l'artiste excentrique dans la lignée de Dalí. Il est mort à Bali en décembre 1999 et sa flamboyante demeure est devenue un musée. En chemin, admirez la cascade et les belles vues sur la rivière.

Galeries

Ubud regorge de galeries d'art ; dans chaque rue ou ruelle, une boutique vend des œuvres d'art, dont le style et la qualité varient.

Vous découvrirez souvent des artistes locaux dans les endroits les plus inattendus, parfois même dans votre hôtel. Ainsi, le peintre I Wayan Karja possède un atelier dans la pension Santra Putra, tenue par sa famille.

Neka Gallery   GALERIE D'ART
(carte p. 153 ; ☑975 034 ; Jl Raya Ubud ; ☺9h-17h).
Dirigée par Sutcja Neka, la Neka Gallery, indépendante du Neka Art Museum, présente une abondante sélection de

---

À NE PAS MANQUER

LA GALERIE THREADS OF LIFE

Baptisée les "fils de la vie", cette **galerie du textile et atelier de formation** (carte p. 140 ; ☑972 187 ; www.threadsoflife.com ; Jl Kajeng 24 ; ☺10h-19h) promeut la production d'étoffes tissées à la main et teintes avec des produits naturels. Elle aide ainsi à préserver un savoir-faire menacé de disparition par les méthodes modernes. La galerie expose des pièces réalisées sur commande et explique leur fabrication. Elle propose également des cours de tissage et possède une belle boutique.

---

toutes les écoles d'art balinais, ainsi que des œuvres de résidents européens, tel Arie Smit.

Seniwati Gallery of Art by Women   GALERIE D'ART
(carte p. 153 ; ☺975 485 ; www.seniwatigallery.com ; Jl Sriwedari 2B ; ☺9h-17h mar-sam).
Cette galerie expose les œuvres de plus de 70 femmes artistes balinaises, indonésiennes ou étrangères vivant à Bali. Les informations sur de nombreuses artistes sont passionnantes.

Symon Studio   GALERIE D'ART
(carte p. 140 ; ☑974 721 ; www.symonstudios.com ; Jl Raya Campuan ; ☺9h-18h). La galerie/atelier de l'exubérant artiste américain Symon expose d'immenses portraits colorés. Les œuvres vont du sublime au profane. Symon est plus souvent dans sa galerie du nord de Bali.

Komaneka Art Gallery   GALERIE D'ART
(carte p. 153 ; ☑976 090 ; Monkey Forest Rd ; ☺8h-20h). Vaste et haute de plafond, cette galerie met en valeur des œuvres d'artistes balinais réputés.

Agung Rai Gallery   GALERIE D'ART
(carte p. 140 ; ☑975 449 ; Jl Peliatan ; ☺9h-18h).
Dans un enclos charmant, cette galerie possède une collection qui couvre tous les styles balinais. Elle fonctionne comme une coopérative : le prix est fixé par l'artiste et la galerie ajoute sa commission.

Rio Helmi Gallery   GALERIE PHOTO
(carte p. 153 ; ☑972 304 ; www.riohelmi. com ; Jl Suweta 5 ; ☺10h-20h). Photographe réputé vivant à Ubud, Rio Helmi a ouvert une petite galerie où l'on peut voir des exemples de son travail journalistique et artistique. Les photos changent souvent et offrent un superbe aperçu des voyages de Helmi à Bali et dans le monde entier. Il a lancé des appels passionnés en faveur de la préservation de Bali, qui ont notamment été publiés dans le *Huffington Post*.

Adi's Gallery   GALERIE D'ART
(carte p. 153 ; ☑977 104 ; www.adi-s-gallery. com ; Jl Bisma 102 ; ☺10h-17h). Conçue par l'artiste allemand Adi Bachmann, cette galerie expose d'excellents artistes locaux et accueille à l'occasion des événements, comme des concerts.

Pranoto's Art Gallery   GALERIE D'ART
(carte p. 153 ; ☑970 827 ; Jl Raya Goa Gajah, Teges). Mari et femme, Pranoto et Kerry Pendergrast exposent leurs œuvres, dont de jolies scènes de vie indonésienne, dans

UBUD EN...

Un jour

Flânez dans les rues en commençant par la boucle classique qui descend Monkey Forest Rd jusqu'au **parc** du même nom, puis remonte Jl Hanoman. Vous pouvez passer des heures à vous promener dans les **boutiques** et **galeries** et à vous arrêter dans des **cafés** de caractère. Arpentez les petites rues et les *gang* (allées), explorez Jl Dewi Sita et Jl Goutama et vous aurez un excellent aperçu d'Ubud. Faites une courte promenade dans les verdoyantes rizières environnantes. Puis, en soirée, assistez à un **spectacle de danse**.

Trois jours

Effectuez de plus longues randonnées dans la campagne le matin, notamment sur la **crête de Campuan** et dans la **vallée de Sayan**. L'après-midi, tâchez de visiter le **Museum Puri Lukisan**, le **Neka Art Museum** et l'**Arma**. Le soir, assistez à des **spectacles de danse**, à Ubud et dans les villages voisins. Goûtez aux bienfaits d'un **spa**.

Une semaine ou plus

Suivez le programme indiqué ci-dessus en prenant votre temps. Adaptez-vous au rythme d'Ubud. Faites la sieste, lisez, flânez et participez éventuellement à un **cours** sur la culture balinaise. Prenez vos habitudes dans un café, explorez les villages d'artisans et les sites anciens.

---

cette galerie/atelier/maison qui donne sur les belles rizières au sud-ouest d'Ubud. L'atelier se trouve à environ 1 km à l'est de Jl Peliatan. Demandez-leur de vous indiquer l'agréable petit chemin pour retourner au centre d'Ubud.

Ketut Rudi Gallery GALERIE D'ART
(☑974 122 ; Pengosekan). Cette vaste galerie expose des œuvres de plus de 50 artistes d'Ubud aux techniques diverses, du primitivisme au nouveau réalisme. Celles de Ketut Rudi se distinguent par leur "réalisme comique".

🏃 Activités

Massages, spas et salons de beauté
Instituts, spas, etc., les endroits où se ressourcer et se faire dorloter ne manquent pas à Ubud. Pour de nombreux visiteurs, le spa compte parmi les grands moments du séjour. Le bien-être est une affaire qui marche, et, chaque année, on voit apparaître de nouveaux soins. Les praticiens, nombreux, sont à la pointe des tendances (le panneau à l'entrée du Bali Buddha en dit long) et ne cessent de proposer de nouvelles thérapies. On peut aussi faire appel à un guérisseur traditionnel, ou *balian*.

Nombre de spas offrent aussi des activités comme le yoga et des cours de massage.

♥ Bali Botanica Day Spa SPA
(carte p. 140 ; ☑976 739 ; www.balibotanica.com ; Jl Raya Sanggingan ; massage à partir de 150 000 Rp ; ⏱9h-20h). Joliment situé à flanc de colline devant des petites rizières où nagent des canards, ce spa offre toute une gamme de soins, notamment ayurvédiques. Transport assuré.

Ubud Sari Health Resort SPA
(carte p. 140 ; ☑974 393 ; www.ubudsari.com ; Jl Kajeng ; massage 1 heure à partir de 15 $US ; ⏱8h-20h). Cet établissement sérieux, à la fois spa et hôtel, dispense toute une gamme de traitements, comme le "nettoyage complet des tissus" (à l'aide de produits bio et naturels). Outre une longue liste de soins d'une journée, des forfaits comprennent le séjour à l'hôtel. De nombreux soins concernent le nettoyage du côlon.

Intuitive Flow YOGA
(carte p. 140 ; ☑977 824 ; www.intuitiveflow.com ; Penestanan ; yoga à partir de 100 000 Rp). Ce joli centre de yoga est perché au milieu des rizières et accessible par un escalier en ciment depuis Campuan (une rude montée). Ateliers de yoga thérapie.

Taksu Spa SPA
(carte p. 153 ; ☑971 490 ; www.taksuspa.com ; Jl Goutama ; massage à partir de 65 000 Rp ; ⏱9h-22h ; 🕸). Dissimulé au cœur d'Ubud, Taksu propose une liste longue et généreuse de traitements et se concentre sur le

yoga. Salles privatives pour les massages en couple, café sain et divers cours.

Zen SPA
(carte p. 153 ; ☑970 976 ; www.zenbalispa. com ; Jl Hanoman ; massage 1 heure à partir de 100 000 Rp ; ☻9h-20h). Spa réputé, dans une petite allée. Parmi les nombreux soins proposés figurent des gommages, des *mandi lulur* (gommages javanais) de 1 heure 30 et un bain aux épices.

Nur Salon SPA
(carte p. 153 ; ☑975 352 ; Jl Hanoman 28 ; massage 1 heure 155 000 Rp ; ☻9h-20h). Nombreux soins de beauté et de bien-être, dont un massage javanais de 2 heures. Dans un jardin balinais traditionnel rempli de plantes médicinales étiquetées.

Eve Spa SPA
(carte p. 153 ; ☑973 236 ; www.evespabali.com ; Monkey Forest Rd ; massage 1 heure 100 000 Rp ; ☻9h-21h). Soins classiques et abordables pour se débarrasser des toxines. Pour une journée entière de soins, comptez 510 000 Rp.

Milano Salon INSTITUT DE BEAUTÉ
(carte p. 153 ; ☑973 488 ; Monkey Forest Rd ; massage 1 heure 90 000 Rp ; ☻10h-21h). Dans un cadre simple, soins du visage, massages, coupe de cheveux (00 000 Rp), coiffage et couleur.

Promenades à vélo
Dans le centre d'Ubud, de nombreux hôtels et boutiques louent des VTT. Le prix peut habituellement se négocier à 35 000 Rp par jour. Si vous ne savez pas où vous adresser, renseignez-vous à votre hôtel, qui pourra sans doute vous procurer un vélo.

Les rivières qui sillonnent la région coulent habituellement vers le sud, ce qui signifie que tout itinéraire est-ouest implique des côtes et des descentes pour traverser les vallées fluviales. Les itinéraires nord-sud courent entre les rivières ; plus faciles, ils sont aussi plus fréquentés. La plupart des sites d'Ubud sont accessibles à vélo.

Le vélo constitue un excellent moyen de visiter les musées et sites des environs d'Ubud. La circulation peut toutefois se révéler pénible au sud d'Ubud.

Plusieurs tour-opérateurs organisent des circuits à vélo à Ubud et aux alentours (voir p. 148).

Promenades à pied
La région offre quantité de belles promenades dans les villages alentour ou les rizières. Vous croiserez souvent des artistes à l'œuvre dans un atelier ouvert ou une véranda, pendant que les paysans cultivent le riz à côté des villas de luxe. Vous trouverez une liste de promenades guidées p. 148.

MAISONS D'ARTISTES

La **"maison Spies"** (carte p. 140), demeure de l'artiste allemand Walter Spies, fait aujourd'hui partie de l'Hotel Tjampuhan. Les admirateurs pourront y séjourner en réservant bien à l'avance. Spies eut un rôle majeur dans l'art balinais au cours des années 1930.

L'artiste néerlandais Han Snel vécut à Ubud des années 1950 jusqu'à sa mort en 1999 , sa famille tient un hébergement à son nom dans Jl Kajeng.

La **Lempad's House** (carte p. 153 ; Jl Raya Ubud ; entrée libre ; ☻journée), la maison d'I Gusti Nyoman Lempad, est ouverte au public, mais sert principalement de galerie à un groupe d'artistes, dont des petits-enfants de Lempad. Vous découvrirez des collections plus importantes aux musées Puri Lukisan et Neka.

Compositeur et ethnomusicologue canadien, Colin McPhee est également connu pour son livre indémodable, *A House in Bali*. Sa maison des années 1930 a depuis longtemps disparu, mais vous pouvez visiter le site au bord de la rivière au Sayan Terrace. Employé de l'hôtel, Wayan Ruma, dont la mère fut la cuisinière de McPhee, vous racontera quelques anecdotes.

Arie Smit, né en 1916, est le plus vieil artiste occidental d'Ubud et l'un des plus connus. Après avoir travaillé pour l'administration coloniale néerlandaise dans les années 1930, il fut emprisonné durant la Seconde Guerre mondiale, puis arriva à Bali en 1956. Dans les années 1960, son influence contribua à l'essor de l'école de peinture des Jeunes Artistes à Penestanan, ce qui lui vaut une place importante dans l'histoire de l'art balinais. Sa demeure n'est pas ouverte au public.

Voici quelques conseils utiles pour apprécier votre balade :

» Emportez une bouteille d'eau Un peu partout, des *warung* ou des échoppes vendent de petits en-cas et des boissons, mais ne risquez pas la déshydratation entre deux étapes.

» Préparez-vous Prévoyez un chapeau, des chaussures confortables et un vêtement imperméable pour les averses de l'après-midi. Mieux vaut porter un pantalon pour marcher à travers l'épaisse végétation.

» Partez tôt Essayez de partir à l'aube, avant qu'il ne fasse trop chaud. Vous apercevrez des oiseaux et autres animaux qui se réfugient à l'ombre pendant la journée. C'est également beaucoup plus calme avant le début de l'agitation quotidienne.

» Évitez les péages Certains fermiers à l'esprit d'entreprise ont installé des barrières à péages dans leurs rizières. Vous pouvez les contourner ou payez un droit d'entrée (jamais plus de 10 000 Rp).

» Arrêtez à temps Si vous êtes fatigué, ne vous forcez pas à atteindre un endroit précis – le but est d'apprécier la balade. Des habitants à moto vous reconduiront toujours pour environ 20 000 Rp.

Rafting

La **Sungai Ayung** est la rivière la plus appréciée de Bali pour le rafting. Les descentes commencent au nord d'Ubud et s'achèvent près de l'hôtel Amandari, à l'ouest. Selon la pluviosité, le parcours peut être paisible ou sportif. Reportez-vous p. 39 pour avoir la liste des tour-opérateurs.

⚜ Cours

Ubud est un endroit idéal pour développer vos talents artistiques ou vous initier à la langue, à la culture et à la cuisine balinaises. La gamme de cours proposés peut vous occuper une année entière.

♥ **Arma**   CULTURE
(carte p. 153 ; ☎976 659 ; www.armamuseum.com ; Jl Raya Pengosekan ; ☺9h-18h). Référence culturelle, l'Arma propose des cours de peinture, de sculpture sur bois et de batik, ainsi que des cours sur l'histoire, l'architecture et l'hindouisme balinais. Comptez de 25 à 55 \$US.

Threads of Life Indonesian Textile Arts Center   TEXTILE
(carte p. 140 ; ☎972 187 ; www.threadsoflife.com ; Jl Kajeng 24). Les cours de découverte du textile dans la galerie et le studio pédagogique durent de 1 à 8 jours. Certains impliquent de longs déplacements dans Bali et peuvent être considérés comme une spécialisation.

Nirvana Batik Course   TEXTILE
(carte p. 153 ; ☎975 415 ; www.nirvanaku.com ; Nirvana Pension & Gallery, Jl Goutama 10 ; ☺cours 10h-14h lun-sam). Nyoman Suradnya dispense des cours de batik très réputés, qui coûtent environ de 45 à 150 \$US par jour selon la durée (de 1 à 5 jours).

Pranoto's Art Gallery   PEINTURE
(☎970 827 ; Jl Raya Goa Gajah, Teges ; leçons privées 3 heures 400 000 Rp). Deux artistes accomplis d'Ubud offrent des cours privés (matériels inclus) dans leur joli atelier, situé à 1 km environ au sud-ouest de la ville. Les artistes avec leur propre matériel peuvent participer à des séances avec modèle (20 000 Rp).

IB Anom   ART
(☎974 529 ; Mas). Dans cet enclos, à côté de la grand-route, trois générations de sculpteurs de masques enseignent leurs secrets (à partir de 100 000 Rp/jour). Résultat visible en 2 semaines.

Wayan Karja   PEINTURE
(carte p. 140 ; ☎977 810 ; cours 100 000 Rp/heure). Cours intensifs de peinture et de dessin par Karja, un peintre abstrait qui a son atelier dans sa *guesthouse*, le Santra Putra.

DES VILLAGES D'ARTISTES

Dans toute la région d'Ubud, de Sebatu à Mas et ailleurs dans Bali, vous verrez dans les villages, souvent près du temple local, les petites enseignes d'artistes et d'artisans. "La richesse d'un village est son art", nous disait un habitant. Aussi, tous ces gens qui créent les costumes cérémoniels, les masques, les kriss, les instruments de musique et autres beaux et précieux objets pour la vie et la religion balinaises sont tenus en grand respect. Le village et l'artiste vivent en symbiose. L'artiste ne fait jamais payer son travail. En retour, le village assure son bien-être. Il existe souvent plusieurs artistes résidents par village, car il n'y a pas de plus grande honte que de devoir aller dans un autre village pour se procurer un indispensable objet sacré.

LES GUÉRISSEURS TRADITIONNELS

Appelés *balian* (*dukun* à Lombok), les guérisseurs jouent un rôle important dans la culture balinaise : ils soignent le corps et l'esprit, remplissent la fonction d'exorciste et celle de médium pour transmettre les messages des ancêtres. Bali compte environ 8 000 *balian* qui sont l'ultime recours en matière de médecine traditionnelle et s'engagent à servir leurs congénères sans écarter personne.

Cependant, ce système a été récemment perturbé à cause de la publicité de *Mange, prie, aime* et de certains médias. Des touristes curieux débarquent dans des enclos de village pour réclamer le temps et l'attention des *balian*, au détriment des vrais malades. Il n'est pas interdit de rendre visite à un *balian*, mais faites-le avec tact et dans les règles.

Avant toute visite :

» Prenez rendez-vous avant de vous rendre chez un *balian*.

» Rares sont ceux qui parlent anglais.

» Habillez-vous de façon respectueuse (pantalon long et chemise ou, mieux, sarong et sash).

» Les femmes ne doivent pas être en période de règles.

» Ne pointez jamais votre pied en direction du guérisseur.

» Apportez une offrande dans laquelle vous aurez caché un don (100 000 à 200 000 Rp/pers).

» Sachez que votre traitement s'effectuera en public et sera sans doute douloureux. Il peut comporter un massage profond avec un mouchoir en papier, des petits coups assénés avec un bâton pointu ou des crachats d'herbes mâchées sur vous.

Trouver un *balian* peut être difficile. Votre hôtel pourra probablement vous aider à obtenir un rendez-vous et vous fournir une offrande appropriée pour y cacher votre don. Sinon, les *balian* ci-dessous accueillent des visiteurs :

Ketut Qading (☎970 770)

Man Nyoman (☎0813 3893 5369)

Sirkus (☎739 538)

Made Surya (www.balihealers.com), qui fait autorité auprès des guérisseurs traditionnels de Bali, propose des stages intensifs de 1 ou 2 jours sur la médecine traditionnelle, la magie, l'histoire et les traditions, avec la rencontre d'authentiques *balian*. Son site Internet est très intéressant pour qui veut rencontrer des guérisseurs à Bali.

Certains médecins occidentaux s'interrogent sur la possibilité de soigner de sérieux problèmes de santé par ce type d'interventions. Ils suggèrent aux patients de voir un guérisseur traditionnel en complément d'un docteur occidental.

Wayan Pasek Sucipta INSTRUMENTS DE MUSIQUE (carte p. 153 ; ☎970 550 ; Eka's Homestay, Jl Sriwedari 8). Cours par un maître de gamelan et de tambour en bambou (80 000 Rp/heure).

Pondok Pecak
Library & Learning Centre LANGUE (carte p. 153 ; ☎976 194 ; Monkey Forest Rd ; ⊗9h-17h lun-sam, 13h-17h dim). Au bout du terrain de football, ce centre organise des cours de danse, de musique, de fabrication de masques et de langue. Cours pour enfants. À partir de 75 000 Rp/heure. Mine d'information sur les autres cours locaux.

Museum Puri Lukisan ART (carte p. 153 ; www.museumpurilukisan.com ; près de Jl Raya Ubud ; cours à partir de 100 000 Rp). L'un des meilleurs musées d'Ubud dispense divers cours sur demande : gamelan, fabrication de marionnettes, confection d'offrandes, danse balinaise, peintures sur masque.

Studio Perak BIJOUX (carte p. 153 ; ☎081 2365 1809, 974 244 ; www.studioperak.com ; Jl Hanoman ; cours 350 000 Rp/3 heures). Spécialisé dans les objets en argent de style balinais. Avec un cours de 3 heures, vous pourrez réaliser une pièce.

ℹ️ REMPLISSEZ VOTRE BOUTEILLE D'EAU

Le nombre de bouteilles d'eau en plastique jetées aux ordures est effarant. Vous trouverez à Ubud quelques endroits où remplir votre bouteille (en plastique ou autre) avec de l'eau de la marque Aqua, la plus réputée localement. Il vous en coûtera quelques rupiahs (généralement 3 000 Rp) et vous éviterez de jeter une bouteille d'eau en plastique de plus à Bali. Rendez-vous au Pondok Pecak Library & Learning Centre, une adresse centrale (p. 147).

Taman Harum Cottages   CULTURE
(☎975 567 ; www.tamanharumcottages.com ; Mas ; cours à partir de 20 $US/heure). Dans le centre de la peinture sur bois de Bali, cet hôtel propose des cours de culture, de dessin, de sculpture et de peinture. Vous pouvez aussi apprendre à fabriquer les offrandes pour les temples.

Cuisine

Très prisés, les cours de cuisine commencent généralement au marché pour découvrir tout l'éventail de fruits, légumes et autres ingrédients qui font partie du régime balinais.

❤ Casa Luna Cooking School   CUISINE
(carte p. 153 ; ☎973 282 ; www.casalunabali. com ; Jl Bisma, Honeymoon Guesthouse ; cours à partir de 300 000 Rp). Cours de cuisine réguliers à la Honeymoon Guesthouse et/ou à la Casa Luna. Les cours d'une demi-journée comprennent ingrédients, techniques et contexte culturel de la cuisine balinaise (tous n'incluent pas la visite au marché).

Amandari   CUISINE
(☎975 333 ; www.amanresorts.com ; Kedewatan ; cours à partir de 150 $US). Les cours commencent tôt (7h) au marché, puis se poursuivent dans un village où vous apprenez à cuisiner dans une maison balinaise.

Bumbu Bali Cooking School   CUISINE
(carte p. 153 ; ☎976 698 ; Monkey Forest Rd). Les cours de cuisine balinaise (250 000 Rp) débutent au marché (9h) et s'achèvent par le déjeuner (14h). Nombreux plats préparés.

☞ Circuits organisés

Parmi les circuits figurent des promenades thématiques et des découvertes culturelles. Passer quelques heures à explorer la région avec un expert local est passionnant. Il existe des circuits dans la région d'Ubud organisés par des tour-opérateurs couvrant tout Bali.

Bali Herbal Walk   PROMENADE
(☎975 051 ; www.utamaspicebali.com ; promenades 18 $US ; ⏰8h30 lun-jeu). Au cours d'une promenade de 3 heures dans un paysage luxuriant, les herbes médicinales et aromatiques sont identifiées et commentées dans leur environnement naturel. Dégustation de tisanes incluse. Le couple à la tête de ces promenades gère aussi **Utama Spice** (www.utamaspicebali.com), fabrique de produits naturels pour la maison et les spas.

Banyan Tree Cycling Tours   CYCLOTOURISME
(☎0813 3879 8516, 805 1620 ; www.banyantreebiketours.com ; visites à partir de 450 000 Rp). Circuits d'une journée dans les villages reculés des collines dominant Ubud. Dirigées par Bagi, les visites, très prisées, insistent sur la rencontre avec les villageois.

Bali Bird Walks   OBSERVATION DES OISEAUX
(carte p. 140 ; ☎975 009 ; www.balibirdwalk. com ; visite 37 $US ; ⏰9h-12h30 mar, ven, sam et dim). Lancé par Victor Mason il y a plus de 30 ans, ce circuit destiné aux amateurs d'ornithologie a toujours autant de succès. Lors d'une paisible promenade matinale (au départ de l'ancien Beggar's Bush Bar), vous pouvez voir jusqu'à 30 espèces locales, sur la centaine existante.

Dhyana Putri Adventures   CULTURE
(☎0812 380 5623 ; www.balispirit.com/tours/bali_tour_dhyana.html). Un couple biculturel et trilingue propose des circuits personnalisés, centrés sur les arts du spectacle balinais et des expériences culturelles.

Bali Nature & Medicine Walk   PROMENADE
(☎0818 0539 9228 ; sangtubud@yahoo.com ; tarif variable selon promenade). Balades dans la campagne avec un herboriste, résidant depuis longtemps à Ubud, qui explique les rapports entre les Balinais et la nature.

Ubud Tourist Information   CULTURE
(Yaysan Bina Wisata ; ☎973 285 ; Jl Raya Ubud ; circuits 125 000-200 000 Rp ; ⏰8h-20h). L'office du tourisme propose des circuits intéressants et abordables, d'une demi-journée ou d'une journée, vers de multiples destinations, dont Ulu Watu, Mengwi, Alas Kedaton, Tanah Lot, Goa Gajah, Pejeng, Gunung Kawi et Kintamani.

✵ Fêtes et festivals

La région d'Ubud est l'un des meilleurs endroits de Bali pour assister aux nombreux événements religieux et culturels organisés chaque année. L'office du tourisme fournit des renseignements complets sur les festivités de la semaine.

Bali Spirit Festival DANSE, MUSIQUE
(www.balispiritfestival.com). Festival de yoga, de danse et de musique en plein essor, organisé par les personnes qui

MANGE, PRIE, AIME ET UBUD

"Satané livre", disent, en évoquant *Mange, prie, aime*, de nombreux résidents d'Ubud qui craignent de voir la ville envahie par les fans de ce best-seller. Écrit par l'Américaine Elizabeth Gilbert (et adapté au cinéma en 2010, avec Julia Roberts dans le rôle principal), *Mange, prie, aime* raconte comment l'auteur part en quête de son "vrai moi" (et de la réalisation de son contrat éditorial) à travers l'Italie, l'Inde et... Ubud. Reste à savoir ce que l'essor actuel de popularité d'Ubud doit à ce roman (le film n'a connu qu'un médiocre succès). Les détracteurs d'Elizabeth Gilbert lui reprochent de donner une image superficielle et réductrice d'Ubud, de ses habitants, de la danse, des arts et des expatriés. Ils dénoncent aussi des éléments erronés comme ces spots de surf sur la côte nord (qui n'existent pas), ce qui montre bien que l'auteur a enjolivé les choses. Toujours est-il qu'à Ubud certains ont aussi trouvé mille et un moyens de tirer parti de l'engouement suscité par ce livre.

Puis il y a les authentiques adeptes de ce roman parce que son contenu a fait écho à leur vie, pour la justifier ou la remettre en question. Certains n'auraient pas fait un voyage, finalement magique, à Ubud sans *Mange, prie, aime*.

Les personnages du livre

Deux des héros sont inspirés de personnages réels qu'on peut facilement rencontrer à Ubud et qui en tirent un revenu lucratif.

Ketut Liyer (☑974 092 ; Pengosekan). L'ami et gourou d'Elizabeth Gilbert se trouve à 10 minutes à pied au sud de Pengosekan (vous verrez son panneau tout neuf). Ses horaires varient et Ketut, qui vieillit, a eu des problèmes de santé, peut-être dus au nombre considérable d'Occidentaux qui lui demandent audience. Comptez environ 25 $US pour une courte séance publique durant laquelle vous vous entendrez dire quelque chose du genre "Vous êtes intelligent, beau et sexy et vous vivrez jusqu'à 101 ou 105 ans". Sinon, pour 25 $US, vous pouvez passer la nuit dans une chambre monacale dans un bungalow à l'arrière de l'enclos (bien que les oiseaux voisins enchaînés et en cage puissent perturber votre expérience). C'est bien l'enclos Liyer que l'on voit dans le film, mais Ketut est joué par un professeur de Java.

Wayan Nuriasih (carte p. 153 ; ☑872 9230, 917 5991 ; balihealer@hotmail.com ; Jl Jembawan 5 ; ⊙9h-17h). Autre vedette, Nuriasih tient boutique au cœur d'Ubud. Dans son herboristerie ouverte sur la rue, vous pourrez vous attabler avec elle pour discuter de vos maux et envisager un traitement. Pendant ce temps, des assistants s'affaireront en silence et déposeront peut-être un élixir à vos côtés. Le "déjeuner de vitamines" comprend une série d'extraits et d'aliments crus. Attention, toutefois, à bien comprendre sur quoi vous vous mettez d'accord, car il est facile de s'engager dans des traitements à 50 $US et plus. Pour un prix moindre, vous pouvez profiter d'un nettoyage, durant lequel plusieurs hommes vous assènent des claques sur le corps, ce qui vous fera au moins oublier vos anciennes douleurs.

Les lieux du tournage

La plupart des scènes balinaises de *Mange, prie, aime* ont été tournées à Ubud et dans les alentours. Mais, lors de vos promenades dans la région, ne vous étonnez pas de découvrir des rizières encore plus belles que dans le film.

Les scènes de plage ont été tournées à Padang Padang, sur la péninsule de Bukit, dans le sud de Bali. Curieusement, la vraie plage est plus attrayante que la version grise du film. Mais si vous espérez profiter du bar de plage où Julia Roberts rencontre Javier Bardem, vous serez déçu : il a été créé uniquement pour le film. À moins que quelqu'un ne l'ait reconstitué d'ici là...

À NE PAS MANQUER

LE BUZZ DU YOGA BARN

Emblème de la déferlante yoga à Ubud, le **Yoga Barn** (carte p. 153 ; ☑070 992 ; www.balispirit.com ; près de Jl Raya Pengosekan ; cours à partir de 110 000 Rp ; ☺7h-20h) est installé dans un cadre boisé près d'une vallée fluviale. Des cours de yoga, Pilates, danse et autres disciplines apparentées sont dispensés au fil de la semaine. La propriétaire, Meghan Pappenheim, est aussi l'organisatrice du Bali Spirit Festival.

tiennent le Yoga Barn. Il a lieu généralement début avril et regroupe, entre autres, plus de 100 ateliers et concerts, ainsi qu'un marché.

Ubud Writers & Readers Festival LITTÉRATURE (Festival des écrivains et des lecteurs d'Ubud ; www.ubudwritersfestival.com). Ce festival, qui se tient habituellement en octobre, rassemble des auteurs et lecteurs du monde entier pour rendre hommage à l'écriture, en particulier aux ouvrages sur Bali.

🛏 Où se loger

Ubud offre le plus beau choix d'hébergements de l'île : fabuleux complexes hôteliers, maisons d'hôtes raffinées ou séjour chez l'habitant simple mais charmant.

Généralement, le rapport qualité/prix est excellent dans toutes les catégories. Une chambre simple dans un enclos familial coûte autour de 20 $US et permet une approche plus intime du pays. La nuit, l'air frais des montagnes rend la clim superflue ; en ouvrant la fenêtre, vous serez bercé par les sons qui montent des rizières et des vallées.

Les bungalows peuvent être plus grands et disposer de piscine, mais ils restent assez intimes et sont souvent nichés au milieu des rizières et des rivières. Les hôtels offrent généralement des piscines et autres agréments, les plus beaux dominant de profondes vallées, avec des vues superbes et un service de qualité. Certains assurent un service de navette dans la région.

Si les adresses sont parfois imprécises, des panneaux en bout de rue répertorient

souvent les différents hébergements. Hormis les grandes artères, les rues ne sont pas éclairées et, pour aller à pied, une lampe torche est précieuse.

CENTRE D'UBUD
JALAN RAYA UBUD ET ALENTOUR

Nirvana Pension & Gallery GUESTHOUSE $ (carte p. 153 ; ☑975 415 ; www.nirvanaku.com ; Jl Goutama 10 ; s/d 250 000/450 000 Rp). Des toits en *alang-alang* (chaume tissé), des portes décorées, une profusion de peintures et 6 chambres avec sdb moderne à l'écart, près d'un grand temple familial. Cours de batik sur place.

Puri Saren Agung GUESTHOUSE $$ (carte p. 153 ; ☑975 057 ; Jl Suweta 1 ; ch à partir de 65 $US ; ✱). Dans le palais de la famille royale d'Ubud, des pavillons balinais traditionnels, avec lits à baldaquin, meubles anciens, eau chaude et grande véranda derrière la cour où se tiennent les spectacles de danse.

Puri Saraswati Bungalows HÔTEL $$ (carte p. 153 ; ☑975 164 ; www.purisaraswatiubud.com ; Jl Raya Ubud ; ch 60-80 $US ; ✱☞☎). Très bien situés et plaisants, ce sont 18 bungalows-chambres aux meubles simples, agrémentés de détails sculptés et suffisamment en retrait de la rue pour ne pas souffrir du bruit. Le joli jardin donne sur l'Ubud Water Palace.

Sania's House GUESTHOUSE $ (carte p. 153 ; ☑975 535 ; sania_house@yahoo.com ; Jl Karna 7 ; ch 200 000-600 000 Rp ; @☞☎). Des animaux de compagnie évoluent dans cette pension familiale qui se distingue par une grande piscine, une immense terrasse et 25 chambres spacieuses, sommaires mais propres. Juste à côté du marché.

Agung Cottages CHEZ L'HABITANT $ (carte p. 153 ; ☑975 414 ; Jl Goutama ; ch 300 000-400 000 Rp ; ✱☞). Suivez un court chemin pour rejoindre cet enclos familial à l'ambiance rurale, très en retrait d'une rue déjà tranquille. Il comprend 6 chambres immenses et impeccables (certaines avec ventil), dans un jardin amoureusement entretenu par une adorable famille. Wi-Fi dans les parties communes.

Donald Homestay CHEZ L'HABITANT $ (carte p. 153 ; ☑977 156 ; Jl Goutama ; ch 200 000-250 000 Rp ; ☞). Les 4 chambres (certaines avec eau chaude) sont regroupées dans un joli coin de l'enclos familial.

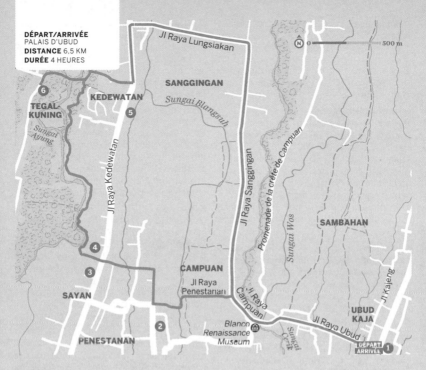

Jl Raya Lungsiakan

SANGGINGAN

KEDEWATAN

Sungai Blangsuh

TEGAL
KUNING

Sungai Ayung

Jl Raya Kedewatan

Jl Raya Sanggingan

Promenade de la crête de Campuan

Sungai Wos

SAMBAHAN

SAYAN

CAMPUAN

Jl Raya
Penestanan

Jl Raya
Campuan

Jl Kajeng

Jl Raya Ubud

UBUD
KAJA

PENESTANAN

Blanco
Renaissance
Museum

*Sungai
Cerik*

DÉPART
ARRIVÉE

Promenade
Penestanan et Sayan

❯ Cette promenade permet de découvrir
les merveilles de la Sungai Ayung
(rivière Ayung) ; vous passerez au pied des
somptueux hôtels qui surplombent cette
luxuriante vallée tropicale.

Au départ du ① **palais d'Ubud**, prenez
Jl Raya Ubud vers l'ouest. Au pont de
Campuan (remarquez le vieux pont juste
au sud du pont moderne), après le Blanco
Renaissance Museum, une rue escarpée,
Jl Raya Penestanan, grimpe, tourne à
gauche et serpente dans le ravin boisé
de la Sungai Blangsuh jusqu'au village
d'artistes de ② **Penestanan**. À l'ouest de
Penestanan, prenez une petite route qui
file vers le nord (avant la grand-route) et
contourne Sayan, où la maison de Colin
McPhee, décrite dans le classique *A House
in Bali,* est devenue le ③ **Sayan Terrace**.
Une vue superbe domine la vallée de la
majestueuse ④ **Sungai Ayung**. Juste
au nord de l'hôtel, avant les chambres,
de petits sentiers mènent à la rivière.
(La descente peut être difficile ; des

habitants vous guideront moyennant un
pourboire de quelque 5 000 Rp).

En suivant les pistes accidentées vers
le nord, le long de la rive est de la rivière,
vous traverserez des pentes abruptes,
des rizières, des canaux d'irrigation et des
tunnels. Pour beaucoup, c'est la meilleure
partie de la marche, car elle passe par une
épaisse jungle tropicale. Ne cherchez pas
un chemin spécifique, mais laissez-vous
guider par votre humeur, pour autant que
vous continuiez à longer lentement la rivière
vers le nord. Après 1,5 km environ, on
atteint l'arrivée de la plupart des excursions
de rafting, d'où un bon sentier abrupt
rejoint la grand-route à ⑤ **Kedewatan**.
Vous pouvez ensuite revenir à Ubud ou
traverser la rivière sur un pont proche et
grimper de l'autre côté jusqu'au village de
⑥ **Tegalkuning**, ignoré des touristes, un
détour de 1 km aller-retour. Vous rejoindrez
ensuite Ubud par Jl Raya Sanggingan,
jalonnée de boutiques et de cafés.

Raka House GUESTHOUSE $
(carte p. 153 ; ☑976 081 ; www.rakahouse.com ;
Jl Maruti ; ch 200 000-350 000 Rp ; ☎☒). Les
6 chambres sont groupées au fond d'un
enclos familial sans place perdue, avec
une petite piscine trapézoïdale. Autres
choix alentour.

NORD DE JALAN RAYA UBUD

Padma Accommodation GUESTHOUSE $
(carte p. 153 ; ☑977 247 ; aswatama@hotmail.
com ; Jl Kajeng 13 ; ch 200 000-300 000 Rp).
Dans un jardin tropical, les 5 bungalows
(dont 2 récents) sont décorés d'artisanat
local et les sdb modernes en plein air disposent d'eau chaude. Nyoman Sudiarsa, un
peintre de la famille des gérants, possède
un atelier sur place et partage volontiers
son savoir.

Lecuk Inn GUESTHOUSE $
(carte p. 153 ; ☑973 445 ; bahula_lecuk@yahoo.
com ; Jl Kajeng 15 ; ch 125 000-200 000 Rp).
Parmi les nombreux hébergements bon
marché de Jl Kajeng, celui-ci, dont les
6 chambres ont réfrigérateur, eau chaude
et terrasse, donne sur une vallée. Excellent
choix central.

Eka's Homestay CHEZ L'HABITANT $
(carte p. 153 ; ☑970 550 ; Jl Sriwedari 8 ;
ch 150 000-200 000 Rp). Demeure de Wayan
Pasek Sucipta, un professeur de musique
balinaise, ce joli enclos familial loue
7 chambres monacales, avec eau chaude.
C'est un endroit ensoleillé, dans une rue
tranquille (sauf pendant les répétitions).

MONKEY FOREST ROAD

♥ **Oka Wati Hotel** HÔTEL $$
(carte p. 153 ; ☑973 386 ; www.okawa-
tihotel.com ; près de la Monkey Forest Rd ;
ch 55-95 $US ; ❋☎☒). Cet hôtel, auquel on
accède par d'étroits sentiers, appartient à

**ⓘ LOCATIONS
À LONG TERME**

Dans la région d'Ubud, de
nombreuses maisons sont
proposées à la location ou à la
colocation. Consultez les tableaux
d'affichage de la Pondok Pecak
Library (p. 147), d'Ubud Tourist
Information (p. 169), du Bali Buddha
(p. 160), ainsi que le journal gratuit
Bali Advertiser (www.baliadvertiser.
biz). Les prix démarrent autour de
250 $US/mois.

la charmante Oki Wati, qui a grandi près
du palais d'Ubud. Les 19 chambres, avec
lits à baldaquin, possèdent une grande
véranda où le personnel attentionné vous
sert le petit-déjeuner ; certaines bénéfi-
cient de la vue sur une petite rizière et sur
la vallée.

Sri Bungalows GUESTHOUSE $$
(carte p. 153 ; ☑975 394 ; www.sribun-
galowsubud.com ; Monkey Forest Rd ;
ch 500 000-800 000 Rp ; ❋@☎☒). Une
adresse très appréciée pour son Wi-Fi
gratuit et sa splendide vue sur les rizières,
à condition d'avoir l'une des confortables
chambres avec chaise longue et vue.

Komaneka HÔTEL $$$
(carte p. 153 ; ☑976 090 ; www.komaneka.
com ; Monkey Forest Rd ; ch 150-350 $US ;
❋@☎☒). D'une élégance discrète, c'est
l'hôtel le plus luxueux à proximité du
centre d'Ubud. Cocotiers, profusion de
fleurs et bambous font de son jardin
l'image même des tropiques. Chambres
avec sdb en marbre. Piscine privative
pour certaines. Demandez une chambre
avec balcon et vue sur le paysage
verdoyant alentour.

Lumbung Sari GUESTHOUSE $$
(carte p. 153 ; ☑976 396 ; www.lumbungsari.com ;
Monkey Forest Rd ; ch 65-120 $US ; ❋@☎☒).
Des œuvres d'art ornent les murs de l'élégant Sari. Les 8 chambres (avec ventil ou
clim, Wi-Fi ou non) sont équipées d'une
belle sdb avec sol en terrazzo et baignoire.
Le petit-déjeuner est servi dans un ravis-
sant *bale* (pavillon traditionnel) près de la
piscine.

Mandia Bungalows GUESTHOUSE $
(carte p. 153 ; ☑970 965 ; mandiabun-
galow@gmail.com ; Monkey Forest Rd ;
ch 250 000-300 000 Rp ; ☎). Dans un jardin
fleuri d'héliconias, des cocotiers abritent
les 4 bungalows (ventil), tenus par des gens
adorables. De confortables chaises longues
agrémentent les vérandas.

Ubud Inn HÔTEL $$
(carte p. 153 ; ☑975 071 ; www.ubudinn.com ;
Monkey Forest Rd ; ch 50-135 $US ; ❋☎☒).
Oasis luxuriante au cœur de la ville, l'Ubud
Inn compte 34 chambres. Les plus simples
disposent d'un ventil, les autres sont vastes
et dotées d'un réfrigérateur (pas de Wi-Fi).
La piscine en forme de L comprend une
pataugeoire.

Warsa's Garden Bungalows GUESTHOUSE $
(carte p. 153 ; ☑971 548 ; warsabun-
galow@gmail.com ; Monkey Forest Rd ;

Centre d'Ubud

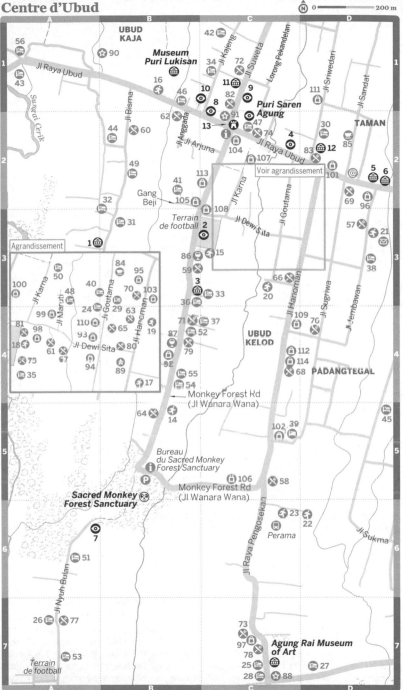

Centre d'Ubud

ch 350 000-450 000 Rp ; ✱ ☷). Une grande piscine avec fontaines contribue à l'attrait de cet hébergement simple et confortable au cœur de la Monkey Forest. Une entrée d'enclos familial donne accès aux 24 chambres (avec baignoire ou non, clim ou ventil).

Loka House GUESTHOUSE $
(carte p. 153 ; ☎973 326 ; près de la Monkey Forest Rd ; ch 200 000-250 000 Rp). L'entrée luxuriante donne le ton de cet endroit paisible où le bâtiment principal surplombe un petit bassin à carpes et des rizières. Les 4 chambres (dont 1 avec baignoire) ont ventil et eau chaude.

JALAN BISMA

♥ **Sama's Cottages** GUESTHOUSE $$
(carte p.153 ; ☎973481 ; www.samascottage-subud.com ; Jl Bisma ; ch 330 000-650 000 Rp ; ☎☷). Cette charmante retraite en terrasses à flanc de coteau comporte 10 bungalows qui conjuguent style balinais et absolue simplicité. La piscine ovale semble perdue dans la jungle. Réductions hors saison.

Honeymoon Guesthouse GUESTHOUSE $$
(carte p.153 ; ☎977 409 ; www.casalunabali.com ; Jl Bisma ; ch 50-100 $US ; ✱@☎☷). Tenues par le clan de la Casa Luna, les 30 chambres (parfois un peu sombres) ont toutes terrasse et baignoire et pour certaines clim et

UBUD ET SES ENVIRONS OÙ SE LOGER

Wi-Fi. Aire de jeux pour enfants. Certaines chambres spacieuses sont situées dans une annexe, d'autres occupent un complexe de l'autre côté de la rue.

Pondok Krishna GUESTHOUSE $
(carte p. 153 ; ☎0815 5821 8103 ; kriz_tie@yahoo.com ; Jl Bisma ; ch 250 000-300 000 Rp ; ✳@🛜🏊). À l'ouest de Jl Bisma, au milieu des rizières et des grenouilles, cet enclos familial loue 4 chambres, avec un espace commun ouvert parfait pour se dorer au soleil.

Ina Inn GUESTHOUSE $
(carte p. 153 ; ☎971 093 ; Jl Bisma ; ch 250 000-300 000 Rp ; 🛜🏊). Depuis le jardin luxuriant, vous pourrez admirer Ubud et les rizières. Les 10 chambres avec ventil sont simples, propres et confortables ; la piscine parfaite après une journée de marche (sinon, les chambres sont équipées de baignoires).

PADANGTEGAL ET TEBESAYA

💙 **Matahari Cottages** GUESTHOUSE $$
(carte p. 153 ; ☎975 459 ; www.matahariubud.com ; Jl Jembawan ; ch 50 90 $US ; ✳🛜🏊). Cet endroit merveilleux loue 6 chambres à thème, dont la "Batavia Princess" et l'"Indian Pasha". La bibliothèque semble sortie des années 1920. Il

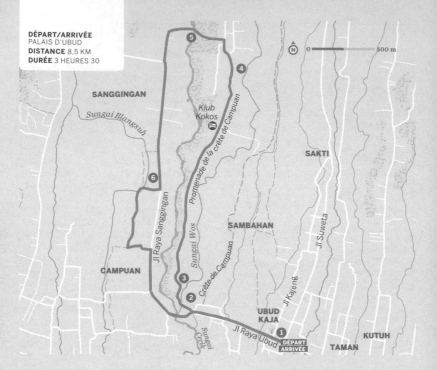

DÉPART/ARRIVÉE
PALAIS D'UBUD
DISTANCE 8,5 KM
DURÉE 3 HEURES 30

SANGGINGAN

Sungai Blangsuh

Klub Kokos

SAKTI

Promenade de la crête de Campuan

SAMBAHAN

Jl Suweta

Sungai Wos

Jl Raya Sanggingan

CAMPUAN

Crête de Campuan

Jl Kajeng

UBUD KAJA

Sungai Cerik

Jl Raya Ubud

DÉPART ARRIVÉE

TAMAN

KUTUH

Promenade
de la crête de Campuan

❯ Cette promenade passe au-dessus de la luxuriante vallée de la rivière Sungai Wos, offrant des vues sur le Gunung Agung, des petits villages et des rizières.

Au départ du ❶ **palais d'Ubud**, suivez Jl Raya Ubud vers l'ouest. Campuan ("là où deux rivières se rencontrent") se situe au confluent de la Sungai Wos et de la Sungai Cerik. Sa végétation luxuriante et ses rivières tumultueuses ont attiré les peintres occidentaux dans les années 1930. La promenade part de Jl Raya Campuan, au niveau des ❷ **Ibah Luxury Villas**. Entrez dans l'allée de l'hôtel et prenez le chemin sur la gauche, où une passerelle traverse la rivière vers le paisible petit ❸ **Pura Gunung Lebah**. Suivez le chemin en ciment vers le nord et grimpez jusqu'à la crête entre les deux rivières. Des champs d'herbe à éléphant, utilisée pour les toits de chaume, couvrent les deux versants. Les rizières s'étagent au-dessus d'Ubud sur toutes les collines alentour. Une myriade de sacs en plastique et autres éléments pittoresques flottent au vent : les fermiers

les ont accrochés à ces longues perches, espérant, souvent en vain, qu'ils serviront d'épouvantails aux oiseaux grands amateurs de riz.

Continuant vers le nord le long de la crête de Campuan, la route passe par le Klub Kokos, puis s'améliore alors qu'elle traverse des rizières et le village de ❹ **Bangkiang Sidem**. À la lisière du village, une route non signalée part vers l'ouest, sinue en descendant jusqu'à la Sungai Cerik, puis grimpe jusqu'à ❺ **Payogan**. De là, vous pouvez marcher vers le sud jusqu'à la grand-route, puis suivre Jl Raya Sanggingan, remplie de petites boutiques et de galeries. Au restaurant ❻ **Mozaic**, obliquez vers l'ouest dans les chemins au niveau des rizières, alors que la route plonge, et admirez le fabuleux paysage de cours d'eau, de rizières et de villas. Si, envoûté par Ubud, vous ne voulez plus repartir, sachez que nombre de ces petits bungalows se louent au mois. Arrivé à l'escalier en béton, descendez-le pour rejoindre Campuan et Ubud.

possède également un "jungle Jacuzzi", permettant de reproduire, dans le luxe, la tradition balinaise ancienne de la baignade dans la rivière. Profitez du copieux petit-déjeuner et du thé complet servi dans un service en argent. L'établissement pratique le recyclage.

Ni Nyoman Warini
Bungalows CHEZ L'HABITANT $

(carte p. 153 ; ☑978 364 ; Jl Hanoman ; ch 120 000-150 000 Rp). Au bout d'un petit chemin qui part de Jl Hanoman, une série d'enclos familiaux louent des chambres simples et tranquilles où l'on se laisse prendre avec plaisir au rythme de la vie familiale. Les 4 chambres ont l'eau chaude et un mobilier traditionnel en bambou.

Puri Asri 2 GUESTHOUSE $

(carte p. 153 ; ☑973 210 ; Jl Sukma 59 ; ch 150 000-250 000 Rp ; 🛜🏊). Dans un enclos familial, 4 chambres de style bungalow donnent sur une vallée. Excellent rapport qualité/prix, eau chaude et jolie piscine.

Yuliati House CHEZ L'HABITANT $

(carte p. 140 ; ☑974 044 ; yuliahouse10@yahoo.com ; Jl Sukma 10 ; ch 150 000-200 000 Rp). Certaines des 9 chambres ont une baignoire et quelques-unes donnent même sur la vallée. Situé bien en retrait d'une rue paisible, cet enclos familial est idéal pour le repos.

Family Guest House CHEZ L'HABITANT $$

(carte p. 140 ; ☑974 054 ; familyhouse@telkom.net ; Jl Sukma ; ch 250 000-600 000 Rp ; 🌀🛜🏊). Une famille affairée tient ce charmant établissement. Le Cafe Wayan sert un petit-déjeuner sain avec du pain complet. Les chambres ont toutes été modernisées et la plupart ont la clim et une décoration chic. Certaines disposent d'une baignoire ; celles du haut ont un balcon donnant sur la vallée.

Biangs CHEZ L'HABITANT $

(carte p. 140 ; ☑976 520 ; Jl Sukma 28 ; ch à partir de 150 000 Rp). Dans un petit jardin, Biangs (qui signifie "maman") loue 6 chambres bien tenues, avec eau chaude. Les meilleures ont vue sur une petite vallée.

Aji Lodge CHEZ L'HABITANT $

(carte p. 140 ; ☑973 255 ; ajilodge11@yahoo.com ; Tebesaya 11 ; ch à partir de 150 000 Rp). De confortables enclos familiaux bordent un chemin à l'est de Jl Sukma. Prenez une chambre en bas de la colline, près de la rivière, pour profiter du concert des oiseaux, des insectes et des autres petites créatures.

SAMBAHAN ET SAKTI

Waka di Ume HÔTEL $$$

(carte p. 140 ; ☑973 178 ; www.wakadiumeubud.com ; Jl Suweta ; ch/villas à partir de 200/350 $US ; 🌀@🛜🏊). À 1,5 km du centre par une douce montée, cet enclos raffiné jouit d'une vue superbe sur les rizières. Styles ancien et moderne se mêlent dans les grands bungalows et les villas bénéficient d'une vue. Service parfait, mais décontracté. Le soir, l'écho des gamelans à travers les champs est magique.

Ketut's Place GUESTHOUSE $$

(☑975 304 ; www.ketutsplace.com ; Jl Suweta 40 ; ch 35-75 $US ; 🌀@🏊). Artistiquement décorées et bénéficiant d'une vue sur la vallée, les 9 chambres s'échelonnent des plus simples, avec ventil, aux luxueuses, avec clim et baignoire. Une piscine spectaculaire miroite en contrebas. Certains soirs, Ketut, une personnalité locale, sert un festin balinais.

Ubud Sari Health Resort GUESTHOUSE $$

(carte p. 140 ; ☑974 393 ; www.ubudsari.com ; Jl Kajeng ; ch avec ventil/clim 60/75 $US ; 🌀🛜🏊). Les chambres de ce célèbre spa possèdent un nom révélateur : Zen Village. Dans le jardin, des étiquettes indiquent les propriétés médicinales des plantes. Le café sert des plats bio végétariens. Les hôtes ont accès aux équipements du spa, dont le sauna et le Jacuzzi.

Klub Kokos GUESTHOUSE $$

(carte p. 140 ; ☑978 270 ; www.klubkokos.com ; ch 60-145 $US ; 🌀@🛜🏊). Une superbe marche de 1,5 km, le long de la crête de Campuan, mène à ce repaire en nid d'aigle qui regroupe une grande piscine, 7 bungalows impeccables et un café. Pour y accéder en voiture, demandez qu'on vous indique l'itinéraire par téléphone.

NYUHKUNING

♥ **Swasti Cottage** GUESTHOUSE $$

(carte p. 153 ; ☑974 079 ; www.baliswasti.com ; Jl Nyuh Bulan ; ch 500 000-950 000 Rp ; @🛜🏊). Hébergements parmi les plus inventifs et les plus attrayants d'Ubud, à seulement 5 minutes à pied de l'entrée sud de la Monkey Forest. Tenue par un charmant couple franco-balinais, cette *guesthouse* avec bungalows possède un vaste jardin soigné, abondant en produits bio (utilisés par l'excellent café). Certaines chambres occupent de simples bâtiments à étage, d'autres sont dans d'anciennes maisons traditionnelles importées de toutes les régions de Bali.

Alam Indah   HÔTEL $$
(carte p. 153 ; ☑974 629 ; www.alamindahbali.com ;
Jl Nyuh Bulan ; ch 60-140 $US ; ✳🕸📶🏊). Juste au
sud de la Monkey Forest à Nyuhkuning, cet
hôtel spacieux comporte 10 chambres super-
bement finies avec des matériaux naturels
et des motifs traditionnels. La vue sur la
vallée de Wos est splendide, surtout depuis
la piscine étagée en terrasses. La nuit, l'allée
est éclairée aux bougies.

Saren Indah Hotel   HÔTEL $$
(carte p. 153 ; ☑971 471 ; www.sarenhotel.com ;
Jl Nyuh Bulan ; ch 45-95 $US ; ✳🕸📶🏊). Au sud
de la Monkey Forest, cet hôtel dispose de
15 chambres immaculées au milieu des
rizières ; les plus belles comprennent TV
sat, réfrigérateur et jolie baignoire. Privilégiez celles à l'étage pour la vue.

PENGOSEKAN

♥ **Agung Raka**   HÔTEL DE CHARME $$
(carte p. 153 ; ☑975 757 ; www.agun-
graka.com ; Jl Raya Pengosekan ; ch/bungalows
95/120 $US ; ✳🕸🏊). Vaste hôtel d'un
excellent rapport qualité/prix installé dans
les magnifiques rizières au sud d'Ubud.
Les chambres à la décoration balinaise
sont grandes, mais les vraies merveilles
ici sont les bungalows, installés sur des
rizières en terrasses parmi les palmiers.
Le soir, relaxez-vous en écoutant chanter
les insectes et les oiseaux et en admirant
le paysage.

Arma Resort   HÔTEL $$$
(carte p. 153 ; ☑976 659 ; www.armabali.com ;
Jl Raya Pengosekan ; ch 100-175 $US, villas à
partir de 250 $US ; ✳@🕸📶🏊). Immergez-vous
dans la culture balinaise en séjournant
dans cette vaste propriété, comprenant
une grande bibliothèque et un élégant
jardin. Les villas disposent d'une piscine
privée. Le superbe musée du même nom
se trouve ici.

Casa Ganesha Hotel   HÔTEL $$
(carte p. 153 ; ☑971 488 ; www.casaganesha.com ;
Jl Raya Pengosekan ; ch 600 000-700 000 Rp ;
✳🕸📶🏊). Bon hébergement de catégorie
moyenne dans un endroit fabuleux, juste
au sud du centre d'Ubud. Les 24 chambres
simples avec terrasse ou balcon occupent
des bâtiments à étage répartis autour de la
piscine. Jolies rizières à proximité.

PELIATAN

♥ **Maya Ubud**   HÔTEL DE LUXE $$$
(carte p. 140 ; ☑977 888 ; www.mayaubud.
com ; Jl Gunung Sari Peliatan ; ch à partir de
270 $US ; ✳@🕸📶🏊). Cette vaste propriété,

l'un des plus beaux grands hôtels des
environs d'Ubud, s'intègre parfaitement
dans la vallée et les rizières alentour. Les
108 chambres et villas, ouvertes, harmonieuses, aménagées avec des matériaux
traditionnels, sont typiques de la touche
balinaise. La cheffe réputée Kath Town-
send supervise la cuisine avec talent.

CAMPUAN ET SANGGINGAN

♥ **Warwick Ibah Luxury
Villas & Spa**   HÔTEL $$$
(carte p. 153 ; ☑974 466 ; www.warwickibah.
com ; près de Jl Raya Campuan ; ste 200-300 $US,
villas 400-600 $US ; ✳@🕸📶🏊). Surplombant
les eaux grondantes de la Wos, l'Ibah
compte 15 suites et villas spacieuses d'un
luxe raffiné, combinant éléments anciens
et modernes. Chacune pourrait figurer
dans un magazine de déco. La piscine à
flanc de coteau est entourée de jardins et
de sculptures.

Hotel Tjampuhan   HÔTEL $$
(carte p. 140 ; ☑975 368 ; www.tjampuhan-
bali.com ; Jl Raya Campuan ; ch 105-215 $US ;
✳@🏊). Ce vénérable établissement
surplombe la confluence de la Sungai Wos
et de Campuan. L'artiste allemand Walter
Spies vivait ici dans les années 1930, et sa
maison, qui peut accueillir 4 personnes
(240 $US), fait partie de l'hôtel. Les
bungalows à flanc de colline offrent une
vue grandiose sur la vallée.

Pita Maha   HÔTEL $$$
(carte p. 140 ; ☑974 330 ; www.pitamaha-bali.
com ; Jl Raya Sanggingan ; villas 300-600 $US ;
✳@🕸📶🏊). Une perspective dégagée sur la
vallée et les rizières caractérise cet hôtel
au luxe discret. Les 24 villas de style tradi-
tionnel sont soignées dans les moindres
détails. Les plus chères jouissent d'une vue
superbe et d'une piscine privée (la piscine
à débordement principale pourrait aussi
vous séduire).

Pager Bungalows   GUESTHOUSE $$
(carte p. 153 ; ☑975 433 ; Jl Raya Campuan ;
ch 50-100 $US, villas 100 $US ; 📶). Gérée par
le peintre Nyoman Pageh et sa famille,
cette adorable pension se tient sur un
coteau verdoyant. Deux grands bungalows
font face à l'enclos et 5 autres chambres
confortables jouissent d'une vue. La villa
familiale est un appartement équipé.

PENESTANAN

♥ **Santra Putra**   GUESTHOUSE $
(carte p. 140 ; ☑977 810 ; karjabali@yahoo.
com ; près de Jl Raya Campuan ; ch 25-35 $US ;

☎). Tenu par l'artiste abstrait de renommée internationale I Wayan Karja (qui a son atelier-galerie sur place), le Santra Putra compte 5 grandes chambres aérées, avec eau chaude et vue sur les rizières. L'artiste offre des cours de peinture et de dessin.

Villa Nirvana HÔTEL DE CHARME **$$$**
(carte p. 140 ; ☑979 419 ; www.villanirvanabali. com ; Penestanan ; ch 145-290 $US ; ✳☎🌐⛲). Rien que l'accès est un enchantement : soit depuis l'ouest, par un sentier de 150 m dans une petite vallée, soit depuis l'est, par un chemin à travers une rizière qui démarre au sommet de marches abruptes. Dans cette magnifique retraite, conçue par l'architecte local Awan Sukhro Edhi, vous pourrez pratiquer le yoga.

Indo French Villa GUESTHOUSE **$$**
(carte p. 140 ; ☑0813 3866 9028, 790 4518 ; nengahkuntia@hotmail.com ; villa 35-80 $US ; ☎⛲). Une série de chemins à travers les rizières vous mène à cet ensemble de 2 villas. La plus petite, avec ses 2 niveaux, sa cuisine et sa petite piscine, est une affaire. La seconde est aussi très intéressante avec sa piscine et ses nombreux raffinements.

Melati Cottages HÔTEL **$$**
(carte p. 140 ; ☑974 650 ; www.melati-cottages. com ; Jl Raya Penestanan ; ch 30-60 $US ; ✳🌐⛲). Au milieu des rizières mais bien ombragé, le Melati propose des chambres un peu spartiates dans des bungalows à étage. Leurs vérandas permettent de goûter la fraîcheur de la nuit et les bruits de la campagne.

SAYAN ET VALLÉE D'AYUNG

♥ **Sayan Terrace** HÔTEL **$$**
(carte p. 140 ; ☑974 384 ; www.sayan-terraceresort.com ; Jl Raya Sayan ; ch/villas 130/250 $US ; ✳🌐⛲). En contemplant la vallée de Sayan depuis ce vénérable hôtel, vous comprendrez pourquoi McPhee a choisi cet endroit décrit dans *A House in Bali*. Ses 11 chambres et villas spacieuses, simplement décorées, valent tous les hôtels de luxe : la vue est époustouflante ! Thé de l'après-midi inclus dans le prix.

🌿 **Bambu Indah** GUESTHOUSE **$$$**
(hors carte p. 140 ; ☑975 124 ; www. bambuindah.com ; maison 100-350 $US ; 🌐🌐⛲). John Hardy a vendu, en 2007, son entreprise de bijouterie pour devenir hôtelier : sur une crête près de Sayan et de sa chère Sungai Ayung, il a réuni 7 maisons

royales javanaises centenaires et les a meublées avec goût. Plusieurs dépendances contribuent à créer un village hors du temps, revu avec un luxe discret et géré selon des critères très écologiques.

Amandari HÔTEL **$$$**
(☑975 333 ; www.amanresorts.com ; ste à partir de 850 $US ; ✳🌐🌐⛲). Dans le village de Kedewatan, l'Amandari n'est que charme et grâce. La vue sur la jungle et la rivière, ainsi que la piscine de 30 m carrelée de vert, qui semble se déverser dans la vallée, font partie de ses merveilles. Les 30 pavillons privés sont irrésistibles.

Four Seasons Resort HÔTEL **$$$**
(carte p. 140 ; ☑977 577 ; www.fourseasons.com ; ste/villas à partir de 450/700 $US ; ✳🌐🌐⛲). Sous la crête de la vallée, la réception en plein air est un concentré de la beauté d'Ubud. Les villas modernes, superbement aménagées, jouissent d'une vue splendide et, souvent, d'une piscine privée. Le soir, on n'entend que le bruit de l'eau en contrebas. Service irréprochable.

Tamen Bebek HÔTEL **$$$**
(carte p. 140 ; ☑975 385 ; www.tamanbebekbali. com ; Jl Raya Sayan ; ch 180-500 $US ; ✳🌐⛲). La vue spectaculaire sur la vallée de Sayan risque de vous river à votre terrasse. Les 11 chambres et villas sont construites dans le style balinais, en bois et en chaume. L'entrée de l'hôtel partage un nouvel et élégant espace commun avec le Sayan Terrace.

✖ Où se restaurer

Les cafés et restaurants d'Ubud comptent parmi les meilleurs de Bali. On peut y savourer une authentique cuisine balinaise, ainsi que d'autres cuisines asiatiques et internationales.

Beaucoup utilisent avec art les éléments naturels, et certains bénéficient d'un cadre paisible avec vue sur les rizières. De nombreux établissements servent d'excellents cafés et jus de fruits. Très répandus, les *warung* proposent de savoureux plats indonésiens à petits prix. À Ubud, la vie nocturne s'éteint rapidement après la dernière note de gamelan : dînez avant 21h pour ne pas trouver porte close. Les restaurants haut de gamme viennent chercher et raccompagnent leurs clients sur demande.

De bons marchés paysans bio ont lieu chaque semaine, au Pizza Bagus (p. 164) et à l'Arma Museum (p. 141). Le Bali Buddha (p. 160) est également une bonne option. Des produits bio figurent souvent à la carte.

OÙ CHOISIR SON HÉBERGEMENT À UBUD ?

Préférez-vous l'animation du centre ou le calme de la campagne ? La vue sur une rizière ou une chambre au décor raffiné ? Vous aurez l'embarras du choix. Voici les principaux endroits entre lesquels choisir.

Centre d'Ubud

Le cœur originel d'Ubud abrite un vaste choix d'hébergements qui ont pour avantage d'épargner longues marches ou "transports". Près de Jl Raya Ubud, évitez les chambres où monte le bruit de la grand-rue. Les petites rues tranquilles à l'est, dont Jl Karna, Jl Maruti et Jl Goutama, abritent de nombreuses chambres chez l'habitant. Au nord de Jl Raya Ubud, des rues comme Jl Kajeng et Jl Suweta sont des quartiers hors du temps : les gamins jouent dans la rue et les femmes reviennent du marché, portant leurs courses sur la tête. De même pour la longue Monkey Forest Rd, où se situe la plus forte concentration de logements. Jl Bisma débouche sur un plateau couvert de rizières. De nouveaux hébergements fleurissent chaque jour, souvent dans les rizières.

Padangtegal et Tebesaya

À l'est du centre d'Ubud, sans être trop éloigné, Padangtegal offre plusieurs hébergements bon marché dans Jl Hanoman. Un peu plus à l'est, le village paisible de Tebesaya se résume quasi à une grand-rue, Jl Sukma, bordée de deux cours d'eau. En dévalant de petits sentiers, on découvre d'adorables chambres d'hôtes.

Sambahan et Sakti

En allant vers le nord depuis Jl Raya Ubud, on rejoint vite les rizières en terrasses où se nichent d'intéressants hôtels, souvent luxueux. De là, une belle marche de moins d'une heure peut vous ramener dans le centre.

La chaîne d'épicerie Delta Mart a diverses succursales pas franchement conseillées (elles prétendent, par exemple, souvent n'avoir que de l'eau importée et chère). Les Circle Ks sont plus fiables et ouverts 24h/24. Le **Delta Dewata Supermarket** (carte p. 140 ; 973 049 ; Jl Raya Andong) offre un très grand choix. Bien situé, le **Bintang Supermarket** (carte p. 140 ; Bintang Centre, Jl Raya Campuan) offre également une bonne sélection de produits d'alimentation et de base. Le marché alimentaire traditionnel (carte p. 140) mérite la visite pour son festival de denrées tropicales, malgré les constructions à proximité.

CENTRE D'UBUD

JALAN RAYA UBUD ET ALENTOUR

Des restaurants de qualité et très fréquentés jalonnent la grand-rue d'Ubud.

Kué   CAFÉ $
(carte p. 153 ; 976 7040 ; Jl Raya Ubud ; plats 30 000-80 000 Rp ;). Cette boulangerie-pâtisserie bio haut de gamme fait de succulents gâteaux, chocolats, sandwichs bio ou plats indonésiens à grignoter sur un des tabourets du rez-de-chaussée ou, plus tranquillement, dans le joli café à l'étage.

Bali Buddha   CAFÉ $
(carte p. 153 ; Jl Jembawan 1 ; plats à partir de 30 000 Rp ;). Ce restaurant aéré propose des recettes végétariennes : *jamu* (remontant), salades, curries de tofu, crêpes salées, pizzas et glaces. Salle confortable, éclairée à la bougie le soir. Au rez-de-chaussée, un marché vend fruits et légumes bio, superbes muffins aux myrtilles, pain et cookies. Le panneau est rempli d'affiches sur Ubud.

Rendezvousdoux   FRANÇAIS $
(carte p. 153 ; 747 0163 ; Jl Raya Ubud 14 ; plats 30 000-80 000 Rp ;). Café, bibliothèque et librairie, aux influences françaises, l'endroit le plus intéressant de la rue, avec de la musique du monde (parfois live) et des documentaires sur Ubud.

Lada Warung   INDONÉSIEN $
(carte p. 153 ; Jl Hanoman ; plats à partir de 30 000 Rp ;). Vous pouvez commander à la carte dans ce *warung* propre à la façade ouverte ou venir tôt pour déjeuner. Divers excellents plats au choix. Ceux qui arrivent le plus tôt ont les meilleurs assortiments.

Nyuhkuning

Quartier très prisé, au sud de la Monkey Forest, Nyuhkuning abrite des bungalows et des hôtels d'une grande créativité, pas très loin à pied du centre.

Pengosekan

Pengosekan est parfait pour le shopping, les restaurants et les activités comme le yoga.

Campuan et Sanggingan

La route longue et pentue portant le nom de ces deux villages est bordée, côté est, de luxueuses propriétés qui donnent sur la luxuriante vallée.

Penestanan

Juste à l'ouest du pont de Campuan, Jl Raya Penestanan, une route raide qui part vers la gauche, grimpe vers Penestanan, vaste plateau couvert de rizières. Ceux qui cherchent un hébergement bon marché ou une location à long terme trouveront là des chambres simples et des bungalows. En sillonnant les étroits sentiers, vous êtes sûr de découvrir de nombreuses options à divers prix. On peut également accéder à Penestanan par une succession de volées d'escaliers abrupts en ciment qui part de Jl Raya Campuan, avec, en récompense, des vues magnifiques et des petits ruisseaux qui courent entre les champs.

Sayan et vallée d'Ayung

À 2 km à l'ouest d'Ubud, la Sungai Ayung, au cours rapide, a creusé une profonde vallée. Certains des plus beaux hôtels de Bali surplombent cette vallée aux versants tapissés d'une épaisse forêt pluviale ou entaillés de rizières en terrasses.

UBUD ET SES ENVIRONS OÙ SE RESTAURER

Casa Luna INDONÉSIEN **$$**
(carte p. 153 ; 977 409 ; Jl Raya Ubud ; plats à partir de 50 000 Rp). Parmi les plats indonésiens créatifs figurent les succulentes brochettes en bambou d'émincés de fruits de mer au satay (avec une dizaine d'épices). Sa célèbre boulangerie prépare, entre autres, d'excellents pains, pâtisseries et gâteaux. La propriétaire, Janet de Neefe, est l'organisatrice du fameux festival des écrivains et lecteurs d'Ubud (p. 150).

Warung Schnitzel ALLEMAND **$$**
(carte p. 153 ; Jl Sriwedari 2 ; plats à partir de 50 000 Rp). Ce restaurant à étages réussit à associer la classique escalope panée (*Schnitzel*) aux ingrédients balinais. Les résultats sont délicieux et le choix est vaste. Au menu également : spécialités de fruits de mer, salades fraîches et autres plats balinais. Belle vue et légère brise au dernier étage.

Clear FUSION **$$**
(carte p. 153 ; 0818 553 015 ; Jl Hanoman ; plats 4-15 $US). Dans ce restaurant, qui se la joue un peu Hollywood dans son concept à la fois sain et créatif, il faut enlever ses chaussures à l'entrée et apporter sa bouteille pour accompagner des plats du genre nouilles de soba, crudités et tofu au curry. Le tout fait avec art. Désormais, un comptoir à l'avant propose aussi des pique-niques et en-cas.

NORD DE JALAN RAYA UBUD

Rumah Roda BALINAIS **$**
(carte p. 153 ; 975 487 ; Jl Kajeng 24 ; plats 15 000-30 000 Rp ;). Au-dessus de Threads of Life, Roda sert des plats balinais incroyablement bon marché et authentiques. La grande famille Roda vit ici et utilise des recettes transmises de génération en génération. Vous pouvez commander un festin à l'avance pour 35 000 Rp/personne.

Warung Ibu Oka BALINAIS **$**
(carte p. 153 ; Jl Suweta ; plats 30 000-50 000 Rp ; 11h-16h). Il y a foule au déjeuner en face du palais d'Ubud : tous attendent le *babi guling* rôti balinais (cochon de lait). Rejoignez la file d'attente, puis installez-vous sous l'abri pour déguster un repas des plus authentiques à Ubud. Commandez un *spesial* pour obtenir le meilleur morceau. Arrivez tôt pour éviter les cars de touristes.

Localista CAFÉ **$**
(carte p. 153 ; Jl Suweta 5 ; en-cas à partir de 20 000 Rp). Idéal pour un *cupcake* à Ubud,

VAUT LE DÉTOUR

LE BIO WARUNG AU BOUT DU CHEMIN

Le **Warung Bodag Maliah** (carte p. 140 ; ☑780 1839 ; plats à partir de 30 000 Rp ; ☺11h-16h), un petit café installé au milieu d'une grande ferme bio appartenant à la célèbre enseigne locale, Sari Organik, est accessible au cours d'une agréable balade d'une heure environ, dans un joli cadre, sur un plateau surplombant les rizières en terrasses et les vallées.

La nourriture est saine, mais après le chemin parcouru pour s'y rendre, on apprécie surtout les boissons rafraîchissantes. Prenez un petit chemin qui part de Jl Raya Ubud et passe devant les Abangan Bungalows, puis suivez les panneaux sur 800 m le long des sentiers.

Une fois dans les luxuriantes rizières, vous pouvez poursuivre vers le nord tant que vous le voulez ou pouvez. De sentiers des deux côtés conduisent à de petites rivières.

ce mignon petit café est tenu par Soma Helmi, dont le père, Rio, possède une galerie à côté. Les autres pâtisseries, comme les brownies, sont bonnes aussi. Excellents cafés, thés et chocolats chauds.

MONKEY FOREST ROAD

Three Monkeys ✦ FUSION $$
(carte p. 153 ; Monkey Forest Rd ; plats à partir de 80 000 Rp). Prenez un cocktail à la purée de fruits de la passion avec le coassement des grenouilles des rizières en fond sonore. Les torches tiki apportent une ambiance magique. En journée : sandwichs, salades et glaces. Le soir : carte fusion de spécialités asiatiques (excellents rouleaux aux crevettes), pâtes et steaks.

Laughing Buddha INDONÉSIEN $
(carte p. 153 ; ☑970 928 ; Monkey Forest Rd ; plats 40 000-70 000 Rp ; ☎). Plus raffiné que le *warung* moyen, ce café sans prétention sert une bonne cuisine indonésienne conçue pour flatter les palais occidentaux. Installez-vous sur le banc en face pour profiter de la parade des singes de la forêt.

Bumbu Bali INDONÉSIEN $$
(carte p. 153 ; ☑976 698 ; Monkey Forest Rd ; plats 60 000-150 000 Rp). Bonne adresse pour de la cuisine balinaise au cœur d'Ubud, avec des plats comme le *lawar* (salade de haricots verts), l'*ayam pelalah* (salade de poulet émincé épicée) ou le *sambal goreng udang* (crevettes dans une sauce piquante au lait de coco). Cours de cuisine sur place (voir p. 153).

Coffee & Silver CAFÉ $
(carte p. 153 ; ☑975 354 ; Monkey Forest Rd ; en-cas à partir de 20 000 Rp ; ☺10h-0h). Endroit confortable avec terrasse proposant tapas et plats plus conséquents. Des photos anciennes d'Ubud tapissent les murs. Prenez un café en observant les passants qui s'apprêtent à rencontrer les singes dans la forêt.

Sjaki's Warung INTERNATIONAL $
(carte p. 153 ; près de Monkey Forest Rd ; plats 20 000-30 000 Rp ; ☺9h-18h lun-ven). Ce modeste café avec vue imprenable sur le terrain de football est tenu par une fondation qui vient en aide aux jeunes handicapés mentaux. Le personnel se forme tout en servant des classiques indonésiens tels que le *nasi goreng*.

JALAN DEWI SITA ET JALAN GOUTAMA

Pas loin à pied à l'est de la Monkey Forest Rd, vous découvrirez nombre de bonnes tables variées.

Cafe Havana SUD-AMÉRICAIN $$
(carte p. 153 ; ☑972 973 ; Jl Dewi Sita ; plats à partir de 60 000 Rp). Cet élégant café dans la Dewi Sita affiche de nombreux plats d'esprit latino, dont différentes formes de porc savoureux, mais aussi des surprises telles que la crème brûlée à l'avoine du matin. La salle à l'étage est une merveille de baroque et il y a des soirées salsa.

Juice Ja Cafe CAFÉ $
(carte p. 153 ; ☑971 056 ; Jl Dewi Sita ; en-cas à partir de 20 000 Rp). Un verre de spiruline ? Un soupçon de germe de blé dans votre jus de papaye ? Fruits et légumes bio sont utilisés dans cette sympathique boulangerie-café avec terrasse. De petites brochures indiquent la provenance de produits comme les noix de cajou bio.

Tutmak Café CAFÉ $
(carte p. 153 ; Jl Dewi Sita ; plats 30 000-90 000 Rp ; ☎). Face à Jl Dewi Sita et au terrain de football, ce café aéré, sur plusieurs niveaux, a la cote pour un verre comme pour un repas. Les habitants s'y installent avec leur ordinateur portable.

Toro Sushi Café JAPONAIS **$**
(carte p. 153 ; Jl Dewi Sita ; plats à partir de
35 000 Rp). Petit restaurant à la devanture
totalement ouverte où sont suspendues
des lanternes japonaises. Ici, plutôt que
de soigner la décoration, on se concentre
sur la préparation des meilleurs sushis
de Bali. Des spécialités du jour sont
proposées.

Dewa Warung INDONÉSIEN **$**
(carte p. 153 ; Jl Goutama ; plats
15 000-20 000 Rp). Il y a des jours où la
pluie fait des claquettes sur le toit en tôle
et les ampoules nues se balancent dans le
vent. Grimpez les marches conduisant au
petit jardin où sont disposées les tables, et
régalez-vous de plats indonésiens brûlants.
Les grandes bouteilles de Bintang sont bon
marché.

JALAN BISMA

Café des Artistes BELGE **$$**
(carte p. 153 ; ☎972 706 ; Jl Bisma 9X ; plats à
partir de 120 000 Rp ; ⏰12h-23h). Perché dans
un endroit calme près de Jl Raya Ubud, ce
café prisé (réservez en haute saison) sert
une cuisine aux accents belges. Au menu
également : plats français, indonésiens et
excellents steaks. Des œuvres d'art locales
sont exposées et il règne au bar une
agréable ambiance culturelle.

PADANGTEGAL ET TEBESAYA

♥ Sopa VÉGÉTARIEN **$**
(carte p. 153 ; Jl Sugriwa 36 ; plats
30 000-60 000 Rp ; 📶📱). Sympathique
établissement prisé en plein air qui réus-
sit à capturer l'essence d'Ubud dans une
cuisine végétarienne créative et (surtout)
savoureuse aux accents balinais. Les
spécialités du jour sont exposées ; souvent
renouvelé, le *nasi campur* (riz avec accom-
pagnements) est excellent.

Kebun MÉDITERRANÉEN **$$**
(carte p. 153 ; ☎780 3801 ; www.kebunbistro.
com ; 44 Jl Hanoman ; plats à partir de 60 000 Rp).
Joli petit bistrot qui mêle les cuisines de
Napa et d'Ubud. Longue liste de vins à
accorder avec des plats français et italiens,
petits ou grands. Parmi les spécialités du
jour figurent pâtes et risottos. Terrasse
attrayante.

Kafe CAFÉ **$**
(carte p. 153 ; ☎970 992 ; www.balispirit.
com ; Jl Hanoman 44 ; plats 15 000-40 000 Rp).
Kafe propose une carte bio idéale pour les
végétariens, des cafés, des jus ou des sodas
maison. On y sert un petit-déjeuner sain,

un déjeuner avec d'excellentes salades,
des *burritos* et de nombreuses crudités.
Toujours très animé, c'est l'un des grands
lieux de rendez-vous d'Ubud.

Mama's Warung INDONÉSIEN **$**
(carte p. 140 parmi les établissements bon
marché de Tebesaya. Mama cuisine des
spécialités indonésiennes épicées et parfumées à l'ail (superbe salade d'avocat !). La
sauce aux cacahuètes préparée pour le
satay est onctueuse.

Bebek Bengil INDONÉSIEN **$**
(carte p. 153 ; Dirty Duck Diner ; ☎975 489 ;
Jl Hanoman ; plats 70 000-200 000 Rp ; ⏰11h-
22h). Ce grand et joli restaurant doit son
succès à son canard balinais croustillant,
mariné 36 heures dans les épices puis
sauté. Par les fenêtres, on aperçoit quelques
rizières, aussi menacées que les canards !

Down to Earth VÉGÉTARIEN **$**
(carte p. 153 ; Jl Gotama Selatan, près de Jl Hanoman ; plats à partir de 30 000 Rp ; 📶📱). Ce
noyau dur de la restauration végétarienne
propose, entre autres produits sains, une
boisson pour éliminer les radicaux libres.
L'interminable menu comprend nombre
de soupes, salades et assiettes aux saveurs
méditerranéennes. La salle est à l'étage,
loin des gaz d'échappement des motos.
Marché au rez-de-chaussée.

TEGES
Jl Raya Mas, qui se déroule jusqu'au village
du même nom au sud de Peliatan, possède
deux excellentes adresses de cuisine
balinaise.

♥ Warung Teges BALINAIS **$**
(carte p. 140 ; Jl Cok Rai Pudak ; plats à
partir de 20 000 Rp). Prépare le meilleur *nasi
campur* d'Ubud. Tout y est bien cuisiné,
des saucisses de porc au poulet, en passant
par le *babi guling* et même le *tempeh*.

Semar Warung BALINAIS **$$**
(www.semarwarung.com ; Jl Raya Mas 165 ; plats
à partir de 50 000 Rp). La devanture est peu
engageante, mais une fois dans la salle
aérée, le regard embrasse la verdure des
rizières alentour qui s'étendent jusqu'aux
palmiers. La vue magnifique est à l'image
de la cuisine. Le *nasi campur* est excel-
lent et présente l'éventail des plats locaux.
Idéal pour déjeuner ou prendre un verre
au coucher du soleil. L'établissement
se trouve à 1 km au sud de l'endroit où
Jl Raya Mas et Jl Raya Pengosekan se
rejoignent.

NYUHKUNING

Swasti
INTERNATIONAL **$**
(carte p. 153 ; ☑974 079 ; Jl Nyuh Bulan ; plats 40 000-80 000 Rp). Ce café-restaurant de l'hôtel éponyme justifie une balade dans la Monkey Forest. Il concocte des plats indonésiens et occidentaux frais et savoureux à base de produits de son potager bio. Goûtez ses délicieuses crêpes au chocolat avec un jus de fruits frais et guettez les spectacles de danse enfantine.

PENGOSEKAN

Nombre de restaurants très réputés bordent Jl Raya Pengosekan et il est toujours intéressant d'aller voir ce qui s'y passe de nouveau.

Pizza Bagus
PIZZERIA **$$**
(carte p. 153 ; ☑978 520 ; www.pizzabagus.com ; Jl Raya Pengosekan ; plats 40 000-100 000 Rp ; ✳☜). Outre les meilleures pizzas d'Ubud, à la pâte fine et craquante, Pizza Bagus sert des pâtes et des sandwichs, bio pour la plupart. Il comporte une terrasse, une aire de jeux et livre à domicile.

Mama Mia Pizza & Pasta
ITALIEN **$$**
(carte p. 153 ; ☑918 5056 ; Jl Raya Pengosekan ; plats à partir de 50 000 Rp). La façade rustique de ce restaurant en bord de route ne reflète pas les saveurs sophistiquées servies à l'intérieur. Grand choix de pâtes fraîches et délicieuses. Pizzas à pâte fine cuites au feu de bois. Mama Mia livre, comme son concurrent, situé en haut de la rue.

Taco Casa & Grill
MEXICAIN **$$**
(carte p. 153 ; www.tacocasabali.com ; Jl Raya Pengosekan ; plats à partir de 50 000 Rp). Le Mexique est presque aux antipodes, mais ses saveurs sont arrivées jusqu'à Bali. *Burritos, tacos* et autres spécialités étonnamment goûteuses sont préparées avec la dose parfaite de piment, de coriandre et d'autres assaisonnements.

CAMPUAN ET SANGGINGAN

♥ Mozaic
FUSION **$$$**
(☑975 768 ; www.mozaic-bali.com ; Jl Raya Sanggingan ; menus à partir de 1 250 000 Rp ; ☺18h-22h mar-dim). Le chef Chris Salans, qui supervise ce restaurant haut de gamme très réputé, revisite la cuisine française en y intégrant des influences d'Asie tropicale et en adaptant sa carte en fonction des saisons. On dîne dans un élégant jardin ou sous un pavillon orné. Sont proposés quatre menus dégustation, dont l'un d'eux est une surprise. La préparation et le service sont excellents.

Bridges
FUSION **$$$**
(carte p. 140 ; ☑970 095 ; www.bridgesbali.com ; Jl Raya Campuan ; plats 15-35 $US). Ce restaurant à étages, situé à côté de ponts, offre une vue imprenable sur la magnifique rivière. On entend l'eau s'écouler sur les rochers en contrebas pendant que l'on savoure un cocktail ou un plat. Complexe et changeant, le menu de cuisine fusion mêle spécialités asiatiques et européennes avec une touche thaïlandaise. Le soir, les vins du jour sont appréciés pendant le *happy hour*.

Warung Pulau Kelapa
INDONÉSIEN **$**
(carte p. 140 ; Jl Raya Sanggingan ; plats 15 000-30 000 Rp). Endroit prisé sur la route entre Campuan et Sanggingan, Kelapa revisite les spécialités locales. Cadre chic aux murs en teck et objets anciens. Les meilleures tables sont celles de la terrasse donnant sur l'herbe du vaste jardin.

Naughty Nuri's
BARBECUE **$$**
(carte p. 140 ; ☑977 547 ; Jl Raya Sanggingan ; plats à partir de 80 000 Rp). Légendaire repaire où se rassemblent les expatriés, plus pour déguster grillades et hamburgers que pour discuter. Les plats de thon grillé du jeudi soir sont extrêmement populaires, et attirent la foule. Les puissants martinis sont le véritable attrait. Tous pleurent la disparition de Brian Aldinger, le charismatique mari de Nuri.

PENESTANAN

Yellow Flower Cafe
INDONÉSIEN **$**
(carte p. 140 ; ☑889 9865 ; plats à partir de 30 000 Rp ; ☜). Ce café indonésien New Age est perché à Penestanan sur un petit chemin qui traverse les rizières. Non loin, on a la vue sur Ubud, mais on y vient surtout pour ses savoureux plats bio tels le *nasi campur* ou les galettes de riz. Délicieux café, gâteaux et *smoothies*.

Lala & Lili
INDONÉSIEN **$**
(carte p. 140 ; ☑0812 398 8037 ; près de Jl Raya Campuan ; plats 15 000-50 000 Rp). Les rizières ondulent devant ce modeste café, qui offre plats indonésiens et sandwichs. Apprécié de nombreux artistes expatriés, il borde un sentier sur un plateau.

KEDEWATAN

♥ Nasi Ayam Kedewatan
BALINAIS **$**
(hors carte p. 140 ; ☑742 7168 ; Jl Raya Kedewatan ; plats 15 000 Rp ; ☺9h-18h). Peu d'habitants grimpent la colline par la grand-route de Sayan sans s'arrêter à ce

UNE HÉROÏNE DE L'ANNÉE À UBUD

Depuis longtemps à Ubud, habitants et expatriés œuvrent ensemble pour le bien des Indonésiens. Les panneaux d'affichage du Bali Buddha et du Kafe annoncent des réunions et toutes sortes d'opportunités de s'investir. Ces engagements altruistes ont été médiatisés en 2011 lorsque CNN a désigné Robin Lim d'Ubud, parmi de nombreux concurrents du monde entier, comme l'héroïne de l'année ("Hero of the Year"). Chaque année, par le biais de sa **Bumi Sehat Foundation** (www.bumisehatbali.org), Lim délivre des soins médicaux, prénatals et une assistance au moment de l'accouchement à des milliers de femmes de Bali et de la province d'Aceh, à Sumatra. Il s'agit d'un incroyable investissement fournissant des services nécessaires aux femmes des villages qui ne disposent d'aucun autre accès à ces soins.

restaurant en plein air. Le *sate lilit* est une merveille : le poulet émincé est assaisonné de plusieurs épices, dont la citronnelle, puis grillé sur des brochettes en bambou. Un délice, comme les en-cas balinais traditionnels : les frites aux fruits secs et aux épices.

🍷 Où prendre un verre

Ubud ne se distingue pas par une vie nocturne débridée. Si quelques bars s'animent au coucher du soleil et en soirée, ils n'ont rien à voir avec les lieux festifs de Kuta ou de Seminyak où la bière coule à flots.

Les bars d'Ubud ferment tôt, souvent à 23h. De nombreux restaurants conviennent aussi pour un verre, tels le Naughty Nuri's et le Laughing Buddha, qui accueille de bons concerts.

💙 **Chillout Lounge** CAFÉ
(carte p. 153 ; Jl Sandat). Un nom bien à-propos, *chill out* signifiant se détendre. Les fauteuils sont répartis sur une vaste pelouse que des buissons et un mur isolent de la rue. L'espace en plein air dispose de longues tables et de bancs. Endroit idéal pour se retrouver et organiser sa soirée en s'attardant sous les étoiles. Mieux encore, les recettes sont reversées à la **Sacred Childhoods Foundation** (www.sacredchildhoods.org), une fondation à but non lucratif destinée à aider les enfants pauvres indonésiens.

Jazz Café BAR
(carte p. 140 ; Jl Sukma 2 ; ⊘17h-0h). Établissement nocturne le plus prisé d'Ubud (statut mérité malgré le manque de concurrence), le Jazz Café offre une atmosphère détendue dans un joli jardin de cocotiers et de fougères. Au menu : choix de bons plats fusion asiatiques

et longue liste de cocktails. Concert du mardi au samedi après 19h30.

Bar Luna CAFÉ
(carte p. 153 ; Jl Goutama). Tenu par les organisateurs du festival des écrivains et lecteurs d'Ubud (p. 150), ce petit café accueille des événements réguliers, notamment des lectures et débats avec des auteurs. Carte des boissons courte mais bonne et quelques plats indonésiens.

Napi Orti BAR
(carte p. 153 ; Monkey Forest Rd ; boissons à partir de 12 000 Rp ; ⊘12h-tard). Installé en étage, c'est le meilleur endroit pour un verre tardif. Sirotez-le sous les yeux de Jim Morrison et de Sid Vicious.

Uzigo BAR
(carte p. 140 ; ☑0812 367 9736 ; Jl Raya Sanggingan ; ⊘21h-2h). Les couche-tard d'Ubud se retrouvent dans ce petit club accueillant, proche du Naughty Nuri's. Des DJ, présents tous les soirs, organisent concours de danse et remises de prix.

Lebong Cafe BAR
(carte p. 153 ; Monkey Forest Rd). Cet établissement nocturne ne ferme pas avant minuit et accueille des concerts de reggae et de rock presque tous les soirs. À proximité, d'autres bons endroits pour un verre.

☆ Où sortir

Peu de découvertes se révèlent aussi magiques qu'un spectacle de danse balinaise, surtout à Ubud. Ses divertissements culturels placent Bali à part des autres destinations tropicales et incitent les visiteurs à revenir. Outre les nombreux spectacles proposés chaque soir dans la ville, Ubud constitue une bonne base pour participer aux événements des villages environnants.

SPECTACLES DE DANSE : LA REVUE DES TROUPES

Toutes les troupes de danse d'Ubud ne se valent pas. À côté de vrais artistes de renommée internationale, certains devraient songer à se reconvertir. Si vous n'êtes pas connaisseur en danse balinaise, contentez-vous de choisir une salle et profitez du spectacle.

Après quelques représentations, vous commencerez à apprécier le talent, ce qui fait partie du plaisir. Un indice : si les costumes sont sales, que l'orchestre s'ennuie et que vous pensez : "je pourrais le faire !", la troupe est sans doute quelconque.

La plupart des troupes qui se produisent à Ubud sont excellentes. En voici quelques-unes :

» **Semara Ratih** : interprétations du *legong* créatives et débordantes d'énergie.

» **Gunung Sari** : troupe de *legong*. L'une des plus anciennes de Bali et des plus respectées.

» **Semara Madya** : troupe de *kecak* ; remarquable dans les chants hypnotiques des singes. Une expérience mystique pour certains.

» **Sekaa Gong Wanita Mekar Sari** : troupe de *legong* de Peliatan, exclusivement composée de femmes.

» **Tirta Sari** : troupe de *legong*.

» **Sadha Budaya** : danse du Barong.

Danse

Si vous vous trouvez au bon endroit au bon moment, vous pourrez voir des danses exécutées dans des temples lors de cérémonies. Souvent longues, elles restent difficiles à comprendre pour les non-initiés.

Celles qui sont proposées aux visiteurs sont généralement adaptées et abrégées pour les rendre plus accessibles, et des habitants se mêlent souvent à l'assistance (ou regardent par-dessus le rideau !). Un même spectacle réunit généralement plusieurs danses traditionnelles.

Une semaine à Ubud vous permettra de découvrir le *kecak*, le *legong*, la danse du Barong, des ballets tirés du *Mahabharata* ou du *Ramayana*, le *wayang kulit* (théâtre d'ombres) et la musique du gamelan. En arrivant en ville, arrêtez-vous à l'office du tourisme pour connaître le programme des spectacles de la semaine.

Les salles accueillent habituellement plusieurs spectacles de troupes diverses dans la semaine. D'autres spectacles ont lieu dans les localités voisines, comme Batuan, Mawang et Kutuh.

Ubud Tourist Information (p. 169) vous renseignera sur les représentations et vend des billets (habituellement 80 000 Rp). Pour les spectacles en dehors d'Ubud, le transport est souvent compris dans le prix. Les billets sont également proposés au même prix par de nombreux hôtels, dans les salles et par des vendeurs ambulants autour du palais d'Ubud.

Pendant les spectacles, qui durent de 1 heure à 1 heure 30, des marchands ambulants vendent des boissons. Avant la représentation, les musiciens viennent souvent évaluer le nombre de spectateurs, car les troupes vivent de la vente des billets.

N'oubliez pas non plus d'éteindre votre portable et de ne pas faire de photos au flash, qui dérange les danseurs. N'ayez pas non plus l'impolitesse de partir au milieu du spectacle en faisant du bruit (nous avons été choqués par le nombre de gougnafiers).

Ubud Palace   DANSE TRADITIONNELLE
(carte p. 153 ; Jl Raya Ubud). Des spectacles ont lieu presque tous les soirs dans un beau décor de l'enceinte du palais, où les sculptures sont éclairées par des torches. De nombreux habitants observent le spectacle par-dessus les murs.

Pura Dalem Ubud   DANSE TRADITIONNELLE
(carte p. 153 ; Jl Raya Ubud). À l'extrémité ouest de Jl Raya Ubud, ce décor en plein air, aux pierres sculptées éclairées par les flammes, est de loin l'endroit le plus évocateur pour assister à un spectacle de danse. La troupe Semara Ratih est à découvrir.

Pura Taman Saraswati   DANSE TRADITIONNELLE
(Ubud Water Palace ; carte p. 153 ; Jl Raya Ubud). Le superbe cadre de ce palais aquatique

peut distraire du spectacle des danseurs, même si, la nuit, les nénuphars et les fleurs de lotus, si beaux de jour, ne se voient pas.

Arma Open Stage   DANSE TRADITIONNELLE
(carte p. 153 ; ☑976 659 ; Jl Raya Pengosekan). Certaines des meilleures troupes s'y produisent.

Puri Desa Gede   DANSE TRADITIONNELLE
(carte p. 140 ; Jl Peliatan). Beau lieu, bien éclairé, qui attire régulièrement certaines des meilleures troupes de Bali.

Padangtegal Kaja   DANSE TRADITIONNELLE
(carte p. 153 ; Jl Hanoman). Lieu ouvert et simple dans un endroit pratique présentant les spectacles de danse tels qu'ils sont à Ubud depuis des générations.

Puri Agung Peliatan   DANSE TRADITIONNELLE
(carte p. 140 ; Jl Peliatan). Ce décor simple, composé d'un grand mur sculpté, accueille d'excellentes représentations.

Pura Dalem Puri   DANSE TRADITIONNELLE
(carte p. 140 ; Jl Raya Ubud). En face du principal lieu de crémation d'Ubud.

Semara Ratih   DANSE TRADITIONNELLE
(carte p. 140 ; Kutuh) Scène dont le nom signifie "Esprit de Bali" ; généralement une représentation hebdomadaire.

Ubud Wantilan   DANSE TRADITIONNELLE
(carte p. 153 ; Jl Raya Ubud), *Bale* sans ornement en face de l'Ubud Palace, très simple à trouver. C'est là que les chauffeurs s'abritent de la pluie.

Théâtre d'ombres
Également écourtés pour les touristes, les spectacles traditionnels de *wayang kulit* peuvent facilement durer une nuit entière. L'**Oka Kartini** (carte p. 140 ; ☑975193 ; Jl Raya Ubud ; billets 50 000 Rp), qui possède des bungalows et une galerie, en organise régulièrement.

Le musicien **Nyoman Warsa** (carte p. 153 ; ☑974807 ; Pondok Bamboo Music Shop, Monkey Forest Rd) propose certains soirs des spectacles de marionnettes chaudement recommandés (75 000 Rp).

🛍 Achats
Ubud abrite d'innombrables boutiques et galeries d'art. Beaucoup vendent des articles ingénieux et uniques provenant de la région. À partir d'Ubud, vous pourrez facilement explorer les très nombreux magasins et ateliers d'artisanat dans les villages au nord et au sud.

Le grand marché, Pasar Seni, qui dominait autrefois l'intersection de Jl Raya Ubud et de Monkey Forest Rd, a laissé place aux constructions. Voir les détails p. 168.

L'abondant **marché alimentaire** d'Ubud (carte p. 153 ; Jl Raya Ubud ; ☺6h-13h), qui se tient tous les jours, est installé derrière le site du Pasar Seni. Il commence tôt le matin et se termine vers l'heure du déjeuner.

Quoi acheter ?
Vous pouvez passer des jours à explorer les boutiques d'Ubud. Commencez par celles de Jl Raya Ubud, Monkey Forest Rd, Jl Hanoman et Jl Dewi Sita. Vous trouverez partout des œuvres d'art, dont les prix varient en fonction de la notoriété de l'artiste. Consultez la liste des galeries. L'art et l'artisanat prospèrent également dans les villages alentour.

Ubud compte quelques créateurs de vêtements, dans Monkey Forest Rd, Jl Dewi Sita et Jl Hanoman, qui acceptent souvent de satisfaire les commandes particulières. Dans les mêmes quartiers, regardez aussi les articles pour la maison, en particulier les productions locales telles que tissages et objets anciens.

C'est à Ubud que vous trouverez le meilleur choix de livres sur Bali, notamment sur l'art et la culture. On y déniche des livres de petits éditeurs méconnus.

CENTRE D'UBUD
JALAN RAYA UBUD ET ALENTOUR
Ganesha Bookshop   LIBRAIRIE
(carte p. 153 ; www.ganeshabooksbali.com ; Jl Raya Ubud). La meilleure librairie d'Ubud dispose d'un stock impressionnant dans un petit espace. Excellent choix de titres indonésiens : essais, voyage, art, musique, romans (neufs ou d'occasion) et cartes. Personnel de bons conseils.

Smile Shop   INSTITUTION CARITATIVE
(carte p. 153 ; ☑233 758 ; www.senyumbali.org; Jl Sriwedari). Objets créatifs en tout genre vendus au profit de la Smile Foundation of Bali.

Threads of Life Indonesian Textile Arts Center   TISSUS
(carte p. 140 ; www.threadsoflife.com ; Jl Kajeng 24). Petit magasin appartenant à une fondation qui s'efforce de préserver la production traditionnelle de textile des villages balinais. Petite mais éblouissante collection de splendides étoffes tissées à la main.

Moari INSTRUMENTS DE MUSIQUE
(carte p. 153 ; ✆977 367 ; Jl Raya Ubud).
Instruments de musique balinais, neufs
ou restaurés. Offrez-vous une jolie petite
flûte en bambou pour 3 $US.

MONKEY FOREST ROAD

Ashitaba ARTICLES POUR LA MAISON
(carte p. 153 ; ✆464 922 ; Monkey Forest Rd).
Tenganan, le village aga de l'est de Bali,
produit ces splendides objets en rotin
vendus ici (et à Seminyak). Récipients,
bols, sacs à main et autres articles (à
partir de 5 $US) mettent en valeur le
tissage fin et élaboré.

Toko OBJETS ANCIENS
(carte p. 153 ; Monkey Forest Rd). Parmi une
rangée de boutiques inintéressantes, cet
élégant magasin se distingue par ses soieries, ses œuvres d'art, ses objets anciens
et d'autres merveilles superbement présentées qui vous feront évaluer les possibilités
de livraisons.

Kou Cuisine ARTICLES POUR LA MAISON
(carte p. 153 ; ✆972 319 ; Monkey Forest Rd).
Ses ravissants petits pots de confiture aux
fruits ou de sel de mer balinais feront de
parfaits cadeaux. De nombreux petits et
adorables souvenirs sont proposés.

**Pondok Bamboo
Music Shop** INSTRUMENTS DE MUSIQUE
(carte p. 153 ; ✆974 807 ; Monkey Forest Rd). Un
millier de carillons en bambou résonnent
dans cette boutique tenue par un musicien de gamelan réputé, Nyoman Warsa,
qui propose des cours de musique et des
stages de théâtre d'ombres.

Pusaka VÊTEMENTS
(carte p. 153 ; ✆978 619 ; Monkey Forest Rd 71).
"Vêtements ethniques modernes", telle est
la devise de cette boutique qui vend des
articles en coton décontractés, confortables et élégants. Les adorables peluches
maison valent 50 000 Rp.

Periplus LIVRES
(carte p. 140 ; ✆975 178 ; Monkey Forest Rd).
Chic, comme les autres succursales de la
chaîne.

JALAN DEWI SITA

♥ Sarasari ARTISANAT
(carte p. 153 ; Jl Goutama). Wakjaka,
maître de la sculpture sur masques balinais, exerce presque quotidiennement son
art dans son petit atelier. Arrêtez-vous
pour le regarder travailler, vous apprendrez beaucoup sur les traditions riches et
complexes des masques de Bali.

Kou BEAUTÉ
(carte p. 153 ; Jl Dewi Sita). Les somptueux
savons bio faits main embaument les lieux
et parfumeront vos tiroirs pendant des
semaines. Les articles sont différents de
ceux qu'offrent les boutiques de chaînes
de produits de luxe.

DE GRANDS CHANGEMENTS À UBUD

Avec la popularité grandissante d'Ubud, les rues sont de plus en plus
congestionnées et la ville déborde de touristes, ce qui, à bien des égards, rappelle
Kuta aux habitants comme aux visiteurs. Après 1 heure 30 au minimum de trajet,
les visiteurs d'un jour arrivant de Kuta se demandent bien pourquoi ils sont venus
jusqu'à Ubud.

Afin de fluidifier la circulation, de résoudre le problème du stationnement et
d'aménager des espaces piétons, le gouvernement local a annoncé de grands
projets en 2012 :

Pasar Seni (marché d'art ; carte p. 153 ; Jl Raya Ubud). Le vaste marché qui se tenait à
l'angle de Jl Raya Ubud et Monkey Forest Rd depuis des générations a été détruit.
Longtemps principal lieu d'achats des habitants, il était devenu ces dernières années
un grand marché de souvenirs bas de gamme. La nouvelle version comprendra
beaucoup moins de stands, des produits de meilleure qualité et fera face à une vaste
place ouverte où se détendre.

Terrain de football (carte p. 153). Un parking souterrain sur 3 niveaux devrait
être construit sous l'emblématique terrain de football du centre d'Ubud. D'autres
parkings seront construits en périphérie et des navettes conduiront les visiteurs
dans le centre.

Jl Raya Ubud La partie centrale de la rue principale sera fermée à la circulation et
une nouvelle rocade sera construite au nord du palais.

Kertas Gingsir PAPIER
(carte p. 153 ; Jl Dewi Sita). Jolie petite boutique spécialisée dans le beau papier artisanal à la texture épaisse, fait avec des feuilles de bananiers, d'ananas et de taro. Les plus intéressés pourront visiter la fabrique, tout est produit près d'Ubud.

Confiture Michèle ALIMENTATION
(carte p. 153 ; Jl Goutama). Pots faits à partir des fruits abondants de Bali, dans une jolie boutique odorante.

Eco Shop ACCESSOIRES
(carte p. 153 ; Jl Dewi Sita). Articles pour la maison, cadeaux, T-shirts, sacs et bien d'autres, fabriqués à partir de produits recyclés. La majeure partie des marchandises sont réalisées par des familles de travailleurs des villages balinais.

PADANGTEGAL ET PENGOSEKAN
Namaste NEW AGE
(carte p. 153 ; Jl Hanoman 64). L'endroit idéal pour acheter toute la panoplie New Age : cristaux, encens, tapis de yoga, musique d'ambiance, etc.

Tegun Galeri ARTICLES POUR LA MAISON
(carte p. 153 ; 973 361 ; Jl Hanoman 44). Superbes articles fabriqués à la main dans toute l'île et objets d'art anciens.

Gemala Jewelry BIJOUX
(carte p. 153 ; 0811 392 058 ; Jl Raya Pengose-kan). L'une des plus jolies boutiques d'Ubud pour ce qui est des bijoux dessinés et fabriqués sur place.

Goddess on the Go! VÊTEMENTS POUR FEMMES
(carte p. 153 ; Jl Raya Pengosekan). Vaste magasin au grand choix de vêtements pour femmes aventurières. Très confortables, faciles à transporter et fabriqués dans le respect de l'environnement.

Yoga Shop VÊTEMENTS
(carte p. 153 ; 970 992 ; Jl Hanoman 44). Tout pour le yoga : vêtements en coton extensible, matelas, musique, etc.

Galaxyan Atelier BIJOUX
(carte p. 153 ; 971 430 ; Jl Hanoman 3). Créations maison en argent ou en or qui ne passent pas inaperçues.

No 6 VÊTEMENTS
(carte p. 153 ; Jl Hanoman 6). Les tailles commencent à 40 dans cette boutique consacrée aux vêtements féminins qui épousent toutes les formes.

Rainbow Spirit Crystal Shop NEW AGE
(carte p. 153 ; Jl Hanoman). Ubud est le centre de toutes les formes alternatives de guérison, connues ou non. On trouve ici remèdes et objets hippies.

Arma LIVRES
(carte p. 153 ; 976 659 ; www.armamuseum.com ; Jl Raya Pengosekan ; 9h-18h). Vaste sélection d'ouvrages culturels.

AILLEURS
Neka Art Museum LIVRES
(carte p. 140 ; 975 074 ; www.museumneka.com ; Jl Raya Sanggingan ; 9h-17h). Bon choix de livres d'art.

Periplus LIVRES
(carte p. 140 ; 976 149 ; Bintang Centre, Jl Raya Campuan). Vaste espace avec un petit café.

ℹ Renseignements

Les visiteurs trouveront tous les services utiles dans les principales artères de la ville. Les tableaux d'affichage du Bali Buddha (p. 160) et du Kafe (p. 163) comportent des informations sur les logements, les emplois, les cours, etc.
De nombreuses organisations caritatives ou à but non lucratif sont installées à Ubud.

Accès Internet
Nombre d'hôtels et de cafés proposent la connexion Wi-Fi.
@Highway (972107 ; Jl Raya Ubud ; 30 000 Rp/heure ; 24h/24 ;). Un service complet et très rapide.

Argent
De nombreux bureaux de change, banques et AIM (distributeurs) sont installés dans Jl Raya Ubud et Monkey Forest Rd.

Bibliothèque
Pondok Pecak Library & Learning Centre (carte p. 153 ; 976194 ; Monkey Forest Rd ; 9h-19h). Ambiance décontractée, petit café et agréable espace de lecture. Droit de membre à acquitter pour la bibliothèque. Fondé par Laurie Billington, il se situe de l'autre côté du terrain de football.

Office du tourisme
Ubud Tourist Information (Yaysan Bina Wisata ; 973285 ; Jl Raya Ubud ; 8h-20h). Le seul office du tourisme réellement compétent de Bali. Il fournit de nombreuses informations et un tableau d'affichage annonce les activités et les événements. Le personnel vous renseignera sur la région, les cérémonies et les spectacles de danse traditionnelle. Les billets sont vendus sur place.

Poste
Poste principale (Jl Jembawan ; 8h-17h). Possède une poste restante ; faites adresser votre courrier à Kantor Pos, Ubud 80571, Bali, Indonésie.

Services médicaux

Guardian Pharmacy (Jl Raya Ubud). Pharmacie de la grande chaîne internationale.

Kimia Pharma (Jl Peliatan). Grande pharmacie de l'enseigne locale réputée.

❶ Depuis/vers Ubud

Bemo

Ubud se situe sur deux itinéraires de *bemo* : ceux qui relient Gianyar et Ubud (10 000 Rp), les plus grands *bemo* marron, qui partent de la gare routière de Batubulan à Denpasar, desservent Ubud (13 000 Rp), puis continuent vers Kintamani via Payangan. Ubud ne possède pas de gare routière de *bemo* ; il y a des arrêts dans Jl Suweta près du marché, dans le centre-ville.

Tourist Shuttle Bus

Perama (📞973316 ; Jl Hanoman ; ⊕9h-21h), qui est la principale compagnie de bus touristiques, possède un terminus pas très bien situé à Padangtegal ; vous devrez compter 15 000 Rp supplémentaires pour rejoindre Ubud.

Destination	Prix (Rp)	Durée
Candidasa	50 000	1 heure 45
Kuta	50 000	1 heure 15
Lovina	125 000	3 heures
Padangbai	50 000	1 heure 15
Sanur	40 000	1 heure

❶ Comment circuler

Beaucoup de restaurants et d'hôtels haut de gamme offrent souvent le transport à leurs clients. Renseignez-vous.

Depuis/vers l'aéroport

La course en taxi officiel de l'aéroport à Ubud coûte 210 000 Rp. Une voiture avec chauffeur pour l'aéroport revient au même prix.

Bemo

Les *bemo* ne relient pas directement Ubud aux villages voisins ; vous devrez en prendre un qui dessert Denpasar, Gianyar, Pujung ou Kintamani et descendre en chemin. Les *bemo* à destination de Gianyar suivent Jl Raya Ubud vers l'est, descendent Jl Peliatan et rejoignent Bedulu à l'est. En direction de Pujung, ils longent Jl Raya Ubud vers l'est, puis se dirigent au nord en traversant Andong et passent par l'embranchement de Petulu.

Pour Payangan, ils suivent Jl Raya Ubud vers l'ouest, grimpent le long de Jl Raya Campuan et de Jl Raya Sanggingan, puis tournent au nord au croisement après Sanggingan. Les grands *bemo* marron, qui rallient la gare routière de Batubulan, empruntent Jl Raya Ubud vers l'est, puis descendent Jl Hanoman.

Un trajet dans la région d'Ubud ne devrait pas dépasser 7 000 Rp.

Taxi

Il n'y a pas de taxi à Ubud – ceux qui vous interpellent ont généralement déposé des passagers venus du sud de Bali et espèrent rentabiliser leur retour. Mieux vaut utiliser les nombreuses voitures privées stationnées dans les rues, dont les chauffeurs hèlent les passants (les meilleurs d'entre eux possèdent un simple panneau indiquant "transport").

La plupart des conducteurs sont honnêtes ; d'autres – souvent d'une autre région – beaucoup moins. Si vous appréciez un chauffeur, prenez son numéro pour faire appel à lui lors de

---

SAUVER LES CHIENS DE BALI

Beaucoup de chiens de Bali ont la gale. Vous remarquerez que ces animaux sont malades, agressifs, abandonnés à eux-mêmes et atteints de multiples maladies.

Comment la douce île de Bali peut-elle avoir la pire population canine d'Asie (et des cas de rage déclarés en 2008) ? La simple négligence joue un grand rôle. Peu de chiens ont des maîtres et personne ne s'y intéresse.

Des associations à but non lucratif s'efforcent de changer le destin de ces chiens par des campagnes de vaccination antirabique, de stérilisation, de placement et d'éducation publique. Elles ont grand besoin de dons.

Bali Adoption Rehab Centre (Barc ; 📞790 4579 ; www.balidogrefuge.com) s'occupe d'une centaine de chiens, les place et gère une clinique de stérilisation ambulante.

Bali Animal Welfare Association (Bawa ; 📞977 217 ; www.bawabali.com). Elle gère des équipes mobiles sur toute l'île, qui vaccinent, organisent l'adoption et encouragent le contrôle des populations.

Yudisthira Bali Street Dog Foundation (📞742 4048 ; www.yudisthiraswarga.org). Basée à Denpasar, elle s'occupe chaque année de la vaccination et de la stérilisation de milliers de chiens errants.

votre séjour. Du centre d'Ubud à Sanggingan, la course revient à environ 40 000 Rp – un prix plutôt élevé. Le trajet du palais jusqu'au bout de Jl Hanoman devrait coûter environ 20 000 Rp.

On vous transportera facilement à moto ; les tarifs sont moitié moins chers qu'en voiture.

Vélo

Les boutiques qui louent des vélos les garent le long des principales artères ; votre hôtel pourra également vous en procurer.

Voiture et moto

Louer une voiture constitue une bonne solution, car de nombreux sites sont difficilement accessibles en *bemo*. Renseignez-vous à votre hôtel ou louez une voiture avec chauffeur.

ENVIRONS D'UBUD

📞 0361

La région à l'est et au nord d'Ubud recèle beaucoup des plus anciens monuments et vestiges de Bali. Certains sont antérieurs à l'ère Majapahit et soulèvent des questions toujours sans réponse sur l'histoire de l'île. D'autres sont plus récents et, par endroits, de nouvelles structures ont été construites sur d'anciennes ruines. Intéressants pour les passionnés d'histoire et d'archéologie, ces sites n'ont rien de spectaculaire, à l'exception des monuments de Gunung Kawi. Le mieux consiste à prévoir une journée de randonnée à pied ou à vélo dans la région, en faisant halte aux endroits qui vous séduisent.

Les buts d'excursions sont multiples : grotte de l'Éléphant, temple du Buffle fou, etc. Au nord, vous découvrirez le site ancien le plus important de Bali à Tampaksiring et, à proximité, un sanctuaire presque oublié, le Pura Mengening.

Bedulu

Bedulu était autrefois la capitale d'un puissant royaume sur lequel régna le légendaire Dalem Bedaulu, de la dynastie Pejeng. Dernier roi balinais à résister aux puissants Majapahit de Java, il fut vaincu par Gajah Mada en 1343. La capitale tomba ensuite aux mains de Gelgel, puis de Semarapura (Klungkung). Aujourd'hui, Bedulu est absorbé dans l'agglomération d'Ubud, au sens large.

À voir

Goa Gajah   GROTTE
(grotte de l'éléphant ; adulte/enfant 10 000/5 000 Rp, parking 2 000 Rp ; ☺8h-18h).

Il n'y a jamais eu d'éléphants à Bali (mis à part les éléphants pour touristes) ; l'ancienne Goa Gajah doit peut-être son nom à la Sungai Petanu, autrefois appelée rivière de l'Éléphant, ou à la paroi rocheuse, qui ressemble vaguement à un éléphant. La grotte est située à 2 km au sud-est d'Ubud sur la route de Bedulu.

Les origines de la grotte restent incertaines ; selon la légende, le géant Kebo Iwa la creusa avec ses ongles. Elle date probablement du XIe siècle et existait lors de la conquête de Bali par les Majapahit. Elle fut redécouverte par des archéologues néerlandais en 1923, mais les fontaines et le bassin n'ont été trouvés qu'en 1954.

La grotte est taillée dans une paroi rocheuse et l'on entre par la bouche caverneuse d'un démon. À l'intérieur de la grotte en T, on voit des vestiges d'un lingam, symbole phallique du dieu hindou Shiva, et d'un yoni, sa contrepartie féminine, ainsi qu'une statue de Ganesh, le dieu à tête d'éléphant, fils de Shiva. Dans la cour devant la grotte, six personnages féminins alimentent en eau deux bassins d'ablutions carrés.

De Goa Gajah, vous pouvez descendre à travers les rizières jusqu'à la Sungai Petanu, où des pierres sculptées de stupas en ruine ornent une falaise, et a une petite grotte.

Essayez de venir avant 10h, quand commencent à arriver, en nombre, les cars de touristes sur le grand parking rempli de stands de souvenirs. Des sarongs se louent à 3 000 Rp.

Yeh Pulu   SITE HISTORIQUE
(adulte/enfant 10 000/5 000 Rp). Longue de 25 m, cette falaise sculptée aurait été un ermitage à la fin du XIVe siècle. À part le personnage de Ganesh, la plupart des scènes évoquent la vie quotidienne et semblent former une histoire, qui peut se lire de gauche à droite. Selon une théorie, elles représenteraient des événements de la vie de Krishna.

On peut aller à pied de l'un à l'autre en suivant des chemins à travers les rizières, mais vous aurez besoin d'un guide local. En voiture ou à vélo, repérez les panneaux "Relief Yeh Pulu" ou "Villa Yeh Pulu", à l'est de Goa Gajah.

Même si la sculpture hindoue ne vous passionne pas, le site est charmant et peu fréquenté. De l'entrée, une agréable marche de 300 m mène à Yeh Pulu.

172

LA LÉGENDE DE DALEM BEDAULU

Une légende raconte que le roi Dalem Bedaulu possédait des pouvoirs magiques, qui lui permettaient d'avoir la tête tranchée et de la remettre en place. Un jour, lors de l'exécution de ce tour unique, le serviteur chargé de lui couper la tête et de la replacer la laissa tomber dans une rivière et, horrifié, la vit s'éloigner. Paniqué, cherchant une solution de rechange, il attrapa un cochon, le décapita et posa sa tête sur les épaules du roi. Dès lors, le souverain dut s'asseoir sur un trône surélevé et interdit à ses sujets de lever les yeux. Bedaulu signifie "celui qui a changé de tête".

Pura Samuan Tiga — TEMPLE

Le majestueux Pura Samuan Tiga (temple de la Rencontre des Trois) se situe à 200 m à l'est du carrefour de Bedulu. Son nom fait peut-être référence à la trinité hindoue ou à des réunions organisées dans le temple au début du XIe siècle. Tous les bâtiments ont été reconstruits après le tremblement de terre de 1917.

ℹ Depuis/vers Bedulu

À 3 km à l'est de Teges, la route d'Ubud atteint un carrefour où l'on peut tourner au sud vers Gianyar ou au nord vers Pejeng, Tampaksiring et Penelokan. Les *bemo* Ubud-Gianyar vous déposeront à ce croisement, d'où vous pourrez marcher jusqu'aux sites. La route relativement plate permet de faire le trajet à vélo sans fatigue.

Pejeng

👁 À voir

En suivant la route qui mène à Tampaksiring, on arrive bientôt à Pejeng et à ses fameux temples. Comme Bedulu, c'était autrefois une cité puissante, la capitale du royaume de Pejeng, tombé aux mains des envahisseurs Majapahit en 1343.

Museum Purbakala — MUSÉE

(📞942 354 ; Jl Raya Tampaksiring ; don apprécié ; ⏰8h-15h lun-jeu, jusqu'à 12h30 ven). Ce musée d'archéologie présente une collection d'objets provenant de toute l'île, répartie dans plusieurs petits bâtiments. Elle comprend quelques poteries antiques, des alentours de Gilimanuk, et des sarcophages datant de 300 av. J.-C. ; certains, originaires de Bangli, sont en forme de tortue, un symbole cosmique important dans la mythologie balinaise. Le musée, à 500 m au nord du carrefour de Bedulu, se rejoint facilement en *bemo* ou à vélo. Un bon guide vous aidera à apprécier pleinement la visite.

Pura Kebo Edan — TEMPLE

(Jl Raya Tampaksiring). Modeste sanctuaire, le temple du Buffle fou est connu pour sa statue haute de 3 m, appelée le **géant de Pejeng**, qui daterait de quelque 700 ans. Malgré l'imprécision des détails, elle semble représenter Bhima, un héros du *Mahabharata,* dansant sur un cadavre – un mythe lié au culte de Shiva. Les protubérances qui apparaissent de part et d'autre du sexe du géant prêtent à conjectures. Certains affirment qu'elles servaient à accroître le plaisir féminin…

Pura Pusering Jagat — TEMPLE

(Jl Raya Tampaksiring). Le vaste Pura Pusering Jagat aurait été le centre de l'ancien royaume de Pejeng. Datant de 1329, il est visité par des jeunes couples qui prient devant le lingam et le yoni en pierre. Plus loin, une grande urne en pierre porte des sculptures élaborées et érodées de dieux et de démons en quête de l'élixir de vie. Il s'agit d'une scène du "barattage de la mer de lait" provenant du *Mahabharata.* Le temple se situe sur une petite piste, à l'ouest de la grand-route.

Pura Penataran Sasih — TEMPLE

(Jl Raya Tampaksiring). L'ancien temple officiel du royaume de Pejeng possède le plus grand tambour fondu d'une seule pièce au monde. Dans la cour intérieure, haut perché dans un pavillon et difficile à voir, cet énorme tambour de bronze en forme de sablier, appelé la **Lune tombée de Pejeng**, est long de 1,86 m. L'estimation de son âge varie de 1 000 à 2 000 ans et on ignore s'il a été réalisé sur place ou importé – les décorations géométriques complexes ressemblent à des motifs de la Papouasie-Occidentale et du Vietnam.

Une légende balinaise raconte que ce tambour fut d'abord une Lune qui tomba sur Terre et se posa dans un arbre. Son éclat empêcha une bande de voleurs de perpétrer leur larcin et l'un d'eux tenta d'atténuer la lueur en urinant dessus. La Lune explosa, se transforma en tambour et se fêla à la base en heurtant le sol.

Ne manquez pas la **statuaire** dans la cour du temple, qui date du Xe au XIIe siècle.

Tampaksiring

Ce petit village, à 18 km au nord-est d'Ubud, abrite un temple important, l'imposant Tirta Empul, et le site ancien le plus imposant de Bali, Gunung Kawi. Il est situé dans la vallée de Pakerisan, une région qui devrait bientôt figurer sur la liste du patrimoine mondial de l'Unesco.

♥ **Gunung Kawi** MONUMENT
(adulte/enfant 10 000/5 000 Rp, sarong 3 000 Rp, parking 2 000 Rp ; ☺7h-17h). Au bas d'une vallée luxuriante se dresse l'un des monuments les plus grands et les plus anciens de Bali. Gunung Kawi est constitué de 10 *candi* (sanctuaires) – des mémoriaux en forme de statues, abrités dans d'impressionnantes niches de 8 m de haut, le tout taillé dans la paroi rocheuse. Préparez-vous à une longue ascension, il y a plus de 270 marches.

L'éprouvante marche se partage en sections et offre parfois, lorsqu'on traverse d'anciennes rizières en terrasses, de formidables vues de Bali. Chaque *candi* honorerait un membre de la famille royale balinaise du XIe siècle, mais rien n'est moins sûr.

D'après les légendes, l'ensemble des mémoriaux fut sculpté dans la paroi rocheuse en une nuit par les ongles puissants de Kebo Iwa.

Les cinq monuments de la rive est sont probablement dédiés au roi Udayana, à la reine Mahendradatta et à leurs fils Airlangga, Anak Wungsu et Marakata. Airlangga régna sur l'est de Java, Anak Wungsu dirigea Bali. Les quatre monuments de la rive ouest sont, d'après cette théorie, consacrés aux favorites d'Anak Wungsu. Selon une autre hypothèse, l'ensemble du site serait dédié à Anak Wungsu, à ses épouses, à ses concubines et le 10e *candi*, isolé, à un ministre royal.

La balade parmi les monuments, les temples, les offrandes, les cours d'eau et les fontaines apporte une sensation d'antique majesté.

À la lisière nord de la ville, un panneau indique, à l'est de la route principale, la direction de Gunung Kawi et de ses monuments anciens. Au bout de la route d'accès, un escalier de pierre abrupt descend vers la rivière, creusant une brèche dans la rive rocheuse.

Tirta Empul MONUMENT
(adulte/enfant 10 000/5 000 Rp, parking 2 000 Rp ; ☺8h-18h). Un embranchement bien signalé au nord de Tampaksiring mène aux sources sacrées de Tirta Empul découvertes en 962 et auxquelles on attribue des pouvoirs magiques. Elles jaillissent dans un grand bassin cristallin à l'intérieur du temple et se déversent dans une piscine. Elles constituent la source principale de la Sungai Pakerisan, la rivière qui coule près de Gunung Kawi, à 1 km environ. Près des sources, le Pura Tirta Empul est l'un des temples les plus importants de Bali.

Pour éviter les bus touristiques, venez en début de matinée ou en fin d'après-midi. Les bains publics, bien entretenus, sont gratuits.

À voir aussi
L'ancien royaume de Pejeng comprend d'autres groupes de *candi* (sanctuaires) et de cellules de moines, notamment au **Pura Krobokan** et à **Goa Garba**, mais moins beaux qu'à Gunung Kawi. Entre Gunung Kawi et Tirta Empul, le **Pura Mengening** possède un *candi* isolé, semblable à ceux de Gunung Kawi et beaucoup moins fréquenté.

La route qui va vers Penelokan au nord est jalonnée d'une douzaine d'**attractions agritouristiques** : le plus souvent des boutiques qui servent du café et vendent les sculptures habituelles, plus quelques plantes dans un jardin à l'arrière. L'occasion de faire une pause shopping pour les groupes.

Tegallalang

Vous passerez sans doute par ce bourg marchand animé en visitant les temples de la région. Arrêtez-vous le temps d'une promenade entre les boutiques et les échoppes et vous entendrez sans doute l'un des fameux orchestres de gamelan de la région. De nombreux stands vous proposeront une poupée de la fertilité ou d'autres sculptures.

Vous pouvez faire une halte au **Cafe Kampung & Cottages** (☎901201 ; www.kampungtari.com ; plats 40 000-70 000 Rp), un *warung* séduisant et une pension haut de gamme (chambre à partir de 150 $US) avec une vue fabuleuse sur les rizières en terrasses. Son agencement tire merveilleusement parti de la roche naturelle. Non loin, d'innombrables sculpteurs travaillent le bois d'albesia, dont ils font des personnages simples et caricaturaux. Ce bois est également apprécié des fabricants de carillons.

Une petite route verdoyante conduit à Keliki, à 3 km à l'ouest de Tegallalang. Vous passerez par l'**Alam Sari** (☎240308 ; www.alamsari.com ; ch à partir de 100 $US ; ✳✳@✳), un petit hôtel superbement isolé et entouré de bambous. Il offre 12 chambres luxueuses de style rustique, une piscine et une vue superbe. Parmi d'autres initiatives écologiques, il traite ses propres eaux usées.

Nord d'Ubud

Abandonnés après avoir travaillé dans des exploitations forestières à Sumatra, des éléphants ont été recueillis par l'**Elephant Safari Park** (☎721480 ; www.baliadventuretours.com ; circuit transport inclus adulte/enfant 66/44 $US ; ⊙8h-18h) à Bali. Situé dans les hauts plateaux humides et frais de **Taro**, à 14 km au nord d'Ubud, le parc abrite une trentaine de pachydermes. Outre une exposition complète sur ces animaux, il offre des promenades à dos d'éléphant (supplément à payer). Le parc a reçu des éloges pour ses efforts en matière de protection. Veillez à ne pas atterrir dans l'un des faux parcs qui tentent d'attirer des visiteurs distraits et gardent des éléphants sans garantie de bons traitements.

La région alentour produit des pigments ocre. La route qui grimpe doucement depuis Ubud traverse une campagne superbe.

La route habituelle d'Ubud à Batur passe par Tampaksiring, mais d'autres itinéraires grimpent doucement à flanc de montagne. L'un des plus charmants part de Peliatan vers le nord, traverse Petulu, puis les rizières en terrasses entre Tegallalang et Ceking, avant de rejoindre le bord du cratère entre Penelokan et Batur. Cette route, asphaltée tout du long, passe également par **Sebatu**, renommé pour sa troupe de danse.

La seule fausse note sera **Pujung**, où les superbes rizières en terrasses ont attiré de vilains pièges à touristes qui les surplombent. Il y a quelques années, les fermiers, exaspérés de voir les autres exploiter leur travail, ont installé des miroirs qui dénaturaient le paysage afin de négocier un intéressement.

Sud d'Ubud

De petits ateliers-boutiques d'artisanat jalonnent la route entre le sud de Bali et Ubud. De nombreux visiteurs s'y arrêtent, parfois par bus entiers, mais cet artisanat est souvent fabriqué dans des petits ateliers et des enclos familiaux, le long des routes secondaires. Vous les apprécierez sans doute mieux après un séjour à Ubud, où vous découvrirez le meilleur de l'artisanat balinais et apprendrez à reconnaître les différents styles et thèmes.

Pour explorer ces villages et faire tranquillement vos achats, mieux vaut louer un véhicule. Si vous optez pour une voiture avec chauffeur, sachez que ce dernier touchera une commission, ce qui augmentera les prix de 10% ou plus. De plus, un chauffeur tentera de vous conduire dans les ateliers les plus rentables pour lui, plutôt qu'à ceux qui vous intéressent.

BATUBULAN

Le début de la route du sud de Bali est bordé d'échoppes de sculptures ; la **sculpture en pierre** constitue le principal artisanat de Batubulan (pierre de lune). Des ateliers longent la route jusqu'à Tegaltamu et d'autres se regroupent plus au nord, autour de Silakarang. Les imposants gardiens des temples que l'on voit dans toute l'île proviennent de Batubulan. Ils sont taillés dans une roche volcanique grise et poreuse appelée paras, qui ressemble à de la pierre ponce. Lisse et étonnamment légère, elle vieillit rapidement ; les pièces "anciennes" ont plutôt des années que des siècles.

Les temples aux alentours de Batubulan sont renommés pour leurs belles sculptures. À 200 m à l'est de la grand-route, le **Pura Puseh Batubulan** (carte p. 175) mérite la visite pour ses douves remplies de lotus en fleur. Les statues, inspirées de l'iconographie hindoue et bouddhique et de la mythologie balinaise, ne sont pas anciennes et beaucoup reproduisent des illustrations de livres d'archéologie. Un **spectacle de danse du Barong** (80 000 Rp ; ⊙9h30) d'une heure, donné dans une salle affreuse, fait partie d'un circuit en bus touristique. Sachez que "Pura Puseh" signifie "temple central" ; vous en trouverez beaucoup à Bali. Certains traduisent "Puseh" par "nombril", ce qui convient également.

Batubulan est également un centre de fabrication d'"antiquités", de textiles et de sculptures sur bois, et compte de nombreuses boutiques d'artisanat.

BALI BIRD PARK ET RIMBA REPTILE PARK

Plus d'un millier d'oiseaux de quelque 250 espèces peuplent ce **parc ornithologique** (carte p. 175 ; ☎299 352 ; www.

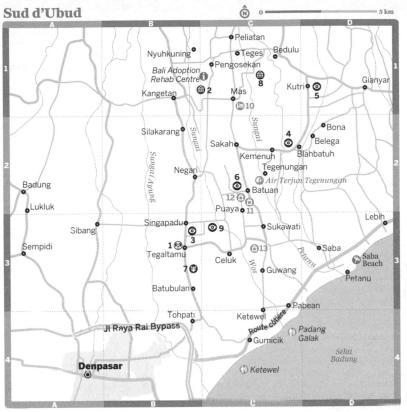

Sud d'Ubud

N   0 ▬▬▬▬▬▬ 5 km

UBUD ET SES ENVIRONS SUD D'UBUD

bali-bird-park.com ; les 2 parcs adulte/enfant 25/12,50 $US ; ☺9h-17h30), dont de rares *cendrawasih* (oiseaux de paradis) de Papouasie-Occidentale et des étourneaux de Bali, quasi disparus. Beaucoup de ces oiseaux évoluent dans des volières que l'on peut traverser à pied et l'une d'elles dispose d'une passerelle à hauteur des arbres. Le jardin paysager de 2 ha abrite une belle collection de plantes tropicales.

À côté, le **vivarium de Rimba** (☑299344) présente une vingtaine d'espèces de reptiles d'Indonésie et d'Afrique, ainsi que des tortues, des crocodiles, un python et un dragon de Komodo esseulé.

Prévoyez au moins 2 heures pour la visite des parcs, très appréciés des enfants.

De nombreux circuits organisés comprennent ces parcs. Vous pouvez aussi prendre un *bemo* Batubulan-Ubud, descendre au croisement de Tegaltamu, puis suivre les panneaux vers le nord sur 600 m. Un grand parking est à disposition.

Sud d'Ubud

◉ À voir

🛏 Où se loger

🛍 Achats

SINGAPADU

Un énorme **banian** (carte p. 175) domine le centre de Singapadu. Autrefois, les réunions villageoises se tenaient autour de cet arbre et l'actuel centre communautaire lui fait face. Le village conserve son aspect traditionnel, avec des enclos familiaux entourés d'un mur et ombragés d'arbres. Vous pourrez visiter la **maison de Nyoman Suaka** (carte p. 175 ; don requis 20 000 Rp ; ☺9h-17h), à 50 m de la grand-route, juste au sud du banian. Après l'ancienne entrée sculptée de l'enclos, vous découvrirez une maison balinaise classique, où la famille vaque à ses occupations. La cuisine contient de nombreux pilons à épices et certains toits sont faits de chaume sur des cadres en bambou.

Les danseurs de Singapadu se produisant essentiellement dans les grandes salles des localités touristiques, il n'y a plus de représentations régulières.

CELUK

Celuk est le centre balinais de l'**or** et de l'**argent**. Des magasins clinquants bordent la route et les prix indiqués sont assez élevés (vous pouvez toujours marchander).

Des centaines d'orfèvres travaillent à domicile dans les petites rues au nord et à l'est de la grand-route. La plupart des artisans proviennent de familles *pande*, une sous-caste de forgerons. Les ateliers, intéressants à visiter, proposent des prix plus modérés, mais n'ont qu'un stock limité

ⓘ L'HEURE IDÉALE POUR VISITER GUNUNG KAWI

Pour profiter de Gunung Kawi, allez-y le plus tôt possible. Si vous entamez la descente des marches vers 7h30, vous éviterez les vendeurs et verrez les habitants se livrer à leurs ablutions matinales ou au lavage des offrandes cérémonielles dans les cours d'eau. Vous entendrez les oiseaux, le bruit de l'eau qui court, sans être dérangé, comme plus tard, par l'arrivée de tout un groupe. En prime, l'air sera encore frais quand, au retour, commencera l'interminable remontée des marches. N'oubliez pas d'emporter un sarong (au cas où il n'y ait encore personne pour vous en proposer). Si la billetterie est fermée, vous pourrez payer au retour.

de produits finis. Ils peuvent réaliser un objet sur commande à partir d'un croquis ou d'un modèle.

SUKAWATI ET PUAYA

Ancienne capitale royale, Sukawati est aujourd'hui connue pour ses artisans spécialisés, qui s'affairent dans des petites boutiques le long des routes. Un groupe d'artisans, le *tukang prada*, fabrique des ombrelles de temple superbement ornées de motifs dorés appliqués au pochoir, en vente dans ses boutiques.

Dans le centre-ville, ne manquez pas le **marché alimentaire**, toujours animé. Dans les recoins du marché principal, vous découvrirez sans doute des fruits inconnus. Vous verrez aussi des sarongs et tout le nécessaire pour les cérémonies des temples. Dehors, des stands vendent des "kits" pour la fabrication d'offrandes. Dans les rues alentour, des étals d'artisanat de très belle qualité côtoient des vendeurs de sacs imprimés "I Love Bali". Un distributeur de billets vous attend au besoin.

À 2 km au sud de la ville, le **Pasar Seni**, un marché très touristique de 2 étages, vend toutes sortes de babioles de plus ou moins bon goût.

Puaya, à 1 km au nord-ouest de Sukawati, est spécialisé dans les **marionnettes en cuir** et les **masques** pour les danses du Topeng et du Barong de qualité supérieure. Dans l'artère principale, repérez la petite enseigne portant **Mustika Collection** (carte p. 175 ; ☎299479 ; Kubu Dauh 62), ou demandez à un passant. Dans l'enclos familial, vous découvrirez un atelier de masques et de marionnettes où les peaux sont transformées en œuvres d'art. Tout près, la **Baruna Art Shop** (carte p. 175 ; ☎299 490 ; Kubu Duah) est remplie de Barong. D'autres ateliers se cachent dans la pénombre derrière des portes ouvertes ; jetez un coup d'œil à l'intérieur et vous vous retrouverez peut-être sous le regard terrifiant d'un masque.

BATUAN

L'histoire connue de Batuan remonte à 1 000 ans et, au XVIIe siècle, sa famille royale dominait la majeure partie du sud de Bali. Son déclin serait dû à la malédiction d'un prêtre, qui aurait dispersé les membres de la famille royale aux quatre coins de l'île.

À l'ouest du centre, les temples jumeaux du **Pura Puseh** (carte p. 175) et du **Pura Dasar** (don apprécié 10 000 Rp, incluant le sarong) sont de parfaits exemples de

LA FABRIQUE DE CHOCOLAT DE BALI

Si le chocolat est généralement associé à la Suisse ou à la Belgique, il évoquera bientôt Bali. **Big Tree Farms** (☑846 3327 ; www.bigtreefarms.com ; Sibang), un producteur local de denrées alimentaires de qualité au succès international, a construit une usine de chocolat à 10 km environ au sud-ouest d'Ubud, dans le village de Sibang.

Et ce n'est pas qu'une simple fabrique, il s'agit d'une immense création durable à l'éblouissante architecture en bambou – digne de la philosophie de l'entreprise. Le chocolat est produit à partir de fèves de cacao cultivées par plus de 13 000 fermiers en Indonésie. Le résultat est un chocolat de très bonne qualité dont on peut observer la production lors de visites.

Cette structure en bambou parmi les plus grandes du monde mérite à elle seule le détour, le délicieux chocolat rend l'expérience plus agréable. La fabrique est facile à trouver, Sibang se situe sur l'une des routes reliant Ubud au sud de Bali.

l'architecture balinaise classique des temples. Pour examiner les sculptures élaborées, on prête aux visiteurs des sarongs vermillon, très photogéniques.

MAS

Si *mas* signifie "or" en bahasa indonesia, la **sculpture sur bois** constitue l'artisanat principal de ce village. Le grand prêtre Majapahit Nirartha vécut ici et le **Pura Taman Pule** serait construit sur le site de son ancienne demeure. Pendant les trois jours du festival de Kuningan, un spectacle de *wayang wong* (une ancienne version du ballet du *Ramayana*) a lieu dans la cour du temple.

La sculpture était un art traditionnel de la caste des brahmanes et ce talent était considéré comme un don des dieux. Elle se limitait autrefois aux décorations des temples, aux masques de danse et aux instruments de musique. Dans les années 1930, des artisans commencèrent à représenter des personnages et des animaux. Il est aujourd'hui difficile de résister aux innombrables créatures charmantes réalisées à Mas.

Vous pouvez commander une pièce en bois de santal, mais attendez-vous à un prix élevé. Mas participe également à l'essor de l'industrie du meuble, qui utilise principalement du teck importé d'autres îles indonésiennes.

Dans l'enclos familial de **IB Anom** (p. 146), en retrait de la grand-rue de Mas, trois générations de sculpteurs réalisent des **masques** parmi les plus vénérés de Bali. Une petite salle présente leurs œuvres, mais le plus passionnant reste de voir la famille en train de faire émerger une forme du

cèdre. On peut y suivre des cours (à partir de 100 000 Rp/jour) et espérer obtenir un premier résultat en 2 semaines.

Le long de la grand-route, les **Taman Harum Cottages** (carte p. 175 ; ☑975567 ; www.tamanharumcottages.com ; Jl Raya Desa Mas ; ch/villas à partir de 40/60 $US ; ✳@✉) comptent 17 chambres et villas, dont certaines assez spacieuses. Privilégiez la vue sur les rizières. L'établissement se situe derrière une galerie, qui propose également d'innombrables cours artistiques et culturels. Navettes gratuites pour Ubud.

Au nord de Mas, les boutiques de sculpture sur bois laissent la place aux galeries d'art, aux cafés, aux hôtels et aux lumières d'Ubud.

AU ROYAUME DES MARIONNETTES

Le **Setia Darma House of Masks and Puppets** (carte p. 175 ; ☑977 404 ; Jl Tegal Bingin ; don apprécié ; ⏰8h-16h) est le plus récent et l'un des plus beaux musées de la région d'Ubud. Plus de 4 600 masques cérémoniels et marionnettes provenant d'Indonésie et de toute l'Asie y sont superbement présentés dans des bâtiments historiques. Parmi les nombreux trésors figurent le **masque de Jero Luh**, en or, des figures de rois, de monstres mythiques et d'hommes ordinaires. Les marionnettes sont saisissantes de vie. Le musée se situe à 2 km au nord-est du principal carrefour de Mas.

Autres itinéraires

De Sakah, le long de la route entre Batuan et Ubud, vous pouvez continuer vers l'est sur quelques kilomètres jusqu'à l'embranchement qui mène à Blahbatuh et rejoindre Ubud via Kutri et Bedulu.

À Blahbatuh, le **Pura Gaduh** (carte p. 175) renferme une tête en pierre de 1 m de hauteur qui représenterait Kebo Iwa, le ministre légendaire du dernier roi de Bedulu. Gajah Mada, le conquérant Majapahit, comprit qu'il ne pourrait s'emparer de Bedulu, le royaume le plus puissant de Bali, tant que Kebo Iwa serait en place. Il l'attira à Java en lui promettant des femmes et des chansons et le fit assassiner. La tête est sans doute antérieure à l'influence javanaise à Bali, mais le temple est une reconstruction d'un ancien sanctuaire détruit lors du tremblement de terre de 1917.

Allez voir les métiers s'activer pour le tissage d'ikat et de batik au **Putri Ayu** (⏹225 533 ; Jl Diponegoro). Les ateliers et salles d'exposition, face au temple, complètent bien la visite des boutiques de textiles de Gianyar.

À l'ouest de là, par la grand-route menant au village de **Kemenuh**, s'étend une vue superbe sur les **rizières en terrasses**.

À 2 km au sud-ouest de Blahbatuh, le long de la Sungai Petanu, **Air Terjun Tegenungan** est une cascade, également appelée Srog Sokan. Suivez les panneaux à partir de Kemenuh pour une belle vue sur la cascade de la rive ouest de la rivière.

KUTRI

Au nord de Blahbatuh, Kutri abrite l'intéressant **Pura Kedarman** (carte p. 175) ou Pura Bukit. Grimpez le Bukit Dharma, derrière le temple, pour découvrir une belle vue panoramique et un **sanctuaire** où une statue représente Durga, la déesse à six bras de la Destruction, tuant un buffle possédé par un démon.

BONA ET BELEGA

Sur la route secondaire entre Blahbatuh et Gianyar, Bona (les panneaux indiquent souvent Bone) est un centre de **vannerie** et produit de nombreux objets en *lontar* (feuilles de palmes ayant subi une préparation spéciale) tressé. Il est également connu pour ses danses du feu. Non loin, le village de Belega est spécialisé dans les meubles en bambou.

Est de Bali

Le top des restaurants

» Marché nocturne
   de Gianyar (p. 184)
» Cafe Garam (p. 211)
» Merta Sari (p. 193)
» Terrace (p. 197)

Le top des hébergements

» Turtle Bay Hideaway
   (p. 203)
» Meditasi (p. 211)
» Alam Anda (p. 214)
» Samanvaya (p. 189)

Pourquoi y aller

Explorer les routes de l'est de Bali constitue l'un des grands plaisirs de l'île. Des rizières en terrasses s'étagent à flanc de colline sous des palmiers ondulants, des vagues viennent se fracasser sur des plages volcaniques sauvages, et des villages séculaires restent quasi étrangers à la modernité. À 3 142 m d'altitude, le Gunung Agung domine la région. Les agréables randonnées autour de Tirta Gangga offrent de beaux points de vue sur ce volcan à la forme conique parfaite, surnommé le "nombril du monde" ou la "montagne-mère".

Vous retrouverez le Bali d'antan dans les ruines évocatrices de l'ancienne cité royale de Semarapura. Suivez les rizières qui dévalent les pentes le long de Sidemen Road pour découvrir de sublimes panoramas et vallées. Sur la côte, Padangbai et Candidasa attirent respectivement les jeunes routards et une clientèle un peu plus âgée, dans une ambiance également décontractée.

Complexes hôteliers et plages secrètes ponctuent le littoral et se concentrent plus particulièrement sur la côte d'Amed. Un peu plus au nord, Tulamben est entièrement vouée à la plongée.

Quand partir

La saison sèche (avril à septembre) est la meilleure période pour visiter l'est de Bali. Toutefois, les récents changements climatiques ont rendu la saison sèche plus humide et la saison humide plus sèche. Faire de la randonnée dans les collines luxuriantes du Gunung Agung à Tirta Gangga est plus aisé lorsque les chemins ne sont pas boueux. Le long de la côte, il n'y a pas vraiment de mois à privilégier, le climat étant généralement tropical. Il est conseillé de réserver dans les complexes haut de gamme pendant la haute saison (juillet, août et Noël), mais ils ne sont jamais pleins comme dans le sud de l'île.

À ne pas manquer

1 Toutes les nuances de vert lors de l'inoubliable ascension vers le **Pura Lempuyang** (p. 205), l'une des nombreuses randonnées possibles autour de Tirta Gangga

2 La sublime plage de **Pantai Klotek** (p. 183), où un petit temple se dresse au-dessus du sable noir

3 Le passé tumultueux de Bali et les traditions de sacrifice au **Kertha Gosa**, à Semarapura (p. 186)

4 Une promenade dans la somptueuse vallée de **Sidemen** (p. 189)

5 La convivialité des cafés et des plages décontractées de **Padangbai** (p. 193)

6 La parfaite sérénité dans un hôtel le long de la **côte d'Amed** (p. 206)

7 Les eaux bleues de **Tulamben** (p. 212) et sa célèbre épave toute proche du littoral

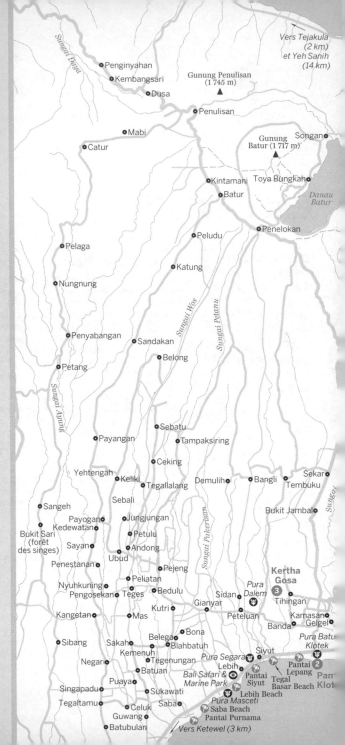

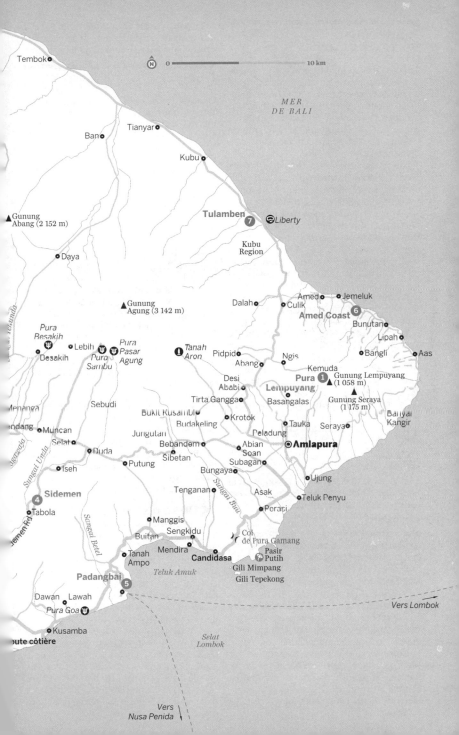

Tembok

MER
DE BALI

Ban
Tianyar

Kubu

Gunung
Abang (2 152 m)

Tulamben **7** 🐠*Liberty*

Daya

Kubu
Region

Gunung
Agung (3 142 m)

Dalah

Amed Jemeluk
Culik
Amed Coast **6**
Bunutan
Lipah

Pura
Besakih
Lebih
Desakih Pura
Sambu Pura
Pasar
Agung

❗*Tanah
Aron* Pidpid
Ahang

Ngis

Bangli Aas

Kemuda
Pura **1** Gunung Lempuyang
(1 058 m)
Lempuyang
Gunung Seraya
(1 175 m)

Desi
Ababi
Tirta Gangga

Basangalas

Banyal
Kangir

Menanga Muncan
Selat
Sebudi

Bukit Kusambu

Budakeling
Krotok

Tauka Seraya

Peladung

◉**Amlapura**

Duda

Jungutan
Bebandem
Sibetan

Abian
Soan

Iseh

Putung
Bungaya

Subagan

4 **Sidemen**
Tabola

Tenganan

Asak
Poraci

Ujung

Teluk Penyu

Manggis
Sengkidu

Col
de Pura Gamang

Buitan
Mendira
Tanah
Ampo **Candidasa**

Pasir
Putih

Gili Mimpang
Gili Tepekong

Teluk Amuk

Padangbai **5**

Dawan Lawah
Pura Goa

Vers Lombok

oute côtière Kusamba

*Selat
Lombok*

*Vers
Nusa Penida*

Route côtière jusqu'à Kusamba

📍0361

La route côtière, qui file vers l'est du nord de Sanur à la sortie de Kusamba, est un succès depuis son ouverture en 2006. À tel point qu'elle souffre parfois d'embouteillages et de ralentissements à l'instar de l'ancienne route, qui serpente dans l'arrière-pays en passant par des villes comme Gianyar et Semarapura.

Les travaux en cours pour passer de deux à quatre voies illustrent tout à la fois les sérieux problèmes de circulation auxquels est confrontée Bali et les difficultés rencontrées pour en venir à bout. Pour le moment, les travaux ont débouché sur la construction de plusieurs *warung* et de cafés de routiers. Par ailleurs, de nombreuses plages sont désormais accessibles. Le développement touristique n'a pas encore suivi, mais les nouvelles villas résidentielles destinées aux étrangers et les panneaux annonçant des terrains à vendre tout au long de la route laissent présager un prochain essor.

La route côtière (anciennement appelée Prof Dr Ida Bagus Mantra Bypass, du nom d'un gouverneur apprécié qui contribua grandement à promouvoir la culture de Bali) a raccourci de une à deux heures le trajet du sud de Bali à Padangbai, à Candidasa et aux localités de l'Est. La majeure partie de la région est désormais facilement accessible en une journée – plus ou moins longue selon la circulation.

⊙ À voir

On peut aisément consacrer une journée à la découverte des plages qui jalonnent le littoral au sud de la route côtière. Voir l'encadré p. 183 pour plus de détails.

Bali Safari and Marine Park　　PARC D'ATTRACTIONS
(📞0361-950 000 ; www.balisafarimarinepark.com ; Prof Dr Ida Bagus Mantra Bypass ; adulte/enfant à partir de 49/39 $US ; ⊙9h-17h, spectacle Bali Agung 14h30 mar-dim). Ce parc animalier, peuplé de créatures qui n'avait pas mis le pied à Bali avant d'atterrir ici, fera le bonheur des enfants et des parents. Parmi la kyrielle d'activités payantes figurent des promenades à dos de chameau ou d'éléphant.

L'une des dernières attractions est l'énorme show **Bali Agung**. Une heure durant, la culture balinaise est traitée comme un spectacle de Las Vegas. Rien de bien traditionnel là-dedans, mais le résultat est époustouflant.

Le parc se situe au nord de Lebih Beach ; des navettes gratuites relient le parc aux centres touristiques du sud de Bali.

Gianyar

📍0361

Gianyar est la riche capitale administrative et la principale ville marchande du district de Gianyar, qui comprend aussi Ubud. Elle compte plusieurs fabriques de batik et d'ikat, et un centre-ville ramassé avec d'excellents endroits où se restaurer, notamment le célèbre marché nocturne. Une grande partie de la circulation étant désormais déviée vers la nouvelle route côtière, l'ancienne route encombrée de l'est traversant la ville constitue maintenant un itinéraire agréable et pittoresque.

⊙ À voir

Érigé en 1771, le **Puri Gianyar** (Jl Ngurah Rai) fut détruit lors d'un conflit avec le royaume voisin de Klungkung au milieu des années 1880, puis reconstruit. Menacé par ses belliqueux voisins, le royaume de Gianyar demanda la protection des Néerlandais. Un accord signé en 1900 laissait à la famille régnante son statut et son palais, mais lui ôtait tout pouvoir politique. Le *puri* (palais), endommagé par un tremblement de terre en 1917, fut restauré peu après et n'a guère changé depuis l'époque coloniale. Bel exemple d'architecture traditionnelle, il est habituellement fermé au public. Si vous demandez au garde, il vous laissera peut-être jeter un coup d'œil rapide et goûter au plaisir de l'interdit – la vue depuis l'entrée en fer forgé est aussi intéressante. En face du palais se dresse un énorme banian considéré comme sacré, qui fait office de symbole royal.

✗ Où se restaurer

On vient à Gianyar se régaler de la cuisine locale, notamment de *babi guling* (cochon farci de piment, de curcuma, d'ail et de gingembre, puis rôti à la broche). Parmi les nombreux concurrents, le **Gianyar Babi Guleng** (plats à partir de 20 000 Rp ; ⊙7h-16h) est très prisé des habitants. Il se situe dans une petite rue à l'extrémité ouest du centre, derrière le parking des *bemo*.

À proximité, des stands vendent des plats frais, dont de délicieux *piseng goreng* (bananes frites). On trouve aussi du *babi guling* et d'autres spécialités locales aux stands de restauration du **marché alimentaire** (⊙11h-14h). Les deux côtés du principal tronçon de Jl Ngurah Rai abritent de bons endroits où se restaurer.

LES PLAGES DE LA ROUTE CÔTIÈRE

La route côtière qui file vers l'est de Sanur suit de longues portions de littoral jusque récemment difficilement d'accès. Hormis quelques villas, cet endroit est encore épargné par le développement. N'hésitez pas à emprunter cette route pour profiter des plages souvent tranquilles et découvrir les nombreux temples importants proches de la mer.

La route longe un littoral splendide, ourlé de plages de sable volcanique, déclinant des tons gris, que baigne une forte houle. D'une grande importance religieuse, la côte est ponctuée d'innombrables temples. Dans les petits villages côtiers, le rituel de la crémation s'achève par la dispersion des cendres dans la mer. Des cérémonies de purification des objets sacrés se déroulent également sur les plages.

Ketewel et Lebih sont de bons spots de surf. En revanche, la baignade se révèle dangereuse, car la houle est souvent violente. Vous aurez besoin de votre propre moyen de transport pour rejoindre ces plages. Sauf mention contraire, les infrastructures sont rares ; emportez de l'eau et une serviette. Sur certaines voies d'accès, les habitants demandent un petit droit de passage d'environ 2 000 Rp.

D'ouest en est, voici quelques plages recommandées :

» **Pantai Purnama** est petite et son sable, très noir, scintille sous le soleil. La religion y est prépondérante. Son temple, le Pura Erjeruk, est important pour l'irrigation des rizières, et des cérémonies de purification de la pleine lune, parmi les plus sophistiquées de Bali, se tiennent ici chaque mois.

» **Saba Beach**, à environ 12 km à l'est de Sanur, possède un petit temple, des abris, un parking ombragé et une allée tropicale de 1,1 km qui rejoint la route côtière. Des vendeurs de boissons attendent sur le sable couleur terre de Sienne brûlée.

» **Pura Masceti Beach**, à 15 km à l'est de Sanur, compte quelques buvettes. Sur la plage, le Pura Masceti, l'un des neuf temples directionnels de Bali, se prévaut d'une architecture imposante, rehaussée de clinquantes statues. Des vendeurs y sont installés. Des combats de coqs sont organisés dans un grand bâtiment derrière le temple.

» **Lebih Beach** est une plage de mica. Juste à côté de la route principale, une série de warung et de cafés mène à la plage. La Sungai Pakerisan, qui prend sa source près de Tampaksiring, se jette dans la mer à proximité. Des bateaux de pêche attendent le long du rivage. Au nord, juste de l'autre côté de la route côtière, l'imposant Pura Segara (p. 195) surveille le détroit vers Nusa Penida, demeure de Jero Gede Macaling, et protège Bali de son influence maléfique.

» **Pantai Siyut**, à quelque 300 m de la route et souvent désertée. Parfaite avec un parasol (il n'y a pas d'ombre).

» **Tegal Basar Beach**, une réserve de tortues (n'espérez cependant pas en apercevoir), offre une belle vue sur Nusa Lembongan. On y parvient par un chemin de 600 m dans une forêt dense de palmiers.

» **Pantai Lepang** vaut la peine pour la tranche de vie rurale balinaise qu'offrent les 600 m de la voie d'accès depuis la route principale. Cultures de riz et de maïs, sable noir, quelques petites dunes, de petits étals et de nombreuses bonnes raisons de prendre des photos.

» **Pantai Klotek**, la plage la plus intéressante, se découvre au bout d'une jolie route d'accès vallonnée, longue de 800 m. La tranquillité du Pura Batu Klotek cache son importance : des statues sacrées sont apportées ici de Pura Besakih pour une purification rituelle. Vous y trouverez un marchand ambulant de bakso ayam (soupe de poulet) : il prépare à la main ses nouilles fraîches toute la journée.

À NE PAS MANQUER

LE SAVOUREUX MARCHÉ NOCTURNE DE GIANYAR

Le bruit des marmites et les lumières vives donnent une touche festive au **marché nocturne** de Gianyar (JI Ngurah Rai ; ☺17h-23h), dont tous les habitants vous diront qu'il offre des denrées parmi les meilleures de Bali.

Tous les soirs, des dizaines de stands s'installent le long de la rue principale, au centre-ville, et proposent une série de plats succulents et stupéfiants. Une grande partie du plaisir consiste à flâner, à observer et à faire sa sélection. Le choix est large, entre *babi guling* (cochon à la broche) et savoureuses combinaisons de légumes. Le coût moyen d'un plat est inférieur à 15 000 Rp ; en groupe, on peut goûter quantité de mets, ce dont personne ne se plaindra. Les deux heures qui suivent le coucher du soleil sont les plus animées.

En outre, le marché nocturne est à seulement 20 minutes de route d'Ubud. L'un des innombrables chauffeurs vous y conduira pour 100 000 Rp, temps d'attente inclus (veillez à lui acheter un petit quelque chose à manger aussi).

🛍 Achats

À la sortie ouest de la ville, des fabriques de textiles bordent la route d'Ubud, telles la grande **Tenun Ikat Setia Cili** (☏943409 ; JI Astina Utara ; ☺9h-17h) et **Cap Togog** (☏943046 ; JI Astina Utara 11 ; ☺8h-17h). Les deux se situent dans la rue principale à l'ouest du centre, séparées d'environ 500 m. La deuxième compte une fascinante zone de production en contrebas : suivez le clic-clac des dizaines de métiers à tisser en bois.

Vous pourrez parfois voir les tisserands à l'œuvre et observer la teinture des fils avant le tissage pour produire les motifs de l'ikat, appelé *endek* à Bali. On peut dans ces fabriques acheter du tissu au mètre et demander une confection. Les prix s'échelonnent de 50 000 à 100 000 Rp le mètre d'ikat selon la finesse du tissage, et davantage s'il contient de la soie. Un sarong en batik de belle qualité revient à 600 000 Rp (le double pour un sarong de mariage comportant des fils d'argent).

Cette activité souffre de la concurrence de la production industrielle de Java ; votre visite sera très appréciée.

ℹ Depuis/vers Gianyar

Des *bemo* circulent régulièrement entre la gare routière de Batubulan près de Denpasar et la gare routière principale de Gianyar (15 000 Rp), derrière le marché principal. De la gare routière principale de Gianyar, des *bemo* desservent Semarapura (10 000 Rp) et Amlapura (20 000 Rp). Ceux à destination d'Ubud (10 000 Rp) font halte à l'arrêt en face du marché principal.

Sidan

En partant vers l'est de Gianyar, on arrive à l'embranchement vers Bangli à 2 km après Peteluan. Suivez cette route sur 1 km jusqu'à un virage en épingle à cheveux, où le **Pura Dalem** de Sidan est un bel exemple de temple des morts. Parmi les superbes sculptures, remarquez celles de Durga avec des enfants près de la porte ; l'enceinte séparée dans un coin du temple est dédiée à Merajapati, l'esprit gardien des morts.

Bangli

 0366

À mi-chemin de la montée vers Penelokan, Bangli, ancienne capitale de royaume, est une humble bourgade marchande, connue pour son vaste temple, le Pura Kehen. Il borde une route superbe entourée de jungle, qui file vers l'est après des rizières en terrasses et rejoint à Sekar les routes de Rendang et de Sidemen.

Histoire

Bangli date du début du XIIIe siècle. Sous l'ère Majapahit, elle se détacha de Gelgel pour devenir un royaume indépendant, bien qu'enclavé, pauvre et depuis longtemps en conflit avec des États voisins.

En 1849, Bangli signa un traité avec les Néerlandais, qui lui donnait le contrôle du royaume vaincu de Buleleng, sur la côte nord. Cependant, Buleleng se révolta et passa sous la domination directe des Néerlandais. En 1909, le raja de Bangli choisit le protectorat néerlandais plutôt que le *puputan* (combat suicidaire), la conquête par les royaumes voisins ou la puissance coloniale.

👁 À voir et à faire

Pura Kehen   TEMPLE
(adulte/enfant 10 000/5 000 Rp ; ☺9h-17h).
Temple d'État du royaume de Bangli et l'un

des plus beaux de l'Est balinais, le Pura Kehen est une version miniature du Pura Besakih (p. 190). Construit en terrasses à flanc de colline, il comporte une entrée superbement décorée, desservie par une volée de marches. Un énorme banian, avec un *kulkul* (tambour d'alarme) caché dans ses branches, domine la première cour.

Les porcelaines chinoises qui ornent les murs sont pour la plupart des copies. La cour intérieure renferme un *meru* (sanctuaire) à 11 toits, et d'autres sanctuaires abritent des trônes pour la trinité hindoue, Brahma, Shiva et Vishnu. Les sculptures sont très élaborées. Essayez de repérer les 43 autels.

Pura Dalem Penunggekan   TEMPLE

Sur le mur extérieur de ce fascinant temple des morts, des reliefs expressifs illustrent les tourments réservés aux méchants dans l'au-delà. Un panneau décrit les châtiments épouvantables qui punissent l'adultère (très éprouvants pour les hommes). Sur d'autres panneaux, les pécheurs sont portraiturés en singes, ou supplient qu'on leur épargne les flammes de l'enfer. Le temple se situe au sud du centre.

Bukit Demulih   SITE NATUREL

À 3 km à l'ouest de Bangli se trouvent le village de Demulih et la colline Bukit Demulih. Si vous ne trouvez pas le panneau indicateur, demandez votre chemin aux enfants. Une courte escalade jusqu'au sommet permet d'admirer un petit temple et une belle vue sur le sud de Bali.

Sur le chemin de Bukit Demulih, une route pentue descend vers Tirta Buana, une **piscine publique** nichée au creux de la vallée et visible de la route à travers les arbres. Vous pouvez suivre la piste en voiture jusqu'à 100 m environ du bassin.

✕ Où se restaurer

Un *pasar malam* (marché nocturne), dans la rue voisine du terminus des *bemo*,

comprend quelques bons *warung*. En journée, vous trouverez aussi des stands de produits frais et savoureux dans la chaotique zone du marché. Attention où vous mettez les pieds.

ℹ Depuis/vers Bangli

Bangli se situe sur la grand-route entre la gare routière de Batubulan à Denpasar (17 000 Rp) et le Gunung Batur, via Penelokan.

Semarapura (Klungkung)
📞0366

Capitale régionale soignée, Semarapura mérite la visite pour son fascinant Kertha Gosa, un vestige de l'époque précoloniale de Bali. Autrefois le centre du royaume le plus important de l'île, Semarapura est encore communément appelée par son ancien nom, Klungkung.

Une promenade dans cette ville plaisante donne un aperçu de la vie balinaise moderne : des grands marchés, de nombreuses boutiques et des rues à la tranquillité presque agréable depuis l'ouverture de la route côtière.

Histoire

Les successeurs des conquérants Majapahit de Bali s'établirent à Gelgel (au sud de la Semarapura moderne) vers 1400, et la dynastie Gelgel renforça la présence Majapahit croissante. Au cours du XVIIᵉ siècle, les héritiers de la lignée Gelgel fondèrent des royaumes séparés et la dynastie Gelgel perdit sa prépondérance. La cour s'installa à Klungkung en 1710, mais ne retrouva jamais toute son autorité.

En 1849, les dirigeants de Klungkung et de Gianyar repoussèrent les envahisseurs néerlandais à Kusamba. Avant que ces derniers ne puissent lancer une contre-offensive, une armée arriva de Tabanan et le marchand Mads Lange parvint à négocier un accord de paix.

EST DE BALI SEMARAPURA (KLUNGKUNG)

VAUT LE DÉTOUR

LA ROUTE DE TEMBUKU

Depuis les plaines de l'est, pour rallier le Gunung Batur, le Pura Besakih ou effectuer une boucle combinée avec la route de Sidemen, plusieurs possibilités s'offrent à vous.

L'une des meilleures routes débute à environ 5 km à l'est de Gianyar, sur l'axe principal en direction de Semarapura. Elle court vers le nord sur quelque 12 km de bitume jusqu'au village de Tembuku. Étroite, ce qui limite le nombre des camions, elle traverse une dizaine de minuscules villages traditionnels. Tout le long, elle offre un point de vue sur des **rizières en terrasses** et une **vallée fluviale**.

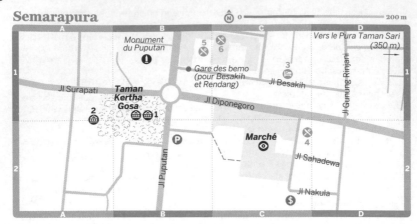

Semarapura

Au cours des cinquante années suivantes, les royaumes du sud de Bali se chamaillèrent jusqu'à ce que le raja de Gianyar demande l'aide des Néerlandais. Lorsque ces derniers envahirent le Sud, le roi de Klungkung dut choisir entre un *puputan* (combat suicidaire), à l'instar du raja de Denpasar, et une capitulation ignominieuse, comme le raja de Tabanan (ou la signature d'un accord, comme le fit le raja plus au nord, à Bangli). Il choisit le suicide. En avril 1908, alors que les Néerlandais entouraient son palais, le Dewa Agung et des centaines de proches et de courtisans marchèrent vers la mort en affrontant les canons ennemis ou les lames de leurs propres kriss (poignards traditionnels). Ce fut le dernier royaume balinais à tomber et son sacrifice est commémoré par le grand monument du Puputan.

◉ À voir

💙 **Taman Kertha Gosa** ÉDIFICE HISTORIQUE (adulte/enfant 12 000/6 000 Rp, parking 2 000 Rp ; ☉7h-18h). Lorsque la dynastie Dewa Agung s'installa ici en 1710, elle fit construire le Semara Pura. Ce vaste palais carré, probablement inspiré d'un mandala (diagramme symbolique), comprenait des cours, des jardins, des pavillons et des douves. Le domaine est parfois appelé Taman Gili (jardin de l'île). La majeure partie du palais et des dépendances fut détruite lors de l'attaque néerlandaise de 1908. Le **Pemedal Agung**, la porte du côté sud, est le seul vestige du palais d'origine (ses sculptures méritent un examen attentif).

Deux bâtiments importants sont conservés dans une partie restaurée du domaine et forment, avec un musée, le Taman Kertha Gosa. Il est commode de se garer ici pour explorer la ville, même si les vendeurs se montrent très insistants.

Kertha Gosa
Dans le coin nord-est du domaine, la "salle de justice" était la cour suprême du royaume de Klungkung, où l'on jugeait les conflits qui n'avaient pu se résoudre au niveau des villages. Ce pavillon ouvert constitue un superbe exemple d'architecture Klungkung. Le plafond est entièrement couvert de belles peintures de style Klungkung, réalisées sur des feuilles d'amiante, qui furent installées dans les années 1940 en remplacement de celles, sur tissu, détériorées.

Les rangées de panneaux dépeignent différents thèmes. Le plus bas niveau illustre cinq contes de la version balinaise

LE MARCHÉ DE SEMARAPURA

Ce vaste **marché** (Jl Diponegoro), l'un des meilleurs de l'est de Bali, est un lieu d'échanges pour les habitants de la région. Il est facile de passer une heure à déambuler dans le labyrinthe des étals répartis sur trois niveaux. Tout n'est pas d'une propreté impeccable, mais la visite est fascinante ! Les paniers en paille emplis de citrons ou de tomates illuminent de leurs couleurs le chaos ambiant. Quantité d'en-cas locaux sont proposés ; testez-en plusieurs.

Des stands de bijoux contrastent avec des boutiques de seaux en plastique. Montez jusqu'au toit pour profiter d'une belle **vue** sur la multiculturelle Semarapura, où les minarets sont aussi beaux que les temples balinais. Le matin est le moment idéal pour s'y rendre.

Le marché se prolonge dans Jl Diponegoro, où vous trouverez des **boutiques d'artisanat** qui semblent aussi vieilles que les objets qui y sont vendus.

des *Mille et Une Nuits*, où une jeune fille appelée Tantri raconte chaque nuit une nouvelle histoire. Les deux rangées suivantes figurent des voyages de Bima dans l'au-delà, où il découvre les tourments infligés aux pêcheurs. Les épouvantables tortures sont clairement montrées. La quatrième rangée de panneaux représente Garuda (créature mythique mi-homme, mi-oiseau) en quête de l'élixir de vie, et la cinquième rangée montre des événements du calendrier astrologique balinais. Les trois rangées suivantes reprennent l'histoire de Bima, cette fois au paradis. Des colombes et une fleur de lotus ornent le sommet du plafond.

Bale Kambang

Le plafond du splendide "pavillon flottant" est également peint dans le style Klungkung. Là aussi, les rangées de panneaux abordent des thèmes différents. La première se fonde sur le calendrier astrologique, la deuxième sur le conte populaire de Pan et Men Brayut et leurs 18 enfants, et les rangées supérieures sur les aventures du héros Sutasona.

Museum Semarajaya

Ce musée intéressant possède une belle collection d'artefacts archéologiques et d'autres objets. Des expositions concernent le tissage du *songket* (tissu composé de fils d'or et d'argent), la fabrication du vin de palme et l'extraction du sucre de canne. Ne manquez pas la présentation émouvante du *puputan* de 1908, complétée de quelques vieilles photos de la cour royale. L'exposition sur la production du sel donne une bonne idée de ce dur labeur.

Pura Taman Sari   TEMPLE

Les pelouses et les bassins qui entourent le "temple du Jardin fleuri" (au nord-est du Taman Kertha Gosa) invitent à s'y attarder. Le haut *meru* à 11 toits indique qu'il fut construit pour la royauté. Aujourd'hui, il est le domaine des oies qui hantent ses jardins.

🛏 Où se loger et se restaurer

Pour se restaurer, la meilleure approche consiste à sélectionner l'un des innombrables établissements sur le marché et dans ses environs. Sur le parking du Taman Kertha Gosa, un petit stand vend du bon café.

Klungkung Tower Hotel   HÔTEL $

(📞25 637 ; Jl Gunung Rinjani 18 ; ch 225 000-375 000 Rp ; ❄@). Ce nouvel hôtel vise une clientèle d'affaires locale. Il compte 20 chambres élégantes avec TV sat et sdb dotées d'une douche de plain-pied. Le restaurant Puri Ajengan propose un menu indonésien et des plats balinais. Billards au bar.

Bali Indah   CHINOIS, INDONÉSIEN $

(📞21 056 ; Jl Nakula 1 ; plats 10 000-20 000 Rp). Vénérable et accueillant établissement chinois, offrant des plats tout simples. On se croirait en 1943. Le Sumba Rosa, à deux pas de là, est similaire.

Tragia (📞21 997 ; Jl Gunung Batukaru) est un supermarché banal, mais incontournable, si vous avez besoin d'eau, et le **Pasar Senggol** (🕐17h-24h), un bon marché nocturne animé, avec l'habituel concert de woks, de chalands et de bruits.

ℹ Renseignements

Jl Nakula et l'artère principale, Jl Diponegoro, sont bordées de plusieurs banques équipées de distributeurs.

ℹ Depuis/vers Semarapura

Disposer d'un moyen de transport constitue la meilleure façon de visiter Semarapura, au cours d'un circuit comprenant d'autres sites dans les montagnes et sur la côte.

Les *bemo* venant de Denpasar (gare de Batubulan) passent par Semarapura (13 000 Rp) avant de continuer vers l'est. Vous pouvez les héler près du monument du Puputan.

Les *bemo* qui se dirigent au nord vers Besakih (12 000 Rp) partent du centre de Semarapura, à un pâté de maisons au nord-est de Kertha Gosa. La plupart des autres *bemo* partent de la gare routière de Kelod, mal située à 2 km au sud du centre-ville.

Environs de Semarapura

À l'est de Semarapura, la grand-route traverse la Sungai Unda (rivière Unda) dans un décor pittoresque, puis tourne vers le sud en direction de Kusamba et de l'océan. Lors de l'éruption du Gunung Agung en 1963, des coulées de lave ont détruit des villages ; elles ont depuis disparu sous la végétation.

TIHINGAN

À Tihingan, plusieurs ateliers produisent des instruments de gamelan. Des petites fonderies fabriquent les lames de bronze et les gongs en forme de bol, qui sont ensuite soigneusement polis jusqu'à produire le son voulu. Quelques instruments sont en vente, mais la plupart sont destinés aux orchestres balinais.

Les ateliers dotés d'une enseigne accueillent les visiteurs. Cherchez l'accueillant **Tari Gamelan** (🖉22339), parmi de nombreux autres dans la rue principale. Même si les artisans travaillent habituellement très tôt le matin, quand il fait encore frais, il est possible de voir des choses intéressantes à d'autres moments de la journée.

De Semarapura, suivez Jl Diponegoro vers l'ouest et repérez les panneaux.

👁 À voir

💚 **Nyoman Gunarsa Museum** MUSÉE (🖉22 256 ; Pertigaan Banda, carrefour de Banda, Takmung ; adulte/enfant 25 000 Rp/ gratuit ; ⊘9h-16h lun-sam). Consacré à la peinture balinaise classique et contemporaine, ce superbe musée a été fondé par Nyoman Gunarsa, l'un des artistes modernes les plus respectés et les plus appréciés d'Indonésie. Ce vaste bâtiment de trois niveaux contient une impressionnante diversité d'œuvres anciennes, dont des sculptures en pierre et sur bois, des antiquités architecturales, des masques, des marionnettes et des textiles.

Nombre des peintures classiques sont réalisées sur de l'écorce battue et comptent parmi les plus anciens exemples ayant survécu. Les vieilles marionnettes semblent toujours expressives malgré leur grand âge. L'étage supérieur est consacré à Gunarsa et à ses représentations de la vie traditionnelle, tel *Offering* ("Offrande").

À proximité, une grande scène accueille régulièrement des spectacles ; renseignez-vous sur les horaires. Havre de paix peuplé d'oiseaux, l'enclos contient de beaux exemples d'architecture traditionnelle.

Le musée se situe 4 km à l'ouest de Semarapura, près d'un virage sur la route de Gianyar ; repérez à proximité les mannequins habillés en policiers au pied d'une grande statue.

KAMASAN

Le style de peinture classique kama-san provient de ce village paisible, où plusieurs artistes continuent de le pratiquer. Leurs ateliers et galeries bordent la rue principale. La **Suar Gallery** (🖉22 064) constitue un bon point de départ. Son propriétaire, Gede Wedasmura, est un peintre reconnu.

L'œuvre est souvent produite en famille. Les peintures décrivent des récits traditionnels ou des calendriers balinais. Bien que vendues dans toutes les boutiques de souvenirs de l'île, elles sont de meilleure qualité ici. Vous remarquerez la douceur et la netteté des lignes, l'uniformité des couleurs et l'équilibre de la composition. Ce village accueille également des familles d'artisans *bokor*, qui produisent les bols en argent des cérémonies traditionnelles.

Pour rejoindre Kamasan, parcourez 2 km au sud de Semarapura et repérez l'embranchement vers l'est.

GELGEL

À environ 2,5 km au sud de Semarapura en direction de la route côtière, et à 500 m au sud de Kamasan, Gelgel fut jadis le siège de la dynastie la plus puissante de Bali. La ville commença à décliner en 1710, lorsque la cour s'installa dans l'actuelle Semarapura, et sombra lorsque les Néerlandais la bombardèrent en 1908.

Aujourd'hui, les larges rues et les temples survivants ne sont qu'un pâle reflet de sa splendeur passée. Le **Pura Dasar Bhuana** possède d'immenses banians dans un jardin ombragé qui invite aux flâneries contemplatives. Ses vastes cours donnent une idée de son passé prestigieux. Ses fêtes attirent de nombreux Balinais de toute l'île.

À environ 500 m à l'est, la **Masjid Gelgel** est la plus ancienne mosquée de Bali. Contrairement à ce que pourrait laisser croire son aspect moderne, elle fut construite à la fin du XVIe siècle pour des missionnaires musulmans de Java, peu désireux de retourner dans leur île après leur échec à convertir les Balinais.

Route de Sidemen
☑0366

Serpentant à travers l'une des plus belles vallées fluviales de Bali, la route de Sidemen (Sidemen Road) offre un somptueux paysage de rizières, une délicieuse ambiance rurale et des vues fabuleuses sur le Gunung Agung (par temps clair). De tous côtés, des chemins plongent en pleine nature et cet itinéraire bucolique connaît un succès croissant chaque année.

L'artiste allemand Walter Spies vécut quelque temps à Iseh à partir de 1932 pour échapper à la fête perpétuelle d'Ubud (dont il était en partie responsable). Plus tard, le peintre suisse Theo Meier, presque aussi réputé que Spies pour son influence sur l'art balinais, vécut dans la même maison.

Bénéficiant d'un emplacement spectaculaire, le village de Sidemen est un centre culturel et artistique, particulièrement renommé pour l'*endek* et le *songket*. Au **Pelangi Weaving** (☑23 012 ; Jl Soka 67 ; ⏱8h-18h), une vingtaine de tisserands crée des merveilles au rez-de-chaussée, exposées dans la boutique à l'étage. Après les avoir admirées, installez-vous dans les confortables fauteuils de la terrasse et profitez de la vue.

De nombreux **chemins de randonnée** traversent rizières et cours d'eau dans la vallée verdoyante. Un sentier grimpe (comptez 2 heures 30) jusqu'au **Pura Bukit Tageh**, un petit temple avec une vue splendide. Quel que soit l'endroit où vous logez, vous pourrez louer les services d'un guide pour une longue randonnée (environ 50 000 Rp/heure) ou tracer vous-même votre itinéraire.

🛏 Où se loger et se restaurer

La région offre une vue dégagée sur les verdoyantes collines en terrasses et sur le Gunung Agung. La plupart des hébergements possèdent un restaurant. Les nuits peuvent être fraîches et brumeuses.

Près du centre de Sidemen, une petite route part vers l'est jusqu'à une bifurcation à 500 m, où un panneau indique plusieurs hébergements assez éparpillés. Chacun d'eux est en mesure de servir des repas.

💙 **Samanvaya** AUBERGE $$
(☑0821 4710 3884 ; www.samanvaya-bali. com ; ch 70-100 $US ; 🛜🍴). Cette séduisante auberge, inaugurée en 2012, offre une vue panoramique sur les rizières jusqu'à l'océan plus au sud. Les propriétaires, un dynamique couple de Britanniques, sont impliqués dans la promotion de la région de Sidemen, notamment de sa culture. Chaque logement dispose d'un toit de chaume et d'une vaste terrasse en bois. Fabuleuse piscine à débordement et grand choix de plats asiatiques et occidentaux servis dans le café sur place.

Pondok Wisata Lihat Sawah GUESTHOUSE $
(☑530 0516 ; www.lihatsawah.com ; ch 300 000-1 000 000 Rp ; 🍴). Prenez l'embranchement à droite pour rejoindre cet endroit doté d'un jardin somptueux. Les 12 chambres (avec eau chaude, les meilleures disposant d'une jolie véranda en bois) offrent une vue sur la vallée et la montagne. En sus, 3 bungalows privés. Des cours d'eau traversent les rizières environnantes. Café avec vue, proposant une cuisine thaïlandaise et indonésienne (plats 13 000-30 000 Rp). Rien que pour sa carte de la région, l'endroit mérite une halte.

Darmada GUESTHOUSE $$
(☑0853 3803 2100 ; www.darmadabali.com ; ch à partir de 500 000 Rp ; 🍴). Superbement installé au cœur d'une petite vallée fluviale, sur un vaste et splendide terrain, ce nouvel établissement propose 4 chambres élégantes réparties dans deux villas. Grande piscine au joli carrelage verdâtre, au milieu des palmiers. Les chambres, blanches pour l'essentiel, disposent d'un patio équipé d'un hamac, à deux pas du clapotis. Le petit café concocte une cuisine utilisant les légumes du jardin.

Subak Tabola HÔTEL $$
(☑0811 386 6197 ; subak_tebolainn@indo.net.id ; ch à partir de 60 $US ; 🛜🍴). Nichées dans un amphithéâtre de rizières d'un vert éclatant, ces 9 chambres stylées sont agrémentées d'une sdb en plein air. Les 2 grands bungalows sont superbes et les vérandas offrent une vue plongeante sur la vallée et l'océan. Dans le grand jardin, des fontaines en forme de grenouilles alimentent un bassin. À environ 2 km du panneau des hôtels.

Nirarta GUESTHOUSE $$
(Centre for Living Awareness ; ☑530 0636 ; www.
awareness-bali.com ; ch 25-50 €). Les hôtes
participent à de sérieux programmes de
développement personnel et spirituel,
avec méditation intensive et yoga. Les
11 chambres douillettes sont réparties dans
6 bungalows, dont certains en bordure de
la rivière.

Uma Agung GUESTHOUSE $$
(☑530 5577 ; www.umaagungvilla.com ;
Jl Tebola ; ch à partir de 50 $US ; ☒). Bénéficiant
d'une superbe vue, les 9 chambres de cet
établissement sont propres, bien tenues et
entourées d'un jardin fleuri où se dresse un
agréable café. Les chambres deluxe ont une
sdb en plein air et une baignoire en pierre
pour se délasser après une randonnée.

Kubu Tani GUESTHOUSE $$
(☑530 0519 ; www.lihatsawah.com ; Jl Tebola ;
ch 500 000-700 000 Rp). Paisible et isolée,
cette maison sur 2 niveaux comporte
3 appartements. Les salons ouverts donnent
sur les rizières et les montagnes, de même
que les vastes porches avec chaises longues.
Une cuisine permet de préparer ses repas.
Pas de café à proximité.

❶ Renseignements

Un excellent site Internet (www.sidemen-bali.
com) consacré à Sidemen détaille les divers
hébergements et activités proposés dans la
région.

❶ Depuis/vers Sidemen

La route de Sidemen peut faire partie d'une
excursion d'une journée à partir du sud de Bali
ou d'Ubud. Elle rejoint au nord la route Rendang-
Amlapura, à l'ouest de Duda. Hélas, à cause
des énormes camions qui approvisionnent
en pierres les sempiternels chantiers de
construction de Bali, la route est en piteux état.
À noter cependant que tous les hébergements
répertoriés sont éloignés de la route principale
de Sidemen.

Un itinéraire moins emprunté jusqu'au Pura
Besakih part de Semarapura vers le nord-est,
via Sidemen et Iseh, et rejoint la splendide route
Rendang-Amlapura.

Pura Besakih

Juché à près de 1 000 m d'altitude sur le
flanc du Gunung Agung, le Pura Besakih
est le temple le plus important de Bali.
Dans ce qui est en fait un vaste ensemble
de 23 temples, séparés mais liés, le
plus grand et le plus vénéré est le Pura
Penataran Agung. Malheureusement, le
harcèlement des divers solliciteurs rend
la visite décevante pour de nombreux
touristes.

Histoire

Si les origines du Pura Besakih restent
incertaines, il remonte probablement à
la période préhistorique. Les bases de
pierre du Pura Penataran Agung et de
plusieurs autres temples ressemblent
aux pyramides à degrés du mégalithique,
qui datent au moins de 2 000 ans. Ce fut
certainement un lieu de culte hindou
à partir de 1284, quand les premiers
conquérants javanais s'installèrent à
Bali. Au XVᵉ siècle, Besakih était un
temple d'État de la dynastie Gelgel.

👁 À voir

Temple le plus vaste et le plus important,
le **Pura Penataran Agung** s'étage sur six
niveaux épousant la pente. L'entrée, un
imposant *candi bentar* (portail en deux
parties), se situe en contrebas, au sommet
d'une volée de marches. Au-delà, le portail
de la seconde cour, le *kori agung*, est encore
plus impressionnant. Le site est plus plai-
sant pendant l'une des nombreuses fêtes,

LES MARCHANDS DU TEMPLE

L'insistance des filous et des guides à
Besakih fait regretter à de nombreux
touristes la visite du site. Voici
quelques exemples des désagréments
qui vous attendent :

Près du parking principal, en bas de
la colline, se tient un bâtiment où des
guides vous affirmeront que vous avez
besoin de leurs services et ce au prix
ridiculement élevé de 25 $US ! C'est
faux ! Vous pouvez circuler librement
autour des temples et aucun "guide"
ne peut vous faire entrer dans un
sanctuaire fermé.

D'autres "guides" tenteront de
vous imposer leurs services pendant
la visite. Des lecteurs ayant cédé ont
été contraints de payer une somme
exorbitante à l'arrivée.

Une fois sur le site, on vous
proposera peut-être de "venir prier
avec moi". Les visiteurs qui tentent de
pénétrer dans les temples interdits
de cette façon se voient demander
100 000 Rp ou davantage.

Pura Besakih

quand des centaines, voire des milliers de fidèles superbement vêtus viennent déposer de splendides offrandes. Les touristes ne peuvent pas pénétrer dans le temple. Voir p. 326 pour en savoir plus sur les pourboires et la conduite appropriée lors de visites de temples ; voir p. 356 la liste des temples recommandés.

Les autres temples, tous avec une signification particulière et souvent fermés aux visiteurs, sont moins spectaculaires. Tout comme chaque village balinais possède un *pura puseh* (temple des origines), un *pura desa* (temple du village) et un *pura dalem* (temple des morts), le Pura Besakih compte trois temples qui remplissent ces rôles pour l'île entière, le Pura Basukian, le Pura Penataran Agung et le Pura Dalem Puri.

Par temps clair, la vue sur la côte est remarquable.

❶ Renseignements

L'entrée principale du temple se trouve à 2 km au sud du complexe, sur la route venant de Menanga et du sud. L'entrée coûte 10 000 Rp/personne. Comptez 5 000 Rp en plus par véhicule. Le fait qu'il faille payer pour son véhicule sans que cela soit indiqué ou sans recevoir de ticket en échange donne un aperçu de ce qu'il y a à venir.

À 200 m après la billetterie, la route bifurque et un panneau indique Besakih à droite et Kintamani à gauche. Prenez à gauche pour ne pas vous retrouver dans l'immense aire de parking principale, au pied d'une colline, à 300 m des temples. Continuez sur la route de Kintamani, où se tient une autre billetterie, jusqu'au parking nord, à 20 m des temples et loin des solliciteurs de l'entrée principale.

❶ Depuis/vers le Pura Besakih

Disposer de son propre moyen de transport permet d'explorer les somptueux itinéraires de la région.

Gunung Agung

Point culminant et montagne la plus révérée de Bali, le Gunung Agung se voit de presque tout le sud et l'est de l'île, quand la brume et les nuages se dissipent. Son altitude est communément estimée à 3 142 m, mais certains affirment que l'éruption de 1963 lui a fait perdre de la hauteur. Son sommet est un cratère ovale d'environ 700 m de diamètre, avec son point le plus haut à l'ouest, au-dessus de Besakih.

Comme il s'agit du centre spirituel de Bali, les maisons traditionnelles sont construites dans son axe et de nombreux Balinais savent toujours où ils se trouvent par rapport à lui. On dit qu'il abrite les esprits des ancêtres. Son ascension vous emmènera à travers une forêt verdoyante noyée dans les nuages et s'achèvera sur une vue superbe (à l'aube).

Ascension du Gunung Agung

Plusieurs voies conduisent au sommet du Gunung Agung. Les deux itinéraires les plus courts et les plus empruntés partent du Pura Besakih, sur le versant sud-ouest, et du Pura Pasar Agung, sur le versant sud.

Mieux vaut entreprendre l'escalade durant la saison sèche (d'avril à septembre), et de préférence entre juillet et septembre. Le reste du temps, les chemins peuvent être glissants et dangereux, et les nuages obstruent la vue (surtout en janvier et février).

L'ascension du Gunung Agung est interdite lors des grandes fêtes religieuses au Pura Besakih, ce qui comprend habituellement la majeure partie du mois d'avril.

À prendre en compte avant d'entreprendre l'ascension :

» Faites appel à un guide.

» Respectez les pauses prière de votre guide sur la montagne sacrée.

» Il vaut mieux atteindre le sommet avant 8h – les nuages qui souvent dérobent l'Agung à la vue peuvent aussi nuire au spectacle depuis le sommet.

» Prévoyez une torche électrique puissante, des piles de rechange, de l'eau (2 l par personne), des en-cas, un vêtement imperméable et un pull chaud.

» La descente est particulièrement éprouvante et nécessite de bonnes chaussures de marche.

Guides

Les ascensions guidées du Gunung Agung par les itinéraires suivants comprennent habituellement les repas et l'hébergement : vérifiez bien les prestations avant de vous engager. Les guides peuvent aussi organiser le transport.

La plupart des hôtels de la région, y compris ceux de Selat, de Sidemen Road et de Tirta Gangga, vous recommanderont des guides. Comptez de 450 000 à 1 000 000 Rp (négociables) pour une ou deux personnes.

Voici quelques guides recommandés :

Gung Bawa Trekking   GUIDE
(☑ 0812 387 8168 ; www.gungbawatrekking.com). Expérimenté et fiable.

Ketut Uriada   GUIDE
(☑ 0812 364 6426 ; ketut.uriada@gmail.com). Ce guide compétent peut organiser le transport moyennant un supplément (repérez sa petite enseigne sur la route à l'est de Muncan).

Wayan Tegteg   GUIDE
(☑ 0813 3852 5677 ; tegtegwayan@yahoo.co.id). Recommandé par des lecteurs.

Depuis le Pura Pasar Agung

Cet itinéraire exige moins de marche, car une bonne route au nord de Selat rejoint le Pura Pasar Agung (temple du marché d'Agung), perché à près de 1 500 m sur le versant sud. Du temple, on peut atteindre le sommet en 3 ou 4 heures. Néanmoins, l'ascension reste très exigeante – "ça monte sans cesse, et puis ça redescend tout aussi brutalement", nous confiait l'un de nos lecteurs.

Du temple, commencez l'escalade vers 3h. De nombreux sentiers glissants traversent la forêt de pins, puis, après une heure, on grimpe au-dessus de la ligne des arbres avant d'arriver à la lave solidifiée, meuble et friable par endroits ; un bon guide vous conduira sur un terrain stable. Au sommet (2 900 m), vous pourrez plonger le regard dans le cratère, regarder le soleil se lever sur Lombok et voir l'ombre de l'Agung s'étendre sur le sud de Bali dans la brume matinale – vous ne pourrez cependant pas aller jusqu'au point le plus élevé et vous ne serez donc pas en mesure de voir le centre de Bali.

Comptez au moins 6 heures pour ce trek.

Depuis le Pura Besakih

Bien plus difficile que l'itinéraire sud, déjà éprouvant, cette voie exige une excellente forme physique. Pour bénéficier d'une vue dégagée au sommet, partez vers minuit. Comptez au moins 6 heures pour grimper et de 4 à 6 heures pour la descente. L'itinéraire part du Pura Pengubengan, au nord-est du principal groupe de temples. Partir sans guide serait une folie.

De Rendang à Amlapura
☑ 0366

Une route splendide suit les versants sud du Gunung Agung, de Rendang jusqu'à proximité d'Amlapura. Elle traverse une campagne superbe en descendant graduellement vers l'est. Cours d'eau, rizières, vergers et tailleurs de pierre ponctuent la majeure partie du chemin.

Les cyclistes apprécieront ce trajet, plus frais en direction de l'est.

De Bangli, à l'ouest, un beau parcours à travers des rizières en terrasses et une jungle épaisse rejoint le début de la route à Rendang, un séduisant village de montagne ; un énorme banian séculaire domine le carrefour. Après 3 km vers l'est, vous atteindrez une jolie vallée de rizières en terrasses. Au fond coule la **Sungai Telagawaja**, appréciée pour le rafting.

Après 4 km de route sinueuse, le village désuet de **Muncan** se distingue par ses pittoresques toits de bardeaux. À l'entrée ouest du village, remarquez les statues représentant deux garçons, un écolier et un garnement préférant l'école buissonnière. Alentour, d'innombrables ateliers en plein air sculptent la roche volcanique tendre pour décorer les temples.

La route traverse ensuite certaines des plus jolies rizières de Bali avant d'atteindre **Selat**, où un embranchement vers le nord conduit au Pura Pasar Agung, un point de départ pour l'ascension du Gunung Agung. La **Puri Agung Inn** (☏530 0887 ; ch 200 000-300 000 Rp) possède 6 chambres propres et confortables et offre une vue sur les rizières et les tailleurs de pierre. L'auberge organise des promenades dans les rizières et l'ascension du Gunung Agung avec un guide originaire de la région, Yande.

Juste avant **Duda**, la belle route de Sidemen tourne vers le sud-ouest via Sidemen jusqu'à Semarapura. À environ 800 m à l'est, une route secondaire mène à **Putung**. Cette région est idéale pour la randonnée ; un chemin facile à suivre conduit de Putung à **Manggis**, à 8 km en contrebas.

En continuant vers l'est, **Sibetan** est réputé pour ses *salak*, ces fruits à l'étrange "peau de serpent", en vente dans les échoppes en bord de route. Ce village fait partie des circuits avec séjour chez l'habitant organisés par **JED** (p. 199), une association à but non lucratif spécialisée dans le tourisme rural.

Au nord-est de Sibetan, une route mal indiquée conduit au nord à Jungutan et à son **Tirta Telaga Tista**, un ensemble de bassins et de jardins d'ornement construit pour le vieux raja de Karangasem, amoureux de l'eau.

Cette belle route s'achève à **Bebandem**, où un marché aux bestiaux se tient tous les trois jours. Bebandem et plusieurs villages voisins sont habités par des membres de la caste des artisans du métal, qui comprend aussi bien les orfèvres que les forgerons.

De Kusamba à Padangbai

La route côtière qui part de Sanur croise l'ancienne route à l'est du village de pêcheurs de Kusamba, puis la rejoint près du Pura Goa Lawah.

KUSAMBA

Une route secondaire part de la grand-route vers le sud jusqu'au village de pêcheurs et de saliniers de Kusamba, où des rangées de *prahu* (bateaux de pêche) bordent la plage de sable gris. La pêche a généralement lieu la nuit et, selon la légende, les "yeux" sur la poupe des bateaux aideraient à se repérer dans l'obscurité. Le marché au poisson vend les prises de la nuit.

De petits bateaux locaux (les plus rapides et les plus sûrs partent de Padangbai, à l'exception du récent ferry de Kusamba) desservent Nusa Penida et Nusa Lembongan, clairement visibles depuis Kusamba. À l'est et à l'ouest de Kusamba, des petites huttes de saliniers jalonnent la plage.

À l'est de Kusamba et à 300 m à l'ouest du Pura Goa Lawah, **Merta Sari** (plats à partir de 25 000 Rp ; ☺10h-15h) est renommé pour son *nasi campur*, riz frit accompagné de divers mets, dont un délicieux satay de poisson, un bouillon de poisson légèrement aigre, du poisson cuit à la vapeur dans des feuilles de bananier, et des haricots-kilomètres dans une savoureuse sauce de tomates et d'arachides, relevée de *sambal*. Le pavillon ouvert se tient à 300 m au nord de la route côtière, dans le village de Bingin ; repérez les panneaux.

Autre bonne adresse, le **Sari Baruna** (plats 10 000-15 000 Rp ; ☺10h-18h) propose de succulents poissons grillés dans une paillote en bambou robuste, à 200 m à l'ouest du Pura Goa Lawah.

PURA GOA LAWAH

À 3 km à l'est de Kusamba, le **Pura Goa Lawah** (temple de la Grotte aux chauves-souris ; adulte/enfant 10 000/5 000 Rp, parking 2 000 Rp ; ☺8h-18h) est l'un des neuf temples directionnels de Bali. La grotte, nichée dans la falaise, est remplie à craquer de chauves-souris et l'odeur du guano n'a rien d'engageant. Touristes et Balinais se pressent également dans le site. S'il semble petit et peu impressionnant, ce temple très ancien revêt une grande importance pour les Balinais.

Selon la légende, la grotte est reliée au Pura Besakih, à quelque 19 km, mais vous n'aurez sans doute pas envie de le vérifier. Les chauves-souris serviraient de pitance au dieu Naga Basuki, un légendaire serpent géant supposé vivre dans la grotte.

Padangbai
☏0363

Une ambiance de routards règne dans cette sympathique bourgade balnéaire, port des ferries publics entre Bali et Lombok.

Lovée dans une petite baie à la jolie plage incurvée, Padangbai fait une halte séduisante. Son bord de mer ramassé séduit les voyageurs avec des hébergements bon marché et quelques cafés joyeux. Une opération d'embellissement urbain a rendu sa propreté à la plage et ajouté un nouveau quartier commerçant à proximité.

Padangbai

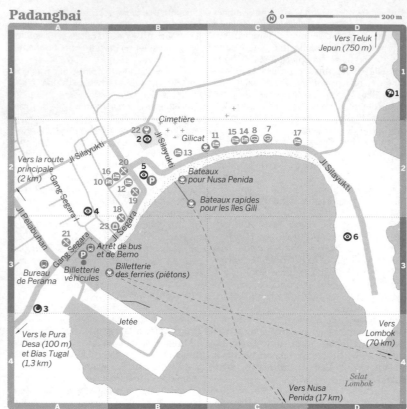

EST DE BALI PADANGBAI

Padangbai

◉ À voir
1	Blue Lagoon Beach	D1
2	Marché	B2
3	Mosquée	A3
4	Pura Dalem	A2
5	Pura Segara	B2
6	Pura Silayukti	D3

⊕ Activités
7	Geko Dive	C2
8	Water Worx	C2

🛏 Où se loger
9	Bloo Lagoon Village	D1
10	Darma Homestay	B2
11	Hotel Puri Rai	C2
12	Kembar Inn	B2
13	Made's Homestay	B2
14	Padangbai Beach Resort	C2
15	Padangbai Beach Inn	C2
16	Pondok Wisata Parta	B2
17	Topi Inn	C2

⊗ Où se restaurer
18	Grand Cafe	B3
19	Depot Segara	B2
20	Ozone Café	B2
	Topi Inn	(voir 17)
21	Zen Inn	A3

⊜ Où prendre un verre
22	Babylon Bar	B2
	Kinky Reggae Bar	(voir 22)

⊙ Achats
23	Ryan Shop	B3

Si le rythme est paisible, vous pourrez cependant explorer de bons sites de snorkeling et de plongée, entreprendre des promenades faciles et profiter de deux belles plages. Entre-temps, savourez l'ambiance languissante, réveillée de temps à autre par l'arrivée ou le départ d'un ferry.

👁 À voir

À l'ouest de la localité, près de la poste, une petite **mosquée** avoisine un temple, le **Pura Desa**. Vers le centre du village se tiennent deux autres temples, le **Pura Dalem** (Gang Segara II) et le **Pura Segara**, et le **marché central** (Jl Silayukti), qui abrite de nombreux stands et cafés.

Sur un promontoire au nord-est de la baie, un chemin monte vers trois temples, dont le **Pura Silayukti**, l'un des quatre sanctuaires les plus anciens de Bali ; Empu Kuturan, qui introduisit le système des castes à Bali au XIe siècle, y aurait vécu.

Plages

Avec sa baie protégée, Padangbai possède une plage plaisante aux eaux claires à ses pieds, plus d'autres à proximité. À environ 500 m à l'est, de l'autre côté du promontoire, la **Blue Lagoon Beach** est une petite plage de sable clair idyllique, avec quelques cafés et des vagues douces, parfaites pour les familles.

Vers le sud-ouest, suivez la route qui ondule sur 1,3 km après la mosquée et le Pura Desa ou marchez 800 m, au soleil, en franchissant une colline et en passant devant un site de construction d'hôtel laissé à l'abandon jusqu'à la plage de sable gris de **Bias Tugal**, sur une portion de côte exposée, à l'extérieur de la baie. Vous serez récompensé par une jolie crique et un ou deux *warung* pour étancher votre soif. Attention, les courants sont forts.

🏃 Activités

Plongée

Des plongées permettent de découvrir les récifs de corail alentour, mais l'eau peut être un peu froide et la visibilité n'est pas toujours idéale. Les sites les plus prisés, **Blue Lagoon** et **Teluk Jepun** (baie de Jepun), font tous deux partie de Teluk Amuk, la baie à l'est de Padangbai. Ils offrent une diversité de coraux durs et mous, une vie marine variée, dont des requins, des tortues et des labres, et un tombant de 40 m à Blue Lagoon.

Plusieurs bons centres de plongée proposent des sorties dans la région, à Gili Tepekong et à Gili Biaha notamment, ainsi qu'à Tulamben et à Nusa Penida. Ils pratiquent des prix avantageux, à partir de 55 $US pour plonger sur place, jusqu'à 110 $US pour des excursions vers Nusa Penida.

Centres de plongée recommandés :

Geko Dive PLONGÉE

(📞41 516 ; www.gekodive.com ; Jl Silayukti). Ce centre de plongée, le plus ancien, possède un café plaisant en face de la plage.

Water Worx PLONGÉE

(📞41 220 ; www.waterworxbali.com ; Jl Silayukti). Autre prestataire fiable.

Snorkeling

L'un des meilleurs sites, et le plus facilement accessible, se trouve au large de la **Blue Lagoon Beach**. Méfiez-vous cependant des courants puissants à marée basse. D'autres sites comme **Teluk Jepun** peuvent se rejoindre avec un bateau local (ou demandez aux centres de plongée s'il reste de la place dans leurs bateaux). La location de l'équipement revient à 30 000 Rp par jour.

Des *jukung* (bateaux) locaux proposent des sorties de snorkeling (sans l'équipement) autour de Padangbai (50 000 Rp/heure par pers) et jusqu'à Nusa Lembongan (400 000 Rp pour deux passagers).

🛏 Où se loger

L'hébergement, comme la localité, est plutôt détendu. Les prix restent assez bas et l'ambiance incite à paresser sur la plage ou au café avant de mettre le cap sur Lombok. Les hébergements étant proches les uns des autres, il est facile de les comparer avant de se décider.

VILLAGE

Dans les ruelles, plusieurs petits établissements proposent des chambres bon marché au rez-de-chaussée ou plus grandes et plus claires en étage.

Pondok Wisata Parta GUESTHOUSE **$**

(📞41 475, 0817 975 2668 ; près de Gang Segara III ; ch 150 000-350 000 Rp ; ❄🛜). La meilleure des 9 chambres de cette adresse secrète et paisible est la "chambre lune de miel", avec vue sur le port et brise marine. Les plus chères disposent de la clim et partagent une terrasse et une jolie vue.

Kembar Inn GUESTHOUSE **$**

(📞41 364 ; kembarinn@hotmail.com ; près de Gang Segara II ; ch 100 000-250 000 Rp ;

❇☎). Un escalier étroit et raide mène aux 11 chambres (eau chaude et certaines avec ventil). Terrasse privée avec vue pour la meilleure, tout en haut.

Darma Homestay GUESTHOUSE $
(☑41 394 ; Gang Segara III ; ch ventil/clim 100 000/200 000 Rp ; ❇@). Hébergement classique dans une famille balinaise, le Darma compte 12 chambres, avec eau chaude et clim pour les plus chères. Préférez si possible la chambre privée au dernier étage.

JALAN SILAYUKTI

Dans cette rue, à l'est du village, les adresses sont regroupées juste en face de la plage.

Topi Inn GUESTHOUSE $
(☑41 424 ; www.topiinn.nl ; Jl Silayukti ; ch à partir de 120 000 Rp ; @☎). À l'extrémité est de la promenade, dans un lieu paisible, le Topi offre 5 chambres plaisantes, dont certaines avec sdb commune. Excellent café au petit-déjeuner.

Padangbai Beach Resort GUESTHOUSE $
(☑41 417 ; www.padang-bai-beach-resort.com ; Jl Silayukti ; ch 55-85 $US ; ❇≋☎). Ces charmants bungalows, avec sdb en plein air, sont répartis dans un jardin balinais classique, avec une grande piscine face à la mer. Les plus chers ont la clim et ceux de devant, une très belle vue.

Hotel Puri Rai HÔTEL $$
(☑41 385 ; purirai_hotel@yahoo.com ; Jl Silayukti 3 ; ch 400 000/500 000 Rp ; ❇☎≋). Trente chambres, dans un bâtiment en pierre de 2 étages, face à une belle piscine. Certaines donnent sur le port, d'autres sur un parking. Visitez-en plusieurs avant de choisir. Belle vue du café.

Padangbai Beach Inn GUESTHOUSE $
(☑41 439 ; Jl Silayukti ; ch 100 000-200 000 Rp). Préférez les 18 chambres avec eau froide dans les jolis bungalows et évitez les bungalows de style grenier à riz à 2 niveaux, où l'on suffoque de chaleur. Délicieuses omelettes au petit-déjeuner.

Made's Homestay GUESTHOUSE $
(☑41 441 ; madespadangbai@hotmail.com ; Jl Silayukti ; ch 80 000-150 000 Rp ; ❇☎). Sept chambres sommaires et propres derrière le bureau de Gilicat.

BLUE LAGOON BEACH

Bloo Lagoon Village HÔTEL $$$
(☑41 211 ; www.bloolagoon.com ; ch à partir de 140 $US ; ❇@≋). Surplombant la plage, les 25 bungalows et villas, tous coiffés de chaume, élégants et bien agencés, comprennent 1, 2 ou 3 chambres. Le développement durable est un souci de l'établissement.

✗ Où se restaurer et prendre un verre

Poisson et fruits de mer, plats indonésiens, pizzas et crêpes à la banane constituent l'ordinaire de Padangbai. La plupart des hébergements possèdent un café. Vous pourrez passer des heures à observer l'animation dans les établissements de Jl Segara et de Jl Silayukti, qui offrent la vue sur le port dans la journée et la brise marine en soirée.

Topi Inn CAFÉ $
(☑41 424 ; Jl Silayukti ; plats 18 000-40 000 Rp). Jus de fruits, milk-shakes et bons cafés sont proposés toute la journée. Petits-déjeuners copieux et, le soir, poisson grillé – apporté par les pêcheurs juste en face. Très agréables tables extérieures, sur la plage.

Depot Segara POISSON $
(☑41 443 ; Jl Segara ; plats 10 000-30 000 Rp). Le poisson, comme le barracuda, le marlin et le vivaneau, est accommodé de diverses façons dans ce café prisé. Profitez de la vue sur le port depuis la terrasse légèrement surélevée. Adresse un peu plus chic que les autres.

Ozone Café INTERNATIONAL $
(☑41 501 ; plats à partir de 20 000 Rp). Ce rendez-vous de voyageurs a plus de caractère que tout autre café de la région. Des slogans amusants ornant les murs sont à étudier en savourant une pizza, sur fond de musique live, parfois jouée par des clients.

Zen Inn INTERNATIONAL $
(☑41 418 ; Gang Segara ; plats 18 000-30 000 Rp ; ☎). Des burgers et des plats de viande sont servis dans ce café spacieux qui ouvre tard pour la région – souvent jusqu'à 23h. Profitez des chaises longues.

Grand Cafe INTERNATIONAL $
(Jl Segara ; plats à partir de 30 000 Rp). Vaste café aéré offrant une généreuse carte des plats et de boissons à l'accent néerlandais. Bons jus de fruits et cafés. Les propriétaires tiennent également le Joe's Bar, à côté, qui compte une bonne sélection de martinis.

Babylon Bar (Jl Silayukti) et **Kinky Reggae Bar** (Jl Silayukti) sont deux petits bars adjacents, dans le quartier du marché, en retrait de la plage. Quelques chaises, tables et coussins, parfaits pour passer une soirée entre nouveaux amis.

🛍 Achats

Ryan Shop   LIBRAIRIE
(📞41 215 ; Jl Segara 38). Année après année, cette échoppe propose toujours le même bon choix de livres d'occasion, de cartes et d'articles divers.

ℹ Renseignements

On trouve plusieurs distributeurs de billets (ATM) en ville.

ℹ Depuis/vers Padangbai

Bemo

Padangbai se situe à 2 km au sud de la grand-route Semarapura-Amlapura. Des *bemo* partent du parking devant le port. Les *bemo* orange rallient Amlapura (10 000 Rp) à l'est via Candidasa, les *bemo* bleus ou blancs desservent Semarapura (10 000 Rp).

Bateau

Tous les porteurs aux embarcadères des ferries s'attendent à être payés pour leurs services, mettez-vous d'accord sur le prix à l'avance ou portez votre sac. Attention aux escroqueries : un porteur est susceptible d'essayer de vous vendre un billet que vous avez déjà acheté.

LOMBOK ET GILI ISLANDS Il y a plusieurs façons de voyager entre Bali et Lombok. Cependant, prenez bien en compte les consignes de sécurité (p. 382).

Les **ferries publics** (enfant/adulte/moto/voiture 23 000/36 000/101 000/659 000 Rp, 5 heures) font la navette entre Padangbai et Lembar à Lombok. Les billets sont en vente près de la jetée. Si les bateaux circulent en principe toutes les 90 minutes 24h/24, le service n'est pas toujours très fiable – certains bateaux ont déjà pris feu ou échoué.

Des bateaux partent de Perama pour Senggigi et les Gili. Renseignez-vous au **bureau de Perama** (📞41 419 ; Café Dona, Jl Pelabuhan ; ⏱7h-20h).

Gilicat (📞0361-271 680 ; www.gilicat.com) dessert Gili Trawangan au moyen de bateaux rapides. Son représentant local est basé au Made's Homestay (en face). Padangbai offre d'autres services de bateaux rapides, ce qui donne souvent lieu à une guerre des prix.

NUSA PENIDA Des bateaux rapides partent de Nusa Penida, à proximité de la plage.

Bus

Pour rejoindre Denpasar, prenez un *bemo* jusqu'à la grand-route, puis faites signe à un bus à destination de la gare routière de Batubulan (18 000 Rp).

Bus touristiques

Perama possède ici un arrêt pour ses bus qui desservent la côte est.

Destination	Tarif (Rp)	Durée
Candidasa	25 000	30 minutes
Kuta	60 000	3 heures
Lovina	150 000	5 heures
Sanur	60 000	2 heures 15
Ubud	50 000	1 heure 15

De Padangbai à Candidasa
📞0363

La station balnéaire de Candidasa se situe à 11 km de l'embranchement vers Padangbai. Entre les deux localités, le littoral attrayant compte quelques infrastructures touristiques, et un vaste dépôt pétrolier au niveau de Teluk Amuk.

À une courte distance de Padangbai, le nouveau port destiné aux bateaux de croisière à Tanah Ampo est un fiasco. Le rêve de voir débarquer d'énormes bateaux de croisière remplis de milliers de touristes s'est brisé lorsqu'il s'est avéré que les eaux du port n'étaient pas assez profondes. À qui la faute ? Chacun se renvoie la responsabilité (d'autant que les eaux de Benoa Harbour ne peuvent pas non plus accueillir les gros tonnages).

MANGGIS

Plusieurs luxueux complexes hôteliers en bord de mer sont rattachés au charmant village de Manggis, dans l'arrière-pays.

🛏 Où se loger

❤ **Amankila**   HÔTEL DE LUXE **$$$**
(📞41 333 ; www.amankila.com ; villas à partir de 800 $US, 🅿@🛜🏊). Cet hôtel, l'un des meilleurs de Bali, est juché sur les falaises qui surplombent la mer, dans un endroit isolé avec vue sur Nusa Penida et même Lombok. À 5,6 km après l'embranchement vers Padangbai et à 500 m après celui vers Manggis, un panneau discret indique la route secondaire qui conduit à l'hôtel. L'architecture est exceptionnelle ; 3 grandes piscines s'étagent vers la mer dans un camaïeu de bleus presque irréel. Parmi les restaurants, le splendide **Terrace** (déj 10-25 $US), à l'ambiance détendue, propose une carte créative et variée, aux influences locales et internationales. Le service est aussi remarquable que la vue.

VAUT LE DÉTOUR

LA ROUTE DE MANGGIS À PUTUNG

Rejoignant des coteaux luxuriants embaumant le clou de girofle, la petite route peu pratiquée qui relie Manggis sur la côte et le village de montagne de Putung vaut le détour, quelle que soit votre destination. En montant, la route serpente en de nombreuses courbes et déroule une perspective sur l'est de Bali et les îles. De pause photo en pause photo, la vue ne cessera de vous enchanter. Au détour d'un belvédère, d'adorables familles apparaîtront pour vous vendre, pour environ 30 000 Rp, des paniers faits à la main. Difficile dans ces conditions de résister à l'achat compulsif...

Quand on vient de Manggis, la route est en bon état sur la première moitié, mais elle se détériore ensuite. Elle devient tout juste praticable pour les voitures, mais vous aurez de toute façon envie de rouler doucement pour la vue. Comptez une heure.

Alila Manggis RESORT $$$
(☎41 011 ; www.alilahotels.com ; ch à partir de 200 $US ; ✳@🛜🏊). D'élégants bâtiments blancs à toit de chaume dans un grand jardin, face à une belle plage isolée, et 55 chambres spacieuses, joliment décorées dans les tons crème rehaussés de bois. Offrez-vous une deluxe, au dernier étage, pour profiter de la meilleure vue. Le restaurant **Seasalt** (déj 10-25 $US) mitonne une succulente cuisine balinaise et fusion bio. Parmi les prestations figurent un campement pour les enfants, un spa et des cours de cuisine. À environ 1 km à l'est de l'Amankila.

MENDIRA ET SENGKIDU

En venant de l'ouest, des hôtels et des *guesthouses* se tiennent en retrait de la route à Mendira et à Sengkidu, avant Candidasa. Bien que la plage ait quasi disparu et malgré les digues disgracieuses, l'endroit constitue une retraite paisible, agréable si vous disposez d'un moyen de transport.

🛏 Où se loger

Les établissements suivants se situent dans des petits chemins entre la grand-route et la mer, non loin de Candidasa, mais donnent tous une agréable impression d'isolement. Ils sont desservis par des routes étroites qui partent d'un même embranchement sur la route, à 1 km à l'ouest de Candidasa. Repérez un grand panneau indiquant des hébergements, une école et un grand banian.

💜 **Amarta Beach Inn Bungalows** AUBERGE $
(☎41 230 ; amartabeachcottages@yahoo.com ; ch 250 000-400 000 Rp, villa à partir de 600 000 Rp ; ✳@🛜🏊). Les 10 chambres d'un bon rapport qualité/prix donnent directement sur la mer, dans un cadre intime et splendide. Les plus coûteuses sont dotées d'une sdb extérieure ; les villas offrent encore plus d'intimité. Minuscule plage à marée basse ; le reste du temps, on profitera de la vue sur Nusa Lembongan et Nusa Penida. Que vous soyez résident ou non, le café est une excellente option pour le déjeuner.

Pondok Pisang GUESTHOUSE $$
(☎41 065 ; www.pondokpisang.com ; ch 50-80 $US ; 🛜). La "hutte de la banane" ne manque ni de charme ni de bananiers. Répartis dans un vaste domaine, les 6 grands bungalows à 2 niveaux sont joliment décorés et dotés d'une sdb carrelée de mosaïques. Des cours intensifs de yoga ont lieu à divers moments. Dans un petit atelier, des villageoises cousent des textiles.

Anom Beach Inn HÔTEL $$
(☎419 024 ; www.anom-beach.com ; ch 25-60 $US ; ✳🏊). L'Anom, un vétéran, propose 24 chambres diverses, avec ventilateur – suffisant compte tenu de la brise marine constante – pour les moins chères. Les meilleures sont celles de type bungalow. Nombre de clients viennent ici depuis des années.

TENGANAN

Remontez le temps à Tenganan, un village habité par des Bali-Aga, les descendants des premiers habitants de Bali avant l'arrivée des Majapahit au XIe siècle.

Les Bali-Aga sont réputés très conservateurs et rétifs au changement. Cela n'est vrai qu'en partie : la TV et d'autres équipements modernes sont cachés dans les maisons. L'ambiance demeure cependant plus traditionnelle que dans la plupart des autres villages balinais. Voitures et motos y sont interdites. Souvenez-vous qu'il s'agit d'un village authentique et non d'une attraction touristique.

Tel un village de carte postale, Tenganan se détache devant un arrière-plan de collines verdoyantes. Entouré d'un mur, il se compose essentiellement de deux rangées de maisons identiques qui s'étirent le long d'un versant. À l'entrée (don 10 000 Rp), un guide proposera sans doute ses services pour la visite, puis vous emmènera dans l'habitation familiale pour voir des textiles et des bandes de *lontar* (palmes traitées). À l'inverse de Besakih, vous ne serez pas harcelé pour acheter.

Une ancienne version du gamelan, le *gamelan selunding*, est toujours jouée ici et les filles exécutent une danse tout aussi ancienne, le *rejang*. Parmi les autres villages bali-aga des alentours, Tenganan Dauh Tenkad, à 1,5 km à l'ouest près de la route de Tengana, offre une ambiance délicieusement surannée et compte plusieurs ateliers de tissage.

✹ Festivals
Coutumes, fêtes et pratiques originales ponctuent la vie de Tenganan.

Usaba Sambah Festival FESTIVAL
Pendant l'Usaba Sambah Festival, qui dure un mois et commence en mai ou juin, des hommes s'affrontent avec des bâtons entourés de feuilles épineuses de pandanus. À cette occasion, des grandes roues artisanales, actionnées à la main, sont installées dans le village et font cérémonieusement tourner les jeunes filles.

☞ Circuits organisés
JED CIRCUIT CULTUREL
(Village Ecotourism Network ; ☏0361-366 9951 ; www.jed.or.id ; circuits à partir de 75 $US). Pour vraiment apprécier l'ambiance et la culture d'un village, vous pouvez participer à un circuit conçu par JED. D'un ou deux jours et très prisés, ils sont menés par des guides locaux qui expliquent en détails les divers aspects de la vie quotidienne. Les prix incluent le transport depuis le sud de Bali et Ubud.

🛍 Achats
Tenganan produit une étoffe magique, le *kamben gringsing*, supposée protéger ceux qui la portent de la magie noire. Elle est traditionnellement fabriquée selon la technique du "double ikat", qui consiste à teindre les fils de trame et de chaîne avant le tissage. Ce travail demande beaucoup de temps et les ravissantes pièces en double ikat sont assez chères (à partir de 600 000 Rp). Les textiles meilleur marché

proviennent habituellement d'autres régions de Bali.

De nombreux paniers en feuilles d'*ata*, fabriqués dans la région, sont également en vente. La calligraphie balinaise traditionnelle sur des bandes de *lontar*, à la manière des anciens livres en *lontar*, constitue un autre artisanat local. Ce sont souvent des calendriers balinais ou des extraits du *Ramayana* (de 150 000 à 300 000 Rp selon la qualité).

Les tissages de Tenganan sont également vendus dans les boutiques Ashitaba de Seminyak et d'Ubud.

❶ Depuis/vers Tenganan
Une route secondaire, à l'ouest de Candidasa, grimpe jusqu'à Tenganan, à 3,2 km. Des *bemo* s'arrêtent à l'embranchement, où des *ojek* (motos-taxis) rallient le village pour environ 10 000 Rp. On vous conseille de prendre un *ojek* pour monter jusqu'à Tenganan, puis de redescendre à pied vers la grand-route le long des larges chemins ombragés.

Candidasa
☑0363
Localité détendue sur la route de l'Est, Candidasa possède des hôtels et quelques restaurants corrects. Elle souffre cependant de problèmes dus aux décisions prises il y a trente ans, et qui devraient servir de leçon pour l'avenir d'endroits encore épargnés par le tourisme.

Jusqu'aux années 1970, Candidasa était un paisible village de pêcheurs. Puis des *losmen* (petits hôtels balinais) et des restaurants ont surgi au bord de la plage, le transformant en destination balnéaire à la mode. Le développement des infrastructures a entraîné l'érosion de la plage ; sans penser aux conséquences, on a utilisé les coraux de la barrière de récifs pour produire la chaux destinée aux constructions. À la fin des années 1980, Candidasa était devenue une station balnéaire sans plage !

L'exploitation a cessé en 1991, des digues de béton et des brise-lames ont limité l'érosion et quelques poches de sable commencent à réapparaître. L'ambiance décontractée du bord de mer et les vues dégagées des hôtels pieds dans l'eau séduisent les voyageurs d'âge mûr. Candidasa est une bonne base pour explorer l'arrière-pays de l'Est balinais. En l'état, c'est un endroit tranquille, mais ennuyeux pour certains.

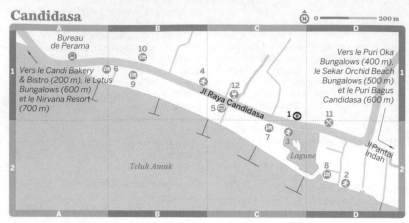

Candidasa

⊙ À voir

Pura Candidasa   TEMPLE
(don apprécié). Le temple de Candidasa se dresse à flanc de colline de l'autre côté de la lagune, à l'est de la rue principale du village. Il comprend deux temples jumeaux consacrés aux divinités homme-femme Shiva et Hariti.

🏃 Activités

La plongée et le snorkeling sont les activités les plus prisées à Candidasa. **Gili Tepekong**, avec sa série de patates de corail au sommet d'un tombant abrupt, est sans doute le meilleur site. On y voit de nombreux poissons et quelques grands animaux marins. Les plongeurs expérimentés peuvent explorer un canyon quand les conditions s'y prêtent, mais il reste potentiellement dangereux. Les courants sont puissants et imprévisibles, l'eau est froide et la visibilité variable.

Les hôtels louent l'équipement de snorkeling pour environ 30 000 Rp par jour.

Prenez un bateau jusqu'aux sites au large ou jusqu'à Gili Mimpang (comptez environ 100 000 Rp/heure jusqu'à 3 passagers).

Outre le village bali-aga de Tenganan, on trouve plusieurs villages traditionnels dans l'arrière-pays de Candidasa et de beaux sites de randonnée.

Dive Lite   PLONGÉE
(☏ 41 660 ; www.divelite.com ; Jl Raya Candidasa ; plongée à partir de 50 $US). Dive Lite organise des plongées dans la région et dans le reste de l'île. Le cours d'initiation se révèle une excellente affaire – pour 90 $US, vous apprenez les rudiments avant d'effectuer une plongée sous la supervision d'un instructeur. Une bonne façon de comprendre si vous êtes fait pour cette activité. Les sorties de snorkeling coûtent 30 $US.

Dewi Spa   SPA
(☏ 41 042 ; Jl Raya Candidasa ; massage à partir de 80 000 Rp ; ◷ 9h-19h). À terre, faites-vous dorloter au modeste Dewi Spa : épilation, bain de vapeur, gommage et tressage des cheveux.

Alam Asmara Spa SPA
(☑41 929 ; ◷9h-21h). Autre possibilité plus chic, l'Alam Asmara Spa, dans l'hôtel du même nom. Des produits bio et naturels sont utilisés pour une gamme de massages traditionnels (à partir de 150 000 Rp) et de traitements dans un cadre reposant.

Ashram Gandhi Chandi RETRAITE SPIRITUELLE
(☑41 108 ; www.ashramgandhi.com ; Jl Raya Candidasa ; nuit environ 350 000 Rp/2 pers). L'Ashram Gandhi Chandi, une communauté hindoue en bordure de lagon, suit les enseignements pacifistes du Mahatma. On peut y séjourner pour une période brève ou prolongée, à condition de participer à la vie de la communauté. Sommaires bungalows près de l'océan, parfaits après une longue journée de yoga.

🛏 Où se loger

L'artère principale de Candidasa est bordée d'hôtels en bord de mer, de restaurants et d'autres infrastructures touristiques. D'autres adresses se trouvent à l'est du centre, dans la paisible Jl Pantai Indah. Agréables et décontractés, ces établissements disposent souvent d'un bout de plage. D'autres tout aussi tranquilles se regroupent à l'ouest, au bord de l'eau.

OUEST DE CANDIDASA
Ces deux hôtels sont à quelques pas de Candidasa.

Nirwana Resort HÔTEL $$$
(☑4113b ; www.thenirwana.com ; ch125-200 $US ; ✻@☎☲). Une belle passerelle au-dessus d'un étang à lotus donne le ton de ce resort à l'atmosphère intimiste, qui a fait l'objet d'une importante rénovation. Les 18 bungalows sont tous installés à proximité de la piscine à débordement. Fréquentes remises. Choisissez de préférence l'un des 6 bungalows avec vue sur l'océan.

Lotus Bungalows HÔTEL $$
(☑41 104 ; www.lotusbungalows.com ; demi-pension 75-150 $US ; ✻@☲). Dirigé par des Européens, le Lotus comprend une belle piscine et 20 chambres (certaines avec clim) installées dans des bungalows espacés, clairs et aérés. Quatre bordent l'océan. Nitrox gratuit dans le centre de plongée sur place.

CENTRE DE CANDIDASA

Hotel Ida's GUESTHOUSE $
(☑41 096 ; jsidas1@aol.com ; Jl Raya Candidasa ; bungalows 170 000-300 000 Rp ; ☎). Dans une vaste cocoteraie au bord de la mer, l'Ida's possède 5 bungalows au toit de chaume, avec sdb en plein air. L'ameublement rustique du balcon, dont un lit de jour, donne une impression de bout du monde.

Ashyana Candidasa HÔTEL $$
(☑41 538 ; www.ashyanacandidasa.com ; Jl Raya Candidasa ; ch 50-80 $US ; ☎☲). Cet hôtel bien tenu en bord de mer compte 12 unités de style bungalow, anciens mais immaculés, plus un spa. La plupart sont suffisamment éloignés de la route pour échapper au bruit. Quant aux employés souriants, ils sont si professionnels qu'ils en feraient presque la révérence. Le café Le-Zat, sur le front de mer, offre une cuisine indonésienne standard et une vue fabuleuse.

Seaside Cottages GUESTHOUSE $
(☑41 629 ; www.balibeachfront-cottages.com ; Jl Raya Candidasa ; bungalows 150 000-470 000 Rp ; ✻@☎). Les 15 chambres, réparties dans des bungalows, offrent une gamme complète, des sommaires avec eau froide aux plus confortables, avec clim et sdb tropicale. Des chaises longues bordent la digue. Le Temple Café invite à s'attarder.

Watergarden HÔTEL $$
(☑41 540 ; www.watergardonhotel.com ; Jl Raya Candidasa ; ch 120-320 $US ; ✻☎☲). Le "Jardin d'eau" compte une piscine et des bassins remplis de poissons autour des bâtiments. Le jardin luxuriant invite à la flânerie. Chacune des 13 chambres a une véranda donnant sur les bassins à nénuphars, plus pimpants que les intérieurs un peu défraîchis. Wi-Fi disponible uniquement dans le café.

Rama Shinta Hotel HÔTEL $$
(☑41 778 ; www.ramashintahotel.com ; ch 500 000-700 000 Rp ; ✻☎☲). Sur une petite route proche de la lagune et de l'océan, cette pension compte 15 chambres installées dans un bâtiment en pierre de 2 niveaux ou dans des bungalows. Celles à l'étage donnent sur la lagune.

À L'EST DU CENTRE
Une petite route serpente entre des bananiers le long d'hébergements discrets pour les petits budgets. C'est le meilleur emplacement à Candidasa : vous êtes à seulement 10 minutes à pied du centre sans être importuné par le bruit de la circulation, les bananes à portée de main...

Sekar Orchid Beach Bungalows
GUESTHOUSE $

(☎41 086 ; www.sekar-orchid.com ; Jl Pantai Indah 26 ; bungalows 250 000-400 000 Rp). Comme son nom l'indique, l'établissement se distingue par une profusion d'orchidées et de broméliacées. Doté d'une petite plage, il loue 6 grandes chambres d'un bon rapport qualité/prix. Jolie vue depuis l'étage. Malgré la sensation d'isolement, le centre n'est qu'à quelques minutes à pied.

Puri Oka Bungalows
GUESTHOUSE $

(☎41 092 ; www.purioka.com ; Jl Pantai Indah ; ch 25-90 $US ; ✻☎❄). Cachée dans une bananeraie à l'est de la ville, cette pension propose 17 chambres. Les moins chères, petites, se contentent d'un ventilateur, alors que les meilleures donnent sur l'océan. Une modeste piscine jouxte un café, qui dispose du Wi-Fi. Un bout de plage apparaît à marée basse. Bon rapport qualité/prix pour les 2 bungalows spacieux.

Puri Bagus Candidasa
HÔTEL $$

(☎41 131 ; www.bagus-discovery.com ; Jl Pantai Indah ; ch 90-180 $US ; ✻❄). À l'extrémité est du rivage, près d'un mouillage de bateaux, cet hôtel disparaît sous les palmiers. La grande piscine et le restaurant – qui disposent du Wi-Fi – jouissent d'une belle vue sur la mer, mais la plage est inexistante. Les 47 chambres sont équipées d'une sdb en plein air. Renseignez-vous sur les promotions.

✖ Où se restaurer et prendre un verre

Certains hôtels, comme le Lotus Bungalows et l'Ashyana Candidasa, possèdent des restaurants et des cafés sur le front de mer, parfaits pour admirer la vue au déjeuner et les reflets de la lune le soir.

Les cafés et restaurants qui bordent Jl Raya Candidasa sont généralement simples et gérés par des familles. Méfiez-vous de la circulation, même si le bruit s'atténue en soirée. Certains établissements offrent le transport aux clients qui séjournent en dehors du centre ; il suffit de les appeler.

♥ Vincent's
INTERNATIONAL $$

(☎41 368 ; www.vincentsbali.com ; Jl Raya Candidasa ; plats 60 000-150 000 Rp). La meilleure adresse de Candidasa, ce vaste restaurant ouvert comprend plusieurs salles séparées et un joli jardin à l'arrière avec des meubles en rotin. Le bar est une véritable oasis de jazz (concerts les premier et troisième jeudis du mois). La carte associe d'excellents plats balinais et européens, et de délicieux poissons et fruits de mer.

Candi Bakery & Bistro
ALLEMAND $$

(☎41 883 ; Jl Tenganan ; plats 40 000-150 000 Rp). Sur la route de Tenganan, à 100 m de l'embranchement à l'ouest de la ville, cet élégant café mérite le détour pour ses délicieuses spécialités balinaises et allemandes, servies sur la véranda ombragée. Vous pouvez aussi siroter une bière bavaroise. La boulangerie vend d'alléchantes pâtisseries et viennoiseries.

Temple Café
INTERNATIONAL $

(☎41 629 ; Seaside Cottages, Jl Raya Candidasa ; plats 30 000-70 000 Rp). La clientèle internationale se sent à la maison dans le café des Seaside Cottages. Le propriétaire australien propose même quelques spécialités de son pays. La liste des boissons est longue dans ce bar prisé.

Crazy Kangaroo
BAR

(carte p. 200 ; Jl Raya Candidasa). Ce café, frénétique pour les critères locaux, pourrait presque être qualifié de relais routier (plats 40 000-80 000 Rp). Bar animé et musique à plein volume. Le mercredi soir, une troupe de danseuses en minishorts se déhanchent sur de vieux succès et invitent le public à les rejoindre.

ℹ Renseignements

Candidasa dispose désormais de distributeurs.

ℹ Depuis/vers Candidasa

Candidasa se situe sur la grand-route entre Amlapura et le sud de Bali. La ville ne compte pas de gare routière et vous devrez faire signe à un *bemo* (ils bus s'arrêtent rarement), puis changer à Padangbai ou à Semarapura.

Vous pouvez louer un véhicule pour rejoindre Amed, au bout de la côte est (150 000 Rp), ou Kuta et l'aéroport (250 000 Rp). **Nengah Suasih** (☎0819 3310 5020 ; nengahsuasih@ yahoo.com), un chauffeur, organise des excursions d'une journée à Pasir Putih pour 200 000 Rp.

Renseignez-vous à votre hôtel pour louer une voiture ou un vélo.

Perama (☎41 114 ; Jl Raya Candidasa ; ◷7h-19h) se situe à l'extrémité ouest de la rue principale.

Destination	Tarif (Rp)	Durée
Kuta	60 000	3 heures 30
Lovina	150 000	5 heures 15
Padangbai	25 000	30 minutes
Sanur	60 000	2 heures 45
Ubud	50 000	1 heure 45

De Candidasa à Amlapura

La grand-route à l'est de Candidasa serpente jusqu'au **col du Pura Gamang** (*gamang* signifie "avoir le vertige", un tantinet exagéré ici), qui compte une belle vue sur la côte et quantité de singes gloutons (si nombreux qu'ils ont dépouillé les montagnes environnantes de leurs cultures jusqu'à Tenganan). Si vous marchez le long du littoral de Candidasa vers Amlapura, un chemin monte jusqu'au promontoire et offre une belle perspective sur les îlots rocheux au large. De l'autre côté s'étend une longue et large plage de sable noir.

PASIR PUTIH

Pasir Putih (alias Dream Beach), comme son nom l'indique, est une idyllique plage de "sable blanc". Lors de notre première visite en 2004, elle était déserte à l'exception d'une longue file de bateaux de pêche à une extrémité. Quelques années plus tard, l'endroit n'a plus rien de secret…

Une dizaine de *warung* et de cafés en chaume bordent la plage et servent du *nasi goreng* (riz frit) ou du poisson grillé. Les Bintang sont glacées et les chaises longues attendent les baigneuses en Bikini. La plage est une merveille : un long croissant de sable bordé de cocotiers. Des falaises ombragent une extrémité et la houle est souvent calme ; vous pouvez louer un équipement de **snorkeling** pour explorer les fonds.

La difficulté d'accès a, dans une certaine mesure, protégé Pasir Putih du tourisme de masse. Près du village de Perasi, repérez les panneaux signalant "Virgin Beach Club" ou "Jl Pasir Putih". Quittez la grand-route à 5,6 km à l'est de Candidasa et suivez un chemin pavé sur 1,5 km jusqu'à un temple, où vous devrez régler un péage (2 500 Rp/personne). Vous pouvez vous garer ici et descendre à pied une colline en pente douce ou continuer jusqu'à la plage à 600 m par une route très cahoteuse.

À ceux qui s'inquiètent de la commercialisation de la plage, les habitants répondent que l'argent du péage sert au financement de l'école et des soins. Cependant, des rumeurs incessantes annoncent l'arrivée massive de promoteurs.

TELUK PENYU

Une petite courbe de la côte a gagné le surnom de Teluk Penyu, ou baie aux Tortues. Ces créatures à carapace viennent y creuser leur nid et beaucoup d'efforts ont été faits pour les protéger.

Environ à 5 km au sud d'Amlapura, cette zone accueille quelques expatriés, des villas et l'un des hébergements les plus intéressants de la région.

Turtle Bay Hideaway (☎23 611 ; www.turtlebayhideaway.com ; Jl Raya Pura Mascime ; bungalows 135-300 $US ; ☎☎) comprend un ensemble construit à partir d'anciennes maisons traditionnelles en bois importées de Sulawesi. Les 3 bungalows offrent une vue sur l'océan près d'une grande piscine carrelée. L'intérieur combine détails exotiques et confort moderne (réfrigérateurs). On y sert de la nourriture bio. Il y a assez de chaises longues sur les vérandas et les terrasses ombragées pour ne rien faire pendant une bonne semaine.

Amlapura

☎0363

Capitale du district de Karangasem, Amlapura est aussi la ville la plus importante et le carrefour des transports de l'est de Bali. La plus petite capitale de district balinaise est un endroit multiculturel, avec des boutiques chinoises, plusieurs mosquées et des rues à sens unique parmi les plus propres de l'île. Elle mérite une halte pour ses palais royaux et s'insère parfaitement dans une journée d'excursion avec Candidasa, Amed et/ou Tirta Gangga.

☼ À voir

Les trois palais d'Amlapura, dans Jl Teuku Umar, rappellent la période faste du royaume de Karangasem, lorsqu'il était soutenu par la puissance coloniale néerlandaise à la fin du XIXe et au début du XXe siècle.

Devant le **Puri Agung Karangasem** (Jl Teuku Umar ; 10 000 Rp ; ☺8h-17h) se dressent un imposant portail à trois niveaux et des panneaux superbement sculptés. Traversez la cour d'entrée (remarquez comment toutes les entrées pointent vers le soleil levant à l'est) et tournez à gauche pour accéder au bâtiment principal, appelé Maskerdam (Amsterdam) ; ce nom évoque l'acceptation de la domination néerlandaise qui permit au royaume de Karangasem de perdurer bien après la chute des autres royaumes balinais.

À l'intérieur, vous verrez plusieurs pièces, dont la chambre royale et un salon à l'ameublement offert par la famille royale néerlandaise. Le Maskerdam fait face au Bale Pemandesan, minutieusement décoré et utilisé pour les cérémonies de limage des dents de la royauté. Derrière, le Bale Kambang, entouré d'un bassin, sert toujours pour les réunions familiales et les répétitions de danse.

Empruntez une des nouvelles brochures (en anglais) pour vous faire une idée de ce à quoi l'ensemble pouvait ressembler aux meilleurs jours de la dynastie de Karangasem, au XIXe siècle, lorsqu'elle avait conquis Lombok.

De l'autre côté de la rue et entouré de longs murs, le **Puri Gede** (Jl Teuku Umar ; don requis ; ⊙8h-18h) est toujours utilisé par la famille royale. Le palais comporte de nombreux édifices en brique datant de la période coloniale néerlandaise. Admirez les sculptures sur bois et sur pierre du XIXe siècle. Le **Rangki**, le bâtiment principal entouré de bassins poissonneux, a retrouvé sa splendeur. Repérez le portrait austère du dernier souverain AA Gede Putu, près duquel ses descendants jouent au football.

Le troisième palais royal, le **Puri Kertasura**, est fermé au public.

✖ Où se restaurer et achats

Le choix est limité ; plusieurs *warung* sont installés autour du marché et du principal terminus de bus/*bemo*, ainsi qu'un bon **marché nocturne** (⊙17h-24h). Un grand supermarché **Hardy's** (☏22 363 ; Jl Diponegoro) propose des produits alimentaires, un vaste choix d'articles divers et des stands servant de bons plats asiatiques fraîchement cuisinés. C'est ici aussi que l'on trouve le meilleur choix de produits comme la crème solaire, à l'est de Semarapura et au sud de Singaraja.

ⓘ Renseignements

Le personnel sympathique de l'**office du tourisme** (⊙21 196 ; www.karangasemtourism. com ; Jl Diponegoro ; ⊙7h-15h lun-jeu, 7h-12h ven) vous remettra la brochure *Agung Info*, remplie d'informations utiles.

La **Bank BRI** (Jl Gajah Mada) change les devises. **Hardy's** (☏22 363 ; Jl Diponegoro) possède des ATM. Une **pharmacie** (Apotik ; Jl Ngurah Rai 47 ; ⊙24h/24) fait face à un petit hôpital.

ⓘ Depuis/vers Amlapura

Amlapura est un important carrefour de transports. Des bus et des *bemo* sillonnent régulièrement la grand-route vers la gare routière de Batubulan (25 000 Rp, 3 heures environ) à Denpasar, via Candidasa, Padangbai et Gianyar. De nombreux minibus suivent la côte nord jusqu'à Singaraja (environ 20 000 Rp) via Tirta Gangga, Amed et Tulamben.

Environs d'Amlapura

À 5 km au sud d'Amlapura, **Taman Ujung** rassemble les vestiges d'un grand palais aquatique, construit en 1921 par le dernier roi de Karangasem, et quasi détruit par le séisme de 1979. Ce qui reste du palais est entouré de grands bassins et terrasses modernes, qui ont coûté une fortune. Aujourd'hui, le domaine, balayé par le vent, voit peu de visiteurs et n'a guère d'intérêt ; inutile de quitter la route. Un peu plus loin, vous découvrirez le joli village de pêcheurs d'**Ujung** et l'autre route pour Amed (voir p. 208).

Tirta Gangga
☑0363

Tirta Gangga ("eau du Gange") possède un temple sacré, un palais aquatique et offre une vue fabuleuse sur les rizières et la mer au-delà. À la crête d'un flot de verts cascadant jusqu'à l'océan, le site constitue une agréable pause d'une heure. Avec plus de temps, vous pourrez faire des randonnées dans une campagne en terrasses, traversée de cours d'eau et parsemée de temples. Une petite vallée de rizières prospère sur la colline derrière le parking. Elle offre une vision majestueuse de marches d'émeraude s'évanouissant dans l'horizon.

⊙ À voir

Taman Tirta Gangga PALAIS
(adulte/enfant 10 000/5 000 Rp, parking 2 000 Rp ; ⊙site 24h/24, billetterie 6h-18h). Amoureux de l'eau, le raja d'Amlapura ne se contenta pas de son chef-d'œuvre perdu d'Ujung. Avec le Taman Tirta Gangga, qui se détache sur un époustouflant arrière-plan de rizières en terrasses à flanc de colline, il parvint enfin à bâtir le palais de ses rêves. C'est aujourd'hui une féerie aquatique, avec plusieurs piscines et bassins d'ornement peuplés d'énormes carpes koï et de fleurs de lotus, qui rappellent l'âge d'or des rajas balinais.

Érigé en 1948, le palais fut endommagé par l'éruption du Gunung Agung en 1963, puis durant les événements politiques qui secouèrent l'Indonésie deux ans plus tard. Le "bassin A", propice à la baignade, se situe en haut du domaine. Le "bassin B" ressemble à une mare. Remarquez la fontaine à 11 niveaux et plongez sous les énormes vieux banians.

🏃 Activités

Randonner dans les collines environnantes vous fera voyager loin de la frénésie du sud de Bali. Dans ce coin, à l'extrémité orientale de l'île, ce sont les cours d'eau et les rizières qui prennent le dessus, et les forêts tropicales s'ouvrent sur Lombok, Nusa Penida et les terres luxuriantes environnantes s'étalant vers la mer. Les rizières en terrasses autour de Tirta Gangga comptent parmi les plus belles de Bali. Les routes secondaires et les chemins conduisent à de pittoresques villages traditionnels.

Vous pouvez également faire l'ascension du Gunung Agung. Parmi les itinéraires possibles, un circuit de 6 heures conduit au village de Tenganan ; d'autres plus courts traversent les collines proches, ponctuées de temples isolés et de vues exceptionnelles.

C'est une bonne idée de faire appel à un guide pour les randonnées les plus complexes. Il vous aidera à choisir un itinéraire et vous fera découvrir des choses autrement impossibles à trouver seul. Renseignez-vous auprès des différents hébergements, en particulier au Homestay Rijasa dont le propriétaire, I Ketut Sariana, est un guide chevronné. **Komang Gede Sutama** (📞0813 3877 0893) est un autre guide local réputé. Comptez en moyenne 50 000 Rp l'heure pour une ou deux personnes.

💚 **Bung Bung Adventure Biking** VTT (📞21 873, 0813 3840 2132 ; bungbungbikeadventure@gmail.com ; Tirta Gangga ; circuits 250 000-300 000 Rp). Grâce à cette compagnie locale, dévalez les pentes dans un sublime paysage de rizières, de terrasses et de vallées fluviales autour de Tirta Gangga. Itinéraires de 2 à 4 heures, VTT, casque et eau inclus. Bureau proche du Homestay Rijasa, face à l'entrée du Tirta Gangga. Réserver à l'avance.

🛏 Où se loger et se restaurer

Vous pouvez passer la nuit dans d'anciens et luxueux appartements royaux surplombant le palais aquatique ou dans une habitation toute simple, la veille d'une randonnée à l'aube. La plupart des hébergements comprennent un café qui sert des plats à moins de 20 000 Rp. Certains sont rassemblés à côté des paisibles vendeurs de fruits près du parking ombragé.

Hormis le Tirta Ayu Hotel et les Tirta Gangga Villas, les hébergements n'ont pas nécessairement l'eau chaude.

Tirta Gangga Villas VILLAS **$$** (📞21 383 ; www.tirtagangga-villas.com ; villas à partir de 200 $US ; ❄). Construites sur la même terrasse que le Tirta Ayu Hotel, les villas font partie de l'ancien palais royal. Joliment modernisées dans le style balinais traditionnel, elles sont agrémentées de larges porches ombragés qui surplombent le palais. Vous pouvez louer les services d'un cuisinier et le complexe entier pour jouer au raja, à l'ombre des banians centenaires !

EST DE BALI TIRTA GANGGA

VAUT LE DÉTOUR

LE PURA LEMPUYANG

Promis, vous ne le regretterez pas !

L'un des 9 temples directionnels de Bali, responsable de l'est, le **Pura Lempuyang** est perché en haut d'une colline sur le flanc du Gunung Lempuyang (1 058 m), jumeau du Gunung Seraya (1 175 m) voisin. Cet ensemble forme le double sommet de basalte caractéristique qui surgit au-dessus d'Amlapura, au sud, et d'Amed, au nord. Le Pura Lempuyang surplombe le patchwork de verdure que constitue l'est de Bali. Son importance est telle qu'on y rencontre toujours des Balinais en méditation. Vous souhaiterez sûrement les rejoindre après avoir gravi les 1 700 marches couvrant les 768 m d'altitude de la colline.

Pour rejoindre les escaliers, vous devrez marcher pendant 30 minutes depuis Tirta Gangga. Prenez au sud la route Amlapura-Tulamben jusqu'à Ngis (2 km), une zone de production de sucre de palme et de café, et suivez les panneaux sur 2 km jusqu'à Kemuda (demandez de l'aide si la signalisation vous semble confuse). De Kemuda, montez les marches jusqu'au Pura Lempuyang. Comptez au moins 2 heures pour l'aller. Si vous souhaitez continuer jusqu'aux sommets du Lempuyang ou du Seraya, faites appel à un guide.

Tirta Ayu Hotel HÔTEL **$$**
(☎22 503 ; www.hoteltirtagangga.com ; villas 125-175 $US ; ❈❖⊕⊠). Dans l'enceinte du palais, le Tirta Ayu loue 4 villas plaisantes et bien tenues, au décor moderne crème et café. Profitez de la piscine de l'hôtel ou des installations du palais. Plutôt haut de gamme, le restaurant surplombant le palais revisite les classiques de la gastronomie locale (plats à partir de 50 000 Rp).

Homestay Rijasa CHEZ L'HABITANT **$**
(☎21 873, 0813 5300 5080 ; ch 150 000-250 000 Rp). Entouré d'un joli jardin, cet établissement bien tenu et recommandé fait face à l'entrée du palais aquatique. Les meilleures chambres disposent de l'eau chaude et d'une grande baignoire. Le propriétaire, I Ketut Sarjana, est un guide de randonnée expérimenté.

Good Karma CHEZ L'HABITANT **$**
(☎22 445 ; goodkarma.tirtagangga@gmail. com ; ch 200 000-250 000 Rp ; ⊕). Cet hébergement chez l'habitant classique propose 4 bungalows très propres et simples. Les rizières alentour contribuent à l'ambiance détendue. Un bon café avoisine le parking. Peut-être y rencontrerez-vous le charmant Nyoman jouant de la flûte.

Puri Sawah Bungalows GUESTHOUSE **$**
(☎21 847 ; www.purisawah.com ; ch 250 000-350 000 Rp). Un peu plus haut que le palais, le Puri Sawah offre 3 chambres spacieuses et confortables et un bungalow familial (avec eau chaude) pouvant accueillir 6 personnes. Le restaurant mitonne des classiques balinais et quelques sandwichs alléchants comme le "délice d'avocat".

Genta Bali INDONÉSIEN **$**
(☎22 436 ; plats 15 000-25 000 Rp). De l'autre côté de la route, face au parking, le Genta Bali sert un délicieux yaourt à boire, des pâtes et des plats indonésiens. Impressionnante liste de gâteaux dont un à la banane et au jaque. Goûtez le vin de riz noir.

Side by Side Organic Farm BALINAIS **$**
(☎0812 399 5054, 0812 3623 3427 ; http://sites. google.com/site/sidebysidefarmorg ; Dausa ; buffet-déj à partir de 12 500 Rp ; ✍). Logé au milieu de splendides rizières près de Tirta Gangga, dans le minuscule village de Dausa, cet établissement unique travaille avec la communauté locale. L'objectif est de produire des cultures avec une valeur ajoutée afin de rehausser les salaires de la région, l'une des plus pauvres de Bali. De généreux et savoureux buffets-déjeuners sont servis à partir des aliments biologiques provenant des fermes locales. Possibilité de loger dans l'un des bungalows, simples et paisibles. Appelez la veille pour connaître l'itinéraire et réserver le déjeuner.

ℹ️ Depuis/vers Tirta Gangga

Les *bemo* et les minibus qui parcourent la côte est entre Amlapura et Singaraja font halte à Tirta Gangga. Comptez 7 000 Rp jusqu'à Amlapura.

Environs de Tirta Gangga

Bien que séduisante, la route qui relie Amlapura, Amed et la côte via Tirta Gangga ne permet pas d'apprécier les sites alentour. Pour les découvrir, vous devrez emprunter les routes secondaires ou effectuer des randonnées.

Dans la région, les palmiers borasses sont tous déplumés, car on récolte leurs feuilles régulièrement pour fabriquer des *lontar*.

BUKIT KUSAMBI

Cette petite colline offre une vue magique au lever du soleil, quand le Gunung Rinjani de Lombok projette son ombre sur le Gunung Agung. Bukit Kusambi est facilement accessible depuis Abian Soan : repérez la colline au nord-ouest, et suivez les canaux à travers les rizières. Sur le côté ouest de la colline, des marches conduisent au sommet.

BUDAKELING ET KROTOK

Budakeling, qui accueille plusieurs communautés bouddhistes, se situe sur la route secondaire qui mène à Bebandem, à quelques kilomètres au sud-est de Tirta Gangga. La destination représente un court trajet en voiture ou une agréable marche de 3 heures à travers les rizières via Krotok, un village de forgerons et d'orfèvre.

Tanah Aron, est un imposant monument, sur les versants sud-est du Gunung Agung, qui commémore la résistance au retour des Néerlandais après la Seconde Guerre mondiale. Une bonne route y conduit. À pied, comptez 6 heures aller-retour depuis Tirta Gangga.

Amed et la côte est
☎0363
S'étirant d'Amed à la pointe orientale de Bali, cette portion de côte semi-aride, autrefois isolée, attire les visiteurs grâce

Amed et la côte est

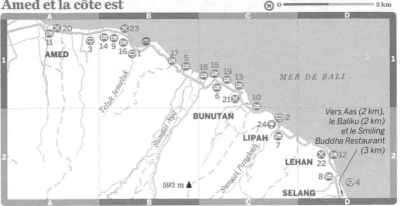

Amed et la côte est

✛ Activités
1 Eco-Dive..B1
2 Euro Dive..C2
3 Jukung Dive..A1
4 Épave de bateau de pêche japonais.....D2

🛏 Où se loger
5 Aiona Garden of Health..........................B1
6 Anda Amed...C1
7 Bayu Cottages...C2
8 Blue Moon Villas.....................................D2
9 Galang Kangin Bungalows.....................D1
10 Hidden Paradise Cottages.....................C1
11 Hotel Uyah Amed....................................A1
12 Life in Amed..D2
13 Onlyou Villas...C1

14 Pondok Kebun Wayan..........................B1
15 Puri Wirata..C1
16 Sama Sama Bungalows........................B1
17 Santai...B1
18 Waeni's Sunset View
    Bungalows...C1
19 Wawa-Wewe II..C1

🍴 Où se restaurer
20 Cafe Garam..A1
21 Restaurant Gede....................................C1
22 Sails...D2
23 Sama Sama Café....................................B1

🍷 Où prendre un verre
24 Wawa-Wewe I..C2

à une succession de petites plages de sable noir, à une ambiance détendue et à d'excellents sites de plongée et de snorkeling.

Parfois simplement appelé "Amed", ce tronçon de littoral est ponctué de *dusun* (petits villages), qui se succèdent en bord de mer entre Amed, au nord, et Aas, au sud-est. Les habitants sont suffisamment dispersés pour donner une sensation d'isolement, bien à l'écart du tourisme de masse et propice à la pratique du yoga.

Cette région peu fertile, aux faibles précipitations et dotée d'infrastructures limitées, a toujours été pauvre. Des salines en activité ponctuent la plage d'Amed. Les villages plus à l'est vivent de la pêche, et des *jukung* (bateaux traditionnels) colorés sont alignés sur les plages. Dans l'arrière-pays,

les versants escarpés des collines sont souvent trop secs pour le riz ; le maïs, l'arachide et les légumes constituent les principales cultures.

🏃 Activités

Plongée et snorkeling
D'excellents sites de snorkeling jalonnent la côte. Jemeluk est une zone protégée où l'on peut admirer des coraux vivants et de nombreux poissons à 100 m du rivage. On peut voir quelques vestiges de l'**épave d'un bateau de pêche japonais** à Bayuning, au large des bungalows d'Eka Purnama. Vous découvrirez des coraux et une vie marine foisonnante à Selang. Presque tous les hôtels louent l'équipement de snorkeling pour environ 30 000 Rp par jour.

VAUT LE DÉTOUR

AMED PAR LA CÔTE

Habituellement, les voyageurs qui se rendent sur la côte d'Amed empruntent la route de l'arrière-pays via Tirta Gangga. Un itinéraire plus long, plus sinueux, plus aventureux et bien moins emprunté part d'Ujung et suit la côte jusqu'à Amed. La route grimpe les versants des pics jumeaux Seraya et Lempuyang, offrant des vues fabuleuses sur l'océan. Elle traverse nombre de petits villages où les habitants sculptent des bateaux de pêche, se baignent dans les cours d'eau et s'étonnent de voir un *tamu* (visiteur ou étranger). Ne soyez pas surpris de croiser sur la route un cochon, une chèvre ou un rocher. Alors que l'Est se caractérise par la luxuriance, ici le climat est plus aride, la population moins dense et le maïs remplace le riz.

Près de **Seraya** (qui possède un joli marché), admirez les tisserands et les fabricants de cotonnades. Bien souvent, vous circulerez parmi les vergers et la jungle. À environ 4 km au sud d'Aas, vous découvrirez un phare.

La route est étroite mais goudronnée. Le trajet de 35 km jusqu'à Aas demande environ une heure (sans les arrêts). Vous pouvez le combiner avec la route de l'arrière-pays via Tirta Gangga pour faire une boucle jusqu'à Amed à partir de l'ouest.

La plongée est également excellente, avec des sites au large de Jemeluk, Lipah et Selang offrant des vallons de corail, des tombants tapissés de coraux durs et mous, et d'innombrables poissons. Certains sont accessibles de la plage, d'autres nécessitent un court trajet en bateau. L'épave du *Liberty* à Tulamben n'est qu'à 20 minutes de traversée.

Trois bons centres de plongée font preuve d'un réel engagement envers les communautés locales, organisant le nettoyage régulier des plages et expliquant aux habitants l'importance de la préservation de l'environnement. Tous pratiquent des prix similaires pour une longue liste de prestations (plongée à partir de 75 $US environ, Open Water autour de 375 $US).

Eco-Dive PLONGÉE
(☎23 482 ; www.ecodivebali.com ; Jemeluk Beach ; 📶). Pionnier dans la protection de l'environnement, Eco-Dive propose une gamme complète de prestations et un hébergement sommaire gratuit pour ses clients.

Euro Dive PLONGÉE
(☎23 605 ; www.eurodivebali.com ; Lipah). Ce vaste centre offre des forfaits avec les hôtels.

Jukung Dive PLONGÉE
(☎23 469 ; www.jukungdivebali.com ; Amed). Soucieux d'écologie, il dispose d'un bassin de plongée. Forfaits avec hébergement dans des bungalows.

Randonnée

De la côte, quelques chemins partent dans l'arrière-pays, sur les versants du **Gunung Seraya** (1 175 m) et vers des villages peu visités. La végétation clairsemée et les sentiers presque toujours bien tracés rendent inutile la présence d'un guide pour les courtes marches ; si vous êtes perdu, suivez une arête qui descend vers la route côtière. Comptez au moins 3 heures pour rejoindre le sommet du Seraya en partant de la corniche rocheuse à l'est de la baie de Jemeluk, près du Prem Liong Art Bungalows. Pour contempler le lever du soleil au sommet, vous devrez partir dans la nuit. Mieux vaut alors engager un guide ; renseignez-vous à votre hôtel.

Où se loger

En choisissant votre hébergement, souvenez-vous que les établissements dans cette région sont très dispersés. Ainsi, pour dîner dans un autre restaurant que celui de votre hôtel, vous devrez marcher ou trouver un transport.

Vous devrez aussi choisir entre les villages côtiers et les promontoires ensoleillés et arides qui relient les criques. Les premiers offrent la proximité de la plage et un peu d'animation, les seconds, une vue dégagée et la tranquillité.

Toutes les catégories de prix sont représentées ; on trouve de nouveaux hébergements petit budget dans le village d'Amed. Presque tous les établissements comprennent un restaurant ou un café.

À L'EST DU VILLAGE D'AMED

♥ **Hotel Uyah Amed** HÔTEL $$
(☎23 462 ; www.hoteluyah.com ; ch 40-50 € ; ❄📶🏊). Cet hôtel charmant possède 27 chambres avec lits à baldaquin dans

d'élégants bungalows coniques, baignés de lumière. Certaines disposent de la clim et toutes donnent sur les salines de la plage. L'hôtel offre de passionnantes démonstrations gratuites de fabrication du sel.

JEMELUK
Ce qu'on appelle maintenant Amed a commencé ici.

Pondok Kebun Wayan   GUESTHOUSE $
(📞23 473 ; www.amedcafe.com ; ch 20-50 € ; ✳ ✳). Cet établissement dispose de 30 chambres de style bungalow, sur une colline de l'autre côté de la plage. Les plus chères, avec vue, ont une terrasse et la clim, alors que les moins chères ont l'eau froide et une douche. L'Amed Cafe propose du bon poisson grillé.

Sama Sama Bungalows   CHEZ L'HABITANT $
(📞0813 3738 2945 ; ch 150 000-400 000 Rp). En face de la plage, choisissez entre un bungalow avec eau froide et ventilateur ou un autre un petit peu plus chic (eau chaude). Bon café proposant des produits de la mer. Tenu par une famille souvent occupée à fabriquer des offrandes.

Galang Kangin Bungalows   GUESTHOUSE $
(📞23 480 ; bali_amed_gk@yahoo.co.jp ; ch 250 000-550 000 Rp ; ✳). À flanc de colline dans un joli jardin, ses 10 chambres varient en confort : eau chaude ou froide, ventil ou clim. Le café se tient sur la plage, de l'autre côté de la rue.

BANUTAN BEACH
Un petit village classique avec une petite bande de sable et des bateaux de pêche entre d'arides promontoires.

Santai   HÔTEL $$
(📞23 487 ; www.santaibali.com ; ch 50-120 $US ; ✳ ✳). Cet hôtel ravissant se tient sur une petite colline qui descend vers la plage. Son nom signifie "décontracté" et il serait difficile de ne pas l'être. Les bungalows traditionnels, dont le chaume est collecté dans tout l'archipel, abritent 10 chambres avec lits à baldaquin, parquet, sdb en plein air et grand sofa sur le balcon. Une piscine frangée de bougainvillées serpente à travers le domaine. Bon café.

Aiona Garden of Health   GUESTHOUSE $
(📞0813 3816 1730 ; www.aionabali.com ; ch à partir de 30 $US). Sur la route,

DU SEL AU SOLEIL

Les paludiers d'Amed exploitent le sel de mer selon une méthode très ancienne. Ils commencent par verser de l'eau de mer dans de grands entonnoirs en bambou ou en bois qui servent de filtre. Elle coule ensuite dans des palungan, des troncs de palmier coupés en deux et évidés, ou dans des bacs en ciment, où elle s'évapore en libérant le sel. C'est le début du processus, que vous verrez à Kusamba ou sur la plage d'Amed.

Différentes méthodes sont utilisées pour produire le sel dans les zones volcaniques de la côte est, entre Sanur et Yeh Sanih, au nord. Quelle que soit la technique, c'est toujours un travail harassant et difficile, mais aussi une source de revenu indispensable pour de nombreuses familles.

Dans certains endroits, la première étape consiste à assécher du sable saturé d'eau de mer. Il est ensuite transporté dans une hutte où l'on verse de l'eau de mer pour drainer le sel. Cette eau très salée est ensuite versée dans les palungan. On peut en voir des centaines alignés sur les plages pendant la saison sèche. Le Museum Semarajaya de Semarapura présente une excellente exposition sur cette méthode.

La plupart du sel produit sur la côte balinaise est utilisé pour la préparation du poisson séché. La méthode utilisée à Amed offre un avantage : son rendement est inférieur à la technique du sable, mais le sel obtenu est prisé pour sa saveur. Le marché mondial du "sel artisanal" est aujourd'hui en pleine expansion et ces cristaux d'un gris terne sont souvent mis à l'honneur dans la grande cuisine.

Les visiteurs en apprendront davantage sur ce fascinant processus à l'Hotel Uyah Amed adjacent et au Cafe Garam, dont le personnel travaille également dans la production de sel. Vous pouvez aussi faire un circuit organisé et acheter un sac de ce précieux produit pour un coût dérisoire (10 000 Rp/kg) par rapport à celui pratiqué dans les épiceries fines occidentales où l'on peut le trouver.

d'innombrables panneaux indiquent ce lieu insolite. Des manguiers ombragent les bungalows sans prétention et la nourriture bio servie au café est très fraîche. Profitez des lotions et des potions naturelles, des cours de yoga ou de méditation, de lectures du tarot, etc. Et si vous n'atteignez pas la paix de l'esprit, vous obtiendrez celle du corps avec un régime riche en fibres ou un thé fermenté. Un petit **musée du Coquillage** (14h-16h) précise qu'aucun mollusque n'a été tué pour constituer la collection.

BUNUTAN
Ces hébergements se situent sur un plateau ensoleillé et aride. La plupart sont à flanc de coteau, descendant vers la mer.

♥ Onlyou Villas VILLAS **$$**
(📞23 595 ; www.onlyou-bali.com ; villas 50-90 € ; ✳🖼). Ces hébergements se situent sur une colline. Les villas sont spacieuses et disposent de bons équipements comme des lecteurs de DVD, plusieurs lits ou des meubles en teck. Parmi les prestations offertes, citons les "bonbons et cocktails spécial dodo".

Wawa-Wewe II HÔTEL **$$**
(📞23 506, 23 522 ; www.bali-wawawewe.com ; ch 400 000-700 000 Rp ; ✳🛜🖼). Sur les hauteurs, ce bel endroit paisible compte 10 chambres de style bungalow dans un domaine luxuriant qui descend jusqu'à la mer. Modelée en forme de bouddha, la piscine à débordement, en pierre naturelle, jouxte l'océan. Deux chambres bénéficient de la vue sur le large.

Anda Amed HÔTEL **$$**
(📞23 498 ; www.andaamedresort.com ; villas 60-110€ ; ✳🛜🖼). Les 4 villas chaulées à flanc de colline évoquent les îles grecques. Elles comportent 1 ou 2 chambres et chacune est agrémentée de détails raffinés comme une baignoire profonde. Bien au-dessus de la route, la piscine à débordement, avec cascade, jouit d'une vue panoramique sur la mer.

Waeni's Sunset View Bungalows GUESTHOUSE **$**
(📞23 515 ; www.waenis.com ; ch 400 000-6000 000 Rp ; ✳🛜). À flanc de colline, le Waeni possède 8 bungalows rustiques en pierre, avec une vue somptueuse sur les montagnes à l'arrière et la baie en contrebas. Certains ont l'eau chaude et la clim, d'autres la ventil et l'eau froide. Café idéal pour un verre au coucher du soleil.

ℹ COMPRENDRE AMED

Les 10 km de la côte extrême-orientale sont souvent appelés "Amed", aussi bien par les touristes que par les gens du cru qui ont un peu le sens du marketing. Les premiers développements se sont faits autour de 3 villages de pêcheurs : **Jemeluk**, qui abrite des cafés et quelques boutiques, **Bunutan**, avec sa plage et ses promontoires, et **Lipah**, qui disposent de *warung*, de boutiques et de quelques services. Le développement s'est poursuivi jusqu'aux minuscules **Lehan, Selang, Bayuning** et **Aas**, de petites oasis au pied de collines sèches et brunes. Pour apprécier cette étroite bande côtière, faites une halte au point de vue de Jemeluk, où vous pourrez voir les bateaux de pêche alignés comme des sardines sur la plage.

Outre la route principale qui passe par Tirta Gangga, vous pouvez aussi vous rendre à Amed à partir de l'extrémité d'Aas, dans le Sud.

Puri Wirata HÔTEL **$$**
(📞23 523 ; www.puriwirata.com ; ch 48-85 $US ; villas 75-260 $US ; ✳🛜🖼). L'option la plus classique d'Amed. Cet hôtel de 30 chambres possède 2 piscines et des chambres s'avançant vers la plage rocheuse le long de la colline. Service professionnel et plusieurs forfaits de plongée proposés. Wi-Fi seulement au restaurant et près de la piscine.

LIPAH
Ce village est juste assez grand pour que l'on puisse y flâner… un peu.

Bayu Cottages GUESTHOUSE **$$**
(📞23 495 ; www.bayucottages.com ; ch 400 000-750 000 Rp ; ✳🛜🖼). À flanc de colline au-dessus de la route, les 6 chambres, vastes et confortables, disposent d'un balcon donnant sur la côte. Petite piscine avec vue splendide et nombreux équipements, tels que des sdb extérieures en marbre et la TV par satellite. Wi-Fi uniquement dans les zones communes.

Hidden Paradise Cottages HÔTEL **$$**
(📞23 514 ; www.hiddenparadise-bali.com ; ch 50-100 $US ; ✳🛜🖼). Ce complexe balnéaire ancien, installé dans un jardin impeccable, compte 16 chambres de style bungalow au décor simple, avec grand

patio et sdb en plein air. La piscine s'intègre dans le cadre verdoyant naturel. Nombreux forfaits de plongée.

LEHAN

❤️ **Life in Amed** AUBERGE $$
(☏23 152, 0813 3850 1555 ; www.life-bali.com ; ch 65-110 $US, villa 100-170 $US ; ✳@🛜🌊). Cet établissement sélect offre 6 bungalows entourant une piscine sinueuse dans un domaine un peu exigu et 2 villas sur la plage. Les sdb en plein air, conçues à partir de galets, sont de véritables œuvres d'art. Le café privilégie le poisson et des spécialités locales sophistiquées (repas 50 000-120 000 Rp). L'une des adresses préférées des expatriés résidant à Bali.

SELANG

Blue Moon Villas GUESTHOUSE $$
(☏0817 4738 100 ; www.bluemoonvilla.com ; ch à partir de 60-210 $US ; ✳🛜🌊). Sur la colline face aux falaises, de l'autre côté de la route, ce petit établissement haut de gamme comprend trois piscines. Les chambres, aménagées dans des villas, possèdent une sdb en pierre en plein air. Elles peuvent fusionner en suites de plusieurs chambres. Le restaurant sert de bons plats balinais classiques et des grillades de poisson.

BAYUNING

Une fois à Bayuning, vous aurez laissé derrière vous l'essentiel du tintouin touristique d'Amed.

Baliku HÔTEL $$
(☏082 8372 2601 ; www.amedbaliresort.com ; ch à partir de 80 $US ; ✳🌊). Les grandes villas figurent parmi les points forts de ce complexe qui surplombe une jolie portion de la côte d'Amed, où l'on aperçoit souvent les voiles colorées des bateaux de pêche. Intimité garantie grâce aux lits king size, aux espaces dressing séparés et aux terrasses prévues pour se restaurer. L'ensemble a des accents méditerranéens, jusque dans le menu du restaurant.

AAS

Une fois arrivé à Aas, profitez-en pour y recharger vos batteries quelques temps.

❤️ **Meditasi** GUESTHOUSE $
(☏082 8372 2738 ; http://meditasi.8m.com ; ch 300 000-500 000 Rp). Décompressez dans cette charmante retraite zen. La méditation et le yoga contribuent à la détente et les 8 chambres se situent à proximité de bons sites de baignade et de snorkeling. Les

sdb extérieures donnent sur les nombreux bougainvillées et frangipaniers du jardin.

✖️ Où se restaurer et prendre un verre

Comme indiqué précédemment, la plupart des hébergements possèdent un café. Voici ceux qui méritent le détour :

Cafe Garam INDONÉSIEN $
(☏23 462 ; Hotel Uyah Amed, est d'Amed ; plats 20 000-50 000 Rp). Une ambiance détendue règne dans ce café, doté de tables de billard. Envoûtants concerts de *genjek* le mercredi et samedi à 20h. *Garam* signifie sel et le café rend hommage à la production locale. Parmi les délicieux plats balinais, goûtez la *salada ayam,* un savoureux mélange de choux, de poulet grillé, d'échalotes et de piments.

Smiling Buddha Restaurant BIO $
(☏082 8372 2738 ; Meditasi, Aas ; plats à partir de 30 000 Rp ; 🍴). Construit récemment, le restaurant de cette pension chaudement recommandée sert une délicieuse cuisine biologique, provenant en grande partie de son propre potager. Excellents plats balinais et occidentaux. Belle vue sur la mer et soirées spéciales les nuits de pleine lune.

Sama Sama Café POISSON $
(☏0813 3738 2945 ; plats 30 000-60 000 Rp). Crevettes ultrafraîches, calmars et truits de mer et poisson sautent presque des bateaux sur le gril de ce café de plage.

Restaurant Gede CHINOIS $
(☏23 517 ; plats 25 000-50 000 Rp). À mi-chemin de la baie et du sommet de la colline, ce restaurant jouit d'une vue superbe. Des œuvres du propriétaire décorent les murs. La longue carte comporte les habituelles spécialités chinoises.

Sails FUSION $$
(☏22 006 ; www.restaurantamedbali.com ; plats 55 000-110 000 Rp). Restaurant élégant à la cuisine raffinée, Sails occupe une grande terrasse panoramique à 180° sur la falaise. Beaux fauteuils en bois blond et classiques de la cuisine fusion comme les médaillons d'agneau, les travers de porc ou les filets de poisson frais à la balinaise.

Wawa-Wewe I BAR
(☏23 506 ; plats à partir de 30 000 Rp ; 🕿). Ce bar, le plus animé de la côte (autrement dit parfois bruyant selon les critères du coin), programme des groupes locaux plusieurs soirs par semaine. Goûtez-y, avec modération, l'*arak* local, un alcool fermenté fait à

base de feuilles de palme. On y sert aussi des repas et on peut y dormir (chambres avec clim à partir de 150 000 Rp).

❶ Renseignements

Vous devrez peut-être payer une taxe touristique pour pénétrer dans cette zone. Un péage exige parfois 5 000 Rp par personne à l'entrée d'Amed. Les fonds contribuent au développement des infrastructures des plages.

Vous pourrez changer de l'argent à Lipah, mais les distributeurs et les banques les plus proches se situent à Amlapura. De nombreux établissements n'acceptent pas les cartes de crédit. Le Wi-Fi se répand au fur et à mesure que les lignes téléphoniques gagnent le sud.

❶ Comment s'y rendre et circuler

La plupart des voyageurs viennent par la route principale depuis Amlapura et Culik. La route spectaculaire d'Aas à Ujung qui contourne les pics jumeaux constitue un bon trajet en boucle.

Vous pouvez louer une voiture avec chauffeur depuis/vers le sud de Bali et l'aéroport pour environ 400 000 Rp.

Les déplacements en transports publics sont difficiles. Le minibus et les *bemo* entre Singaraja et Amlapura passent par Culik, d'où part l'embranchement vers la côte. De rares *bemo* relient Culik et Amed (3,5 km), et certains continuent vers Seraya jusqu'à 13h. Les prix tournent autour de 8 000 Rp.

Vous pouvez aussi louer un transport à Culik pour 50 000 Rp (négociable) environ (moitié moins en *ojek*). Précisez bien le nom de votre hôtel (et non juste "Amed") pour ne pas risquer de vous retrouver dans le village d'Amed, loin de votre destination.

Perama (www.perama.com) propose des bus touristiques à partir de Candidasa ou de Padangbai pour 125 000 Rp par personne avec un minimum de 2 passagers. La location d'une voiture avec chauffeur revient au même prix.

Les bateaux rapides d'**Amed Sea Express** (www.gili-sea-express.com ; Amed ; 600 000 Rp/pers) rallient Gili Trawangan en moins d'une heure (80 passagers), ce qui offre divers itinéraires intéressants.

Beaucoup d'hôtels louent des vélos pour environ 35 000 Rp/jour.

Région de Kubu

En suivant la route principale, vous traverserez de grandes coulées de lave, descendues du Gunung Agung à la mer. Le paysage lunaire, jonché de rochers, tranche avec les rizières luxuriantes.

Tulamben
📶0363

La principale attraction de Tulamben a coulé il y a plus de 60 ans. L'épave du cargo américain *Liberty* compte parmi les meilleurs et les plus prisés des sites de plongée de Bali, et la ville s'est développée autour de cette activité. D'autres excellents sites se trouvent à proximité et on peut même observer l'épave et les coraux avec palmes et tuba.

Si vous ne souhaitez pas explorer les fonds sous-marins, n'imaginez pas lézarder sur la plage, couverte de belles mais grosses pierres.

Pour varier des plaisirs nautiques, visitez le **marché matinal** de Tulamben, à 1,5 km au nord du site de plongée.

🏃 Activités

Plongée et **snorkeling** sont les raisons d'être de Tulamben.

L'**épave** du *Liberty* repose à 50 m au large du Puri Madha Bungalows (où l'on peut se garer) ; repérez les "bancs" de plongeurs. Nagez tout droit et vous verrez la poupe émerger des profondeurs, incrustée de coraux et entourée de dizaines d'espèces de poissons colorés – et de plongeurs dans la journée. Le navire mesure plus de 100 m de longueur, mais sa coque est brisée en plusieurs endroits et il est facile d'y pénétrer. La proue est en bon état, le milieu, très abîmé et la poupe, quasi intacte. Les parties les plus intéressantes se situent entre 15 et 30 m de profondeur. Comptez deux plongées pour une exploration complète.

Beaucoup de plongeurs viennent à Tulamben depuis Candidasa ou Lovina. En haute saison, le site peut être très fréquenté entre 11h et 16h, avec jusqu'à 50 plongeurs autour de l'épave. Passez la nuit à Tulamben ou à Amed et venez tôt le matin.

Les hôtels dotés d'un centre de plongée accordent parfois une réduction sur l'hébergement aux plongeurs qui utilisent leurs services. Si vous êtes débutant, plusieurs options s'offrent à vous.

Comptez au moins 40/70 $US pour une/deux plongées à Tulamben, et un peu plus pour une plongée nocturne ou une immersion aux environs d'Amed. L'équipement de snorkeling se loue partout pour 30 000 Rp.

À noter qu'il existe désormais une zone de parking privée derrière le Tauch Terminal, avec stands de location de matériel, étals et guides, ainsi que des douches payantes et des toilettes. On peut néanmoins se garer gratuitement près du Puri Madha Beach Bungalows.

L'ÉPAVE DU LIBERTY

En janvier 1942, le cargo américain USAT *Liberty* fut torpillé au large de Lombok par un sous-marin japonais. Pris en remorque, il fut échoué à Tulamben afin de sauver sa cargaison de caoutchouc et de rails. L'invasion nippone empêcha la récupération et le navire resta sur la plage jusqu'à ce que l'éruption du Gunung Agung, en 1963, le brise en deux et le repousse au large, où il fait la joie des plongeurs.

Tauch Terminal PLONGÉE
(☏774 504, 22 911 ; www.tauch-terminal.com). Des nombreux centres de plongée installés à Bali, le Tauch Terminal compte parmi les plus anciens. Pour l'Open Water de Padi, préparé en 4 jours, comptez au moins 350 €.

🛏 Où se loger et se restaurer

Tulamben est une bourgade paisible, où l'activité tourne principalement autour de l'épave. Les hôtels, tous avec café et certains avec centre de plongée, sont éparpillés sur 3 km de chaque côté de la route. Ceux du côté de la route sont moins chers, les autres, côté mer, sont plus agréables. À marée haute, même la rive rocheuse disparaît.

♥ Puri Madha Beach Bungalows HÔTEL ◐
(☏22 921 ; ch 200 000-500 000 Rp ; ❄🅿🛜🍽). Les bungalows rénovés sont installés sur la rive, face à l'épave. Les meilleures des 15 chambres disposent de la clim et de l'eau chaude. Le vaste domaine ressemble à un parc public et compte un bel espace piscine. Au réveil, on ne peut rêver mieux que d'aller à la rencontre de cette célèbre épave.

Mimpi Resort Tulamben HÔTEL $$
(☏21 642 ; www.mimpi.com ; ch 80-180 $US ; ❄@🛜🍽). Ce complexe hôtelier classique offre un spa somptueux, le room-service, des chaises longues face à la mer, un restaurant raffiné et plus encore. Les 13 chambres et les 12 grands bungalows donnent sur un jardin luxuriant. Quatre autres ont les pieds dans l'eau.

Tauch Terminal Resort HÔTEL $$
(☏0361-774 504, 22 911 ; www.tauch-terminal. com ; ch 65-95 $US ; ❄🛜🍽). Au bout d'une route secondaire près du rivage, ce vaste hôtel compte 27 chambres de diverses catégories. Certaines sont récentes et toutes

sont confortables et modernes, et équipées d'une TV sat et d'un réfrigérateur. L'une des 2 piscines en bord de mer est réservée à la natation. Le café sert un bon petit-déjeuner.

Deep Blue Studio GUESTHOUSE $
(☏22 919 ; www.subaqua.cz ; ch 25-50 $US ; 🍽). Tenu par des Tchèques, ce centre de plongée loue 10 chambres, avec ventilateur et balcon, réparties dans des bâtiments sur 2 niveaux à flanc de colline. Plusieurs forfaits hébergement-plongée disponibles.

Ocean Sun GUESTHOUSE $
(☏0813 3757 3434 ; www.ocean-sun.com ; ch à partir de 150 000 Rp). L'Ocean Sun offre 4 chambres de style bungalow, propres et simples, côté colline.

ℹ Renseignements

Vous pourrez changer des espèces aux quelques endroits signalés à l'extrémité est de la route, mais les autres services sont rares. Pour un accès (lent) à Internet, essayez le **Tulamben Wreck Divers Resort** (500 Rp/min).

ℹ Depuis/vers Tulamben

De nombreux bus et *bemo* circulent entre Amlapura et Singaraja et s'arrêteront n'importe où sur la route de Tulamben ; ils se raréfient après 14h. Attendez-vous à payer 12 000 Rp pour l'une ou l'autre ville.

Perama loue des bus touristiques à partir de Candidasa pour 125 000 Rp par personne avec un minimum de 2 passagers. La location d'une voiture avec chauffeur revient au même prix.

Si vous rejoignez Lovina pour la nuit, tâchez de partir vers 15h pour avoir encore un peu de lumière à l'arrivée. Une station-service est installée au sud de la ville.

Si vous allez seulement faire du snorkeling autour de l'épave dans le cadre d'une excursion d'une journée avec chauffeur, ne le laissez pas se garer près d'un centre de plongée loin de l'épave où l'on vous fera l'article.

De Tulamben à Yeh Sanih

Au nord de Tulamben, la route continue le long des versants du Gunung Agung, où l'on distingue des coulées de lave datant de l'éruption de 1963. Plus loin, le cratère externe du Gunung Batur plonge abruptement dans la mer. Il pleut peu et le temps est généralement ensoleillé. Le paysage est austère durant la saison sèche et les habitants peu nombreux. Des transports publics desservent cet itinéraire, mais vous ferez plus facilement des haltes et des détours avec votre propre véhicule.

BIENFAITEUR DES OUBLIÉS DE BALI

Longtemps la région la plus déshéritée de Bali, les terres arides sur les flancs nord-est du Gunung Agung étaient si pauvres que, jusque dans les années 1990, le gouvernement ne voulait pas admettre que des gens y vivaient. Les maladies liées à la malnutrition étaient courantes, l'éducation, nulle, et les revenus, inférieurs à 30 $US par an. C'était la pauvreté à son paroxysme dans une île qui connaissait il y a 20 ans un véritable boom économique lié au tourisme.

Cette image de désolation n'existe plus grâce aux efforts d'un seul homme, David Booth. Irascible, original et acharné, ce Britannique d'origine a appliqué son savoir d'ingénieur à la région (qui s'étend jusqu'au petit village de Ban) à partir des années 1990. Infatigable, il a mobilisé les habitants, harcelé le gouvernement, attiré des donateurs et son projet **East Bali Poverty Project** (☎0361-410071 ; www.eastbalipovertyproject.org) a été à l'origine de réels changements.

L'accès à l'école, à l'électricité, aux cliniques et le sentiment d'accomplissement ont libéré la population de son passé. Entré aujourd'hui dans sa phase de développement durable, ce projet a permis la construction du **Bamboo Centre** dans le hameau de Daya, où le bambou est étudié en tant que ressource renouvelable. Le gouvernement balinais est désormais d'un grand soutien, notamment avec l'amélioration de la route de montagne qui descend vers la mer et qui relie une localité proche du Pura Besakih et Tianyar, à 20 km au nord-ouest de Tulamben. Si vous n'avez pas peur de vous perdre, c'est un trajet fascinant. Il se peut que personne ne soit présent au centre, mais s'il y a quelqu'un, l'accueil sera chaleureux.

Il y a des marchés réguliers à **Kubu**, un village au bord de la route à 5 km au nord-ouest de Tulamben. À **Les**, une route part dans l'arrière-pays vers l'**Air Terjun Yeh Mampeh** (cascade de Yeh Mampeh), une jolie cascade de 40 m. Repérez le grand panneau sur la route principale et conduisez vers l'intérieur des terres sur 1 km. Parcourez ensuite 2 km à pied le long d'un chemin ombragé de ramboutans qui suit un cours d'eau. Un don de 5 000 Rp est demandé ; vous n'aurez pas besoin d'un guide.

La ville suivante, **Tejakula**, est connue pour ses bains publics alimentés par un cours d'eau de source ; ils auraient été construits pour laver des chevaux et sont souvent appelés le "bain du cheval". Les bassins, rénovés (non mixtes), se situent derrière des murs surmontés de rangées d'arches richement décorées et sont considérés comme un endroit sacré. Ils se tiennent à 100 m vers l'intérieur des terres, sur une route étroite bordée de boutiques – ce village pittoresque comprend des tours *kulkul* (tambour d'alerte creusé dans un tronc d'arbre) finement sculptées. Promenez-vous au-dessus des bains, après les canaux d'irrigation qui coulent dans toutes les directions.

À Pacung, à 10 km avant Yeh Sanih, un détour de 4 km dans l'arrière-pays conduit à **Sembiran**, un village bali-aga niché à flanc de colline, avec une vue splendide sur la côte.

🛏 Où se loger

La côte nord-est compte un nombre croissant de complexes hôteliers, où l'on peut se détendre quelques jours loin du monde. Comptez au moins 3 heures de trajet depuis l'aéroport ou le sud de Bali par l'un ou l'autre des itinéraires suivants. Le premier passe par les montagnes via Kintamani, puis descend par une jolie route champêtre jusqu'à la mer près de Tejakula. Le second fait le tour de l'est de Bali par la route côtière via Candidasa et Tulamben.

Alam Anda HÔTEL **$$**
(☎0812 465 6485 ; www.alamanda.de ; ch 45-110 € ; ❄🌊). Près de Sambirenteng, à 1 km au nord du Poinciana Resort (entre Kubu et Tejakula), la splendide architecture tropicale de ce complexe balnéaire est due à un architecte allemand, propriétaire des lieux. Un récif au large assure l'activité du centre de plongée. De tailles diverses, les 30 chambres vont de la chambre sommaire du *losmen* aux bungalows avec vue. Toutes sont bien équipées et joliment décorées de chaume et de bambou.

Siddhartha Dive Resort HÔTEL **$$**
(☎0363-23 034 ; www.siddhartha-bali.de ;
ch 90-200 € ; ❄ ⛵). Ces 30 bungalows indi-
viduels, élégants et modernes, dont les
propriétaires gèrent aussi l'Alam Anda,
mêlent le style européen à l'architecture
balinaise. La plupart des résidents vont
plonger à Tulamben. Deux villas somp-
tueuses sont également à louer.

Spa Village Resort Tembok HÔTEL **$$$**
(☎0362-32033 ; www.spavillage.com ; pension
complète à partir de 400 $US ; ❄ @ 🛜 ⛵). Ce
complexe en bordure de la plage offre un
séjour inédit. À l'arrivée, les clients doivent
choisir un thème – équilibre, créativité ou
énergie – qui conditionnera les soins et
activités quotidiennes. Dans les chambres,
à l'ambiance traditionnelle, des sculptures
rehaussent les nuances crème et café. Les
repas sains privilégient les produits locaux.
Entre Kubu et Tejakula, au nord-ouest de
Tembok.

Bali Sandat Guest House GUESTHOUSE **$$**
(☎0813 3772 8680 ; www.bali-sandat.com ;
Bondalem ; ch à partir de 50 $US). Dans cette
pension discrète nichée au cœur d'une
palmeraie sur le front de mer, dans un
secteur isolé de l'est de Bali, vous aurez
l'impression de loger chez des amis. Quatre
chambres avec sdb extérieure (eau froide)
et profonde véranda ombragée. Dîners
balinais proposés. Le village de Bondalem,
à 1 km, offre un marché matinal tout simple
et un atelier de tissage.

Montagnes du Centre

Le top des restaurants

» Kedisan Floating Hotel (p. 222)

» Strawberry Stop (p. 225)

» Puri Lumbung Cottages (p. 227)

» Sarinbuana Eco-Lodge (p. 230)

Le top des hébergements

» Puri Lumbung Cottages (p. 227)

» Sarinbuana Eco-Lodge (p. 230)

» Bali Mountain Retreat (p. 230)

» Sanda Bukit Villas & Restaurant (p. 230)

Pourquoi y aller

Bali possède un cœur brûlant. Les volcans, qui forment l'épine dorsale de l'île, ne sont pas des cônes éteints ; la lave bouillonne juste sous la surface, toujours prête à jaillir.

Le Gunung Batur (1 717 m) relâche en permanence des nuages de vapeur. La beauté magique du site vous fera sans doute oublier le harcèlement des rabatteurs qui accompagne la visite. Des temples hindous se dressent aux alentours du Danau Bratan, tandis que le village de Candikuning se pare d'un beau jardin botanique.

L'ancien village colonial de Munduk, d'où partent de nombreuses randonnées, est entouré de cascades et de plantations. La vue qui s'étend par-delà les collines jusqu'à la côte nord de Bali est splendide. À l'ombre du Gunung Batukau (2 276 m), vous découvrirez l'un des temples les plus mystiques de Bali. Juste au sud, les superbes rizières en terrasses centenaires de Jatiluwih sont désormais inscrites au patrimoine mondial de l'Unesco.

Parmi toutes ces merveilles, des petites routes mènent à des villages ignorés. Enfin, si vous partez vers le nord depuis Antosari, vous irez de surprise en surprise.

Quand partir

Dans les montagnes du Centre, il peut faire frais et brumeux tout au long de l'année. Il pleut aussi beaucoup, particulièrement d'octobre à avril, mais aussi le reste de l'année. En fait, c'est de là que provient toute cette eau qui ruisselle à travers les rizières et les champs jusqu'à Seminyak. Les températures varient peu en fonction des saisons, mais peuvent descendre à 10°C la nuit en haute altitude (voyez comme les habitants sont emmitouflés). Les montagnes ne connaissent pas de haute saison touristique.

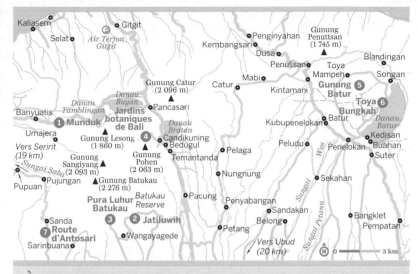

À ne pas manquer

1 Une randonnée aux alentours de **Munduk** (p. 226) pour découvrir d'innombrables cascades

2 Les anciennes variétés de riz cultivées sur les magnifiques terrasses de **Jatiluwih** (p. 228) inscrites en 2012 au patrimoine mondial de l'Unesco

3 Les psalmodies des prêtres au **Pura Luhur Batukau** (p. 229), l'un des temples les plus sacrés de Bali

4 Les centaines de plantes rares préservées dans le **jardin botanique de Bali** (p. 224), à Candikuning

5 L'étrange face couverte de lave du **Gunung Batur** (p. 218)

6 La sérénité de **Toya Bungkah** (p. 220), un village au bord du lac, à l'ombre du Gunung Batur

7 Les petites routes de la région, comme celle au nord d'**Antosari** (p. 230)

RÉGION DU GUNUNG BATUR

📌 0366

La région du Gunung Batur est une vaste cuvette au fond à moitié couvert d'eau, d'où émergent plusieurs cônes volcaniques. Le paysage est spectaculaire. Par temps clair – essentiel pour apprécier la vue –, les eaux turquoise entourent les volcans les plus récents, aux flancs couverts de coulées de lave pétrifiée.

En 2012, l'Unesco a distingué la région en l'incluant dans le réseau des "géoparcs", fort de plus de 90 représentants dans le monde. À ce jour, cette inscription n'a eu que peu de retombées tangibles, même si quelques panneaux intéressants présentant le profil géologique unique de la région sont apparus çà et là sur l'axe Kedisan-Toya Bungkah.

La route qui longe l'arête sud-ouest du cratère du Gunung Batur est l'un des principaux axes nord-sud de Bali, et offre des vues époustouflantes.

Même si vous venez pour la journée, prévoyez un vêtement chaud, car le brouillard peut faire descendre la température à 16°C.

Les villages installés autour du cratère forment une bande continue et désordonnée. Kintamani, le plus important, a donné son nom à la zone. En venant du sud, on arrive d'abord à Penelokan, où les groupes de touristes viennent admirer la vue.

ⓘ Renseignements

Il existe peu de services dans la région du Gunung Batur. Prévoyez, entre autres choses à emporter, suffisamment d'espèces.

La région a mauvaise réputation (vols, rapacité des prestataires...) et beaucoup de voyageurs partent en jurant de ne jamais revenir.

Méfiez-vous des rabatteurs à moto qui tentent de vous diriger sur l'hôtel de leur choix

Région du Gunung Batur

N 0 ━━━━━━━━━━━━━━ 4 km

Gunung Penulisan
(1 745 m) ▲

Siakin

*Vers Pelaga (19 km)
et Kubutambahan (34 km)*

Penulisan

⊙ 5

Blandingan

Kintamani

Toya
Mampeh

6 ⊙

Songan

10

3 ⊙

Gunung Batur
(1 717 m) ▲

1 ⊙

Kuban

2 ⊙

Batur

14

Toya Bungkah

Trunyan ⊙ 4

11

Kubupenelokan

8

7 9

*Danau
Batur*

Pura Jati

12

*Vers Payangan (17 km)
et Ubud (29 km)*

Peludu

Kedisan

Abang

Gunung Abang
(2 152 m) ▲

*Vers Sekardadi (1 km),
Tampaksiring (17 km)
et Ubud (31 km)*

Penelokan

13

Buahan

Beyunggede

*Vers Bangklet (7 km)
et Bangli (18 km)*

*Vers Suter (1 km),
Pempatan (11 km)
et Rendang (16 km)*

MONTAGNES DU CENTRE GUNUNG BATUR

quand vous descendez vers le Danau Batur depuis village de Penelokan. Les vendeurs de la région peuvent se montrer agressifs et désagréables.

❶ Comment s'y rendre et circuler

De la gare routière de Batubulan à Denpasar, des *bemo* (minibus) desservent régulièrement Kintamani (15 000 Rp). Des bus effectuant l'itinéraire Denpasar-(Batubulan)-Singaraja font halte à Penelokan et à Kintamani (environ 16 000 Rp). Sinon, louez une voiture ou engagez un chauffeur, en prenant soin de refuser les propositions de déjeuner-buffet.

Des *bemo* font la navette entre Penelokan et Kintamani (10 000 Rp pour les touristes). De Penelokan, des *bemo* descendent vers les villages en bord de lac le matin (environ 8 000 Rp jusqu'à Toya Bungkah). L'après-midi, vous devrez peut-être louer un moyen de transport (40 000 Rp minimum).

Si vous circulez en véhicule privé, il faudra vous arrêter à Penelokan ou à Kubupenelokan pour acheter un billet d'entrée (10 000 Rp/

pers), valable pour toute la région du Gunung Batur. Conservez ce billet pour éviter de payer à nouveau.

Gunung Batur

Les vulcanologues qualifient le Gunung Batur de "double caldeira", c'est-à-dire un cratère à l'intérieur d'un autre. Le cratère externe est un ovale d'environ 14 km de longueur, dont l'arête occidentale s'élève à 1 500 m d'altitude. Le cratère interne, un pic volcanique de forme classique, atteint 1 717 m. Au cours de la dernière décennie, son activité a provoqué l'apparition de plusieurs petits cônes sur son flanc ouest, platement appelés Batur I, II, III et IV. Plus de 20 éruptions mineures ont été enregistrées entre 1824 et 1994, et des éruptions majeures en eu lieu en 1917, 1926 et 1963. Des secousses et une activité géologique sont régulièrement enregistrées.

Région du Gunung Batur

Une fois au sommet, le panorama fabuleux fait oublier le harcèlement subi et justifie les dépenses engagées. Sachez que les nuages qui bouchent la vue s'accumulent plus fréquemment de juillet à décembre. Quelle que soit la saison, renseignez-vous sur les conditions climatiques auprès d'une agence de trekking avant d'entreprendre l'ascension, ou même de venir dans la montagne.

Le **HPPGB** (Association des guides du mont Batur ; ☎52362 ; ⊙3h-12h) détient le monopole sur les ascensions guidées du Gunung Batur. Par ailleurs, il a la réputation d'intimider les grimpeurs pour les obliger à engager ses propres guides.

Cela dit, de nombreuses personnes passent par les services des guides du HPPGB sans déplorer d'incident et félicitent même certains guides pour leurs suggestions d'adaptation d'itinéraires.

Les stratégies suivantes devraient vous aider à faire une ascension spectaculaire :

ℹ **TOUJOURS ACTIF**

Explosions de vapeur et de lave, terrain instable, gaz sulfureux : la zone à l'ouest du pic principal du Gunung Batur peut se révéler dangereuse ,voire meurtrière. Pour vous renseigner sur les conditions, adressez-vous aux agences de randonnée, ou consultez le site Internet (en indonésien pour l'essentiel) du **Directorate of Volcanology & Geographical Hazard Mitigation** (www.vsi.esdm. go.id). Les zones actives sont parfois fermées au public pour des raisons de sécurité.

Mettez parfaitement au clair avec le HPPGB les termes de l'accord : tarifs par personne ou par groupe, petit-déjeuner inclus, endroits exacts où vous irez, etc.

Traitez avec une des agences de trekking. Il y aura toujours un guide du HPPGB avec vous, mais tous les arrangements s'effectueront par l'intermédiaire de l'agence.

Les tarifs et les horaires du HPPGB sont affichés dans son bureau du Pura Jati. La randonnée du **lever du soleil au Batur** (à partir de 4 pers 450 000 Rp) s'effectue entre 4h et 8h, la randonnée du **cratère principal du Gunung Batur** (à partir de 550 000 Rp) entre 4h et 10h.

Agences de randonnée

Même les tour-opérateurs les plus fiables et réputés doivent engager un des guides du HPPGB pour l'ascension du Gunung Batur. Ceux-ci se révèlent néanmoins d'une aide précieuse pour les excursions hors des sentiers battus.

La plupart des hébergements de la région peuvent vous mettre en contact avec des guides et des agences de trekking, moyennant un coût supplémentaire de 250 000 à 450 000 Rp pour un trek/ une ascension.

Matériel

Si vous partez avant l'aube, prenez une lampe torche ou assurez-vous que votre guide en fournit une. Prévoyez de bonnes chaussures de marche, un chapeau, un pull et de l'eau.

Itinéraires de randonnée

L'ascension du Gunung Batur pour le lever du soleil reste le trek le plus prisé.

Le mieux consiste à arriver au sommet pour le lever du soleil (vers 6h), avant que les nuages et la brume ne bouchent la vue.

MALBOUFFE AU SOMMET

Il vous faudra de l'estomac pour affronter la pitance proposée par la plupart des affreux restaurants qui bordent le cratère (beaucoup ont fermé et leurs carcasses jonchent le panorama). Les déjeuners-buffets coûtent de 80 000 à 100 000 Rp au minimum (votre guide touche généralement une commission d'au moins 25% sur cette somme) et le rata servi est la plupart du temps de la pire espèce. Les chauffeurs sont également de la fête : les restaurants les plus populaires leur réservent souvent une salle, avec club de sport, TV, lit et nourriture gratuite.

Le panorama est splendide, mais l'expérience n'a rien de solitaire : il n'est pas rare d'attendre l'aube avec une centaine d'autres touristes en pleine saison. Par ailleurs, la vue sur le lever du soleil est également belle à mi-chemin, et partir à 5h vous permettra d'éviter la foule.

Les guides servent un petit-déjeuner au sommet moyennant 50 000 Rp, faisant souvent cuire une banane ou un œuf sur les fumerolles du volcan. Plusieurs buvettes (chères) jalonnent le parcours.

DEPUIS TOYA BUNGKAH

Le trek classique part de Toya Bungkah vers 3h, atteint le sommet au lever du soleil, fait éventuellement le tour du cône principal, puis revient à Toya Bungkah. L'itinéraire est assez direct : sortez du village en direction de Kedisan et tournez à droite juste après le parking. Après 30 minutes de marche, vous arriverez sur une crête avec un sentier bien tracé ; continuez à monter. Le sentier devient assez raide près du sommet et le sable volcanique ralentit la marche. Comptez 2 heures pour rejoindre le sommet, sur le rebord nord du cratère interne.

Des grimpeurs ont affirmé avoir fait l'ascension sans guide HPPGB. Mais ce n'est pas sans risque : en 2010, un randonneur a fait une chute mortelle la nuit. Si, de jour, on voit bien les chemins, ne tentez pas l'ascension dans l'obscurité.

Vous pouvez longer le bord du cratère jusqu'au côté ouest, où vous découvrirez l'activité volcanique la plus récente, puis continuer jusqu'au rebord sud et revenir à Toya Bungkah par le chemin emprunté à l'aller.

Des circuits plus longs font le tour des nouveaux cônes volcaniques au sud-ouest du sommet, bien plus actifs : cratères fumants, dépôts de soufre jaune vif et pentes escarpées de fin sable noir.

Gravir le Gunung Batur, rester un temps raisonnable au sommet et redescendre demande 4 ou 5 heures ; pour le trek plus long autour des cônes récents, comptez 8 heures.

DEPUIS LE PURA JATI

Un immense parking près du Pura Jati en fait le principal point de départ pour les groupes et les excursions d'une journée. Le trek le plus court traverse les champs de lave, puis monte tout droit (environ 2 heures). Pour voir les cônes récents à l'ouest du pic (si la sécurité le permet), allez d'abord au sommet ; ne marchez pas dans la zone active avant le lever du soleil. Vous pouvez également partir des nouveaux bureaux du HPPGB (p. 219) et éviter ainsi une partie de la randonnée à travers les champs de lave.

DEPUIS LE NORD-EST

L'itinéraire le plus facile part du nord-est, à condition de trouver un moyen de transport jusqu'au début du chemin à 4h. De Toya Bungkah, prenez la route au nord-est en direction de Songan et tournez à gauche après 3,5 km. Suivez cette petite route sur 1,7 km jusqu'à un chemin mal signalé sur la gauche, qui monte sur 1 km environ jusqu'à un parking. De là, le chemin est facile à suivre jusqu'au sommet et l'ascension prend moins d'une heure.

CRATÈRE EXTERNE

Le rebord du cratère externe au nord-est de Songan est un endroit prisé pour le lever du soleil. Vous aurez besoin d'un transport jusqu'au Pura Ulun Danu Batur, près de la pointe nord du lac. De là, vous pouvez grimper au sommet du rebord du cratère externe en moins de 30 minutes, puis admirer la vue sur la côte nord-est de Bali à 5 km. Au lever du soleil, Lombok se dessine au loin et les premiers rayons éclairent les majestueux volcans de Batur et d'Agung.

Environs du cratère du Gunung Batur

Plusieurs petits villages jalonnent le bord du cratère du Gunung Batur.

PENELOKAN

Penelokan signifie "Endroit où l'on regarde", et la **vue** sur le Gunung Batur et le lac au fond du cratère est époustouflante ; remarquez la longue coulée de lave sur le flanc du volcan.

✖ Où se restaurer

Si les énormes restaurants touristiques entre Penelokan et Kintamani déçoivent, ce secteur offre néanmoins une sélection de tables décente, avec nombre d'établissements modestes où l'on peut déguster un repas simple et frais, assis sur une chaise en plastique, en admirant le cadre sublime. Si vous en voyez qui affichent *ikan mujair*, allez-y sans hésiter : ils servent les petits poissons du lac, grillés avec des oignons, de l'ail et des pousses de bambou.

BATUR ET KINTAMANI

Les villages de Batur et de Kintamani ont quasi fusionné. Kintamani est renommé pour son grand **marché** coloré, qui se tient tous les trois jours. Le bourg s'étire en longueur et s'anime tôt le matin ; à 11h, les rues sont bondées. Si vous ne souhaitez pas effectuer l'ascension, l'endroit est parfait pour admirer le lever du soleil.

Batur se trouvait à l'origine dans le cratère, mais fut détruit par une violente éruption en 1917, qui tua des milliers de personnes avant que la coulée de lave s'arrête à l'entrée du temple principal du village. Cela fut interprété comme un bon présage et le village fut rebâti au même endroit. Lors d'une nouvelle éruption en 1926, la lave n'épargna que le sanctuaire le plus élevé. Heureusement la catastrophe fit peu de victimes.

Le village cette fois reconstruit sur le bord du cratère et le sanctuaire rescapé, placé à l'intérieur d'un nouveau temple encore plus extravagant, le **Pura Batur** (6 000 Rp, location sarong et sash 3 000 Rp).

D'un point de vue spirituel, le Gunung Batur est la deuxième montagne de Bali (après le Gunung Agung), son temple revêt donc une importance considérable. L'architecture des lieux mérite que l'on s'y arrête.

⌖ Où se loger

Hotel Miranda   HÔTEL **$**
(☑52 022 ; Jl Raya Kintamani ; ch 100 000-200 000 Rp). L'unique hébergement du secteur. Six chambres propres et très sommaires, avec toilettes à la turque. Repas (20 000 Rp) et feu de cheminée bienvenu le soir. Mine d'informations sur les randonnées et *warung* sommaires à proximité.

PENULISAN

Souvent enveloppée de nuages, de brume ou de pluie, la route grimpe graduellement le long du cratère après Kintamani. À Penulisan, après un virage serré, elle descend vers la côte nord et la belle route de Bedugul. Un **point de vue**, à 400 m au sud, offre une fabuleuse perspective sur le Gunung Batur, le Gunung Abang et le Gunung Agung.

Près de la bifurcation, plusieurs volées de marches mènent au temple le plus haut de Bali, le **Pura Puncak Penulisan** (1 745 m). Dans la cour supérieure, des *bale* (pavillons ouverts aux toits de chaume pentus) abritent d'anciennes statues et des fragments de sculptures, dont certaines du XIe siècle. Par temps clair, la vue s'étend au nord par-delà les rizières en terrasses jusqu'à Singaraja, sur la côte.

Environs du Danau Batur

Les petits villages autour du Danau Batur jouissent d'un bel emplacement en bord de lac et d'une vue sur les pics environnants. La pisciculture constitue l'une des principales activités et les multiples fermes minuscules exhalent un âcre parfum d'oignon. On y cultive aussi des piments, des choux et de l'ail, un régal pour ceux qui apprécient la cuisine aromatisée. Le lac abrite un nombre croissant de fermes piscicoles.

Une route en lacets descend de Penelokan jusqu'aux rives du Danau Batur. Au bord du lac, vous pouvez prendre à gauche le long de la route qui serpente à travers les champs de lave jusqu'à Toya Bungkah. Gare aux énormes camions de sable qui transportent du matériel pour les chantiers de construction balinais et soulèvent des tourbillons de poussière.

KEDISAN ET BUAHAN

De Kedisan, une agréable promenade de 15 minutes conduit à Buahan, où des jardins potagers descendent jusqu'au lac.

🏃 Activités

💚 C.Bali — CIRCUIT AVENTURE
(📱0813 5342 0541 ; www.c-bali.com ; Hotel Segara ; circuits à partir de 400 000 Rp). Géré par un couple australo-néerlandais, C.Bali propose des circuits à vélo autour des cratères et en canoë sur le lac. Les tarifs comprennent le transfert du sud de Bali (réductions conséquentes si vous logez déjà dans la région). Des forfaits proposent des excursions de plusieurs jours. Attention : ces circuits affichent vite complet, réservez suffisamment à l'avance.

🛏 Où se loger et se restaurer
Des rabatteurs à moto vous suivront sans doute le long de la descente depuis Penelokan, en essayant d'obtenir une commission auprès des hôtels. Ceux-ci demandent qu'on les appelle pour réserver afin de noter les noms des clients et de ne pas payer de commission aux rabatteurs. Les restaurants des deux hôtels suivants sont recommandés pour goûter le poisson à l'ail local.

Hotel Segara — GUESTHOUSE $
(📱51 136 ; www.batur-segarahotel.com ; Kedisan ; ch 200 000-500 000 Rp ; @ 🛜). Les bungalows du Segara sont répartis autour d'une cour. Les moins chers se contentent d'eau froide, les meilleurs disposent d'eau chaude et d'une baignoire.

💚 Kedisan Floating Hotel — CAFÉ $$
(📱0813 3775 5411 ; Kedisan ; repas à partir de 35 000 Rp). Cet hôtel en bord de lac sert des déjeuners très prisés. Le week-end, les touristes se battent avec les habitants venus de Denpasar pour la journée afin d'obtenir une table sur la jetée avec vue sur le lac. La cuisine balinaise, notamment le poisson local, est excellente. Possibilité d'y loger (30-100 $US) – les bungalows au bord de l'eau offrent les meilleures chambres.

TRUNYAN ET KUBAN
Le village de Trunyan se situe entre le lac et le bord du cratère externe. Habité par des Bali-Aga, il n'est pas accueillant, contrairement à Tenganan dans l'est de Bali.

Le **Pura Pancering Jagat** et sa statue de l'esprit gardien du village, haute de 4 m, font la renommée du village. Bien que les touristes n'aient pas le droit d'entrer, rabatteurs et guides sollicitent des pourboires exorbitants.

Au-delà de Trunyan, le **cimetière** de Kuban n'est accessible qu'en bateau. Les habitants de Trunyan n'incinèrent ni n'enterrent leurs morts, ils les déposent dans des cages en bambou où ils se décomposent. Là aussi, des rabatteurs demandent des sommes ridicules pour ce piège à touristes. Notre conseil : n'y allez pas !

Sur le lac, des **bateaux** partent d'une jetée près de Kedisan. Le prix d'un aller-retour de 4 heures (Kedisan-Trunyan-Kuban-Toya Bungkah-Kedisan) dépend du nombre de passagers, avec un maximum de 7 personnes (le bateau coûte 440 000 Rp, sans compter les "frais" supplémentaires). Notre avis ? Si vous avez envie d'une

UNE PETITE ROUTE IGNORÉE

Plusieurs routes étroites relient la région du Danau Bratan et celle du Gunung Batur. En dehors des habitants, peu de Balinais les connaissent et, si vous circulez avec un chauffeur, vous devrez insister. Le long d'une route de 30 km, vous remontez dans le temps et le paysage sublime évoque des îles bien moins développées, telle celle de Timor.

Au sud de Bedugul, tournez vers l'est à Tementanda et suivez une petite route sinueuse qui descend vers des ravins luxuriants coupés par des rivières. Après environ 6 km, à un croisement en T, prenez au nord et, après 5 km, vous arriverez au joli village de **Pelaga**. Cette région est connue pour ses plantations bio de café et de cannelle, qui parfument les alentours. JED (voir p. 199), une association à but non lucratif qui organise du tourisme rural, propose des circuits à Pelaga avec séjour chez l'habitant.

De Pelaga, grimpez dans la montagne en traversant tour à tour jungle et rizières. Continuez vers le nord jusqu'à Catur, puis dirigez-vous à l'est jusqu'à l'embranchement où la route descend vers le nord de Bali et continuez, encore vers l'est, sur 1 km jusqu'à Penulisan.

Construit en 2006, le **Tukad Bangkung Bridge**, à Petang, fournit un autre détour amusant. Avec ses 71 m, il est considéré comme le pont le plus élevé d'Asie. Il est devenu une attraction touristique locale et les routes environnantes sont jalonnées de stands.

promenade sur le lac, choisissez plutôt un circuit en canoë avec C.Bali.

TOYA BUNGKAH

Principal centre touristique, Toya Bungkah (également appelé Tirta) possède des sources thermales (*tirta* et *toya* signifient eau). Des voyageurs passent la nuit dans ce village simple pour effectuer l'ascension du Gunung Batur tôt le matin.

Activités

Depuis longtemps utilisées pour la baignade, des sources thermales bouillonnent çà et là.

Batur Natural Hot Spring SOURCES THERMALES
(☎0813 3832 5552 ; à partir de 120 000 Rp ; ☺8h-18h). Un chemin de cendres descend vers ce discret ensemble de trois bassins en bordure du lac. Les différents bassins étant à températures différentes, c'est un plaisir de s'y immerger successivement. L'ambiance générale des sources thermales contrebalance le côté tristounet de la région. Casier et serviette sont inclus dans le prix d'entrée. Un café, tout simple, offre une belle vue.

Toya Devasya SOURCES THERMALES
(☎51 204 ; 150 000 Rp ; ☺8h-20h). Cette retraite clinquante est construite autour de plusieurs sources. Le grand bassin d'eau chaude est à 38°C, et celui alimenté par le lac, à 20°C. L'entrée comprend des rafraîchissements et l'utilisation des chaises longues.

Où se loger et se restaurer

Évitez les chambres proches de la grand-rue bruyante, dans le bourg, et choisissez celles, plus tranquilles, avec vue sur le lac.

Under the Volcano III GUESTHOUSE $
(☎0813 3860 0081 ; ch 200 000 Rp). Joliment située au bord du lac, en face de potagers, cette auberge possède 6 chambres charmantes et propres : choisissez la n°1, pieds dans l'eau. La même famille sympathique gère deux autres auberges de la même enseigne à proximité.

Hotel Puri Bening Hayato & Restaurant HÔTEL $
(☎51 234 ; www.hotelpuribeningbali.com ; ch à partir de 375 000 Rp ; ▣). D'une modernité incongrue à Toya Bungkah, cet hôtel compte 21 chambres de style motel plutôt agréables. À la petite piscine s'ajoute un bain à remous alimenté par les sources thermales. Le prêt gratuit de VTT est un plus appréciable.

SONGAN

À 2 km de Toya Bungkah, Songan est un beau village, avec des jardins maraîchers qui s'étirent jusqu'au lac. Le **Pura Ulun Danu Batur** se dresse au bout de la route, sous le cratère.

À Songan, un embranchement relie une route cahoteuse, mais praticable, autour du fond du cratère. Sur le côté nord-ouest du volcan, le village de **Toya Mampeh** (Yeh Mampeh) est entouré par un vaste champ de gros blocs de lave noire, héritage de l'éruption de 1974. Plus loin, le **Pura Bukit Mentik** a été totalement entouré de lave en fusion lors de cette éruption, mais le temple et son imposant banian ont été épargnés, ce qui lui vaut le surnom de "temple de la chance".

RÉGION DU DANAU BRATAN

En arrivant du sud, on laisse peu à peu les rizières en terrasses pour grimper dans la région montagneuse, fraîche et souvent brumeuse, autour du Danau Bratan. Candikuning, le principal village, possède un temple important et pittoresque, le Pura Ulun Danu Bratan. Bedugul, à la pointe sud du lac, offre le plus d'attraits pour les touristes. Les forêts et les cascades aux alentours de Munduk invitent à de belles randonnées.

Le choix d'hébergements près du lac reste limité, car la région attire essentiellement des touristes balinais. Le dimanche et les jours fériés, les berges sont peuplées de couples d'amoureux et de familles venues à moto pour la journée. En revanche, nombre de nouveaux hôtels ont ouvert autour de Munduk.

La région est réputée pour ses succulentes fraises, en vente partout. Notez que le temps est souvent brumeux et parfois froid.

À NE PAS MANQUER

L'AUBE SUR LE LAC BRATAN

Une belle expérience consiste à réserver une barque la veille et à ramer paisiblement sur le Danau Bratan en regardant le lever du soleil sur le Pura Ulun Danu Bratan. La plupart des gens font la balade de jour, mais c'est complètement différent, et magique, dans la brume du petit matin.

Région du Danau Bratan

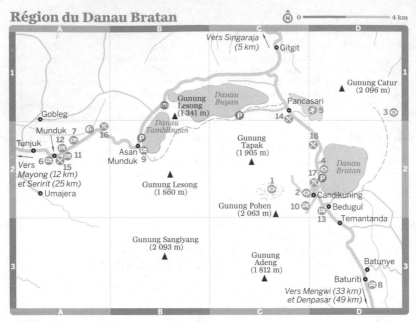

Bedugul

☎0368

"Bedugul" désigne parfois toute la région des lacs. C'est en fait la première localité que l'on atteint dans les hauteurs en venant du sud de Bali. On y reste en général peu de temps.

🛏 Où se loger et se restaurer

À 9 km au sud de Bedugul, des hôtels haut de gamme jouissent d'une vue magnifique vers le sud. Ils constituent aussi une excellente halte pour un rafraîchissement ou un en-cas si vous ne faites que passer. Méfiez-vous, en revanche, de la série d'établissements délabrés installés sur la crête autour de Bedugul.

Strawberry Hill GUESTHOUSE **$$**
(☎21 265 ; www.strawberryhillbali.com ; Bukit Stroberi ; ch 300 000-650 000 Rp ; 🛜). Face à l'embranchement vers le Taman Reakreasi sur la route principale, 5 petits bungalows coniques, dotés d'une profonde baignoire, sont accrochés à la colline avec une jolie vue vers le sud de Bali (les vues sont cependant un peu inégales, prenez le temps de choisir). Du café, par temps clair, on voit Kuta. La carte indonésienne comprend un *soto ayam* (soupe de poulet) et du *gudeg yogya* (ragoût de jaque). Repas autour de 70 000 Rp.

Pacung Indah HÔTEL **$$**
(☎21 020 ; www.pacungbali.com ; ch 260 000-850 000 Rp ; 🏊). En face du Saranam Eco-Resort un peu plus luxueux, cet hôtel donne sur les rizières en terrasses. Ses chambres, assez stylées, possèdent toutes une cour privée et les plus belles, une terrasse avec vue. L'hôtel propose des randonnées dans la campagne verdoyante.

ℹ Depuis/vers Bedugul

Tout minibus ou *bemo* entre le sud de Bali et Singaraja s'arrête à Bedugul sur demande.

Candikuning

☎0368

Souvent brumeuse, Candikuning abrite un jardin botanique fort intéressant et l'un des temples les plus photographiés de Bali.

👁 À voir et à faire

💟 **Jardin botanique de Bali** JARDINS
(☎21 273 ; www.balibotanicgarden.org ; Kebun Raya Eka Karya Bali ; à pied/en voiture 7 000/12 000 Rp, parking 6 000 Rp ; ⏰7h-18h). Ce jardin couvre plus de 154 ha au bas des versants du Gunung Pohen. Fondé en 1959 en tant que succursale du jardin botanique

Région du Danau Bratan

1 Jardins botaniques de Bali

3 Pura Puncak Mangu

4 Pura Ulun Danu Bratan

5 Bali Handara Kosaido Country Club

Bali Treetop Adventure Park

Où se loger

7 Manah Liang Cottages

Région du Danau Bratan

national de Bogor, près de Jakarta, il abrite une vaste collection d'arbres et de fleurs.

Certaines plantes sont étiquetées avec leur nom scientifique, et la brochure de promenades autoguidées (20 000 Rp) se révèle utile. La somptueuse serre des orchidées est souvent fermée pour éviter les vols ; vous pouvez demander qu'on vous l'ouvre.

Dans le jardin, vous pourrez jouer les Tarzan au **Bali Treetop Adventure Park** (☎0361-852 0680 ; www.balitreetop.com ; Kebun Raya Eka Karya Bali ; adulte/enfant 21/14 $US ; ⊗7h-18h). Treuils, cordes, filets et autres équipements permettent d'explorer la forêt bien au-dessus du sol au fil d'un parcours actif. Différents parcours sont adaptés à l'âge des participants.

Pura Ulun Danu Bratan   TEMPLE
(adulte/enfant 15 000/10 000 Rp, parking 5 000 Rp ; ⊗billets 7h-17h, site 24h/24). Sanctuaire hindo-bouddhique très important, ce temple fut fondé au XVIIᵉ siècle. Dédié à Dewi Danu, la déesse des Eaux, il est bâti sur de petits îlots et entièrement entouré par le lac. Pèlerinages et cérémonies visent à assurer l'irrigation de toutes les cultures de l'île.

Les *meru* (sanctuaires à plusieurs toits) hindous classiques, à toit de chaume, se reflètent dans l'eau et se découpent sur les montagnes souvent cachées par les nuages. Un grand banian ombrage l'entrée ; on traverse des jardins soignés en passant devant un imposant stupa bouddhique pour rejoindre le lac.

Il y règne cependant un peu une ambiance de foire. Les animaux dans des petites cages, la possibilité de caresser un serpent ou de tenir une énorme chauve-souris amusent les badauds.

Marché   MARCHÉ
(parking 2 000 Rp). Ce marché en bordure de la route est touristique. Cependant, au milieu des fervents vendeurs de camelote, des habitants y font provision de fruits, de légumes, d'herbes, d'épices et de plantes en pot.

🛏 Où se loger

Pondok Wisata Dahlia Indah   GUESTHOUSE **$**
(☎21 233 ; Jl Kebun Raya Bedugul ; ch 100 000-200 000 Rp). Dans le village, le long d'une ruelle proche de la route du jardin botanique, cette adresse correcte propose 17 chambres confortables et propres, avec douche chaude, dans un jardin fleuri.

Bali Botanic Garden   GUESTHOUSE **$$**
(☎22 050 ; www.kebunrayabali.com ; ch à partir de 45 $US). Humez le parfum des roses au réveil. Le Bali Botanic Garden offre 14 chambres confortables de style hôtel, au milieu des jardins. Eau chaude et vue garantie sur un petit paradis botanique depuis les terrasses.

✗ Où se restaurer

Du simple en-cas de marché au repas comprenant des fraises de la région, vous aurez l'embarras du choix. À l'entrée du Pura Ulun Danu Bratan se tiennent plusieurs *warung padang* et un café avec vue est installé dans l'enceinte.

Strawberry Stop   CAFÉ **$**
(☎21 060 ; en-cas à partir de 10 000 Rp ; ⊗8h-19h). Les fraises de la région sont à l'honneur dans les milk-shakes, jus de fruits, gâteaux et autres douceurs. On peut aussi y prendre un repas complet. Quand

passe la saison, elles sont remplacées par des bananes, mais on peut toujours boire du vin de fraise (100 000 Rp).

Cafe Teras Lempuna INTERNATIONAL $
(☏0362-29312 ; repas 25 000-60 000 Rp ; ❄). Au nord du temple, ce café élégant et moderne est agrémenté d'un patio couvert. La carte offre aussi bien des burgers que des spécialités japonaises ou des soupes pimentées. Vous pouvez aussi vous contenter d'un café, d'un thé ou d'un jus de fruits.

Roti Bedugul BOULANGERIE $
(☏21 838 ; en-cas 5 000 Rp ; ⊙8h-16h). Juste au nord du marché, cette boulangerie prospère vend des *roti*, ainsi que des croissants et d'autres douceurs.

❶ Depuis/vers Candikuning

Le Danau Bratan se situe le long de la principale route nord-sud depuis le sud de Bali ou de Singaraja.

Si la principale gare routière se trouve à Pancasari, la plupart des minibus et des *bemo* font halte sur la route à Bedugul et à Candikuning. Des transports partent fréquemment de la gare routière d'Ubung à Denpasar (20 000 Rp) et de celle de Sukasada à Singaraja (20 000 Rp).

Pancasari

La large vallée verdoyante au nord-ouest du Danau Bratan est en fait le cratère d'un volcan éteint. Au milieu de la vallée, sur la grand-route, Pancasari est une ville non touristique avec un marché animé et la principale gare routière des *bemo* publics.

Juste au sud de Pancasari, vous remarquerez l'entrée du **Bali Handara Kosaido Country Club** (☏0362-22646 ; www.balihandarakosaido.com ; green 150 $US, location club à partir de 25 $US), un excellent golf de 18 trous, qui bénéficie de la pluviosité (contrairement à ceux du sud de Bali). Il offre un hébergement confortable (ch à partir de 110 $US) dans l'ambiance aseptisée d'un complexe des années 1970.

Danau Buyan et Danau Tamblingan

Deux autres lacs s'étendent au nord-ouest du Danau Bratan : le Danau Buyan et le Danau Tamblingan. Aucun d'eux ne dispose d'infrastructures touristiques, ce qui constitue un avantage. Plusieurs petits villages et des temples abandonnés ponctuent leurs rives.

◉ À voir et à faire

Le **Danau Buyan** (5 000 Rp, parking 2 000 Rp) possède un parking au bord du lac, à 1,5 km de la route principale ; le gardien viendra vous demander le paiement. Toute la région est dévolue aux cultures maraîchères et fruitières, notamment les fraises et les oranges, ainsi que les fleurs bleues utilisées pour les offrandes. La route de Munduk, sur la colline surplombant le lac, offre quelques cafés sommaires et de bonnes zones de pique-nique avec vue.

Un chemin de **randonnée** de 4 km longe la berge sud du Danau Buyan depuis le parking, franchit le col vers le Danau Tamblingan et continue jusqu'à Asan Munduk. Il combine forêts et paysages lacustres.

Le **Danau Tamblingan** (adulte/enfant 6 000/3 000 Rp, parking 2 000 Rp) possède également un parking au bout de la route qui vient du village d'Asan Munduk. Depuis le parking, un chemin de 400 m conduit au lac. De là, on peut rejoindre celui qui mène au Danau Buyan. Si vous avez un chauffeur, vous pouvez parcourir le sentier jusqu'au bout et lui demander de vous attendre à l'autre extrémité.

Quelques guides (350 000 Rp pour 6 heures) attendent habituellement près du parking (inutiles pour le chemin du lac) et vous emmèneront volontiers au **Gunung Lesong**.

🛏 Où se loger et se restaurer

Pondok Kesuma Wisata GUESTHOUSE $
(carte p. 224 ; ☏0852 3856 7944 ; ch à partir de 300 000 Rp). Juste au-dessus du parking du Danau Tamblingan, cette jolie pension comporte des chambres propres avec eau chaude et un café plaisant (repas 15 000-30 000 Rp). Les charmants propriétaires fournissent de bons conseils de randonnée.

Munduk et ses environs
☏0362

Munduk est l'un des plus beaux villages de montagne de Bali. Bénéficiant d'un climat frais et brumeux, il se situe parmi des collines luxuriantes couvertes de jungle, de rizières, de vergers et de presque tout ce qui pousse sur l'île. Les possibilités de randonnées sont innombrables, et la région compte de séduisants hébergements, des anciennes résidences hollandaises aux retraites permettant de s'immerger dans la culture locale. Nombre de visiteurs venus pour la journée s'y attardent une semaine.

UN BAIN DE FRAÎCHEUR À MUNDUK

À environ 2 km à l'est de Munduk, un panneau indique un parking où stationner pour aller voir une cascade de 15 m de hauteur proche de la route. Des nombreuses cascades de la région, c'est la plus accessible. Une courte marche le long d'un sentier correct, et voilà les flots grondants qui dégagent un brouillard de gouttelettes. Il en ruisselle de chaque feuille. Un bain de fraîcheur après la chaleur du sud de Bali.

Des découvertes archéologiques suggèrent la présence d'une communauté développée dans la région entre le Xe et le XIVe siècle. Lorsque les Néerlandais prirent le contrôle du nord de Bali dans les années 1890, ils installèrent des plantations de café, de vanille, de clous de girofle et de cacao. Quelques bâtiments coloniaux subsistent le long de la route de Munduk et plus à l'ouest. Repérez les sanctuaires nichés dans les replis des collines.

◉ À voir et à faire

Entre Pancasari et Munduk, la route principale grimpe abruptement jusqu'à l'arête de l'ancien cratère. Faites une halte pour la vue sur la vallée et les lacs, et observez les singes effrontés sur la route. En tournant à droite (est) au sommet, vous descendrez par une belle route jusqu'à la ville côtière de Singaraja, via les cascades de Gitgit. Un virage en épingle à cheveux sur la gauche (ouest) conduit à la route de crête, avec le Danau Buyan d'un côté et une pente vers la mer de l'autre. Les caféiers constituent la principale culture de la région.

À Asan Munduk se trouve une autre intersection en T. À gauche, le chemin mène près du Danau Tamblingan à travers les forêts et les jardins maraîchers. À droite, de superbes routes sinueuses conduisent au village de Munduk. Admirez les saisissantes vues sur le nord de Bali et l'océan. Faites halte au **Ngiring Ngewedang** (☑0828 365 146 ; en-cas 15 000-40 000 Rp ; ⊙10h-17h), un café à 5 km à l'est de Munduk qui cultive des caféiers sur les versants alentour. Le personnel vous montrera volontiers le processus qui transforme les grains en breuvage. Où que vous logiez, on saura vous conseiller quantité de **randonnées** et vous trouver un guide. De multiples sentiers offrent des randonnées de 2 heures ou plus jusqu'aux plantations de café, aux rizières, aux cascades, aux villages ou autour du Danau Tamblingan et du Danau Buyan. La plupart ne nécessitent pas la présence d'un guide, mais celui-ci saura vous faire découvrir des cascades ou autres merveilles loin des sentiers battus et pas évidentes à trouver.

🛏 Où se loger et se restaurer

Les randonnées autour de Munduk attirent de nombreux visiteurs, d'où l'importance de l'offre d'hébergements. Choisissez entre une simple maison hollandaise dans le village et une retraite dans la campagne. Presque tous les établissements disposent d'un café, qui sert une bonne cuisine locale. Il existe quelques charmants *warung* et des échoppes vendant des produits de base (insecticide notamment).

❤ **Puri Lumbung Cottages** GUESTHOUSE $$
(☑0812 383 6891, 0812 387 3986 ; www.puri-lumbung.com ; cottages 80-160 $US ; @🛜). Fondé par Nyoman Bagiarta dans l'esprit du tourisme durable, ce charmant hôtel possède 33 chambres et de coquets "cottages" sur 2 niveaux, parmi les rizières. Les balcons offrent une vue superbe jusqu'à la côte (surtout ceux des n°s 3, 8, 10, 11, 14A et 14B). L'hôtel propose des dizaines de randonnées et de cours, notamment de danse et de cuisine. Le restaurant, le Warung Kopi Bali, parrainé par une école de cuisine suisse, offre aussi bien un plat local, le *timbungan bi siap* (soupe de poulet avec des tranches de manioc et des échalotes frites), qu'une salade à l'américaine. L'hôtel se situe 700 m avant Munduk, sur la droite, en venant de Bedugul.

Manah Liang Cottages BUNGALOWS $$
(☑700 5211 ; www.manahliang.com ; ch 55-135 $US ; 🛜). À environ 800 m à l'est de Munduk, cette auberge campagnarde (dont le nom signifie "bien-être") propose des bungalows traditionnels donnant sur un terrain luxuriant. Sdb extérieures (avec baignoire) rafraîchissantes et vérandas apaisantes. Un chemin mène à une petite cascade à proximité. Cours de cuisine et balades guidées.

Meme Surung GUESTHOUSE $
(☑700 5378 ; www.memesurung.com ; ch 35-45 $US ; 🛜). Au cœur du village, ces deux charmantes maisons hollandaises mitoyennes abritent 10 chambres au total. Décor simple et traditionnel, un aspect secondaire, car tout l'intérêt du lieu tient à

la vue depuis la longue véranda en bois. Le Meme abrite aussi un bon café.

Puri Alam Bali
GUESTHOUSE $

(☏ 0812 465 9815 ; www.purialambali.com ; ch 250 000-500 000 Rp ; 🛜). Chambres de style bungalow (avec eau chaude et balcon), perchées au-dessus d'un précipice à l'extrémité est du village. Plus on monte, meilleure est la vue. Le café sur le toit mérite le détour pour le panorama. Envisagez le long escalier en ciment depuis la route comme un bon entraînement pour la randonnée.

Guru Ratna
GUESTHOUSE $

(☏ 0813 3719 4398 ; ch 175 000-300 000 Rp ; 🛜). Hébergement le moins cher du village, le Guru Ratna offre 7 chambres confortables (certaines partageant les sdb), avec eau chaude, dans une maison coloniale hollandaise. Les meilleures, joliment décorées, disposent d'un agréable porche. Du café, on voit l'océan au loin.

Don Biyu
CAFÉ $

(www.donbiyu.com ; plat 20 000 Rp ; 🛜). Vous comprendrez que Munduk est devenu une véritable destination touristique en découvrant son premier café pour voyageurs. Mettez votre blog à jour, sirotez une bonne tasse de café, pâmez-vous devant la vue et savourez un plat occidental ou asiatique. Le tout servi dans un paisible pavillon à ciel ouvert.

ⓘ Depuis/vers Munduk

Des *bemo* partent fréquemment de la gare routière d'Ubung à Denpasar pour Munduk (22 000 Rp). Le matin, les *bemo* en provenance de Candikuning s'arrêtent à Munduk (13 000 Rp). Si vous conduisez vers la côte nord, une route correcte à l'ouest de Munduk traverse des villages pittoresques jusqu'à Mayong (où vous pouvez tourner au sud vers l'ouest de Bali). La route descend ensuite jusqu'à la mer à Seririt, dans le nord de Bali.

À NE PAS MANQUER

LES RIZIÈRES DE JATILUWIH

À Jatiluwih, qui signifie "vraiment merveilleux" (ou "beauté réelle" selon les traductions), vous découvrirez un panorama sublime de rizières en terrasses centenaires. Ces courbes émeraude s'étageant à flanc de colline jusqu'au ciel bleu épuisent littéralement toutes les nuances du vert.

Ces rizières sont inscrites sur la liste du patrimoine mondial de l'Unesco en tant qu'éléments emblématiques de la culture traditionnelle du riz à Bali. Vous comprendrez pourquoi en empruntant la route étroite qui serpente sur 18 km. Ne manquez pas de vous arrêter pour une inoubliable promenade dans les rizières et suivez l'eau qui coule dans les canaux et les tubes en bambou d'une parcelle à l'autre. La majorité du riz cultivé ici n'est pas la version hybride semée ailleurs dans l'île, mais appartient à des variétés traditionnelles. Repérez les lourdes enveloppes du riz rouge.

Prenez le temps de vous asseoir pour contempler le paysage et en discerner peu à peu toutes les subtilités. Ce qui à première vue apparaît comme une palette de verts se révèle être du riz à différents stades de croissance. Combien de nuances arrivez-vous à distinguer ? Depuis le vert émeraude, iridescent, des jeunes pousses jusqu'au vert-jaune des lourds épis arrivés à maturité.

En chemin, vous trouverez des cafés offrant des rafraîchissements. L'**Ada Babi Guleng** (déj 35 000 Rp ; ⊙10h-16h), l'un des plus simples, est aussi le meilleur. Il sert une excellente version de l'emblématique plat balinais (rôti de cochon de lait mariné). S'il ne compte que 4 tables, chacune offre une vue sur un luxuriant paysage émeraude. Le puissant sambal est délicieux.

Les virages serrés obligent les conducteurs à conduire lentement, si bien que la route de Jatiluwih se prête agréablement au vélo. Les visiteurs doivent s'acquitter d'un péage (15 000 Rp/pers, plus 5 000 Rp/voiture) qui ne sert manifestement pas à l'entretien des routes, très abîmées. Cela dit, la balade ne prend guère plus d'une heure, à moins que vous ne parveniez plus à vous arracher à la beauté du paysage.

On peut accéder à cette route par l'ouest depuis la route qui mène de Tabanan à Pura Luhur Batukau, ou par l'est, depuis la grand-route à destination de Bedugul, à proximité de Pacung. Tous les chauffeurs connaissent l'endroit et les gens du pays vous renseigneront volontiers.

L'AUTRE ROUTE VERS PUPUAN

On peut rejoindre le village de montagne de Pupuan par la route qui vient d'Antosari, mais il existe un autre itinéraire qui emprunte les petites routes au fin fond des montagnes de Bali. Il part de Pulukan, qui se situe sur la route Denpasar-Gilimanuk, dans l'ouest de Bali. Une petite route monte abruptement de la côte en offrant de belles vues sur l'ouest de Bali et la mer. Elle traverse des cultures d'épices – vous les verrez (et les sentirez) séchant sur des nattes au bord de la route. Après environ 10 km et juste avant Manggissari, la route étroite et sinueuse traverse le **Bunut Bolong**, un arbre énorme qui forme un tunnel (le *bunut* est une sorte de ficus ; *bolong* signifie "trou").

Plus loin, la route descend en spirale vers Pupuan en traversant certaines des plus belles rizières en terrasses de Bali. Faites une halte pour marcher jusqu'aux splendides **cascades** proches de Pujungan, à quelques kilomètres au sud de Pupuan. Suivez les panneaux le long de la route étroite et accidentée, puis marchez 1,5 km jusqu'à la première cascade. Continuez ensuite vers la suivante, haute de 50 m.

RÉGION DU GUNUNG BATUKAU

📞 0361

Le Gunung Batukau est la deuxième plus haute montagne de Bali (2 276 m), le troisième sommet majeur et le pic sacré de l'ouest de l'île. Il est souvent négligé, ce qui est peut-être un bienfait si l'on considère ce que les hordes de vendeurs ont fait du Gunung Agung.

Vous pouvez gravir ses versants glissants à partir du Pura Luhur Batukau, l'un des temples les plus sacrés et les plus méconnus de l'île, ou simplement admirer les rizières en terrasses autour de Jatiluwih. Prolongez votre séjour dans l'un des deux lodges sur les flancs du volcan.

Deux principales voies d'accès mènent à la région du Gunung Batur. La plus aisée passe par Tabanan et suit la route du Pura Luhur Batukau vers le nord sur 9 km jusqu'à une bifurcation. Prenez à gauche (vers le temple) et continuez sur 5 km jusqu'à un croisement près d'une école dans le village de Wangayagede. Là, vous pouvez aller tout droit jusqu'au temple ou tourner à droite (est) vers les rizières de Jatiluwih.

L'autre voie d'accès part de l'est. Sur la grand-route Denpasar-Singaraja, repérez une petite route vers l'ouest, juste au sud de l'hôtel Pacung Indah. Suivez ensuite une série de petites routes goudronnées vers l'ouest jusqu'aux rizières de Jatiluwih. Vous vous perdrez sans doute, mais les habitants vous indiqueront le chemin, et le paysage est superbe. La combinaison des deux circuits constitue une belle randonnée en boucle.

👁 À voir et à faire

💜 **Pura Luhur Batukau**　　　TEMPLE
(don apprécié 10 000 Rp). Le Pura Luhur Batukau, sur les flancs du Gunung Batukau, servait de temple d'État à l'époque où Tabanan était un royaume indépendant. Il possède un *meru* à sept toits dédié à Maha Dewa, l'esprit gardien de la montagne, ainsi que des sanctuaires consacrés aux lacs Bratan, Buyan et Tamblingan. De tous les temples que l'on peut facilement visiter à Bali, c'est certainement le plus chargé de spiritualité.

Le *meru* principal, dans la cour intérieure, est équipé de petites portes qui abritent de menus objets cérémoniels. Le temple est entouré de forêt et baigne dans une atmosphère fraîche et brumeuse. Le chant des oiseaux accompagne les mélopées des prêtres.

En face du temple, prenez sur la gauche et promenez-vous jusqu'au petit torrent, non loin de là, dont les eaux tombant en cascade font vibrer l'atmosphère. Remarquez l'inhabituel sanctuaire de la fertilité.

Ici, ni rabatteurs ni foule de touristes. Un panneau interdit l'entrée aux "fous, hommes ou femmes". Respectez les traditions et comportez-vous de manière appropriée lors de la visite des temples. Possibilité d'emprunter des sarongs sur place. Venez de bonne heure pour optimiser vos chances d'apercevoir les flancs sombres et impressionnants du volcan.

Gunung Batukau　　　VOLCAN
Du Pura Luhur Batukau, haut perché sur les pentes du Gunung Batukau, vous pouvez grimper jusqu'au sommet (2 276 m). Pour cette randonnée vous devrez engager un guide à la billetterie du temple (1 000 000 Rp). Attendez-vous à une escalade épuisante (mais peu fréquentée) par des sentiers boueux, qui demande au moins 7 heures (autant pour la descente). Vous

serez récompensé par des vues splendides alternant avec la traversée d'une jungle épaisse. Vous pouvez aussi avoir un avant-goût de l'aventure avec une petite virée de 2 heures (200 000 Rp pour 2).

🛏 Où se loger

Deux lodges isolés se nichent sur les pentes du Gunung Batukau. On y accède par une petite route sinueuse et spectaculaire qui dessine un long V inversé dans les montagnes depuis Bajera et Pucuk, sur la grand-route Tabanan-Gilimanuk, dans l'ouest de Bali.

❤ **Sarinbuana Eco-Lodge** LODGE $$
(☏743 5198 ; www.baliecolodge.com ; Sarinbuana ; bungalow à partir de 120 $US ; 🕾). Superbes bungalows sur deux niveaux, construits à flanc de colline, à 10 minutes à pied d'une forêt tropicale humide protégée. Parmi les équipements : réfrigérateur, sdb en marbre et savon artisanal. L'ensemble est de style rustique haut de gamme. Possibilité de participer à des ateliers culturels et à des randonnées. Le lodge est à créditer de nombreuses initiatives écologiques et le restaurant biologique balinais est excellent. Beaucoup de légumes proviennent du potager.

🍽 **Bali Mountain Retreat** LODGE $$
(☏082 8360 2645 ; www.balimountainre-treat.com ; ch 260 000-850 000 Rp ; 🕾). Les chambres luxueuses sont aménagées dans des bungalows raffinés, artistement disposés à flanc de colline. La piscine et les jardins se combinent à une architecture maniérée qui allie influences traditionnelles et contemporaines. Certaines chambres ont une grande véranda, idéale pour profiter de la vue. Parmi les options bon marché figure un lit dans un ancien grenier à riz. Excellentes randonnées.

❶ Depuis/vers le Gunung Batuka

Vous devrez disposer de votre propre moyen de transport pour explorer la région.

ROUTE D'ANTOSARI

☏0361
Si la plupart des voyageurs traversent les montagnes via Candikuning ou Kintamani, un autre itinéraire panoramique relie les côtes nord et sud de Bali. De la route Denpasar-Gilimanuk, dans l'ouest de Bali, une route part vers le nord

d'Antosari, passe par le village de Pupuan, puis redescend sur Seririt, à l'ouest de Lovina, dans le nord de Bali.

Commencée au milieu des rizières, la route longe 8 km plus loin une superbe vallée aux rizières en terrasses. Encore 2 km et voilà le **Sari Wisata** (☏0812 398 8773), un modèle de relais routier créé par une charmante famille, où l'on peut prendre en-cas et boissons. De superbes jardins bordent l'escarpement en soulignant, si cela était nécessaire, la beauté du paysage. Dehors, vous verrez aussi de remarquables chauves-souris, dodues et velues à souhait, suspendues au soleil.

En s'enfonçant dans les contreforts du Gunung Batukau, à 20 km au nord d'Anto-sari, on commence à sentir les odeurs des épices cultivées autour de **Sanda** avant de voir le village. Remarquez les vieux greniers à riz en hauteur, caractéristiques de chaque maison.

Huit kilomètres plus loin vers le nord, à travers les plantations de café, on atteint Pupuan. De là, il reste 12 km pour rejoindre Mayong, où l'on peut tourner vers l'est en direction de Munduk, puis du Danau Bratan, ou continuer tout droit sur Seririt.

🛏 Où se loger et se restaurer

❤ **Sanda Bukit Villas & Restaurant** LODGE $$
(☏0828 372 0055 ; www.sandavillas.com ; bungalows à partir de 90-105 $US ; 🕾🕾). Juste au nord de Sanda, cet hôtel de charme offre un havre de sérénité. Sa piscine à débordement se fond dans le paysage des rizières en terrasses. Ses 7 bungalows sont vraiment luxueux. L'hôtel est bien tenu et le café fait une excellente cuisine fusion (dîner à partir de 5 $US). Les sympathiques propriétaires vous conseilleront des promenades dans les plantations de café et les rizières.

Kebun Villas LODGE $$
(☏0361-780 6068 ; www.kebunvilla.com ; ch 70-95 $US ; 🕾). Les 8 bungalows au look traditionnel sont étagés à flanc de colline pour tirer le plus beau parti de la vue panoramique sur les rizières dans la vallée. Au fond de la vallée, la piscine n'est pas tout près à pied, mais elle est immense et, une fois qu'on est là, on est tenté d'y passer la journée. Le café sert une cuisine savoureuse.

Nord de Bali

Pourquoi y aller

Un sixième de la population de l'île vit ici, dans le Nord. Cette vaste région reste cependant largement ignorée des voyageurs, qui se cantonnent généralement à l'axe Bali-Ubud.

Les deux attractions principales sont Lovina, une bourgade assoupie en bord de plage dont les hôtels sont bon marché (sans parler des formules "coucher du soleil" de ses bars), et Pemuteran. Cette dernière est une enclave balnéaire frisant la perfection, avec ses séduisants hôtels déployés autour d'une petite baie et les offres de plongée et de snorkeling autour de la toute proche Pulau Menjangan, dans l'ouest de l'île.

Le trajet vers le nord de Bali en lui-même est un enchantement. Les routes côtières, à l'ouest et à l'est, permettent de découvrir un littoral peu peuplé ; on peut aussi parcourir les montagnes par divers itinéraires, en s'émerveillant des lacs de cratère et, pourquoi pas, faire une pause en chemin pour une randonnée dans la brume.

Quand partir

La majeure partie du nord de Bali ne connaît pas de saison haute en termes de visiteurs. Toutefois, Pemuteran est très fréquentée en juillet, août et pendant les week-ends de fêtes de fin d'année. Le climat est toujours plus sec que dans le Sud. Les jours ensoleillés sans pluie constituent la norme toute l'année (la plupart des visiteurs dorment avec la clim). Seule exception, les matinées sont fraîches lorsqu'on grimpe dans les collines pour une randonnée ou une simple balade vers une cascade.

À ne pas manquer

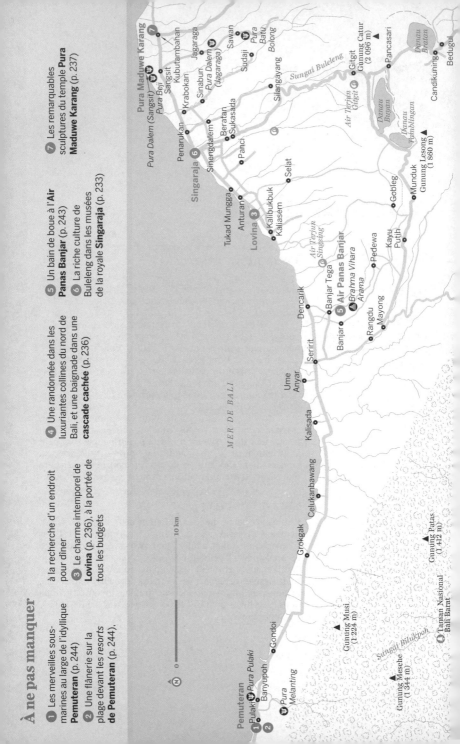

1 Les merveilles sous-marines au large de l'idyllique **Pemuteran** (p. 244)

2 Une flânerie sur la plage devant les *resorts* de **Pemuteran** (p. 244),

à la recherche d'un endroit pour dîner

3 Le charme intemporel de **Lovina** (p. 236), à la portée de tous les budgets

4 Une randonnée dans les luxuriantes collines du nord de Bali, et une baignade dans une **cascade cachée** (p. 236)

5 Un bain de boue à l'**Air Panas Banjar** (p. 243)

6 La riche culture de Buleleng dans les musées de la royale **Singaraja** (p. 233)

7 Les remarquables sculptures du temple **Pura Maduwe Karang** (p. 237)

Yeh Sanih
📞0362

À environ 15 km à l'est de Singaraja sur la route du littoral menant aux cités côtières (et aux spots de plongée) de l'est de l'île, Yeh Sanih, appelé aussi Air Sanih, est une petite station balnéaire tranquille. Elle tient son nom des sources d'eau douce d'**Air Sanih** (adulte/enfant 3 000/1 000 Rp ; ⊗8h-18h), canalisées dans de grands bassins avant de se jeter dans la mer. Les bassins sont très photogéniques au coucher du soleil, lorsque des dizaines de Balinais s'y baignent sous les frangipaniers en fleurs.

Le **Pura Ponjok Batu** s'impose entre la mer et la route, à 7 km à l'est de Yeh Sanih. Le temple central comporte de jolies sculptures calcaires. On dit qu'il a été construit pour apporter un certain équilibre spirituel à Bali, qui compte tant de temples dans le Sud.

Entre les sources et le temple, la route frôle souvent l'océan, offrant de superbes vues. C'est sans doute le plus beau parcours côtier de l'île, avec son brise-lames sur lequel viennent se fracasser les vagues.

Détonnant dans le paysage balinais, la galerie-studio **Art Zoo** (www.symonstudios.com ; ⊗8h-18h), à 5,7 km à l'est de Yeh Sanih sur la route de Singaraja, a de quoi surprendre. L'artiste américain Symon (également propriétaire d'une galerie à Ubud) y expose ses œuvres, d'une créativité tour à tour vibrante, exotique et érotique.

🛏 Où se loger et se restaurer

Vous trouverez quelques *warung* près de l'entrée de Yeh Sanih, où se concentre le commerce local. Sinon, le choix s'avère restreint et les établissements, éparpillés.

Cilik's Beach Garden GUESTHOUSE **$$**
(📞0812 360 1473 ; www.ciliksbeachgarden.com ; ch/villas à partir de 60-100 € ; @). Venir ici c'est comme rendre visite à des amis riches qui auraient bon goût. Les spacieuses villas, à 3 km à l'est de Yeh Sanih, sont entourées de vastes jardins privés. Vous pourrez aussi loger dans d'élégants *lumbung* (greniers à riz au toit rond) installés dans un joli jardin face à l'océan. L'accent est mis sur la culture locale. Les propriétaires possèdent des villas encore plus isolées, plus au sud sur la côte.

❶ Depuis/vers Yeh Sanih

Yeh Sanih se trouve sur la principale route qui longe la côte nord. De nombreux *bemo* et des bus venant de Singaraja font régulièrement halte devant les sources (10 000 Rp).

Si vous allez à Amed ou à Tulamben, partez avant 16h pour être sûr d'arriver tant qu'il fait encore jour.

Singaraja
📞0362

Avec une population de plus de 120 000 habitants, Singaraja (qui signifie "roi-lion") est la deuxième plus grande ville de Bali et la capitale du département de Buleleng couvrant la majeure partie du nord de l'île. Avec ses rues bordées d'arbres, ses bâtiments coloniaux hollandais et son front de mer assoupi au charme suranné, au nord de Jl Erlangga, elle mérite un détour de quelques heures. La plupart des voyageurs préfèrent cependant loger à Lovina.

Singaraja était le centre du pouvoir néerlandais à Bali et demeura le centre administratif des petites îles de la Sonde (de Bali au Timor) jusqu'en 1953. C'est l'un des rares endroits de Bali où des traces coloniales sont encore visibles, ainsi que des influences chinoises et musulmanes. Aujourd'hui, Singaraja est un centre culturel et éducatif important, animé par la population estudiantine de deux campus.

👁 À voir et à faire

Vieux port et front de mer ZONE HISTORIQUE
Incontournable, le **monument Yudha Mandala Tama** rend hommage à un combattant de la liberté tué par un bateau de guerre néerlandais tout au début de la lutte pour l'indépendance. Tout près, se trouve le **Ling Gwan Kiong**, un joli temple chinois. Il subsiste dans cette zone quelques anciens canaux, et le port colonial, qui servait de principale porte d'entrée à Bali avant la Seconde Guerre mondiale, a gardé un peu de son charme suranné.

Ne manquez pas les **vieux entrepôts néerlandais** face à la mer. Dans cette zone, certains *warung* ont été construits sur pilotis. En remontant Jl Imam Bonjol, vous aurez l'occasion d'admirer l'architecture Art déco des bâtiments hollandais de la fin de l'époque coloniale.

GRATUIT **Gedong Kirtya Library** BIBLIOTHÈQUE
(📞22 645 ; ⊗8h-16h lun-jeu, jusqu'à 13h ven). Cette petite bibliothèque historique fut fondée en 1928 par les Néerlandais et baptisée d'après le mot sanskrit pour "essayer". Elle possède une collection de *lontar*, livres en feuilles de palmier séchées, ainsi que de très anciens *prasasti*, plats de cuivre

Singaraja

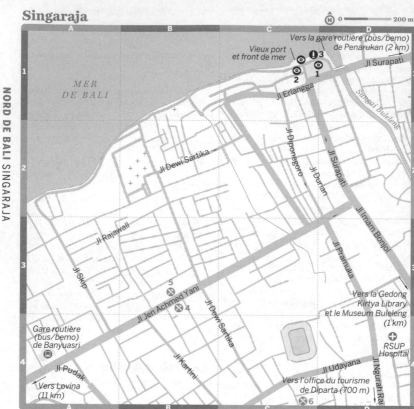

portant des inscriptions. Des publications néerlandaises datant de 1901 réjouiront les étudiants intéressés par la période coloniale.

GRATUIT **Museum Buleleng**   MUSÉE
(Jl Veteran ; ☺9h-16h lun-ven). Ce musée retrace la vie du dernier raja de Buleleng, Pandji Tisna, qui serait à l'origine du développement touristique de Lovina. Parmi les pièces exposées figure la machine à écrire de marque Royal qui lui servit durant sa carrière d'auteur de récits de voyage. Il mourut en 1978. Le musée est également consacré à l'histoire de la région.

🎎 Fêtes et festivals

Renseignez-vous auprès de Diparda, l'office du tourisme régional, pour des détails sur les festivals suivants.

Bali Art Festival de Buleleng   FESTIVAL
Chaque année, en mai ou en juin, Singaraja et les villages alentour accueillent le Bali Art Festival of Buleleng. Pendant une

Singaraja

◉ À voir

⊗ Où se restaurer

semaine, des danseurs et des musiciens de troupes villageoises parmi les plus réputées de la région, comme celles de Jagaraga, s'y produisent.

North Bali Festival   ARTS TRADITIONNELS
En août, le North Bali Festival célèbre les arts traditionnels de l'ancien royaume de Buleleng.

LES LIVRES EN LONTAR

Le *lontar* est fait à partir des feuilles en forme d'éventail du palmier *rontal*. La feuille est séchée, mise à tremper dans l'eau, nettoyée, passée à la vapeur, séchée de nouveau, puis aplatie, teinte et, enfin, coupée en bandelettes. On y inscrit des mots et des images en utilisant une pointe ou une lame très aiguisée, avant de la noircir et de l'essuyer – le noir reste dans les inscriptions. Un trou au milieu de chaque bandelette de *lontar* permet de la passer dans un fil, et une "couverture" de bambou sculpté est placée à chaque extrémité pour protéger les "pages". Le fil est fixé par des pièces chinoises percées d'un trou, les *kepeng*.

La Gedong Kirtya Library de Singaraja possède la plus grande collection d'œuvres sur *lontar* au monde.

✖ Où se restaurer

Istana Bakery　　　　　BOULANGERIE **$**
(☎21 983 ; Jl Jen Achmed Yani ; en-cas 3 000 Rp ; ☺8h-18h). Vous êtes tombé amoureux à Lovina ? C'est ici qu'il faut commander votre gâteau de mariage ! On y trouve aussi tout un choix de savoureux gâteaux pour des occasions moins officielles.

Manalagi　　　　　　BALINAIS **$**
(Jl Sahadewa 8A ; plats à partir de 15 000 Rp). En bas d'une jolie rue ombragée, ce restaurant balinais, au cœur d'un enclos, est très prisé des habitants en quête d'un repas unique à base de poisson frais. Le bâtiment, avec ses vérandas profondes, a des airs coloniaux.

Dapur Ibu　　　　　INDONÉSIEN **$**
(☎24 474 ; Jl Jen Achmed Yani ; plats 10 000-20 000 Rp). Un agréable café local avec un petit jardin près de la rue. Le *nasi goreng* (riz frit) est frais et excellent, surtout avec un jus frais ou un thé.

❶ Renseignements

Services médicaux
RSUP Hospital (☎22 046 ; Jl Ngurah Rai ; ☺24h/24). L'hôpital de Singaraja est le plus important du nord de Bali.

Office du tourisme
Diparda (☎25 141 ; www.northbalitourism. com ; Jl Ngurah Rai 2 ; ☺7h30-15h30 lun-

ven). Près du musée, l'office régional du tourisme dispose de cartes correctes. Bons renseignements sur la danse et d'autres manifestations culturelles. Site Internet utile.

❶ Depuis/vers Singaraja

Singaraja est la plaque tournante des transports de la côte nord-est, avec trois gares routières de *bemo* et de bus. De la gare routière de Sukasada, à 3 km au sud de la ville, des minibus desservent Denpasar (gare routière d'Ubung, 35 000 Rp) via Bedugul/Pancasari, de manière sporadique.

De la gare routière de Banyuasri, à l'ouest de la ville, des bus rallient Gilimanuk (25 000 Rp, 2 heures) et Java, et quantité de *bemo* rejoignent Lovina (10 000 Rp).

De la gare routière de Penarukan, à 2 km à l'est de la ville, des *bemo* desservent Yeh Sanih (10 000 Rp) et Amlapura (20 000 Rp) via la route de la côte ; et des minibus font route vers Denpasar (gare routière de Batubulan, 35 000 Rp, 3 heures) via Kintamani.

VERS JAVA De Singaraja, plusieurs compagnies proposent des services incluant la traversée en ferry du détroit de Bali. Les bus continuent jusqu'à Yogyakarta (à partir de 350 000 Rp, 16 heures) et à Jakarta (à partir de 500 000 Rp, 24 heures). Réservez un jour à l'avance à la gare de Banyuasri.

❶ Comment circuler

Des *bemo* relient les trois principales gares routières pour environ 7 000 Rp.

Environs de Singaraja

Les sites autour de Singaraja comptent certains des temples les plus importants de Bali.

SANGSIT
À quelques kilomètres au nord-est de Singaraja, on peut admirer un excellent exemple de l'architecture colorée du nord de Bali. Le **Pura Beji** de Sangsit est le temple d'un *subak* (association villageoise de riziculteurs) dédié à la déesse Dewi Sri, qui protège les rizières irriguées. Les sculptures très ornementées de la façade donnent le ton avec démons et *naga* (créatures mythiques qui ressemblent à un serpent). À l'intérieur, des sculptures variées couvrent aussi chaque centimètre carré. Le Pula Beji est situé à 500 m de la grande route qui conduit à la côte.

Situé dans les rizières, à 500 m au nord-est du Pura Beji, le **Pura Dalem** (temple des morts) de Sangsit montre des scènes de châtiments de l'au-delà, ainsi que des images drôles et érotiques.

Les bus et les *bemo* qui se dirigent vers l'est depuis la gare routière de Penarukan, à Singaraja, s'arrêtent à Sangsit.

GITGIT

À environ 11 km au sud de Singaraja, un sentier long de 800 m, bien indiqué, part à l'ouest de la route principale, vers la cascade d'**Air Terjun Gitgit** (adulte/enfant 10 000/5 000 Rp). Le chemin est bordé d'étals de souvenirs et fréquenté par des guides aussi insistants qu'inutiles. La simple vue des cascades, qui s'abattent à grand fracas du haut de leurs 40 m, suffira à vous rafraîchir.

Environ 2 km plus haut sur la colline, la **chute en cascades** (don 5 000 Rp) est visible à 600 m à l'ouest de la grande route. On la rejoint par un chemin qui traverse un pont étroit et suit la rivière, ponctuée de plusieurs chutes d'eau, en traversant une jungle luxuriante.

Des *bemo* et des minibus fréquents, circulant entre Denpasar (gare routière d'Ubung) et Singaraja (gare routière de Sukasada), s'arrêtent à Gitgit. Gitgit est aussi une étape pour les circuits organisés visitant le centre et le nord de Bali.

Lovina
📞 0362

Cette station balnéaire décontractée et dénuée de grands immeubles est à l'opposé de Kuta : elle offre une atmosphère sereine, de jour comme de nuit, et chacun y profite en toute quiétude des joies de la plage et d'une mer calme.

C'est l'endroit idéal pour mettre à jour ses carnets de voyage, finir un livre ou laisser tranquillement chaque journée se fondre dans la suivante.

Sans être aride, la région de Lovina, ensoleillée et ponctuée de palmiers, n'a rien d'une jungle tropicale. Chaque après-midi, dans les villages de pêcheurs comme Anturan, on peut assister à la préparation des *prahu* (bateaux traditionnels à balancier) pour la pêche de nuit. Alors que le soleil couchant embrase le ciel, les lumières des esquifs parsèment l'horizon telles des nuées de lucioles.

La zone touristique s'étire sur 8 km et réunit une succession de villages côtiers – Kaliasem, Kalibukbuk, Anturan, Tukad Mungga – sous le nom de Lovina. Elle a pour centre Kalibukbuk, le cœur de Lovina, à 10,5 km à l'ouest de Singaraja. En journée, la circulation sur la route principale peut être dense et bruyante.

👁 À voir et à faire

Plages

Les plages, au sable d'origine volcanique gris et noir, plutôt propres près des hôtels, ne sont pas spectaculaires. Les récifs qui protègent le rivage garantissent une eau calme et claire.

Une **promenade** longe la plage à Kalibukbuk et se prolonge par un sentier le long de la côte ; le décor va du propret au nettement plus négligé. Profitez de la superbe vue à l'est, sur les montagnes de la côte nord de Bali. L'ambiance indolente, qui gagne même les vendeurs, est plaisante.

Les plus belles plages comprennent la principale, à l'est du **monument au Dauphin**, ainsi que celle, incurvée, qui s'étend un peu plus à l'ouest. Les hôtels bon marché à Anturan jouissent aussi d'une bonne plage. Un peu partout, on peut voir des bateaux de pêche au mouillage.

Observation des dauphins

L'attraction phare à Lovina est l'observation des dauphins au lever du soleil – au point qu'un grand monument en béton fut élevé en l'honneur des cétacés.

Certains jours, on n'en aperçoit aucun, mais la plupart du temps, au moins quelques-uns sont visibles.

Attendez-vous à être souvent sollicité pour faire cette excursion. Le prix est fixé à 50 000 Rp par personne par le groupement des propriétaires de bateaux. Le circuit commence à 6h et dure environ 2 heures. Sachez que, bien souvent, vous vous trouverez au milieu d'une armada de bateaux qui font rugir leurs moteurs sur les flots.

Il existe un grand débat sur la signification de ce remue-ménage pour les dauphins. Aiment-ils être pourchassés par les bateaux ? Si ce n'est pas le cas, pourquoi reviennent-ils toujours ? Probablement pour le poisson, très abondant au large de Lovina.

Plongée

Le récif de Lovina est surtout intéressant pour les plongées peu profondes, et les plongées de nuit remportent un franc succès. Cela dit, nombre d'amateurs dorment à Lovina mais vont plonger à Pulau Menjangan, à 2 heures de route vers l'ouest.

Spice Dive   PLONGÉE
(📞 41 512 ; www.balispicedive.com). Spice Dive est un club important qui propose des sorties de snorkeling (25 €), des initiations à la plongée (45 €) et des excursions prisées pour Menjangan (60 €). Basé à l'extrémité ouest de la promenade de la plage.

Snorkeling

L'eau est généralement claire et certaines parties du récif sont propices à l'exploration avec palmes et tuba, malgré les dégâts subis par le corail du fait de la pêche à la dynamite et du blanchissement provoqué par le réchauffement des eaux. Le meilleur site se trouve à l'ouest, à quelques centaines de mètres au large des Billibo Beach Cottages. Une expédition en bateau vous reviendra à 50 000 Rp par personne pour 2 heures (2 pers au minimum), équipement compris.

Randonnée

♥ Komang Dodik   RANDONNÉE
(📞0877 6291 5128 ; lovina.tracking@gmail. com). Komang Dodik organise d'excellentes randonnées dans les collines de la côte nord. Comptez au moins 250 000 Rp/personne, pour une durée de 3 à 7 heures. À ne pas manquer : une série de cascades de plus de 20 m de hauteur, dans une grotte de la jungle. Les circuits peuvent inclure des plantations de café et de vanille.

Vélo

Les routes au sud de Jl Raya Lovina conviendront aux amateurs de petite reine, qui pourront pédaler au milieu des rizières et des collines sans être (trop) importunés par la circulation. Nombre de sites à l'ouest de Lovina sont aisément accessibles à vélo.

La plupart des hôtels louent des vélos à partir de 30 000 Rp par jour.

Autres activités

♥ Warung Bambu
Pemaron   COURS DE CUISINE
(📞31 455 ; http://warung-bambu.mahanara. com ; Pemaron ; 1/2 pers 500 000/660 000 Rp ; ⊗8h-13h). Commencez par une escale au grand marché alimentaire de Singaraja. Puis apprenez à cuisiner jusqu'à huit spécialités

balinaises dans un cadre aéré au milieu des rizières, à l'est de Lovina, avant de savourer le fruit de votre labeur. Personnel charmant et transport inclus.

Araminth Spa   SPA
(📞0812 384 4655 ; www.araminthspa.com ; Jl Ketapang ; massage à partir de 150 000 Rp ; ⊗10h-19h). Traitements balinais et ayurvédiques, massages des pieds, le tout dans un cadre simple mais reposant.

🛏 Où se loger

Quantité d'hôtels bordent Jl Raya Lovina et les routes latérales qui partent vers la plage. Dans l'ensemble, les offres s'adressent plutôt aux petits budgets, ne vous attendez pas à du grand luxe. Attention aux hôtels sur la route principale – toutefois, ceux qui ont des chambres près de la mer sont corrects.

Lorsque Lovina tourne au ralenti, les prix de toutes les chambres sont négociables. Toutefois, méfiez-vous des rabatteurs qui vous mènent en bateau en proposant des tarifs qui incluent une forte commission à leur profit.

ANTURAN

De petits chemins et une route goudronnée (Jl Kubu Gembong) conduisent à ce petit village de pêcheurs où viennent se baigner les Balinais et où mouillent les bateaux de pêche. L'endroit, très apprécié des voyageurs, est assez éloigné des loisirs nocturnes de Lovina. Comptez environ 20 000 Rp pour revenir en taxi de Kalibukbuk à Anturan.

Puspa Rama   GUESTHOUSE **$**
(📞42 070 ; agungdayu@yahoo.com ; Jl Kubu Gembong ; ch 150 000 Rp ; 🕾). La meilleure adresse bon marché de la rue, dans un cadre verdoyant un cran au dessus de celui

---

À NE PAS MANQUER

LE PREMIER CYCLISTE DE BALI

Le **Pura Maduwe Karang** (temple du Propriétaire foncier) est l'un des temples les plus remarquables du nord de Bali pour ses bas-reliefs, notamment celui qui représente un gentleman conduisant une **bicyclette** dotée d'une fleur de lotus en guise de roue arrière. Il se trouve en bas de la plinthe principale dans l'enceinte intérieure. Il représente peut-être W. O. J. Nieuwenkamp, un artiste néerlandais qui importa probablement à Bali la première bicyclette, en 1904.

Tout comme le Pura Beji de Sangsit, ce temple est dédié aux esprits de l'agriculture, mais celui-ci veille sur les terres non irriguées. Il est facile à trouver dans le village de Kubutambahan – cherchez les 34 personnages sculptés du *Ramayana* qui entourent l'enceinte. Kubutambahan se trouve sur la route entre Singaraja et Amlapura, à environ à 1 km à l'est de l'embranchement vers Kintamani. Le village est régulièrement desservi par des *bemo* et des bus.

Lovina

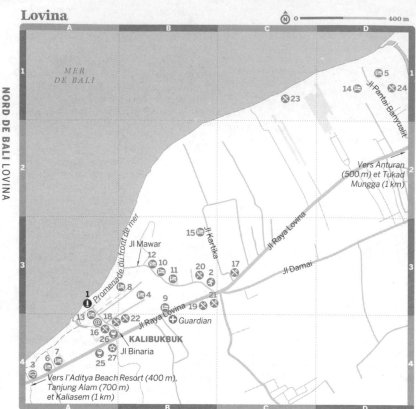

MER
DE BALI

Vers Anturan
(500 m) et Tukad
Mungga (1 km)

Jl Mawar

Jl Kartika

Jl Raya Lovina

Jl Damai

Jl Raya Lovina

Guardian

KALIBUKBUK

Jl Binaria

Vers l'Aditya Beach Resort (400 m),
Tanjung Alam (700 m)
et Kaliasem (1 km)

des concurrents. Les 6 chambres ont l'eau chaude. Nombreux arbres fruitiers. Wi-Fi dans la partie commune.

Gede Home Stay Bungalows
CHEZ L'HABITANT $

(☎41 526 ; gedehomestay@yahoo.com ; Jl Kubu Gembong ; ch 200 000-300 000 Rp ; ❄❂). Pension de 8 chambres à deux pas de la plage. Les moins chères ont l'eau froide, les meilleures, la clim et l'eau chaude.

D'ANTURAN À KALIBUKBUK
Jl Pantai Banyualit compte de nombreux hôtels, mais la plage n'est guère séduisante. Il y a une petite zone aux allures de parc sur le bord de mer et la promenade le long du littoral jusqu'à Kalibukbuk est courte et pittoresque.

♥ Villa Taman Ganesha
GUESTHOUSE $$

(☎41272 ; www.taman-ganesha-lovina.com ; Jl Kartika 45 ; ch 30-60 € ; ❄❂❂). Charmant établissement, en bas d'une ruelle tranquille jalonnée d'hébergements familiaux balinais. Les jardins luxuriants exhalent des parfums de frangipaniers du monde entier, collectionnés par le propriétaire, un paysagiste allemand. Grande piscine et plage à 400 m. Quatre structures très intimes et équipées de tout le confort moderne. À 10 minutes de marche de Kalibukbuk, le long de la plage.

Hotel Banyualit
HÔTEL $$

(☎41 789 ; www.banyualit.com ; Jl Pantai Banyualit ; ch à partir de 650 000 Rp ; ❄❂❂). À environ 100 m en retrait de la plage, le Banyualit possède un jardin verdoyant agrémenté de statues et d'une grande piscine. Les 23 chambres offrent un excellent choix : les meilleures sont les villas avec bain à remous, réfrigérateur et vaste patio ombragé. Petit spa.

Suma
GUESTHOUSE $

(☎41566 ; www.sumahotel.com ; Jl Pantai Banyualit ; ch 200 000-700 000 Rp ; ❄@❂❂). Dans un bâtiment en pierre sophistiqué, avec vue

Lovina

sur la mer depuis les chambres à l'étage. Les meilleures des 13 chambres ont la clim et l'eau chaude. Les bungalows récents sont agréables. Grande piscine paysagère et charmant café.

KALIBUKBUK
À un peu plus de 10 km de Singaraja, le village de Kalibukbuk est le "centre" de Lovina. Jl Mawar est plus calme et agréable que Jl Binaria. De petits *gang*, regroupant des adresses bon marché, partent de ces deux rues.

Rambutan Hotel HÔTEL $$
(☏41 388 ; www.rambutan.org ; Jl Mawar ; ch 25-80 $US, villas 95-190 $US ; ❄@🛜❄). L'hôtel, aménagé sur 1 ha de jardins luxuriants, possède deux piscines, une aire de jeux et propose de nombreux divertissements. Les 28 chambres sont décorées avec goût dans le style balinais. Les moins chères ont ventilateur et eau froide. Les villas sont d'un bon rapport qualité/prix. Les plus grandes, avec cuisine, sont adaptées aux familles. Le Wi-Fi est meilleur à côté du restaurant.

Sea Breeze Cabins GUESTHOUSE $
(☏41 138 ; Jl Binaria ; ch 350 000-400 000 Rp ; ❄❄). En retrait de Jl Binaria, voilà l'un des meilleurs choix au cœur de Kalibukbuk. Les

5 jolis bungalows donnent sur la piscine et la plage – avec une belle vue depuis la véranda pour certains. Deux chambres économiques avec ventilateur et eau chaude.

Harris Homestay CHEZ L'HABITANT $
(☏41 152 ; Gang Binaria ; ch 120 000-150 000 Rp). D'un blanc éclatant, Harris échappe à l'aspect délabré de ses voisins bon marché. La charmante famille vit à l'arrière. Les clients profitent des chambres lumineuses et modernes de devant.

Nirwana Seaside Cottages HÔTEL $
(☏41 288 ; www.nirwanaseaside.com ; ch 200 000-600 000 Rp ; ❄🛜❄). Une grande propriété ombragée face à la mer, qui compte 30 chambres très différentes. Les bungalows sont vieillots mais ont l'eau chaude. Une aile moderne de 2 niveaux abrite des chambres (clim et TV sat) de style hôtel. La piscine en pierre naturelle joue la carte tropicale. Wi-Fi seulement dans le café.

Puri Bali Hotel HÔTEL $
(☏41 485 ; www.puribalilovina.com ; Jl Mawar ; ch 180 000-800 000 Rp ; ❄❄). L'espace piscine niché dans un jardin luxuriant invite au farniente. Les meilleures des 24 chambres, avec eau chaude et clim, sont simples et confortables. Les moins chères ont ventil et eau froide.

Padang Lovina GUESTHOUSE **$**
(☑41 302 ; padanglovina@yahoo.com ; Gang
Binaria ; ch 150 000-350 000 Rp ; ❋ 🛜 ⛱). Dans
une petite allée au cœur de Kalibukbuk,
ces 14 chambres de style bungalow, sans
prétention et confortables, sont installées dans un vaste domaine fleuri. Les
meilleures disposent de la clim et d'une
baignoire. Wi-Fi près de la piscine.

Rini Hotel HÔTEL **$**
(☑41 386 ; www.rinihotel.com ; Jl Mawar ; ch
200 000-400 000 Rp ; ❋ 🛜 ⛱). Cet hôtel
impeccable de 30 chambres possède une
grande piscine. Selon le prix, les chambres
se contentent d'un ventilateur et de l'eau
froide, ou sont immenses et disposent de
la clim et de l'eau chaude.

OUEST DE KALIBUKBUK

Lovina Beach Hotel HÔTEL **$**
(☑41 005 ; www.lovinabeachhotel.com ; Jl Raya
Lovina ; ch 250 000-400 000 Rp ; ❋ 🛜 ⛱). Cet
hôtel de plage bien tenu n'a pas changé
depuis des années, à l'instar de ses prix.
Les 24 chambres, aménagées dans une
bâtisse à 2 niveaux, sont passablement
défraîchies. Les bungalows sont décorés
selon le style balinais. Ceux qui sont sur
la plage constituent une bonne affaire.
Les jardins ont des allures de parc.

Aditya Beach Resort HÔTEL **$$**
(☑41 059 ; www.adityalovina.com ; ch
50-105 $US ; ❋ 🛜 ⛱). Un établissement
de 64 chambres sur une plage de sable,
toutes très bien équipées, avec une belle
sdb. Les meilleures donnent sur la mer.
Piscine ou océan ? Choisissez tranquille-
ment de votre patio.

Hotel Purnama CHEZ L'HABITANT **$**
(☑41 043 ; Jl Raya Lovina ; ch à partir de
80 000 Rp). L'une des meilleures affaires
du secteur, avec 7 chambres propres (eau
froide), à 2 minutes de la plage. Un enclos
familial accueillant.

ENVIRONS DE LOVINA

♥ **Damai** HÔTEL **$$$**
(☑41 008 ; www.damai.com ; villas
210-450 $US ; ❋ 🛜 ⛱). À flanc de colline
derrière Lovina, le Damai offre la vue
panoramique à laquelle on s'attend.
Les 14 luxueuses villas mélangent style
moderne, antiquités et tissus balinais. La
piscine à débordement semble se déverser
dans les champs d'arachide, les rizières et
les palmeraies.
Les plus grandes villas disposent d'une
piscine privée et de plusieurs chambres.

VAUT LE DÉTOUR

AU FIL DES ROUTES DE CAMPAGNE

Les petites routes autour de Singaraja
offrent des surprises intéressantes et
peu fréquentées.

» **Jagaraga** Dans ce village se
dresse le Pura Dalem, un petit
temple intéressant dont la façade
arbore une série de panneaux
délicieusement sculptés. Sur le mur
extérieur, on peut remarquer une
voiture rétro, un bateau à vapeur et
un combat aérien entre des avions
d'un autre temps.

» **Sawan** Centre de production de
gongs et d'instruments de gamelan.
Découvrez de quelle façon les gongs
sont coulés et le châssis ouvragé
des instruments est fabriqué.

La cuisine du restaurant, fusion bio,
fait l'unanimité. Téléphonez pour qu'on
vienne vous chercher ou prenez vers le
sud, dans Jl Damai, au carrefour principal
de Kalibukbuk, et suivez la route sur 3 km
environ.

✗ Où se restaurer

Presque tous les hôtels disposent d'un café
ou d'un restaurant. Empruntez la promenade en bord de plage et faites votre choix
parmi les établissements sommaires qui
offrent bière fraîche, cuisine standard et
coucher du soleil.

ANTURAN

Warung Rasta POISSON **$**
(Plats 15 000-50 000 Rp). Sur une petite
plage où s'alignent tables, chaises, bancs et
bateaux de pêche. Le menu affiche naturellement des produits de la mer frais grillés
et la musique en boucle fait honneur à son
nom. Tenus par de sympathiques propriétaires qui ont compris le pouvoir de la
relaxation.

Babi Guling BALINAIS **$**
(Jl Raya Lovina ; plats 20 000 Rp ; ⊙11h-16h). Ce
simple étal porte le nom du plat qui y est
servi (du cochon de lait très épicé accompagné de riz). Situé à 1 km à l'est d'Anturan, à
côté de la route principale pour Singaraja.

D'ANTURAN À KALIBUKBUK

Bakery Lovina CAFÉ
(Jl Raya Lovina ; ✳). Dégustez le meilleur café de Lovina dans cette épicerie fine haut de gamme, non loin du centre à pied. Croissants et pains allemands cuits sur place et petite sélection de plats du jour frais.

Warung Dolphin POISSON $
(☑0813 5327 6985 ; Jl Pantai Banyualit ; plats 25 000-70 000 Rp). Près de la plage, un restaurant sans chichis réputé pour son plateau de poisson et de fruits de mer grillés. Il est fréquenté par les capitaines des bateaux qui emmènent les touristes voir les dauphins. Musique acoustique live la plupart des soirs ; quelques autres bons *warung* tout près.

Spunky's INDONÉSIEN $
(☑41 134 ; Jl Pantai Banyualit ; plats 20 000-70 000 Rp). Le Spunky's se détache parmi les établissements où l'on vient boire un verre au coucher du soleil. Classiques indonésiens servis sur la plage. À l'image de Lovina, c'est un endroit calme de jour comme de nuit. On y vient facilement de partout en longeant la plage.

KALIBUKBUK

C'est ici que débute la vie nocturne, avec un bon choix de restaurants, de cafés de plage, de bars où l'on peut manger une pizza et peut-être écouter un peu de musique et de lieux pour s'amuser qui n'entrent pas vraiment dans une catégorie précise.

♥ Jasmine Kitchen THAÏLANDAIS $$
(☑41 565 ; Gang Binaria ; plats 40 000-100 000 Rp). On vient dans cet élégant restaurant sur 2 niveaux goûter une excellente cuisine thaïlandaise. Carte variée et authentique, et personnel serviable. Rien ne vaut la glace maison sur fond de jazz. Vous pouvez remplir vos bouteilles d'eau pour 2 000 Rp.

♥ Seyu JAPONAIS $$
(www.seyulovina.com ; Jl Binaria ; plats à partir de 40 000 Rp ; ☎). Excellent nouveau venu, cet authentique restaurant japonais offre un chef expert en sushis et une bonne sélection de nigiris et de sashimis frais. Salle spacieuse et sans chichis.

Akar VÉGÉTARIEN $
(☑0817 972 4717 ; Jl Binaria ; plats 30 000-50 000 Rp ; ☑). Les nombreuses nuances de vert de ce café reflètent l'éthique écologiste des propriétaires. Faites ici le plein d'eau potable et dégustez des *smoothies* bio et de délicieux plats de pâtes comme les lasagnes au fromage, à la betterave et

au sésame, ou les spaghettis à l'ail et au piment. Petit porche à l'arrière donnant sur la rivière.

Khi Khi Restaurant CHINOIS $
(☑41 548 ; plats 10 000-100 000 Rp). En retrait de Jl Raya Lovina, derrière le marché nocturne, dans une sorte de grange. Spécialités maison : la cuisine chinoise et le poisson et les crustacés grillés, dont le homard. L'endroit est toujours très fréquenté.

Sea Breeze Café INDONÉSIEN $
(☑41 138 ; plats 25 000-60 000 Rp). Près de Jl Binaria, ce café aéré constitue la meilleure option du front de mer. Plats indonésiens et occidentaux, et excellents petits-déjeuners. Personnel impeccable.

Le Madre ITALIEN $
(☑0817 554 399 ; Jl Mawar ; plats 40 000-70 000 Rp). Un couple de chefs – ils ont travaillé dans deux restaurants italiens parmi les meilleurs de Bali – gère ce petit bistrot charmant, comme à la maison. Savourez pâtes fraîches et produits de la mer, accompagnés de pain italien du jour.

Pappagallo INTERNATIONAL $
(☑41 163 ; Jl Binaria ; plats 40 000-60 000 Rp). Un café pour voyageurs sur 3 niveaux au cœur de la ville. Belle vue du dernier étage au coucher du soleil. Pizzas au feu de bois, baguettes fraîches pour sandwichs, pâtes et plats classiques indonésiens.

Marché nocturne BALINAIS
(Jl Raya Lovina ; plats à partir de 15 000 Rp ; ☉17h-23h). Le charmant marché nocturne de Lovina est une bonne idée pour qui souhaite déguster une cuisine locale fraîche et bon marché. Chaque année, quelques nouveaux stands intéressants viennent enrichir l'ensemble.

ENVIRONS DE LOVINA

♥ Damai FUSION $$$
(☑41 008 ; www.damai.com ; déj 5-15 $US, dîner à partir de 50 $US). Essayez le restaurant bio, fort réputé, de cet hôtel de charme sur les collines derrière Lovina. Belle vue sur la côte nord. Le menu change au gré des ingrédients de la ferme bio de l'hôtel et du poisson pêché localement. Plats composés avec art et accompagnés d'une des meilleures cartes des vins de Bali. Brunch réputé le dimanche. Appelez pour que l'on vienne vous chercher.

♥ Tanjung Alam POISSON $$
(Jl Raya Lovina ; plats 30 000-80 000 Rp). Vous apercevrez la colonne de fumée odorante s'élevant au milieu des palmiers

avant de trouver l'entrée de ce restaurant de front de mer à ciel ouvert, royaume des produits de la mer grillés. Installez-vous à l'une des tables ombragées, laissez-vous bercer par le doux clapotis des vagues et savourez un festin à un prix abordable. À 1,2 km à l'ouest du centre.

🍸 Où prendre un verre

Nombre de restaurants conviennent parfaitement pour prendre un verre, notamment sur la plage, et les *happy hours* sont légion. Voici quelques bonnes adresses de Kalibukbuk.

Kantin 21   BAR

(☑0812 460 7791 ; Jl Raya Lovina ; ⊙11h-1h). Superbe bar en plein air, parfait pour observer la rue en journée et écouter de la guitare acoustique le soir. Grand choix de boissons, jus frais et quelques en-cas locaux. Le vieux combi Volkswagen garé devant ajoute la touche finale au tableau tendance.

Poco Lounge   BAR

(☑41 535 ; Jl Binaria ; ⊙11h-1h). Bar-café populaire, projetant parfois des films et accueillant des groupes de musiciens. Habituels plats pour les voyageurs, servis à des tables donnant sur la rue ou la rivière, à l'arrière.

☆ Où sortir

Certaines adresses de Jl Binaria proposent de la musique live. Dirigez-vous à l'oreille.

Pashaa   CLUB

(www.pashaabalinightclub.com ; Jl Raya Lovina ; ⊙20h-tard mar-sam). Un club, petit mais efficace, proche du centre ; des DJ originaires de toute l'île viennent mixer pour des danseurs à l'énergie, semble-t-il, inépuisable.

ℹ Renseignements

Si vous envisagez de lire à Lovina, n'oubliez pas d'apporter le nécessaire, car on ne trouve ici que quelques stands de livres d'occasion.

Accès Internet

Les accès Internet rapides ne manquent pas.
Spice Cyber (☑41 305 ; Jl Binaria ; 200 Rp/min ; ⊙8h-24h ; 📶). Impressions et gravure de CD.

Argent

Vous trouverez de nombreux DAB le long de Jl Raya Lovina, à Kalibukbuk.

Services médicaux

Guardian (Jl Raya Lovina). Représentant local d'une chaîne internationale de pharmacies.

ℹ Depuis/vers Lovina

Bus et bemo

Pour rejoindre Lovina depuis le sud de Bali en transports en commun, il faut prendre une correspondance à Singaraja. Des *bemo* bleus quittent régulièrement la gare routière de Banyuasri, à Singaraja, en direction de Kalibukbuk (environ 10 000 Rp) – on peut les héler n'importe où sur la route principale.

En arrivant de l'ouest avec un bus longue distance, vous pouvez demander à être déposé où bon vous semble sur la route principale.

Navette touristique

Les bus Perama s'arrêtent devant le **bureau** (☑41 161) de la compagnie, en face de l'Hotel Perama dans Jl Raya Lovina à Anturan. Les passagers sont ensuite transportés en d'autres points de Lovina (10 000 Rp).

Destination	Tarif (Rp)	Durée
Candidasa	150 000	5 heures 30
Kuta	100 000	4 heures
Padangbai	150 000	4 heures 45
Sanur	100 000	3 heures 45
Ubud	100 000	2 heures 45

ℹ Comment circuler

La zone de Lovina est *très* étendue, mais de nombreux *bemo* (5 000 Rp) circulent d'un bout à l'autre.

Ouest de Lovina

La principale route à l'ouest de Lovina passe non loin de temples et de fermes et traverse des villages le long d'une côte peu développée. Remarquez les nombreuses vignes, dont le raisin sert à la fabrication des crus très doux de Bali. La route se poursuit jusqu'au Taman Nasional Bali Barat (parc national de l'ouest de Bali) et au port de Gilimanuk.

AIR TERJUN SINGSING

À environ 5 km à l'ouest de Lovina, un panneau indique l'Air Terjun Singsing (cascade de l'Aube). À 1 km de la route principale, on dépasse un *warung* sur la gauche et un parking sur la droite. Après le *warung*, suivez le chemin sur 200 m jusqu'aux chutes les plus basses. La cascade n'est pas énorme, mais le bassin est idéal pour la baignade. Si elle est un brin trouble, l'eau demeure vraiment rafraîchissante.

Continuez à gravir la colline jusqu'à la prochaine cascade, **Singsing Dua**, un peu plus importante, dont le bain de boue est réputé bon pour la peau. Ces chutes tombent aussi dans un bassin profond.

Avec leur végétation tropicale dense, les environs constituent une excursion agréable pour la journée, depuis Lovina. Les chutes, plus spectaculaires à la saison des pluies (octobre à mars), sont parfois réduites à un filet d'eau le reste du temps.

AIR PANAS BANJAR

Ces **sources chaudes** (adulte/enfant 10 000/5 000 Rp ; ☉8h-18h) courent au milieu de luxuriantes plantes tropicales. On peut s'y détendre quelques heures et déjeuner au restaurant, voire même y passer la nuit.

Huit *naga* de pierre aux visages féroces déversent l'eau d'une source chaude naturelle dans le premier bassin, qui s'écoule ensuite (par la bouche de cinq autres *naga*) dans un bassin plus grand. Dans un troisième bassin, l'eau s'échappe de dégorgeoirs situés à 3 m de hauteur, offrant un puissant massage. L'eau est légèrement sulfureuse et délicieusement chaude (environ 38°C). Il faut porter un maillot de bain et éviter d'utiliser du savon dans les bassins. Vous trouverez des douches extérieures à côté.

Un modeste café surplombe les bains.

Pour rallier les sources depuis l'arrêt de *bemo* sur la route principale, on peut prendre un *ojek* (moto-taxi) ; le retour consiste en une promenade de 2,4 km en descente.

SERIRIT
📞0362

Cette ville est un carrefour pour les routes qui se dirigent vers le sud, à travers les montagnes du Centre, jusqu'à Munduk ou à Papuan, et l'ouest de Bali via la jolie route d'Antosari ou la tout aussi belle route de Pulukan.

🛏 Où se loger

Zen Resort Bali   RESORT $$
(📞93 578 ; www.zenresortbali.com ; ch 65-95 € ; ❄). Le Zen Resort Bali porte bien son nom, puisque ce complexe hôtelier proche de la mer est dédié au bien-être sous toutes ses formes. Les chambres, installées dans des bungalows traditionnels, ont un style épuré et les jardins déclinent le thème de l'eau. La plage est à 200 m. Les activités débutent avec le yoga et se terminent par un bon nettoyage ayurvédique. À l'ouest de Seririt dans le village balnéaire d'Ume Anyar.

LES RÉCIFS ÉLECTRIQUES DE PEMUTERAN

Pemuteran se situe dans une partie plutôt aride de Bali, où la population a toujours vécu assez pauvrement. Au début des années 1990, la région a commencé à tirer profit des excellents sites de plongée qui bordent le littoral. Ses habitants, contraints de lutter pour se nourrir, ont alors suivi des cours de langue et diverses formations pour accueillir les visiteurs dans ce qui allait devenir un ensemble de complexes hôteliers.

Il restait cependant un gros problème à régler : les récifs qui devaient séduire les touristes étaient très endommagés et blanchis par la pêche à la dynamite et au cyanure et le réchauffement de l'eau engendré par El Niño.

Un groupe de gérants d'hôtels et de clubs de plongée s'est associé avec les dirigeants locaux pour trouver une solution originale : créer un nouveau récif avec de l'électricité. L'idée avait déjà été émise par des scientifiques au niveau international, mais Pemuteran a été le premier endroit à l'exploiter à grande échelle, et avec un tel succès

À partir de matériaux locaux, la communauté a construit des dizaines de cages en métal qui ont été placées le long du récif menacé. Celles-ci ont ensuite été branchées sur des générateurs de *très* petite puissance, installés sur terre. On peut d'ailleurs en voir les câbles sur le rivage près des Taman Sari Bali Cottages. C'est ainsi que la théorie est devenue réalité. Le courant a stimulé la formation de calcaire sur les cages, qui ont rapidement engendré du nouveau corail. Ainsi, la petite baie de Pemuteran s'enrichit en corail à une vitesse cinq à six fois supérieure à la croissance naturelle.

Les résultats sont très positifs : habitants et visiteurs en profitent autant que les récifs. Les efforts ont maintenant gagné l'attention de la communauté internationale et ceux qui les ont menés ont été baptisés **Jardiniers des récifs de Pemuteran** (www.pemuteranfoundation.com). Vous pouvez trouver des informations intéressantes et détaillées dans les différents hôtels. Un guichet portant la mention "Bio Rocks" est parfois ouvert sur la plage près du Pondok Sari.

PULAKI

Si le village de Pulaki est renommé pour ses vignes, ses pastèques et le **Pura Pulaki**, un temple littoral complètement reconstruit au début des années 1980 et investi par une tribu de singes. Il y a une base militaire non loin.

Pemuteran

📞0362

Cette enclave balnéaire à l'extrémité nord-ouest de Bali forme une oasis au cœur d'une zone assez isolée. Le long de la petite baie animée, où les enfants du coin viennent jouer au football jusqu'au soir, on trouve de jolis complexes hôteliers. Pemuteran est l'endroit idéal pour profiter pleinement de la plage et aller découvrir les plus beaux spots de plongée et de snorkeling de la région, à Pulau Menjangan.

👁 À voir

Flâner le long de la plage est une activité prisée, surtout au coucher du soleil. Le petit village de pêcheurs est intéressant et, si vous vous baladez vers l'extrémité est de la baie, vous échapperez dans une certaine mesure au développement immobilier– même si de nouveaux projets apparaissent.

C'est à Pemuteran que se trouve le Reef Seen Turtle Project, géré par **Reef Seen Aquatics** (📞93 001 ; www.reefseen.com), un organisme à but non lucratif. Les œufs de tortue et les petites tortues que l'on achète aux habitants sont protégés jusqu'à ce que les bébés soient prêts à regagner la mer – plus de 8 000 tortues ont ainsi été relâchées depuis 1994. On peut visiter le petit couvoir, qui donne sur la route principale longeant la plage, juste à l'est des Taman Selini Beach Bungalows, et y faire un don pour contribuer à la sauvegarde d'un de ces petits chéloniens.

🏃 Activités

Les récifs coralliens s'étendent à environ 3 km au large. Les coraux plus proches du rivage ont été restaurés dans le cadre d'un projet innovant (voir l'encadré p. 243). La plongée et le snorkeling y sont de réputation mondiale. Des sorties de plongée coûtent au minimum 60 \$US et le matériel de snorkeling se loue à partir de 40 000 Rp.

💚 **Reef Seen** PLONGÉE
(📞93 001 ; www.reefseen.com). Sur la plage, dans une grande bâtisse, Reef Seen se consacre à la protection de l'environnement

VAUT LE DÉTOUR

LE TEMPLE DES AFFAIRES

À environ 600 m à l'est du Pura Pulaki, une route goudronnée (bien signalée) de 1,7 km mène au **Pura Melanting**. Ce temple qui trône dans un cadre spectaculaire, en haut de marches qui montent sur le versant de la colline, est dédié à la prospérité dans les affaires. Un don est requis pour pénétrer dans le complexe, et l'accès à la principale zone de prière est interdit. Vous noterez la statue du dragon au dos couvert de fleurs de lotus, près de l'entrée. Il y a souvent des propriétaires de villas à l'affût de locataires.

local. Il s'agit d'un centre de plongée Padi qui offre une gamme complète de cours et propose des croisières à l'aube et au coucher du soleil à bord de bateaux à fond transparent (à partir de 250 000 Rp/pers). Balades à dos de poney sur la plage (à partir de 200 000 Rp pour 30 min).

Easy Divers PLONGÉE
(📞94 736 ; www.easy-divers.eu). Le fondateur, Dusan Repic, est très apprécié des plongeurs qui découvrent Bali, et sa boutique est chaudement recommandée. Sur la route principale, près des Taman Sari Bali Cottages et du Pondok Sari hotel.

K&K Dive Centre PLONGÉE
(📞94 747, 0813 3856 8000 ; rareangon@yahoo.co.id). Basé au Rare Angon Homestay, ce centre de plongée accueille chaque année de fidèles habitués.

🛏 Où se loger et se restaurer

On trouve à Pemuteran certains des meilleurs hôtels de plage de Bali. Beaucoup sont décorés avec goût et tous sont discrets et décontractés, avec un accès facile à une belle plage où il fait bon nager. De petits *warung* jalonnent l'artère principale, en plus des restaurants – généralement très abordables – des hôtels.

Si on accède à certains hôtels depuis l'artère principale, on en rejoint d'autres à partir d'une petite route qui longe l'ouest de la baie.

💚 **Taman Sari Bali Cottages** HÔTEL \$\$
(📞93 264 ; www.balitamansari.com ; bungalows 50-200 \$US ; ✳@🛜🛁). On dénombre ici 31 chambres, toutes

UNE BONNE BASE POUR BARBOTER À MENJANGAN

Pemuteran est non seulement exceptionnelle pour ce qui concerne l'hébergement, mais également comme base pour la plongée et le snorkeling à Pulau Menjangan. Les embarcadères à destination de l'île sont à seulement 7 km à l'ouest de la ville, soit un court trajet avant de vous retrouver sur un bateau pour une escapade relaxante de 45 minutes jusqu'à Menjangan. En plus des centres de plongée, tous les hôtels de Pemuteran proposent des sorties de snorkeling (35-50 $US) et de plongée (à partir de 90 $US).

aménagées dans de superbes bungalows ornés de sculptures et d'art traditionnel. Les sdb extérieures incitent à la prolongation des ablutions. La plupart des chambres coûtent moins de 100 $US – les autres sont somptueuses. L'hôtel est situé sur une longue étendue de plage sur la baie, qui participe du projet de restauration des récifs.

♥ **Taman Selini Beach Bungalows**   HÔTEL DE CHARME **$$**
(☑94 748 ; www.tamanselini.com ; ch 100 250 $US ; ✳🔊🌊). Ici, les 11 bungalows évoquent un Bali plus ancien et raffiné, des jolis toits de chaume aux portes sculptées et aux détails de maçonnerie. Les chambres, ouvertes sur un grand jardin qui donne sur la plage, disposent de lits à baldaquin et d'une grande sdb extérieure. Les chaises longues invitent à la relaxation. Juste à l'est du Pondok Sari, sur la plage, à la sortie de la route principale.

Pondok Sari   HÔTEL **$$**
(☑94 738 ; www.pondoksari.com ; ch 40-170 $US ; ✳🌊). Un jardin luxuriant assure l'intimité des 36 chambres, les sdb extérieures vantent l'art des tailleurs de pierre – tout comme les baignoires des chambres deluxe. La piscine est à deux pas de la plage, et on aperçoit la mer à travers les arbres depuis le café (qui sert des petits-déjeuners jusqu'à 15h !). En retrait de la route principale.

Puri Ganesha Villas   HÔTEL DE CHARME **$$$**
(☑94 766 ; www.puriganeshabali.com ; villas 500-800 $US ; ✳🔊🌊). Quatre villas sur deux niveaux au cœur d'un magnifique domaine qui descend vers la mer, à l'extrémité ouest de la baie, près du Taman Sari. Chaque villa est décorée de façon unique, mêlant antiquités et soieries et offrant un beau confort, sans ostentation. En dehors des chambres (clim), la vie se déroule en plein air, notamment dans votre piscine privée. Vous dînerez, au choix, dans le petit restaurant ou dans votre villa. Spa luxueux.

Amertha Bali Villas   HÔTEL **$$**
(☑94 831 ; www.amerthabalivillas.com ; ch 80-125 $US, villas 195-450 $US ; ✳🔊🌊). Cet hôtel un peu plus ancien que les autres offre de vastes jardins et de grands arbres vénérables qui lui confèrent une ambiance tropicale intemporelle. Les 14 chambres sont vastes, avec beaucoup de bois naturel et de grands patios couverts. Douches en plein air.

Adi Assri   HÔTEL **$$**
(☑94 838 ; www.adiassri.com ; ch 50-120 $US ; ✳🔊🌊). Au milieu du village, à l'est des autres hôtels, cet établissement de 60 chambres de style bungalow possède d'immenses lits, de jolis porches et profite d'une belle vue sur la mer. Une grande piscine double donne directement sur la plage. Le jardin pousse à une allure tropicale.

Reef Seen   GUESTHOUSE **$**
(☑93 001 ; www.reefseen.com ; ch 430 000-610 000 Rp ; ✳🌊). Cinq bungalows en brique de style balinais dotés de sdb extérieur avec douche. Abrite un centre de plongée réputé. Réductions sur les chambres proposées aux clients du centre.

Rare Angon Homestay   CHEZ L'HABITANT **$**
(☑94 747, 0812 467 9462 ; www.pemuterandive. com ; ch 250 000-500 000 Rp ; ✳). Bonnes chambres basiques chez l'habitant, au sud de la route principale. Le centre de plongée K&K Dive Centre se trouve ici.

Depuis/vers Pemuteran

Pemuteran est desservie par tous les bus et les *bemo* qui empruntent le parcours Gilimanuk-Lovina. Labuhan Lalang et le Taman Nasional Bali Barat se trouvent à 12 km à l'ouest. Comptez de 3 à 4 heures de route depuis le sud de Bali, soit par les collines, soit par la côte ouest.

Ouest de Bali

Le top des restaurants

Le top des hébergements

Pourquoi y aller

Plonger dans les eaux cristallines de Pulau Menjangan est un moment inoubliable. L'île fait partie du Taman Nasional Bali Barat (parc national de l'ouest de Bali), le seul parc national à Bali.

Sur la côte rocheuse battue par les vagues, les surfeurs se mesurent aux rouleaux sur de superbes plages, comme celles de Balian et de Medewi. Certains des sites les plus sacrés de Bali marquent le paysage, du Pura Tanah Lot, constamment pris d'assaut, au Pura Taman Ayun, candidat au patrimoine mondial de l'Unesco, et au Pura Rambut Siwi, merveilleusement isolé.

La proprette ville de Tabanan représente l'épicentre du *subak*, le système d'irrigation balinais qui garantit une répartition équitable de l'eau. Dans la campagne, les petites routes suivent les eaux qui courent, passent sous des voûtes de bambous ou sont bordées de piles de fruits. On peut même assister à des courses de buffles.

Quand partir

La saison sèche (avril-septembre) est idéale pour visiter l'ouest de Bali (ces dernières années, elle était toutefois plus humide et la saison humide plus sèche). La randonnée dans le Taman Nasional Bali Barat est beaucoup plus facile quand il n'y a pas de boue, et les eaux de Pulau Menjangan sont alors claires et propices à la plongée. La côte ouest ne connaît cependant guère de haute saison (si ce n'est que les mois sans *r* sont plus propices au surf).

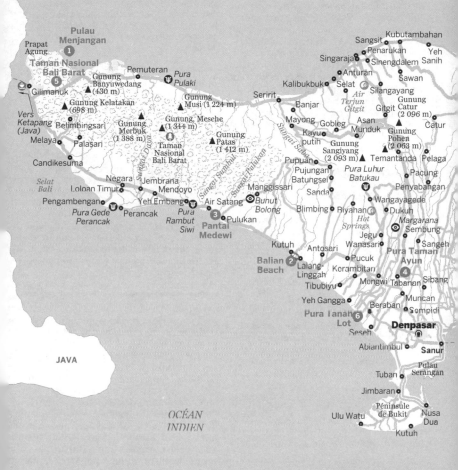

MER DE BALI

N   0 ━━━ 10 km

Pulau
Menjangan
❶
Prapat
Agung
Taman Nasional
Bali Barat
❺
Gilimanuk
Pemuteran   Pura
Pulaki
Gunung
Banyuwedang
(430 m)
Vers
Ketapang   Belimbingsari
(Java)
Gunung Kelatakan
(698 m)
Melaya   Palasari
Candikesuma
Gunung
Merbuk
(1 388 m)
Taman
Nasional
Bali Barat
Gunung Musi (1 224 m)
Gunung, Mesehe
(1 344 m)
Gunung
Patas
(1 412 m)

Kubutambahan
Sangsit   Penarukan   Yeh
Sanih
Singaraja   Sinengdalem
Anturan   Sawan
Kalibukbuk   Selat   Silangayang
Seririt   Air
Terjun
Gitgit   Gunung
Catur
(2 096 m)
Banjar   Gitgit   Catur
Mayong   Gobleg   Asan
Kayu
putih   Munduk   Gunung
Pohen
(2 063 m)
Gunung
Sangiyang
(2 093 m)   Temantanda   Pelaga
Pupuan   Pura Luhur
Batukau
Pujungan   Pacung
Batungsel   Sanda   Penyabangan
Selat
Bali
Negara   Jembrana
Loloan Timur   Mendoyo
Pengambengan   Yeh Embang
Pura Gede   Perancak
Perancak
Pura
Rambut
Siwi
Pantai
Medewi   ❸
Pulukan
Kutuh
Balian
Beach   ❷
Antosari
Lalang-
Linggah   Pucuk
Kerambitan
Tibubiyu
Yeh Gangga
Pura Tanah
Lot   ❻
Seseh
Abiantimbul
JAVA
Air Satang   Bunut
Bolong
Manggissari
Blimbing   Biyahan   Hot
Springs
Jegu
Wanasari   Sangeh
Pura Taman
Ayun   ❹
Mengwi   Tabanan   Sibang
Muncan
Beraban   Sompidi
Denpasar
Sanur
Wangayagede   Dukuh
Margarana
Sembung
Pura Taman
Ayun
Tuban   Pulau
Serangan
Jimbaran
Péninsule
de Bukit   Nusa
Dua
Ulu Watu
Kutuh
OCÉAN
INDIEN

À ne pas manquer

❶ Le site de plongée le plus spectaculaire de Bali : le **Pulau Menjangan** (p. 257)

❷ La fête sur la plage, où se mêlent surfeurs et fêtards élégants, à **Balian Beach** (p. 251)

❸ La longue gauche qui fait la joie des surfeurs à **Pantai Medewi** (p. 252)

❹ La sérénité du **Pura Taman Ayun** (p. 249)

❺ La découverte, à pied ou en bateau, du parc national de Bali, le **Taman Nasional Bali Barat** (p. 255), avec l'espoir fou d'y voir la seule espèce d'oiseau endémique de l'île, sans doute déjà éteinte : l'étourneau de Bali

❻ La spiritualité qui se dégage le matin du **Pura Tanah Lot** (p. 248) avant l'arrivée des marchands

❼ Les **petites routes paradisiaques** avec leurs fruits à portée de main, leurs arches de bambou et des ruisseaux qui courent un peu partout

Pura Tanah Lot

📱0361

Temple le plus visité et le plus photographié de Bali, le **Pura Tanah Lot** (adulte/enfant 30 000/15 000 Rp, parking 5 000 Rp) constitue une escapade d'une journée très courue depuis le sud de l'île, en particulier au coucher du soleil. À cette heure, l'endroit est envahi par les foules de touristes et les véhicules. Pourtant, le site a l'authenticité d'un décor de théâtre : même le socle rocheux sur lequel repose le temple a été reconstruit, car la structure entière menaçait de s'écrouler. Plus d'un tiers du rocher est artificiel.

Pour les Balinais, le Pura Tanah Lot est l'un des temples de la mer les plus importants et les plus vénérés. À l'instar du Pura Luhur Ulu Watu, au bout de la péninsule méridionale de Bukit, et du Pura Rambut Siwi, à l'ouest, il est intimement lié à Nirartha, le brahmane Majapahit. On dit que chacun des temples de la mer devait être visible depuis le suivant et qu'ils formèrent une chaîne le long de la côte sud-ouest – du Pura Tanah Lot, on peut distinguer au sud le Pura Ulu Watu, dressé dans le lointain sur une falaise, et à l'ouest la longue étendue de côte jusqu'à Perancak, près de Negara.

À Tanah Lot, piège à touristes bien organisé, une allée bordée d'échoppes de souvenirs mène de la mer au temple et un distributeur de billets facilite les achats !

À marée basse, on peut marcher jusqu'au temple, mais seuls les Balinais peuvent y pénétrer. Selon une légende, venir en couple à Tanah Lot avant le mariage provoque la rupture.

Vous ne pourrez pas manquer la silhouette du Pan Pacific Nirwana, avec son terrain de golf, qui se dessine distinctement. Plus élevé que le temple, l'hôtel suscite la controverse, car il est considéré comme irrespectueux.

LE TANAH LOT À LA BONNE HEURE

Il serait dommage de faire l'impasse sur ce site de toute beauté, qui est aussi un haut lieu spirituel. Venez donc le matin (avant midi), quand les touristes sont peu nombreux et les marchands, assoupis. Et s'il est vrai que le spectacle du coucher du soleil est sublime, vous pourrez tout aussi bien l'apprécier depuis quantité d'autres endroits, comme un bar sur la plage plus au sud vers Seminyak.

ⓘ Depuis/vers le Pura Tanah Lot

En venant du sud de Bali, prenez la route côtière vers l'ouest à Kerobokan, et suivez les indications. En provenance d'autres régions, quittez la route Denpasar-Gilimanuk près de Kediri et suivez les panneaux. Attendez-vous à des embouteillages avant et après le coucher du soleil.

Kapal

À 10 km au nord de Denpasar, Kapal est le centre des articles de jardin et de temple kitsch. Si vous recherchez un tigre vert ou un autre sujet aux couleurs criardes, vous trouverez votre bonheur. Kapal est situé à l'ouest de la grand-route et constitue une halte distrayante.

Le **Pura Sadat**, temple le plus important des environs, fut sans doute érigé au XIIe siècle. Endommagé lors d'un tremblement de terre au début du XXe siècle, il a été restauré après la Seconde Guerre mondiale.

Dans cette partie de Bali, la culture de l'arachide et du maïs alterne avec celle du riz. Des bananiers et d'autres arbres fruitiers poussent au bord de la route.

Marga

Les murs des enclos familiaux traditionnels de Marga longent des rues joliment ombragées. Cependant, ce village n'a pas toujours été aussi paisible. Le 20 novembre 1946, une troupe néerlandaise, supérieure en nombre et en armes, qui luttait pour reprendre Bali après le départ des Japonais, encercla 96 partisans de l'indépendance. L'issue de l'affrontement fut similaire au *puputan* (combat suicidaire) qui avait eu lieu 40 ans auparavant : Ngurah Rai (un aéroport a depuis pris son nom), chef de file de la résistance contre les Néerlandais, et tous ses hommes furent tués, mais, cette fois, il y eut de nombreuses victimes parmi les Néerlandais. Cet événement contribua peut-être à leur faire lâcher prise sur leur colonie.

Le **Margarana** (5 000 Rp ; ⏱9h-17h), au nord-ouest du village de Marga, commémore la lutte pour l'indépendance. Les touristes le visitent rarement, mais tout écolier balinais y vient au moins une fois et une cérémonie a lieu tous les ans le 20 novembre. Dans la vaste enceinte, un pilier de 17 m de hauteur se dresse non loin d'un **musée**, qui renferme quelques photos, des armes artisanales et

LE PURA TAMAN AYUN

Immense temple d'État, le **Pura Taman Ayun** (adulte/enfant 15 000/7 500 Rp ; ⊘8h-18h), entouré d'un large fossé, était le principal sanctuaire du royaume de Mengwi ; ce dernier survécut jusqu'en 1891, avant d'être conquis par les royaumes voisins de Tabanan et de Badung. Construit en 1634, le temple a été totalement rénové en 1937. L'endroit est charmant et suffisamment grand pour échapper aux groupes de touristes. Une pelouse couvre la première cour, vaste et ouverte, et la cour intérieure abrite de multiples *meru* (sanctuaires à plusieurs toits). Le temple est l'un des sites gérés par les *subak* (coopératives villageoises responsables de la culture du riz), inscrits au patrimoine mondial de l'Unesco depuis 2012 (p. 250).

Le Pura Taman Ayun est une halte fort commode sur le chemin de Bedugal et des rizières en terrasses de Jatiluwih. De nombreux voyages organisés y font également étape.

d'autres souvenirs du conflit. ("La liberté ou la mort !" écrivait Ngurah Rai dans l'une de ses dernières lettres.)

Derrière, une enceinte moins grande contient 1 372 petits mémoriaux de pierre dédiés aux combattants pour l'indépendance qui tombèrent au champ d'honneur. Semblables à des stèles de cimetière militaire (bien que ce ne soient pas des sépultures), ils comportent tous un symbole indiquant la religion du héros, principalement la svastika hindoue, mais aussi des croissants islamiques et quelques croix chrétiennes. Onze d'entre eux commémorent les Japonais qui restèrent après la Seconde Guerre mondiale et combattirent aux côtés des Balinais contre les Néerlandais.

❶ Depuis/vers Marga

Même avec son propre véhicule, on se perd facilement sur la route de Marga et du mémorial – n'hésitez pas à demander votre chemin. On peut combiner cette visite avec celle du Pura Taman Ayun et avec une excursion dans les splendides rizières en terrasses de Jatiluwih.

Sangeh

La forêt de **Bukit Sari**, qui s'étend sur 14 ha, plaira exclusivement aux amateurs de singes. Ces innombrables créatures quémandent de quoi manger et, si possible, chapardent tout ce qui dépasse des sacs et des têtes (les lunettes sont particulièrement prisées). Ceux que ces singeries laissent froid passeront leur chemin.

❶ Depuis/vers Sangeh

Sangeh et le Bukit Sari se situent à 20 km au nord de Denpasar. La plupart des visiteurs viennent en circuit organisé ou avec leur propre véhicule.

Tabanan

🎵0361

Centre de danse et de gamelan réputé, Tabanan est une ville bien organisée, comme la plupart des capitales régionales de Bali. C'est aussi la ville natale de Mario, un célèbre danseur d'avant-guerre qui perfectionna la danse *kebyar*. Aujourd'hui, les représentations se font rares, mais on peut toujours admirer les splendides rizières et visiter le musée qui leur est consacré.

👁 À voir

Mandala Mathika Subak MUSÉE (Subak Museum ; Jl Raya Kediri ; adulte/enfant 15 000/7 500 Rp ; ⊘7h-16h30). Situé au coin d'un vaste ensemble de bâtiments consacré au *subak* de Tabanan, ce musée illustre les thèmes de la riziculture et de l'irrigation, ainsi que le système social élaboré qui les régit. L'affable personnel vous présentera les expositions, qui comprennent quelques panneaux en anglais et une maquette intéressante montrant le *subak* en action.

Les expositions sont logées dans un grand bâtiment qui donne sur un plan d'eau.

🛏 Où se loger et se restaurer

Vous pouvez goûter à la vie villageoise grâce au **Bali Homestay Program** (🎵0817 067 1788 ; www.bali-homestay.com ; ch à partir de 30 $US), un programme innovant qui permet de séjourner en pension complète chez l'habitant dans le village rizicole de Jegu, à 9 km au nord de Tabanan. Les hôtes (forfait à partir de 130 $US pour un séjour de 3 nuitées au minimum) participent aux activités, comme la confection d'offrandes, et font des circuits culturels avec les habitants.

De très nombreux *warung* sont regroupés dans le centre-ville et dans le marché régional, animé. Un marché nocturne (⊘17h-24h), plein de saveurs, se tient sur le côté sud. Sur la grand-route, un stand de babi guling (JL Bypass ; plats 5 000-15 000 Rp ; ⊘7h-19h) vend du cochon de lait fraîchement rôti.

❶ Depuis/vers Tabanan

Tous les *bemo* et les bus qui circulent entre Denpasar (gare routière d'Ubung) et Gilimanuk s'arrêtent à la gare routière, à la lisière ouest de Tabanan (10 000 Rp).

La route conduisant au Pura Luhur Batukau et aux spectaculaires rizières en terrasses de Jatiluwih part du centre-ville vers le nord.

Sud de Tabanan

Explorer la partie sud du district de Tabanan permet de découvrir nombre de villages charmants et de rizières luxuriantes. Beaucoup de Balinais vénèrent ces rizières qu'ils considèrent comme les plus productives de l'île.

Au sud de Tabanan, Kediri accueille le Pasar Hewan, l'un des marchés aux bestiaux les plus animés de Bali. À 10 km au sud de Tabanan, Pejaten est un centre de poterie traditionnelle, qui produit notamment des tuiles ornementales. Quelques ateliers fabriquent des objets décoratifs en porcelaine. Visitez la petite salle d'exposition de CV Keramik Pejaten (☑0361-831997), un des nombreux producteurs locaux. Ses pièces vert pâle sont ravissantes et, au vu des prix, on achète facilement une petite grenouille.

Un peu à l'ouest de Tabanan, une route court vers le sud sur 8 km via Gubug pour rejoindre la côte isolée à Yeh Gangga. Vous y trouverez un bon choix d'hébergements, ainsi que des cafés sur la plage, et Island Horse (☑0361-731 407 ; www.baliislandhorse. com ; promenade adulte/enfant à partir de 60/55 $US), qui propose des balades à cheval le long de la plage et dans la campagne environnante.

La route suivante, à l'ouest de Tabanan, bifurque vers la côte via Kerambitan, un village renommé pour sa troupe de danseurs et de musiciens qui se produit dans le sud de l'île et à Ubud. De superbes bâtiments anciens, dont deux palais du XVIIe siècle, se dressent à l'ombre des banians. Il est possible de loger au Puri Anyar Kerambitan, une curiosité en soi avec son grand enclos regroupant, pêle-mêle, objets anciens et personnages sympathiques. L'autre palais, le Puri Agung Kerambitan, est soigné et assez quelconque.

Tibubiyu est situé à 4 km au sud de Kerambitan. Pour un trajet superbe à travers bambous géants, arbres fruitiers et rizières, empruntez l'itinéraire touristique au nord-ouest de Kerambitan jusqu'à la grand-route Tabanan-Gilimanuk.

🛏 Où se loger et se restaurer

Bali Wisata Bungalows GUESTHOUSE $ (☑0361-7443561;www.baliwisatabungalows.com; Yeh Gangga ; bungalows 260 000-550 000 Rp ; @ ☀). À 9 km au sud-ouest de Tabanan, sur la côte à Yeh Gangga, ce bel établissement jouit d'un cadre et d'un panorama exceptionnels au bord d'une plage de sable noir de 15 km. Les moins chères des 12 chambres n'ont que l'eau froide, les meilleures font face à l'océan. Le café sert une bonne cuisine balinaise et offre une vue splendide depuis son pavillon extérieur.

LE SUBAK BALINAIS DISTINGUÉ PAR L'UNESCO

Jouant un rôle essentiel dans la vie paysanne balinaise, le *subak* est une association villageoise qui gère l'eau et les droits d'irrigation. L'eau traversant une myriade de rizières avant de s'écouler librement, il y a toujours un risque que les parcelles les plus proches de la source bénéficient d'un arrosage abondant et que celles en bout de chaîne dépérissent faute d'eau. Assurant une irrigation proportionnée aux besoins de chaque cultivateur, ce système est un modèle de coopération et un bon exemple du caractère balinais (l'une des stratégies consiste à mettre à la tête du *subak* le propriétaire des rizières le plus en aval).

Ce système d'organisation sophistiqué et fondamental est inscrit au patrimoine mondial de l'Unesco depuis 2012. Parmi les sites spécifiques distingués, on compte une grande partie de la région rizicole autour de Tabanan, Pura Taman Ayun, ainsi que les rizières en terrasses de Jatiluwih.

Puri Anyar Kerambitan   CHEZ L'HABITANT **$**
(☎0361-812668 ; giribali@yahoo.co.id ; ch à partir
de 400 000 Rp ; ❄). Anak Agung, chef de la
famille royale qui vit dans cet étonnant
domaine, vous initiera à la culture du cerf-
volant. Son fils, le prince, vous proposera de
réaliser un portrait de vous ou un croquis.
Le va-et-vient des enfants crée une ambiance
agréable. Les 4 chambres garnies d'anciens
meubles royaux sont plus ou moins soignées.

Nord de Tabanan

Mieux vaut disposer d'un véhicule pour
explorer la région au nord de Tabanan. Si
le coin ne compte aucun site majeur, son
charme tient à ses petites routes enchante-
resses surmontées de voûtes de bambous.

Antosari et Bajera

À Antosari, la route principale bifurque
brusquement à gauche, au sud, vers
l'agréable fraîcheur océane, tandis qu'à
droite une route pittoresque rejoint le nord
de Bali (voir p. 230).

Balian Beach

☎0361

Balian Beach, l'un des nouveaux lieux
phares de Bali, possède encore le charme
discret de ces lieux que l'on a l'impression
de découvrir. Une vaste zone de dunes et
de petites collines surplombe les rouleaux,
lesquels attirent un nombre croissant de
surfeurs. Les planches se louent aisément
sur la plage.

Une impressionnante ribambelle de villas
et de logements en bord de plage a surgi de
terre. L'endroit invite à flâner d'un café à
l'autre avant de rejoindre les autres voyageurs pour siroter un verre, contempler le
coucher du soleil et commenter les vagues.
Ceux qui ne pratiquent pas le surf apprécieront la beauté sauvage de la mer et les
agréables cafés.

Balian Beach, bordée de sable noir, se
situe à l'embouchure de la large Sungai
Balian (rivière Balian), à 800 m au sud de
Lalang-Linggah, sur la grand-route à 10 km
à l'ouest d'Antosari.

🛏 Où se loger et se restaurer

Les adresses ci-dessous tiennent dans un périmètre étroit près de la plage, et il y a toujours
un *warung* ou un café modeste à moins d'une
minute. Au train où vont les choses, l'offre se
sera étoffée lors de votre séjour.

♥ Pondok Pitaya   GUESTHOUSE **$**
(☎0819 9984 9054 ; www.baliansurf.
com ; ch 200 000-800 000 Rp ; 🛜❄). Battu
par les embruns de Balian Beach, ce
mémorable complexe offre une combinaison de constructions indonésiennes
anciennes (dont une maison javanaise de
1950 et une hutte balinaise de chasseur
d'alligator de 1860) et d'hébergements
plus modestes. À l'instar de la mer, la
gamme des chambres est variable :
chambres avec lit double plutôt luxueuses
pour les couples ou vaste maison pour
loger une tribu de 8 personnes. Le café
sert le genre de plats appréciés par les
surfeurs.

Pondok Pisces   GUESTHOUSE **$$**
(☎780 1735, 0813 3879 7722 ; www.pondokpisces-
bali.com ; ch 520 000-1 000 000 Rp ; 🛜). Vous
ne manquerez pas d'entendre la mer dans
ce paradis tropical aux bungalows à toit de
chaume assortis d'un jardin fleuri. Sur les
10 chambres disponibles, celles de l'étage
supérieur jouissent d'une grande terrasse
donnant sur les flots. Au **Tom's Garden
Cafe**, vous pourrez déguster des fruits de
mer grillés avec vue sur la mer. Au bord de
la rivière, légèrement en amont, le **Balian
Riverside Sanctuary** offre 3 grandes villas
et des bungalows dans une forêt de tecks
luxuriante.

Gajah Mina   VILLAS-BUNGALOWS **$$**
(☎081 2381 1030 ; www.gajahminaresort.
com ; villas à partir de 110 $US ; ❄❄). Conçu
par l'architecte français propriétaire
des lieux, cet hôtel de charme comporte
8 bungalows-villas privatifs sur un spectaculaire promontoire cerné par l'océan.
Des sentiers sillonnent ce vaste domaine
émaillé de pavillons de repos. Le restaurant sur place surplombe ses propres
rizières en terrasses.

Surya Homestay   GUESTHOUSE **$**
(☎0813 3868 5643 ; wayan.suratni@gmail.com ;
ch 100 000-150 000 Rp). Ce charmant établissement géré par une famille loue 5 chambres
dans 5 bâtiments neufs de style bungalow.
Propreté irréprochable, eau froide et ventilateurs dans les chambres. Renseignez-vous
sur les tarifs long séjour.

Balian Segara Villas   GUESTHOUSE **$**
(☎081 2385 4879 ; adusbalian@gmail.com ;
ch 100 000-300 000 Rp). Proche d'autres
hébergements près de la plage, cette adresse
propose 7 chambres sommaires avec eau
froide et ventilateurs. Petit café, idéal pour
passer un après-midi.

VAUT LE DÉTOUR

LE PURA RAMBUT SIWI

Superbement juché sur une falaise qui domine une longue plage de sable noir, ce magnifique temple de la mer, ombragé de frangipaniers, est l'un des plus importants de l'ouest de Bali. Comme le Pura Tanah Lot et le Pura Ulu Watu, il fut fondé au XVIᵉ siècle par le prêtre Nirartha, qui avait l'œil pour les jolis paysages côtiers.

Selon la légende, lors de sa première visite, Nirartha donna une mèche de ses cheveux aux villageois. Celle-ci est conservée dans une boîte enfouie dans le *meru* (sanctuaire) à trois niveaux dont le nom signifie "Adoration des cheveux". Le grand *meru* n'est pas accessible, mais on le voit bien par la porte.

Le gardien loue des sarongs pour 2 000 Rp et fait volontiers découvrir le temple et la plage. Il présente ensuite le livre d'or et sollicite un don : 10 000 Rp suffisent quoi qu'on vous dise sur les sommes plus élevées laissées par les visiteurs précédents. Un sentier longeant la falaise puis une volée de marches mènent, en contrebas, à un petit temple encore plus ancien, le **Pura Penataran**.

Le temple se situe entre Air Satang et Yeh Embang, au bout d'une petite route de 500 m. S'il est bien indiqué, ne manquez pas le tournant, près d'un groupe de *warung* sur la grand-route.

Warung Ayu CHEZ L'HABITANT **$**
(📞0812 399 353 ; ch 150 000-200 000 Rp). Sorte de vaste cabane de surfeurs, ce bâtiment sur 2 niveaux comporte 12 chambres avec eau froide et vue sur les vagues au bas de la route.

Made's Homestay CHEZ L'HABITANT **$**
(📞0812 396 3335 ; ch 150 000 Rp). Adossés à la plage, au milieu des bananiers, 3 bungalows aux chambres simples, propres et suffisamment grandes pour ranger plusieurs planches de surf. Douches froides.

ℹ️ **Depuis/vers Balian Beach**
En raison de la circulation sur la route principale à l'ouest de Bali, il faut souvent un minimum de 2 heures pour rallier Balian Beach depuis Seminyak. Pour une excursion d'une journée, voiture et chauffeur compris, comptez environ 450 000 Rp. Sinon, prenez un bus pour Gilimanuk et descendez à l'orée de la route, située à 700 m des lieux d'hébergement.

Côte de Jembrana

À 34 km à l'ouest de Tabanan, on arrive à Jembrana, district le moins peuplé de Bali. La route principale suit le littoral sud pratiquement tout du long jusqu'à Negara. Malgré de beaux paysages, la région compte peu d'infrastructures touristiques, hormis celles qui sont destinées aux surfeurs à Medewi. De Pulukan, une route secondaire panoramique remonte vers le nord de Bali.

MEDEWI
📞0365

Sur la route principale, un grand panneau indique la petite route asphaltée (200 m) qui conduit à la Mecque du surf, **Pantai Medewi**, réputée pour sa longue gauche. Sur la plage, de gros rochers gris lisses alternent avec des galets noirs ronds. Des troupeaux paissent à proximité de cet endroit paisible sans se soucier du public venu en nombre admirer les surfeurs. Il existe quelques pensions destinées aux surfeurs, des points Internet et des boutiques de location ou de réparation de matériel de surf.

Medewi proprement dit est une ville de marché classique dont les magasins vendent tout le nécessaire à la vie dans l'Ouest balinais.

🛏️ **Où se loger et se restaurer**
Vous trouverez à vous loger le long du principal chemin menant au spot de surf et sur d'autres chemins vers l'est, à environ 2 km. Un stand au bord de la plage et des rochers prépare d'excellents plats.

Puri Dajuma Cottages HÔTEL **$$**
(📞43955 ; www.dajuma.com ; Pulukan ; bungalows à partir de 120 $US ; ✳️@🛜❄️). En venant de l'est, impossible de manquer ce complexe balnéaire, bien signalé. Les 18 bungalows valent leur prix : chacun dispose d'une sdb extérieure close, d'un jardin privatif et d'une vue sur l'océan. Le spot de Medewi se situe à 2 km à l'ouest.

Hotel CSB GUESTHOUSE **$**
(📞0813 3866 7288 ; ch 150 000-300 000 Rp ; ✳️). À Pulukan, à quelque 900 m à l'est

du spot de surf de Medewi, cet établissement, signalé sur la grand-route, se trouve au bout (300 m) d'une piste. Cet "empire" naissant est géré par une famille formidable. Les meilleures des 18 chambres au mobilier simple ont la clim, l'eau chaude et un balcon avec une vue magique. La côte battue par les vagues s'incurve vers l'est, sur fond de rizières vert jade et de palmiers : idyllique.

Medewi Beach Cottages HÔTEL **$$**
(📞0361-852 8521 ; www.medewibeachcottages. com ; ch à partir de 750 000 Rp ; ❄ 🏊). Autour de la vaste piscine, des chambres modernes et confortables (avec TV sat) sont réparties dans de jolis jardins, à deux pas du spot de surf. Seul bémol : les mesures de sécurité ont obstrué la vue.

Negara
📞0365

Construite parmi les larges plaines fertiles qui séparent les montagnes de l'océan, Negara est une petite ville prospère, pratique pour une halte. Bien que capitale de district, elle n'offre guère d'intérêt et s'anime lors des fameuses **courses de buffles** qui ont lieu dans la région. Dans Jl Ngurah Rai, la principale artère commerçante (au sud de l'axe Tabanan-Gilimanuk), vous trouverez des distributeurs, des *warung* et un **Hardy's Supermarket** (📞40 700 ; Jl Ngurah Rai) très pratique.

Environs de Negara

À la lisière sud de Negara, **Loloan Timur** est un village principalement habité par des Bugis (originaires de Sulawesi), qui maintient des traditions vieilles de 300 ans. Remarquez les maisons sur pilotis, dont certaines sont décorées de bois chantourné.

Le dimanche matin, des séances d'entraînement pour les courses de buffles ont lieu sur un terrain de football près de Delod Berawan. Pour y assister, quittez la route Gilimanuk-Denpasar à Mendoyo et prenez au sud vers la côte, ourlée de sable noir et baignée par une houle irrégulière.

C'est à **Perancak** que Nirartha accosta à Bali en 1546. Le **Pura Gede Perancak**, un temple en pierre de calcaire, commémore cet événement. Ignorez le petit zoo déprimant et promenez-vous le long du port de pêche.

Autrefois capitale de la région, **Jembrana** est devenue la patrie du gamelan *jegog*,

orchestre composé d'énormes instruments en bambou au son grave et profond. Des concerts rassemblent souvent des groupes de gamelan qui s'affrontent lors d'une compétition. Si possible, assistez-y dans le cadre d'une fête locale. Renseignez-vous auprès de votre chauffeur ou d'un habitant pour savoir si l'une de ces fêtes est programmée durant votre séjour.

Belimbingsari et Palasari

Au nord de la grand-route, deux villes chrétiennes méritent le détour.

Malgré l'opposition des Néerlandais, des missions sporadiques tentèrent d'évangéliser Bali et parvinrent à convertir quelques habitants, pour la plupart rejetés par leurs propres communautés. En 1939, ils furent incités à fonder des communautés chrétiennes dans les régions isolées de l'ouest de Bali.

Palasari, habitée par des catholiques, possède une immense église en pierre blanche sur une vaste place ombragée de palmiers. L'influence balinaise se remarque aux flèches, qui ressemblent aux *meru* des temples hindous. La façade a la forme d'une entrée de temple.

Non loin, **Belimbingsari**, une bourgade protestante, accueille aujourd'hui la plus grande église protestante de Bali. Bien que moins imposante que celle de Palasari, sa structure est étonnante et comprend des éléments typiquement balinais. Ainsi, la cloche est remplacée par un *kulkul* (tambour d'alarme taillé dans un tronc d'arbre creux), semblable à ceux des temples hindous. On entre par un portail de style *aling-aling* (mur de défense), et les chérubins sculptés semblent très balinais. Venez un dimanche pour visiter l'intérieur.

🛏 Où se loger

💜 **Taman Wana Villas & Spa** HÔTEL DE CHARME **$$$**
(📞0365-470 2208 ; www.bali-tamanwana-villas. com ; Palasari ; ch 150-350 $US ; ❄ 🏊). Pour une expérience quasi mystique, séjournez dans ce complexe isolé, à 2 km de l'église de Palasari au bout d'une route superbe à travers la jungle. Cet hôtel de charme à l'architecture stupéfiante compte 27 chambres aménagées dans d'étonnantes structures circulaires. Luxueux ? Le mot est faible pour qualifier les atours de ce refuge monastique. Vue panoramique. Demandez une chambre donnant sur les rizières.

❶ Depuis/vers Belimbingsari et Palasari

Ces deux bourgades se situent au nord de la grand-route et le meilleur moyen de les visiter consiste à effectuer une boucle avec son propre véhicule. Sur la grand-route, à 17 km à l'ouest de Negara, repérez les panneaux indiquant les Taman Wana Villas. Suivez cette direction sur 6,1 km jusqu'à Palasari. En venant de l'ouest, empruntez l'embranchement pour Belimbingsari, à 20 km au sud-est de Cekik. Une bonne route conduit au village. Entre les deux bourgades, il est facile de se perdre entre la multitude de voies étroites carrossables, mais des passants vous indiqueront le chemin.

Cekik

À ce carrefour, une route continue vers l'ouest jusqu'à Gilimanuk et une autre part vers le nord de Bali. Tous les bus et les *bemo* qui desservent Gilimanuk passent par Cekik.

Dans les années 1960, des **fouilles archéologiques** ont permis de découvrir ici les plus anciennes preuves de présence humaine à Bali. Parmi les trouvailles, des tumulus funéraires recelaient des offrandes, des bijoux en bronze, des haches, des herminettes et des plats en terre datant à peu près de 1000 av. J.-C. Certains de ces objets sont exposés au **Museum Situs Purbakala Gilimanuk**.

Du côté sud du carrefour, la structure de style pagode entourée d'un escalier en spirale est un **mémorial de guerre**. Il commémore le débarquement des forces indépendantistes qui s'opposèrent aux Néerlandais après la Seconde Guerre mondiale, lorsque ces derniers tentèrent de se réapproprier l'Indonésie.

Cekik accueille l'**administration du parc** (☑61060 ; ⊙7h-17h) Taman Nasional Bali Barat.

Gilimanuk
☑0365

Terminus des ferries qui traversent le mince détroit entre Bali et Java, Gilimanuk voit passer les voyageurs qui continuent leur chemin en bateau ou en bus, sans s'arrêter. Le musée est la seule curiosité de cette ville de transit. Elle offre également les hébergements les plus proches du Taman Nasional Bali Barat, pratiques si vous voulez entreprendre la visite du parc assez tôt.

◉ À voir

Cette partie de Bali est peuplée depuis des milliers d'années. À 500 m à l'est de l'embarcadère des ferries, le personnel du **Museum Situs Purbakala Gilimanuk** (musée de l'Homme préhistorique ; ☑61 328 ; don apprécié 10 000 Rp ; ⊙8h-16h lun-ven) se fera une joie de vous accueillir. Ce musée très peu fréquenté présente une série de squelettes découverts en 2004 et dont l'âge est estimé à 4 000 ans.

Sur la côte nord, vous pourrez observer la rencontre brutale des vagues et des courants dans le détroit. Ce spectacle impressionnant

---

LES COURSES DE BUFFLES

La région de Negara est connue pour ses courses de buffles, appelées *mekepung*, qui culminent lors de la **Bupati Cup**, à Negara, début août. Les animaux sont de dociles kérabaux (ou karbaux), qui galopent sur une distance de 2 km de route ou de plage en tirant des petits chariots. Les conducteurs, vêtus de couleurs vives, se tiennent debout ou à genoux sur les chariots et aiguillonnent les animaux, parfois en leur tordant la queue, afin de leur faire suivre la piste. Le vainqueur n'est pas forcément le premier à passer le poteau d'arrivée. Le style est également pris en compte et le coureur le plus élégant marque des points. Parier est illégal à Bali, cependant...

Des courses importantes se déroulent pendant la saison sèche (juillet-octobre). Certaines sont organisées pour les touristes, dont celles qui ont lieu régulièrement comme d'autres plus occasionnelles données dans des lieux traditionnels, tel Perancak sur la côte. Des courses mineures et des séances d'entraînement se tiennent le dimanche matin dans différents sites autour de Perancak et ailleurs, notamment à Delod Berawan et à Yeh Embang. Trouver ces manifestations tient de la gageure. Si vous êtes à Negara un dimanche de course, les gens se feront un plaisir de vous diriger. Mais vouloir obtenir des renseignements à distance est souvent peine perdue.

Contactez le **Jembrana Government Tourist Office** (☑0365-41210, poste 224) pour plus d'informations, ou tentez votre chance à Negara un dimanche matin entre juillet et octobre, en demandant à la ronde.

L'ÉTOURNEAU DE BALI

Également appelé mainate de Bali, étourneau de Rothschild ou *jalak putih,* l'étourneau de Bali (*Leucopsar rothschildi*) est sans doute le seul oiseau endémique de l'île. Son plumage blanc contraste avec le noir du bout de ses ailes et de sa queue et le tour de son œil, bleu vif. Sa beauté a causé sa perte et le braconnage a provoqué sa quasi-extinction. Au marché noir, son prix peut atteindre 7 000 $US ou plus.

On estime qu'il en reste une douzaine à l'état sauvage (peut-être dans le parc), un nombre insuffisant pour assurer la survie de l'espèce. Des centaines, voire des milliers, vivent cependant en captivité.

Près d'Ubud, le Bali Bird Park (p. 174) possède de grandes volières où l'on peut admirer quelques spécimens. Ce parc fut l'un des plus fervents défenseurs des tentatives de réintroduction de cet oiseau dans leur environnement naturel. Paradoxalement, les tentatives les plus probantes de réintroduction de l'espèce dans son milieu naturel ont eu lieu à Nusa Penida.

vous dissuadera de déjeuner trop copieusement avant de prendre le ferry !

🛌 Où se loger et se restaurer

Les bons hébergements sont rares. À une exception près, il n'y a rien qui vaille par ici. Mais il y a beaucoup de choix à Pemuteran (p. 244). C'est dans le *warung* de la gare routière que l'on mange le mieux.

Hotel Lestari GUESTHOUSE $
(📞61 504 ; ch 100 000-400 000 Rp ; ❄). Des simples avec ventilateur aux suites climatisées, cet hôtel offre un choix de 21 chambres sans prétention. Café sur place.

Asli Mentempeh BALINAIS $
(Terminal Lama ; repas à partir de 15 000 Rp). Gilimanuk est réputée pour son délicieux *chicken betutu,* spécialité locale très prisée, une version relevée et parfumée aux herbes du poulet à l'étouffée. Les propriétaires de ce petit café descendent en droite ligne des concepteurs du plat. Situé dans l'ancienne gare routière, à côté d'autres restaurateurs, à environ 5 km à l'est de l'embarcadère des ferries.

ℹ Comment circuler

Des bus circulent fréquemment sur la route principale entre l'immense gare routière de Gilimanuk et celle d'Ubung à Denpasar (30 000 Rp, 2-3 heures), ainsi que le long de la côte nord vers Singaraja (25 000 Rp).

Des ferries (adulte/enfant 6 000/5 000 Rp, voiture 114 000 Rp) effectuent la traversée 24h/24 vers Ketapang, sur l'île de Java (30 min).

En voiture, prenez garde aux nombreux barrages de police près de l'embarcadère des ferries. Les autorités se montrent pointilleuses, notamment pour les papiers du véhicule, et ont la main leste sur les amendes abusives.

Taman Nasional Bali Barat
🗺0365

La plupart des visiteurs qui explorent le Taman Nasional Bali Barat (parc national de l'ouest de Bali), le seul parc national de Bali, sont frappés par les chants des myriades d'oiseaux qu'accompagne l'agréable bruissement des arbres.

Le parc couvre 19 000 ha à la pointe ouest de l'île. Une extension protège 55 000 ha supplémentaires, ainsi que près de 7 000 ha de récifs coralliens et d'eaux côtières. Ce qui représente un engagement écologique significatif pour une île aussi densément peuplée.

Dans ce parc, on peut se promener en forêt, découvrir les plus beaux sites de plongée à Pulau Menjangan et explorer des mangroves côtières.

La végétation se compose essentiellement de savane côtière, avec des arbres à feuilles caduques qui se dénudent pendant la saison sèche. Les versants sud, plus régulièrement arrosés, possèdent une flore plus tropicale et de vastes mangroves couvrent les basses terres côtières.

Le parc abrite plus de 200 variétés de plantes. Parmi les animaux, citons des singes noirs, des semnopithèques, des macaques (qui rôdent l'après-midi le long de la grand-route près de Sumber Kelompok), des sambars, des cerfs de Java, des chevrotains *(muncak),* des sangliers, des écureuils, des buffles, des iguanes, des pythons et des serpents verts. Le dernier tigre, aperçu en 1937, a été abattu. Les oiseaux abondent et la plupart des 300 espèces insulaires vivent ici, dont l'étourneau de Bali, menacé de disparition.

Il suffit de s'éloigner un peu de la route par l'un des nombreux sentiers pour se retrouver en pleine nature. Un bémol : en

Taman Nasional Bali Barat

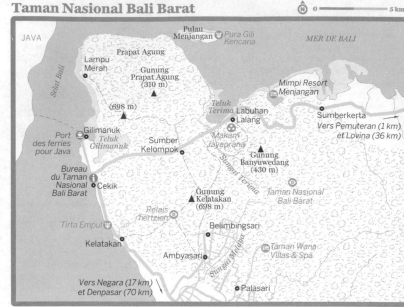

raison de la hausse du prix du carburant, nombre d'habitants vendent, le long de la route, du bois de chauffage coupé illégalement dans la forêt.

🏃 Activités

Excursions en bateau

La meilleure façon d'explorer les mangroves de Teluk Gilimanuk (baie de Gilimanuk) ou l'ouest de Prapat Agung consiste à louer un bateau (5 personnes au maximum, environ 300 000 Rp/heure) comprenant le guide et les droits d'entrée, auprès des bureaux du parc de Cekik ou de Labuhan Lalang. Il s'agit du moyen idéal pour observer les oiseaux, tels les martins-pêcheurs et les crabiers malais.

Randonnée

Tout randonneur doit être accompagné d'un guide assermenté. Mieux vaut arriver la veille et se renseigner auprès des bureaux du parc, à Cekik ou à Labuhan Lalang.

Les tarifs officiels des guides dépendent de la taille du groupe et de la durée de la randonnée – à partir de 350 000 Rp pour une ou deux personnes (1 à 2 heures). Un petit panier-repas est compris, contrairement au transport, et tous les prix sont (très) négociables. En partant tôt le matin, vers 6h, on profite d'une température plus fraîche et l'on multiplie les chances d'apercevoir des animaux.

Si vous vous entendez bien avec votre guide, vous pouvez essayer de composer votre itinéraire. Cela dit, les guides choisissent généralement l'une des trois options suivantes :

» Gunung Kelatakan (mont Kelatakan) De Sumber Kelompok, grimpez la montagne (698 m), puis descendez jusqu'à la grand-route près du village de Kelatakan (de 6 à 7 heures). L'administration du parc vous donnera sans doute l'autorisation de passer la nuit dans la forêt. Si vous n'avez pas de tente, votre guide vous fabriquera un abri avec des branches et des feuilles. Des ruisseaux limpides abondent dans les bois denses.

» Kelatakan En partant du village, montez jusqu'au relais hertzien, descendez vers Ambyasari, puis prenez un transport pour rejoindre Cekik (4 heures). Vous traverserez la partie boisée au sud du parc. Du relais hertzien, vous aurez une idée de ce à quoi ressemblait l'ensemble de Bali il y a des siècles.

» Teluk Terima (baie de Terima) En partant d'un sentier à l'ouest de Labuhan Lalang, promenez-vous à travers les mangroves. Suivez ensuite la Sungai Terima

PLONGÉE ET SNORKELING À PULAU MENJANGAN

Pulau Menjangan, le spot de plongée le plus célèbre de Bali, compte une douzaine de superbes sites. Poissons tropicaux emblématiques, coraux mous, grottes et tombants spectaculaires, avec une excellente visibilité : l'endroit est magnifique.

Des dentelles de gorgones et diverses éponges servent de supports et de cachettes aux petits poissons qui forment une carte sous-marine bariolée. Il est difficile de résister au charme des poissons-perroquets et des poissons-clowns. Vous apercevrez peut-être des baleines, des requins-baleines et des raies manta nager gracieusement.

La majorité des sites jouxtent le rivage et conviennent au snorkeling et à une première plongée. Des sites propices au snorkeling avoisinent aussi la jetée : demandez au capitaine du bateau de vous les indiquer. Un peu plus loin, les profondeurs se teintent de noir d'encre à hauteur de spectaculaires à-pics, fascinants pour les plongeurs confirmés adeptes de la plongée sur tombants. L'**Anker Wreck**, une mystérieuse épave, s'avère difficile même pour les plus chevronnés.

L'île inhabitée de Pulau Menjangan abrite, à environ 300 m du quai, le **Pura Gili Kencana**, érigé au XIVᵉ siècle, considéré comme le temple le plus ancien de Bali. On peut faire le tour de l'île à pied en 1 heure et, après une séance de plongée, s'accorder une pause sur les plages, hélas pas tout à fait immaculées.

Informations pratiques

La plongée avec bouteille offre plus de possibilités, même si elle commence toujours par l'extraordinaire mur de 30 m. Le risque, en snorkeling, c'est de se retrouver encadré par des guides qui, faisant ça tous les jours, ne songent qu'à rentrer chez eux, qu'il s'agisse d'une sortie sous l'égide d'un hôtel de luxe ou avec un bateau de Labuhan Lalang. Pour profiter au mieux de ce grand moment de votre séjour à Bali, gardez cela en tête :

» Les bateaux s'arriment généralement à la jetée de Pulau Menjangan. Le tombant, où se concentre l'action (même quand on flotte en surface), jouxte le rivage. Les courants portant doucement vers le sud-ouest (le rivage étant sur la droite), il suffit de se laisser dériver pour profiter du spectacle sous-marin.

» Arrivé à un certain point le long des coraux blanchis et moins intéressants proches du rivage, votre guide (dont vous n'avez aucun besoin) voudra peut-être vous faire revenir à la nage au bateau, pour se ménager une pause. Suggérez-lui plutôt que le bateau vienne vous chercher quand vous le souhaiterez pour ne pas avoir à nager à contre-courant et à passer du temps sur la jetée.

» Le tombant s'étend loin vers le sud-ouest, de plus en plus spectaculaire et préservé à mesure qu'on avance. Émerveillé, vous irez peut-être jusqu'au bout en une fois, sinon vous pouvez interrompre l'aventure en demandant au bateau de venir vous chercher, puis de vous remettre à l'eau à nouveau.

» Au nord de la jetée, on peut partir en snorkeling depuis le rivage et couvrir le mur en effectuant un grand cercle. Cela laisse à l'équipage le temps de déjeuner.

» Essayez de flotter au-dessus de plongeurs qui descendent le long du mur pour observer le merveilleux ballet des bulles qui montent, légères et argentées, depuis les fonds couleur d'encre.

» Si votre guide vous a vraiment apporté quelque chose, gratifiez-le en conséquence.

Depuis/vers Pulau Menjangan

Les clubs de plongée les plus proches et les plus pratiques se trouvent à Pemuteran (p. 244), où les hôtels peuvent aussi organiser plongée et snorkeling. Pour pratiquer le snorkeling en indépendant, vous pouvez louer un bateau (2 pers 350 000 Rp/3-4 heures) au minuscule embarcadère de Labuhan Lalang, en face des eaux turquoise de Menjangan, et du matériel dans des *warung* (50 000 Rp/4 heures, négociables). Les frais d'arrimage se montent à 75 000 Rp pour la plongée et à 60 000 Rp pour le snorkeling.

(rivière Terima) dans les hauteurs et redescendez vers la route par les marches de Makam Jayaprana. Vous pourrez apercevoir des macaques gris, des cerfs et des singes noirs. Comptez de 3 à 4 heures pour cette randonnée, de loin la plus populaire.

🛏 Où se loger

Les visiteurs logeront près du parc pour débuter la visite de bonne heure. Gilimanuk, la localité la plus proche, compte des hôtels sommaires. Plus à l'est, sur la route de Pemuteran (p. 244), à 12 km à l'est de Labuhan Lalang, on trouve de nombreuses options nettement supérieures.

ℹ Renseignements

L'**administration du parc** (p. 255), à Cekik, expose une maquette du parc et fournit quelques informations sur la faune et la flore. Le **centre d'information des visiteurs de Labuhan Lalang** (⊙7h30-17h), dans une cahute, se situe sur la côte nord, là où des bateaux partent pour Pulau Menjangan. Parmi les guides du parc habituellement disponibles, **Nyoman Kawit** (☑0852 3850 5291) est très fiable.

On peut louer les services d'un guide et obtenir des permis aux deux bureaux. Des gens traînent toujours alentour et il est parfois difficile de savoir qui sont les employés du parc.

Les principales routes qui mènent à Gilimanuk traversent le parc national, mais vous n'aurez pas à payer l'entrée si vous ne vous arrêtez pas en chemin. Dans le cas contraire, vous devrez acheter un billet (20 000 Rp).

ℹ Depuis/vers le Taman Nasional Bali Barat

Le parc national est trop éloigné pour qu'on puisse le visiter confortablement dans la journée à partir d'Ubud ou du sud de Bali, même si de nombreux clubs de plongée le proposent.

Si vous n'êtes pas motorisé, n'importe quel bus ou *bemo* ralliant le nord ou l'ouest de Bali à Gilimanuk vous déposera aux bureaux du parc à Cekik (ou au centre des visiteurs de Labuhan Lalang en venant du nord). Il est recommandé d'étudier les options proposées dans la rubrique *Où se loger*.

Labuhan Lalang

De la jetée de ce petit port, à l'intérieur du parc national, des bateaux rallient Pulau Menjangan. Labuhan Lalang compte également un précieux **centre d'information des visiteurs** (⊙7h30-17h) du parc, dans une cahute sur le parking principal, un *warung* et une plage agréable, à 200 m à l'est.

🛏 Où se loger

L'hébergement le plus proche est assez luxueux. Non loin de là, plus au nord, Pemuteran offre un choix plus varié.

💙 **Mimpi Resort Menjangan**   COMPLEXE HÔTELIER **$$**
(☑0362-94497, 0361-701070 ; www.mimpi.com ; ch 100-130 $US, villas 180-400 $US ; ❄@☒). Isolé à Banyuwedang, ce complexe de 54 chambres occupe un terrain qui s'étend jusqu'à une petite plage de sable blanc bordée de mangrove. Les chambres, au décor simple et uni, sont équipées d'une sdb extérieure. La piscine commune et les baignoires des villas sont alimentées en eau thermale. Les grandes villas, avec piscine privée et vue sur le lagon, comptent parmi les plus belles de Bali.

Lombok

Le top des restaurants

» Astari (p. 283)
» Warung Bule (p. 283)
» Ikan Bakar 99 (p. 263)
» Square (p. 271)

Le top des hébergements

» Pearl Beach (p. 266)
» Qunci Villas (p. 271)
» Rinjani Beach Eco Resort (p. 273)
» Tugu Lombok (p. 274)
» Heaven on the Planet (p. 287)

Pourquoi y aller

Longtemps restée dans l'ombre de Bali, Lombok commence à acquérir sa propre notoriété. Il faut dire qu'elle offre tous les charmes des tropiques avec ses ravissantes plages de sable blanc, ses forêts luxuriantes et ses sentiers de randonnée au milieu des rizières et des champs de tabac. Le tout dominé par le puissant Gunung Rinjani, le deuxième volcan d'Indonésie, couronné d'un scintillant lac de cratère et de sources chaudes.

Autre atout majeur : la côte sud de Lombok, encore largement sauvage, abrite des spots de surf de classe internationale, d'immenses baies aux eaux turquoise et d'impressionnants promontoires.

Lombok : la nouvelle destination à la mode d'Indonésie. On l'annonçait depuis des années et c'est en passe de devenir une réalité avec le nouvel aéroport international et le regain d'intérêt qu'elle suscite.

Quand partir

Lombok présente un climat tropical, chaud et moite, tout au long de l'année, avec une saison des pluies marquée, autour de fin octobre à avril. Les mois les plus secs, juillet et août, coïncident avec la haute saison. La saison des pluies est idéale pour assister à une fête locale, tels la spectaculaire fête du riz ou Perang Topat (à Pura Lingsar en novembre ou décembre), les combats au bâton de Peresean (en décembre) ou les courses de buffles de Narmada (en avril).

À ne pas manquer

1 Le surf (ou l'apprentissage du surf) sur les superbes vagues de **Gerupak** (p. 282)

2 L'ascension du **Gunung Rinjani** (p. 276), l'incomparable pic sacré de Lombok

3 La découverte de l'idyllique **plage de Mawun** (p. 286)

4 Une crique déserte au **nord de Senggigi** (p. 268)

5 Une **fête sasak** (p. 264), comme il y en a à Peresean près de Mataram

6 Une immersion dans le bonheur insulaire de **Gili Asahan** (p. 266)

0 — 10 km

MER DE BALI

Gili Meno
Gili Air
Gondang
Gili Trawangan
Air Sire
Tanjung
Teluk Nare
Bangsal
Pemenang
Mangsit
Col de Pusuk
Gunung Sabiris (865 m)
Vers Bali
Nord de Senggigi **4**
Senggigi
Pantai Senggigi
Endut
Lingsar
Cakranegara
Pura Lingsar
Ampenan
Mataram **5**
Sweta Bertais
Selat Lombok
Kediri
Vers Bali
Ubung
Gunung Pengsong
Gérung
Tanjung Desert
Teluk Terang
Bangko Bangko
Gili Gede
Panda-nan
Tanjung Empat
Lembar
Selegang
Labuhan Poh
Taun
Gunung Mareje (716 m)
Tembowong
Pelangan
Sekotong
Kali penunjak
Montongsapah
Keling
Blongas
Sepi
Selon Blana
Teluk Mekaki
Pengantap
Mawi
Tampa

OCÉAN INDIEN

OUEST DE LOMBOK

📍0370

Bien que Mataram, la plus grande ville de la région, doive désormais faire face à la perte du trafic aérien de l'île, le reste du secteur continue à progresser. Senggigi, en particulier, semble prête à sortir de sa torpeur des années 1990 grâce à un nouveau développement de la villégiature. C'est au sud du port de Lembar que l'ouest de Lombok offre son plus beau visage, avec ses avancées dans la mer calme et ses îles bucoliques au large.

Mataram

La capitale de Lombok est une conurbation constituée de plusieurs villes (autrefois bien distinctes) : Ampenan (port), Mataram (centre administratif), Cakranegara (centre des affaires, souvent abrégé en Cakra), ainsi que Bertais et Sweta (où se trouve la gare routière) à l'est. Elle s'étend sur 12 km d'est en ouest et abrite un demi-million d'habitants. Les sites intéressants étant rares, Senggigi étant toute proche, et l'aéroport ayant été déplacé, il n'y a aucune raison de visiter Mataram, et encore moins d'y séjourner, sauf si vous avez besoin d'acheter un billet d'avion (facilement trouvable ailleurs) ou d'aller à l'hôpital. Elle est pourtant assez attrayante avec ses larges avenues bordées d'arbres, qui bourdonnent de *bemo* et de motos et regorgent de marchés traditionnels. Si vous avez soif de réalisme indonésien, c'est ici qu'il faut aller.

👁 À voir

Pura Meru　　　　　　　TEMPLE HINDOU
(Jl Selaparang ; don apprécié ; ⏱8h-17h). Érigé en 1720, le temple hindou le plus grand et le deuxième plus important de Lombok est dédié à la trinité hindouiste Brahma, Vishnu et Shiva. La cour intérieure abrite 33 petits autels, ainsi que trois *meru* (sanctuaires à plusieurs toits) en bois de teck, couverts de chaume. Celui du centre, à onze toits, est la demeure de Shiva ; celui du nord, à neuf toits, celle de Vishnu ; et celui du sud, à sept toits, est dédié à Brahma. Ces *meru* symbolisent aussi trois montagnes sacrées : Rinjani, Agung et Bromo, sans oublier le mythique mont Meru. Le gardien vous prêtera un sash et un sarong.

Mayura Water Palace　　　TEMPLE HINDOU
(Jl Selaparang ; don apprécié ; ⏱7h-19h30). Édifié en 1744, ce palais comprend l'ancien temple de la famille royale, lieu de pèlerinage (le

24 décembre) des hindous de Lombok. Des combats sanglants s'y déroulèrent entre Néerlandais et Balinais en 1894. Il ne reste plus aujourd'hui qu'un parc public mal entretenu avec un lac artificiel pollué.

🛏 Où se loger

La plupart des visiteurs logent à Cakranegara, dans les rues tranquilles autour de Jl Pejanggik/Selaparang, à l'est du Mataram Mall.

Lombok Plaza　　　HÔTEL DE CHARME **$$**
(📞629 718 ; www.lombokplazahotel.com ; Jl Pejanggik 8 ; ch 450 000-785 000 Rp ; ❄🛜🏊). Cet hôtel, le plus récent et le plus rutilant de Mataram, arbore éclat et élégance. Les vastes chambres hautes sous plafond sont équipées de beaux bureaux et de tables de canapé en bois, ainsi que d'écrans plats muraux. Petit-déjeuner-buffet et piscine de 20 m dans la mezzanine à l'étage. Le restaurant chinois sert d'excellents *dim sum* et un fabuleux *soto ayam* (soupe de poulet) à des prix corrects (plats 30 000-60 000 Rp).

Ratu Guesthouse　　　CHEZ L'HABITANT **$**
(📞0852 8100 8284, 0819 1590 4275 ; Jl AA Gede Ngurah 45 ; s/d 60 000/80 000 Rp ; 🛜). Excellent rapport qualité/prix, en plein cœur de Cakranegara, à un pâté de maisons du marché. Les chambres, spacieuses, ont lits à ressorts, moustiquaires, sdb communes et Wi-Fi.

Hotel Melati Viktor 1　　　GUESTHOUSE **$**
(📞633 830 ; Jl Abimanyu 1 ; d avec ventil/clim 100 000/150 000 Rp ; ❄). Hauts plafonds, chambres impeccables, cour de style balinais et statues hindoues en font l'une des meilleures adresses de la ville en termes de rapport qualité/prix. De l'autre côté de la rue, le Viktor II offre un cadre un peu plus actuel.

Hotel Lombok Raya　　　HÔTEL **$$**
(📞632 305 ; www.lombokrayahotel.com ; Jl Panca Usaha 11 ; d 470 000-510 000 Rp ; ❄🛜🏊). Chouchou indétrônable des hommes d'affaires de la vieille école, cet établissement bien situé loue de grandes chambres confortables avec balcon et tous les équipements modernes, dont un superbe spa. Abrite le bureau de la compagnie aérienne locale Silk Air.

🍴 Où se restaurer

Fast-foods occidentaux, *warung* et bars à nouilles indonésiens abondent dans le **Mataram Mall** (Jl Selaparang ; ⏱7h-19h) et les rues alentour.

Mataram

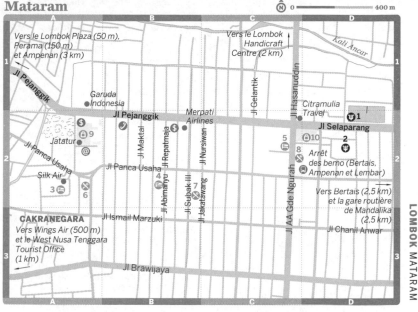

Mataram

Ikan Bakar 99   POISSON $
(📞643 335, 664 2819 ; Jl Subak III 10 ; plats 20 000-55 000 Rp ; ⊙11h-22h). Imaginez : calmars, crevettes, poisson et crabe badigeonnés de sauce piquante et grillés ou frits à la perfection avant d'être baignés dans une sauce Padang épicée ou aigre-douce gluante. Mêlez-vous aux familles de Mataram en vous installant aux longues tables dans la salle carrelée et voûtée.

Mi Rasa   BOULANGERIE $
(📞633 096 ; Jl AA Gede Ngurah 88 ; pâtisseries à partir de 5 000 Rp ; ⊙6h-22h). Cette boulangerie moderne a un succès fou auprès des familles de classe moyenne de Cakra. On y sert beignets, biscuits et gâteaux, ainsi que des *wonton* au poulet.

Bakmi Raos   NOUILLES $
(Jl Panca Usaha ; plats 9 000-20 000 Rp). Derrière le centre commercial, cet authentique bar à nouilles et à soupes indonésien, revu dans un esprit moderne, attire une clientèle jeune et branchée.

🛍 Achats

Pour les objets d'artisanat, faites un tour dans les nombreux magasins de Jl Raya Senggigi, la route qui part au nord d'Ampenan vers Senggigi. Jl Usaha, avec ses jolies boutiques, est la rue commerçante haut de gamme par excellence.

Pasar Mandalika   MARCHÉ
(⊙7h-17h). Bien loin des circuits touristiques, ce marché proche de la gare routière de Mandalika, à Bertais, offre une fascinante plongée dans la vie locale. On y trouve tous les produits de l'île : fruits et légumes, poisson (frais et séché), paniers remplis d'épices et céréales colorées et odorantes, bœuf tout juste débité, sucre de

palme, blocs de pâte de crevette piquante et artisanat le moins cher de l'ouest de Lombok.

Lombok Handicraft Centre ARTISANAT
(Jl Hasanuddin). Situé à Sayang Sayang (2 km au nord de Cakra), ce centre d'artisanat présente un vaste choix d'objets, tels que masques, textiles et céramiques provenant de tout Nusa Tenggara.

Pasar Cakranegara MARCHÉ
(angle AA Gede Ngurah et Jl Selaparang). Des étals originaux où l'on trouve des ikats de bonne qualité et un bon marché alimentaire.

ℹ Renseignements

Argent
Quantité de banques équipées d'ATM (distributeurs) jalonnent la principale artère de Cakra ; la plupart changent les devises et les chèques de voyage. Les changeurs du Mataram Mall et de Jl Pejanggik offrent souvent les meilleurs taux pour les espèces.

Accès Internet
Yahoo Internet (Mataram Mall, Jl Panca Usaha A11 ; 5 000 Rp/heure ; ⊗9h-22h)

Offices du tourisme
West Lombok Tourist Office (☑621658 ; Jl Suprato 20 ; ⊗7h30-14h lun-jeu, 7h30-11h ven, 8h-13h sam). Fournit quelques cartes et brochures, mais peu de renseignements pratiques.
West Nusa Tenggara Tourist Office (☑634800 ; Jl Singosari 2 ; ⊗8h-14h lun-jeu, 8h-11h ven, 8h-12h30 sam). Quelques informations sur Lombok.

Poste
Poste (Jl Langko ; ⊗8h-16h30 lun-jeu, 8h-11h ven, 8h-13h sam)

Téléphone
Des *wartel* (agences de téléphone public) sont installées dans Jl Pejanggik et à l'aéroport.
Telkom (☑633333 ; Jl Pendidikan 23 ; ⊗24h/24). Téléphone et fax.

Urgences
Police (☑631225 ; Jl Langko). En cas d'urgence, composez le ☑110.
Rumah Sakit Harapan Keluarga (☑670 000, 617 7000 ; www.harapankeluarga.co.id/rshk ; Jl Ahmad Yani 9). Le plus récent et le meilleur hôpital privé de Lombok, à l'est du centre de Mataram. Médecins parlant anglais et équipements modernes.

ℹ Depuis/vers Mataram

Avion
Le nouvel aéroport de Lombok a ouvert en 2011 près de Praya, rendant Mataram

---

FÊTES ET CÉRÉMONIES SASAK

Un nombre croissant de Sasak ayant adopté l'islam orthodoxe, les anciens rites et cérémonies fondés sur les traditions animistes et hindoues ont perdu en popularité. Il n'empêche que certaines fêtes et manifestations perdurent.

Lebaran Topat, qui a lieu 7 jours après la fin du mois de jeûne (Idul Fitri ; ramadan) du calendrier islamique, serait une cérémonie propre à l'ouest de Lombok. Les parents se retrouvent au cimetière pour verser de l'eau sur les tombes familiales et faire des offrandes de fleurs, de feuilles de bétel et de chaux en poudre. On peut observer cette cérémonie notamment dans le **cimetière de Bintaro**, dans les faubourgs d'Ampenan.

Les **malean sampi** ("courses de vaches" en sasak) sont des courses de buffles qui se déroulent sur un champ détrempé à Narmada, juste à l'est de Mataram. Attelés par deux et poussés par un conducteur qui brandit son fouet, les buffles doivent parcourir le terrain le plus vite possible. La manifestation, qui a lieu début avril, marque le début de la saison des semailles.

Le **gendang beleq** (gros tambour) se jouait à l'origine avant les batailles. Aujourd'hui, de nombreux villages du centre de Lombok possèdent un orchestre *gendang*, comptant jusqu'à 40 tambours, qui jouent à l'occasion des fêtes et des cérémonies. Les énormes tambours atteignent 1 m de longueur et sont soutenus par une lanière autour du cou des musiciens.

Le **peresean** (combat au bâton), art martial, est un combat entre deux jeunes gens torse nu armés de bâtons de rotin et de boucliers carrés en peau de vache. Les Sasak croient que le sang répandu sur la terre favorise l'arrivée des pluies bienfaitrices de la saison humide. Fin juillet, on peut voir des démonstrations de *peresean* à Senggigi et, fin décembre, un championnat à Mataram.

encore plus insignifiante aux yeux des touristes. Cependant, cette dernière reste un endroit stratégique pour organiser un voyage intérieur du fait de la présence des principales compagnies aériennes et de deux excellentes agences de voyages. Voir la liste des compagnies aériennes p. 378.

Citramulia Travel (☑633 469 ; www. citramuliatravel.com ; Jl Pejanggik 198 ; ⊗8h-20h lun-sam, 8h-19h dim). Des services de réservation de vols intérieurs et internationaux et de délivrance de visas sont proposés par un personnel consciencieux et parlant anglais.

Jatatur (☑632 888 ; www.jatatursurabaya. com ; Mataram Mall, Jl Panca Usaha A11). Chaîne d'agences de voyages fiable et établie de longue date, où l'on vend, en anglais, des billets d'avion à des prix corrects.

Bus

Tentaculaire, la gare routière de Mandalika, à Bertais, est le terminal de bus et de *bemo* le plus important de l'île. C'est aussi le point de départ des bus longue distance à destination de Sumbawa, de Bali et de Java. L'endroit se révélant assez chaotique, gardez votre calme pour éviter l'"aide" des rabatteurs, payés à la commission. Les bus longue distance partent d'un point derrière le bâtiment principal. Les *bemo* et les bus plus petits pour les destinations de Lombok démarrent de l'un des deux parkings.

Voici quelques exemples de trajets à partir de la gare routière de Mandalika :

DESTINATION	DISTANCE	PRIX (RP)	DURÉE
Kuta (via Praya et Sengkol)	54 km	13 000	1 heure 30
Labuhan Lombok	69 km	15 000	2 heures
Lembar	22 km	5 000	30 min
Pemenang (pour Bangsal)	30 km	12 000	40 min
Praya (aéroport)	27 km	15 000	1 heure

Les *bemo* pour Bertais (2 500 Rp) et Senggigi (4 000 Rp) partent de la gare routière des *bemo* de Kebon Roek à Ampenan.

Navette touristique

Perama (☑635928 ; www.peramatour.com ; Jl Pejanggik 66) assure un service de bus régulier vers les destinations les plus populaires de Lombok (notamment Bangsal, Senggigi et Kuta) et vers Bali.

ℹ Comment circuler

Depuis/vers l'aéroport

L'aéroport de Selaparang a été abandonné au profit du nouvel aéroport proche de Praya. En taxi, comptez une trentaine de minutes depuis Mataram. Des bus quittent la gare routière de Mandalika pour l'aéroport (15 000 Rp, 1 heure) à l'heure pile.

Bemo

Mataram est *très* étendue. Des *bemo* jaunes font la navette entre la gare routière de Kebon Roek, à Ampenan, et celle de Mandalika, à Bertais (10 km plus loin), en suivant les deux grands axes. À l'extérieur du Pasar Cakranegara, un arrêt de *bemo* fort commode dessert Bertais, Ampenan, Sweta et Lembar. Les tarifs oscillent entre 2 000 et 3 000 Rp.

Taxi

Pour un taxi fiable avec compteur, appelez **Lombok Taksi** (☑627 000). Vous n'aurez aucun mal à obtenir une voiture avec chauffeur à Mataram ; comptez entre 400 000 et 500 000 Rp/jour.

Environs de Mataram

Les villages, les temples et les paysages sont souvent magnifiques à l'est de Mataram. Si vous êtes motorisé, une demi-journée suffira pour visiter les sites qui suivent.

◉ À voir

Pura Lingsar   TEMPLE HINDOU
(don apprécié ; ⊗7h-18h). Niché au milieu de luxuriantes rizières, ce vaste ensemble de temples est le lieu le plus sacré de Lombok. Édifié en 1714 à l'initiative du roi Anak Agung Ngurah, il associe deux religions, avec un sanctuaire pour l'hindouisme balinais (Pura Gaduh) et un second pour le *wetu telu* (forme d'islam mystique spécifique à Lombok).

Le Pura Gaduh comporte quatre sanctuaires : l'un tourné vers le Gunung Rinjani (siège des dieux sur Lombok), un autre vers le Gunung Agung (siège des dieux à Bali), ainsi qu'un double sanctuaire représentant l'union entre les deux îles.

Le temple *wetu telu* est renommé pour son étang clos dédié à Vishnu et grouillant d'anguilles sacrées appâtées avec des œufs durs que l'on se procure à l'extérieur. On dit que les nourrir porte chance. Vous devrez porter un sash et/ ou un sarong (que vous pourrez louer sur place) pour pénétrer dans le temple.

Le Pura Lingsar est à 9 km au nord-est de la gare routière de Mandalika. Prenez d'abord un *bemo* à destination de Narmada, puis un autre jusqu'à Lingsar. Demandez au chauffeur de vous déposer près de l'entrée du site.

Lembar

Lembar est le principal port de Lombok pour les ferries, les tankers et les bateaux de ligne Pelni (compagnie nationale) en provenance de Bali, entre autres. Bien que l'embarcadère des ferries soit dans un état de délabrement inquiétant, le port – des bras de mer azur entourés de hautes montagnes verdoyantes – est superbe. Néanmoins, il n'y a guère de raison de s'y attarder vu l'efficacité des transports vers Mataram et Senggigi. Si vous avez besoin d'argent liquide, allez à la BNI, à 100 m de l'entrée du port.

Des *bemo* font régulièrement la navette entre Lembar et la gare de Mandalika à Bertais (15 000 Rp). De là, prenez un *bemo* pour Ampenan (3 000 Rp), puis un autre pour Senggigi (2 500 Rp). Sinon, des navettes (45 000 Rp/pers) relient régulièrement Senggigi et Lembar. Comptez 70 000 Rp pour un taxi depuis Mataram.

Des ferries partent toutes les heures, jour et nuit, pour Benoa, à Bali (enfant/adulte/moto/voiture 23 000/36 000/101 000/659 000 Rp ; 5 heures).

Péninsule sud-ouest

Le vaste littoral qui s'étend à l'ouest de Lembar jouit d'hébergements de charme sur des plages désertes et d'îles paisibles dans des eaux bleu azur. Le Pearl Beach (voir plus bas), le nouveau *resort* de Dive Zone à **Gili Asahan**, et Cocotino's proposent de la plongée, mais l'expérience est ici plus amusante que vraiment spectaculaire. Vous pourriez en revanche passer des semaines ici à découvrir fermes perlières, vieilles mosquées de bord de mer, habitants accueillants et îles relativement préservées – dont trois avec hébergements. Nos préférées sont Gili Gede et la superbe Gili Asahan, avec ses rafales de vent réconfortant, ses oiseaux voletant dans l'herbe juste avant le coucher du soleil, ses appels sourds pour la prière, ses nuits baignées dans la lumière des étoiles et de la lune, et son silence profond et ressourçant.

Seule **Sekotong** détonne : la découverte de gisements aurifères dans les collines qui surplombent la ville a entraîné une ruée vers l'or. Jusqu'à la répression de décembre 2009, on voyait jusqu'à 6 000 habitants de la région forer illégalement d'immenses puits à ciel ouvert (en utilisant du mercure). L'exploitation clandestine perdure cependant et cause de graves dommages à l'environnement.

On peut voir plusieurs de ces mines grossières sur les collines accidentées en suivant l'étroite route côtière (asphaltée) qui épouse les contours de la péninsule en passant devant des plages de sable blanc avant de rejoindre Bangko Bangko et Tanjung Desert (Desert Point), l'un des breaks de surf mythiques d'Asie.

⌂ Où se loger et se restaurer

Si la côte sud-ouest compte quelques hôtels et stations balnéaires, c'est sur les belles îles au large que l'on trouve les meilleures plages et hébergements, qui font aussi restaurant.

SUR LE "CONTINENT"

Bola Bola Paradis   AUBERGE $
(☏0817 578 7355 ; www.bolabolaparadis.com ; Jl Raya Palangan Sekotong, Pelangan ; ch 300 000-465 000 Rp ; ✴). À l'ouest de Pelangan, ce bel établissement de milieu de gamme offre des bungalows octogonaux impeccables répartis sur un domaine couvert d'herbe et de palmiers qui s'étend jusqu'au sable. Le bâtiment principal renferme des chambres confortables climatisées, sol carrelé et patios privatifs. Dans la cuisine aux doux effluves, on prépare une excellente popote indonésienne épicée (plats 39 000-82 000 Rp).

Cocotino's   RESORT $$$
(☏0819 0797 2401 ; www.cocotinos-sekotong.com ; Jl Raya Palangan Sekotong, Tanjung Empat ; ch/villas à partir de 1 300 000/2 700 000 Rp ; ✴@✺✈). Ce complexe en front de mer, avec plage privée, est le plus récent de la côte (îles non comprises) et regroupe des bungalows de grande qualité avec, pour certains, une jolie sdb extérieure et la vue sur la mer. Comprend un centre de plongée professionnel et un spa complet. Réductions intéressantes pour les clients.

DANS LES ÎLES

♥ **Pearl Beach**   BUNGALOWS $$
(☏0813 3954 4998, 0819 0724 7696 ; www.divezone-lombok.com ; Gili Asahan ; cottages/bungalows 370 000/570 000 Rp petit-déj compris ; ✈). Nouveau complexe insulaire privé doté d'une superbe étendue de sable blanc menant à la mer turquoise. Les cottages sont simples, en bambou, avec sdb extérieures et

UNE MÉSAVENTURE DE L'AUTEUR À PANTAI MUKAKI

Ceci est une histoire vraie. Alors que je voulais me rendre à Tanjung Desert (Desert Point), j'ai pris une mauvaise direction pour finalement découvrir une plage vierge... mais pas la bonne plage vierge. J'avais l'impression d'avoir trouvé le spot de kitesurf idéal. Le genre d'endroit dont rêveraient la plupart de nos lecteurs : une vaste baie aux eaux turquoise, une plage de sable blanc immaculée et des vagues dont le mugissement se mêlait à celui du vent. J'ai pris quelques notes. L'endroit s'appelait Pantai Mukaki, selon un habitant du coin, un gars plutôt sympathique... enfin semblait-il.

À un moment, mon guide devient nerveux et pressé de regagner la voiture. J'étais en train de prendre des photos sur la plage. Il me siffle, je le rejoins et je n'ai pas le temps de finir d'écrire que nous sommes déjà repartis. C'est alors que la voiture est soudainement encerclée par cinquante villageois munis de grosses lances en bambou tranchantes et de faucilles. Ils me prenaient pour le promoteur qui les avait escroqués ! Cette terre faisait l'objet d'un différend (et, en effet, on peut imaginer pire comme cadre pour une station balnéaire).

"Partez ou on vous tue", a aboyé la porte-parole. "On vous tuera si d'autres gens viennent !" Elle était vraiment menaçante. Ils ont fouillé scrupuleusement la voiture à la recherche du promoteur que nous n'avions jamais vu mais qu'ils étaient sûrs que nous connaissions. Personne n'a bougé et personne n'a été blessé. La porte-parole jette alors un coup d'œil à mon exemplaire écorné du Lonely Planet sur le siège et comprend que je ne suis qu'un simple touriste. Mais l'étais-je vraiment ? Elle a fini par nous laisser partir en nous menaçant de nous arracher les membres si nous revenions.

Morale de l'histoire : depuis l'époque de Suharto, de gros promoteurs et holdings (généralement basés à Jakarta) essayent d'acheter et d'exploiter le paradis que constitue l'est de l'Indonésie, souvent au moyen de contrats véreux passés avec des habitants qui connaissaient mal la valeur de leurs terres. Lorsque ces accords tournent mal – et cela arrive –, un conflit peut vite s'embraser. Le sud de Lombok (en particulier la région de Kuta) est devenu depuis des années l'épicentre de ce genre d'activités, tout comme Gili Trawangan. Mais il est tout de même rare de se retrouver en plein milieu du conflit.

hamac sous le porche. Les bungalows, eux, sont plutôt chics, avec sols en béton poli, hauts plafonds, portes en verre coulissantes, superbe sdb extérieure et méridienne sous un porche en bois.

Les propriétaires tiennent également Dive Zone, le meilleur centre de plongée de Lombok. Donc oui, il est possible de faire de la plongée. Électricité de 18h à 6h uniquement. Possibilité de prise en charge de votre transport depuis le continent en réservant à l'avance.

Madak Belo BUNGALOWS **$**
(☑0878 6471 2981, 0818 0554 9637 ; www. madak-belo.com ; Gili Gede ; ch/bungalows 125 000/250 000 Rp). Sensationnel paradis hippie-chic de gérance française. Le pavillon principal en bois et en bambou comprend trois chambres à l'étage, avec sdb commune équipée de lavabos incrustés de coquillages et magnifique salon en bambou doté de hamacs et d'une vue parfaite sur le sable blanc et la mer turquoise. Les 2 bungalows privatifs sont spacieux et ont de grands lits et une sdb individuelle ornée de pierres et de coquillages. Repas (20 000-65 000 Rp) délicieux. L'électricité ne fonctionne que 8 heures/jour environ.

Via Vacare BUNGALOWS **$**
(☑0819 1590 4275 , www.viavacare.com ; Gili Gede ; bungalows/lits repas compris 750 000/250 000 Rp). Retraite secrète comportant 4 grands bungalows octogonaux simples mais chics. Les lits simples sont en fait de confortables matelas posés à même le sol, avec une moustiquaire, dans une pièce ouverte. La plage n'a rien d'extraordinaire, mais il est possible de nager à marée haute. Espace yoga en plein air et savoureuse cuisine maison. La direction peut assurer le trajet gratuitement depuis Tembowong, non loin.

TANJUNG DESERT
Cette plage, qui compte trois hébergements (dont un seul équipé du téléphone) est avant

tout un "surf camp", très décontracté. Quand la houle arrive, tout le monde va surfer. Si tous les établissements sont complets – ce qui peut arriver –, sachez que Labuan Poh, à côté, compte quelques adresses correctes.

Desert Point Bungalow BUNGALOWS **$**
(Tanjung Desert ; ch 250 000 Rp). C'est l'un des deux hébergements les plus formels. On y trouve 7 bungalows propres en bambou tressé et en chaume avec lits en bambou, hamacs sous le porche et sdb privées mitoyennes. Comprend même un joli abri à trois côtés monté sur pilotis au-dessus de la plage.

Desert Point Lodge LODGE **$**
(☑ 0878 610 4439 ; Tanjung Desert ; d 250 000 Rp). Bungalows avec toit de chaume, ventilateur, sdb extérieure carrelée, lits à baldaquins et terrasse en bois privative donnant sur une pelouse dans un jardin fleuri.

Hendra Surf Camp LODGE **$**
(Tanjung Desert ; ch 80 000 Rp). Maison en bois où vous pourrez vous écrouler sur un matelas posé à même le sol dans une chambre aux murs fins et aux allures de cellule. Les repas simples (20 000-30 000 Rp) font l'objet d'éloges dithyrambiques.

Grower Warung INDONÉSIEN
(Tanjung Desert ; plats 25 000-45 000 Rp). Repas simples, basiques et bon marché.

ⓘ Depuis/vers la péninsule sud-ouest

BEMO Des *bemo* circulent entre Lembar et Pelangan (5 000 Rp, 1 heure 30) toutes les 30 minutes via Sekotong et Tembowong, jusqu'à 17h. À l'ouest de Pelangan, les transports sont moins réguliers, mais de rares *bemo* assurent le trajet jusqu'à Selegang.

BATEAUX CHARTERS Vous n'aurez aucun mal à trouver un bateau charter (10 000 Rp/pers) pour vous amener de Tembowong, sur le continent, à Gili Gede. Ils sont tranquillement amarrés près de la station-service Pertamina. Des bateaux charters relient également Tembowong à Gili Gede et à Gili Asahan (300 000 Rp aller-retour).

Senggigi

La seule véritable station balnéaire de Lombok occupe un site magnifique : une série de vastes baies ourlées de sable blanc sur fond de cocotiers et de montagnes couvertes de jungle. En fin d'après-midi, on peut admirer le soleil rouge sang s'enfoncer dans l'océan près du cône géant du Gunung Agung de Bali.

Le nombre de touristes reste modeste, sauf en haute saison, et l'on trouve des hôtels et des restaurants excellents. La principale rue commerçante, aux devantures de mauvais goût, n'est pas très aguichante ;

LOMBOK SENGGIGI

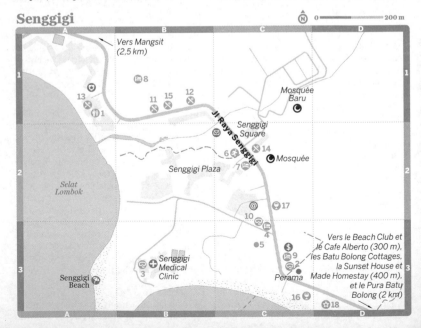

Senggigi

Vers Mangsit (2,5 km)

Mosquée Baru

Senggigi Square

Jl Raya Senggigi

Senggigi Plaza

Mosquée

Selat Lombok

Senggigi Medical Clinic

Senggigi Beach

Perama

Vers le Beach Club et le Cafe Alberto (300 m), les Batu Bolong Cottages, la Sunset House et Made Homestay (400 m), et le Pura Batu Bolong (2 km)

N 0 — 200 m

l'afflux d'entraîneuses de bar est un vrai fléau ; et les vendeurs de plage se montrent parfois trop insistants. La région de Senggigi s'étire sur 10 km le long de la route du littoral ; le quartier huppé de Mangsit se situe à 3 km au nord du centre de Senggigi.

◉ À voir

Pura Batu Bolong TEMPLE HINDOU
(don apprécié ; ◎7h-19h). Si le Pura Batu Bolong n'est pas le temple hindou le plus grandiose de Lombok, c'est bien le plus charmant, en particulier au coucher du soleil. Joignez-vous à des Balinais des plus accueillants alors qu'ils font des offrandes devant les 14 autels et pagodes agrippés à un promontoire volcanique s'avançant dans la mer écumeuse, à 2 km au sud du centre de Senggigi. Une cavité naturelle s'ouvre dans la roche, d'où le nom de *batu bolong*, qui signifie littéralement "rocher percé".

🏄 Activités

Massages, spas et instituts de beauté
Des masseurs locaux, armés d'huiles et de nattes, chassent le client sur les plages de Senggigi. Vous devriez payer autour de 60 000 Rp pour une heure. La plupart des hôtels peuvent aussi envoyer un masseur dans votre chambre (à partir de 75 000 Rp).

Les spas fleurissent à Senggigi, du plus simple jusqu'aux centres de bien-être à l'esprit zen. Les hôtels haut de gamme disposent tous de spas complets. Soyez vigilant : beaucoup d'"instituts de beauté" installés dans la rue proposent en fait des massages d'une tout autre nature.

Qambodja Spa SPA
(☎693 800 ; Qunci Villas, Mangsit ; massage à partir de 30 $US ; ◎10h-22h). Superbe spa, où l'on choisit son massage, thaïlandais, balinais, shiatsu ou autre, mais aussi l'huile pour l'effectuer selon que l'on cherche l'harmonie, le raffermissement, etc.

Royal Spa SPA
(☎660 8777 ; Jl Raya Senggigi ; soins à partir de 85 000 Rp ; ◎10h-21h). Professionnel sans être cher, ce spa propose une séduisante gamme de gommages, de massages et de soins. Le massage *lulur*, avec masque sur le corps, a un succès fou.

Randonnée

Rinjani Trekking Club CIRCUITS MULTI-ACTIVITÉS
(☎693 202 ; rtc.senggigi@gmail.com ; Jl Raya Senggigi Km 8 ; rando transport compris à partir de 1 750 000 Rp). Saura vous renseigner sur les itinéraires et l'état des sentiers du Gunung Rinjani. Vaste choix de randonnées guidées.

Snorkeling, plongée et surf
On peut pratiquer le snorkeling près du centre de Senggigi et en face des Windy Cottages, à 3 km au nord de la ville. Masques, palmes et tuba (25 000 Rp/jour) sont loués un peu partout sur la plage. Les sorties de plongée au départ de Senggigi s'effectuent généralement autour des îles Gili.

Blue Coral Diving PLONGÉE
(☎693 441 ; www.bluecoraldive.com ; Jl Raya Senggigi ; 2 bouteilles 700 000 Rp, certificat Open Water 3 600 000 Rp). Cet établissement – le plus récent et le meilleur de Senggigi – propose les mêmes sites de plongée que les établissements des îles Gili.

LOMBOK SENGGIGI

Senggigi

Blue Marlin
PLONGÉE

(☏693 719 ; www.bluemarlindive.com ; Holiday Resort Lombok, Jl Raya Senggigi ; 400 000 Rp/session). Son grand frère se trouve à Gili Trawangan.

Dream Divers
PLONGÉE

(☏693 738, 692 047 ; www.dreamdivers.com ; Jl Raya Senggigi ; 400 000 Rp/session). Filiale de l'entreprise établie dans les îles Gili.

Adventure Lombok
SURF

(☏665 0238 ; www.adventurelombok.com ; Pasar Seni ; short/longboard 100 000/200 000 Rp/jour, cours 40 $US, location vélo 50 000 Rp/jour). Loue des planches de surf et dispense des cours comprenant un casque et le transport depuis/vers le spot. Organise également des treks autour du Gunung Rinjani, sans jamais pousser à la consommation.

🛏 Où se loger

À Senggigi, les hébergements s'échelonnent tout au long de la côte. Mais, même à quelques kilomètres, comme à Mangsit, on n'est pas isolé, car de nombreux restaurants assurent le transport gratuit et les taxis sont très bon marché.

En dehors de juillet-août, les hébergements de catégories moyenne et supérieure accordent des rabais allant jusqu'à 50%.

♥ Beach Club
BUNGALOWS $$

(☏693 637, 0818 0520 8807 ; www.thebeachclublombok.com ; Jl Raya Senggigi ; ch avec ventil 24 $US, bungalows 70 $US ; ❄🛜🏊). En Indonésie, peu d'établissements de bungalows en bambou sont aussi confortables et accueillants que ce petit bijou. Les bungalows sont équipés d'écrans plats, de lecteurs DVD, de grands lits et du Wi-Fi. Les belles sdb extérieures entourées de verdure s'articulent autour d'un bassin jouissant de l'ombre d'une végétation luxuriante, à deux pas de la mer.

Il y a aussi 2 chambres moins chères. Le bar-restaurant sert de bons petits plats australiens, diffuse les matchs du moment et attire parfois une clientèle amusante. Que demander de plus ?

Wira
GUESTHOUSE $

(☏692 153 ; www.thewira.com ; Jl Raya Senggigi Km 8 ; d 200 000-300 000 Rp ; ❄). Ce nouveau *losmen* de charme est un gros plus dans la rue principale de Senggigi. Chambres de bonne taille simples et bien décorées, avec meubles en bambou, écrans plats, lecteurs DVD et porches privatifs. Les chambres avec ventil, moins chères, sentent parfois le renfermé.

Sendok Guesthouse
AUBERGE $

(www.sendokbali.com ; Jl Raya Senggigi ; ch 200 000-380 000 Rp ; ❄🛜🏊). Nouvelle auberge kitsch louant des chambres bien équipées, derrière un pub accueillant. Si les chambres allient de belles antiquités javanaises à un carrelage criard, elles sont toutes claires et spacieuses et sont dotées de hauts plafonds, d'écrans plats, de douches de pluie, du Wi-Fi, de casiers de sécurité et d'un porche. Les chambres de la gamme supérieure ont l'eau chaude.

Batu Bolong Cottages
HÔTEL $$

(☏693 198, 693 065 ; Jl Raya Senggigi ; d côté terres 350 000 Rp, côté mer 500 000-600 000 Rp ; ❄🛜🏊). Le bambou est maître dans ce charmant hôtel dont les bungalows se répartissent de part et d'autre de la route au sud du centre. Ceux donnant sur la plage se caractérisent par des notes pittoresques comme des portes en bois sculpté, et il y a une belle piscine en retrait. Par le passé, certaines chambres sentaient le renfermé ; restez vigilant.

Sunset House
HÔTEL $$

(☏667 7196, 692 020 ; www.sunsethouse-lombok.com ; Jl Raya Senggigi 66 ; ch 450 000 Rp ; ❄🛜). Loue désormais 20 chambres, dont 6 dans la nouvelle aile et toutes bien équipées et d'une élégante sobriété, sur une portion tranquille du rivage, près du Pura Batu Bolong. Celles à l'étage ont vue sur la mer jusqu'à Bali.

Made Homestay
CHEZ L'HABITANT $

(☏0819 1704 1332 ; Jl Raya Senggigi ; ch avec ventil 100 000-150 000 Rp, ch avec clim 170 000-200 000 Rp ; ❄🛜). Ce nouvel établissement aux tarifs défiant toute concurrence loue des chambres carrelées dotées de lits en bambou, d'un porche privatif et du Wi-Fi (gratuit). Si les chambres climatisées sont un peu plus chères, elles sont malgré tout une excellente affaire en haute saison. Eau froide.

Central Inn
HÔTEL $

(☏692 006 ; Jl Raya Senggigi ; d 250 000 Rp ; ❄🛜). Ce grand hôtel flambant neuf du centre-ville propose des chambres hautes sous plafond avec moulures, vasques, eau chaude, Wi-Fi, carrelages neufs, et espace avec sièges en bambou à l'avant donnant sur les collines.

Santosa Villas
RESORT $$$

(carte p. 268 ; ☏693 090 ; www.santosavillasresort.com ; Jl Raya Senggigi ; d à partir de 160 $US ; ❄🛜🏊). Ce complexe récemment rénové et relooké loue des hébergements luxueux allant des chambres d'hôtel 4-étoiles aux villas haut de gamme installées sur une belle plage en plein cœur de Senggigi.

Chandi
RESORT DE CHARME $$$

(📞692 198 ; www.the-chandi.com ; Batu Balong ; ch à partir de 150 $US ; ❋🛜🏊). Voici un autre nouvel établissement moderne de Senggigi, à 1 km au sud du Pura Batu Balong. Chaque chambre dispose d'un salon en extérieur, d'un intérieur moderne et élégant avec hauts plafonds et écran plat, et d'une superbe sdb en plein air. Le vaste perchoir donnant sur l'océan est des plus exquis.

Bale Kampung Homestay
GUESTHOUSE $

(📞 660 0001, 0818 0360 0001 ; ch avec ventil 100 000-150 000 Rp, ch avec clim 200 000 Rp ; ❋🛜). Si cet ensemble en brique et en chaume est assez exigu, il comprend une gamme de chambres neuves d'un bon rapport qualité/ prix, dont les plus chères ont eau chaude et climatisation. Il est situé un peu à l'écart, à 300 m au sud du Pura Batu Bolong, mais le transport est offert depuis et vers le centre de Senggigi.

MANGSIT

💙 Qunci Villas
RESORT $$$

(📞693 800 ; www.quncivillas.com ; Jl Raya Mangsit, Mangsit ; ch à partir de 115 $US, plus 21% de taxes). Cette propriété spectaculaire et superbement conçue offre le standing d'un 5-étoiles pour un prix bien inférieur. Tout y est magique, de la nourriture à la piscine, en passant par le spa... sans oublier la vue (160 m de front de mer). Nous avons même apprécié le spectacle de danse traditionnelle au bord de la piscine au dîner. Peu d'établissements de la côte balinaise arrivent à la cheville de celui-ci, et il est sans équivalent à Lombok.

Jeeva Klui
RESORT $$$

(📞693 035 ; www.jeevaklui.com ; Jl Raya Klui Beach ; ch vue sur l'océan/front de mer 197/263 $US, villas avec piscine 362 $US ; ❋🛜🏊). Cet établissement, qui est l'un des plus élégants du secteur, comprend une magnifique piscine à débordement et une jolie plage presque privée abritée par des affleurements rocheux. Les chambres sont dotées de toits de chaume, de colonnes en bambou et de porches privatifs, et les villas offrent un standing 5-étoiles. Une excellente adresse si vous avez les moyens.

Windy Beach
BUNGALOWS $$

(📞693 191 ; www.windybeach.com ; Jl Raya Mangsit ; bungalows 500 000-550 000 Rp ; ❋🛜🏊). Cet hôtel à la réputation méritée occupe une jolie plage de sable. Les charmants bungalows traditionnels en chaume et en bambou (avec moustiquaires) se répartissent dans un délicieux jardin. Bar-restaurant et possibilité de snorkeling au large.

🍴 Où se restaurer

Du simple *warung* à la table raffinée, le choix est vaste à Senggigi. Les restaurants assurent souvent le transport gratuit en soirée (téléphonez pour qu'on vienne vous chercher).

SENGGIGI

💙 Warung Cicak
NOUILLES $

(Jl Raya Senggigi ; plats 12 000-17 000 Rp ; 🕐15h-22h). Ce nouvel établissement installé au bord de la route n'utilise que des nouilles maison pour faire ses soupes et ses sautés au poulet, au bœuf, aux champignons ou aux crevettes, le tout dans un joli *warung* ouvert et abrité d'un toit de tôle fatigué plutôt stylé.

Square
INTERNATIONAL $$

(📞693 688 ; Senggigi Square ; plats 40 000-150 000 Rp ; 🛜). Assis sur des sièges joliment sculptés, on pioche dans une carte où se côtoient influences occidentales et indonésiennes, telles des grosses crevettes sautées à la sauce Worcestershire. La cuisine très réussie compense l'ambiance un peu formelle. Les expatriés de longue date ne tarissent pas d'éloges sur les steaks.

Office
THAÏLANDAIS, INTERNATIONAL $

(📞693 162 ; Jl Raya Senggigi, Pasar Seni ; plats 25 000-65 000 Rp ; 🕐9h-22h). Ce pub, qui vend aussi des œuvres d'art, propose une carte classique de plats indonésiens et occidentaux, ainsi que les traditionnels billards, piliers de comptoir et rediffusions de matchs. Grâce au patron, originaire de Bangkok, on y concocte aussi une cuisine thaïlandaise appréciée comprenant *prik king,* pad thaï, *phat plaa meuk yat sai* (petits calmars frits et farcis au poulet et aux champignons), *som tom* (salade de papaye) et savoureuse salade au bœuf grillé.

Kayu Manis
INTERNATIONAL $

(📞693 561 ; Jl Raya Senggigi ; plats 25 000-35 000 Rp). Ce nouveau restaurant qui joue la décontraction (on s'assied sur des bancs en bois) et la double influence Orient-Occident reflète la vie du patron, Berri, un Indonésien qui a longtemps vécu en Australie. Ses calmars frits à la bière ou ses filets de harengs couronnés de légumes verts sont une réussite.

LOMBOK SENGGIGI

LOMBOK SENGGIGI

Asmara INTERNATIONAL **$$**
(☎693 619 ; www.asmara-group.com ; Jl Raya Senggigi ; plats 18 000-75 000 Rp ; 🐾). Cette adresse, idéale pour un repas en famille, propose une cuisine du monde allant du carpaccio de thon à l'escalope viennoise, en passant par des classiques locaux comme le *sate pusut* (brochettes de viande ou de poisson haché). Aire de jeux et menu enfant.

Cafe Alberto ITALIEN **$$**
(☎693 039 ; www.cafealbertolombok.com ; Jl Raya Senggigi ; plats à partir de 45 000 Rp ; ⊘8h-24h). Ce restau italien est établi depuis longtemps sur la plage. On y sert trois types de raviolis et six parfums de spaghettis, tagliatelles et *penne*, mais ce sont les pizzas qui font toute la réputation du lieu. Transport gratuit depuis et vers votre hôtel.

Warung Manega POISSON **$$**
(Jl Raya Senggigi ; repas 75 000-250 000 Rp ; ⊘11h-23h). Ceux qui ont quitté Bali sans avoir testé les grillades de poisson de Jimbaran peuvent remédier à cela en se rendant dans ce restaurant, le jumeau de l'une des meilleures adresses de ce village de pêcheurs. Choisissez parmi les prises du jour : barracuda, calmar, vivaneau, mérou, homard, thon et crevettes – le tout grillé sur des écorces de noix de coco, servi sur des tables éclairées à la bougie et les pieds dans le sable.

NORD DE SENGGIGI

Coco Beach INDONÉSIEN **$**
(☎0817 578 0055 ; Pantai Kerandangan ; plats à partir de 25 000 Rp ; ⊘12h-22h ; 🍴). En bord de plage, à 2 km au nord du centre de Senggigi, ce restaurant offre une carte diététique à base de salades, de plats végétariens et, autant que possible, de produits bio. Le *nasi goreng* fait un tabac auprès des expatriés. Bar servant d'authentiques *jamu tonics* et offrant places assises délicieusement isolées.

🍷 **Où sortir et prendre un verre**

Il y a peu, la vie nocturne était plutôt ennuyeuse à Senggigi. Arrivèrent alors les entraîneuses de bar. Comme tout droit sorties de Pattaya, en Thaïlande, des galeries marchandes en parpaing ont été érigées sur des terrains vacants et bourrées de clubs de "karaoké" et de salons de massage. L'un de ces complexes se trouve littéralement sur le pas de la porte de la mosquée. Si vous ne mangez pas de ce pain-là, allez dans l'un des restaurants ou bars où jouent des groupes de rock ou de pop. Pour déguster un cocktail, Qunci (en face) est aussi très agréable, avec sa piscine et son *happy hour*.

ℹ️ **LOMBOK PENDANT LE RAMADAN**

Le ramadan, mois de jeûne, correspond au neuvième mois du calendrier musulman. Dans la capitale comme dans le sud et l'est de Lombok, de nombreux restaurants restent alors fermés la journée et les étrangers qui mangent, boivent (surtout de l'alcool) et fument en public risquent de s'attirer des réactions hostiles. Les comportements sont beaucoup moins stricts à Senggigi, dans les régions balnéaires et dans la majeure partie du nord de Lombok.

Hotel Lina BAR
(carte p. 268 ; ☎693 237 ; Jl Raya Senggigi). Les adeptes de couchers de soleil apprécieront la terrasse en bord de mer du Lina, où le *happy hour* commence à 16h et s'achève 1 heure après la tombée de la nuit.

Papaya Café BAR
(carte p. 268 ; ☎693 136 ; Jl Raya Senggigi). Dans un cadre raffiné avec murs en pierres apparentes, meubles en rotin et œuvres d'art asmat de Papouasie, on déguste d'excellents alcools au son du groupe maison.

Paragon CLUB
(☎693 750 ; Jl Raya Senggigi Km 12 ; ⊘12h-2h ; 📶). À la fois café, discothèque et bar à karaoké, le Paragon jouit d'un bel emplacement sur la plage, malgré une musique pas toujours adaptée à la magie du lieu. Attire une clientèle nombreuse et programme parfois des artistes de Jakarta. Reconnaissable à sa façade à persiennes bas de gamme.

🛍️ **Achats**

Asmara Collection ARTISANAT
(☎693 619 ; Jl Raya Senggigi ; ⊘8h-23h). Un cran au-dessus du reste, cette boutique vend une sélection d'objets traditionnels, de vraies étoffes de Sumba et de Flores, ainsi que de beaux bijoux, objets anciens et céramiques.

ℹ️ **Renseignements**

Les hôpitaux les plus proches se trouvent à Mataram.

BCA (Jl Raya Senggigi). Banque avec ATM.

Millennium Internet (☎693 860 ; Jl Raya Senggigi ; 24 000 Rp/heure ; ⊘24h/24)

Police (☎110)

Police touristique (☎632 733)

Poste (Jl Raya Senggigi ; ☺8h-18h)

Senggigi Medical Clinic (🖉693 856 ; Jl Raya Senggigi ; ☺8h-19h). Au Senggigi Beach Hotel.

❶ Depuis/vers Senggigi

Bateau

Perama (🖉693 007 ; www.peramatour. com ; Jl Raya Senggigi) assure tous les jours des départs à 13h30 pour Padangbai à Bali (400 000 Rp, 2-3 heures) et à 10h pour les îles Gili (200 000 Rp, 1 heure 15).

Bus, bemo et taxi

Des *bemo* relient régulièrement Senggigi à la gare de Kebon Roek, à Ampenan (2 500 Rp). Vous pouvez aisément les arrêter par un signe de la main sur la route principale. Pour rejoindre les îles Gili, deux navettes touristiques relient quotidiennement Senggigi et Lembar (45 000 Rp). Un taxi jusqu'à Lembar revient à 70 000 Rp. La course pour l'aéroport de Praya coûte 150 000 Rp.

Bizarrement, il n'y a pas de transport public au nord jusqu'au port de Bangsal. Vous pourrez louer un *bemo* pour 75 000 Rp.

Perama propose des navettes touristiques en bus/bateau entre Senggigi et Bali.

DESTINATION	PRIX (RP)
Candidasa en ferry/bateau Perama	125 000/425 000
Kuta Bali, Sanur ou Ubud en ferry/bateau Perama	200 000/500 000
Lovina	600 000

❶ Comment circuler

Dans le centre, on circule facilement à pied. Si vous logez plus loin, n'oubliez pas que, le soir, de nombreux restaurants assurent le transport gratuit de leurs clients.

MOTOS Il est facile d'en louer à Senggigi, à partir de 60 000 Rp/jour.

VOITURES Vous trouverez plusieurs loueurs dans la grand-rue pratiquant des tarifs allant de 150 000 Rp pour une vieille Suzuki Jimny à environ 350 000 Rp pour une Kijang récente. Une voiture avec chauffeur revient à 400 000-500 000 Rp/jour.

NORD ET CENTRE DE LOMBOK

🖉0370

Luxuriant et fertile, l'intérieur de Lombok forme un patchwork de rizières en terrasses, de champs de tabac, de vergers, sur lequel veille le Gunung Rinjani, volcan sacré sillonné de sources, de rivières et de chutes d'eau. Cette nature grandiose abrite les villages traditionnels des Sasak, dont certains sont réputés pour leur artisanat. Les transports publics sont rares ou irréguliers, mais la route principale est en bon état. Si vous êtes motorisé, vous pourrez explorer les plages de sable noir fréquentées par les pêcheurs, découvrir les villages et les cascades dans les terres et, en août, assister au tournoi annuel de combats sasak au bâton.

De Bangsal à Bayan

Du port de Bangsal, renommé pour ses tracas et ses rabatteurs, les transports publics vers le nord ne sont pas fréquents. Plusieurs minibus par jour relient la gare de Mandalika (à Bertais/Mataram) à Bayan, mais il vous faudra peut-être changer à Pemenang et/ou à Anyar. Pour explorer cette région, mieux vaut disposer d'un véhicule.

SIRE

Bordée d'immenses et sublimes plages de sable blanc, avec la possibilité de pratiquer le snorkeling, la péninsule de Sire (ou Sira) devient l'enclave la plus haut de gamme de Lombok. Trois opulents complexes hôteliers y sont désormais installés aux côtés de rares villages de pêcheurs et de superbes villas privées, ainsi que d'un superbe hôtel de charme de catégorie moyenne. Juste après l'Oberoi, un petit **temple hindou**, aux sanctuaires construits dans la falaise, jouit d'une vue sublime sur l'océan.

🛏 Où se loger et se restaurer

Rinjani Beach Eco Resort HÔTEL DE CHARME **$$** (🖉0878 6450 9148, 0813 3993 0773 ; www. lombok-adventure.com ; Karang Atas ; bungalows 350 000-900 000 Rp ; ❄ ❀ ✿). Ce petit bijou de milieu de gamme jouit d'un emplacement de rêve : on y voit le soleil se lever au-dessus du Rinjani et se coucher derrière l'Agung. Il comprend 5 vastes bungalows en bambou, chacun avec des teintes et un thème différents, un grand lit, de beaux parquets et un canapé-lit, ainsi que des bungalows plus petits et moins chers. Les porches privés sont équipés de hamacs et une piscine est aménagée sur la plage de sable noir. On y trouve sur place un centre de plongée et un restaurant, ainsi que des kayaks de mer et des VTT pour les résidents. Un lieu divin et accueillant.

Tugu Lombok
RESORT $$$

(620 111 ; www.tuguhotels.com ; bungalows 220 $US, villas à partir de 270 $US, plus 21% de taxes ;). Mêlant, comme dans un rêve, traditions spirituelles indonésiennes, délires créatifs et exigences d'un hébergement de luxe, cet hôtel ne ressemble à aucun autre à Lombok. Face à une merveilleuse plage de sable blanc, le délicieux spa s'inspire du temple bouddhique de Borobudur, à Java, le restaurant rappelle un grandiose grenier à riz et le décor des chambres reflète la tradition indonésienne. Le service est excellent. Allez-y manger ou prendre un verre si vous ne pouvez y loger.

Oberoi Lombok
RESORT $$$

(638 444 ; www.oberoihotels.com ; ch à partir de 260 $US, villas à partir de 425 $US, plus 21% de taxes ;). En matière de havre paradisiaque, l'Oberoi excelle. Cœur de l'hôtel, la piscine s'étage sur 3 niveaux pour conduire le regard jusqu'à la ravissante plage privée. Baignoires en marbre encastrées, parquets en teck, meubles anciens et tapis orientaux : tout respire le luxe d'un raja indonésien. Le service est divin et les équipements sont superbes.

GONDANG ET SES ENVIRONS

Au nord-est du village de Gondang, un chemin de 6 km vers l'intérieur des terres mène à l'**Air Terjun Tiu Pupas**, une cascade de 30 m de hauteur (30 000 Rp/pers) qui n'est impressionnante qu'en saison humide. De là, le chemin continue vers d'autres chutes d'eau, dont l'**Air Terjun Gangga**, la plus belle. Un guide (environ 50 000 Rp) se révèle utile pour ne pas se perdre dans l'enchevêtrement des chemins – vous n'aurez pas à en chercher un, il vous trouvera.

BAYAN

La religion *wetu telu*, forme d'islam teintée d'animisme, est née dans les modestes mosquées au toit de chaume qui sont cachées dans les contreforts du Rinjani. La plus belle, la **Masjid Kuno Bayan Beleq**, près du village de Baleq, serait la plus ancienne de Lombok. Son toit surbaissé, son sol en terre et ses cloisons en bambou dateraient de 1634. L'intérieur abrite un énorme vieux tambour qui servait autrefois pour l'appel à la prière.

SENARU ET BATU KOQ

Perchés sur une crête d'où la vue s'étend vers le Rinjani et l'océan, ces ravissants villages, qui n'en font qu'un, servent d'étape pour ceux qui partent à l'assaut du Gunung Rinjani. Même si vous ne faites pas l'ascension du volcan, ils méritent que vous y passiez un jour ou deux, pour les belles balades et les spectaculaires cascades des environs.

À voir et à faire

L'**Air Terjun Sindang Gila** (5 000 Rp) est une série de cascades spectaculaires à 20 minutes de marche de Senaru. On y accède en parcourant une jolie forêt à flanc de colline. Les plus intrépides gagnent le cours d'eau et se laissent asperger par la cascade qui éclate sur la pierre volcanique noire 40 m au-dessus.

Autre chute d'eau avec un bassin de baignade, l'**Air Terjun Tiu Kelep** se trouve un peu plus haut, à 50 minutes de marche. Il faut engager un guide (60 000 Rp) pour y aller, certains tronçons du sentier étant rudes et escarpés. On voit parfois ici des macaques crabiers (localement appelés *kera*) et le beaucoup plus rare langur argenté.

En haut de la route se trouve le village traditionnel sasak de **Dusun Senaru**. Ses habitants vous le feront visiter (don apprécié) après vous avoir offert des noix de bétel (ou du tabac) à mâcher.

La plupart des pensions organisent des excursions guidées et des activités avec la population locale, notamment une **promenade rizières et cascades** (150 000 Rp/pers), qui inclut Sindang Gila et une vieille mosquée en bambou, et la **Senaru Panorama Walk** (150 000 Rp/pers), qui vous fera découvrir les traditions locales et de superbes vues. Les guides sont nombreux en ville, mais le Transit Cafe (p. 275) constitue une valeur sûre.

Où se loger et se restaurer

Sur la douzaine d'hébergements, la plupart sont de modestes lodges de montagne, mais, le climat étant plus frais, nul besoin de ventilateur. Les endroits ci-dessous jalonnent la route de Bayan à Senaru et sont répertoriés dans l'ordre à partir du haut de la route.

Gunung Baru Senaru
BUNGALOWS $

(0819 0741 1211 ; d 80 000 Rp). Petite propriété familiale comprenant 5 bungalows simples et carrelés, avec toilettes à l'occidentale et *mandi* (salle de bains) dans un jardin fleuri.

Pondok Senaru & Restaurant
LODGE $

(622 868, 0818 0362 4129 ; ch 250 000-600 000 Rp). Élégants petits bungalows aux toits de tuile et suites bien équipées (TV,

LE WETU TELU, UN CULTE ORIGINAL

Considéré comme originaire de Bayan, un village du nord de l'île, le *wetu telu* est un mélange complexe de croyances hindouistes, islamiques et animistes, classé officiellement comme une secte de l'islam. Au premier plan se trouve un concept plutôt physique de trinité : le Soleil, la Lune et les étoiles représentent le ciel, la terre et l'eau, tandis que la tête, le corps et les membres représentent la créativité, la sensibilité et la maîtrise.

Jusqu'en 1965, la grande majorité des Sasak du nord de Lombok étaient des adeptes du *wetu telu*, mais, sous le gouvernement de l'"Ordre nouveau" de Suharto, les croyances religieuses indigènes furent découragées et traitées comme des pratiques arriérées. Les adeptes qui pratiquaient ouvertement le *wetu telu* risquaient leur vie – raison pour laquelle il a été rattaché à l'islam.

La plupart des fêtes religieuses *wetu telu*, qui se déroulent au début de la saison des pluies (d'octobre à décembre) ou au moment des récoltes (avril à mai), sont célébrées à travers toute l'île. Ces cérémonies et rituels, qui ont une périodicité annuelle, sont fondés sur un calendrier lunaire et n'ont pas lieu un jour spécifique, si bien qu'y assister relève de la coïncidence.

Dans le bastion du *wetu telu*, autour de Bayan, les habitants ont su conserver leurs croyances propres en distinguant traditions culturelles *(wetu telu)* et religion (islam). La plupart ne jeûnent pas durant la totalité du ramadan, ne vont à la mosquée qu'à certaines occasions et font une large consommation de *brem* (alcool de riz).

---

lits à baldaquin et eau chaude). Le restaurant (plats 12 000-40 000 Rp) offre une vue sublime avec ses tables perchées sur le rebord d'une vallée tapissée de rizières.

Transit Cafe INDONÉSIEN $
(☑0818 0365 2874 ; www.rudytrekker.com ; Jl Raya Pariwisata ; plats 20 000-40 000 Rp ; 🛜). En plus des pâtes, sandwichs et spécialités indonésiennes, ce café propose une connexion Wi-Fi, des randonnées et des treks autour du Rinjani.

Horizon LODGE $
(☑0817 576 0936 ; www.horizonsenaru.com ; d 300 000 Rp). Chambres contemporaines archipropres (l'une avec vue sur la vallée de Senaru depuis son lit), sdb pavées de galets et petit restaurant. Bon rapport qualité/prix.

Sinar Rinjani LODGE $
(☑081 854 0673 ; d avec eau froide/chaude 100 000/150 000 Rp). Les chambres, immenses, sont dotées de douches de pluie, de moulures et de lits king size, et le restaurant sur le toit jouit d'une vue magnifique.

❶ Renseignements

Le **Rinjani Trek Centre** (RTC ; ☑0878 6432 3094, 0817 5724 863 ; www.info2lombok.com), au sommet de la colline, fait autorité dans tout ce qui touche au guidage et à la montagne. Toutes les excursions autour du Rinjani sont validées par lui et prises en charge par ses guides.

❶ Depuis/vers Senaru et Batu Koq

Depuis la gare de Mandalika à Bertais (Mataram), prenez un bus pour Anyar (25 000-30 000 Rp, 2 heures 30). Les bemo ayant été supprimés entre Anyar et Senaru, vous devrez prendre un *ojek* (moto-taxi ; 15 000/20 000 Rp/pers).

Vallée de Sembalun
☑0376

Située en hauteur sur le versant oriental, plus aride, du Gunung Rinjani, la belle vallée de Sembalun est entourée de cultures et de pentes dorées qui verdissent pendant la saison humide. Lorsque les nuages s'écartent dans le ciel, le volcan s'impose tout entier au regard. Sembalun Lawang et Sembalun Bumbung, les deux principaux villages de la vallée et points de départ pour l'ascension du Rinjani, vivaient tranquillement de la culture du chou, de la pomme de terre, des fraises et, surtout, de l'ail, avant de tirer aussi quelques revenus du tourisme.

🏃 Activités

Rinjani Information Centre RANDONNÉE
(☑0878 6334 4119 ; ⊙6h-18h). Vous y trouverez des renseignements sur les treks autour du Rinjani. L'établissement est tenu par un personnel bien informé et parlant anglais et abrite d'intéressants panneaux sur la

flore, la faune, la géologie et l'histoire de la région. On peut y louer du matériel de randonnée et de camping et s'y inscrire pour des randonnées telles que le **Village Walk** (150 000 Rp/pers, 2 pers au minimum), qui se fait en 4 heures, ou le **Wildflower Walk** (550 000 Rp/pers, guide, porteurs, repas et matériel de camping compris), un parcours de 2 jours au milieu des prairies fleuries.

🛏 Où se loger

Sembalun Lawang est un village rustique et la plupart des *guesthouses* font payer l'eau chaude.

Lembah Rinjani LODGE $
(☎0852 3954 3279, 0818 0365 2511 ; d 300 000-400 000 Rp). La propriété, récemment rénovée, est en excellent état. On y loue des chambres carrelées basiques mais propres avec grands lits, meubles en bois, porches privatifs et vue à couper le souffle sur la montagne et le lever de soleil.

Rinjani Information Center LODGE $
(RIC ; ☎0878 6334 4119 ; ch 200 000 Rp). Les gardes forestiers du RIC ont aménagé derrière leur bureau 6 chambres simples carrelées avec lit 2 places, TV câblée, sdb privative et petite terrasse.

Maria Guesthouse GUESTHOUSE $
(☎0852 3956 1340 ; ch 250 000 Rp). Nouvel établissement louant de vastes bungalows à toit en tôle à l'arrière d'un enclos familial. Les espaces, lumineux, ont du carrelage aveuglant au sol et sentent parfois le moisi, mais on apprécie l'accueil de la famille et le jardin.

ℹ Depuis/vers la vallée de Sembalun

Depuis la gare de Mandalika (à Bertais, Mataram), prenez un bus pour Aikmel (20 000 Rp) où vous changerez pour un bemo pour Sembalun Lawang (15 000 Rp). Des pick-up réguliers relient Lawang et Bumbung.

Il n'y a pas de transport en commun entre Sembalun Lawang et Senaru. Il faut louer un *ojek* (moto-taxi) moyennant 150 000 Rp environ.

Gunung Rinjani

Dominant la moitié nord de Lombok, le puissant Gunung Rinjani, qui culmine à 3 726 m, est le deuxième plus haut volcan d'Indonésie. Il revêt une grande importance spirituelle pour les hindous et les Sasak qui montent en pèlerinage au lac et au sommet pour déposer des offrandes aux dieux et aux esprits.

Le Rinjani fait partie des trois montagnes sacrées, avec l'Agung de Bali et le Bromo de Java. Les Sasak font l'ascension tout au long de l'année au moment de la pleine lune.

La montagne a aussi une importance climatique. Son pic attire un flot constant de nuages gorgés d'eau, tandis que ses émissions de cendres sont une source de fertilité alimentant un patchwork de rizières, de champs, et de plantations de cajous et de mangues.

Dans son immense caldeira, à 600 m en contrebas du bord du cratère, un magnifique lac en forme de croissant, le **Danau Segara Anak** ("Enfant de la mer"), déploie ses eaux de couleur cobalt sur 6 km. Les Balinais lancent leurs bijoux dans le lac lors d'une cérémonie appelée *pekelan,* avant de poursuivre leur chemin vers le sommet sacré.

Le nouveau cône du volcan, le Gunung Baru, qui n'a que 200 ans d'âge, émerge du lac en une silhouette fumante et menaçante. Au cours de la dernière décennie, il a connu des éruptions intermittentes, crachant périodiquement un panache de fumée et de cendres sur toute la caldeira du Rinjani.

TREKS ORGANISÉS

Les randonnées jusqu'au cratère, au lac et au sommet ne doivent pas être prises à la légère et nécessitent impérativement l'aide d'un guide. Il est formellement déconseillé de faire l'ascension durant la saison des pluies (de novembre à mars), quand les sentiers deviennent glissants et que le risque de glissement de terrain est avéré. D'ailleurs, le bureau du parc national interdit souvent l'accès au volcan pendant les trois premiers mois de l'année. La période de juin à août est la seule (quasi) exempte de pluie ou de nuages, mais il peut faire froid au sommet – prévoir plusieurs couches de vêtements et une laine polaire.

Pour organiser un trek, le plus simple est de s'adresser au Rinjani Trek Centre (p. 275) à Senaru ou au **Rinjani Information Centre** (RIC ; ☎0878 6334 4119 ; ⊘8h-18h) à Sembalun Lawang. Ces centres ont établi un système de roulement pour que tous les guides locaux aient leur part des activités de trekking.

Mises à part certaines options "luxe", toutes les agences offrent à peu près les mêmes forfaits et les mêmes tarifs (les prix de base des guides et des porteurs sont fixés par le RTC et le RIC). Le trek de Senaru à Sembalun Lawang via le lac du sommet plaît beaucoup, tout comme l'aller-retour de Sembalun Lawang au sommet.

Gunung Rinjani

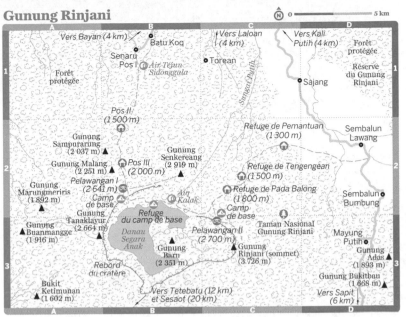

Un trek de 3 jours jusqu'au lac et au sommet coûte autour de 185 \$US/personne pour un groupe de 2-4 personnes (nourriture, équipement, guide, porteurs, droits d'entrée du parc et transport de retour sur Senaru compris), et moins cher si le groupe est plus nombreux. Un trek de 2 jours jusqu'au rebord du cratère démarre à 135 \$US.

AGENCES

Vous trouverez des agences à Mataram, à Senggigi et sur les îles Gili en mesure d'organiser des treks autour du Rinjani, comprenant le trajet depuis et vers le point de départ.

John's Adventures TREKKING
(☎0817 578 8018 ; www.rinjanimaster.com ; treks 3 jours et 2 nuits à partir de 1 750 000 Rp/ pers). Riche d'une longue expérience, John's Adventure propose des tentes avec toilettes et d'épais tapis de sol. Ses randonnées démarrent de Senaru ou de Sembalun.

Transit Cafe TREKKING
(☎0818 0365 2874 ; www.rudytrekker.com ; Jl Raya Pariwisata ; treks 3 jours et 2 nuits 1 500 000 Rp, en groupe privé 1 750 000 Rp). Transit Cafe, prestataire consciencieux basé à Senaru, propose divers itinéraires. La formule la plus appréciée est celle de 3 jours et 2 nuits au départ de Sembalun.

GUIDES ET PORTEURS

Il est interdit, et très dangereux, de partir en randonnée non accompagné. Si vous souhaitez créer votre propre itinéraire dans la montagne et que vous avez apporté tout votre matériel de camping et prévu suffisamment de provisions, vous pouvez recruter des guides et des porteurs soit au RIC (Sembalun), soit au RTC (Senaru) – en sachant que le premier est bien plus adapté aux randonneurs indépendants. Les guides de Senaru facturent 200 000 Rp la journée et les porteurs 150 000 Rp, à quoi vous ajouterez un pourboire compris entre 20 000 et 50 000 Rp par jour. À Sembalun, les guides demandent 150 000 Rp pour une journée et les porteurs 125 000 Rp. Contactez les guides et les porteurs aux centres de Senaru ou de Sembalun Lawang, car ils sont agréés pour assurer votre sécurité. Les guides connaissent leur affaire et vous renseigneront sur la région, mais n'accepteront généralement de ne porter pour vous qu'un petit sac léger ; vous aurez donc besoin d'au moins un porteur. Prévoyez suffisamment de nourriture et d'eau, c'est vital.

DROIT D'ENTRÉE ET ÉQUIPEMENT

Le droit d'entrée au parc national du Rinjani s'élève à 150 000 Rp – s'inscrire et payer au

L'ASCENSION DU GUNUNG RINJANI

Pour effectuer l'ascension du Gunung Rinjani, le trek de 5 jours qui consiste à rallier Sembalun Lawang depuis Senaru est le plus apprécié. Sinon, on peut aussi tenter l'ascension depuis Sembulan, plus haut sur le versant, par une marche épuisante de 2 jours aller-retour. Dans tous les cas, la présence d'un guide est obligatoire, et il est généralement interdit de gravir le Rinjani pendant la saison des pluies (de novembre à mars) du fait du risque de glissements de terrain.

Jour 1 : de Senaru Pos I au Pos III (5 à 6 heures)

L'inscription, la location des services d'un guide et de porteurs, ainsi que le règlement du prix d'entrée au parc se font au **Rinjani Trek Centre** (Pos I, 601 m), au sud de Senaru. Juste après, tournez à droite à la bifurcation du sentier qui monte régulièrement à travers des terres agricoles broussailleuses pendant une heure environ avant d'atteindre l'entrée du parc national, le **Taman Nasional Gunung Rinjani**. Le large chemin grimpe encore pendant 2 heures 30 jusqu'au Pos II (1 500 m), qui dispose d'un abri. Après 1 heure 30 de montée, vous arriverez au Pos III (2 000 m), pourvu de deux abris délabrés. Les marcheurs campent généralement au Pos III à la fin du premier jour.

Jour 2 : du Pos III à Danau Segara Anak et à Aiq Kalak (4 heures)

Du Pos III, il faut environ 1 heure 30 pour atteindre le bord du cratère, **Pelawangan I** (2 641 m). Mettez-vous en route de très bonne heure pour profiter du coucher du soleil, éblouissant. S'il est possible de camper à Pelawangan I, le site présente des difficultés : manque d'espaces plats, absence d'eau et bourrasques de vent.

Comptez à peu près 2 heures pour descendre jusqu'au **Danau Segara Anak** et aux sources chaudes, **Aiq Kalak**. La première heure s'effectue le long d'une pente très abrupte avec de nombreux rochers. Depuis le bas de la paroi du cratère, prévoyez 30 minutes de marche facile en terrain vallonné autour du lac. Plusieurs emplacements se prêtent au camping, mais les gens du coin préfèrent bivouaquer près des sources chaudes pour se baigner et récupérer de la fatigue.

Jour 3 : d'Aiq Kalak à Pelawangan II (3 à 4 heures)

Le sentier débute à côté du dernier abri des sources chaudes et s'éloigne du lac pendant une centaine de mètres avant de virer vers la droite. Il traverse ensuite le

RTC de Senaru ou au RIC de Sembalun Lawang avant d'entamer le trek.

Il faut impérativement prévoir une tente et un sac de couchage, que l'on peut louer au RTC ou au RIC. Vous aurez aussi besoin de chaussures robustes, de plusieurs couches de vêtements chauds, d'un K-way, de gants et d'une lampe torche, que vous pourrez louer de même au RTC. Il faut compter au moins 100 000 Rp par jour et par personne pour un équipement complet. Pensez aussi à une crème apaisante contre les douleurs aux jambes et à un maillot de bain pour le lac et les sources thermales.

Prélever du bois à haute altitude étant une hérésie écologique, emportez un réchaud. Ramassez aussi vos détritus, y compris le papier toilette. Plusieurs camps du Rinjani ressemblent, hélas, à des décharges.

PROVISIONS

Les organisateurs des treks du RTC et du RIC s'occupent de la nourriture pour la randonnée, mais vous pouvez aussi emporter vos propres provisions. Les prix sont moins élevés à Mataram, mais vous trouverez quelques provisions à Senaru et à Sembalun Lawang. Prenez plus d'eau qu'il ne paraît raisonnable (la déshydratation peut provoquer le mal de l'altitude), des piles de rechange (l'altitude pouvant les rendre inutilisables) et un briquet.

Tetebatu
📕 0376

Sillonnée de ruisseaux et de canaux alimentés par les sources du Rinjani, parsemée de villages traditionnels et riche d'une terre volcanique, la région de Tetebatu est versant nord du cratère, un parcours facile de 1 heure le long de pentes herbeuses, avant de céder la place à un terrain escarpé qui monte sans interruption ; du lac, il faut environ 3 heures pour atteindre le bord du cratère (2 639 m). À cet endroit, un panneau indique la direction du Danau Segara Anak. Puis le sentier bifurque ; prenez tout droit pour rallier Lawang ou longez le bord du cratère jusqu'au campement de **Pelawangan II** (2 700 m).

Jour 4 : de Pelawangan II au sommet du Rinjani (5 à 6 heures aller-retour)

Le Gunung Rinjani se déploie en arc de cercle au-dessus du camp, mais sa proximité n'est qu'apparente. Commencez l'ascension à 3h du matin afin d'atteindre le sommet pour le lever du soleil. Il arrive que les vents empêchent de grimper au sommet, le sentier étant sur une crête très exposée.

Il faut 45 bonnes minutes pour gravir le sentier abrupt, glissant et mal délimité qui débouche sur la crête menant au Rinjani. Une fois sur la crête, la montée devient assez aisée. Après une heure de marche en direction d'un faux sommet, le **sommet du Rinjani** (3 726 m) apparaît. Le sentier se fait alors de plus en plus escarpé. Environ 350 m avant le sommet, vous devrez franchir un éboulis de grosses pierres. Négocier cette portion prend à peu près 1 heure. La vue depuis le sommet est époustouflante. Au total, comptez 3 heures pour atteindre le sommet et 2 heures pour en redescendre.

Jour 4-5 : de Pelawangan II à Sembalun Lawang (6 à 7 heures)

Après l'ascension du pic, il est possible de rejoindre Lawang le jour même. Très abrupte, la descente fait souffrir les genoux. Du campement, revenez sur vos pas par le rebord du cratère. Peu après l'embranchement pour le Danau Segara Anak, un chemin facile sur la droite descend à **Pada Balong** (ou Pos 3, 1 800 m). Il suffit de le suivre pour arriver 2 heures plus tard au refuge de Pada Balong.

Ensuite, le chemin ondule vers la savane de **Sembalun Lawang**, en passant par le refuge de Tengengean (ou Pos 2, 1 500 m), situé dans une belle vallée fluviale. Encore 30 minutes à travers de hautes herbes et voilà le refuge solitaire de **Pemantuan** (ou Pos 1, 1 300 m). De là, comptez 2 heures pour gagner Sembalun Lawang par une piste de terre

un véritable grenier alimentaire, avec ses rizières, ses vergers et ses pâturages. Sans oublier des plantations de tabac et des forêts peuplées de singes où coulent de superbes cascades. C'est une base idéale, au climat agréable, pour de longues promenades champêtres (à 400 m, on échappe à la moiteur de la côte). Les nuits, profondes, offrent un concert de bruits apaisants, du chant des grenouilles au gargouillement des cours d'eau.

Le bourg est très étendu, avec des hébergements et des services regroupés sur la route (surnommée *"waterfall road"*, ou "route des cascades") au nord et à l'est de la station centrale d'*ojek*, principal carrefour du village. Internet n'a pas encore fait son apparition à Tetebatu. Pour vous connecter, vous devrez aller à Kotaraja, à 5 km de là.

☉ À voir et à faire

Partant de la route principale juste au nord de la mosquée, un sentier ombragé de 4 km pénètre dans la **Taman Wisata Tetebatu** (Monkey Forest, forêt du Singe), peuplée de singes noirs, où coulent des chutes d'eau. Un guide est nécessaire.

Cascades   SITES NATURELS

Deux chutes d'eau dégringolent sur les versants sud du parc national du Gunung Rinjani (Taman Nasional Gunung Rinjani). Elles sont accessibles en transport privé ou par une belle randonnée de 2 heures (aller simple) à travers les rizières depuis Tetebatu. Pour y aller à pied, vous devrez louer les services d'un guide (125 000 Rp) par l'intermédiaire de votre hôtel.

Du parking au bout de la route d'accès au Taman Nasional Gunung Rinjani, un chemin escarpé de 2 km mène à la superbe **Air Terjun Jukut**, qui plonge de 20 m de hauteur dans un profond bassin, au milieu d'une luxuriante forêt.

🛏 Où se loger et se restaurer

💙 **Tetebatu Mountain Resort**   LODGE $
(📞0819 1771 6440, 081 2372 4040 ; d/tr 400 000/500 000 Rp). Ces bungalows sasak à 2 étages constituent le meilleur hébergement du village. Ils comprennent une chambre par étage – idéal pour les groupes d'amis – et un balcon au dernier niveau offrant une vue magique sur les rizières.

Cendrawasih Cottages   BUNGALOWS $
(📞0878 6418 7063 ; ch 175 000 Rp). Nichés dans les rizières, ces jolis bungalows en briques de style *lumbung* (grenier à riz) ont lits en bambou et porches privatifs. Le fabuleux restaurant sur pilotis est un vrai plus : installé sur des coussins, avec vue sur les rizières, on s'y régale de plats sasak, indonésiens ou occidentaux (plats 18 000-40 000 Rp). À 500 m à l'est du croisement. Réductions courantes en basse saison.

Hakiki Inn   BUNGALOWS $
(📞0819 1836 0477 ; bungalow 150 000-250 000 Rp). Ensemble de charmants bungalows sasak, certes un peu fatigués, mais entourés d'un jardin fleuri au bord des rizières. Le plus grand peut accueillir 3 personnes. L'endroit surplombe la parcelle familiale, à environ 600 m de l'intersection.

Pondok Tetebatu   LODGE $
(📞0818 0576 7153, 632 572 ; d 100 000-150 000 Rp). À 500 m au nord du croisement, ces hébergements individuels de style ranch répartis dans un jardin fleuri sont basiques et raisonnablement propres. On apprécie surtout le personnel fantastique, les bonnes spécialités sasak du restaurant et les randonnées guidées à travers des villages agricoles jusqu'aux cascades.

ℹ Comment s'y rendre et circuler

Les transports publics pour Tetebatu sont rares. Tous les bus qui traversent l'île par la principale route est-ouest vous déposent à Pomotong (15 000 Rp depuis la gare routière de Mandalika), où vous pourrez prendre un *ojek* (15 000 Rp) pour Tetebatu.

Vous trouverez des voitures (avec chauffeur) à Pondok Tetebatu (p. 278) pour rejoindre les principales destinations de Lombok (300 000-600 000 Rp), notamment l'aéroport (350 000 Rp) ; on y loue aussi des vélos (50 000 Rp/jour) et des motos (50 000 Rp/jour).

SUD DE LOMBOK

📞0370

Les plages sont toujours aussi belles dans le sud : l'eau chaude et turquoise forme de gros rouleaux, et le sable soyeux est encadré par de grands promontoires et des falaises abruptes comme il en existait il y a 30 ans sur la péninsule de Bukit, à Bali. La vie villageoise est très animée, avec ses fêtes sans pareilles et son économie fondée sur les algues et le tabac. Dans cette région nettement plus aride et moins peuplée que le reste de Lombok, le réseau routier et les transports en commun sont limités. Cependant, avec l'ouverture du nouvel aéroport de Lombok, le nombre de vols a déjà augmenté, ce qui va sans aucun doute transformer le paysage touristique.

Praya

Principale ville du sud, Praya est une agglomération très étendue avec des rues bordées d'arbres et quelques vieux bâtiments hollandais. La seule vraie raison de s'y arrêter est d'avoir un vol à destination ou en provenance du **nouvel aéroport** de Lombok, à 5 km au sud du centre. La gare des bemo se trouve au nord-ouest de la ville.

Si Mataram semble loin sur la carte, elle est en fait à moins de 45 minutes de l'aéroport

---

LA FÊTE DU NYALE

Le 19e jour du 10e mois du calendrier sasak (habituellement en février ou en mars), des centaines de Sasak se rassemblent sur la plage de Kuta. À la tombée de la nuit, des feux sont allumés et les jeunes assis en rond entament des joutes poétiques appelées *pantun*. À l'aube, on pêche les premiers *nyale* (vers marins qui apparaissent chaque année à cet endroit), puis les jeunes garçons et filles prennent la mer à bord de bateaux séparés et se poursuivent dans un concert de cris et de rires. Les *nyale* se mangent crus ou grillés et possèdent, dit-on, des vertus aphrodisiaques. Une bonne pêche augure une récolte de riz abondante.

via une grande rocade à quatre voies. Les tarifs des taxis depuis et vers Mataram (100 000 Rp, 45 minutes), Kuta (60 000 Rp, 25 minutes), Senggigi (150 000 Rp, 1 heure), Bangsal (200 000 Rp, 1 heure 30) – d'où l'on peut rejoindre les îles Gili – et le port des ferries de Labuhan Lombok (230 000 Rp, 2 heures) ont été harmonisés. Il existe également une navette pour Senggigi (25 000 Rp), mais qui ne part que lorsqu'elle est presque entièrement pleine.

Environs de Praya

SUKARARA

L'artère principale est investie par des boutiques de textiles où les tisserands travaillent sur leurs vieux métiers. **Dharma Setya** (☑660 5204 ; ⊘8h-17h) présente un incroyable choix d'étoffes sasak tissées à la main, notamment de l'ikat et du *songket* (tissu brodé à la main de fils d'or ou d'argent). Pour rejoindre Sukarara depuis Praya, prenez un *bemo* pour Puyung le long de la route principale, puis louez un *cidomo* (carriole à cheval) ou faites à pied les 2 km restants.

PENUJAK

Penujak est réputé pour sa poterie *gerubuh* traditionnelle en argile brune, polie à la main, et couverte de bambou tressé. D'immenses vases à poser par terre coûtent autour de 6 $US. Vous pouvez aussi acheter des assiettes et des tasses dans les modestes ateliers de potiers, dont la plupart se regroupent autour de l'inquiétant cimetière. N'importe quel *bemo* circulant entre Praya et Kuta s'y arrête.

REMBITAN ET SADE

La région située entre Sengkol et Kuta est un centre de la culture sasak et abrite des villages traditionnels pleins de *lumbung* (greniers à riz) et de *bale tani* (maisons familiales) en bambou, bouse de vache et de buffle, et boue. Des *bemo* empruntent régulièrement cette route.

Le **village sasak** de Sade a subi d'importantes rénovations et abrite de superbes *bale tani*. Plus au sud, **Rembitan** dégage une atmosphère plus authentique et conserve un groupe de maisons et de *lumbung* d'origine, ainsi que la mosquée centenaire à toit de chaume **Masjid Kuno**, un lieu de pèlerinage pour les musulmans de Lombok.

Les deux villages méritent le coup d'œil mais il est impossible d'en faire le tour sans guide (environ 30 000 Rp).

Kuta

Imaginez une baie en forme de croissant, dont la mer turquoise, qui prend une teinte bleu profond au lointain, vient lécher une immense étendue de sable blanc aussi large qu'un terrain de football et cernée de promontoires. La plage est vide, à l'exception de quelques pêcheurs, ramasseurs d'algues et leurs enfants. Alignez une dizaine de baies identiques sur le littoral, sur un fond de collines déchiquetées et arides ponctuées de bananeraies et de champs de tabac verdoyants, et vous aurez un aperçu de la splendide Kuta.

Si la côte découpée du sud de Lombok est d'une stupéfiante beauté, la région est historiquement la plus pauvre de l'île avec ses terres arides, brûlées par le soleil et improductives. Aujourd'hui, les collines sont criblées de mines aurifères illégales et non documentées, que vous verrez et entendrez en allant vers les plages de surfeurs à l'ouest.

Kuta même, une ville attachante, ne compte guère plus de quelques centaines de maisons, un marché délabré et un front de mer jalonné de bars sommaires et de modestes baraques qui vendent des fruits de mer (quelques enfants insisteront pour vous vendre quelque chose). La ville est connue pour ses vagues de classe internationale qui déferlent sans relâche, non loin. Pour le moment, chacun reste sur ses terres mais, avec l'ouverture du nouvel aéroport à 30 minutes, les agents immobiliers de Kuta – qui sont déjà en train de multiplier le nombre de villas – parient sur un changement très rapide.

🏃 Activités

Équitation

Kuta Horses   ÉQUITATION
(☑0819 1754 2679 ; promenade 1 heure 400 000 Rp ; ⊘départs 8h et 16h). Propose des randonnées équestres à travers la campagne et les villages sasak et sur la plage au lever et au coucher du soleil.

Plongée

Scuba Froggy   PLONGÉE
(☑0819 0795 2965, 0878 6426 5958 ; www. scubafroggy.com ; 375 000 Rp/session ; ⊘9h-19h). C'est le seul centre de plongée de la ville. On y propose des sorties vers 12 sites, la plupart d'une profondeur supérieure à 18 m, dont un à 26 m. De juin à novembre, des excursions sont également organisées à Belongas Bay (2 sessions

Kuta

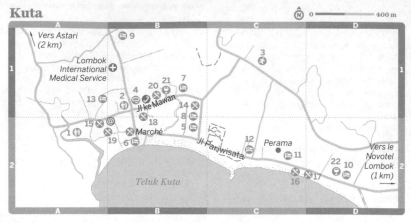

1 000 000 Rp), célèbre pour ses bancs de requins-marteaux et de raies Mobula et ses spectaculaires massifs sous-marins. Les courants et les conditions y sont parfois très éprouvants.

Surf

Vous trouverez de bons *reef breaks*, déroulant à droite et à gauche, à Teluk Kuta, la baie de Kuta, ainsi que sur les récifs à l'est de Tanjung Aan. Comme les *breaks* sont à une bonne distance du rivage, des propriétaires de bateaux vous y conduiront moyennant 100 000 Rp environ. À 7 km à l'est de Kuta, **Gerupak** compte de bon surf shops et pas moins de cinq *breaks*. À l'ouest de Kuta, **Mawi** est un spot magnifique, de niveau international.

Kimen Surf   SURF
(☎655 064 ; www.kuta-lombok.net ; location de planche 50 000 Rp/jour, cours 360 000 Rp/pers). Prévisions sur la houle, renseignements, sorties de surf, location de planches, réparations et cours.

Gloro   SURF
(☎0818 0576 5690 ; planche 50 000 Rp/jour, cours pour 1/2 pers 300 000/500 000 Rp ; ⊙10h-18h). Un établissement fiable et sans chichis, sur la route de Kuta Indah.

🛏 Où se loger

Les tarifs augmentent sensiblement en haute saison (juillet-août).

💙 **Yuli's Homestay**   CHEZ L'HABITANT $
(☎0819 1710 0983 ; www.yulishomestay.com ; ch 350 000 Rp ; ❋🛜🏊). Merveilleuse nouvelle adresse composée de 8 chambres immaculées, spacieuses et joliment meublées (armoires et lits immenses), avec une grande terrasse devant, mais des sdb à l'eau froide. Cuisine à disposition et immense jardin avec piscine.

Hey Hey Homestay   CHEZ L'HABITANT $
(☎0818 0522 8822 ; ch 100 000 Rp). Cette adresse remarquable propose des chambres propres et spacieuses avec patios privatifs donnant sur la mer. Si possible, optez pour celle en bambou du dernier étage, qui jouit d'une vue fabuleuse. Pour y aller, prenez la route de terre partant du carrefour vers le sud.

Kuta Baru   CHEZ L'HABITANT $
(☎081 854 8357 ; Jl Pariswata Kuta ; ch 125 000 Rp ; 🛜). Le charmant patio avec hamac, le service de café, le Wi-Fi gratuit, les carreaux étincelants et la bonne ambiance générale en font l'un des meilleurs établissements de Kuta. À 110 m à l'est du croisement.

GR Homestay   GUESTHOUSE $
(☎0819 0727 9797 ; s/d 160 000/180 000 Rp ; 🛜❋). Nouvelle *guesthouse* fiable de gérance balinaise louant 10 chambres simples carrelées avec moulures, dessins au pastel et sdb basiques mais dotées de douches de pluie. Jolie piscine à l'avant.

Lamancha Homestay   CHEZ L'HABITANT $
(☎6155186, 081933130156 ; s 80 000-100 000 Rp, d 100 000-150 000 Rp). Les sympathiques patrons de ce lieu on ne peut plus charmant proposent des chambres en bambou quelque peu élimées avec sols en béton, mais aussi de nouvelles chambres ravissantes, avec ventilateur, tapisseries colorées et lits à baldaquin.

Kuta

LOMBOK KUTA

Sekar Kuning AUBERGE $

(☎654856 ; Jl Pariwisata ; ch 150 000-180 000 Rp ; ❄). Au bord de la route côtière, cette séduisante auberge loue des chambres carrelées avec ventilateurs, hauts plafonds, dessins au pastel et patio avec meubles en bambou. Celles du dernier étage, plus chères, donnent sur l'océan.

Novotel Lombok RESORT $$$

(☎615 3333 ; www.novotel.com ; ch à partir de 94 $US, villas à partir de 244 $US, plus 21% de taxes ; ❄🛜🏊🐕). À moins de 3 km à l'est du carrefour, cet attrayant 4-étoiles décoré dans le style sasak donne sur une superbe plage. Les chambres ont des toits en pente et des intérieurs modernes. Comprend deux piscines, un magnifique spa, de bons restaurants, un bar chic et une myriade d'activités, notamment catamaran, pêche et plongée.

Surfers Inn AUBERGE $

(☎655 582 ; www.lombok-surfersinn.com ; ch 180 000-400 000 Rp ; ❄🏊). Cet établissement élégant et bien tenu offre 5 catégories de chambres modernes, toutes avec d'immenses fenêtres et de grands lits, et certaines avec un canapé. Réservez bien à l'avance.

Mimpi Manis B&B $

(☎0818 369 950 ; www.mimpimanis.com ; ch 120 000-220 000 Rp ; ❄). Cet accueillant B&B tenu par des Anglo-Balinais comprend 2 chambres impeccables dans une maison de 2 étages, chacune avec douche attenante et TV/lecteur DVD. Cuisine maison, bonne bibliothèque et prêt de DVD. À 2 km de la plage, mais possibilité de se faire déposer gratuitement par les propriétaires à la plage ou dans le bourg et de louer des vélos ou des motos.

Seger Reef Homestay AUBERGE $

(☎655528 ; Jl Pariwisata ; ch 130 000-150 000 Rp). Sept bungalows lumineux et impeccables tenus en famille, de l'autre côté de la rue, face à la plage. Les plus récents sont équipés de penderies et d'étranges têtes de lit.

Où se restaurer et prendre un verre

Si la gastronomie de Kuta s'est améliorée au fil du temps, mieux vaut s'en tenir aux classiques indonésiens ou aux produits de la mer. Le marché se tient le dimanche et le mercredi.

Astari VÉGÉTARIEN $

(plats 18 000-30 000 Rp ; ⊙8h-18h mardim). Perché sur une montagne à 2 km à l'ouest de Kuta sur la route de Mawan, ce bar-restaurant végétarien de style marocain jouit d'une ambiance joviale et d'une vue époustouflante sur les baies immaculées et sur les péninsules rocheuses. Sa cuisine saine et délicieuse, est à la hauteur du cadre. Un plat et une boisson du jour sont toujours proposés sur le tableau noir, mais les incontournables restent les sandwichs au pain focaccia, les salades et les milk-shakes. Un lieu où l'on aime s'attarder.

Warung Bule POISSON $$

(☎0819 1799 6256 ; plats 37 000-135 000 Rp ; ⊙8h-22h). Révélation récente sur la scène culinaire de Kuta, ce restaurant fut fondé par l'ancien chef principal du Novotel et sert des poissons tropicaux à prix abordables. Nous avons beaucoup aimé la tempura et le *ceviche* à la tahitienne en entrée, ainsi que le mahi-mahi grillé et la soupe Tom Yum au homard. Entre autres créations, notons le roulé sasak au poulet et les cheveux d'ange au chili de crabe. Vous trouverez forcément quelque chose à votre goût.

Warung Jawa 1 INDONÉSIEN $
(Jl ke Mawan ; repas 10 000 Rp ; ☺11h-22h). Sur la route de Mawan à 120 m à l'est de l'intersection, cette petite cahute en bambou sert un *nasi campur* d'enfer à petit prix. À déguster en admirant les buffles paître et l'océan en toile de fond.

Solah Cafe CAFÉ $
(plats 22 000-46 000 Rp ; ☺9h-22h ; 🛜📶). Ce nouveau venu le long de la plage concocte le matin divers types de petits-déjeuners occidentaux et indonésiens (essayez le *bubur*, porridge de riz au sucre de palme). À midi et le soir, on sert aussi bien des salades niçoises que de la soupe à la citrouille et au lait de coco, 4 sortes de spaghettis et toute une gamme de plats indonésiens et sasak – le curry au lait de coco, servi en formule végétarienne ou avec du poulet ou du poisson, est à se damner. Il y a aussi des cours de yoga (50 000 Rp) tous les jours à 8h et une jolie plage dotée de chaises en bambou faisant face à la baie de Kuta.

Dwiki's PIZZERIA $$
(📞0859 3503 4489 ; plats 35 000-65 000 Rp ; ☺8h-23h ; 🛜📶). Au milieu de bars à cocktails, l'endroit tout indiqué pour déguster une pizza à pâte fine cuite au feu de bois. Livraisons possibles.

Spot INTERNATIONAL $$
(📞702 2100 ; Jl Pariwisata Kuta 1 ; plats 30 000-60 000 Rp ; ☺7h-22h ; 🛜). Si les 9 bungalows en bambou répartis sur un terrain herbeux valent le coup d'œil, le restaurant reste le vrai point fort. On y sert des *fish and chips*, des hamburgers et même des barbecues coréens, le tout dans une jolie salle équipée du Wi-Fi. Le bar plaît beaucoup pour ses *happy hours* et ses rediffusions de matchs de football internationaux.

Bong's INDONÉSIEN $
(repas 18 000-40 000 Rp). Ce restaurant dans le style *lumbung* a un succès fou pour sa cuisine sasak, dont l'*olah olah* (légumes au lait de coco), le poisson grillé et le poulet au citron.

Rumah Makan Hidayah INDONÉSIEN $
(plats à partir de 12 000 Rp). Dans cette baraque en bord de plage, une famille sert une cuisine locale honnête et pas chère, notamment des plats du jour sasak et du *kangkung pelecing* (liserons d'eau sautés). La cour sablonneuse à l'arrière a vue sur l'océan.

Shore Beach Bar BAR
(Jl Pariwisata ; ☺10h-tard, concerts le sam soir). Le propriétaire, Kimen, premier surfeur-entrepreneur de Kuta, offre une salle de danse fraîchement rénovée, une excellente sono, un patio aéré où s'asseoir, de confortables banquettes rouges, un vaste bar, un écran de projection et une nouvelle annexe sur la plage. Un endroit quasi incontournable le samedi soir.

Cafe 7 BAR
(Jl Pariswata Kuta ; ☺11h-1h) Des concerts sont souvent programmés dans ce bar lounge à l'ambiance sympathique. Un peu cher, mais les cocktails valent le détour.

🛈 Renseignements

Accès Internet
Dehril Cell (10 000 Rp/heure ; ☺8h-21h). Connexion haut débit avec hotspot pour ordinateurs portables et smartphones. On peut aussi y louer des vélos (30 000 Rp/jour).

Agence de voyages
Perama (📞654 846 ; Jl Pariwisata). Bus qui sillonnent tout Lombok.

Désagréments et dangers
Si vous décidez de louer un vélo ou une moto, prenez garde avec qui vous passez accord : les transactions se déroulent de façon informelle sans échange de contrat de location. Certains voyageurs nous ont rapporté que, à la suite du vol de leur moto de location, ils ont dû payer des sommes importantes en dédommagement au propriétaire (complice ou non du vol). Pas de problème en revanche si vous louez la moto auprès de votre pension.

Si vous remontez la côte à l'ouest et à l'est de Kuta, faites attention, surtout dès la nuit tombée, car des agressions ont été signalées dans le secteur.

Services médicaux
Lombok International Medical Service
(📞655 155 ; ☺16h-21h). Médecin et pharmacie.

Téléphone
Il y a un *wartel* (bureau de téléphones publics) près du carrefour.

🛈 Depuis/vers Kuta

Rejoindre Kuta par les transports publics n'a rien d'une sinécure : depuis Mataram, il faut passer par Praya (5 000 Rp) et par Sengkol (3 000 Rp) avant d'arriver à Kuta (2 000 Rp), en changeant de bus généralement à chaque fois. Les bus Perama circulent depuis/vers Mataram (110 000 Rp, 2 heures), Senggigi (120 000 Rp, 2 heures 30), les îles Gili (180 000 Rp, 3 heures 30) et Senaru (260 000 Rp). Vous

LA PÊCHE AU REQUIN, UNE PEAU DE CHAGRIN

Tous les jours, entre un et trois bateaux transportant chacun cinq pêcheurs accostent à Tanjung Luar, un marché aux poissons du sud-est de Lombok établi de longue date. Pendant la nouvelle lune, les équipages rapportent 40 requins par jour. Ainsi, si plus d'un bateau entre dans le port, ce sont quelque 100 requins et raies manta qui seront vidés et découpés. Si la chair est vendue localement, les ailerons de requins et les branchies de raies sont négociés aux enchères entre seulement quatre acheteurs, qui passent par un exportateur basé à Surabaya pour acheminer leur butin à Hong Kong.

Les quatre acheteurs travaillent tous pour le même exportateur et génèrent environ 1 milliard de rupiahs de chiffre d'affaires par an, soit 100 000 $US. Si l'on multiplie ce chiffre par quatre, ce sont 400 000 $US d'ailerons de requins qui transitent chaque année par ce port isolé. Deux des acheteurs de Tanjung Luar nous apprirent que ce même exportateur travaillait également avec des intermédiaires à Ambon, à Sorong (porte d'entrée des îles Raja Ampat) et à Bau Bau. En effet, nous avouèrent-ils, les requins se font de plus en plus rares autour de Lombok. Dans les années 1990, les pêcheurs n'avaient pas à aller bien loin pour en trouver. Aujourd'hui, ils vont jusqu'au détroit de Sumba, entre l'Australie et l'Indonésie, une importante voie de migration. Si les choses continuent ainsi, les requins et les pêcheurs indonésiens peuvent avoir du souci à se faire.

n'aurez aucun mal à trouver quelqu'un qui vous réservera une place dans un bus pour l'aéroport (50 000-65 000 Rp) ou une voiture privée (80 000-100 000 Rp) qui viendra vous chercher à votre hôtel.

ℹ Comment circuler

Des *bemo* irréguliers desservent l'est de Kuta jusqu'à Awang et à Tanjung Aan (5 000 Rp), et l'ouest jusqu'à Selong Blanak (10 000 Rp). Ils peuvent aussi être loués pour rejoindre les plages alentour. La plupart des pensions louent des motos pour environ 50 000 Rp/jour. Des *ojek* stationnent au carrefour principal à l'entrée de Kuta.

Est de Kuta

Une route en bon état longe la côte vers l'est, faisant défiler une succession de baies splendides ponctuées de caps – un parcours extraordinaire à moto.

À 2 km à l'est de Kuta, autour du premier promontoire, **Pantai Segar** est une jolie plage aux eaux turquoise. On peut s'y baigner (mais il n'y a pas d'ombre) et il y a un *break* à 200 m au large. En continuant sur 3 km, on arrive à la spectaculaire **Tanjung Aan** : gigantesque baie en fer à cheval frangée par deux arcs de sable fin. La plage est très agréable pour nager, avec un peu d'ombre (arbres et abris) et un parking gardé (pas cher). Le projet d'implantation ici d'un grand complexe international a été abandonné.

Gerupak est un intéressant petit village côtier délabré dont les habitants (un millier environ) vivent de la pêche, de la récolte des algues et de l'exportation de homards, ainsi que du guidage et du transport des surfeurs vers les cinq spots exceptionnels de l'immense baie. On y trouve quelques hôtels et *warung* très prisés des surfeurs.

Edo Homestay (📱0818 0371 0521 ; ch 120 000 Rp) loue des chambres propres et simples avec lits doubles et rideaux colorés. On y trouve aussi un bon restaurant et une boutique de surf (location de planches 50 000 Rp/jour), et l'on apprécie l'accès rapide aux spots (par opposition aux établissements de Kuta). La meilleure adresse de Gerupak reste cependant **Spear Villa** (📱0818 0371 0521 ; www.s-pear.com ; ch 300 000 Rp ; ❋ ❂), qui propose des chambres propres et modernes (clim, TV par satellite) donnant sur une piscine commune. **Bumbangku** (📱620833, 085237176168 ; www.bumbangkulombok.com ; ch en bamboo/gamme supérieure 400 000/650 000 Rp ; ❋), de l'autre côté de la baie, est délicieusement isolé (on se croirait presque sur une île). On y dort dans de simples cabanes en bambou sur pilotis avec sdb extérieure – le prix, un peu excessif, est compensé par l'emplacement – ou dans des chambres cimentées plus récentes et plus jolies, avec grands lits, sdb extérieure, draps de qualité, TV par satellite et écran plat. Réservez sur Agoda.com pour bénéficier de réductions substantielles. Le trajet depuis Gerupak coûte 150 000 Rp et vous et vos affaires serez mouillés (soyez prévoyant).

Où que vous séjourniez à Gerupak (à Bumbangku, la navette jusqu'aux vagues est comprise), vous devrez prendre un bateau pour aller du port de pêche, qui borde les filets à homards, jusqu'au *break* (100 000 Rp). Le capitaine vous aidera à trouver la bonne vague et attendra patiemment. Il y a quatre vagues *inside* et un *break* qui déroule au large à gauche. Elles peuvent prendre beaucoup d'ampleur dès que la houle se lève.

Malheureusement, même Gerupak est parfois envahi par la foule. Dans ce cas, allez jusqu'à **Ekas**, où les *breaks* sont plus nombreux et où les hautes falaises rappellent Ulu Watu (mais sans les touristes). Pour vous y rendre, prenez un bateau (150 000 Rp/pers, bateau privé 1 000 000 Rp) au village de pêcheurs d'**Awang**, auquel on accède par une petite route qui part de la route côtière pour l'est juste avant Tanjung Aan. Les bateaux ne partent que quand ils sont pleins.

Ouest de Kuta

À l'ouest de Kuta se succède une autre série de plages extraordinaires et de superbes *breaks* de surf. Les promoteurs pointent le nez, mais pour l'instant cette région d'une sauvage beauté reste préservée. Criblée de nids-de-poule et parfois très pentue (surtout aux environs de l'Astari), la route sinue vers l'intérieur, en contournant rizières, champs de tabac ou de patates douces, entre deux embranchements vers les plages.

La première route à gauche après l'Astari conduit à **Mawun** (ou Mawan), une crique paradisiaque. En demi-lune, cette étendue de sable déserte (hormis une douzaine de paillotes de pêcheurs) est baignée par des eaux azur et encadrée par deux promontoires. Sur place, vous trouverez un parking gardé (moto/voiture 1 000/5 000 Rp), une femme qui vend des noix de coco et des nouilles, et une plage merveilleuse pour la baignade.

L'embranchement suivant sur la gauche (plus bas sur la route) rejoint, par un portail (5 000 Rp) et une piste pleine d'ornières, **Mawi** (parking gardé), haut lieu du surf à 16 km de Kuta. Bien que la bande de sable soit assez étroite, c'est un endroit magnifique avec ses plages dispersées autour de la baie. Les surfeurs viennent pour ses tubes légendaires, mais il faut être *très* prudent, car les contre-courants peuvent être violents.

Après Mawi, alors que l'on croit avoir vu les plus belles plages de Kuta, on arrive à **Selong Blanak**. Garez-vous et traversez la passerelle piétonne branlante qui mène à une vaste plage de sable blanc, dont l'eau aux mille reflets est idéale pour la baignade. Un magnifique ensemble de villas avec café se cache dans les falaises en s'éloignant de la mer. **Sempiak Villas** (☏0852 5321 3172 ; www.sempiakvillas.com ; Solong Blanak ; d 1 500 000 Rp ; ✳ ✳) est en effet l'une des propriétés les plus haut de gamme de Kuta. Ses pavillons octogonaux, construits à flanc de colline au-dessus de la plage, peuvent accueillir jusqu'à 4 personnes et partagent une piscine à débordements. Au niveau de la mer, le **Laut Biru Cafe** (Solong Blanak ; plats 24 000-54 000 Rp, plus 20% de taxes et service), de gérance indo-suisse, est ouvert à tous. On y mange des petits-déjeuners simples (muesli et yaourt ou œufs et toasts) et des déjeuners et dîners à base de spécialités indonésiennes, ainsi que quelques propositions inattendues comme une soupe fraîche du jour ou un *pad thaï* sans gluten. Le tout servi dans une superbe construction au toit de chaume avec patio sur fond de musiques du monde remixées.

De **Pengantap**, la route grimpe à travers un cap avant de redescendre vers une baie splendide. Suivez-la pendant 1 km et guettez l'embranchement pour **Blongas**, à l'ouest – une mauvaise route sinueuse et abrupte au panorama magnifique. Blongas occupe une baie isolée du même nom au paysage à couper le souffle. **Lodge at Blongas Bay** (☏645 974 ; www.thelodge-lombok.com ; bungalows 850 000-950 000 Rp) offre des bungalows en bois spacieux avec toit de tuiles dans une cocoteraie. **Dive Zone** (☏0813 3954 4998 ; www.divezone-lombok.com ; 2/3 sessions 950 000/1 250 000 Rp), jadis basé à Kuta, a déménagé ici, car, étant donné les vents, l'état de la mer autour de **Magnet**, le célèbre spot de plongée, il est plus judicieux de quitter Blongas pour rejoindre Magnet avant 7h – chose impossible depuis Kuta. Le meilleur moment pour y aller est à la mi-septembre : vous verrez alors peut-être des bancs de raies Mobula en plus des requins-marteaux, qui se concentrent autour du pinacle de juin à novembre. Ce n'est pas une plongée facile et elle nécessite d'être habitué aux courants forts.

EST DE LOMBOK

📷 0376

De la côte est de Lombok, les voyageurs ne voient généralement que Labuhan Lombok, le port des ferries pour Sumbawa. Pourtant, la route qui longe le littoral nord-est est en assez bon état pour permettre de faire le tour complet de l'île. Quant à la péninsule sud-est, fort reculée, elle ressemble à Bukit (Bali), avant la construction des villas et l'arrivée des surfeurs.

Labuhan Lombok

Labuhan Lombok (appelé aussi Labuhan Kayangan ou Tanjung Kayangan) est le port d'embarquement pour Sumbawa. Le centre-ville, à 3 km à l'ouest du terminal des ferries, n'a rien d'attrayant mais offre des vues superbes sur le Gunung Rinjani. Le seul hébergement correct, le **Losmen Lima Tiga** (Jl Raya Kayangan ; ch 100 000 Rp), à environ 2,5 km du port dans l'arrière-pays, propose des petites chambres avec sdb communes.

❶ Depuis/vers Labuhan Lombok

Bus et bemo

Des bus et des *bemo* fréquents relient la gare routière de Mandalika, à Mataram, à Labuhan Lombok (aussi appelée Labuhan Kayangan ou Tanjung Kayangan), en 2 heures (20 000 Rp). Certains bus vous déposent seulement à l'entrée du port d'où l'on peut prendre un autre *bemo* jusqu'au terminal des ferries (à pied, c'est trop long).

Ferry

Il existe des liaisons en ferry entre Lombok et Sumbawa et en bus entre Mataram et Sumbawa.

Sud de Labuhan Lombok

Capitale du district administratif de l'est de Lombok, **Selong** a conservé quelques demeures hollandaises de l'époque coloniale. Le centre de correspondance des transports de la région se situe juste à l'ouest de Selong, à **Pancor**, où les *bemo* partent pour la plupart des destinations du sud.

Tanjung Luar, avec ses nombreuses maisons bugis sur pilotis, est l'un des plus importants ports de pêche de Lombok (et

le théâtre de l'un des commerces d'ailerons de requins les plus monstrueux d'Indonésie). Après, la route tourne à l'ouest vers **Keruak**, où sont construits des bateaux en bois, avant de continuer vers **Sukaraja**, village sasak traditionnel où l'on peut acheter des bois sculptés. Juste à l'ouest de Keruak, une route part vers le sud en direction de **Jerowaru** et de la spectaculaire péninsule sud-est. Pour l'emprunter, il faut disposer de son propre véhicule. Mieux vaut savoir qu'il est fréquent de se perdre dans le coin et que la route va de mal en pis.

Une route goudronnée part vers l'ouest après Jerowaru jusqu'à **Ekas**, face à une immense baie encerclée des deux côtés par de hautes falaises, où vous attendent deux excellents *breaks* de surf (*inside* et *outside*). On peut louer un bateau pour traverser la baie jusqu'à **Awang**, ou simplement aller au bien nommé **Heaven on the Planet** (📷812 3797 4846, 081 2375 1103 ; www.heavenontheplanet. co.nz ; 150 $US/pers pension complète ; ✈), tenu par des Néo-Zélandais. Bungalows et villas (certaines avec 3 chambres et marbre au sol) sont dispersés sur les falaises d'où l'on peut surveiller la houle. Réductions possibles pour les séjours longs. Ce paradis est avant tout celui des surfeurs (des projecteurs permettent même de surfer la nuit), mais on peut aussi y faire du kitesurf, de la plongée (bons spots et cours) et du snorkeling. Le premier récif artificiel du sud de Lombok a été implanté dans la baie d'Ekas. Il y a même un *half-pipe* ! Un vrai paradis pour les accros de sensations fortes et les scientifiques cinglés.

Les propriétaires ont ouvert un second établissement sur la plage d'Ekas : **Ocean Heaven** (📷0812 3797 4846 ; www.oceanheaven. co.nz ; ch pension complète 170 $AU/pers), avec des bungalows en plein sur la plage. L'un et l'autre proposent une cuisine savoureuse, un bon bar, un personnel accueillant, le transport gratuit depuis/vers l'aéroport ou le ferry et des massages un jour sur deux. Dans les deux cas, les tarifs incluent la navette depuis/vers l'*outside break*.

La route pour le Paradis est difficile et rocailleuse ; en venant de Kuta, il est plus facile d'aller à Awang et d'y louer un bateau que de faire le périple par l'intérieur des terres.

Îles Gili

Le top des restaurants

» Blu da Mare (p. 296)

» Kokomo (p. 296)

» Adeng Adeng (p. 301)

» Scallywags (p. 298)

Le top des hébergements

» Shacks 58 & 59 (p. 301)

» Kai's Beachouse (p. 304)

» Adeng Adeng (p. 301)

» Woodstock (p. 294)

» Karma Kayak (p. 297)

Pourquoi y aller

Imaginez trois minuscules îles, ourlées de plages de sable blanc, parsemées de palmiers et bordées d'eaux turquoise : les îles Gili sont des petits paradis prisés qui se développent comme nulle part en Indonésie – des bateaux rapides les relient directement à Bali et un nouvel hôtel tendance ouvre chaque mois.

Il n'est pas difficile de comprendre ce qui fait le charme unique des Gili : la sérénité ambiante (sans motos ni chiens !) y perdure et la prise de conscience écologique ne cesse de s'y approfondir. Par ailleurs, la plupart des hébergements témoignent d'un goût sûr et il y a peu de constructions en béton.

Chaque île possède son propre caractère. Trawangan est la plus cosmopolite et la plus festive, et ses hébergements et restaurants visent l'excellence en termes de chic tropical. Il fait bon vivre sur Gili Air, la plus "couleur locale", dont la côte offre une superbe vue sur le Rinjani. Quant à Gili Meno, c'est la quintessence du havre de paix. Toutes ont un point commun : il est très difficile de les quitter.

Quand partir

La saison des pluies commence en gros fin octobre et dure jusqu'à la fin du mois de mars. Toutefois, même au faîte de la saison, alors qu'il pleut des cordes à Mataram ou à Bali, les Gili peuvent être sèches et ensoleillées. La haute saison court de juin à fin août. On a alors la quasi-certitude d'avoir beau temps, mais il est aussi très difficile de trouver des chambres libres et les prix peuvent doubler. La période idéale pour une visite se situe entre mai et septembre. Il n'y a pas de saison des cyclones à craindre.

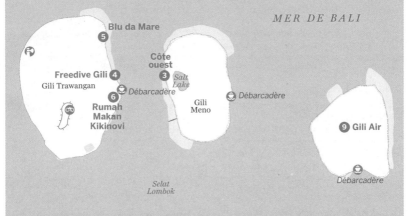

MER DE BALI

Blu da Mare

Côte ouest

Freedive Gili — Gili Trawangan

Salt Lake

Débarcadère

Gili Meno

Débarcadère

Rumah Makan Kikinovi

Gili Air

Débarcadère

Selat Lombok

ÎLES GILI

À ne pas manquer

❶ Le snorkeling avec des **tortues** caret et vertes (p. 291)

❷ Une **nuit de rave** sur la festive Trawangan (p. 299)

❸ La quête de la parfaite sérénité sur la **côte ouest de Gili Meno** (p. 300)

❹ La découverte de

l'**apnée sportive** dans des eaux paradisiaques (p. 294)

❺ Déguster un carpaccio et des pâtes au **Blu da Mare** (p. 297)

❻ Dévorer d'authentiques plats indonésiens coude à coude au **Rumah Makan Kikinovi** (p. 297)

❼ Le **tour à vélo** de Gili Trawangan et le coucher du soleil depuis la colline (p. 294)

❽ La plongée en compagnie de requins de récif à **Shark Point** (p. 295)

❾ L'éblouissante beauté du sable blanc et de la clarté de la mer turquoise sur **Gili Air** (p. 303)

❶ Depuis/vers les îles Gili

Depuis Bali

Plusieurs bateaux rapides proposent des liaisons de courte durée (2 heures environ) entre Bali et Gili Trawangan. Ils partent de plusieurs embarcadères de Bali, la plupart faisant escale à Teluk Nare, à Lombok, avant de poursuivre vers Air et Trawangan (correspondance nécessaire pour rallier Meno). Deux sites Internet pratiques, **Gili Bookings** (www.gilibookings.com) et **Gili Fastboat** (www.gili-fastboat.com), présentent un choix de liaisons par bateau. Gili Bookings, qui s'assure du niveau de sécurité et de fiabilité des compagnies, est le plus sûr. La mer entre Bali et Lombok peut être très agitée (surtout pendant la saison des pluies). Réservez bien à l'avance en juillet-août.

Gili Getaway (✆réservations Bali 0813 3707 4147, réservations Gili 0878 6432 2515 ; www.giligetaway.com ; enfant/adulte 490 000/660 000 Rp). Départ de Serangan à 9h, retour à 11h30. Service impeccable et sièges de style course automobile.

Kuda Hitam Express (✆0363-23482 ; www.kudahitamexpress.com ; enfant/adulte 450 000/650 000 Rp). Départ quotidien d'Amed à 9h. Retour depuis Trawangan à 10h15.

Amed Sea Express (✆00 052, 0819 3017 6914 ; www.gili-sea-express.com ; 600 000 Rp/pers). Rallie Amed en 75 minutes (vedette de 80 places), ce qui offre plusieurs itinéraires intéressants.

Blue Water Express (✆614 4460 ; www.bluewater-express.com ; enfant/adulte 55/67 $US). Direct depuis Serangan, à Bali, à 8h et 10h. Retour à 11h et 13h30.

Gili Cat (✆0361-271 680 ; www.gilicat.com ; enfant/adulte 475 000/660 000 Rp). Départ quotidien depuis Padangbai à 9h15, retour depuis Trawangan à 11h20.

Scoot Cruise (✆612 3433 ; www.scootcruise.com ; enfant/adulte 675 000/550 000 Rp). Liaison rapide en catamaran entre Sanur et les Gili, via Nusa Lembongan. Départ de Sanur à 9h30, retour des Gili à 13h25.

DÉSAGRÉMENTS ET DANGERS

Comme la police est rarement présente (ce qui est en train de changer avec l'essor du tourisme), les vols sont à signaler aussitôt au *kepala desa* (chef de village), qui prendra les choses en main. Pour le trouver, adressez-vous aux centres de plongée. Sur Gili Trawangan, contactez – via votre hôtel ou votre club de plongée – le **Satgas**, l'organisation communautaire qui dirige les affaires insulaires, qui sera à même de résoudre certains problèmes et de retrouver éventuellement des objets dérobés.

Les incidents sont très rares, mais des étrangères ont été harcelées sexuellement, voire agressées, sur les Gili. Il faut donc éviter de se promener seule dans les endroits isolés.

Si la mer semble paisible, les courants sont extrêmement forts entre les Gili. Ne tentez pas la traversée, à moins d'envisager de nager 24 heures jusqu'à Lombok.

Trawangan souffre toujours d'un trafic de drogue endémique. Si la marijuana et les champignons hallucinogènes dominent le marché, la méthamphétamine a fait son apparition. Irritant à la longue quand on vous en propose pour la centième fois.

Semaya One (☑087 8088 8771 ; www.semayacruise.com ; enfant/adulte 550 000/650 000 Rp). Bateaux rapides pour les Gili depuis Sanur à 9h15, via Nusa Lembongan. Retour de Gili T à 13h15.

Perama (☑613 8514 ; www.peramatour.com ; 400 000 Rp/pers). Depuis Padangbai, à 13h30, retour quotidien à 8h ; 3 heures.

Depuis Lombok

Si vous êtes déjà à Lombok, gagnez **Bangsal**, un port mal entretenu et connu pour son service de bateaux bas de gamme. Les bateaux desservent les trois Gili (10 000 Rp) à partir de 7h. Généralement, ils partent une fois complets (26 places). Dernier départ à 16h30. Surveillez votre matériel. De Mataram, prenez un bus ou un *bemo* jusqu'à Pemenang, qui se trouve à environ 1 km de Bangsal.

De Senggigi, Perama propose une liaison quotidienne en navette (bus)-bateau à 10h (200 000 Rp). Tout bien considéré, nous préférons passer par Bangsal.

Enfin, il existe divers transferts en **vedette** depuis/vers Gili Trawangan. Le Beach House (p. 299) et le restaurant **Juku** (plats 25 000-45 000 Rp) offrent un service fiable vers l'île principale de Lombok (350 000 Rp pour 2 pers). Vous pouvez aussi embarquer à bord d'un bateau Dream Divers (p. 293, 16h, 50 000 Rp) ou Gili Divers (p. 293, 17h, 50 000 Rp), qui acceptent les passagers pour la traversée quotidienne de Lombok.

❶ Comment circuler

Il n'y a pas de transports motorisés sur les Gili. La seule moto de Trawangan gît par 5 m de fond, sur la barrière de corail de Biorock, face au Gili Cafe.

CIDOMO Les *cidomo* (voitures à chevaux) font office de taxis. Les tarifs ont explosé ces dernières années, un court trajet peut coûter jusqu'à 50 000 Rp. Pour un trajet d'une heure autour de l'île, comptez au moins 100 000 Rp.

D'ÎLE EN ÎLE Une liaison en bateau est assurée 2 fois/jour entre les trois îles (20 000-23 000 Rp), ce qui permet de passer par Trawangan (et son ATM) si vous êtes logé à Meno, ou d'explorer les coraux d'une autre île avec masque et tuba. Consultez les horaires à l'embarcadère de chaque île. Vous pouvez aussi louer un bateau pour aller d'une île à l'autre (220 000-250 000 Rp).

RANDONNÉE ET VÉLO Le relief plat des Gili facilite l'exploration. Le vélo, disponible à la location sur les trois îles (40 000 Rp/jour ; 60 000 Rp à Trawangan), est également un excellent mode de déplacement. Comptez 1 heure environ pour faire le tour de chacune d'elles. Par endroits, le sable peut entraver la progression.

Gili Trawangan
☑0370

Cette fois, le secret est définitivement éventé. Longtemps anonyme, Gili Trawangan est aujourd'hui un paradis mondialement réputé, l'une des destinations phares de l'Indonésie avec Bali et Borobudur. Colonisée il y a seulement 50 ans par des pêcheurs bugis venus de Sulawesi, l'île a accueilli ses premiers visiteurs dans les années 1980, séduits par ses plages de sable blanc et ses récifs coralliens. Dès les années 1990, Trawangan s'est muée en une sorte d'Ibiza tropicale, rocher idyllique pour faire la fête à l'abri des regards de la police indonésienne. Puis l'île a commencé à se développer : les fêtards occidentaux sont devenus entrepreneurs et la plongée a gagné en importance au point de supplanter la réputation festive de l'île.

Aujourd'hui, la rue principale de Trawangan offre une impressionnante enfilade de bars lounge, d'hôtels branchés, de restaurants cosmopolites, de supérettes et d'écoles de plongée. Pourtant, derrière cette façade tape-à-l'œil, l'île conserve un charme bohème, avec ses *warung* bringue-balants et ses bars à reggae. Les grands hôtels ont beau coloniser progressivement la côte ouest, sauvage et accidentée, on peut toujours se rabattre sur les villages du centre, avec ses coqs en liberté, ses *ibu* (mères) inquisitrices et ses gamins jouant à la marelle dans les rues sablonneuses. Ici, c'est l'appel du muezzin qui rythme la journée, pas le *happy hour*.

◉ À voir et à faire

Outre les quelques mosquées et l'éclose-rie de tortues sur la plage principale, l'île ne compte pas de véritables attractions touristiques. On signalera aux parents qu'un parcours de minigolf et une piste de voitures téléguidées étaient en cours de construction à Lutwala lors de notre passage (p. 291).

Écloserie de tortues   AQUARIUM
Grâce à cette écloserie, plusieurs centaines de jeunes tortues vertes et à écailles sont relâchées chaque année. Ces bassins sont d'une importance fonda-mentale, car l'aménagement sauvage de l'île a entraîné la disparition de presque tous les couvoirs naturels. Les dons sont appréciés.

Plongée et snorkeling
Avec ses 22 écoles professionnelles et l'une des seules écoles d'apnée d'Asie, Trawangan est le paradis des plongeurs. Vous trouve-rez ci-dessous une liste non exhaustive des écoles de plongée affiliées à la Gida (voir aussi p. 295). Sauf indication contraire, elles disposent toutes d'hébergements d'ex-cellente qualité.

ÎLES GILI GILI TRAWANGAN

L'ÉCOLOGIE AUX GILI

Vous avez réglé vos notes d'hôtel, d'école de plongée et la douloureuse addition du bar – pourquoi devriez-vous, en plus, payer une taxe ? En fait, vous n'y êtes pas obligé. La taxe écologique de Gili Trawangan (50 000 Rp/pers) est une contribution volontaire, mise en place par le **Gili Eco Trust** (www.facebook.com/giliecotrust) pour améliorer l'environnement de l'île

Bien que Gili T ressemble à un paradis, elle n'a pas été épargnée (multiplication des constructions et des déchets) ; de même pour ses récifs, les pêcheurs utilisant du cyanure et de la dynamite pour pêcher. Plus récemment, les plages de sable blanc de Trawangan, autrefois étendues, ont subi une forte érosion. Certaines ont même totalement disparu. Toutefois, plusieurs initiatives s'efforcent de sauver le récif et d'enrayer la tendance.

Biorock est un projet de régénération du corail qui connaît un succès extraordinaire, puisqu'il a permis la réduction de l'érosion des plages et de la source de vie marine. Des morceaux vivants de corail (endommagés par une ancre ou des coups de palmes maladroits) sont transplantés sur une structure artificielle dans la mer. Des électrodes fournissent un courant de basse tension à l'origine de réactions électrolytiques qui accélèrent la croissance du corail et la formation d'un récif artificiel. Il y a 42 installations de ce type autour des Gili (et de nombreuses autres à venir). Vous ne pourrez pas les manquer dans la mesure où leurs formes sont inhabituelles : fleurs, avions, tortues, étoiles, raies manta et cœurs.

Depuis 2009, le Gili Eco Trust s'attaque également à la gestion des déchets. Un programme éducatif a permis un travail de sensibilisation dans les écoles. En mai 2010, plus de 1 000 poubelles de recyclage ont été installées dans les Gili. Les sacs en plastique demeurent le problème majeur. Des sacs réutilisables solides (20 000 Rp) ont été introduits, en attendant un accord éventuel sur une interdiction totale. Les pailles constituent un autre fléau. Chaque mois, on en ramasse 2 000 sur les plages de Trawangan. Pour participer, joignez-vous au service de nettoyage de l'île le premier vendredi du mois (les enfants sont les bienvenus). À défaut, vous pouvez juste payer votre EcoTax.

Gili Trawangan

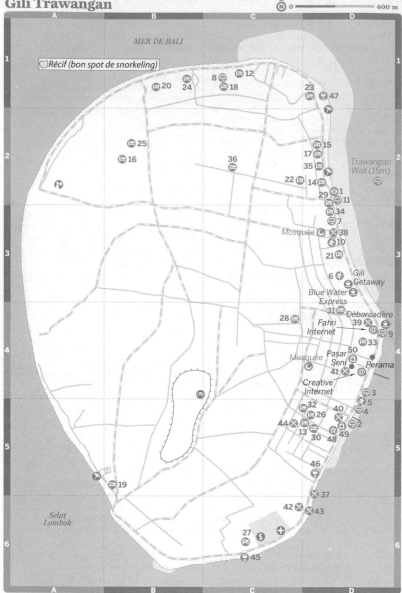

MER DE BALI

Récif (bon spot de snorkeling)

Trawangan Wall (15m)

Mosquée

Gili Getaway

Blue Water Express

Débarcadère

Fahri Internet

Mosquée

Pasar Seni

Perama

Creative Internet

Selat Lombok

ÎLES GILI GILI TRAWANGAN

On trouve de bons sites de snorkeling près de la plage, au nord de l'embarcadère – le corail n'y est pas exceptionnel, mais les poissons abondent. Le récif est en meilleur état près du phare, sur la côte nord-ouest. On peut y accéder depuis la plage à Lutwala Dive (p. 291), mais il vous faudra escalader quelques coraux bas à marée basse (pensez aux chaussures en plastique). Lutwala loue un excellent matériel de snorkeling pour 50 000 Rp.

Gili Trawangan

ÎLES GILI GILI TRAWANGAN

Big Bubble PLONGÉE
(☎612 5020 ; www.higbubblediving.com). École de plongée installée de longue date et élément moteur du Gili Eco Trust.

Blue Marlin Dive Centre PLONGÉE
(☎613 2424, 0813 3993 0190 ; www.bluemarlin-dive.com). Le plus ancien club de Gili T et l'une des meilleures écoles de plongée au monde.

Dream Divers PLONGÉE
(☎613 4496 ; www.dreamdivers.com). L'un des plus anciens centres de plongée de l'île.

Gili Divers PLONGÉE
(☎0821 4789 0017 ; www.gilidivers.com ; croisière location de matériel compris 14 300 000 Rp/pers). Nouveau centre de plongée, magnifique, doté de chambres très abordables. Excursions à la journée en petit comité (4 pers au maximum) et croisière d'une semaine vers le parc national de Komodo.

Lutwala Dive PLONGÉE
(☎689 3609 ; www.lutwala.com). Un centre Padi 5 étoiles pratiquant la plongée au nitrox. N'offre plus d'hébergement.

Manta Dive PLONGÉE
(☎614 3649 ; www.manta-dive.com). La plus grande école de l'île, peut-être la plus divertissante et toujours l'une des meilleures.

Trawangan Diving PLONGÉE
(☎614 9220, 0813 3770 2332 ; www.trawangan-dive.com). Autre excellent centre installé de longue date, offrant une ambiance très décontractée.

PLONGER EN APNÉE

La plongée en apnée *(freediving)* est une technique avancée qui permet d'explorer les fonds jusqu'à au moins 30 m de profondeur. **Freedive Gili** (☑614 0503, 0871 5718 7170 ; www. freedivegili.com ; stage plongeur débutant/ confirmé 2 150 000/3 150 000 Rp), l'école professionnelle de Trawangan, propose des formations de deux et trois jours, respectivement pour les plongeurs débutants et confirmés, avec théorie, séances de respiration et entraînement. Après 2 jours de cours, beaucoup d'étudiants sont capables de descendre à 15 m de profondeur en une seule respiration (le propriétaire a un record à -90 m).

Promenades en bateau

Gili Divers (à gauche) propose une formidable croisière d'une semaine vers le parc national de Komodo.

South Sea Nomads CROISIÈRE
(☑821 4580 4522 ; www.southseanomads. com ; croisière au crépuscule dîner et matériel snorkeling comrpis 200 000 Rp/pers, safari Moyo 4 000 000 Rp ; ⊘15h-24h lun, mer et ven). Offrez-vous une balade au crépuscule avec le South Sea Nomads, l'unique bateau "festif" de Gili T. Outre ses croisières nocturnes bien rodées, cette goélette vous emmène plonger à Pulau Moyo (Sumbawa). Basé au Gili Hostel.

Randonnée et cyclotourisme

Marche et vélo sont parfaits pour explorer Trawangan. On peut faire le tour de l'île à pied en 2 heures environ. La colline située à la pointe sud-est (où subsistent des vestiges d'une batterie d'artillerie japonaise de la Seconde Guerre mondiale) offre une vue grandiose sur le Gunung Agung de Bali au crépuscule.

Le vélo (60 000 Rp/jour) est une bonne manière de circuler sur l'île. On trouve de nombreuses offres de location dans la rue principale.

Surf

Trawangan offre une droite rapide que l'on peut surfer toute l'année (même si elle est capricieuse), et qui se révèle parfois spectaculaire. Le Surf Bar (p. 299) loue des planches (par heure/jour 30 000/100 000 Rp) sur la plage, en face du spot.

Yoga et bien-être

Gili Yoga YOGA
(☑0878 6579 4884 ; www.giliyoga.com ; 100 000 Rp/pers ; ⊘17h30 tlj, 7h30-9h lun, mer et ven). Ce nouveau centre de yoga organise des cours quotidiens de vinyasa.

Exqisit Spa SPA
(☑612 9405 ; www.exqisit.com ; soins 30/60 min à partir de 80 000/150 000 Rp ; ⊘10h-22h). Nouveau spa sur le front de mer, avec salles de soins séparées par des rideaux. Massages tibétains aux pierres chaudes (180 000 Rp), shiatsu et massage spécial "lendemains difficiles".

🛏 Où se loger

Des huttes sommaires aux grandes villas climatisées, Gili T compte plus d'une centaine d'hébergements, soit environ 5 000 chambres. Pourtant, en pleine saison, il arrive que l'île affiche complet. Mieux vaut donc réserver bien à l'avance et se montrer conciliant. Nombre d'établissements sont tenus par des familles qui n'ont qu'une expérience limitée de l'hôtellerie. La majorité des écoles de plongée proposent un bon hébergement de catégorie moyenne, parfois inclus dans des forfaits intéressants. Les options les moins chères se trouvent dans le village, où la mosquée réveille tous les résidents. Les prix sont plus élevés en bord de mer. Sur les côtes nord ou ouest, on jouit de plus de tranquillité.

Dans tous les établissements pour petits budgets et dans la plupart de ceux de catégorie moyenne, l'eau du robinet est saline. Certains bungalows haut de gamme disposent d'eau pure. Les tarifs indiqués sont ceux de la haute saison et peuvent diminuer de 50% le reste de l'année. Sauf mention contraire, le petit-déjeuner est compris.

VILLAGE

♥ **Woodstock** BUNGALOWS $
(☑081 2396 7744 ; www.woodstock-gili.com ; d avec ventil 350 000 Rp, avec clim 450 000-700 000 Rp ; ✳🛜❄). L'adresse la plus branchée de Trawangan. Communiez avec les esprits de Joan Baez et Jimi Hendrix dans l'une des 11 chambres impeccables aux accents tribaux, disséminées autour d'un fabuleux espace piscine. Véranda privée et sdb en plein air.

Gili Hostel AUBERGE DE JEUNESSE $
(☑0877 6526 7037 ; www.gilihostel.com ; 100 000 Rp/pers ; ✳🛜). Un bâtiment flambant neuf, équipé de dortoirs mixtes et

coiffé d'un toit de chaume de style toraja. Les chambres comptent 7 lits, des sols en béton, des plafonds hauts et une mezzanine. Bar sur le toit, avec poufs, transats et hamacs donnant sur la canopée et les collines, plus des lecteurs DVD.

Alexyane Paradise BUNGALOWS $
(☑0878 6599 9645 ; ch avec ventil/clim 350 000/500 000 Rp ; ✻). Beaux bungalows en bois sombre avec plafonds hauts, lits en bambou et délicieuses sdb extérieures.

Oceane Paradise BUNGALOWS $
(☑0812 3779 3533 ; s/d 200 000/250 000 Rp). Splendide complexe flambant neuf composé de 5 bungalows en bois assortis d'une élégante sdb extérieure.

Lumbung Cottages 2 BUNGALOWS $
(☑0819 3679 6353 ; www.lumbungcottage. com ; bungalows à partir de 400 000 Rp ; ✻🛜). Nouveaux bungalows de style *lumbung*, installés autour d'une piscine au revêtement noir, en plein cœur du village et à flanc de colline.

LES GILI, UN MUST POUR LA PLONGÉE

Les îles Gili sont une superbe destination pour la plongée en raison de l'abondance et de la diversité de sa vie marine. Tortues et requins de récif (pointes noires et pointes blanches) se rencontrent couramment et la microfaune est très riche : hippocampes, aiguilles de mer et moult crustacés. Au moment de la pleine lune, de grands bancs de poissons-perroquets à bosse viennent faire un festin d'œufs de coraux, tandis qu'à d'autres époques de l'année les raies manta évoluent près des sites de plongée.

Après El Niño et des années de pêche à l'explosif, responsables du blanchissement des coraux à moins de 18 m de profondeur, les récifs sont en bonne voie de reconstitution. Les Gili possèdent également leur lot de corail vierge.

Les critères de sécurité sont relativement stricts. Toutefois, devant la multiplication des écoles, 14 d'entre elles ont fondé la Gili Island Dive Association (Gida), qui se réunit chaque mois autour de sujets tels que la sauvegarde de l'environnement et l'impact écologique de la plongée. Chacune respecte une charte qui accorde une importance fondamentale à la sécurité, à la limitation du nombre de plongeurs par jour et à la préservation des sites. C'est pourquoi nous vous les recommandons (repérez le logo). Tous les bateaux des centres Gida disposent d'oxygène et de radios en état de marche. Ils proposent aussi des tarifs dégressifs. Les quatre premières plongées coûtent 370 000 Rp, avec une réduction de 10% de la cinquième à la neuvième, et de 15% au-delà. Pour l'Open Water de Padi ou l'équivalent avec la SSI, comptez 3 700 000 Rp. La certification "Advanced" (confirmé) revient à 2 950 000 Rp, tandis qu'il faut compter au moins 8 350 000 Rp pour le "Divemaster". On peut aussi se former à la plongée au nitrox, au trimix et en recycleur. Pour plus d'informations sur les écoles, consultez les rubriques par île.

Voici une sélection des meilleurs sites :

Deep Halik Site en forme de canyon, idéal pour la plongée dérivante. On y croise fréquemment des requins à pointe noire ou blanche entre 28 et 30 m de profondeur.

Deep Turbo Situé environ à 30 m de profondeur, ce site convient bien à la plongée au nitrox. Il recèle d'impressionnants éventails de mer et des requins-léopards.

Mirko's Reef Baptisée d'après un populaire instructeur de plongée aujourd'hui disparu, cette gorge n'a jamais connu la pêche à l'explosif. Magnifiques formations coralliennes (coraux mous et tabulaires).

Japanese Wreck Réservée aux plongeurs expérimentés (-45 m), cette épave d'un patrouilleur japonais (datant de la Seconde Guerre mondiale) constitue un autre site de plongée idéal.

Shark Point Peut-être le spot le plus excitant des Gili : on y croise régulièrement des requins de récif et des tortues, ainsi que des bancs de poissons-perroquets et de raies manta.

Sunset (Manta Point) Ce décor de coraux tabulaires impressionnants accueille souvent de grandes espèces pélagiques et des requins.

Rumah Hantu GUESTHOUSE **$**
(☑0819 1710 2444 ; d 150 000-250 000 Rp).
Chambres en bambou tressé, sommaires
et bien tenues, avec plafonds hauts et peintures fraîches, dans un jardin tout simple.
Service chaleureux et consciencieux.

Koi Gili GUESTHOUSE **$**
(☑0819 5995 760 ; s/d 250 000/350 000 Rp ;
❄). *Guesthouse* branchée et fréquentée par
une clientèle jeune. Divan dans le jardin et
façade aux couleurs modernes.

Pondok Gili Gecko GUESTHOUSE **$**
(☑0818 0573 2814 ; ch 250 000-350 000 Rp).
Un lieu séduisant sur le thème du lézard.
Chambres impeccables, avec ventilateurs
au plafond et patio carrelé privatif donnant
sur le jardin.

Gili Joglo VILLAS **$$**
(☑0813 5678 4741 ; www.gilijoglo.com ; villas à
partir de 120 €). Conçue à partir d'une ancienne
maison javanaise traditionnelle, la première
de ces fabuleuses villas offre des sols en
béton poli, deux chambres et une énorme
pièce intérieure/extérieure. Quoique légère-
ment plus petite, nous préférons la seconde,
bâtie à partir de deux *gladak* (maisons de
classe moyenne). Room service inclus.

RUE PRINCIPALE

Kokomo VILLAS DE LUXE **$$$**
(☑613 4920 ; www.kokomogilit.com ; villas à
partir de 1 400 000 Rp ; ❄🛜🏊). Hébergements
modernes joliment finis et somptueusement
équipés, ces minivillas sont installées dans
un petit complexe à l'extrémité sud (tranquille) de la rue principale. Elles disposent
toutes d'une piscine privée, d'une déco
contemporaine et d'un joli salon extérieur/
intérieur.

Sama Sama Bungalows BUNGALOWS **$**
(☑612 1106 ; ch avec ventil 150 000 Rp, avec clim
400 000-500 000 Rp ; ❄). Nous avons un
faible pour les 6 nouvelles chambres pour
routards. Ventilateur, poutres apparentes,
sdb moderne et tarif amène.

BORD DE MER

Blu da Mare BUNGALOWS **$$**
(☑0858 8866 2490 ; www.bludamare.it ;
d 500 000-850 000 Rp ; ❄). Quatre maisons
de village javanaises des années 1920. Splen-
dides parquets anciens, cuisine exquise, lits
"queen size" et douches d'eau douce.

Balé Sampan HÔTEL DE CHARME **$$**
(☑0812 3702 4048 ; www.balesampanbungalows.
com ; ch jardin/piscine 820 000/880 000 Rp ;
❄🛜🏊). Chambres modernes et raffinées,

avec sdb en pierre de Yogyakarta, piscine
d'eau douce, housses de couettes somptueuses et authentique petit-déjeuner
anglais. Les chambres, matelas compris, ont
été récemment rénovées.

Tanah Qita BUNGALOWS **$**
(☑613 9159 ; martinkoch-berlin@hotmail.de ;
bungalows ventil/clim 200 000/600 000 Rp ;
❄). Une autre adresse de choix. Tanah
Qita ("Patrie") possède 4 grands *lumbung*
impeccables (avec lit à baldaquin) et de plus
petites versions avec ventilateur d'un très
bon rapport qualité/prix. Ici, on ne plaisante
pas avec la propreté. Le jardin est une petite
merveille champêtre.

Soundwaves BUNGALOWS **$**
(☑0819 3673 2404 ; www.soundwavesresort.com ;
d 300 000-350 000 Rp). L'une des adresses les
plus récentes de Gili T. Chambres sommaires
et propres avec sols carrelés. Certaines sont
logées dans des structures en "A", d'autres
dans un bâtiment de béton sur 2 niveaux,
avec patio donnant sur la plage.

Trawangan Dive AUBERGE DE JEUNESSE **$**
(☑614 9220, 0813 3770 2332 ; www.trawan-
gandive.com ; dort 50 000 Rp/pers, bungalows
800 000 Rp ; ❄🛜🏊). À noter, les 12 dortoirs
où l'on loge à deux pour une somme
modique. Pour réserver la chambre entière,
comptez au moins 100 000 Rp.

Moz.art BUNGALOWS $$
(☑0819 0743 9820 ; d 350 000-800 000 Rp ; ✲).
Trois bungalows originaux en bois et béton
précontraint, coiffés de chaume. Climatisa-
tion, douches d'eau douce et front de mer
exceptionnel. Le *beruga* (pavillon ouvert)
invite à siroter un verre.

CÔTES NORD, SUD ET OUEST

💚 **Karma Kayak** HÔTEL $$
(☑0818 0559 3710 ; www.karmakayak.com ;
bungalows à partir de 550 000 Rp ; ✲🤶🏊). La
simplicité est le maître-mot de cet hôtel où
tout semble coexister en harmonie dans un
emplacement plutôt rural et paisible. Style
minimaliste, couleurs naturelles relaxantes,
grandes fenêtres et vaste balcon ou véranda.
Excellent café sur la plage.

Eden Cottages BUNGALOWS $$
(☑0819 1799 6151 ; www.edencottages.com ;
bungalows 550 000 Rp ; ✲🏊). Six bungalows
en béton coiffés de chaume, autour d'une
piscine bordée par un jardin à l'ombre des
cocotiers. Chambres propres, joli mobilier
en rotin, sdb en pierre, TV-DVD et douches
d'eau douce.

Coconut Garden BUNGALOWS $$
(☑0821 4781 8912 ; www.coconutgardenresort.
com ; s/d 550 000/600 000 Rp ; ✲🤶). Quatre
maisons de village javanaises lumineuses
et aérées, coiffées d'un toit de tuiles relié à
une sdb extérieure en terrazzo. Draps somptueux, lits "queen size" et vaste jardin planté
de cocotiers. Isolé au cœur de l'île, l'endroit
n'est pas forcément évident à trouver. Télé-
phoner au préalable.

Alam Gili HÔTEL $$
(☑613 0466 ; www.alamgili.com ; ch 55-95 $US ;
🏊). Cette adresse vaut surtout pour son
étonnant jardin arboré et son emplacement
paisible en bord de plage. Chambres et villas
regorgent d'élégantes touches de décoration
balinaise à l'ancienne. Petite piscine.

Island Beach Bungalows BUNGALOWS $
(☑0818 0571 2224 ; bungalows 350 000 Rp ; ✲).
Trois bungalows sommaires sur pilotis, avec
sdb extérieure, lits "queen size" et clim.
Devant, un délicieux carré de sable blanc
agrémenté de *beruga* et d'un bar à cocktails
tropical.

Danima HÔTEL $$
(☑0878 6087 2506 ; www.giliresortsdanima.com ;
d 900 000-950 000 Rp). Cet hôtel de charme
intime compte quatre chambres avec lit flottant, plafond voûté, bel éclairage et douche
cascade. Sièges en rotin sur la terrasse,
piscine et petite plage romantiques.

🛶 **Gili Eco Villas** VILLAS $$$
(☑0361 847 6419 ; www.giliecovillals.com ;
villas 297 $US plus 21% de taxes ; ✲🤶🏊).
Élégantes villas en teck recyclé provenant
d'anciennes demeures coloniales japo-
naises, en retrait de la plage, sur l'idyllique
côte nord de Trawangan. Confort, style et
souci de l'environnement (eau recyclée,
potager bio, énergies solaire et éolienne).
En basse saison, les tarifs peuvent tomber
à 1 000 000 Rp.

Kelapa Villas VILLAS $$$
(☑613 2424 ; www.kelapavillas.com ; villas
195-620 $ plus 21% de taxes ; ✲🤶🏊🍴). Dans
un complexe de luxe au cœur de l'île, 22
villas spacieuses et élégantes avec piscine
privée. Court de tennis et salle de sports,
plus 5 villas de bord de mer sur le chemin.

Exile BUNGALOWS $
(☑0819 0707 7475 ; d 350 000-500 000 Rp ; @).
Ce nouveau complexe hyper branché est
l'une de nos adresses préférées : bungalows
de bambou tressé, délicieux bar de plage et
transats en bambou sur le sable. Facilement
accessible à pied (à 15/20 minutes de l'axe
principal) ou à vélo.

✖ Où se restaurer

Le soir, plusieurs établissements de la rue
principale proposent de délicieux fruits
de mer frais grillés. Un merveilleux *pasar
malam* (marché nocturne), sur le Pasar Seni
("marché d'art"), offre une bonne douzaine
de stands et de baraques qui servent toutes
sortes de mets – *nasi campur* à la javanaise,
cuisses de poulet et poisson grillés, soupe
de nouilles, *bakso* et satay. Pour un repas,
comptez environ 25 000 Rp. Lors de notre
passage, il était question de transférer le
marché sur le terrain de football du village.

💚 **Blu da Mare** ITALIEN $$
(☑0858 8866 2490 ; www.bludamare.
it ; plats 60 000-110 000 Rp ; ⏱12h30-15h et
18h30-22h sam-jeu). Trattoria authentique
et intime (nombre de places assises limité)
tenue par des Italiens. Pain et pâtes maison,
viandes, poissons et fruits de mer grillés
à la perfection. L'époux de la maîtresse
de maison (ancien skipper) se charge de
rapporter la pêche quotidienne, qui se mue
en un carpaccio fondant dans votre assiette.
Sur une charmante portion de plage, loin du
raffut de la rue principale. Goûtez absolu-
ment le salami au chocolat. Pas de vin, hélas.

Rumah Makan Kikinovi INDONÉSIEN $
(repas à partir de 15 000 Rp). Tenu par une
merveilleuse *ibu,* ce restaurant propose

de succulents plats indonésiens. Très bon marché – une grosse portion coûte environ 15 000 Rp. Début du service à 11h30, avant que les instructeurs de plongée n'envahissent le lieu.

Kokomo
INTERNATIONAL $$
(☑613 4920 ; www.kokomogilit.com ; plats 60 000-160 000 Rp ; ✳🛜). Le seul restaurant réellement gastronomique de l'île, utilisant des produits de la mer extra-frais et la meilleure viande importée. Salades fraîches en pagaille, excellents steaks et pâtes. Mention spéciale aux fruits de mer et aux sashimis (saumon de l'Atlantique et thon jaune). Malgré la lenteur du service, vous en ressortirez comblé.

Trattoria
ITALIEN $$
(www.trattoriaasia.com ; plats 55 000-152 000 Rp ; 🛜). Petit cousin de l'établissement balinais. Pâtes maison, excellentes pizzas et plats tels que le thon grillé servi avec une émulsion au basilic ou le filet de bœuf sur lit de roquette fraîche et de parmesan, concoctés par le chef italien. Le tout servi sur une terrasse donnant sur la marina.

Karma Kayak
TAPAS $
(☑0818 0559 3710 ; tapas à partir de 15 000 Rp). Délicieuses tapas (comprenant sardines, olives maison et tempura), sandwichs et salades servis sur une plage paisible. Magique au coucher du soleil avec les volcans de Bali se profilant à l'horizon.

Warung Indonesia
INDONÉSIEN $
(plats à partir de 15 000-20 000 Rp ; ☺8h-21h ; 🛜). Niché à la lisière du village, ce *warung* sert des petits plats savoureux et des classiques

indonésiens tels que la soupe à la queue de bœuf, le *soto ayam* ou l'*ikan goreng*. La salle, haut perchée et coiffée de chaume, est éclairée au moyen de lanternes rétro et bénéficie d'une connexion Internet.

Pesona
INDIEN $$
(☑660 7233 ; www.pesonaresort.com ; plats 59 000-80 000 Rp ; ☺7h-23h ; ✳🛜). Outre les bungalows raffinés et le charmant espace piscine, le Pesona vaut pour sa cuisine indienne. Plats végétariens en cascade, poulet et poisson tandoori, et 6 variétés de *naan*. Une fois rassasié, installez-vous confortablement pour savourer une chicha (90 000 Rp).

Scallywags
INTERNATIONAL $$
(☑614 5301 ; www.scallywagsresort.com ; plat 40 000-100 000 Rp ; 🛜). Cet établissement battant pavillon australien offre un cadre décontracté et élégant, des verres étincelants, un service réactif, le Wi-Fi gratuit et de formidables cocktails. Le soir : savoureux fruits de mer – homard frais, steaks de thon, vivaneau et espadon – et excellent buffet de salades.

Cafe Gili
INTERNATIONAL $
(www.facebook.com/cafegilitrawangan ; plats 35 000-58 000 Rp ; ☺8h-22h ; 🛜). Sièges capitonnés avec vue sur la mer, éclairage aux chandelles et musique douce. La cuisine s'étire de la salle à manger chaulée au chic bohème jusque de l'autre côté de la rue, au bord de la mer. Au menu : œufs à la florentine, baguette, sandwich de viande froide, salades, pâtes correctes, *quesadillas* et fruits de mer.

SNORKELING AUX GILI

Entourées de récifs coralliens et bénéficiant d'accès faciles à la plage, les Gili offrent des sites de snorkeling superbes. Si vous aimez nager et si vous êtes en forme, il n'y a rien de plus agréable que d'explorer un récif sans le poids d'une bouteille sur le dos. Il est aisé de trouver masque, tuba et palmes pour 25 000 Rp par jour. Assurez-vous que votre masque vous va : posez-le sur votre visage et inspirez. S'il tient, c'est qu'il est adapté.

À Trawangan, des tortues viennent régulièrement dans les récifs proches du littoral. Il y a beaucoup de courant, et l'on devrie souvent assez loin du point de départ. Les tombants de la côte est de Gili Air constituent aussi de bons spots.

Il est toutefois possible d'échapper à la foule. Chaque île possède une partie plus sauvage, souvent là où l'accès à la mer est entravé par des parcelles de corail peu profondes. Munis de chaussures en caoutchouc, vous pourrez vous baigner à côté du phare à Trawangan ou sur la côte nord de Gili Air. Évitez au maximum d'écraser le corail, glissez-vous dans l'eau et nagez le plus horizontalement possible.

Parmi les bons spots de snorkeling, citons le tombant de Meno (Meno Wall), l'extrémité nord de la plage de Trawangan, près du Lutwala Dive, et le tombant de Gili Air (Air Wall).

Beach House INTERNATIONAL **$$**
(☎614 2352 ; www.beachhousegilit.com ; plats
45 000-125 000 Rp ; ⊙11h-22h ; 🖝). Élégante
terrasse donnant sur la marina, excellent
barbecue le soir, buffet de salades et bon vin.

🍷 Où prendre un verre et sortir

L'île compte plus d'une dizaine de bonnes
adresses pour prendre un verre près de la
plage. Cela va du bar lounge branché, où l'on
se prélasse dans des canapés tendance en
sirotant de fastueux cocktails, aux simples
cabanes de plage servant exclusivement de
la bière Bintang. Les fêtes sont organisées
trois soirs par semaine par le Blue Marlin
(lundi), le Tir na Nog (mercredi) et le Rudy's
Pub (vendredi).

Tir na Nog PUB
(☎613 9463 ; ⊙7h-2h jeu-mar, 7h-4h mer ;
🖝). Surnommé l'"Irish", cet établissement aux
allures de grange offre des grands écrans pour
les soirées foot et une savoureuse cuisine de
pub (plats 35 000-80 000 Rp). Son bar côté
plage est probablement le plus animé de l'île.
Une joyeuse pagaille règne le mercredi soir
lorsque le DJ s'installe aux platines.

Blue Marlin BAR
Cet établissement haut de gamme possède
la plus grande piste de danse et la meilleure
sono de tous les bars festifs – musiques
trance le lundi.

Top End Bar BAR
(⊙10h-24h). Le meilleur bar de plage de
Trawangan, idéal pour se détendre sur une
splendide plage de sable blanc, avec transats
en bambou et reggae à plein volume.

Surf Bar BAR
(⊙8h-tard le soir). Face au spot de surf, juste
au sud de la Villa Ombak, ce bar offre un joli
coin de plage, quantité de planches à louer,
de la musique à plein volume et une clientèle
jeune. Soirées spéciales les nuits de pleine
lune et de lune noire.

Sama Sama BAR
(⊙8h-fermeture). Ce bar reggae à la décoration
chargée propose une sono de rêve, un
groupe fabuleux quasi tous les soirs et un
café à ciel ouvert sur la plage.

Rudy's Pub BAR
Rudy's organise sans doute les meilleures
fêtes de l'île, avec un bon mélange de clients
locaux et étrangers, et de légendaires
promotions sur les boissons. Les soirs de
fête, l'immense piste de danse à l'arrière se
transforme en terrain de chasse pour les
jeunes insulaires en quête de touristes.

ℹ️ **UN PEU DE RESPECT !**

Bien qu'elles soient très touristiques,
les îles Gili sont culturellement très
différentes de Bali. Presque tous
leurs habitants sont musulmans, il
est donc recommandé de s'habiller
correctement lorsqu'on s'éloigne de
la plage ou des piscines d'hôtels. Il est
très mal perçu de se balader en maillot
dans le village et n'envisagez surtout
pas de vous baigner topless ou tout nu
(cela vaut aussi pour le yoga...).

La loi islamique interdit la
consommation d'alcool, bien qu'il soit
en vente partout. N'en buvez pas à
proximité d'une mosquée. Pendant
le ramadan, les habitants jeûnent en
journée et il n'y a pas de fêtes à Gili
Trawangan.

🛍 Achats

Jadis royaume des stands de babioles,
l'endroit a progressivement gagné en
raffinement.

Vintage RÉTRO
(www.vintagedelivery.com ; ⊙9h-21h).
Nichée derrière le Pasar Seni, la meilleure
boutique de Gili T est une mine d'articles
rétro internationaux élégamment présen-
tés : boucles d'oreilles, splendides sacs à
main en cuir, robes de baby doll et lunettes
à la John Lennon.

Innuendo MODE
(☎0828 3709 648 ; ⊙10h-13h et 15h-22h). Cette
nouvelle boutique - tenue par un designer
français installé à Bali fait preuve d'élé-
gance : robes et chaussures signés maison,
sacs à main et accessoires fabriqués par
d'autres designers indépendants.

ℹ️ Renseignements

Agence de voyages

Perama AGENCE DE VOYAGES
(☎613 8514 ; www.peramatour.com). Billets de
bateau rapide pour Bali et correspondances
pour Lombok en navette, bateau et bus.
Possibilité d'organiser des excursions vers
Komodo.

Argent

La rue principale de Gili Trawangan compte
sept distributeurs, qui acceptent tous les
cartes de crédit étrangères. Les magasins et
les hôtels changent les espèces et les chèques
de voyage, mais à un taux médiocre. Les

Gili Meno

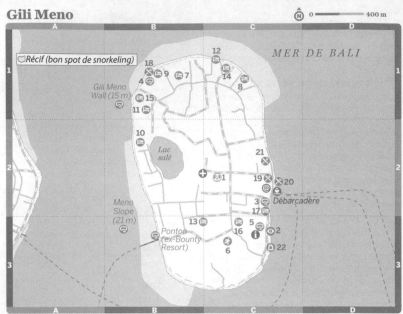

avances en espèces sur les cartes de crédit/débit impliquent une commission qui peut atteindre 10%.

Internet et téléphone

Le Wi-Fi prolifère désormais à Trawangan. La plupart des hôtels de catégorie moyenne en sont équipés, de même que plusieurs restaurants et bars, notamment le Scallywags, le Tir na Nog et le Cafe Gili. **Creative Internet** (18 000 Rp/heure ; ⊙8h-24h) et **Fahri Internet** (24 000 Rp/heure ; ⊙8h-23h), dans la rue principale, proposent une connexion rapide.

Urgences

Il y a une clinique au sud de l'Hotel Vila Ombak. Pour toute question relative à la sécurité, contactez, via votre hôtel ou école de plongée, le Satgas, l'organisation communautaire.

Gili Meno
📱0370

Gili Meno, la plus petite des îles, permet de jouer les Robinson Crusoé. Même pendant la saison haute, Meno jouit d'une grande tranquillité. La plupart des hébergements sont regroupés sur la côte est, près de la plage la plus étendue et la plus pittoresque. L'intérieur des terres est ponctué d'habitations éparses, de plantations de cocotiers et d'un lac salé.

👁 À voir

Turtle Sanctuary ÉCLOSERIE
(www.gilimenoturtles.com ; 🚻). La réserve des tortues de Meno est un ensemble de petits bassins remplis d'eau filtrée dans lesquels s'ébattent des bébés chéloniens. On s'occupe des tortues jusqu'à environ huit mois avant de les relâcher. L'écloserie a eu un impact considérable sur les populations de tortues. Plongez avec masque et tuba et vous aurez de grandes chances d'en apercevoir. Dons appréciés.

Taman Burung RÉSERVE NATURELLE
(📱614 2321, 0361 289 032 ; 50 000 Rp ; ⊙9h-17h). Cette réserve accueille plus de 200 oiseaux exotiques d'Asie et d'Australie et d'Indonésie, ainsi qu'une faune originaire d'Indonésie.

🏃 Activités

Snorkeling, plongée et randonnée

Il faut 2 heures environ pour faire le tour de Meno à pied. La meilleure plage de l'île, merveille de sable blond, est située au sud du port principal, avant l'embranchement signalé pour Tao Kombo.

On trouve de bons sites de snorkeling au large de la côte nord-ouest, près de l'Amber House, sur la côte ouest, près du Good Heart, et autour de l'ancien

Gili Meno

embarcadère du Bounty, un complexe désaffecté. Location de matériel à partir de 25 000 Rp/jour.

Gili Meno Divers PLONGÉE
(☎0878 6409 5490 ; www.giliairdivers.com). Notre centre de plongée préféré à Meno. Propriétaires français et indonésiens.

Blue Marlin Dive Centre PLONGÉE
(☎613 9980 ; www.bluemarlindive.com). Petit cousin du centre de Trawangan. Loue également des chambres.

Divine Divers PLONGÉE
(☎0852 4057 0777 ; www.divinedivers.com). Nouveau centre de plongée à l'extrémité de la côte, avec un bar-restaurant sur une jolie portion de plage.

Yoga

Mao Meno YOGA
(☎0819 9937 8359 ; www.mao-meno.com ; don conseillé ; ⊙cours 7h et 10h). Malgré les travaux en cours lors de notre passage, des cours quotidiens de pranayama et de vinyasa étaient déjà dispensés.

🛏 Où se loger

Meno offre une sélection limitée de bungalows rustiques et il est impératif de réserver bien en avance pendant la haute saison. Les prix indiqués sont ceux de la haute saison ; comptez une réduction éventuelle de 50% le reste de l'année. Taman Burung (p. 300) propose des lits en dortoirs bon marché.

Adeng Adeng BUNGALOWS $$
(☎0818 0534 1019 ; www.adeng-adeng.com ; maison bambou d 350 000 Rp, standard/luxe 500 000/650 000 Rp). Complexe élégant et raffiné au milieu des arbres, en retrait d'une jolie plage. Simples bungalows en bois avec tout le confort moderne et de belles sdb extérieures en terrazzo. Maison en bambou avec 2 chambres sur la plage pour les petits budgets.

Shacks 58 & 59 VILLAS $$
(☎0813 5357 7045 ; www.shack58.com ; villas 45-70 € plus taxes 21% ; ❄). La quintessence du mode de vie tropical. Deux magnifiques villas avec une chambre, décorées avec un sens du goût et du design au moyen de matériaux naturels, de meubles anciens et de tissus locaux. Chacune dispose d'un joli belvédère de plage avec chaise longue, idéal pour s'abriter du soleil. La n°58 est sur la plage, la n°59 à 150 m dans les terres. Réservation en ligne uniquement.

Ana Bungalow BUNGALOWS $
(☎0819 1595 5234 ; d 250 000-350 000 Rp). Bungalows au toit en pente douce, avec ventilateur, baies vitrées et sdb extérieures dotées d'un sol en galets. Jolie librairie d'occasion sur la plage, près des charmants *beruga* (pavillons extérieurs) où l'on dîne à la lueur des lampions.

Paul's Last Resort BUNGALOWS $
(☎0878 6569 2272 ; ch 150 000 Rp). Cinq élégants bungalows de bambou tressé installés sur la plage, disposant de l'électricité et de sanitaires collectifs. Malgré les

attaques d'insectes et la musique de Gili T (les bungalows sont ouverts sur un côté), on y jouit d'une nuit étoilée spectaculaire et d'une vue superbe sur le Rinjani par beau temps.

Maha Maya HÔTEL DE CHARME $$$
(☎088 8715 5828, 637 616 ; www.maha-maya.co ; d à partir de 150 $US ; 🛜❄). Petit bijou moderne blanchi à la chaux, offrant un service quatre étoiles. Lors de notre passage, seules 2 des 20 chambres prévues étaient terminées. Chacune offre un sol en pierre naturelle, un patio en marbre brut, des meubles en bois patiné et des bouteilles d'eau gratuites. Cuisine fabuleuse.

Rawa Indah BUNGALOWS $
(☎0817 578 6820 ; bungalows 150 000-350 000 Rp). Six vastes bungalows en forme de "A", sommaires mais impeccables, avec carillons éoliens en coquillage, dans un cadre verdoyant au cœur du village. Bouteilles d'eau gratuites.

Balenta Bungalows BUNGALOWS $$
(☎0819 3674 5046 ; s/d 350 000/500 000 Rp ; ❄). Une demi-douzaine de bungalows coiffés de zinc, pas forcément esthétiques, mais parmi les plus récents et les mieux entretenus de Meno. Sdb extérieures privées, patios agrémentés de meubles en bambou, lits "queen size" aux draps impeccables et douches d'eau douce. Le café attenant est spécialisé dans les plats végétariens.

Sunset Gecko BUNGALOWS $
(☎0813 5356 6774 ; www.thesunsetgecko.com ; ch 80 000-500 000 Rp ; 🛜). Malgré toute notre affection pour cet ensemble de maisons de bambou et de bois, il faut bien convenir qu'il tombe en ruine par endroits. La chambre de l'énorme maison de style africain, au 3e niveau, reste néanmoins fantastique et peut accueillir jusqu'à 4 personnes.

Villa Nautilus VILLAS $$
(☎642143 ; www.villanautilus.com ; ch 86-99 $US ; ❄). Un cran au-dessus des autres au niveau du confort, cette adresse loue 5 jolies villas individuelles entourées d'un jardin, à côté de la plage. Style contemporain mêlant bois, marbre et calcaire, et sdb tendance avec eau douce.

Tao Kombo BUNGALOWS $
(☎0812 372 2174 ; www.tao-kombo.com ; d 200 000-300 000 Rp ; 🛜). Deux huttes pour voyageurs à petit budget assez modernes, ouvertes sur les côtés, avec paravent en bambou, et 8 bungalows *lumbung* au toit de chaume, sol en pierre et sdb en plein air.

Accueille le Jungle Bar. À 200 m de la rue principale, dans les terres.

Diana Café BUNGALOWS $
(☎081 3535 6612 ; bungalows 250 000 Rp). Trois bungalows simples et propres au toit de chaume, au bord du lac salé. À 3 minutes à pied de la plage. Prix avoisinant les 120 000 Rp en basse saison.

Taman Burung AUBERGE DE JEUNESSE $
(☎614 2321, 0361 289 032 ; dort 30 000 Rp/pers). Du dortoir standard à la chambre privée plus confortable (150 000-450 000 Rp).

✖ Où se restaurer et prendre un verre

Pratiquement tous les restaurants de Meno jouissent d'une vue sur la mer – ce qui compense la lenteur du service. Les fours au feu de bois pour pizzas semblent de rigueur sur toute l'île.

Adeng Adeng THAÏLANDAIS
(plats 25 000-70 000 Rp). Testez l'élégance d'inspiration thaïlandaise de l'Adeng Adeng. Les propriétaires suédois y servent quelques plats nationaux et l'une des meilleures cuisines thaïlandaises qu'il nous ait été donné de goûter en Indonésie. Terminez par un bon verre de cognac ou de whisky. Cartes de crédit acceptées.

Rust Warung FRUITS DE MER $
(☎642 324 ; plats 15 000-75 000 Rp). Seul "véritable" restaurant de Meno, ce représentant de l'empire "Rust" est réputé pour son poisson grillé (avec ail et sauce aigre-douce) mais propose aussi de la pizza. En outre : un épicier, un *wartel* (centre téléphonique public) et des bungalows. On y sert également le seul expresso de l'île.

Jali Café INDONÉSIEN $
(☎613 9800 ; plats 10 000-20 000 Rp). Les charmants propriétaires proposent de savoureux mets indonésiens, des spécialités sasak et des plats à base de curry. Le soir rime avec poisson frais grillé et guitare au coin du feu.

Balenta Café INDONÉSIEN $
(plats à partir de 20 000 Rp). Emplacement superbe : tables basses sur la plage à un mètre des eaux turquoise. Réputé pour ses omelettes, sa cuisine indonésienne et sasak – le *kelak kuning* (vivaneau aux épices jaunes), par exemple. Barbecue de fruits de mer presque chaque soir.

Ya Ya Warung INDONÉSIEN $
(plats 10 000-20 000 Rp). *Warung* de plage délabré servant des classiques indonésiens, des pancakes et un grand choix de pâtes.

Diana Café BAR

(verre 12 000-30 000 Rp ; ⊘8h-21h). Si par le plus grand des hasards vous trouvez la vie à Meno trop animée, rendez-vous dans cette incroyable petite cabane tropicale : un bar en chaume et en bambou bancal, quelques tables sur la plage, un hamac ou deux, du reggae et un espace détente idéal pour profiter de la superbe vue. Envie d'y rester plus longtemps ? Ils ont des bungalows.

🛍 Achats

Art Shop Botol ARTISANAT

(⊘24h/24). Cette grande boutique d'artisanat, au sud de l'hôtel Kontiki Meno, vend des masques, des paniers sasak, des sculptures en bois et des gourdes. Il est tenu par une femme de 76 ans, mère de 11 enfants et 19 fois grand-mère.

ℹ Renseignements

Les petits marchés près de l'embarcadère proposent crèmes solaires et divers articles. On y trouve aussi un accès **Internet** (30 000 Rp/heure, 10h à 22h) et un *wartel*. Pour les circuits organisés et les billets de navette (bus/bateau), contactez l'agence **Perama** (🖉632 824 ; www.peramatour.com) au Kontiki Meno. Vous trouverez une **clinique** (⊘8h-18h) près du parc à oiseaux, sinon allez à Mataram en cas d'urgence.

Gili Air

🖉0370

Île la plus proche de Lombok, à la fois aérée et animée, Gili Air oscille entre la sophistication de Gili T et la douceur de vivre de Meno. Première Gili à être colonisée par des familles de pêcheurs bugis et sasak, Air a conservé une forte identité rurale. Le tourisme a beau occuper une place prédominante dans l'économie de l'île, la noix de coco et la pêche restent des sources de revenus fondamentales. Quant à ses plages de sable blanc, ce sont probablement les plus belles des Gili. Le snorkeling est excellent depuis la rue principale – une jolie voie sablonneuse parsemée de bungalows en bambou et de petits restaurants où vous êtes pratiquement en surplomb de l'eau turquoise.

🏃 Activités

Snorkeling et plongée

Tout le long de la côte est, un récif grouille de poissons multicolores ; on trouve un à-pic à 150 m environ du littoral. Vous pouvez louer l'équipement de snorkeling au Wiwin Cafe et dans plusieurs boutiques (à partir de 25 000 Rp/jour). Attention aux courants : ne tentez jamais de rallier une autre île à la nage.

Les Gili offrent d'excellents sites de plongée – où que l'on réside, on fréquente généralement les mêmes.

Gili Air Divers PLONGÉE

(🖉0878 6536 7551 ; www.giliairdivers.com). Ce nouveau club de plongée, qui bat pavillon franco-indonésien, rivalise de charme et de compétence.

Blue Marlin Dive Centre PLONGÉE

(🖉634 387 ; www.bluemarlindive.com). Le représentant à Meno de la fameuse franchise des Gili.

Dream Divers PLONGÉE

(🖉634 547 ; www.dreamdivers.com). Petit cousin du club de Gili T.

Manta Dive PLONGÉE

(🖉0813 3778 9047 ; www.manta-dive.com). Centre de plongée établi de longue date, proposant un excellent hébergement.

Oceans 5 PLONGÉE

(🖉0813 3877 7144 ; www.oceans5dive.com). Le club de plongée le plus sophistiqué des Gili – piscine d'entraînement de 25 m et biologiste marin en résidence.

7 Seas PLONGÉE

(🖉647 779 ; www.facebook.com/7seas.international). Un quartier à lui tout seul. Offre un choix d'hébergements et un restaurant.

Vélo

Wiwin Cafe loue des vélos à partir de 40 000 Rp/jour. Le vélo sur Gili Air se révèle parfois pénible, car le sable mou engloutit totalement les sentiers par endroits. En allant vers l'intérieur des terres, vous traverserez forcément les propriétés des villageois.

Yoga

H2O Yoga YOGA

(🖉0877 6103 8836 ; www.h2oyogaandmeditation.com ; 100 000 Rp/cours, massage 125 000-250 000 Rp, ch avec sdb commune à partir de 150 000 Rp ; ⊘cours yoga 10h-11h30, 17h30-19h). Formidable centre de yoga et de méditation, le H20 est un nouveau venu, à 500 m de la plage, sur un chemin bien indiqué depuis le village. D'excellents cours sont dispensés dans un charmant *beruga* (pavillon extérieur) circulaire. Massages et quelques bungalows – vous en trouverez d'autres sur le chemin.

Gili Air

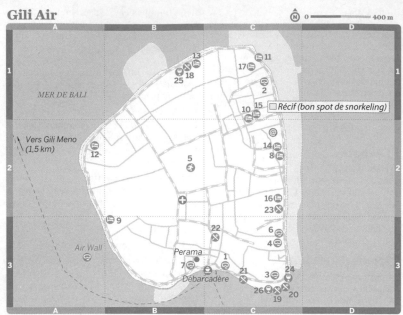

MER DE BALI

Vers Gili Meno
(1,5 km)

Air Wall

Perama

Débarcadère

Récif (bon spot de snorkeling)

🛏 Où se loger

La quarantaine d'établissements de Gili Air sont surtout situés sur la côte est, idéale pour se baigner. En saison haute, les prix doublent, voire triplent le reste du temps, vous paierez bien moins que les prix listés ci-dessous.

Kai's Beachouse   LOCATIONS **$$**
(☑0813 3776 4350, 0819 1723 2536 ; www.kaisbeachhouse.com ; d 700 000-1 500 000 Rp ; ❄⑤⛱). Trois chambres, deux dans la maison principale et une autre dans une demeure javanaise traditionnelle. Murs peints à l'éponge, lits à baldaquin, sdb extérieures en pierre noire et jolis luminaires en rotin. La pièce du bas, dotée d'un écran plat et d'une énorme cuisine, est douillette et branchée. Des transats entourent une minuscule piscine, avec une plage immaculée juste devant. Idéal pour loger entre amis.

Damai   GUESTHOUSE **$$**
(☑0878 6142 0416 ; www.facebook.com/pages/damai-homestay-gili-air ; d 500 000-600 000 Rp ; @). Cette belle retraite coiffée de chaume mérite le détour. Chambres simples et de bon goût, avec vue sur un jardin. On dîne sur un patio orné de sièges rembourrés et joliment éclairé aux lampions. Emplacement exquis, au milieu des cocotiers.

Biba   BUNGALOWS **$$**
(☑0819 1727 4648 ; www.bibabeach.com ; bungalows 500 000-700 000 Rp ; ❄). Charmants et spacieux bungalows avec grande véranda et sdb insolite aux murs incrustés de coquillages et de coraux. Magnifique jardin parsemé d'espaces détente. Abrite également un splendide restaurant italien.

Sejuk Cottages   BUNGALOWS **$$**
(☑636 461 ; sejukcottages@hotmail.com ; bungalow 500 000-850 000 Rp ; ❄⛱🛏). Bungalows de type *lumbung* très bien conçus ou sur 2 niveaux (certains avec salon sur le toit, d'autres avec la TV sat), dans un agréable jardin tropical.

Youpy Bungalows   BUNGALOWS **$$**
(☑0819 1706 8153 ; d 600 000 Rp ; ❄). Parmi les cafés de plage qui jalonnent la côte au nord du Blue Marlin, le Youpy propose certains des meilleurs bungalows. Murs colorés à effet de sable dans les sdb, grands lits et plafonds hauts.

Casa Mio   BUNGALOWS **$$**
(☑646 160 ; www.giliair.com ; bungalows 900 000-1 500 000 Rp ; ❄⑤⛱). Nouvelle adresse insolite et décalée tenue par des Taïwanais : 4 jolis bungalows tout confort parsemés de bibelots (de l'artistique au plus kitsch), près d'une jolie plage.

Gili Air

Douches d'eau douce, bonne nourriture asiatique et la connexion Wi-Fi la plus rapide des Gili.

Segar Village BUNGALOWS $$
(☐0818 0526 2218 ; bungalow 800 000-900 000 Rp ; ❉). Une demi douzaine de bungalows en pierre et coraux, plutôt jolis et agrémentés de touches originales. Mention spéciale aux lits à baldaquin, aux patios et aux toits de chaume pentus. Sdb extérieures exceptionnelles. À la lisière d'une cocoteraie, en face d'un récif corallien peuplé de tortues de mer. Les tarifs hors saison peuvent tomber à 250 000 Rp.

Villa Bulan Madu BUNGALOWS $$
(☐0819 0733 0444 ; www.bulan-madu.com ; standard/luxe 850 000/1 200 000 Rp ; ❉🛜❄). Bungalows parfaitement dignes d'une Bulan Madu ("lune de miel"). Tout de bois et de verre, exceptionnellement spacieux, ils offrent des tapis, des lits "queen size" et doubles, un bar avec miniréfrigérateur, sdb extérieures, des détails en bambou et des vérandas aérées donnant sur un joli jardin balinais.

Gusung Indah BUNGALOWS $
(☐0878 6434 2852 ; bungalows ventil/clim 300 000/600 000 Rp ; ❉). Cet établissement bien tenu propose des bungalows de type *lumbung* et des chambres dans une structure en béton. Certains bungalows arborent un sol en galets, d'autres des planchers de bois sombre. Toit de chaume et sdb extérieure. Les meilleures sont équipées de la clim et de l'eau chaude.

Pelangi Cottages BUNGALOWS $
(☐0819 3316 8648 ; ch 400 000 Rp ; ❉). Bungalows de béton et de bois, spacieux mais sommaires, installés à l'extrême nord de l'île, avec une jolie plage sur le devant. Gérants sympathiques et location de bons VTT.

✕ Où se restaurer

La plupart des adresses de Gili Air sont tenues par ses habitants et offrent un cadre idéal : des tables face à la mer avec vue sur le Gunung Rinjani à Lombok. Les offres ne varient pas beaucoup. Quelques établissements tenus par des Occidentaux ont ouvert ces dernières années.

💙 **Biba** ITALIEN $
(☐0819 1727 4648 ; www.bibabeach.com ; plats 25 000-70 000 Rp ; ⏱11h30-22h). Pour un mémorable dîner romantique sur la plage. Les meilleures pizzas et foccacias de l'île, sans oublier les authentiques raviolis, gnocchis et tagliatelles. Le four est allumé à 19h.

💙 **Scallywags** INTERNATIONAL $$
(☐645 301 ; www.scallywagsresort.com ; plats 46 000-95 000 Rp ; 🛜). Davantage un club de plage hippy chic qu'un simple restaurant. Cadre élégant, délicieuse cuisine roborative (mention spéciale au sashimi de thon avec un filet d'huile d'olive et une pincée de fleur de sel), glaces maison, cocktails fabuleux et Wi-Fi gratuit. Cerise sur le gâteau : la meilleure plage de l'île, parsemée de transats.

ÎLES GILI GILI AIR

Wiwin Café INDONÉSIEN $
(plats 25 000-60 000 Rp ; ☺7h-22h). Excellent choix de poisson grillé, servi avec l'une des cinq sauces maison. Personnel attentionné et joli espace bar.

Paradiso 2 INDONÉSIEN $
(plats 25 000-60 000 Rp). Installé sur une fabuleuse portion de plage. Chaises longues en bambou et cuisine indonésienne.

Harmony Cafe CAFÉ $
(✆0878 6416 8463 ; plats 25 000-60 000 Rp ; ☺8h-22h). Cette baraque de plage blanchie à la chaux passerait presque pour le restaurant le plus chic de l'île. Non que le menu soit exceptionnel, mais le cadre et l'atmosphère rendent le lieu unique. Deux chambres sommaires mais très propres (75 000-150 000 Rp), avec intérieur entièrement boisé et vue insensée sur la plage.

Tami's Neverland CAFÉ $
(repas à partir de 35 000 Rp ; ☺7h-1h). Ce grand établissement en bambou, au cœur du royaume du 7 Seas, sert de bons plats occidentaux et indonésiens à des prix corrects.

Warung Gili INDONÉSIEN $
(plats 15 000-30 000 Rp ; ☺7h-22h). L'une des rares gargotes indonésiennes du village. Toit en *palapa* (chaume), tables en bambou et petits plats indonésiens.

🍷 Où prendre un verre

Les soirées à Gili Air sont généralement calmes. On compte néanmoins quelques fêtes de la pleine lune et parfois un regain d'animation en haute saison.

💙 **Mirage** BAR
(boissons 40 000-55 000 Rp). Sur un sublime coin de plage, offrant coucher du soleil en Technicolor et concerts le vendredi. Idéal pour siroter un verre au crépuscule.

Chill Out Bar BAR
(www.chilloutbungalows.com). Grâce à ses récents travaux d'agrandissement, ce bar rivalise avec les clubs de plage les plus clinquants du secteur. Mention spéciale à son charmant belvédère avec vue sur Meno. Parfait pour siroter un verre, dîner (plats 25 000-55 000 Rp) ou passer la nuit dans l'un des bungalows.

Zipp Bar BAR
Grand bar avec tables disséminées sur une belle plage et une bonne carte des boissons (testez les cocktails aux fruits frais). Organise une fête sur la plage chaque nuit de pleine lune.

ℹ️ Renseignements

Le seul distributeur de l'île, dans la rue du 7 Seas, accepte les cartes de crédit étrangères. Généralement, les clubs de plongée facturent un minimum de 8% pour les avances en liquide sur les cartes de crédit. Le village compte une **clinique** pour les soins de base.

Ozzy Internet & Wartel Hendra (✆622 179 ; Internet 24 000 Rp/heure, appels internationaux 13 000 Rp/min ; ☺8h-21h). Supérette, cybercafé, *wartel* et change.

Perama (✆637 816). Agence de voyages fiable.

Comprendre
> Bali et Lombok

Bali et Lombok aujourd'hui

"Cette nation est confrontée à l'invasion occidentale et je ne peux pas assister à sa destruction sans rien faire", écrivait en 1930 le cinéaste André Roosevelt. Cependant, les Balinais ont toujours trouvé le moyen de rester fidèles à eux-mêmes, que ce soit face à l'invasion venue de Java, aux éruptions volcaniques ou en accueillant 3 millions de visiteurs par an. Comment douter de l'ingéniosité d'un peuple qui fait voler des cerfs-volants tant pour s'amuser que pour parler aux dieux ?

D'inquiétantes constructions

Le développement anarchique menace précisément ce à quoi l'île doit sa réputation touristique. Le littoral est particulièrement vulnérable. En 2000, par exemple, on ne voyait que des rizières à perte de vue au nord de Seminyak (jusqu'au Pura Tanah Lot). Aujourd'hui, ce paysage a cédé la place à des villas et à des constructions touristiques. Mais sur une île où la culture d'un hectare de terre ne rapporte que 100 $US par mois, qui peut blâmer les agriculteurs de vouloir vendre leur parcelle à prix d'or ?

Bien que ces rizières disparaissent au rythme de 700 à 1 000 ha par an, Bali a tout de même été honorée en 2012 par l'Unesco, qui a inscrit la riziculture traditionnelle de l'île au patrimoine mondial. Dans le même temps, d'importants aménagements routiers, attendus depuis longtemps, tenteront de régler les problèmes grandissants de circulation. Les observateurs attendent de voir les résultats de la nouvelle route surélevée à péage qui relie Sanur, Nusa Dua et l'aéroport, car d'autres projets sont envisagés à travers les rizières, à l'est et à l'ouest du sud de l'île.

De l'eau au mauvais endroit

Partout se manifestent des signes alarmants de surpopulation et de surdéveloppement. Il est facile de tenir le réseau électrique défaillant

À lire

» **Mange, prie, aime** (Calmann-Lévy, 2008). Le best-seller d'Elizabeth Gilbert attire chaque année à Bali des milliers de visiteurs (des visiteuses surtout).

» **Sang et volupté à Bali** (10/18, 2001). Cette captivante saga de Vicki Baum retrace la conquête de l'île par les Néerlandais au début du siècle dernier.

» **Le Goût de Bali** (Mercure de France, 2005). Un recueil de textes sur Bali signés Henri Michaux, Antonin Artaud, Clara Malraux, Catherine Jordis, etc.

À écouter

L'envoûtante musique des gamelans résonne dans tout Bali. Voici les meilleures ventes sur iTunes :

» Gamelan Salunding
» Gamelan Suling
» Sekaha Ganda Sari

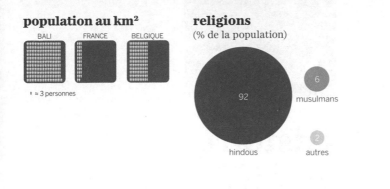

population au km²

BALI   FRANCE   BELGIQUE

ᵢ ≈ 3 personnes

religions
(% de la population)

92
hindous

6
musulmans

2
autres

pour responsable, mais le fait est que la consommation électrique augmente plus vite que prévu.

La pénurie d'eau menace davantage. Sur une île dont l'image est associée à l'abondance de l'eau qui court partout, le fait qu'une chambre d'hôtel consomme 1 000 l d'eau, soit cinq fois plus que les besoins moyens d'une famille, ne laisse rien présager de bon. La demande considérable des terrains de golf de la péninsule de Bukit, semi-aride, et de toutes les villas avec piscine pèse sur des ressources que l'on pensait inépuisables.

Et si l'eau manque sur l'île, il y en a trop autour. Chaque année, l'élévation du niveau de la mer provoque l'érosion de 6 km supplémentaires du littoral de Bali et de Lombok. L'emblématique et large Kuta Beach peut se réduire fortement à marée haute. Les nombreuses constructions de digues de sable ne font que repousser le problème.

L'art d'embrasser le changement

Chaque petite offrande que vous découvrez – même un simple bâton d'encens qui se consume devant votre chambre d'hôtel – vous rappelle que les Balinais ont tout compris. Leur système de croyances riche et complexe leur permet d'adapter aux réalités actuelles cette offrande qu'il y a un siècle ils auraient déposée dans un petit temple au milieu des rizières. Jamais ils ne doutent de leur capacité à s'adapter aux vicissitudes de la vie moderne et à en tirer parti.

Face aux embouteillages, les chefs religieux locaux ont conclu que s'opposer radicalement à la construction d'une autoroute sur pilotis était une erreur, parce qu'obliger la population à rester assise dans les embouteillages est une indignité plus grande encore. La route à péage a donc été entreprise. Reste à savoir comment Bali saura répondre à de toujours plus grandes indignités.

Pays d'où viennent les visiteurs de Bali :
» Australie (27% !)
» Chine
» Japon
» Malaisie
» Corée du Sud
» Grande-Bretagne
» Russie
» Taïwan
» Singapour
» États-Unis
» France
» Allemagne
» Pays-Bas
... et les autres

Fruits à goûter

» **Mangoustan** Sous l'aspect d'une balle de cuir se cachent de succulents quartiers parfumés.

» **Langsat** Une chair juteuse sous une fine peau beige.

» **Ramboutan** Sous sa coque hirsute, il ressemble au litchi.

Carte blanche

À Bali, vous pouvez :
» Marcher accidentellement sur une offrande sans que quiconque en soit offensé.

» Savourer une bière au milieu d'un spectacle de danse.

» Porter un vêtement qui vous ferait passer pour un guignol chez vous.

» Accéder à la joie intérieure en écoutant le riz pousser.

» Acheter un souvenir si insensé que vous prétendrez en rentrant chez vous qu'on l'a glissé dans votre sac.

» Découvrir une culture à nulle autre pareille.

Histoire

Tandis que l'islam se propage à Java, au début du XIIᵉ siècle, rois et courtisans du royaume hindou de Majapahit se réfugient à Bali, de l'autre côté du détroit, exode qui se paracheva en 1478. Le prêtre javanais Nirartha introduisit nombre des éléments qui font la complexité de la religion hindouiste balinaise et établit des temples sur le pourtour de l'île, dont Rambut Siwi, Tanah Lot et Ulu Watu.

Dès le début du XVIIIᵉ siècle, les Balinais cherchèrent à dominer Lombok jusqu'à ce que les Néerlandais les supplantent en 1894.

Entre-temps, au XIXᵉ siècle, les Néerlandais avaient commencé à nouer des alliances avec les princes locaux du nord de Bali. En 1906, ils prirent prétexte du pillage d'épaves de navires naufragés pour envahir le Sud. L'assaut s'acheva par un dramatique *puputan* (combat jusqu'à la mort, tenant du suicide collectif). Les princes de Denpasar brûlèrent leurs palais, puis s'avancèrent dignement sous le feu des Néerlandais. Bientôt, d'autres rajas capitulèrent et Bali fut intégrée dans les Indes néerlandaises.

Par la suite, de nombreux responsables néerlandais encouragèrent la culture balinaise, suscitant la curiosité à l'étranger et l'arrivée des premiers touristes occidentaux.

Après la Seconde Guerre mondiale, la lutte pour l'indépendance fit rage. Le 17 août 1945, l'Indonésie proclama son indépendance (date qu'elle commémore officiellement aujourd'hui), mais il fallut encore bien des combats pour que les Néerlandais la reconnaissent, le 27 décembre 1949. Les premières années de l'indépendance, Bali vit son économie languir avant que sa beauté, principale ressource nationale, ne fasse l'objet d'une promotion touristique rapidement suivie d'effet.

L'explosion du tourisme, qui a démarré au début des années 1970, a apporté de nombreux changements et a contribué à financer l'amélioration des routes, des télécommunications, de l'éducation et de la santé. Si elle a eu des effets négatifs sur l'environnement et la vie sociale, Bali a toujours fait preuve d'une remarquable capacité d'adaptation liée à sa culture spécifique.

CHRONOLOGIE

- 50 000 000 d'années

Une faille se forme dans la croûte terrestre entre l'Asie et l'Océanie. Appelée ligne Wallace, elle constituera une frontière biologique entre les deux continents.

2000 ans av. J.-C.

À cette époque disparaît l'un des premiers habitants connus de Bali, dont les restes sont aujourd'hui exposés à Gilimanuk.

VIIᵉ siècle

Les marchands indiens introduisent l'hindouisme à Bali. On sait peu de choses sur leur commerce, mais on estime qu'ils ont pu repartir avec des pénis en bois sculpté et des livres en *lontar*.

Les premiers Balinais

Les signes d'une présence humaine à l'âge de la pierre sont rares à Bali. On est cependant certain que l'île était habitée dès la préhistoire – des fouilles ont mis au jour des fossiles humains vieux de 250 000 ans sur l'île voisine de Java. Les premiers objets (outils en pierre et vaisselle en terre cuite, exhumés près de Cekik, dans l'ouest de Bali) dateraient d'il y a 3 000 ans. Les recherches se poursuivent, et vous pourrez voir des ossements de près de 4 000 ans au Museum Situs Purbakala Gilimanuk. Tout indique que l'âge du bronze a débuté à Bali avant 300 av. J.-C.

On sait peu de choses sur le début de l'hindouisme dans l'archipel indonésien, si ce n'est qu'il fut sans doute introduit vers le VIIe siècle par les marchands venus du sous-continent indien. Les premières traces d'écriture, qui remontent au IXe siècle, ont été retrouvées sur un pilier en pierre, près de Sanur. À cette époque, Bali ressemblait déjà à ce qu'elle est aujourd'hui. Ainsi y cultivait-on le riz, au moyen d'un système d'irrigation complexe encore en usage. Les arts, quant à eux, commençaient déjà à s'épanouir.

Si les historiens ont peu d'informations sur les premiers habitants de Bali, ils ignorent tout du Lombok d'avant le XVIIe siècle. On suppose que les premiers habitants sont des Sasak, venus d'une région englobant l'Inde et le Myanmar actuels.

Sites les plus anciens

» Goa Gajah
» Gunung Kawi
» Tirta Empul
» Pilier de pierre (Sanur)

Les influences hindoues

Java étend son influence sur Bali sous le règne du roi Airlangga (1019-1042), voire plus tôt. Alors que son oncle vient de perdre le trône, Airlangga, âgé de 16 ans, s'enfuit dans les forêts de l'ouest de Java. Le jeune homme, qui deviendra l'un des plus grands souverains javanais, gagne peu à peu des appuis et reconquiert l'ancien royaume de son oncle. Grâce à sa mère, qui s'était installée à Bali et remariée juste après sa naissance, des relations s'établissent naturellement entre Java et Bali. Le javanais parlé à la cour – le kawi – se diffuse dans la noblesse balinaise, et les mémoriaux taillés dans la pierre que l'on voit à Gunung Kawi, près de Tampaksiring, témoignent des influences architecturales qu'exerça Java sur Bali au XIe siècle.

Après la mort d'Airlangga, Bali demeure semi-indépendante deux siècles durant, jusqu'à l'avènement de Kertanagara, souverain de la dynastie Singasari qui domine Java. Kertanagara conquiert Bali en 1284, mais son règne ne dure que huit ans. Son assassinat provoque l'effondrement du royaume. Son fils Vijaya (ou Wijaya) fonde la grande dynastie de Majapahit. Java étant alors livrée au chaos, Bali retrouve son autonomie, et la dynastie des Pejeng acquiert un pouvoir considérable. Des temples et des vestiges de cette époque sont encore découverts près d'Ubud, à Pejeng.

HISTOIRE LES INFLUENCES HINDOUES

IXe siècle	1019	XIIe siècle	1292
Un graveur sur pierre dresse une liste, en sanskrit, de victoires militaires ancestrales. Le plus ancien objet connu fabriqué à Bali, il a été découvert à Sanur et atteste l'influence précoce de l'hindouisme.	Le futur monarque Airlangga naît à Bali. Il vit dans la jungle de Java jusqu'à ce qu'il s'empare du pouvoir et devienne le roi des deux îles, dont il unifie les cultures.	Une remarquable série de statues hautes d'une dizaine de mètres est taillée dans la paroi rocheuse au Gunung Kawi, au nord d'Ubud.	Bali obtient son indépendance de Java à la mort de Kertanagara, le puissant souverain qui a régné sur les deux îles pendant huit ans. Le pouvoir passe alors fréquemment d'une île à l'autre.

LES ARTISTES AU POUVOIR

L'arrivée massive au XVIe siècle de l'élite hindouiste des royaumes javanais à Bali eut un effet considérable et durable sur la vie artistique de l'île. Les Balinais avaient déjà fait preuve de créativité, mais quand l'intelligentsia javanaise arriva au pouvoir, la musique, la danse et d'autres formes d'art connurent un développement sans précédent. Les villages les plus créatifs se voyaient accorder le plus haut statut, une tradition qui perdure de nos jours.

Cet épanouissement des arts alla de pair avec celui de l'hindouisme. Les riches et complexes légendes des esprits bons et mauvais trouvèrent de formidables moyens de s'exprimer, telle la légende de Jero Gede Macaling, le démon de Nusa Penida qui a inspiré la danse du *Barong landung*.

La fin de la dynastie Pejeng

Des cheveux de Nirartha, le grand prêtre qui a façonné l'hindouisme balinais au XVIe siècle, seraient enfouis dans le Pura Rambut Siwi (p. 252), superbe temple de la mer de l'ouest de Bali.

En 1343, Gajah Mada, le légendaire Premier ministre des Majapahit, défait le roi Pejeng, Dalem Bedaulu, replaçant ainsi Bali sous l'influence javanaise.

Continuant d'étendre leur suprématie, les Majapahit dominent peu à peu presque tout l'archipel indonésien. Vers la fin du XIVe siècle, la "capitale" balinaise de la dynastie se déplace à Gelgel, près de l'actuelle Semarapura, d'où régnera pendant 200 ans le "roi de Bali", le Dewa Agung. Tandis que l'islam se propage à Java, le royaume des Majapahit s'étiole dans des disputes entre sultans. À Bali, la dynastie de Gelgel – sous le règne de Dalem Batur Enggong – en profite pour étendre son pouvoir : à l'est, sur Lombok et à l'ouest, sur Java, par-delà le détroit.

L'effondrement de la dynastie Majapahit, en 1478, au profit de petits royaumes déliquescents, favorise l'expansion de l'islam depuis les États commerçants du littoral nord jusqu'au cœur de Java. Alors que la dynastie Majapahit s'effondre, de nombreux membres de l'intelligentsia, dont le brahmane Nirartha, émigrent à Bali. Ce dernier aurait apporté à la religion balinaise toute sa complexité et aurait contribué à la fondation des "temples de la mer", dont les fameux Pura Luhur Ulu Watu et Pura Tanah Lot. Artistes, artisans, danseurs, musiciens et acteurs fuient également à Bali, qui connaît alors une effervescence culturelle qui n'a jamais cessé depuis.

Démêlés avec les Néerlandais

En 1597, les marins néerlandais sont parmi les premiers Européens débarquant à Bali. Inaugurant une tradition qui a toujours cours, ils tombent amoureux de l'île. Aussi, lorsque le capitaine du navire, Cornelis de Houtman, s'apprête à appareiller, deux membres de l'équipage

1343	1520	1546	1579
Gajah Mada, le légendaire Premier ministre des Majapahit, ramène Bali dans le giron javanais. Pendant deux siècles, la cour s'installe juste au sud de l'actuelle Semarapura (Klungkung).	Java est entièrement convertie à l'islam, Bali demeurant l'unique et dernière île hindouiste. Les prêtres et les artistes convergent vers Bali, dont ils renforcent la culture pour résister à la conversion.	Le prêtre hindou Nirartha arrive à Bali, où il transforme la religion et fait construire une multitude de temples, dont Rambut Siwi, Tanah Lot et Luhur Ulu Watu.	Sir Francis Drake, à la recherche d'épices, serait le premier Européen à avoir débarqué à Bali. Mais cela reste à prouver.

refuse de le suivre. En ce temps-là, la prospérité et les arts étaient à leur apogée à la cour. Le roi, qui s'était lié d'amitié avec de Houtman, avait 200 épouses, un char tiré par deux buffles blancs, sans oublier un cortège de 50 nains dont le corps était courbé comme la poignée d'un kriss (dague traditionnelle). Dès le début du XVIIᵉ siècle, les Néerlandais signent des traités commerciaux avec les princes javanais et contrôlent l'essentiel du commerce des épices. Plus attirés par le profit que par la culture de l'île, ils ne s'intéressent guère à Bali.

En 1710, quand la "capitale" du royaume de Gelgel se déplace à Klungkung (l'actuelle Semarapura), toute proche, le mécontentement grandit dans la région. Les autres roitelets font dissidence et les Néerlandais occupent le terrain, usant d'une vieille stratégie : diviser pour régner. En 1846, une revendication des Balinais – le renflouement d'une épave – leur sert de prétexte pour déployer des forces militaires dans le nord de l'île et s'emparer des royaumes de Buleleng et de Jembrana. Ils s'appuient sur le concours de plusieurs princes balinais qui, occupés par la conquête de Lombok, négligent leurs affaires intérieures et se laissent abuser par les astucieux Néerlandais.

En 1894, les Pays-Bas, Bali et Lombok s'affrontent dans des combats qui orienteront le cours de l'histoire pour les décennies suivantes.

Le nord de Bali contrôlé, et Lombok soumis par les Hollandais, le sud de Bali est en mauvaise posture pour résister longtemps. En 1904, les conquérants prennent prétexte du pillage de l'épave d'un bateau chinois naufragé au large de Sanur pour justifier une nouvelle intervention. Ils exigent que le raja de Badung verse 3 000 pièces d'argent de dédommagement. La demande étant rejetée, les navires de guerre néerlandais mouillent au large de Sanur en 1906.

Le suicide collectif balinais

Malgré l'opposition balinaise, les Néerlandais débarquent et, quatre jours plus tard, après une avancée de 5 km, ils gagnent les abords de Denpasar. Le 20 septembre 1906, la marine néerlandaise bombarde Denpasar, puis lance l'assaut final. Réalisant qu'ils sont inférieurs en nombre et en armes, les trois princes de Badung pensent la défaite inévitable. Mais la reddition et l'exil leur semblant la pire des issues, ils choisissent d'en finir par un *puputan*. Les princes brûlent leurs palais, puis le raja, paré de ses plus beaux atours et brandissant le kriss d'or rituel, part affronter la machine de guerre moderne des Néerlandais, accompagné des nobles et des prêtres.

Ces derniers supplient les Balinais de se rendre plutôt que d'opposer une résistance désespérée, mais, vague après vague, les nobles balinais marchent vers la mort ou se suicident avec leur kriss. En tout, près de 4 000 Balinais périront. Les Néerlandais se dirigent

---

Kuta s'est toujours distinguée du reste de Bali. À l'époque royale, la région était un lieu d'exil pour les mécontents et les fauteurs de troubles. Le secteur était trop aride pour les rizières, la pêche permettait tout juste de survivre et la côte offrait des kilomètres de sable inutilisable...

EXIL

HISTOIRE LE SUICIDE COLLECTIF BALINAIS

1580
Également à la recherche d'épices, les Portugais tentent de débarquer à Bali, mais s'écrasent sur les rochers d'Ulu Watu et renoncent.

1597
Une expédition néerlandaise débarque près de Kuta. Un de ses contemporains décrit le capitaine, Cornelis de Houtman, comme "un fanfaron et un gredin".

JACK HOLLINGSWORTH/GETTY IMAGES ©

» Les falaises d'Ulu Watu (p. 103)

ensuite au nord-ouest et capturent le raja de Tabanan qui, lui aussi, préférera le suicide à la honte de l'exil.

Ils autorisent les souverains de Karangasem (la famille royale vit toujours dans les palais d'Amlapura), qui ont capitulé, à conserver une partie de leurs prérogatives, mais bien d'autres royaumes sont renversés et leurs dirigeants exilés. Finalement, avec le *puputan* du raja de Semarapura, en 1908, les Néerlandais achèvent leur besogne. Et le magnifique palais de Semarapura, le Taman Kertha Gosa, est détruit.

Ce dernier obstacle balayé, les Néerlandais contrôlent totalement Bali et l'intègrent dans les Indes néerlandaises. L'économie de plantations se développe peu et le petit peuple ne fait guère la différence entre la domination néerlandaise et celle des rajas. À Lombok, les nouveaux impôts néerlandais, très lourds, rendent la vie quotidienne difficile.

> Le trafic de l'opium balinais fut une source de richesse considérable pour les Néerlandais au XIXᵉ siècle. L'essentiel du budget de l'administration coloniale était consacré au développement de cette industrie, qui ne fut interdite que dans les années 1930.

La Seconde Guerre mondiale

En 1942, les Japonais débarquent à Bali par Sanur sans rencontrer d'opposition, quand ils ne sont pas d'abord accueillis en libérateurs. Ils établissent leurs quartiers généraux à Denpasar et à Singaraja (district de Buleleng). L'occupation devient de plus en plus insupportable pour la

---

LA BATAILLE DE LOMBOK

En 1894, les Néerlandais envoient une armée pour soutenir les Sasak de l'est de Lombok dans leur rébellion contre le raja balinais, qui contrôle l'île avec l'aide des Sasak de l'Ouest. Le raja capitule rapidement, mais le prince héritier décide de poursuivre la lutte.

Une nuit, une troupe de Balinais et de Sasak de l'Ouest attaque le campement néerlandais situé dans le palais flottant de Mayura, obligeant les Hollandais à se réfugier dans un temple. Dans le même temps, les Balinais assiègent un autre camp à l'est de Mataram, et toute l'armée néerlandaise présente sur Lombok doit se retirer à Ampenan où, d'après un témoignage, les soldats "étaient si nerveux qu'ils tiraient dès que la moindre feuille tombait d'un arbre". Ces combats causeront de grandes pertes en hommes et en armes dans le camp néerlandais.

Après avoir remporté les premières batailles, les Balinais commencent à perdre du terrain, harcelés par les Sasak de l'Est. Bientôt, les Néerlandais reçoivent des renforts de Java et attaquent Mataram, livrant des combats de rue contre les soldats aussi bien que contre les civils balinais et sasak de l'Ouest. Plutôt que de se rendre, les Balinais – hommes, femmes et enfants – choisiront le *puputan* (lutte à mort), fauchés par les fusils et les tirs d'artillerie.

À la fin du mois de novembre 1894, les Néerlandais attaquent Sasari et, là encore, un grand nombre de Balinais choisissent le *puputan*. À la chute de la dynastie, la population abandonne la lutte.

1795-1815	1830	1856	1891-1894
Le contrôle de l'Indonésie passe officiellement des Néerlandais aux Français, puis aux Britanniques pour revenir aux Néerlandais, sans que cela change grand-chose pour les Balinais.	La traite des esclaves balinais prend fin. Pendant plus de deux siècles, les maisons royales rivales de Bali financèrent leurs guerres en vendant certains de leurs plus beaux sujets.	Le commerçant danois Mads Lange meurt mystérieusement à Kuta, probablement empoisonné par des rivaux. Il s'était constitué une fortune en vendant des articles balinais aux navires ancrés près de la plage.	Après des années de vaines rébellions, les Sasak incendient un palais et finissent par s'imposer dans l'est de Lombok. Avec l'aide des Néerlandais, le pouvoir balinais est chassé de l'île en moins de trois ans.

population. À leur départ, en août 1945, les Japonais laissent l'île dans un état d'extrême dénuement. L'oppression a donné le jour à de nombreux mouvements paramilitaires, nationalistes et anticolonialistes, et les Balinais sont prêts à s'opposer au retour des Néerlandais.

L'indépendance

En août 1945, quelques jours après la reddition japonaise, Sukarno, le plus influent parmi les nationalistes, proclame l'indépendance de l'Indonésie. Toutefois, il faudra encore quatre années pour arriver à ce résultat. Le 20 novembre 1946, réitérant pour ainsi dire le célèbre *puputan* survenu près de cinquante ans plus tôt, un groupe de combattants pour la liberté mené par le charismatique Gusti Ngurah Rai (qui a donné son nom à l'aéroport de Bali) se fait massacrer par les Néerlandais lors de la bataille de Marga dans l'ouest de Bali. Les occupants acceptent enfin officiellement l'indépendance de l'archipel en 1949. Mais c'est la proclamation du 17 août 1945 qui demeure célébrée de nos jours.

Bali, Lombok et les autres îles de l'Est sont tout d'abord regroupées en une province démesurée : Nusa Tenggara. En 1958, reconnaissant son erreur, le gouvernement central divise la région en trois nouvelles entités, dont Bali et Nusa Tenggara Barat, qui inclut Lombok.

Le coup d'État et ses répercussions

Au début, le chemin de la liberté n'est pas aisé. Quand, en 1959, après plusieurs rébellions violentes, Sukarno prend en main le pouvoir de façon plus directe, il se révèle aussi incapable d'administrer le pays en temps de paix qu'il s'était montré un leader révolutionnaire charismatique. Au début des années 1960, tirant parti de ses atermoiements, l'armée, les communistes et d'autres groupes luttent pour la suprématie. Le 30 septembre 1965, une tentative de coup d'État – attribuée au Partai Komunis Indonesia (PKI, ou Parti communiste) – entraîne la chute de Sukarno. Faisant preuve d'une grande habileté politique et militaire, le général Suharto parvient à contrôler la situation et émerge comme leader. Le PKI est déclaré illégal, et une vague de massacres des "suspects" communistes gagnera tout l'archipel.

À Bali, les événements prennent d'autant plus d'importance au niveau local que les principales organisations politiques nationales – le Partai Nasional Indonesia (PNI, ou Parti nationaliste) et le PKI – cristallisent les différences entre les traditionalistes, désireux de conserver l'ancien système des castes, et les radicaux qui rejettent ce système répressif et exhortent à la réforme agraire. Après le coup d'État avorté, les traditionalistes religieux se lancent dans une chasse aux sorcières contre les "communistes impies". Finalement,

Remarquable pour les conseils de son personnel et sa collection de titres rares (la plupart en anglais), Ganesha Books, à Ubud, est la meilleure librairie de Bali. Son site Web (www.ganeshabooksbali.com) est aussi excellent.

Femme aux nombreux pseudonymes, K'tut Tantri quitta Hollywood pour Bali en 1932. Après la guerre, elle rejoignit les révolutionnaires Indonésiens dans leur combat contre les Néerlandais. Sous le nom de Surabaya Sue, elle défendit leur cause depuis Surabaya. Son autobiographie, *Revolt in Paradise*, fut publiée en 1960.

1908	1912	1925	1936
La royauté balinaise se suicide avec panache. Parés de leurs plus belles tenues et armés de poignards rituels, les Balinais marchent sous le feu des Néerlandais dans un *puputan* ("lutte à mort") à Klungkung.	L'Allemand Gregor Krause photographie des Balinaises à demi nues. Il publie un "livre d'art" en 1920 et les vapeurs néerlandais amarrés à Singaraja transportent désormais des touristes.	Le plus grand danseur moderne balinais, Mario, réalise pour la première fois le Kebyar Duduk, œuvre qu'il dansera longtemps. Partant d'une position courbée, il évolue comme s'il était en transe au rythme lancinant du gamelan.	Les Américains Robert et Louise Koke construisent un complexe de bungalows aux toits de palmes sur la plage encore déserte de Kuta. C'est la fin du tourisme guindé et le début des distractions et de la détente au soleil.

LA COLONISATION TOURISTIQUE

Dès les années 1920, le gouvernement néerlandais réalise que l'industrie du tourisme, en plein essor, pourrait tirer parti de l'originalité de la culture balinaise. Sa campagne publicitaire, axée sur des images de Balinaises aux seins nus, attire rapidement les riches aventuriers occidentaux. Ils accostent au nord (dans l'actuelle Singaraja) avant d'effectuer à travers l'île un circuit de trois jours, dépourvu de toute fantaisie, avec à la clé des spectacles culturels standardisés dans un hôtel de Denpasar géré par le gouvernement. Les récits de l'époque sont nourris d'images d'Européens qui, sous couvert d'intérêt pour la culture, ne cherchent en réalité qu'à voir des femmes aux seins nus. Désir souvent frustré, car les Balinaises se couvraient dès qu'elles entendaient les tacots néerlandais approcher.

Dès cette époque, toutefois, certains voyagent de manière autonome, souvent à la demande des artistes occidentaux expatriés, comme Walter Spies à Ubud. Parmi ces visiteurs figurent Robert et Louise Koke, un couple d'Américains de Hollywood. Lors d'un voyage, ils accostent à Bali en 1936. Consterné par les ennuyeuses restrictions qu'imposent les autorités touristiques néerlandaises, le couple construit quelques bungalows avec des feuilles de palmier et autres matériaux locaux sur la plage déserte de Kuta qui n'est alors occupée que par quelques familles de pêcheurs vivant dans le dénuement.

La nouvelle se répand rapidement et les bungalows ne tardent pas à afficher complet. Les clients viennent à Bali pour quelques jours, restent de longues semaines et parlent de l'île autour d'eux. Les Néerlandais, qui ont tout d'abord dénigré les "huttes primitives et malpropres" des Koke, réalisent bientôt que l'expansion du tourisme peut être profitable à tous. D'autres Occidentaux construisent des hôtels aux toits de palmes, et des bungalows qui deviendront l'emblème de Bali dans les décennies suivantes. La Seconde Guerre mondiale balaie tourisme et hôtels (les Koke échappent de justesse aux Japonais), mais, quand les visiteurs reviennent peu à peu après le conflit, Bali devient très populaire.

l'armée intervient pour contrôler les purges anticommunistes, mais les tueries – entre 50 000 et 100 000 victimes, sur une population d'environ deux millions d'habitants – n'épargnent aucune famille. Plusieurs dizaines de milliers d'habitants de Lombok disparaissent eux aussi.

L'éruption de 1963

En plein désordre politique, Bali connut en 1963 l'éruption volcanique la plus désastreuse depuis 100 ans, lorsque le Gunung Agung entra en éruption à un moment d'une portée prophétique et politique considérable.

1945

Après la capitulation du Japon, les nationalistes, dont Sukarno, proclament l'indépendance de l'Indonésie à l'égard des Pays-Bas.

1946

Le défenseur de l'indépendance Ngurah Rai meurt avec ses hommes à Marga. Ce *puputan* sape le moral des colons néerlandais et l'Indonésie devient peu après indépendante.

» Le Margarana (p. 248) commémore le *puputan* de 1946

L'Eka Dasa Rudra, le plus grand des sacrifices balinais qui n'a lieu qu'une fois par siècle sur le calendrier balinais, devait en effet atteindre son apothéose le 8 mars 1963. Plus de 100 années s'étaient déjà écoulées depuis le dernier Eka Dasa Rudra, mais les prêtres étaient en désaccord sur la date la plus faste.

Le Pura Besakih figurait évidemment au cœur des festivités, mais, au moment des derniers préparatifs, fin février, le comportement du Gunung Agung devint étrange. En dépit de quelques scrupules et des murmures menaçants qui persistaient, les cérémonies furent maintenues sous la pression politique.

Le 17 mars, le Gunung Agung entra en éruption. La catastrophe fit plus de 1 000 victimes (2 000 selon certaines estimations) et détruisit des villages entiers, laissant 100 000 habitants sans toit. En plusieurs endroits, des torrents de lave et de boue volcanique brûlante coulèrent jusqu'à la mer, engloutissant les routes et isolant la pointe est de Bali. L'île entière fut couverte de cendres. Les traces de coulées de lave sont encore visibles de la grand-route près de Tulamben.

L'ère Suharto

Dans le sillage du coup d'État manqué de 1965, Suharto se pose en président et prend le contrôle du gouvernement. Sous l'"Ordre nouveau" de Suharto, l'Indonésie oriente sa politique extérieure et son économie vers l'Occident.

Sur le plan politique, Suharto veille à ce que son parti, le Golkar, massivement soutenu par l'armée, devienne le plus puissant. Les autres partis sont interdits ou paralysés. Des élections régulières contribuent à maintenir un simulacre de démocratie, mais, jusqu'en 1999, le Golkar sort invariablement vainqueur des urnes. Durant cette période où les intérêts commerciaux l'emportent sur la démocratie, Bali, puis Lombok connaissent un développement économique important. De grands complexes hôteliers apparaissent à Sanur, à Kuta et à Nusa Dua, souvent grâce à des investisseurs appartenant au gouvernement.

Début 1997, l'Asie du Sud-Est subit une grave crise et, en l'espace d'un an, la devise indonésienne (la rupiah) s'effondre, laissant l'économie nationale au bord de la faillite.

Incapable de faire face à la situation, Suharto démissionne en 1998, après trente-deux ans de pouvoir. Son protégé, Bacharuddin Jusuf Habibie, devient président. Bien que rejeté au départ pour ses liens avec Suharto, celui-ci réalise les premières avancées notables sur le chemin d'une authentique démocratie, en libérant notamment la presse du contrôle gouvernemental.

L'aéroport de Bali porte le nom de I Gusti Ngurah Rai, héros national mort en dirigeant la résistance contre les Néerlandais à Marga, en 1946. La lettre qu'il a écrite en réponse à la demande de reddition néerlandaise s'achève ainsi : "La liberté ou la mort !"

1949	1963	Années 1960	1965
La comédie musicale *South Pacific* est jouée à Broadway et sa chanson "Bali Hai" va inscrire dans des millions d'esprits des clichés sur Bali (même si elle est en fait inspirée des Fidji).	Le Gunung Agung entre en éruption et ravage une partie de l'est de Bali : plus d'un millier de morts et de 100 000 sinistrés.	L'allongement de la piste d'aéroport pour accueillir des gros porteurs, les tarifs relativement accessibles des vols et l'ouverture du Bali Beach Hotel à Sanur marquent le début du tourisme de masse.	La rivalité entre communistes et conservateurs éclate après une supposée tentative de coup d'État. Les conservateurs l'emportent et les purges font des dizaines de milliers de victimes à Bali.

LES ATTENTATS DE BALI

Le samedi 12 octobre 2002, deux explosions retentissent sur l'artère animée de Jl Legian, à Kuta. La première a lieu devant le Paddy's Bar et, quelques secondes plus tard, une bombe beaucoup plus puissante anéantit le Sari Club.

Le nombre de morts et de disparus dépasse les 200, mais on ne connaîtra sans doute jamais le nombre exact de victimes. Beaucoup de Balinais touchés rentrent dans leur village, où ils décèdent, faute de traitement médical adapté.

Les autorités indonésiennes ont finalement attribué les attentats à un groupe terroriste islamique, la Jemaah Islamiyah. Elles ont arrêté des dizaines de fondamentalistes, dont beaucoup ont été emprisonnés et trois condamnés à mort. Mais les peines ont été dans l'ensemble assez légères, notamment dans le cas d'Abu Bakar Bashir, un chef religieux radical que l'on désigne souvent comme le responsable des attentats. Sa condamnation a finalement été annulée par la Cour suprême indonésienne en 2006, provoquant la fureur de nombreux Balinais et Australiens.

Le 1er octobre 2005, trois candidats au suicide font exploser leur bombe – l'un dans un restaurant de Kuta Sq et les deux autres dans des cafés du front de mer à Jimbaran. Cette fois encore, c'est l'œuvre de la Jemaah Islamiyah. En dépit de documents indiquant que les attentats visaient les touristes, 15 des 20 victimes sont des Balinais et des Javanais qui travaillaient dans ces établissements.

En 2008, Abu Bakar Bashir a formé un nouveau groupe soupçonné de liens avec les attentats de l'hôtel de Jakarta en 2009. En 2011, il a été condamné à 15 ans de prison pour avoir financé un camp d'entraînement djihadiste à Aceh.

Umar Patek a également été reconnu coupable en 2012 d'avoir aidé à assembler les bombes qui ont explosé à Bali en 2002, et condamné à 20 ans de prison. Mais les menaces sont toujours présentes : en 2012, la police balinaise a abattu cinq terroristes présumés.

La paix vole en éclats

En 1999, le Parlement indonésien se réunit pour élire un nouveau président. La favorite, Megawati Sukarnoputri, jouit d'une popularité considérable à Bali en raison de son ascendance (sa grand-mère paternelle était balinaise), mais aussi du fait que son parti est laïc (les Balinais, majoritairement hindouistes, s'inquiètent de la montée du fondamentalisme musulman). Toutefois, le parti de Suharto reste puissant et, à la surprise générale, c'est Abdurrahman Wahid, chef de la plus grande organisation musulmane d'Indonésie, qui l'emporte.

À Lombok, en revanche, les tensions religieuses et politiques dégénèrent début 2000, lorsqu'une vague d'incendies d'entreprises et de maisons de Chinois et de chrétiens éclate à Mataram. L'industrie du tourisme est frappée de plein fouet, mais l'île réussit peu à peu à oublier cet épisode peu glorieux.

1970

Une jeune femme commence à vendre des bonbons à Kuta. Encouragée par les surfeurs, elle construit une hutte qu'elle nomme Made's Warung, devenue aujourd'hui un restaurant florissant.

1972

Le cinéaste Alby Falzon emmène une bande d'Australiens à Bali pour réaliser son documentaire sur le surf, *Morning on Earth*, qui jouera un rôle majeur pour attirer une génération d'Australiens vers Kuta.

AARON BLACK/GETTY IMAGES ©

» Le paysage côtier à Kuta, Lombok (p. 259)

L'apaisement

Après 21 mois de conflits ethniques, religieux et régionaux croissants, l'assemblée destitue Wahid et confie la présidence à Megawati.

Les tensions culturelles et ethniques ont indubitablement joué un rôle dans les attentats de Kuta en octobre 2002, une tragédie que la plupart des Balinais peinent encore à comprendre. Outre les gigantesques pertes financières (le tourisme a diminué de moitié), les attentats alimentent la suspicion et les craintes des Balinais hindouistes à l'égard des musulmans : les musulmans de Java tenteraient de s'immiscer sur la scène balinaise fort lucrative et, d'une manière générale, les musulmans de tout l'archipel discrimineraient les Balinais non musulmans. Par ailleurs, ces troubles mettent à mal le "splendide isolement" voulu par une partie de la population locale.

À l'intérieur du Bajra Sandhi Monument (ou monument de la "Lutte du peuple"), à Denpasar, une série de dioramas (tableaux en relief avec des petits personnages en terre) donnent une amusante évocation miniature des grands moments de l'histoire de Bali.

HISTOIRE L'APAISEMENT

1998	2000	2002	2008
Suharto, qui a toujours eu des liens très étroits avec Bali, démissionne après 32 ans de présidence. Sa famille continue de contrôler plusieurs complexes balnéaires sur l'île, dont le Pecatu Indah.	Les émeutes qui enflamment l'Indonésie atteignent Lombok, où des centaines de maisons et de commerces appartenant à des Chinois, à des chrétiens et à des Balinais sont pillés et incendiés.	Les attentats de Kuta, le 22 octobre, font plus de 200 victimes, pour la plupart au Sari Club. La chute du tourisme laisse l'économie balinaise exsangue et toute l'île en subit les conséquences.	Après dix années de troubles, Bali accueille un nombre record de 2 millions de visiteurs annuels.

Mode de vie et religion

Bali

Lorsque vous demandez aux voyageurs ce qui les séduit le plus à Bali, la "culture", parfois confondue avec les "habitants", vient souvent en tête de liste. Depuis les années 1920, quand les Néerlandais utilisaient des représentations de jeunes femmes balinaises aux seins nus pour attirer les touristes, Bali a incarné le charme langoureux d'un paradis exotique.

Derrière ce romantisme se cache une réalité plus âpre. De nombreux Balinais vivent une existence précaire, même si l'île prospère grâce au tourisme et que la classe moyenne s'élargit. Et qu'en est-il de la culture, quand un rabatteur insistant éprouve longuement vos nerfs, car il faut bien qu'il gagne sa vie ?

L'image paradisiaque de l'île a néanmoins sa part de vérité. Aucun autre endroit de la planète ne ressemble à Bali, pas même en Indonésie. Cette île, la seule demeurée hindouiste dans le plus grand pays musulman au monde, possède une culture distincte qui fait la fierté de ses habitants. Il n'y a guère plus de cent ans, 4 000 nobles balinais, vêtus de leurs plus beaux atours, préférèrent périr sous les tirs de l'armée néerlandaise plutôt que de se rendre et de devenir sujets des colons.

Certes, le développement a modifié le paysage et provoqué des débats sans fin sur les conséquences du remplacement d'une société agricole par une industrie de services touristiques. Les spas, les discothèques, les boutiques et les restaurants haut de gamme de Seminyak et de Kerobokan font de l'hédonisme une religion locale, mais il suffit de gratter le vernis pour retrouver l'âme balinaise inchangée.

La créativité de l'île apparaît où que porte le regard, et la pratique harmonieuse de la religion imprègne tous les aspects de la société, confortant l'identité communautaire. Les temples sont omniprésents, dans chaque maison, bureau, village, sur les montagnes et les plages, dans les rizières, les arbres, les grottes, les cimetières, sur les lacs et les rivières. Loin d'être cantonnée aux lieux de culte, la religion peut se manifester partout, parfois au milieu de la circulation pendant les heures de pointe.

La tolérance balinaise

Les Balinais sont réputés pour leur tolérance envers les autres cultures, bien qu'ils voyagent rarement – une sédentarité qui s'explique par l'importance du village et des liens familiaux, mais aussi par l'aspect financier. Tout au plus, l'attention dont ils font l'objet les étonne et renforce leur fierté. Ils estiment que leur attitude, quelle qu'elle soit,

INTIMITÉ

À Bali, les témoignages d'affection sont réservés à l'intimité. Les couples ne se tiennent pas par la main, mais les adultes se donnent facilement le bras.

doit être bonne, puisqu'elle incite des millions de touristes à quitter leurs foyers pour venir les voir.

D'une gentillesse indéfectible, ils aiment engager la conversation, qui peut prendre une tournure personnelle. Si l'anglais est largement parlé, quelques mots en bahasa indonesia, ou mieux encore en balinais comme *sing ken ken* (pas de problème), vous vaudront un ami pour la vie ! Leur grand sens de l'humour s'accompagne d'un tempérament accommodant, difficile à froisser. Ils n'apprécient pas les mouvements d'humeur et rient des étrangers "émotifs", qui se mettent rapidement en colère.

Lombok

Réduire les caractéristiques culturelles de Lombok à leurs ressemblances avec celles de Bali n'est pas rendre justice à l'île. Certes, la langue, les rites animistes, la musique et la danse rappellent les royaumes hindouistes et bouddhistes qui gouvernaient autrefois l'Indonésie et l'occupation balinaise de Lombok au XVIIIe siècle. Cependant, la majorité des Sasak sont musulmans ; leurs traditions, leur habillement, leur alimentation et leur architecture diffèrent totalement et ils se sont vigoureusement battus pour les conserver. Alors que les paysans sasak de l'ouest de Lombok semblaient s'accommoder de la férule balinaise, l'aristocratie de l'Est demeurait hostile et fomenta une rébellion avec l'aide des Néerlandais ; celle-ci aboutit à l'expulsion des seigneurs balinais à la fin du XIXe siècle. Les Sasak continuent d'apprécier leurs épreuves de force héroïques, comme les combats au bâton qui ont lieu en août près de Tetebatu.

Lombok reste plus pauvre et moins développée que Bali, et en général plus conservatrice. La culture sasak, plus discrète que sa consœur balinaise, n'en est pas moins fascinante.

> Le site www.murnis.com est une mine d'informations sur la culture et la vie balinaises. Cliquez sur le lien "Culture" pour tout savoir sur les prénoms des enfants, les tenues de cérémonie, le tissage, etc.

Liens familiaux

Le temple familial constitue un fort lien spirituel entre les Balinais et leur foyer. Jusqu'à cinq générations – beaux-parents, grands-parents, cousins, oncles et tantes, parents éloignés – vivent sous le même toit ! Lorsque les fils se marient, leurs épouses viennent les rejoindre et s'occupent de la maison et des enfants. Pour cette raison, un garçon a plus de valeur qu'une fille, parce qu'il s'occupera de ses parents âgés, mais aussi parce qu'il héritera de la maison et qu'il effectuera les rites funéraires afin que les âmes des parents défunts puissent se réincarner et ne deviennent pas des fantômes errants.

LA CAUSETTE TRADITIONNELLE

"Où habitez-vous ?" "D'où venez-vous ?" "Où allez-vous ?" Vos hôtes balinais, sûrement très accueillants, vous poseront immanquablement ces questions. Si elles peuvent sembler indiscrètes aux Occidentaux, ce petit brin de conversation fait partie de la tradition et reflète le désir de vous connaître un peu mieux, de vous faire passer du statut d'étranger à celui d'ami.

Dire que vous logez "par là" ou dans une région suffit, mais attendez-vous ensuite à des questions plus personnelles. "Êtes-vous marié ?" Le plus simple est de répondre par l'affirmative, même si ce n'est pas le cas. "Avez-vous des enfants ?" Ne dites jamais que vous n'en voulez pas mais plutôt *belum* (pas encore), ce qui les fera probablement glousser et décocher un "Ah, vous essayez toujours !".

À Lombok, le sasak ne comprend pas de salutations comme "Bonjour" ou "Bonsoir". Les gens se saluent par "Comment va votre famille ?". Ne soyez pas surpris si un inconnu s'enquiert de la santé de vos proches !

Le travail des femmes

Les hommes jouent un rôle prépondérant dans la vie du village, participent à l'éducation des enfants et sont les seuls à pouvoir travailler dans les rizières. Mais les femmes effectuent toutes sortes de labeurs, des travaux manuels (vous les verrez porter des paniers de ciment frais ou de briques sur la tête) à la vente sur les marchés, en passant par les emplois touristiques. Leur rôle traditionnel de s'occuper des autres et de préparer les repas explique leur réussite quand elles ouvrent une boutique ou un café.

L'antique svastika hindou, présent partout à Bali, symbolise l'harmonie avec l'univers. Ne le confondez pas avec l'insigne nazi, aux branches orientées vers la droite.

Entre leurs diverses tâches, elles préparent les offrandes quotidiennes pour le temple familial et la maison, et souvent celles des prochaines cérémonies. Elles ne restent jamais oisives. En logeant chez l'habitant, dans une chambre au sein de l'enclos familial, vous verrez la vie quotidienne se dérouler autour de vous. Ubud offre de nombreuses possibilités de séjours chez l'habitant.

Religion
Hindouisme

Religion officielle de Bali, l'hindouisme est ici très imprégné d'animisme et ne peut se comparer à l'hindouisme indien. Les Balinais vénèrent la trinité Brahma, Shiva et Vishnu, les trois incarnations du dieu (invisible) Sanghyang Widi, ainsi que les *dewa* (divinités ancestrales), les fondateurs des villages, les dieux de la terre, du feu, de l'eau, des montagnes, de la fertilité, du riz, de la technologie et des livres, sans oublier les démons peuplant les tréfonds des océans. Comme les Indiens, ils croient au karma et à la réincarnation, mais attachent moins d'importance aux autres coutumes hindoues. Il n'existe pas de "caste intouchable", les mariages arrangés sont très rares et on ne marie pas les enfants.

La version balinaise de l'hindouisme apparut quand le grand royaume hindou Majapahit, qui gouvernait auparavant l'Indonésie, se retira à Bali alors que l'archipel s'islamisait. Si les Bali-Aga (les premiers habitants de Bali) se réfugièrent dans les montagnes (notamment à Tenganan dans l'est de Bali) pour échapper à cette

LES NOMS BALINAIS

Loin d'être simple, la logique des noms balinais peut échapper au profane. Au nom traditionnel de chacun viennent s'ajouter d'autres noms reflétant souvent la vie de la personne. Ces derniers permettent aussi de distinguer les homonymes, une nécessité à Bali plus que nulle part ailleurs.

Par tradition, les Balinais appellent leur premier enfant Wayan, le deuxième Made, le troisième Nyoman et le quatrième Ketut, qu'ils soient fille ou garçon. Puis ils reprennent la même série de prénoms pour les suivants. Beaucoup de familles se limitant désormais à deux enfants, vous rencontrerez quantité de Wayan et de Made. Dans la caste sudra, le nom est précédé du titre "I" pour un garçon et "Ni" pour une fille. Les titres Ida Bagus (masculin) et Ida Ayu (féminin), suivis de Cokorda, Anak Agung, Dewa ou Gusti (masculins et féminins) révèlent l'appartenance à une caste supérieure.

Un autre prénom complète ce nom traditionnel et permet aux parents de laisser libre cours à leur créativité. Certains noms reflètent les espoirs qu'ils placent en leurs enfants comme I Nyoman Darma Putra, supposé être dévoué ou bon *(dharma)*. D'autres s'inspirent de la modernité, tels I Wayan Radio, né dans les années 1970, et Ni Made Atom, dont les parents aimaient simplement la sonorité du mot.

Beaucoup sont surnommés en raison de leur apparence physique. Nyoman Darma est souvent appelée Nyoman Kopi (café) en raison de sa peau sombre. I Wayan Rama, du nom du prince du *Ramayana*, est surnommé Wayan Gemuk (gros) pour le différencier de son ami plus mince Wayan Kecil (petit).

nouvelle influence, le reste de la population se contenta de l'adapter, ajoutant la foi des Majapahit à ses croyances animistes aux influences bouddhistes. Dans l'ouest de Lombok subsiste une communauté hindouiste, vestige du temps où, au XIXᵉ siècle, Bali avait imposé sa domination sur sa voisine.

Sur les flancs du Gunung Agung, le site le plus sacré de l'île, se dresse le Pura Besakih où de fréquentes cérémonies attirent des centaines, voire des milliers, de fidèles. Des cérémonies plus modestes ont lieu tous les jours sur l'île pour apaiser les dieux, calmer les démons et conserver l'équilibre entre le *dharma* (les forces du bien) et l'*adharma* (les forces du mal). Ne soyez donc pas surpris si le jour même de votre arrivée, vous vous retrouvez témoin d'une cérémonie de la sorte.

Islam

L'islam est une religion minoritaire à Bali, où la plupart des fidèles sont des immigrants javanais ou des descendants des marins des Célèbes (Sulawesi).

La plupart des Sasak de Lombok pratiquent un islam modéré, comme dans d'autres parties de l'Indonésie. Il fut introduit dans l'île par des marchands gujaratis, venus des Célèbes et de Java au XIIIᵉ siècle. Les Sasak observent les cinq piliers de l'islam : la profession de foi selon laquelle il n'y a de dieu qu'Allah et que Mahomet est son prophète, la prière cinq fois par jour, l'aumône aux pauvres, le jeûne du ramadan et le pèlerinage à La Mecque au moins une fois dans sa vie. Cependant, contrairement à d'autres pays musulmans, les femmes ne sont pas soumises à la ségrégation, le port du voile n'est pas obligatoire et la polygamie reste rare. Par ailleurs, nombre de Sasak continuent d'observer le culte des ancêtres et des esprits. Une forme plus stricte de l'islam commence à apparaître dans l'est de Lombok.

Wetu telu

Cette religion spécifique à Lombok (p. 259) serait originaire de Bayan, dans le nord de l'île. Aujourd'hui pratiquée par une minorité de Sasak, elle fut la religion majoritaire de la région jusqu'en 1965, quand le président Suharto nouvellement élu décréta que tous les Indonésiens devaient adopter une religion officielle. Les croyances indigènes tel le *wetu telu* ne furent pas reconnues. De nombreux fidèles se déclarèrent officiellement musulmans tout en pratiquant les traditions et les rites *wetu*. Bayan demeure un bastion du *wetu telu* ; vous reconnaîtrez ses adeptes à leur *sapu puteq* (bandeau blanc) et à leur ample robe blanche.

Wetu signifie "résultat" et *telu* "trois" en sasak, et le terme fait probablement référence au complexe mélange d'hindouisme balinais, d'islam et d'animisme qui compose cette religion. Selon la doctrine, tous les aspects importants de la vie dépendent d'une trinité. À l'instar des musulmans orthodoxes, les adeptes du *wetu telu* croient en Allah et à son prophète Mahomet. Cependant, ils ne prient que trois fois par jour et observent trois jours de jeûne durant le ramadan. Ils enterrent leurs morts face à La Mecque et tous les bâtiments publics possèdent un coin de prière orienté vers la ville sainte, mais ils n'effectuent pas le pèlerinage. Comme dans l'hindouisme balinais, ils croient que le monde spirituel est fermement relié à la nature. Le Gunung Rinjani est le site le plus révéré.

Cérémonies et rituels

Entre le temple familial, celui du village et celui du district, un Balinais participe chaque année à des dizaines de cérémonies, en plus des rites quotidiens. La plupart des employeurs permettent à leurs salariés

La magie noire conserve une place importante et les guérisseurs ou *balian* sont toujours consultés en cas de maladie ou de conflit. D'innombrables histoires circulent sur leur pouvoir. Les conflits entre parents ou voisins ou une mort tragique sont souvent attribués à un sort maléfique.

324

HEMIS/ALAMY©

1. Le volcan Gunung Rinjani (p. 276), Lombok **2.** Procession lors d'une crémation royale **3.** Rizières **4.** Paniers d'offrandes

L'esprit des lieux

Montagne sacrée

1 Si les Balinais ont leurs volcans sacrés, les Sasak de Lombok ont le Gunung Rinjani. Ce volcan, la deuxième plus haute montagne d'Indonésie, occupe une place importante dans leur système de croyance, qui comporte également des éléments appartenant à l'islam. Les flancs du volcan accueillent de nombreuses cérémonies.

Crémation

2 Les crémations balinaises sont des cérémonies très élaborées, mémorables pour tous ceux qui y assistent. Lorsque quelqu'un meurt, le corps peut être enterré le temps que la famille réunisse l'argent nécessaire pour lui faire un véritable adieu dans une tour décorée. Les visiteurs sont toujours les bienvenus à ces événements.

Le subak

3 Emblématique de l'esprit balinais, le *subak* est un système d'irrigation des rizières. À travers une organisation collaborative, l'eau qui part du haut de la montagne s'écoule du champ d'un agriculteur à un autre, et la dernière parcelle de terre est obligatoirement irriguée.

Offrandes

4 Durant la journée, les femmes déposent des offrandes, petites ou grandes, dans plus de 10 000 temples de toutes tailles à Bali. Ces offrandes peuvent être minuscules, avec quelques pétales de fleurs sur une feuille de bananier, ou de grandes créations élaborées.

Ogoh-ogoh

5 Ces énormes monstres apparaissent dans tout Bali au cours des semaines précédant Nyepi, le jour du Silence. Ces figures élaborées en papier mâché atteignent 10 m de haut et leur fabrication peut prendre des semaines. Le jour de Nyepi, ces "esprits maléfiques" sont brûlés lors de cérémonies dans tous les villages de Bali.

MODE DE VIE ET RELIGION CÉRÉMONIES ET RITUELS

UNE QUESTION DE RESPECT

Bali est réputée pour sa douceur de vivre, raison de plus pour vous monter respectueux envers ses habitants, qui pardonnent facilement un faux pas pourvu que vous y mettiez aussi du vôtre. Soyez conscient des sensibilités locales, habillez-vous et comportez-vous de façon appropriée, en particulier dans les villages ruraux et sur les sites religieux. En cas de doute, privilégiez pudeur et modestie.

À faire et à ne pas faire

» Les jeunes Balinais arborent de plus en plus shorts et minijupes. Néanmoins, il reste très mal vu de porter des vêtements qui dévoilent trop l'intimité, comme de se promener torse nu.

» De nombreuses femmes font du sein nu sur les plages de Bali. Sachez que la nudité des étrangers met mal à l'aise les Balinais.

» À Lombok, se baigner nu, ou seins nus, est partout considéré comme très choquant.

» Ne touchez jamais la tête de quelqu'un. Elle est considérée comme la partie sacrée du corps renfermant l'âme.

» Pour donner un objet, utilisez la main droite ou, mieux encore, les deux mains.

» Parler avec les mains sur les hanches indique mépris, colère ou agressivité (comme le reflètent les danses et opéras traditionnels).

» Pour faire signe à quelqu'un, agitez votre main tendue vers le bas. Les manières occidentales sont considérées comme très grossières.

» Ne faites pas de promesse de cadeaux, livre ou photos non tenues, afin d'éviter à votre interlocuteur balinais la déception quand il ouvrira quotidiennement sa boîte aux lettres ou sa boîte mail.

Étiquette religieuse

» Dans les temples et les mosquées, couvrez vos épaules et genoux. À Bali, des selandong (foulard traditionnel) ou des étoles et des sarongs sont généralement mis à disposition moyennant un modeste don.

» Les femmes sont invitées à ne pas entrer dans les temples quand elle sont enceintes, viennent d'accoucher ou ont leurs règles. Elles sont alors considérées comme sebel ("impures" au sens religieux).

» Ne vous placez jamais plus haut qu'un prêtre, notamment lors des fêtes (par exemple en montant sur un mur pour prendre des photos).

» Enlevez vos chaussures avant d'entrer dans une mosquée.

---

de retourner dans leurs villages pour ces obligations, qui prennent beaucoup de temps et coûtent cher (même si, souvent, ils rechignent, ils le font de peur de déclencher une révolte du personnel). Les touristes ont ainsi de multiples occasions d'assister à des cérémonies traditionnelles.

Les cérémonies sont le centre unificateur de la vie d'un Balinais et une importante occasion de renforcement des liens sociaux, de fêtes et de distractions.

Un prêtre détermine la date propice pour chaque cérémonie, qui comprend souvent un banquet et une représentation théâtrale avec musique et danses pour inciter les dieux à étendre leur protection contre les forces du mal. Les fêtes les plus importantes sont le Nyepi (p. 328), l'une des rares journées où tout s'arrête, et le Galungan, une communion de dix jours avec les esprits des ancêtres pour célébrer la victoire du bien sur le mal.

Conformément au principe du karma, les Balinais s'estiment responsables de tout malheur, attribué à un excès d'adharma (faute, tort). Cela nécessite un rite ngulapin (purification) pour obtenir le

La cérémonie du limage des dents se termine par un bol de délicieux jamu, une boisson tonique composée de curcuma, de jus de feuille de bétel, de citron vert et de miel.

pardon et recouvrer la protection spirituelle. Un *ngulapin* implique le sacrifice d'un animal et souvent un combat de coqs afin de satisfaire la soif de sang des démons.

Des cérémonies sont également organisées pour triompher de la magie noire et pour purifier un esprit *sebel* (impur) après un accouchement ou un deuil, ou durant les menstruations ou la maladie.

En plus de toutes ces cérémonies, treize rites de passage rythment la vie de toute personne. Le plus extravagant et le plus coûteux est le dernier : la crémation.

Naissance et enfance

Les Balinais vénèrent les nouveau-nés, considérés comme la réincarnation des ancêtres. Durant la grossesse, des offrandes garantissent le bien-être du petit dieu. Après la naissance, le placenta, le cordon ombilical, le sang et le liquide amniotique – les quatre "esprits" gardiens de l'enfant – sont enterrés dans l'enclos familial.

Pendant les trois premiers mois, les nouveau-nés sont constamment portés, car ils ne doivent pas toucher le sol "impur" avant une cérémonie de purification. Au 210ᵉ jour (la première année balinaise), le bébé est béni dans le temple des ancêtres avant un énorme banquet. Plus tard, les anniversaires n'ont plus d'importance et nombre de Balinais ignorent leur âge. Aujourd'hui, de nombreux parents fêtent aussi plus simplement l'anniversaire de leurs enfants selon le calendrier grégorien.

La cérémonie du limage des dents, obligatoire avant le mariage, constitue un rite de passage à l'âge adulte entre 16 et 18 ans. Un prêtre lime légèrement les canines et les incisives supérieures pour les aligner. Des canines pointues sont une caractéristique des chiens et des démons – regardez un masque de Rangda ! Les Balinais affirment que cette pratique est indolore, tout au plus inconfortable, comme de croquer de la glace.

Autre étape importante pour les filles, les premières règles sont suivies d'une cérémonie de purification.

Mariage

Le mariage définit le statut social. Les hommes deviennent alors automatiquement membres du *banjar* (unité de base de la société traditionnelle balinaise). Les Balinais considèrent comme un devoir de se marier et d'avoir des enfants, dont au moins un garçon. Le divorce reste rare ; une femme divorcée est séparée de ses enfants. Selon la procédure classique, ou *mapadik*, la famille du prétendant se rend chez celle de la jeune fille pour demander sa main. Cependant, certains préfèrent le mariage par *ngrorod* (fugue ou "enlèvement"). Lorsque le couple revient au village, le mariage est officiellement reconnu au cours d'une grande fête.

Mort et crémation

Considéré comme un simple réceptacle de l'âme, le corps est incinéré après la mort au cours d'une cérémonie élaborée, conforme aux traditions ancestrales. En général, la communauté entière y participe et, pour des personnes importantes, comme les nobles, la crémation peut être spectaculaire et rassembler des milliers de participants.

Vu le coût d'une crémation, même modeste (environ 5 000 000 Rp), et la nécessité d'attendre une date propice, le défunt est souvent enterré, parfois pendant des années, puis exhumé pour une crémation collective.

Le corps est transporté dans une haute tour à multiples étages, sur les épaules de plusieurs hommes. La taille de la tour dépend de l'importance du défunt. Pour les funérailles d'un raja ou d'un grand prêtre, il faut parfois des centaines d'hommes pour soulever la structure à onze niveaux.

Selon la tradition, les hommes balinais ne se coupent pas les cheveux pendant la grossesse de leur épouse. Cette coutume est supposée donner de beaux cheveux à l'enfant et rendre le mari plus conscient de l'inconfort de sa femme.

MODE DE VIE ET RELIGION CÉRÉMONIES ET RITUELS

L'office du tourisme d'Ubud saura vous renseigner sur les crémations et les autres cérémonies balinaises qui ont lieu à des dates peu prévisibles.

En chemin, les porteurs tentent de désorienter le corps pour qu'il ne puisse pas retrouver sa maison ; la dépouille est un lien impur avec le monde matériel et l'âme doit se libérer pour atteindre un niveau supérieur. Pendant le trajet, qui n'a rien d'une marche funèbre compassée, les hommes secouent la tour, décrivent des cercles, simulent des batailles, l'aspergent d'eau et la secouent.

Arrivé au site de crémation, le corps est transféré dans un sarcophage correspondant à la caste. Puis on allume le bûcher et les cendres sont dispersées dans la mer. L'âme libérée monte dans les cieux pour attendre la nouvelle incarnation, habituellement sous la forme d'un petit-enfant.

La tradition balinaise veut que les visiteurs respectueux soient bienvenus aux crémations. Pour savoir si et où il y en a, renseignez-vous autour de vous, auprès de votre hôtel ou à l'office du tourisme d'Ubud.

NYEPI : QUAND BALI FAIT LE MORT

Nyepi

Nyepi, qui tombe en mars ou avril selon le calendrier *çaka* (calendrier hindou semblable au calendrier lunaire occidental en termes de durée de l'année), est la plus grande fête de purification balinaise pour chasser les mauvais esprits et entamer l'année d'un bon pied. Dès l'aube, l'île entière se fige pendant 24 heures : aucun avion ne décolle ou n'atterrit, aucun véhicule ne roule et aucune source d'énergie ne peut être utilisée. Personne, touristes inclus, ne peut circuler dans les rues. D'un point de vue culturel, le Nyepi vise à faire croire aux esprits maléfiques que Bali est abandonnée afin qu'ils aillent ailleurs.

Les Balinais consacrent cette journée à la méditation et à l'introspection. Les étrangers bénéficient de plus de souplesse à condition de respecter la "journée de silence" en ne sortant pas de leur résidence ou de leur hôtel. Les contrevenants sont rapidement reconduits dans leurs pénates par un sévère *pecalang* (policier du village).

Bien qu'il ne semble guère excitant, le Nyepi est une expérience extraordinaire. Tout d'abord, être obligé de ne rien faire est un concept séduisant. Prenez le temps de dormir, de lire, de lézarder au soleil, d'écrire des cartes postales, de jouer à des jeux de société… sans provoquer les démons ! Par ailleurs, les fêtes pittoresques avant le Nyepi sont des événements à ne pas manquer.

Ogoh-ogoh !

Au cours des semaines précédant Nyepi, tous les villages de l'île s'adonnent à la fabrication d'énormes monstres en papier mâché, appelés *ogoh-ogoh*. Tous les habitants participent à ces constructions qui demandent une intense activité à longueur de journée. Si vous passez près d'un de ces lieux de construction des *ogoh-ogoh*, vous verrez une feuille qui attend la signature des mécènes. Donnez 50 000 Rp et vous serez considéré comme un généreux donateur.

La veille du Nyepi, de grandes cérémonies ont lieu dans toute l'île pour attirer les démons. Ceux-ci sont supposés se rassembler aux principaux carrefours de chaque village, où des prêtres exécutent des exorcismes. Puis une "anarchie" feinte s'empare de l'île, les habitants tapent sur des *kulkul* (des tambours creusés dans des troncs d'arbre) et des boîtes de conserve, lancent des pétards en criant "*megedi megedi !*" (dehors !) pour chasser les démons. Les *ogoh-ogoh* finissent dans les flammes lors du final spectaculaire. Les démons qui auraient survécu à cette fête débridée s'enfuient du village le lendemain en constatant le silence total.

Voilà qui rappellera peut-être Pâques aux chrétiens avec le mercredi des Cendres qui suit les fêtes débridées du Mardi gras.

Les prochains Nyepi tomberont le 31 mars 2014 et le 24 mars 2015.

LA NOTION DU TEMPS

Pour savoir quel est le jour de la semaine, vous devrez sans doute consulter un prêtre. Le calendrier balinais est d'une telle complexité qu'il n'a été rendu public que depuis une soixantaine d'années. Encore aujourd'hui, la plupart des Balinais ont recours à un prêtre ou à un chef de l'*adat* (la tradition, la coutume) pour déterminer le jour le plus propice à une entreprise.

Le calendrier rythme la vie quotidienne. Qu'il s'agisse de la construction d'une maison, de la plantation du riz, du limage des dents, d'un mariage ou d'une crémation, aucun événement ne sera réussi s'il n'a pas lieu à la date idoine.

Le calendrier balinais intègre trois systèmes : le calendrier grégorien de 365 jours, le calendrier *wuku* (ou Pawukon) de 210 jours et le calendrier lunaire *çaka*, de 12 mois, qui débute avec Nyepi en mars ou en avril. De plus, certaines semaines sont réservées aux humains, d'autres aux animaux et au bambou et chacune comporte son lot d'activités interdites, comme se marier, couper du bois ou du bambou, etc.

En plus de la date, chaque case du calendrier comprend le mois lunaire, les noms des 10 jours de la semaine, les caractéristiques des natifs du jour selon l'astrologie balinaise et le symbole de la pleine ou nouvelle lune. Au bas de chaque mois figurent une liste des jours propices à des activités spécifiques, ainsi que les dates de l'*odalan* (anniversaire) des temples, des fêtes colorées où les touristes sont les bienvenus.

Jadis, les prêtres consultaient un *tika* – un tissu peint ou du bois sculpté représentant le cycle *wuku* – avec de petits symboles géométriques figurant les jours propices. Aujourd'hui, nombre de Balinais possèdent un calendrier, mais ont toujours recours aux services des prêtres !

MODE DE VIE ET RELIGION LOMBOK

Les offrandes

Quel que soit votre lieu de séjour, vous verrez tous les jours des femmes déposer des offrandes au temple familial et dans leur maison, comme dans les hôtels, les boutiques et tout endroit public. Vous assisterez certainement à de vibrantes cérémonies, quand tous les villageois revêtent leurs habits de fête et que la police ferme les routes pour une spectaculaire procession de plusieurs centaines de mètres ; les hommes jouent du gamelan, tandis que les femmes portent sur la tête de somptueuses offrandes de fruits et de gâteaux.

Ces manifestations n'ont rien d'artificiel. Elles font partie du quotidien des Balinais, tel qu'ils le vivraient sans spectateurs. Les spectacles de danse et de musique des hôtels comptent parmi les rares événements "mis en scène" pour les touristes, mais reflètent l'accueil balinais traditionnel réservé aux visiteurs, appelés *tamu* (hôtes).

Lombok

À Lombok, l'*adat* (tradition, coutumes) régit les moindres aspects de la vie quotidienne, notamment en matière de fréquentation, de mariage et de circoncision. Le vendredi après-midi, officiellement consacré au culte, les administrations et de nombreux bureaux ferment. Les femmes, dont beaucoup travaillent dans le tourisme, portent souvent le foulard et très rarement le voile. Les jeunes filles musulmanes de classe moyenne peuvent habituellement choisir leur mari. La circoncision des garçons sasak se pratique généralement entre 6 et 11 ans et s'accompagne d'une fête après une procession dans le village.

Du fait de la forte présence balinaise à Lombok, on peut souvent y voir des cérémonies hindoues. Les minorités *wetu telu*, chinoises et bugis ajoutent à la diversité.

Les motos jouent un rôle majeur dans la vie quotidienne. Elles transportent tout : piles de bananes et sacs de riz pour aller au marché, famille au complet et en tenue de cérémonie pour se rendre au temple ou jeunes garçons d'hôtel dans leurs uniformes bien sages.

Vie de village

La vie de village n'est pas l'apanage des campagnes, elle existe partout à Bali. Avec ses néons, son chaos et ses plaisirs venus d'ailleurs, même Kuta reste un village où règne le *banjar*, l'organisation de quartier qui régit rencontres, célébrations, organisations et prises de décisions.

Le pouvoir local à la balinaise

Lors des cérémonies telles que Galungan, on place devant les maisons des *penjor* (tiges de bambou) décorés dont les pointes s'inclinent au-dessus du chemin. Les décors sont aussi divers que les artistes qui les réalisent, mais la partie haute symbolise toujours la queue du Barong et le pic du Gunung Agung. Les *sampian*, les pointes ornementées, sont très raffinées.

Dans l'administration de Bali, plus de 3 500 *banjar* détiennent un énorme pouvoir. Constitué par les hommes mariés d'une zone donnée (soit environ 50 à 500 personnes), le *banjar* contrôle la plupart des activités de la communauté, qu'il s'agisse de l'organisation d'une cérémonie dans un temple ou de prises de décisions importantes sur l'usage des terres. Les décisions sont prises à l'unanimité et malheur à celui des membres qui se dérobe à son devoir. Il peut lui en coûter une amende ou pire : se voir banni du *banjar*.

Bien que les femmes et les enfants soient admis au *banjar*, seuls les hommes assistent aux réunions où sont prises les décisions importantes. Les femmes, souvent propriétaires de leur affaire dans les zones touristiques, doivent pour exercer leur influence faire passer leurs communications par leurs maris. S'il est une chose que les étrangers apprennent vite, c'est qu'on ne contrarie pas le *banjar*. Ainsi, des rues entières de restaurants et de bars ont été fermées sur l'ordre du *banjar*, pour n'avoir pas suffisamment pris en considération ses réclamations en matière de bruit.

Riziculture

La culture du riz forme l'épine dorsale de la société balinaise. Traditionnellement, chaque famille en cultive suffisamment pour subvenir à ses besoins, faire des offrandes aux dieux et, parfois, en vendre un peu au marché. Divinité la plus populaire de l'île, Dewi Sri est la déesse de l'Agriculture, de la Fertilité et de la Prospérité. Chaque stade de la culture s'accompagne de rituels pour exprimer la gratitude et conjurer une maigre récolte, les intempéries ou les ravages des souris et des oiseaux. Concernant les rizières, reportez-vous p. 228.

Subak et répartition de l'eau à Bali

Les difficultés à labourer et à irriguer les terrains montagneux en terrasses obligent les villageois à partager travaux et responsabilités. Grâce à un système pluriséculaire, les quatre lacs de montagne et l'entrelacs de rivières arrosent les champs grâce à un réseau de canaux, de barrages, de canalisations en bambou et de tunnels creusés dans la roche. Plus de 1 200 *subak* (associations de village) président la distribution démocratique de l'eau et tout cultivateur doit faire partie de son *subak* local, base du puissant *banjar* de chaque village.

Le *subak* est un fascinant système démocratique qui a rejoint en 2012 la liste du patrimoine mondial de l'Unesco. Pour en savoir plus sur les *subak* de Bali, reportez-vous p. 250.

Bien que le tourisme ait transformé la société civile balinaise, passée d'une population essentiellement composée d'agriculteurs à des activités et à des modes de vie plus diversifiés, la responsabilité collective héritée de la riziculture continue de dicter le code moral de la vie quotidienne, même en milieu urbain.

Saveurs de Bali et de Lombok

Bali est une destination de rêve pour les gastronomes. Qu'elle soit proprement balinaise, d'influence indonésienne ou asiatique, la cuisine locale fait grand usage des produits de la mer et d'un riche éventail d'épices et de saveurs, que l'on peut apprécier aussi bien dans un simple *warung* (petit restaurant local) que dans des restaurants haut de gamme.

Cuisine balinaise

Art merveilleux ou dur labeur ? La cuisine balinaise exige beaucoup de temps de préparation et se déguste sans effort. Elle constitue l'un des grands plaisirs d'un voyage à Bali : la diversité et la qualité de la cuisine locale aiguiseront votre appétit d'un *warung* à l'autre.

Les fumets odorants de la cuisine balinaise vous poursuivront jusque dans le plus petit village, où des mets raffinés sont préparés chaque jour. Chaque matin, les femmes vont au marché pour acheter des produits récoltés la veille. Elles cuisinent pour toute la journée, faisant griller les noix de coco à l'arôme sucré, broyant les épices jusqu'à obtenir la pâte (*base*) parfaite et confectionnant parfois une huile de coco fraîche et parfumée pour la friture. Les plats sont placés sur une table ou dans un placard vitré, et la famille vient se servir au fil de la journée.

Les cours de cuisine ont de plus en plus de succès et sont un bon moyen de découvrir la cuisine et les marchés balinais. Les meilleurs sont à Seminyak, à Tanjung Benoa et à Ubud.

Les six saveurs

Comparée à celles des autres îles indonésiennes, la cuisine balinaise est plus relevée et plus variée, chaque plat étant composé d'une multitude de couches. Un repas comporte les six saveurs – sucré, aigre, épicé, salé, amer et astringent –, qui apportent santé, vitalité et stimulation des sens.

Le gingembre, le piment et la noix de coco prédominent, de même que la noix de bancoul (souvent confondue avec la noix de macadamia australienne). Le mélange piquant de galanga frais et de curcuma est associé à la puissance des piments crus, à la douceur complexe du sucre de palme, du tamarin et de la pâte de crevettes, et aux saveurs fraîches de la citronnelle, de la lime musquée, des feuilles de combava et des graines de coriandre.

Des influences d'Inde du Sud, de Malaisie et de Chine proviennent de siècles de migrations et d'échanges avec des marins audacieux. Nombre de produits ont été introduits dans l'île, tels l'humble piment apporté par les intrépides Portugais, le dolique asperge et le *bok-choy* importés par les Chinois, et le manioc, un substitut du riz introduit par les Néerlandais. Selon la coutume balinaise, les chefs de village ont sélectionné les meilleurs et les plus résistants de ces nouveaux ingrédients pour les adapter aux goûts et aux modes de cuisson locaux.

Le riz, aliment révéré

Aliment de base à Bali et à Lombok, le riz est révéré comme un cadeau divin. Il est servi généreusement à chaque repas et un plat sans riz est considéré comme un *jaja* (en-cas). Il sert de base aux diverses préparations parfumées et épicées qui l'accompagnent, souvent finement émincées pour compléter les grains secs et moelleux et pouvoir se manger facilement avec la main. Appelé *nasi campur* à Bali, ce plat composé de riz cuit à la vapeur et mélangé à divers ingrédients est une spécialité incontournable, consommée matin, midi et soir.

Il existe autant de *nasi campur* que de *warung*. Chaque établissement concocte sa propre version en fonction de son budget, de ses préférences et des ingrédients disponibles sur le marché. Un repas comporte habituellement quatre ou cinq plats servis simultanément et comprenant une petite portion de porc ou de poulet, du poisson, du tofu et/ou du *tempe* (gâteau au soja fermenté), un œuf, divers légumes et des *krupuk* (crackers de riz parfumés). Le bœuf figure rarement au menu, car les vaches sont sacrées. Ces accompagnements sont disposés autour d'une portion de riz et servis avec du *sambal* (pâte de piment, avec ail ou échalotes et sel), spécifique à chaque *warung*. Préparée le matin, la nourriture est rarement chaude.

Craquez pour Bali ! Recettes de l'île au goût de paradis, de Juju Juhartini (Mango, 2009), fournit 30 excellentes recettes illustrées de la cuisine qui contribue à la renommée de l'archipel.

Le goût de l'Asie

Du fait de la population multiculturelle, de nombreux *warung* servent un assortiment de spécialités indonésiennes et asiatiques, offrant un aperçu des différentes saveurs de l'archipel. Les plats les plus courants sont souvent pris pour des spécialités balinaises, alors que le *nasi goreng* (riz sauté), les *mie goreng* (nouilles sautées) et le *gado-gado* proviennent de Java, et le *rendang sapi* (curry de bœuf), de Sumatra. Les principales régions touristiques de Bali et de Lombok comptent de nombreux restaurants *padang* (cuisine originaire de Sumatra) et la cuisine chinoise est particulièrement répandue à Lombok.

La cuisine *padang* (du nom d'une ville de Sumatra) est un peu le "fast-food" indonésien. On vous apporte une quantité de petits plats, très épicés, et vous ne payez que ce que vous avez mangé.

Petit-déjeuner

Les Balinais prennent souvent un petit-déjeuner léger. Beaucoup se contentent d'une tasse de café noir sucré et de quelques *jaja*, achetés au marché : pâtisseries colorées, gâteaux de riz gluant, bananes bouillies ou frites, et *kelopon* (boulettes de riz sucrées). Parmi les fruits frais les

LES MARCHÉS

Il n'existe pas de meilleur endroit pour se familiariser avec la cuisine balinaise qu'un marché local. Mieux vaut s'y rendre entre 6h et 7h. Après 10h, les meilleurs produits sont partis et ceux qui restent commencent à souffrir de la chaleur.

Les marchés offrent un aperçu de la diversité et de la fraîcheur des ingrédients locaux, souvent apportés des montagnes un ou deux jours après la récolte. L'ambiance est animée et pittoresque, et les paniers débordent de fruits, de légumes, de fleurs, d'épices et de diverses sortes de riz (blanc, rouge et noir). Des éventaires proposent des poulets vivants ou morts, des porcs tout juste abattus, des sardines, des œufs, des gâteaux colorés, des offrandes et du *base* (pâte d'épices), tandis que des stands servent de l'*es cendol* (boisson glacée et colorée à la noix de coco), du *bubur* (gruau de riz) ou du *nasi campur* pour le petit-déjeuner. Faute de réfrigération, tout doit être vendu sans tarder. Le marchandage est de rigueur.

Parmi les marchés les plus animés, citons l'immense Pasar Badung à Denpasar, le marché du village et le marché au poisson à Jimbaran, le marché de Semarapura et le marché alimentaire à Ubud. Les cours de cuisine comprennent habituellement une visite au marché.

333

SAVEURS DE BALI ET DE LOMBOK CUISINE BALINAISE

SAMBAL, LA PETITE PÂTE QUI ÉCHAUFFE LE PALAIS

Auteur de nombreux livres sur la cuisine balinaise, Heinz von Holzen, chef et propriétaire du restaurant Bumbu Bali, précise que, contrairement à une croyance répandue, "la nourriture balinaise en elle-même n'est pas épicée, mais le *sambal* l'est". Les Balinais apprécient néanmoins les plats relevés et ajoutent une dose généreuse de *sambal* à chaque repas. Goûtez-en une pointe avant de vous servir ! Si vous ne supportez pas la nourriture épicée, demandez *tanpa sambal* ("sans pâte de piment"), mais la plupart des gens préfèrent *tamba* ("plus de") *sambal* !

plus appréciés figurent le salak (ou "fruit serpent"), à la peau écailleuse, et le jaque, également délicieux cuit avec des légumes.

Le *bubuh injin* (flan de riz noir avec sucre de palme, noix de coco râpée et lait de coco), proposé en dessert dans les restaurants touristiques, est en fait un plat servi au petit-déjeuner, excellent pour démarrer la journée. Également offert sur les marchés le matin, le *bubur kacang hijau* (flan de haricots mungo au goût de noisette), parfumé au gingembre et aux feuilles de pandanus, est servi chaud avec du lait de coco.

Déjeuner et dîner

La ménagère ou le cuisinier du *warung* termine la préparation des plats de la journée en milieu de matinée. Le déjeuner, repas principal, a lieu vers 11h, lorsque la nourriture est la plus fraîche. Les restes sont consommés au dîner ou par les touristes, qui déjeunent souvent bien plus tard. Le dessert reste une exception ; pour les grandes occasions, il se résume à des fruits frais ou à une glace à la noix de coco.

Le secret d'un bon *nasi campur* est souvent le propre *base* du cuisinier, qui parfume le porc, le poulet ou le poisson, et le *sambal*, délicatement relevé ou fortement pimenté. Parmi les plats innombrables, voici quelques-uns des plus appréciés : le *babi ketup* (ragoût de porc en sauce soja sucrée), l'*ayam goreng* (poulet frit), l'*urap* (légumes vapeur à la noix de coco), le *lawar* (un mélange de légumes et de morceaux de foie et de tripes sautés avec une bonne dose de sang de porc congelé et du lait de coco), le tofu ou *tempe* sauté dans une sauce au soja ou pimentée, les cacahuètes grillées, le poisson ou les œufs salés, les *perkedel* (gâteaux de maïs frits) et divers satay de chèvre, de poulet, de porc ou même de tortue (bien que la loi interdise de tuer les tortues). Si vous logez chez l'habitant, comme cela se fait beaucoup à Ubud, vous verrez les membres de la famille s'activer toute la journée pour préparer les repas.

Plats de fête

La nourriture ne se limite pas au plaisir et aux besoins. Comme tout aspect de la vie balinaise, elle fait partie intégrante des rituels quotidiens et constitue un élément important des cérémonies en l'honneur des dieux. Le menu varie en fonction de l'importance de l'événement. Le *babi guling* (cochon de lait), de loin le plat le plus révéré, est servi lors des rites de passage comme la bénédiction d'un bébé de trois mois, le limage des dents d'un adolescent ou le mariage.

Le *babi guling* constitue la quintessence de l'expérience gastronomique à Bali. Le porcelet est farci d'un mélange de piment, de curcuma, de gingembre, de galanga, d'échalotes, d'ail, de graines de coriandre et d'herbes aromatiques, badigeonné de curcuma et d'huile de coco, puis grillé à la broche sur un feu de bois. Des hommes font tourner la broche pendant des heures jusqu'à ce que la viande

En dépit de son nom, le mangoustan n'a rien de commun avec la mangue. Fruit tropical apprécié pour sa saveur de pêche et la texture de ses quartiers crémeux, il est souvent surnommé le "roi des fruits"

MANGOUSTAN

Délices balinaises

Bintang

1 C'est le rêve des spécialistes en marketing : on ne dit pas "bière" à Bali, on dit "Bintang", et la marque à l'étoile a pour porte-drapeau des millions de T-shirts à son effigie. Il s'agit d'une belle blonde rafraîchissante, qui se boit très facilement pour accompagner un festin ou un coucher de soleil.

Nasi campur

2 Sorte de "plat national", ce classique du déjeuner est difficile à décrire. Dans les centaines de *warung* (gargotes) de l'île, on commence par prendre une assiette et choisir son riz (jaune, blanc ou rouge), puis on agrémente : appétissants fruits de mer, viande et plats végétariens sont disposés derrière une vitre ; prenez ce qui vous tente.

Sambal

3 Il existe autant de versions de ce condiment de base que de *nasi campur*, car il est utilisé pour relever la plupart des plats balinais. Les chefs gardent jalousement leurs recettes de *sambal*, mais il contient toujours un mélange de piment, d'ail, d'échalotes et de diverses herbes et épices.

Marchés nocturnes

4 Les *pasar malam* (marchés nocturnes) sont populaires, on y mange après la tombée de la nuit à Bali et à Lombok. Les meilleurs disposent de dizaines de stands où l'on cuisine des spécialités locales à un rythme effréné. Promenez-vous, savourez et terminez par un *piseng goreng* (bananes frites).

Babi guling

5 Autrefois plat réservé aux grandes occasions, le *babi guling* est devenu une spécialité balinaise courante. Le cochon de lait rôti farci aux épices est vendu un peu partout. Avec l'augmentation des revenus, un salarié moyen peut s'offrir quotidiennement une assiette de ce mets riche et savoureux.

2

1. L'excellente bière locale 2. Une belle assiette balinaise 3. Piments (principal ingrédient du *sambal*) 4. Vendeuse de rue à Denpasar

4

PARMI LES MEILLEURS WARUNG

Voici quelques suggestions, parmi la myriade de *warung* à Bali. À vous de trouver votre favori.

Cak Asm (p. 123). Un endroit impeccable à Denpasar qui sert une cuisine excellente, en particulier les fruits de mer.

Nasi Ayam Kedewatan (p. 164). Une modeste salle ouverte en façade, à la lisière d'Ubud, pour déguster les *sate lilit* (brochettes de poisson, de poulet ou de porc émincé).

Warung Kolega (p. 87). Des plats balinais excellents et variés, à Kerobokan.

Warung Sulawesi (p. 87). Délicieux plats de l'archipel, servis dans un patio familial ombragé à Kerobokan.

Warung Teges (p. 163). Formidable cuisine balinaise, très prisée, juste au sud d'Ubud.

soit parfumée par les arômes des épices. Le feu donne à la peau croustillante un délicieux goût fumé.

À défaut d'être invité à un repas de fête, vous pourrez savourer un *babi guling* dans différents *warung* et cafés de Bali.

Le *bebek* ou l'*ayam betutu* (canard ou poulet fumé) est un autre plat de fête prisé. Le volatile est farci avec des épices, enveloppé dans de l'écorce de noix de coco et des feuilles de bananier, et cuit toute une journée sur des balles de riz et des coques de noix de coco. Ubud est le meilleur endroit pour le canard fumé. Il faut aller au Bebek Bengil (à l'origine des nombreux restaurants qui servent du *bebek betutu* sur commande à l'avance).

Souvent servi lors des mariages, le *jukut ares* est un bouillon léger et parfumé à base de tiges de bananier, de poulet ou de porc émincé. Le satay des grandes occasions, le *sate lilit*, est un mélange odorant de poisson, de poulet ou de porc émincé avec citronnelle, galanga, échalotes, piment, sucre de palme, combava et lait de coco, mis en brochettes et grillé.

Si vous aimez la nourriture épicée, vous pouvez demander dans n'importe quel restaurant un sambal *frais de piments émincés incorporé dans du* kecap manis *(sauce de soja sucrée).*

Warung

Le *warung*, étal traditionnel en bord de rue, est l'endroit le plus fréquenté pour prendre un repas à Bali ou à Lombok – on peut aussi y trouver des produits d'épicerie. Il y en a pratiquement partout dans les grandes villes et plusieurs dans les villages. Ces établissements simples et bon marché, à l'ambiance détendue, comptent habituellement quelques bancs et tables défraîchis, que l'on partage avec des inconnus tout en observant l'animation. La cuisine, fraîchement préparée, varie d'un endroit à l'autre. Les plats sont souvent présentés dans un comptoir vitré à l'entrée ; composez votre propre *nasi campur* ou commandez celui du jour.

Seminyak et Kerobokan, en particulier, comptent de très nombreux *warung* fort accueillants pour les visiteurs.

Manger, ou pas, à la mode balinaise

Les Balinais n'ont pas l'habitude de parler au cours du repas et les membres d'une famille mangent rarement ensemble ; chacun se sert quand il a faim.

Les Balinais mangent avec la main droite, utilisée pour donner et recevoir les bonnes choses. La main gauche est réservée à la manipulation des éléments déplaisants (comme les ablutions). On se lave les mains avant de passer à table, même si l'on se sert de couverts. Dans les petits restaurants, un lavabo est toujours installé à côté des toilettes. Si vous mangez à la balinaise, rincez-vous les mains dans le bol d'eau posé sur la table après le repas ; se lécher les doigts est mal vu.

Les Balinais se montrent chatouilleux au niveau du comportement et de la tenue. Il est impoli d'entrer dans un restaurant torse nu ou de manger à moitié dévêtu.

Quand vous mangez devant un Balinais, il est poli de l'inviter à se joindre à vous, même si vous savez qu'il va refuser ou que vous n'avez rien à lui offrir. Si vous êtes invité chez des Balinais, vos hôtes insisteront pour que vous mangiez davantage, mais vous pouvez refuser poliment de vous resservir ou de goûter un plat qui ne vous plaît pas.

Boissons
Bière
Bière nationale indonésienne, la Bintang est une gouleyante blonde qui se trouve partout. La Storm, de fabrication artisanale locale, est excellente mais plus rare. Et la bière Bali Hai se révèle décevante.

Vin
Les amateurs de vin devront avoir un portefeuille bien garni. Les hôtels et restaurants haut de gamme proposent de bons vins du monde entier, mais une lourde taxe sur les produits de luxe fait grimper les prix. Une bouteille de vin australien correct avoisine les 50 $.

Bali compte deux producteurs. Artsan Estate, le meilleur, évite les taxes d'importation en important du raisin d'Australie-Occidentale et en effectuant la vinification et la mise en bouteille à Denpasar. Hatten Wine, dans le nord de Bali, est apprécié pour son rosé de couleur vive.

Alcools locaux
Lors des grands rassemblements, les hommes balinais boivent de l'*arak* (vin de riz fermenté), généralement sans excès. Prenez garde à l'*arak* frelaté, qui peut être dangereux (reportez-vous p. 375). La population majoritairement musulmane de Lombok désapprouve la consommation d'alcool.

Jus de fruits frais
Les rafraîchissements sans alcool vendus sur les marchés, dans la rue et par quelques *warung* sont colorés et savoureux. Très apprécié à Bali, le *cendol* est composé de sucre de palme, de lait de coco frais, de glace pilée et de divers parfums et ingrédients. Proposé dans les endroits touristiques, le jus de coco frais se consomme directement dans la noix avec une paille.

Célèbres producteurs locaux
» Big Tree Farms – chocolat, sucre de palmer
» FREAK Coffee – café
» Kopi Bali – café
» Sari Organik – jus, thés

À Bali et à Lombok, la moindre bourgade possède un *pasar malam* (marché nocturne). Vous pourrez goûter de multiples plats frais dans un *warung* et auprès des marchands ambulants à la nuit tombée.

SAVEURS DE BALI ET DE LOMBOK BOISSONS

MARCHÉ NOCTURNE

EN-CAS À LA BALINAISE

C'est généralement dans la rue qu'on trouve la cuisine balinaise la plus authentique (Denpasar compte cependant quelques excellentes tables). Des gens de tous milieux se pressent autour des stands de restauration des marchés et des villages, hèlent les *pedagang* (marchands ambulants) qui vendent des en-cas salés et sucrés à vélo ou à moto, et font la queue pour des *sate* ou des *bakso* (boulettes de viande chinoises dans un bouillon léger) devant les carrioles *kaki-lima*. *Kaki-lima*, qui peut se traduire par cinq pieds, se réfère aux trois pieds de la carriole et aux deux jambes du vendeur, souvent originaire de Java. Vous les verrez dans les villages et tenter d'esquiver bus et camions sur les routes fréquentées.

Question santé, la nourriture de rue fraîchement cuisinée ne présente généralement pas de risque, mais celle qui a attendu peut être douteuse ou contenir une forte dose de conservateurs à éviter.

UN PARADIS POUR LES VÉGÉTARIENS

Bali est un paradis pour les végétariens. Le tofu et le *tempe*, riches en protéines, font partie des aliments de base et de nombreux plats balinais sont naturellement végétariens. Goûtez le *nasi saur* (riz parfumé à la noix de coco grillée et accompagné de tofu, de *tempe*, de légumes et parfois d'un œuf), l'*urap* (un savoureux mélange de légumes à la vapeur avec noix de coco râpée et épices), le *gado-gado* (tofu et *tempe* mélangés à des légumes vapeur, un œuf dur et de la sauce aux cacahuètes) et le *sayur hijau* (des légumes verts, habituellement du *kangkung* – ipomée aquatique – avec une sauce tomate pimentée).

De plus, on peut facilement composer un *nasi campur* sans viande, avec des légumes sautés, de la salade, du tofu et du *tempe*. À Bali ou Lombok, les curries et les plats sautés comme le *cap cay* peuvent se commander avec de la viande, du poisson ou simplement des légumes.

La plupart des restaurants servent pâtes et salades végétariennes à l'occidentale et des établissements végétariens conviennent également aux végétaliens. Seminyak et Ubud sont recommandées pour leur cuisine végétarienne.

Café et thé

Nombre de restaurants occidentaux offrent des cafés et des thés importés en plus des marques locales, dont certaines sont très bonnes.

Café le plus cher (environ 200 000 Rp la tasse), et sans doute le plus rare au monde, le *kopi luwak*, ou "café caca de chat", n'existe qu'en Indonésie. Il doit son nom à une civette *(luwak)* originaire de Sulawesi, de Sumatra et de Java, qui ressemble à un chat et se nourrit de baies de café mûres. Les grains intacts sont ramassés dans les crottes de la civette et donnent un café fort et très amer. Les boutiques de souvenirs pour touristes en proposent généralement, ce qui ne veut pas dire qu'il soit authentique.

Si vous buvez un café en compagnie d'un Balinais, ne vous étonnez pas qu'il en verse un peu sur le sol. C'est une coutume ancestrale pour se protéger des esprits maléfiques.

Arts

Le dynamisme de la vie artistique fait de Bali bien plus qu'une destination tropicale. Peinture, sculpture, danse et musique traduisent le talent naturel des Balinais, un héritage de l'ère Majapahit.

Il n'existe pourtant en balinais aucun équivalent aux mots "art" et "artiste". Jusqu'au déferlement touristique, l'expression artistique était réservée à la religion et aux rites, et presque toujours l'apanage des hommes. Peintures et sculptures servaient uniquement à décorer temples et sanctuaires, tandis que la musique, la danse et le théâtre visaient à divertir les dieux de retour à Bali pour une cérémonie importante. Les artistes ne cherchaient pas à se distinguer, contrairement à leurs homologues occidentaux. Leurs œuvres reflétaient un style traditionnel ou une nouvelle idée, mais jamais leur personnalité.

Cela changea avec l'arrivée d'artistes étrangers à Ubud à la fin des années 1920 ; venus apprendre des Balinais et partager leur savoir-faire, ils contribuèrent à faire de l'art un commerce, très florissant aujourd'hui. Ubud demeure le centre artistique de l'île, où continuent d'affluer des artistes du monde entier, des souffleurs de verre japonais aux photographes européens et aux peintres javanais.

Galeries et boutiques d'artisanat ont surgi dans toute l'île ; les peintures et les sculptures en bois ou en pierre sont légion. Beaucoup sont produites en série et certaines sont d'une vulgarité comique (comme ces pénis de 3 m de hauteur !), mais on trouve quantité d'œuvres superbes.

Lombok offre aussi un très bel artisanat, telles les poteries du village de Banyumulek. Mataram et Senggigi comptent d'excellentes boutiques et galeries.

Danse
Bali

Il existe plus d'une douzaine de danses à Bali, chacune suivant une chorégraphie précise, nécessitant une discipline stricte. La plupart des danseurs ont appris au cours d'une longue pratique avec un maître. De la grâce formelle et subtile du *legong* aux combats burlesques du Barong qui ont les faveurs des foules, les différents styles ont beaucoup d'attraits.

Vous aurez l'occasion d'assister à un spectacle de qualité lors d'une fête ou d'une cérémonie, et des représentations remarquables ont lieu à Ubud et alentour. Elles se déroulent habituellement le soir et peuvent durer plusieurs heures. La musique envoûtante et la grâce des danseurs font oublier le temps. Comptez environ 70 000 Rp pour un billet. Des cours de musique, de théâtre et de danse sont proposés à Ubud.

Pour capter l'attention fugace des touristes, de nombreux hôtels présentent un échantillonnage de danses : un peu de *kecak*, un soupçon de Barong et une pincée de *legong*. Ces représentations écourtées peuvent se réduire à quelques musiciens et à un couple de danseurs.

FESTIVAL

Le Bali Arts Festival présente les œuvres de milliers de Balinais en juin et juillet à Denpasar. C'est un événement majeur qui attire les talents et le public des quatre coins de l'île.

La danse balinaise est tout sauf figée. Les meilleures troupes, comme Semara Ratih à Ubud, ne cessent d'innover.

Kecak

Probablement la danse la plus connue pour son ambiance envoûtante, le *kecak* est exécuté par un "chœur" d'hommes assis en cercles concentriques qui entrent en transe en psalmodiant le "chak-a-chak-a-chak", imitation des cris d'une bande de singes. Parfois appelée "gamelan vocal", c'est la seule musique qui accompagne la représentation dansée du *Ramayana*, l'épopée hindoue relatant les amours du prince Rama et de son épouse Sita.

La version touristique du *kecak* est née dans les années 1960. Ce spectacle extraordinaire est souvent présenté à Ubud (le chant hypnotique des 80 hommes du Krama Desa Ubud Kaja est inoubliable) et au Pura Luhur Ulu Watu.

Les femmes portent souvent des offrandes au temple en dansant le *pendet*, qui consiste en des mouvements des yeux, de la tête et des mains d'une précision extraordinaire et d'une coordination parfaite. Chaque geste du poignet, de la main et des doigts est chargé de signification.

Legong

Caractérisée par un jeu de regards et de mains, la plus gracieuse des danses balinaises est exécutée par de très jeunes filles. Leur talent est tellement révéré qu'une danseuse classique reste considérée comme une "grande *legong*" à l'âge adulte.

La prestigieuse troupe de Peliatan, Gunung Sari, qui se produit souvent à Ubud, est renommée pour son *legong keraton* (*legong* du palais). L'histoire, très stylisée et symbolique, met en scène deux *legong* dansant en miroir. Savamment maquillées et vêtues de brocart doré, elles racontent l'histoire d'un roi qui retient une jeune fille en captivité, ce qui provoque une guerre au cours de laquelle il meurt.

Sanghyang et danse du feu kecak

Ces danses furent inventées pour chasser de mauvais esprits d'un village. Sanghyang est un esprit divin qui habite temporairement un danseur en transe. Le *sanghyang dedari* est dansé par deux jeunes filles qui exécutent un *legong* parfaitement symétrique, les yeux fermés comme dans un rêve. Des chœurs masculins et féminins les accompagnent jusqu'à ce qu'elles s'effondrent sur le sol. Un *pemangku* (prêtre chargé des rituels) met fin à la transe en versant de l'eau bénite.

Dans le *sanghyang jaran*, un jeune garçon en transe danse autour d'un feu de coques de noix de coco (et par-dessus ce feu), en "chevauchant" un tronc de cocotier. Variante du *sanghyang jaran*, la danse du feu *kecak* (ou "danse du feu et de la transe" pour les touristes) est présentée à Ubud presque tous les jours.

Le site de la danse indonésienne (http://dharma. free.fr/index. html) est dédié à la promotion de la danse et de la culture d'Indonésie en France.

Autres danses

Danse du guerrier, le *baris* est l'équivalent masculin du *legong* ; énergie et esprit belliqueux remplacent la grâce et la féminité. Le danseur talentueux doit transmettre les pensées et les émotions d'un guerrier se préparant au combat, puis affrontant l'ennemi : qualités chevaleresques, fierté, colère, prouesse et enfin regret.

Dans le *topeng* (littéralement "pressé contre le visage" comme un masque), les danseurs imitent le personnage représenté par le masque. Cela requiert une grande habileté, car le danseur ne peut exprimer les pensées et les sentiments que par ses mouvements, sans le recours des expressions faciales.

Lombok

Lombok possède aussi ses propres danses, beaucoup moins promues. Des représentations ont lieu dans quelques hôtels de luxe et dans le village de Lenek, renommé pour ses danses traditionnelles. En juillet,

NYOMAN SUPADMI, UNE LÉGENDE DU LEGONG

Outre son importance culturelle, la danse balinaise semble être aussi une source de jeunesse. À voir Nyoman Supadmi, qui a commencé à enseigner la danse en 1970, vous lui donneriez moitié moins que son âge.

Souple et débordante de vitalité, Nyoman a enseigné à des milliers de femmes les mouvements très précis et la minutieuse chorégraphie qu'exigent des danses classiques balinaises comme le *legong*. Classique est bien le terme qui convient à cette femme qui s'est élevée avec force contre l'édulcoration des danses de l'île par une "modernité" qu'elle rejette.

Et quelle est au juste l'aberration qui amène un tel froncement de sourcil sur son visage habituellement serein ? "Les mouvements de base de la danse classique exigent une intense discipline", dit-elle. Appuyant ses propos par le geste, Nyoman adopte cette position rigide, les bras tournés en dehors et les yeux grands ouverts, reconnaissable par tous ceux qui ont vu un spectacle. "Moderne, c'est comme cela", ajoute-t-elle, retombant soudain dans une posture relâchée. Elle comprend l'attrait du moderne : "L'apprentissage est beaucoup plus facile, or les gens ont tant de distractions qu'ils ne trouvent pas le temps d'apprendre comme autrefois."

"Mes professeurs insistaient sur les bases", dit Nyoman – dont la mère, danseuse, fut son professeur particulier. "Vos mains allaient ici et votre postérieur ici", explique-t-elle en appuyant ses dires par un changement de position sur son siège. "Aujourd'hui, les gens se contentent d'une position approximative."

Pour préserver la danse classique balinaise, Nyoman encourage les cours de danse à l'école à partir de 5 ans. Elle repère les élèves prometteurs qui pourront ensuite être guidés durant les années nécessaires à l'acquisition de cette maîtrise de l'art. Une nièce, qui fait partie de ces étoiles, est actuellement très demandée pour les cérémonies dans les temples et d'autres occasions pour lesquelles les organisateurs réclament les meilleures danseuses.

"Mais cela coûte cher", admet-elle. Il y a le coût des grands orchestres de gamelan, les danseurs, les acteurs, le transport, la nourriture et "le simple fait d'obtenir des gens qu'ils consacrent le temps voulu pour être les meilleurs".

vous verrez des spectacles de danse et de *gendang beleq* (grosse caisse) à Senggigi. Le *gendang beleq*, une spectaculaire danse guerrière, est exécuté par des hommes et de jeunes garçons qui jouent d'instruments de musique inhabituels lors des fêtes de l'*adat* (traditions, coutumes) dans le centre et l'est de Lombok.

Musique
Bali

La musique balinaise est basée sur le gamelan, également appelé gong. Le *gong gede* (grand orchestre) en constitue la forme traditionnelle, avec 35 à 40 musiciens. Gamelan plus ancien, le *selunding* reste joué à l'occasion dans des villages bali-aga comme Tenganan.

Version moderne et populaire du *gong gede,* le *gong kebyar* compte jusqu'à 25 instruments. Ces percussions, enlevées ou envoûtantes, accompagnent souvent les danses traditionnelles et laissent aux touristes des impressions inoubliables.

Le *gangsa,* instrument prédominant de la musique balinaise, ressemble à un xylophone. Le musicien frappe les touches avec un marteau, puis atténue le son immédiatement après. Deux tambours *ken-dang,* l'un mâle et l'autre femelle, déterminent le rythme et le caractère de la mélodie. Parmi les autres instruments figurent les graves tambours *trompong,* le petit gong *kempli* et les cymbales *cengceng* pour les morceaux rapides. Tous les instruments n'exigent pas une grande dextérité et la musique est une activité courante.

Musiques de Bali à Java. L'ordre et la fête (Cité de la musique/Actes Sud, 1995), de Catherine Basset, est une analyse audacieuse du gamelan, qui a tant intrigué musicologues et compositeurs occidentaux, de Claude Debussy à Georges Aperghis. Le livre est accompagné d'un CD.

Dans le sud de Bali et à Ubud, de nombreux magasins vendent des gongs, des flûtes, des xylophones et des carillons en bambou. Des CD sont en vente partout.

Lombok

Le *genggong*, spécifique à Lombok, est joué par sept musiciens qui accompagnent la mélodie de danses et de gestes de mains stylisés. Ils utilisent plusieurs instruments simples, dont une flûte de bambou, un *rebab* (luth recourbé à deux cordes) et des percussions.

Théâtre

À Bali, musique, danse et théâtre sont intimement liés. Les effets sonores et les mouvements des marionnettes en cuir constituent une part importante du *wayang kulit* (théâtre d'ombres).

Wayang kulit

Bien plus qu'un simple divertissement, le *wayang kulit* a été pendant des siècles l'équivalent du cinéma à Bali, tout en ayant le caractère sacré et sérieux d'une tragédie antique. Les représentations, longues et intenses, peuvent durer plus de six heures et souvent jusqu'à l'aube.

Utilisé à l'origine pour faire revenir les ancêtres, le spectacle est joué avec des marionnettes en cuir de buffle dotées d'un grand pouvoir spirituel ; le *dalang* (marionnettiste et conteur) est un personnage mythique. Doté d'un immense savoir-faire et d'une endurance remarquable, il s'assied derrière un écran et manipule les figurines tout en racontant l'histoire, souvent en plusieurs dialectes.

L'*arja* s'apparente au *wayang kulit* pour les intrigues mélodramatiques, les effets sonores et les personnages facilement identifiables des bons (les *alus* raffinés) et des méchants (les grossiers *kras*). La représentation a lieu en plein air. Une petite maison est parfois construite sur scène et incendiée au moment le plus dramatique.

BARONG, RANGDA, MONSTRES ET COMPAGNIE

La danse de Barong et Rangda rivalise avec le *kecak* pour la faveur des touristes. Elle représente une bataille entre le bien (Barong) et le mal (Rangda). Le Barong est une gentille créature hirsute et espiègle mi-lion, mi-chien, avec des yeux exorbités et des mâchoires articulées dont le claquement appuie les effets dramatiques. Dissimulés sous des couches de costume recouvert de fourrure, les acteurs qui animent le Barong doivent faire vivre à ce personnage protecteur toutes sortes de situations burlesques. Mais, comme pour toute danse balinaise, l'art du Barong ne se résume pas à un simple divertissement, car c'est un personnage sacré que l'on voit souvent dans les processions et les rituels.

Le singe ou les singes qui assistent le Barong n'ont rien de sacré, en revanche, et lui volent souvent la vedette dans les spectacles. Les acteurs qui les animent sont libres de se conduire sauvagement. Les meilleurs s'amusent du public, en particulier des spectateurs prenant les choses un peu trop au sérieux. De son côté, Rangda la veuve-sorcière est le mal personnifié. Reine de la magie noire, ce monstrueux personnage peut avoir des flammes mortelles qui lui sortent des oreilles, une langue ruisselante de feu, des cheveux en crinière sauvage et d'immenses seins qui pendouillent.

L'histoire relate un duel entre Rangda et Barong, dont les partisans brandissent leur kriss (dague traditionnelle) et accourent pour les aider. Rangda, pourvue d'une langue démesurée et de canines saillantes, les plonge en transe et les pousse à se poignarder eux-mêmes. Heureusement, Barong jette un sort qui empêche les kriss de les blesser.

Jouer avec la magie, le bien et le mal requiert la présence d'un *pemangku* (prêtre chargé des rituels), qui met fin à la transe des danseurs et sacrifie un poulet pour se concilier les esprits maléfiques.

À Ubud, les troupes de Barong et Rangda donnent des interprétations diverses et variées de cette danse allant du spectacle terrifiant (du moins jusqu'à l'apparition des singes) aux versions plus burlesques ou à la pantomime.

Les masques de Barong sont des objets de prix. Vous en verrez de beaux exemples dans le village de Mas, au sud d'Ubud.

Les récits dérivent essentiellement des grandes épopées hindoues du *Ramayana* et – dans une moindre mesure – du *Mahabharata*.

Vous pourrez en voir des représentations, réduites à moins de 2 heures pour les touristes, à Ubud.

Peinture

La peinture balinaise est sans doute la forme d'art la plus influencée par les idées et la demande occidentales. Les peintures traditionnelles, fidèles représentations du symbolisme religieux et mythologique, décoraient les temples et les palais. Les couleurs étaient fabriquées avec de la suie, de l'argile et des os de cochon. Dans les années 1930, des artistes occidentaux introduisirent le concept de création artistique et de commercialisation des œuvres. Visant le marché touristique, ils encouragèrent la représentation de scènes de la vie quotidienne et l'utilisation de toute la variété des couleurs et des instruments modernes. L'éventail de thèmes, de techniques, de styles et de matériaux s'élargit considérablement et les premières femmes peintres apparurent.

On peut classer les styles en cinq grandes catégories : classique, ou Kamasan, du nom du village proche de Semarapura ; style d'Ubud, apparu dans les années 1930 sous l'influence du Pita Maha ; Batuan, qui débute à la même époque dans un village voisin ; Jeunes Artistes, après la guerre, dans les années 1960, influencé par l'artiste néerlandais Arie Smit ; puis le style moderne ou académique, abordant librement des thèmes créatifs, mais résolument balinais.

Où voir et acheter de la peinture

Bali compte assez peu de peintres originaux et créatifs et, en revanche, de très nombreux imitateurs. Les boutiques, en particulier dans le sud de l'île, regorgent de peintures dans le style en vogue, parfois de qualité, voire excellentes, mais le plus souvent totalement standardisées.

Les musées d'Ubud (Neka Art Museum, Agung Rai Museum of Art, Museum Puri Lukisan) exposent les meilleures œuvres balinaises et certains des modèles européens dont elles s'inspirent. Allez voir aussi le travail créatif de femmes artistes à la Seniwati Gallery, à Ubud.

Des galeries comme la Neka Gallery et l'Agung Rai Gallery à Ubud vendent des œuvres de grande qualité. On peut passer un agréable après-midi, voire davantage, à fouiner dans les galeries, où l'on rencontre le pire et le meilleur.

Peinture classique

Il existe trois genres fondamentaux : *langse*, *ider-ider* et calendriers. Les *langse* sont de grandes tentures décoratives pour les palais et les temples représentant des personnages de *wayang* (à la physionomie comparable à celle des marionnettes du théâtre d'ombres), des motifs floraux, des flammes et des montagnes. Les *ider-ider* sont des rouleaux suspendus aux avant-toits des temples. Les calendriers, comme jadis, sont utilisés pour déterminer les dates des rituels et prédire l'avenir.

Les *langse* permettaient d'inculquer l'*adat* (traditions, coutumes) au petit peuple, tout comme la danse traditionnelle et les marionnettes du *wayang kulit*. Les personnages stylisés représentaient le bien et le mal : petits yeux allongés et traits fins pour les héros romantiques tels que Rama et Arjuna, gros yeux ronds, traits grossiers et visage poilu pour les démons et les guerriers. Un peu comme une BD, les peintures racontent une histoire au fil des panneaux, représentant souvent des scènes du *Ramayana* et du *Mahabharata*. Parmi les autres thèmes figurent des poèmes *kakawin* et les esprits démoniaques du folklore balinais ; regardez les plafonds peints du Kertha Gosa (palais de justice), à Semarapura.

ARTS PEINTURE

Antonin Artaud découvre le théâtre balinais lors de l'Exposition universelle de 1931. Il reconnaît en lui la nécessité, pour le théâtre, de "représenter quelques-uns des côtés étranges des constructions de l'inconscient". Cette révélation sera à l'origine de la théorie qu'il développe dans *Le Théâtre et son double*.

Préserver et pratiquer la danse balinaise rare et ancienne et le gamelan, c'est la mission du Mekar Bhuana (www.balimusicanddance.com), un groupe culturel installé à Denpasar. Il parraine des spectacles et propose des cours.

Fondé pour conserver et promouvoir les techniques classiques, le Gunarsa Museum, près de Semarapura, est un bon endroit pour découvrir des peintures classiques dans un cadre moderne.

Pita Maha

Dans les années 1930, alors que les commandes des temples se tarissent, la peinture se meurt. Les artistes européens Rudolf Bonnet et Walter Spies, ainsi que leur protecteur Cokorda Gede Agung Sukawati, forme alors le Pita Maha (littéralement "grande vitalité"), pour que la peinture, jusque-là purement religieuse, s'ouvre au commerce. Le groupe compta plus de cent membres à son apogée dans les années 1930 et fut à l'origine de la création du Museum Puri Lukisan à Ubud, le premier musée consacré à l'art balinais.

L'influence de Bonnet et Spies fut déterminante. Certains artistes balinais, comme feu I Gusti Nyoman Lempad, commencent à développer un style propre. Les histoires narratives sont remplacées par des scènes uniques, et les légendes, par la vie quotidienne : récoltes, marchés, combats de coqs, offrandes, etc. Ces peintures sont connues sous le nom de style d'Ubud.

À la même époque, les peintres de Batuan conservent de nombreux éléments de la peinture classique. Ils décrivent la vie quotidienne, mais les nombreuses scènes – marché, danse et récolte du riz – figurent sur une seule toile. Le style de Batuan se distingue aussi par certains éléments modernes, comme un paysage balnéaire avec véliplanchiste.

Les techniques évoluent également. Les artistes utilisent des peintures et des matériaux modernes, tandis que les poses figées laissent la place à des représentations réalistes et à la perspective. Autre changement important, les œuvres ne sont plus réservées au décor des palais et des temples. Le style balinais du détail demeura inchangé. Ainsi, une forêt balinaise a des branches, des feuilles et de multiples animaux occupant chaque recoin. Ce dynamisme artistique fut interrompu par la Seconde Guerre mondiale et la lutte pour l'indépendance de l'Indonésie.

Jeunes Artistes

Arie Smit séjournait à Penestanan, près d'Ubud, en 1956 quand il remarque un garçon de 11 ans qui dessinait dans la poussière et se demande ce qu'il réaliserait avec un matériel approprié. Selon la légende, le père aurait refusé que l'enfant se consacre à la peinture jusqu'à ce que Smit propose de payer quelqu'un pour surveiller les canards de la famille.

D'autres "jeunes artistes" rejoignent bientôt le premier élève, I Nyoman Cakra, mais Smit ne leur donne aucune directive. Il leur fournit les matériaux et les encourage, leur laissant librement développer un talent naturel. Aujourd'hui, ces scènes de la vie rurale, peintes en couleurs vives, constituent l'un des piliers de l'art balinais touristique.

I Nyoman Cakra vit toujours à Penestanan, continue de peindre et reconnaît devoir sa réussite à Smit. Parmi les "jeunes artistes", citons I Kegut Tagen, I Nyoman Tjarka et I Nyoman Mujung.

Autres styles

Des variantes dérivent des styles d'Ubud et des Jeunes Artistes. La représentation de forêts, de fleurs, de papillons, d'oiseaux et d'autres thèmes naturalistes, parfois appelée style Pengosekan, s'impose dans les années 1960. Ce serait un héritage d'Henri Rousseau, qui avait influencé Walter Spies. L'apparition de scènes sous-marines, avec poissons multicolores et coraux, constitue une autre évolution. Les paysages miniatures, très prisés, se situent entre les styles Pengosekan et d'Ubud.

Les nouvelles techniques produisent aussi des représentations très différentes de Rangda, de Barong, d'Hanuman et d'autres personnages

Vous trouverez une sélection très bien faite d'ouvrages (en anglais) sur l'art, la culture, les danseurs, les musiciens et les écrivains balinais sur le site www.ganeshabooks-bali.com, de l'excellente librairie d'Ubud (qui a une succursale à Kerobokan).

Bog Bog, magazine d'humour et de BD réalisé par des dessinateurs balinais, donne une vision satirique du contraste entre les mondes traditionnel et moderne de Bali. On le trouve dans les librairies, les supermarchés ou en ligne sur www.facebook.com/bogbogcartoon.

BOG BOG

LES ARTISTES QUI ONT BOUSCULÉ LES ARTS BALINAIS

Outre Arie Smit, plusieurs artistes occidentaux ont eu une profonde influence sur l'art balinais au début et au milieu du XXe siècle.

» **Walter Spies** (1895-1942). Cet artiste allemand, qui visita Bali pour la première fois en 1925 et s'installa à Ubud en 1927, établit auprès des Occidentaux cette image de Bali qui prévaut encore aujourd'hui.

» **Rudolf Bonnet** (1895-1978). Artiste néerlandais, Bonnet centra son œuvre sur la forme humaine et la vie quotidienne à Bali. Nombre de peintures classiques balinaises, représentant des marchés ou des combats de coqs, trahissent son influence.

» **Miguel Covarrubias** (1904-1957). *Island of Bali*, écrit par cet artiste mexicain, reste une introduction classique à l'île et à sa culture.

» **Colin McPhee** (1900-1965). Ce compositeur canadien a été un formidable protecteur de la musique et de la danse balinaises. Son livre *A House in Bali*, plein d'amusantes anecdotes sur la musique et l'architecture, reste l'un des meilleurs sur Bali.

» **Adrien-Jean Le Mayeur de Merpès** (1880-1958). Arrivé à Bali en 1932, cet artiste belge contribua à forger l'idée de la beauté sensuelle balinaise, notamment à travers les portraits de sa femme, la danseuse Ni Polok. Leur maison de Sanur est aujourd'hui un musée souvent injustement ignoré des visiteurs.

de la mythologie balinaise et hindoue. Des scènes tirées de récits et de contes populaires font leur apparition, avec danseurs, nymphes et histoires d'amour à l'érotisme discret.

Artisanat

Bali est une vitrine de l'artisanat indonésien. Une boutique de souvenirs vend des marionnettes et des batiks de Java, des vêtements en ikat de Sumba, Sumbawa et Flores, des textiles et des sculptures sur bois de Bali, de Lombok et du Kalimantan. Le kriss, objet essentiel pour toute famille balinaise, provient souvent de Java.

À Lombok, île bien moins prospère, l'artisanat se résume à des objets pratiques, parfaitement réalisés et superbement finis. Les plus beaux exemples de tissages, de vanneries et de poteries sont très recherchés.

Offrandes éphémères

Selon la tradition, nombre de réalisations artisanales élaborées servaient d'offrandes cérémonielles éphémères : *baten tegeh* (pyramides décorées de fruits, de gâteaux de riz et de fleurs), gâteaux de farine de riz modelés en scènes à la signification symbolique ou en petites sculptures, *lamak* (longues bandes de palmes tressées, utilisées comme décorations pour les fêtes et les célébrations), personnages féminins stylisés, ou *cili*, représentant Dewi Sri (la déesse du riz), ou suspensions en coques de noix de coco sculptées. Vous serez émerveillé par le soin et le temps consacrés à la construction des immenses tours funéraires et des sarcophages exotiques, qui disparaîtront dans les flammes !

Textiles et tissages

Bali

À Bali et à Lombok, les textiles tissés par les femmes servent aux vêtements de tous les jours, aux tenues de cérémonie ou sont offerts en cadeau. Ils font souvent partie de la dot et, lors des crémations, ils accompagnent l'âme du défunt pour le passage dans l'au-delà.

Le sarong fait fonction de vêtement, de drap, de serviette, etc. Les cotonnades bon marché, unies ou imprimées, sont réservées à l'usage quotidien et constituent une tenue de plage appréciée des touristes.

1. L'ikat, un tissage traditionnel **2.** Danseurs de *legong* se préparant
3. Danse du *kecak* **4.** Masque de Rangda pour la danse du Barong

Des arts florissants

Ikat

1 Dans une fabrique d'ikat, le claquement frénétique des métiers à tisser en bois vous paraîtra envoûtant ou cacophonique, mais vous ne manquerez pas d'être épaté par le résultat. Des fils teints à part sont tissés ensemble pour former de beaux motifs faits à la main. Les sarongs en ikat sont très prisés.

Danse legong

2 Les mouvements des meilleures danseuses de *legong* apparaissent automatiques et remarquablement contrôlés. Des femmes et des jeunes filles vêtues de parures brodées et rehaussées d'or exécutent des danses rigoureuses agrémentées de mouvements précis des yeux et de presque tous les muscles. Observez leurs mains qui semblent reproduire le vol d'un papillon.

Psalmodie kecak

3 Un spectacle de *kecak* hante durant des heures. La mélodie des dizaines d'hommes qui psalmodient et chantent pendant plus d'une heure ensorcelle et, à l'instar des danseurs, vous pourriez bien entrer vous-même en transe. Les chants sont rythmés et l'effet est envoûtant.

Barong et Rangda

4 Avec leur masque en bois sculpté aux couleurs vives, les Barong sont immanquables dans un spectacle – et cela même avant d'avoir vu le reste de leur énorme costume ébouriffé. Représentant le bien, les Barong font claquer leur mâchoire en bois et font de leur mieux pour voler la vedette à leur homologue maléfique, Rangda.

Sculpture sur pierre

5 À l'aide de la pierre volcanique tendre de l'île, les artisans créent des motifs élaborés qui semblent donner vie à la roche. La pierre vieillissant rapidement offre un aspect encore plus évocateur aux nouveaux temples qui s'apparentent à des merveilles anciennes.

LES OFFRANDES : UN ART DE LA BEAUTÉ FUGACE

Si les touristes à Bali sont accueillis comme des hôtes de marque, les divinités, les ancêtres, les esprits et les démons restent les personnages les plus importants. Les Balinais leur font des offrandes tout au long de la journée en signe de respect et de gratitude, ou pour apaiser un démon maléfique.

Un présent fait à un être supérieur doit attirer son regard, si bien que chaque offrande constitue une œuvre d'art. La plus courante consiste en une feuille de palmier à peine plus grande qu'une soucoupe, sur laquelle sont déposés fleurs, nourriture (du riz, mais parfois des crackers ou des sucettes) et quelques pièces de monnaie, surmontés d'un *saiban* (offrande pour un temple). Les sanctuaires plus importants et les grandes occasions exigent des offrandes plus recherchées telles que des pyramides colorées de fruits ou de gâteaux ou même des animaux entiers, comme le *babi guling* (cochon de lait).

Une fois présentée aux dieux, l'offrande ne peut être utilisée à nouveau, aussi faut-il en fabriquer tous les jours, une tâche habituellement réservée aux femmes. Vous verrez des offrandes prêtes à être assemblées sur les marchés.

Les offrandes destinées aux dieux sont placées en hauteur et celles pour les démons, sur le sol. Essayez de ne pas marcher dessus, mais si cela arrive, n'en faites pas un drame ; vu leur profusion, il est presque impossible de toutes les éviter. Au Bemo Corner à Kuta, les offrandes sont déposées devant le sanctuaire, au milieu de la route, et rapidement écrasées par les voitures. Partout sur l'île, des chiens rôdent autour des offrandes pour chiper les crackers. Les dieux et les démons absorbant instantanément l'essence des offrandes, les chiens se contentent des restes !

Pour les grandes occasions, comme une cérémonie au temple, hommes et femmes portent un *kamben*, un métrage de *songket* drapé autour de la poitrine. Tissé à la main selon la technique de la trame flottante, le *songket* se caractérise par des fils argentés et dorés. L'*endek*, une autre variété, s'apparente au *songket*, mais utilise des fils de trame teints.

Les hommes revêtent une chemise sous le *kamben* et les femmes, un *kebaya* (chemisier en dentelle à manches longues). Une fine bande de tissu appelée *kain* (ou *prada* quand elle est décorée de motifs à la feuille d'or), nouée autour de la taille sur le sarong, complète la tenue.

Où en acheter

Tous les marchés, notamment ceux de Denpasar, proposent un large éventail de textiles, tout comme celui de Jl Arjuna, à Legian. À Ubud, Threads of Life est une galerie certifiée commerce équitable qui vend des textiles tissés main perpétuant le savoir-faire traditionnel. Les fabriques près de Gianyar dans l'est de Bali possèdent de grandes boutiques.

Batik

Les sarongs en batik traditionnels, qui se placent entre le sarong en coton et le *kamben*, sont faits à la main dans le centre de Java. Les Balinais ont adapté le processus de teinture pour produire des tissus aux motifs chatoyants. N'achetez pas un "batik" sérigraphié : les couleurs se délavent et le motif n'apparaît souvent que d'un côté. Sur un véritable batik, la couleur doit apparaître des deux côtés "afin que le corps ressente ce que voient les yeux".

Ikat

La technique de l'ikat consiste à teindre les fils de chaîne (tendus sur le métier) ou ceux de trame (sur la navette) avant de tisser l'étoffe. Il en résulte un motif géométrique légèrement ondulé. Les couleurs sont habituellement dans des tons similaires : bleu et vert, rouge et brun, jaune, rouge et orange. Gianyar, dans l'est de Bali, abrite quelques fabriques où vous pourrez voir le tissage des sarongs en ikat sur des métiers actionnés à la main et au pied. Il faut compter 6 heures pour fabriquer un sarong.

Lombok

Lombok est réputée pour les tissages traditionnels sur des métiers à sangle dorsale ; les techniques se transmettent de mère en fille. Des motifs abstraits de fleurs ou d'animaux, tels des buffles, des dragons, des crocodiles et des serpents, ornent parfois ces tissus ravissants. Plusieurs villages sont spécialisés dans le tissage, d'autres dans les jolis paniers et les nattes en rotin ou en herbe. Près de Cakranegara et de Mataram, vous pourrez visiter des fabriques d'ikat de trame, tissé sur des métiers actionnés à la main et au pied.

Sukarara et Pringgasela sont des centres d'ikat et de *songket* traditionnels. De petites boutiques vendent des sarongs, des ceintures et des vêtements sasak ourlés de broderies colorées.

L'ONG Lontar Foundation (www. lontar.org) œuvre à la traduction en anglais de livres indonésiens afin que les universités du monde entier puissent proposer des cours de littérature indonésienne.

ARTS ARTISANAT

Sculpture sur bois

Jadis réservée aux portes et aux colonnes, aux figures religieuses et aux masques de théâtre, la sculpture sur bois a adopté des formes plus modernes et une grande variété de styles. Tegallalang et Jati, sur la route au nord d'Ubud, en sont des centres renommés. Le long de la route entre Mas et Peliatan, les boutiques de souvenirs vendent des sculptures.

Le style courant des personnages fins et élancés serait apparu après que Walter Spies eut donné à un sculpteur un long morceau de bois en lui demandant de réaliser deux pièces. Ne pouvant se résoudre à le scier en deux, le sculpteur façonna un danseur grand et mince.

Personnages religieux classiques, caricatures d'animaux, squelettes humains grandeur nature, cadres et troncs d'arbre sculptés en totems font partie des œuvres typiques. À Kuta, divers objets de bon goût (!) visent les buveurs de bière et les patrons de bar : décapsuleur en forme de godemiché (un best-seller !) ou panneaux portant de fines inscriptions.

Presque toutes les sculptures sont réalisées avec des essences locales, comme le *belalu*, un bois léger à croissance rapide, et des arbres fruitiers plus solides, tel le jacquier. L'ébène de Sulawesi est également utilisée. Le santal, un bois tendre au parfum délicat, est cher et sert à confectionner de petites pièces très détaillées (attention aux faux, très répandus).

LES KRISS : DE SACRÉES DAGUES

Habituellement orné d'un manche ouvragé, incrusté de joyaux et doté d'une lame ondulée, le kriss est la dague de cérémonie traditionnelle depuis l'époque Majapahit. Souvent la possession la plus précieuse de la famille, le kriss est un symbole de prestige et d'honneur. On attribue à cette dague fabriquée par un maître artisan un grand pouvoir spirituel, la faculté de diffuser des ondes magiques et on ne l'utilise qu'avec le plus grand soin. Nombre de Balinais ne nettoient leurs lames que dans les eaux de la Sungai Pakerisan, la "rivière du Kriss", dans l'est de Bali, aux vertus surnaturelles.

Un homme, à Bali, se juge à ses kriss : dimension de la lame, qualité artistique du manche, nombre de kriss détenus et bien d'autres critères entrent en ligne de compte. Les manches sont considérés indépendamment du kriss (la lame) proprement dit. À mesure que sa fortune s'accroît, un homme dotera sa collection de manches de plus en plus précieux. Le kriss lui-même reste sacré – vous verrez souvent des offrandes déposées à côté des kriss exposés. Les ondulations de la lame (ou *lok*) ont une signification hautement symbolique. Elles sont toujours en nombre impair – trois, par exemple, symbolise la passion.

Le Museum Negeri Propinsi Bali à Denpasar abrite une riche collection de kriss.

À Lombok, des sculptures décorent les objets usuels (boîtes à tabac et à épices, manches de couteau et de casse-noix de bétel...). Le bois, la corne et l'os comptent parmi les matériaux employés et servent à fabriquer les masques allongés de style primitif, apparus récemment. Cakranegara, Sindu, Labuapi et Senanti sont les centres de sculpture de l'île.

Le bois perd son humidité dans un environnement plus sec. Pour éviter qu'une sculpture craque une fois chez vous, placez-la dans un sac plastique et laissez pénétrer un peu d'air une semaine par mois pendant quatre mois.

Le site www.lombok-network.com présente de Lombok, ainsi que l'art et l'artisanat des différentes régions (même les plus isolées) de l'île.

Masques sculptés

Les masques utilisés pour les spectacles de théâtre et de danse comme le *topeng* requièrent une technique particulière. Le maître sculpteur, toujours un homme, doit connaître les mouvements de chaque acteur afin de représenter fidèlement le personnage sur le masque. Les masques sont réputés posséder des propriétés magiques et auraient même le pouvoir de chasser les mauvais esprits. D'autres masques, comme ceux de Barong et de Rangda, sont peints de couleurs vives et dotés de vrais cheveux, de dents énormes et d'yeux exorbités.

Mas est le centre de fabrication de masques. Le Museum Negeri Propinsi Bali à Denpasar possède une vaste collection de masques, idéale pour découvrir les différents styles avant un achat.

Sculpture sur pierre

Traditionnellement utilisée pour orner les temples, la sculpture sur pierre constitue aujourd'hui un souvenir apprécié, des reliefs de fleurs de frangipanier aux objets insolites reflétant le sens de l'humour balinais : grenouille tenant une feuille comme parapluie ou démon sur le côté d'une cloche plaquant les mains sur les oreilles en faisant mine de s'offusquer.

Les sculptures occupent des emplacements précis dans les temples. Des personnages protecteurs, tel Arjuna, gardent en général les portes. Au-dessus de l'entrée principale, le visage monstrueux de Kala vous regarde et ses mains tendues tentent d'attraper les esprits maléfiques. Sur les murs latéraux d'un *pura dalem* (temple des morts), des panneaux sculptés décrivent parfois les horreurs qui attendent les méchants dans l'au-delà.

Parmi les plus anciennes sculptures en pierre de Bali, les scènes de personnes fuyant un énorme monstre à Goa Gajah (grotte de l'Éléphant) dateraient du XIe siècle. Dans la grotte, une statue de Ganesh, le dieu à tête d'éléphant, donne son nom au rocher. Le long de la route qui traverse Muncan, dans l'est de Bali, on peut voir des fabriques où d'énormes décorations destinées aux temples sont sculptées en plein air.

Tourné en 1952, *En route pour Bali* raconte l'histoire de deux chanteurs de music-hall australiens (Bob Hope et Bing Crosby) qui débarquent à Bali où ils se disputent les faveurs de la princesse balinaise Lala (la belle Dorothy Lamour).

La plupart des œuvres locales sont faites à Batubulan dans une pierre volcanique grise appelée *paras*, si tendre qu'un coup d'ongle suffit à l'égratigner (selon la légende, c'est ainsi que le géant Kebo Iwa aurait créé la grotte de l'Éléphant).

Autres artisanats

Pejaten, près de Tabanan, abrite plusieurs ateliers produisant des figurines en céramique et des tuiles vernissées. Jenggala Keramik, à Jimbaran, fabrique de splendides céramiques vernies de créateurs contemporains et accueille des expositions d'objets d'art et d'antiquités indonésiens.

Depuis des siècles, Lombok produit des pots en terre façonnés à la main, enduits d'une pâte d'argile ou de cendre pour améliorer la finition, et cuits dans un simple four alimenté de paille de riz. Pour les embellir et renforcer la solidité, les pots sont souvent couverts de canne tissée. Des modèles récents se distinguent par leurs couleurs vives et leurs décorations élaborées.

Architecture

Elle réunit les vivants et les morts, elle rend hommage aux divinités et préserve des esprits maléfiques, ainsi que des pluies torrentielles. Aussi spirituelle qu'elle est fonctionnelle, aussi mystique qu'elle est esthétique, l'architecture balinaise possède une force vitale unique.

Sur une île aux rituels religieux et culturels profondément enracinés, la priorité de toute construction est de se concilier les divinités villageoises et ancestrales. Ainsi, l'endroit le plus sacré (le nord-est) d'un territoire est réservé au temple du village et, dans une maison, au temple familial. Une ambiance plaisante et paisible incite les dieux à venir pour les cérémonies.

Modèle d'esthétisme, d'équilibre, de sagesse antique et de fonctionnalité, la maison balinaise n'obéit pas à une logique commerciale. Si un nombre croissant de riziculteurs cèdent la terre de leurs ancêtres à des promoteurs étrangers, ils conservent toujours la parcelle sur laquelle se tient leur demeure. "Pour les Balinais, la maison qui abrite le temple familial constitue leur bien le plus précieux, explique l'architecte Popo Danes. C'est la maison de leurs origines. La vendre reviendrait à vendre leurs ancêtres."

La loi qui interdit la construction de bâtiments plus hauts que le faîte des palmiers remonte aux années 1960. Les dix étages du Bali Beach Hotel avaient alors provoqué la consternation générale. Toutefois, l'envol du prix des terrains dans le Sud et la difficulté de faire appliquer la loi font qu'on y déroge de plus en plus souvent.

Préserver l'harmonie cosmique

Un village, un temple, un enclos familial, une structure individuelle – et même une partie de cette dernière – doivent tous être en conformité avec le concept balinais d'harmonie cosmique. Ce concept repose sur trois éléments qui représentent les trois mondes du cosmos : *swah* (le monde des dieux), *bhwah* (celui des humains) et *bhur* (celui des démons). À ces trois mondes correspondent les trois parties d'une personne : *utama* (la tête), *madia* (le corps) et *nista* (les jambes). Les unités de mesure utilisées dans les constructions traditionnelles balinaises sont fondées sur les dimensions anatomiques du propriétaire, assurant ainsi l'harmonie entre la maison et ses habitants.

Le plan d'un bâtiment est traditionnellement réalisé par un *undagi*, un prêtre-architecte, et garantit l'harmonie entre les dieux, l'homme et la nature conformément au concept du *Tri Hita Karana*. En cas d'erreur, l'univers peut se trouver déséquilibré et le malheur et la maladie frapperont en permanence la communauté.

Construire autour du bale

Le *bale* est l'élément de base de l'architecture balinaise : un pavillon ouvert rectangulaire avec un toit de chaume en pente. Un enclos familial ou un temple contiennent habituellement plusieurs *bale* remplissant des fonctions différentes – tous entourés par un haut mur. Leurs proportions, le nombre de colonnes et leur position dans l'enclos sont déterminés par la tradition et la caste d'origine du propriétaire.

Le *bale banjar*, point central d'une communauté, est un vaste pavillon qui accueille, notamment, les réunions, les discussions et les répétitions de gamelan. Les grands bâtiments modernes, comme les restaurants ou les halls des complexes hôteliers, s'inspirent souvent de ce grand *bale,* avec généralement des résultats faisant la part belle à l'espace et à l'élégance.

De modestes palais

Les touristes sont souvent surpris par la taille modeste des *puri* (palais) balinais. Bien que résidence traditionnelle de l'aristocratie balinaise, un *puri* peut désormais très bien faire office d'hôtel haut de gamme ou de simple enclos familial. Il ne peut dépasser un niveau, car un noble balinais ne peut se trouver sous les pieds de quelqu'un d'autre.

L'enclos familial

Les *bale* en plein air dans les enclos familiaux sont les espaces où l'on accueille les visiteurs avec des boissons et de petits gâteaux. De sympathiques discussions suivent la collation (parfois pendant une heure), avant d'aborder l'objet de la visite.

La maison balinaise est tournée vers l'intérieur – l'extérieur est constitué d'un haut mur. On y trouve un jardin et de petites bâtisses, ou *bale,* spécialisées dans différentes activités : une pour la cuisine, l'autre pour la salle de bains et les toilettes ; chaque "chambre" est une construction indépendante. Du fait du climat tropical doux de Bali, les gens vivent dehors. Par conséquent, le "salon" et la "salle à manger" sont des vérandas ouvertes, face au jardin. Le tout est orienté selon l'axe *kaja-kelod* (vers les montagnes-vers la mer).

Des maisons, de la tête aux pieds

Comme un corps humain, l'enclos possède une tête (le temple familial et son lieu sacré ancestral), des bras (les lieux de vie et de repos), des jambes et des pieds (la cuisine et le grenier à riz) et même un anus (la fosse à ordures ou porcherie). Il peut y avoir un espace en dehors de la maison où l'on garde un porc et où poussent des fruits.

Il existe diverses variations de l'enclos familial type. Par exemple, l'entrée est généralement située du côté du *kuah* (soleil couchant), plutôt que du côté du *kelod* (tournant le dos aux montagnes et vers la mer), mais jamais du côté du *kangin* (soleil levant) ou du côté du *kaja* (dans la direction des montagnes).

On trouve des maisons traditionnelles balinaises dans toutes les régions de l'île. Ubud reste la ville de choix en la matière, du fait de la concentration de ce type d'habitations. Beaucoup de propriétaires y accueillent des hôtes. Au sud d'Ubud, vous pouvez profiter d'une visite de la maison de Nyoman Suaka, à Singapadu.

Temples

Suivant une tradition très ancienne, les portes balinaises sont ornées de gravures et de peintures et sont généralement constituées de deux battants qui s'ouvrent vers l'intérieur.

Tous les villages de Bali possèdent plusieurs temples et chaque maison en abrite un petit. Le terme *pura* signifie temple en balinais et provient du mot sanskrit qui désigne littéralement "un espace entouré d'un mur". À l'instar de la maison traditionnelle, le temple est enclos dans une enceinte – les sanctuaires que vous voyez dans les rizières ou à proximité d'autres lieux "magiques", comme de vieux arbres, ne sont donc pas à proprement parler des temples. De simples autels ou trônes surplombent souvent les carrefours, pour protéger les passants.

Les temples sont construits selon un axe montagnes-mer, et non pas nord-sud. La direction vers les montagnes, ou *kaja,* constitue l'extrémité du temple, où se trouvent les espaces les plus sacrés. L'entrée du temple est située du côté du *kelod* (mer) Le *kangin* étant plus sacré que le *kuah*, de nombreux autels secondaires se trouvent du côté du *kangin*. Le *kaja* peut donner sur une montagne en particulier – le Pura Besakih, dans l'est de Bali, est orienté vers le Gunung Agung – ou sur les montagnes en général, qui se déroulent selon un axe est-ouest sur la longueur de l'île.

Types de temples

On trouve trois types de temples dans la plupart des villages. Le plus important est le *pura puseh* (temple des origines), dédié aux fondateurs du village et situé dans la partie *kaja* du village. Au milieu se dresse le *pura desa,* espace des esprits qui protègent la communauté au quotidien.

PORTES

Enfin, au bout du village, vers le *kelod*, le *pura dalem* (temple des morts) se tient à proximité du cimetière. Le temple peut abriter des représentations de Durga, la forme terrible de Parvati, la femme de Shiva. Les deux époux possèdent une part créatrice et une part destructrice ; et ce sont leurs pouvoirs destructeurs qui sont célébrés dans le *pura dalem*.

Parmi les autres temples, on distingue ceux qui honorent les esprits des cultures irriguées. Du fait du caractère primordial de la culture du riz à Bali et, par conséquent, du soin extrême apporté à la répartition de l'eau destinée à l'irrigation, ces *pura subak* ou *pura ulun suwi* (temple de l'association des producteurs de riz) peuvent être d'une importance considérable. D'autres types de temples peuvent honorer aussi bien des cultures non irriguées que des rizières.

L'ENCLOS FAMILIAL TYPIQUE

Bien qu'il existe des variantes, l'architecture des enclos familiaux se caractérise par une grande unicité d'un bout à l'autre de Bali. En voici les éléments caractéristiques :

» **Sanggah ou merajan** Temple familial, toujours dans le coin *kaja-kangin* (lever du soleil en direction des montagnes) de la cour. On y trouve des autels voués à la trinité hindoue (Brahma, Shiva et Vishnu) et à *taksu*, l'intermédiaire divin.

» **Umah meten** Pavillon où dort le chef de famille.

» **Tugu** Lieu saint dédié au dieu des mauvais esprits situé dans l'enclos, dans le coin *kaja-kuah* (coucher du soleil en direction des montagnes). Ce dieu joue le rôle de gardien qui éloigne les autres mauvais esprits.

» **Pengijeng** Petit autel au milieu de l'espace en plein air de l'enclos, dédié à l'esprit protecteur de la propriété.

» **Bale tiang sanga** Pavillon des invités, aussi connu sous le nom de *bale duah*. C'est la chambre de la famille qui est utilisée comme pièce de réception des convives, lieu de travail ou habitation temporaire des fils et de leur famille avant de s'installer dans leur propre maison.

» **Natah** Cour plantée de frangipaniers et d'hibiscus, auxquels s'ajoutent souvent quelques poules et un ou deux coqs de combat.

» **Bale sakenam ou bale dangin** Pavillon pour travailler ou dormir ; peut accueillir les cérémonies importantes de la famille.

» **Arbres fruitiers et cocotiers** Usage pratique et décoratif. Les arbres fruitiers sont souvent plantés à côté d'arbres à fleurs comme les hibiscus, et ornés de cages à oiseaux.

» **Potager** Petit, on y fait généralement pousser quelques épices et de la citronnelle.

» **Bale sakepat** Pavillon (optionnel) où dorment les enfants.

» **Paon** La cuisine se trouve toujours au sud, direction associée à Brahma, dieu du feu.

» **Lumbung** Grenier à riz : domaine du grain précieux et de Dewi Sri, la déesse du riz. Surélevé pour éviter l'invasion des nuisibles.

» **Aire de battage du riz** Importante pour les fermiers, pour préparer le riz à stocker ou à cuisiner.

» **Aling aling** Cloison que les visiteurs doivent contourner par la droite ou la gauche. Elle permet aux habitants de s'isoler des passants et de se protéger des démons, qui, selon les Balinais, ne peuvent contourner des objets.

» **Candi kurung** Portail avec un toit, ressemblant à une montagne ou à une tour coupée en deux.

» **Apit lawang ou pelinggah** Autels du portail qui reçoivent continuellement des offrandes pour éloigner les mauvais esprits.

» **Porcherie ou fosse à détritus** Toujours dans le coin *kangin-kelod* (lever du soleil dans la direction opposé aux montagnes). Les détritus de l'enclos y sont déposés.

En plus de ces temples "locaux", il existe un petit nombre de grands temples. Souvent, un royaume en possédait trois selon l'ordre hiérarchique suivant : un sanctuaire d'État au cœur de son territoire (comme le Pura Taman Ayun du royaume de Mengwi, dans l'ouest de Bali), un temple de montagne (comme le Pura Besakih, dans l'est de Bali) et un temple de la mer (tel le Pura Luhur Ulu Watu, dans le sud de Bali).

Chaque maison à Bali possède un temple domestique, dans le coin *kaja-kangin* de la cour, et au moins cinq autels.

Décoration des temples

La décoration est un élément primordial de l'architecture des temples balinais. Le portail ne se dresse pas nu à l'entrée : chaque centimètre carré est sculpté de bas-reliefs, et une petite série de visages de démons le surplombe pour en assurer la protection. En outre, plusieurs statues de pierre sont ajoutées pour monter la garde.

Le degré de décoration à l'intérieur varie d'un temple à l'autre. Il arrive que la construction soit entreprise avec un minimum de mobilier, mais avec la certitude que, dès que les finances le permettront, de nouvelles sculptures viendront s'ajouter. Du fait de l'utilisation de pierres tendres et du climat tropical, les sculptures peuvent aussi s'élimer avec le temps (ces temples qui semblent si vieux peuvent en réalité être âgés de moins de 10 ans !). Elles sont alors restaurées ou remplacées quand les fonds sont suffisants – il n'est pas rare de voir cohabiter de vieilles pièces et des objets récemment ouvragés.

On trouve souvent des sculptures à des endroits bien spécifiques des temples balinais. Les gardiens du portail – représentations de personnages légendaires tels Arjuna ou d'autres figures protectrices – encadrent les marches qui mènent à l'entrée. Au-dessus de l'entrée principale du temple, Kala, à la tête monstrueuse, vous observe, tandis que ses mains tendues attrapent les mauvais esprits assez stupides pour tenter de s'introduire.

Ailleurs, d'autres sculptures apparaissent ici et là. La façade d'un *pura dalem* arborera souvent des images de la sorcière Rangda et des bas-reliefs illustrant les terribles souffrances des pécheurs dans l'au-delà.

Architecture des temples

Bien que l'architecture des temples soit dans l'ensemble assez similaire dans le nord et le sud de Bali, il existe quelques différences importantes. Les cours intérieures des temples du Sud abritent en général plusieurs *meru* (sanctuaires à toits multiples), ainsi que d'autres structures, alors que, dans le Nord, tout est regroupé sur un seul et même socle. Sur ce piédestal, on trouve les "maisons" des divinités, qui les accueillent lors de leur séjour terrestre et où l'on conserve les reliques religieuses.

Alors qu'autrefois la sculpture et la peinture balinaises étaient réservées à la décoration des temples, elles influencent aujourd'hui tous les aspects de la vie de l'île. L'art de la construction d'autels et de temples reste cependant plus vivant que jamais : quelque 500 nouveaux lieux de culte de toutes tailles sont construits chaque mois.

L'architecture d'un temple suit un modèle traditionnel : il comporte un certain nombre de *gedong* (sanctuaires) de tailles variables, faits de brique et de pierre, et richement sculptés.

La naissance du style balinais

Grâce au tourisme, l'architecture balinaise a acquis une notoriété sans précédent, et il semble que chaque visiteur souhaiterait rapporter chez lui un petit bout de l'île. Le long de la Ngurah Rai Bypass (la route principale du sud de Bali, allant de l'aéroport à Sanur), des boutiques vendent des *bale* préfabriqués en kit et les expédient dans le monde entier. Les ateliers de meubles de Denpasar et les villages d'artisanat proches d'Ubud fabriquent à la chaîne des objets destinés aux marchés national et international.

Dans une maison traditionnelle balinaise, ce sont les portails qui affichent les signes de richesse de la famille. Ils vont du plus simple – un portail de pierre ou d'argile couvert de chaume – au plus majestueux : briques ouvragées, pierres finement sculptées et toit de tuile.

Les tuiles en terre cuite constituent, depuis la période néerlandaise, le matériau le plus couramment utilisé pour les toits. Le chaume, sous différentes formes, ou le bambou sont réservés aux sites consacrés aux cérémonies traditionnelles.

Sur la route de Muncan à Selat, dans l'est de Bali, ne manquez pas les nombreux petits ateliers de sculpture en plein air qui fournissent les statues et les ornementations aux temples et aux sanctuaires.

L'engouement pour l'artisanat balinais remonte au début des années 1970, quand l'artiste australien Donald Friend s'associa à Wija Waworuntu, originaire de Manado. Dix ans auparavant, ce dernier avait construit le Tandjung Sari sur la plage de Sanur. Afin de concevoir des hébergements de style rural plutôt que des hôtels occidentaux à multiples étages, ils firent venir deux architectes à Bali : l'Australien Peter Muller et le Sri Lankais Lankan Geoffrey Bawa, aujourd'hui disparu. Ils sont considérés comme les premiers à avoir saisi l'essence de l'architecture traditionnelle en l'adaptant aux critères de luxe occidentaux.

ÉLÉMENTS TYPIQUES DES TEMPLES

Il n'y a pas deux temples identiques à Bali. Variant en style, en taille, en importance, en richesse ou encore en usage, il en existe une infinité de types. On peut toutefois distinguer des éléments communs.

» **Candi bentar** Portail finement sculpté, semblable à une tour fendue en deux, il symbolise l'entrée d'un sanctuaire. Il peut être très grand avec des entrées subsidiaires des deux côtés pour l'usage quotidien.

» **Tour du kulkul** Tour d'où l'on fait retentir un tambour en bois (kulkul) pour annoncer les événements de la vie du temple ou prévenir d'éventuels dangers.

» **Bale** Pavillon, généralement ouvert, utilisé pour des usages temporaires ou à des fins de stockage. Il peut s'agir d'un bale gong, où l'orchestre de gamelan joue durant les festivités ; d'un paon, ou cuisine temporaire, où sont préparées les offrandes ; ou d'un wantilan, qui fait office de scène pour la danse ou les combats de coqs.

» **Kori agung ou paduraksa** L'entrée de la cour intérieure est une tour de pierre finement sculptée. L'accès se fait par une porte que l'on rejoint par des escaliers au milieu de la tour. Elle est laissée ouverte pendant les célébrations religieuses.

» **Raksa ou dwarapala** Des statues de gardiens au visage farouche protègent la porte et dissuadent les mauvais esprits. Au-dessus, un bhoma, au faciès tout aussi inamical, tend ses mains pour éloigner les esprits indésirables.

» **Aling Aling** Si un mauvais esprit arrive à pénétrer dans le temple, ce muret derrière l'entrée le mettra en échec ; les mauvais esprits sont en effet incapables de contourner les obstacles. On retrouve ce muret à l'entrée des enclos familiaux.

» **Entrée latérale (betelan)** Sauf pendant les cérémonies, l'entrée dans la cour intérieure se fait par cette porte toujours ouverte.

» **Petits sanctuaires (gedong)** Ce sont souvent des sanctuaires dédiés à Ngrurah Alit et à Ngrurah Gede, qui veillent au bon déroulement du culte et aux offrandes.

» **Pierre padma** Trône pour le dieu du soleil Surya, placé à l'endroit le plus propice, le coin kaja-kangin. Il est posé sur le badawang (tortue qui porte le monde) et tenu par deux naga (serpents fabuleux).

» **Meru** Sanctuaire à plusieurs toits. Il s'agit souvent d'un meru à 11 toits dédié à Sanghyang Widi, la divinité balinaise suprême, et d'un meru à trois toits, voué au Gunung Agung, une montagne sacrée. Le meru peut être surmonté d'un nombre impair (entre 3 et 11) de toits dépendant de la place du dieu dans la hiérarchie. La couverture noire des toits, très coûteuse, est faite de feuilles de palmier sucrier.

» **Petits sanctuaires (gedong)** Au fond de la cour, à l'extrémité kaja, ces sanctuaires sont souvent dédiés au Gunung Batur, montagne sacrée ; aux colons hindous Majapahit de Bali (sanctuaire Maospahit) ; ou encore au taksu, qui joue le rôle d'interprète des dieux. Des danseurs en transe ou des médiums peuvent être conviés pour transmettre les messages des divinités.

» **Bale piasan** Pavillons ouverts utilisés pour déposer les offrandes.

» **Gedong pesimpangan** Bâtisse en pierre dédiée au fondateur du village ou à une divinité locale.

» **Paruman ou pepelik** Pavillon ouvert dans la cour intérieure, où les dieux "se réunissent" pour observer le déroulement des cérémonies.

Garuda, oiseau fabuleux, est la monture du dieu Vishnu. Vous en trouverez des représentations gravées dans les endroits les plus improbables : très haut sur les chevrons des pavillons, à la base des colonnes...

Dans la foulée naquit la mode du style balinais. À l'époque, il reflétait l'approche sensible et discrète de Muller et de Bawa, préférant la culture au style et privilégiant le respect des principes traditionnels, des artisans, des matériaux locaux renouvelables et des techniques ancestrales. Aujourd'hui, le concept s'est quelque peu dilué dans le marché de masse.

L'architecture des hôtels contemporains

Pendant des siècles, des étrangers, comme le prêtre Nirartha, ont joué un rôle essentiel dans l'histoire et les légendes de l'île. Aujourd'hui, ce sont les touristes qui ont un impact sur la sérénité de la cosmologie balinaise telle qu'elle s'inscrit dans son architecture traditionnelle. En effet, bien que ces visiteurs n'aient qu'un impact très limité sur les croyances locales, ils en influencent l'expression visuelle à travers l'architecture.

La plupart des hôtels de Bali et de Lombok sont purement fonctionnels ou sont des pastiches des habitations traditionnelles. L'ambition de certains, parmi les plus raffinés, est toutefois plus grande. Voici quelques exemples notables :

LES TEMPLES À NE PAS MANQUER

Bali est constellée de plus de 10 000 temples, dont la visite est souvent une très belle expérience. Les suivants se distinguent tout particulièrement.

Temples directionnels

Certains temples ont une importance telle qu'ils appartiennent à l'île entière et non pas à une communauté. Il existe ainsi neuf *kahyangan jagat*, ou temples directionnels, parmi lesquels :

» **Pura Luhur Batukau** (p. 229). L'un des temples les plus importants de Bali, il se trouve sur le flanc majestueux du Gunung Batukau.

» **Pura Luhur Ulu Watu** (p. 103). Très fréquenté, ce temple peuplé de singes offre une vue inoubliable sur la mer et des spectacles de danse au coucher du soleil.

» **Pura Goa Lawah** (p. 193). Un temple à flanc de falaise, habité par les chauves-souris.

Temples de la mer

Au XVIᵉ siècle, le prêtre Nirartha fonda une série de temples pour honorer les dieux de la mer, chacun devant être à portée de vue du voisin. Plusieurs occupent des emplacements spectaculaires sur la côte sud. Ils comprennent les suivants :

» **Pura Rambut Siwi** (p. 252). Sur une étendue sauvage de la côte ouest, non loin de l'endroit où Nirartha est arrivé au XVIᵉ siècle. On dit que des mèches de ses cheveux y sont enfouies.

» **Pura Tanah Lot** (p. 248). Goûtez tôt le matin la magie de ce site, qui devient un haut lieu du tourisme de masse au coucher du soleil.

Autres temples importants

Certains temples sont remarquables par leur emplacement, leur rôle spirituel ou leur architecture. Les suivants méritent une visite :

» **Pura Maduwe Karang** (p. 237). Un temple agricole sur la côte nord, connu pour ses bas-reliefs, dont l'un représente probablement le premier cycliste de Bali.

» **Pura Pusering Jagat** (p. 172). L'un des plus renommés de Pejeng, près d'Ubud, datant du XIVᵉ siècle et doté d'un énorme tambour de bronze d'époque.

» **Pura Taman Ayun** (p. 249). Vaste et imposant temple d'État du royaume de Mengwi inscrit sur la liste du patrimoine mondial de l'Unesco.

» **Pura Tirta Empul** (p. 173). Superbe temple à Tampaksiring doté de sources sacrées découvertes en 962 qui jaillissent dans un grand bassin.

DES BEAUX LIVRES SUR BALI

» **Architecture de Bali. Traditions et modernité** (Éd. du Pacifique, 2003), de Made Wijaya. De superbes photos, plans, dessins, accompagnés des observations de l'auteur.

» **Vivre à Bali** (Taschen, 2005), d'Anita Lococo, comprend des photos d'intérieurs de Bali, dévoilant la richesse culturelle du pays.

» **Les Plus Beaux Lieux de l'Asie sacrée** (Flammarion, 2002), de Michael Freeman et Alistair Shearer, fait notamment découvrir les temples de Bali.

» **Bali : aquarelles** (Éd. du Pacifique, 2001), de Graham Byfield, présente l'île, ses montagnes, ses lacs sacrés, ses bâtiments... entre modernité et traditions.

» **Jardins tropicaux** (Thames & Hudson, 2000), de William Warren : un panorama de l'art des jardins sous les tropiques, notamment à Bali.

» **Le Tandjung Sari** (p. 113) de Wija Waworuntu, à Sanur, est le prototype de l'hôtel de plage de charme balinais.

» **L'Amandari** (p. 159), à proximité d'Ubud, représente le couronnement de la carrière de l'architecte Peter Muller, qui a aussi conçu les deux Oberoi. Les matériaux, l'artisanat et les techniques de construction respectent les principes balinais traditionnels.

» **L'Oberoi** (p. 79), à Seminyak, fut le premier hôtel de luxe de l'île et illustre la vision très personnelle que Muller avait du village balinais. Le *bale agung* (salle des fêtes du village) et le *bale banjar* forment la base des espaces communs.

» **L'Oberoi Lombok** (p. 274). L'hôtel le plus luxueux et le plus traditionnel de Lombok.

» **L'Amanusa** (p. 107), à Nusa Dua, évite l'approche emphatique des *resorts* voisins grâce à l'excellent travail de Kerry Hill, qui s'est inspiré de l'organisation des villages balinais pour concevoir un hôtel à échelle humaine.

» **L'Amankila** (p. 197), dans l'est de Bali, où tout tourne autour du jardin avec des paysages travaillés de bassins à lotus et de pavillons flottants à flanc de colline.

» **L'Hotel Tugu Bali** (p. 90), à Canggu, illustre le phénomène du vieillissement instantané, dû aux propriétés des matériaux à Bali qui s'érodent rapidement pour offrir en peu de temps une jolie patine.

» **Le Four Seasons Resort** (p. 159), à proximité d'Ubud, est une véritable sculpture aérienne, un immense bassin à lotus elliptique posé au-dessus d'une structure qui surgit telle une ruine érodée et romantique dans l'écrin d'une spectaculaire vallée.

» **Les Alila Villas** (p. 105), dans l'extrême sud de Bali, emploient un style contemporain raffiné, à la légèreté délicieusement luxueuse. Construit au milieu de rizières, cet hôtel incarne les principes modernes d'écoconstruction.

Les objets drapés de tissus à carreaux noirs et blancs *(poleng)* sont investis par les esprits. Il peut s'agir de sanctuaires, de statues ou de tout autre objet du quotidien.

L'architecture de Lombok

L'architecture de Lombok est régie par des lois et des coutumes traditionnelles. La construction doit commencer un jour propice, toujours à une date impaire, et la charpente doit impérativement être achevée le même jour, au risque de porter malheur à la suite du projet.

Un village sasak traditionnel est un enclos entouré d'un mur. Il existe trois types de bâtiments : le *beruga* (pavillon ouvert), le *bale tani* (maison familiale) et le *lumbung* (grenier à riz). Le *beruga* et le *bale tani* sont rectangulaires avec des murs bas et un toit de chaume pentu. Le *beruga* est nettement plus spacieux. Le *bale tani* est construit en bambou sur une base de boue compactée. Habituellement dépourvues de fenêtres, les pièces sont organisées selon un agencement standard. Un *serambi* (véranda ouverte) occupe la façade et l'intérieur comporte deux chambres sur deux niveaux : l'une pour cuisiner et recevoir les invités, l'autre pour dormir et stocker les provisions. Rembitan et Sade, près de Kuta, sont de jolis villages traditionnels sasak.

Environnement

Le paysage

Bali est une petite île située à peu près au milieu de l'archipel indonésien. Elle jouxte Java, densément peuplée, et se trouve juste à l'ouest du modeste chapelet d'îles englobant la province de Nusa Tenggara (incluant Lombok).

Bali est hérissée de montagnes spectaculaires avec, au centre, une chaîne de pics volcaniques atteignant 2 000 m. Au sud et au nord s'étendent les terres agricoles. La région méridionale consiste en une vaste zone doucement vallonnée, d'où provient la majeure partie de l'abondante production rizicole. Moins arrosé, le littoral septentrional forme une bande plus étroite, qui s'élève rapidement vers les contreforts de la chaîne centrale. On y élève du bétail et cultive du café, du coprah, ainsi que du riz.

L'île compte également des régions arides et peu peuplées : les montagnes de l'Ouest, ainsi que les versants est et nord du Gunung Agung. De même, la sécheresse des îles de Nusa Penida les rend inadaptées à la riziculture intensive. Malgré sa sécheresse, la péninsule de Bukit voit sa population croître grâce à l'essor du tourisme.

Volcans

Bali est une île aux volcans actifs, extrêmement fertile. Les deux phénomènes vont de pair : les éruptions contribuent à la richesse des sols et les hautes montagnes fournissent les précipitations qui irriguent la complexe mosaïque de rizières. Bien évidemment, les volcans constituent une menace. Bali a connu – et connaîtra encore – de désastreuses éruptions. Le Gunung Agung, la "montagne mère", atteint 3 142 m et son versant sud est couvert d'une forêt dense. On peut l'escalader ou faire l'ascension du Gunung Batur (1 700 m), son voisin qui crache des jets de vapeur. Ce dernier offre un intéressant spectacle géographique : celui d'un volcan actif émergeant d'un lac, lui-même situé dans un vaste cratère.

À Lombok, le Gunung Rinjani (3 726 m) est le deuxième volcan d'Indonésie par la hauteur. Dans son immense caldeira s'étend le Danau Segara, un lac aux eaux bleu-vert d'une époustouflante beauté.

Plages

Pour la revue des plages de Bali et Lombok, reportez-vous p. 57.

Faune et flore

Presque toutes les espèces vivantes de l'île – jeune sur le plan géologique – proviennent d'autres régions, et il n'existe pratiquement aucune espèce végétale ou animale "endémique". Une réalité facile à concevoir dans le sud de l'île, densément peuplé et incroyablement fertile, où les harmonieuses rizières intensivement cultivées ressemblent davantage à des sculptures qu'à un paysage naturel.

CHIENS

La situation critique des chiens de Bali, et le rôle important qu'ils jouent dans la vie insulaire, est le sujet de *Bali: Island of the Dogs*, un film de Lawrence Blair et Dean Allan Tolhurst.

En réalité, les rizières ne couvrent que 20% environ de la superficie de Bali, qui compte une grande diversité de zones écologiques : broussailles dans le Nord-Ouest, l'extrême Nord-Est et la péninsule méridionale ; jungle dense dans les vallées ; forêts de bambous ; enfin, régions volcaniques constituées de roches nues et de tuf aux altitudes les plus élevées. Lombok présente un paysage similaire.

Faune

Espèces sauvages

Bali compte quantité de lézards, de formes et de tailles différentes. Vous verrez fréquemment les plus petits (appelés *cecak*, d'après le son qu'ils émettent) errer près des lumières le soir, à l'affût de quelque insecte.

VOYAGER RESPONSABLE

Pour visiter Bali et Lombok de façon responsable, il faut limiter au maximum son impact sur l'environnement. Plus facile à dire qu'à faire. Voici quelques conseils :

» **Surveillez votre consommation d'eau.** Quand on se promène dans les rizières, on a l'impression que l'eau coule à flots à Bali, or la demande dépasse l'offre disponible. Pour apporter votre contribution, demandez par exemple au personnel de votre hôtel de ne pas laver draps et serviettes chaque jour. Vous pouvez aussi renoncer à votre piscine privative dans les établissements huppés, ou même à la piscine commune (ce qui est quasi impossible quelle que soit la catégorie d'hôtels).

» **Fuyez les bouteilles en plastique.** Ces bouteilles d'Aqua (principale marque locale d'eau en bouteille, détenue par Danone) sont certes pratiques, mais elles alourdissent la note écologique. Bien entendu, il reste préférable de ne pas boire l'eau du robinet, mais alors que faire ? Demandez à votre hôtel si vous pouvez vous réapprovisionner aux grands containers d'eau potable dont il dispose. Et s'il ne fournit pas dans la chambre de l'eau potable dans des récipients en verre réutilisables, faites-leur savoir que cela vous gêne. À Ubud, arrêtez-vous au Pondok Pecak Library & Learning Centre (p. 169), qui remplira votre bouteille d'eau et vous indiquera d'autres commerces offrant ce service. L'usage tend à se répandre partout ailleurs. Dans les restaurants, demandez de l'air putih, c'est à dire un verre d'eau tiré du container Aqua, plutôt qu'une bouteille en plastique.

» **Évitez de jouer au golf.** La présence de deux parcours sur la péninsule aride de Bukit est une aberration écologique.

» **Soutenez les établissements soucieux d'écologie.** Le nombre d'entreprises qui adoptent des pratiques respectueuses de l'environnement augmente rapidement à Bali et à Lombok. Guettez dans ce guide l'icône qui signale les entreprises respectueuses de l'environnement.

» **Économisez l'énergie.** Certes, vous serez tenté de jouir du confort moderne par un étouffant après-midi, mais l'utilisation de la climatisation pèse lourdement sur un système déjà en surcharge. Une grande partie de l'électricité provient de Java, le reste étant produit par la centrale polluante proche de Benoa Harbour. Ouvrez les fenêtres la nuit à Ubud pour profiter de la brise fraîche des montagnes et de la symphonie de sons émanant des rizières.

» **Oubliez la voiture.** La circulation est déjà très mauvaise, inutile d'ajouter un véhicule de plus. Prenez un bus touristique plutôt qu'une voiture de location. De même, une promenade ou une randonnée serait certainement plus agréable qu'un circuit motorisé vers un site touristique déjà trop fréquenté (comme le Pura Tanah, par exemple). La balade sur la plage est un moyen agréable de parcourir Kuta et Seminyak (souvent plus rapide qu'un taxi pris dans la circulation). Le vélo est plus que jamais d'actualité et vous pouvez en louer un pour 3 $US par jour.

» **Refusez les sacs en plastique.** Le gouverneur de Bali essaie de faire interdire les sacs en plastique. Soutenez son action en les refusant (idem pour les pailles en plastique). Désormais, dans les supermarchés Circle K, on vous demande si vous souhaitez un sac.

LES TORTUES DE MER

Les tortues vertes et les carets vivant dans les eaux entourant Bali et Lombok bénéficient théoriquement de la protection des lois internationales qui interdisent le commerce de ces reptiles marins.

À Bali, toutefois, la viande de tortue verte constitue un mets traditionnel raffiné, fort apprécié lors des fêtes. L'île enregistre le plus important massacre de tortues de mer du monde entier. Il n'existe aucun chiffre fiable, mais, en 1999, une estimation portait à plus de 30 000 le nombre de chéloniens tués chaque année. Facile à voir, ce trafic se pratique dans les petites rues des villes du littoral comme Benoa.

La situation s'améliore néanmoins. "Les habitants de Kuta avaient l'habitude de manger des tortues ; maintenant, ils les sauvent", affirme Wayan Wiradnyana, à la tête de la branche balinaise de ProFauna (p. 368), qui œuvre pour la protection des animaux en Indonésie. À Bali, le groupe a encouragé la police à faire respecter la loi de 1999 interdisant le massacre des tortues et a permis de libérer les spécimens repris aux contrebandiers. Sa réussite majeure reste néanmoins la sensibilisation du public. "À Kuta, 30 tortues pondent chaque année sur la plage. La communauté nous aide désormais à les surveiller et à faire en sorte que les œufs éclosent et que les bébés arrivent jusqu'à la mer." Un centre d'information a été ouvert sur la plage de Tuban par ProFauna.

Une vaste coalition de plongeurs et de journalistes soutient la campagne SOS Sea Turtles (www.sos-seaturtles.ch), qui dénonce les mauvais traitements infligés aux tortues à Bali. Elle a dénoncé le braconnage au parc national de Wakatobi, à Sulawesi, destiné à la vente des tortues à Bali. Ce commerce illégal est largement répandu et, à l'instar du trafic de drogue, difficile à maîtriser. Le Hindou Dharma de Bali, l'instance qui régit les pratiques religieuses, a décrété que la viande de tortue n'était essentielle qu'à l'occasion de cérémonies vraiment vitales.

Les refuges à tortues ouverts au public, comme celui de l'île de la Tortue, permettent de sensibiliser les habitants à la nécessité de protéger les tortues. De nombreux défenseurs de l'environnement restent toutefois opposés au maintien des tortues en captivité.

Nettement plus gros, le gecko se montre rarement, mais il fait souvent entendre son cri répétitif, composé de deux parties ("geck-oh"), un bruit nocturne vite familier. Sachez qu'entendre sept cris de gecko porte chance.

Bali abrite plus de 300 espèces d'oiseaux, mais l'unique espèce véritablement originaire de l'île, l'étourneau de Bali, est au bord de l'extinction dans son milieu naturel. Vous en trouverez un grand nombre en cage, cependant. (Les efforts de réintroduction à Nusa Penida sont pour l'instant concluants, voir p. 134.) Beaucoup plus répandus sont les oiseaux colorés comme la grive de Péron, différentes espèces d'aigrettes, les martins-pêcheurs, les perroquets, les chouettes et tant d'autres.

La seule réserve naturelle de Bali, le Taman Nasional Bali Barat (le parc national de l'ouest de Bali), accueille un certain nombre d'espèces sauvages, notamment des singes gris et noirs (visibles aussi dans les montagnes, à Ubud et dans l'est de l'île), des *muncak* (chevrotains), des écureuils, des chauves-souris et des iguanes.

Le suivi d'une tortue caret durant l'année suivant sa venue sur Bali a permis de connaître ses destinations : Java, Kalimantan, l'Australie (Perth et une grande partie du Queensland), puis à nouveau Bali.

Espèces domestiques

Bali fourmille d'animaux domestiques, qui vous réveillent le matin ou vous empêchent de dormir la nuit. Poulets et coqs sont une source d'alimentation aussi bien que des animaux de compagnie.

» **Combats de coqs** Ils sont une distraction masculine très prisée et les volatiles élevés dans ce but sont de véritables trésors. Un rassemblement de voitures et de motos sur le bord d'une route de campagne sans personne aux alentours indique sans doute qu'il se déroule un combat "caché" derrière un bâtiment.

» Chiens À l'exception d'une poignée de quadrupèdes bichonnés, les chiens ont la vie dure. Ils sont souvent ignorés, atteints par la rage et parfois considérés comme des suppôts des esprits malfaisants (d'où leurs aboiements incessants). Certaines personnes tentent toutefois d'améliorer le sort de ces chiens errants (voir p. 170).

» Canard Autres animaux domestiques élevés dans l'enclos familial, les canards figurent souvent sur les tables de fêtes. Durant la journée, ils emboîtent le pas à leur propriétaire jusqu'à une mare, suivant fidèlement un petit drapeau blanc noué sur un bâton, qui sera plantée dans le champ. Le crépuscule approchant, les canards se rassemblent autour du bâton, attendant d'être ramenés. Un joli spectacle.

Espèces marines

Reportez-vous p. 64 pour découvrir l'abondante vie marine autour de Bali et de Lombok.

Flore

Arbres

Les cultures recouvrent la majeure partie de l'île. Les arbres, qui, à l'instar de bien des choses, à Bali, possèdent une importance spirituelle et religieuse, sont souvent décorés de foulards ou de tissus à carreaux noir et blanc (*poleng*, un vêtement signifiant une énergie spirituelle). Et aucun temple ne saurait être important sans son imposant *waringin*

Si vous arrivez à le dénicher, *Balinese Flora & Fauna* (Periplus) est un guide concis et joliment illustré sur les animaux et les plantes que vous découvrirez au cours de vos voyages. Excellent document sur l'écologie d'une rizière.

ENVIRONNEMENT FAUNE ET FLORE

LA CULTURE DU RIZ

La riziculture a façonné le paysage social, et l'organisation complexe qu'elle nécessite joue un rôle prépondérant dans la vie communautaire balinaise. Elle a également modifié le paysage naturel : arborant des teintes dorées, brunes et de plus en plus vertes, les rizières en terrasses s'étagent à flanc de collines telles les marches destinées à un géant. Certaines ont plus de 1 000 ans.

L'organisation villageoise du subak fait un usage très étudié de toutes les eaux de surface. Les rizières constituent un système écologique complet qui abrite bien plus que du riz. Au petit matin, on voit souvent les gardiens de canards mener leurs bêtes dans les rizières inondées où elles mangent les insectes nuisibles et laissent des engrais dans leur sillage.

Les paysans inondent les champs moissonnés, laissant les tiges de riz brûlées, puis les labourent à plusieurs reprises, souvent avec deux bœufs tirant une charrue en bois. Une fois la terre suffisamment boueuse, ils délimitent une petite parcelle et y plantent le riz. Lorsque les pousses ont atteint une taille raisonnable, ils les repiquent une par une, dans un champ plus spacieux. En attendant que les plants parviennent à maturité, les villageois ont tout loisir de pratiquer le gamelan (orchestre traditionnel balinais), de profiter des spectacles de danse et de réaliser des sculptures sur bois. Enfin, le moment de la moisson venu, le village se rassemble pour une longue période de dur labeur, auquel tous prennent part (contrairement à la plantation, qui reste l'apanage des hommes).

En 1969, de nouvelles variétés de riz à haut rendement ont été introduites. Elles se récoltent un mois plus tôt et résistent à de nombreuses maladies. Cependant, ces nouvelles variétés ont des besoins accrus d'engrais et d'eau d'irrigation, ce qui met encore davantage en péril cette dernière ressource. La quantité accrue de pesticides nécessaires a causé la diminution des populations de grenouilles et d'anguilles qui dépendent des insectes pour leur survie.

Bien que tout le monde convienne que ces nouvelles variétés ne sont pas aussi savoureuses que le riz traditionnel, elles comptent maintenant pour plus de 90% du riz consommé. Toutefois, sur les petites parcelles, les paysans recourent encore aux modes de plantation et de récolte traditionnels pour plaire à la déesse du riz, Dewi Sri, et chaque rizière arbore sanctuaires et offrandes à son intention.

LA LIGNE WALLACE

Le naturaliste sir Alfred Wallace (1822-1913) a constaté, entre les faunes de Bali et de Lombok, des différences aussi importantes qu'entre l'Afrique et l'Amérique du Sud. Remarquant notamment qu'il n'existe aucun grand mammifère (éléphants, rhinocéros ou tigres) à l'est de Bali, et fort peu de carnivores, il émet l'hypothèse suivante : durant la période glaciaire, alors que le niveau de la mer était bas, les animaux se sont rendus par voie terrestre de l'actuel continent asiatique jusqu'à Bali, mais les profondeurs du détroit de Lombok ont, depuis, constitué une barrière naturelle. Wallace trace alors une ligne de démarcation entre Bali et Lombok qui, selon lui, sépare biologiquement l'Asie de l'Australie.

Si la flore ne présente pas une rupture nette, il existe une transition graduelle entre les espèces typiques des forêts humides d'Asie et les plantes plutôt australiennes, telles que l'eucalyptus et l'acacia, capables de résister à de longues sécheresses (les précipitations diminuent en se rapprochant de l'est de Java). Aujourd'hui, on pense que les différences de milieux, y compris celles de la végétation sauvage, sont plus susceptibles d'expliquer la répartition des espèces animales que la théorie de Wallace.

Les biologistes contemporains font une distinction entre les faunes asiatique et australienne, mais la frontière entre ces deux régions serait nettement plus floue que la ligne Wallace. Quoi qu'il en soit, cette zone de transition entre Asie et Australie porte toujours le nom de "Walacea".

(banian), l'arbre le plus vénéré de Bali, qui fournit une ombre bienvenue. Impressionnantes, les racines aériennes tombant de ses branches s'ancrent dans la terre, donnant ainsi naissance à de nouveaux arbres. Les *jepun* (frangipaniers), dont les fleurs blanches dégagent une odeur sucrée, sont également répandus partout.

Bali compte 127 000 ha de forêts : espaces vierges, fermes forestières ou villages de montagne densément boisés. Ces forêts sont sous la menace constante du braconnage – le bois étant employé pour sculpter des souvenirs et comme combustible –, mais aussi de l'exploitation. Bali possède des forêts de mousson (plutôt que tropicales) et n'abrite donc guère ces précieuses essences en bois dur qui requièrent des précipitations toute l'année. Pratiquement tout le bois utilisé pour les sculptures provient de Sumatra et de Kalimantan.

De nombreuses plantes jouent un rôle important dans la vie de tous les jours. Les usages des diverses variétés de *tiing* (bambou) sont nombreux, des brochettes pour les satay jusqu'aux chevrons, en passant par les résonateurs de gamelan. Quant aux différents types de palmiers, ils fournissent noix de coco, sucre, carburant et fibres.

L'Indonesian Ecotourism Centre (www.indecon.or.id) est voué à la promotion du tourisme responsable. Bali Fokus (http://balifokus.asia) promeut des programmes de développement durable à Bali.

Fleurs et jardins

Les jardins balinais sont merveilleux. La terre et le climat permettent la culture d'un large éventail de plantes. Par ailleurs, le goût des Balinais pour la beauté, ajouté à l'abondance de main-d'œuvre bon marché, favorise l'entretien soigné du moindre espace de verdure. Le style reste généralement décontracté, avec des sentiers sinueux, une riche variété de plantes et, souvent, un point d'eau. Qui ne serait enchanté par le tapis de fleurs odorantes qui neigent d'un frangipanier. À Bali, vous trouverez pratiquement tous les types de fleurs, certaines saisonnières, d'autres se limitant aux zones de montagnes. Beaucoup vous paraîtront familières : hibiscus, bougainvillée, poinsettia, laurier-rose, jasmin, nénuphar et aster sont répandus dans les zones touristiques du Sud.

Vous trouverez aussi des espèces plus rares : *ixora* (*soka* ou *angsoka*) javanaise, formant des grappes de fleurs rouge orangé ;

champak (ou *cempaka*), une espèce odorante de la famille des magnolias ; flamboyant (poinciana royal) ; *manori* (ou *maduri*), aux utilisations traditionnelles multiples ; et liseron d'eau (*kangkung*), dont les feuilles sont consommées en légumes. Enfin, il existe littéralement des milliers d'orchidées.

Grâce au climat de l'île, un jardin planté aujourd'hui paraît arrivé à maturité – y compris les grands arbres qui font de l'ombre – en 2-3 ans à peine. Vous pourrez admirer la générosité de cette nature dans les jardins botaniques de Bali, le jardin d'orchidées de Bali et dans les nombreuses pépinières au nord de Sanur et sur la route de Denpasar.

Parcs nationaux

Unique parc national de Bali, le Taman Nasional Bali Barat couvre 190 km² sur la pointe occidentale de l'île, auxquels s'ajoutent une vaste surface de mangroves côtières et la zone marine adjacente (incluant d'excellents sites de plongée à Menjangan).

Servant de réservoir d'eau pour la majeure partie de l'île, le **Taman Nasional Gunung Rinjani** (parc national du Gunung Rinjani), à Lombok, s'étend sur 413 km². Avec ses 3 726 m, le Gunung Rinjani, deuxième pic volcanique d'Indonésie, est un haut lieu du trekking.

Écologie

L'augmentation rapide de la population, les ressources limitées, la pression du nombre croissant de visiteurs et le manque de réglementations écologiques font de Bali et de Lombok des endroits hautement menacés.

Bali

Certaines des préoccupations environnementales liées à Bali vont au-delà de l'île elle-même : le changement climatique provoque la montée des eaux qui nuit au littoral et aux plages.

Dans le même temps, l'accroissement rapide de la population augmente la pression sur des ressources limitées. L'industrie touristique attire de nouveaux résidents, et les zones urbaines s'étendent, avec des complexes hôteliers et des villas qui empiètent sur les terres arables. Parmi les préoccupations figurent :

» **Eau** C'est un problème majeur. Les hôtels de catégorie supérieure consomment en moyenne plus de 1 000 l d'eau par jour et par chambre, et le nombre croissant de terrains de golf – comme ceux de l'aride péninsule de Bukit, dans le complexe de Pecatu Indah et à Nusa Dua – puisent intensément dans des ressources déjà trop sollicitées.

» **Pollution de l'eau** La situation, préoccupante, est sous le double effet du déboisement dû aux récoltes de bois de chauffage dans les montagnes, et de l'absence de traitement convenable des eaux usées de la population balinaise. Dans des endroits populaires comme Double Six Beach à Legian, les cours d'eau qui se déversent dans l'océan sont très pollués, souvent par les eaux usées des hôtels. Les vastes mangroves situées le long du littoral sud, près de Benoa Harbour, n'arrivent plus à filtrer l'eau qui s'écoule depuis une bonne partie de l'île.

» **Pollution atmosphérique** Ceux qui se sont retrouvés coincés derrière le pot d'échappement d'un camion ou d'un bus sur l'un des axes principaux s'en sont aperçu, le sud de Bali est souvent envahi de *smog*. Du haut des collines, on aperçoit cette région, coiffée d'un nuage sombre semblable à celui de Los Angeles dans les années 1960.

» **Déchets** Le problème ne se limite pas aux sacs et aux bouteilles plastiques mais s'étend au volume des déchets, grandissant à mesure que

DÉCHETS

ENVIRONNEMENT ÉCOLOGIE

Bali produit chaque jour 150 tonnes de déchets, dont au moins 30% ne sont pas biodégradables et sont dans leur majorité – des bouteilles d'eau en plastique aux tubes d'écran total – générés directement ou indirectement par le tourisme.

s'accroît la population, et dont on ne sait que faire. Les Balinais se désolent à la vue des énormes quantités de déchets – notamment de plastique – qui s'accumulent dans leurs rivières. "Autrefois, je nageais ici", nous dévoile un chauffeur en regardant la rivière pleine de sacs plastiques près de la maison de son enfance.

Le champion de surf Kelly Slater a poussé un cri d'alarme en postant une série de messages sur Twitter dénonçant la pollution des eaux de Bali. "Je n'ai jamais été aussi préoccupé par la pollution que lors de ce séjour à Bali/Indonésie". Prié de développer, il a poursuivi : "Si Bali ne s'occupe pas sérieusement de la situation, il sera impossible d'y surfer dans quelques années".

Toutefois, on voit naître un effort de culture biologique du riz et d'autres produits alimentaires, ce qui réduit la quantité de pesticides et d'engrais évacués dans l'eau. Un système de traitement des eaux usées dans le Sud, où les mangroves arrivent à saturation, pourrait être mis en place (mais cela prendra des années et l'argent manque). Si des services de recyclage sont proposés aux commerces, leur coût – 10 $US par mois – est excessif pour les petits *warung*.

À Pemuteran, un projet de récif artificiel est mondialement acclamé (p. 243).

Lombok

À Lombok, la ruée vers l'or qui se poursuit dans la ville de Sekotong conduit à un désastre écologique. L'utilisation de mercure dans les exploitations aurifères à ciel ouvert crée d'énormes dégâts dans des régions autrefois propres telles que Kuta (p. 281).

L'érosion côtière touche autant Lombok que Bali. Naturellement, les îles Gili sont aussi concernées, mais les récifs qui les entourent se remettent rapidement, le tourisme ayant entraîné d'intenses efforts de préservation (p. 291).

Bali et Lombok Pratique

Carnet pratique

Alimentation

Pour tout savoir des formidables saveurs de Bali et Lombok, voir p. 331.

Catégories de prix

Les catégories de prix suivantes s'entendent pour un repas classique dans l'établissement présenté.

CATÉGORIE	PRIX
$	moins de 60 000 Rp (environ 4,5 €)
$$	60 000 Rp- 250 000 Rp (de 4,5 à 19 €)
$$$	plus de 250 000 Rp

Ambassades et consulats

Les ambassades sont regroupées à Jakarta, capitale de l'Indonésie. La plupart des représentations étrangères à Bali ne sont que des agences consulaires qui n'offrent pas les mêmes services que les consulats. Pour la plupart des nationalités, cela signifie un long voyage jusqu'à Jakarta en cas de perte de passeport.

BALI
Seuls les États-Unis, l'Australie et le Japon ont un consulat officiel à Bali.
Australie (☎0361-241 118 ; www.bali.indonesia.embassy. gov.au ; Jl Tantular 32, Denpasar ; ☺8h-16h lun-ven). Le consulat australien a signé un partenariat avec le Canada.
France (☎0361-285 485 ; consul@dps.centrin.net.id ; Jl Mertasari, Gang II 8, Sanur ☺8h30-16h lun-ven)
Suisse (☎0361-751 735 ; swisscon@telkom.net ; Kuta Galleria, Blok Valet 2, 12, Kuta ☺8h30-16h lun-ven)

JAKARTA
Voici quelques-unes des ambassades à Jakarta (code régional ☎021) :
Belgique (☎316 2030 ; www. diplomatie.be ; Deutsche Bank Building, 16e étage, Jl Imam Bonjol 80)
Canada (☎2550 7800 ; www. canadainternational.gc.ca ; World Trade Centre, 6e étage, Jl Jend Sudirman Kav 29-31)
France (☎2355 7600 ; www. ambafrance-id.org ; Jl MH Thamrin 20)
Suisse (☎1525 6061 ; swisscon@telkom.net ; Jl H. R. Rasuna Said Block X 3/2, Kuningan)

AMBASSADES ET CONSULATS INDONÉSIENS
Quelques pays accueillant des représentations diplomatiques indonésiennes :
Belgique (☎02 771-2014 ; http://embassyofindonesia. eu ; avenue de Tervuren 294, 1150 Bruxelles)
Canada (☎613-724 1100 ; www.indonesia-ottawa. org ; 55 Parkdale Ave, Ottawa, Ontario K1Y 1E5) ; Consulat (☎416-360-4020 ; 129 Jarvis St, Toronto)
France (☎01 45 03 07 60 ; www.amb-indonesie. fr ; 47-49 rue Cortambert, 75016 Paris) ; Consulat général (☎04 91 23 01 63/60 ; www.cons-indonesie. fr ; 25 bd Carmagnole, 13008 Marseille)
Suisse (☎031 352 09 83/84 ; www.indonesia-bern.org ; Elfenauweg 51, 3006 Berne)

CONSEILS AUX VOYAGEURS

La plupart des gouvernements mettent en ligne les dernières informations sur votre destination :

Ministère des Affaires étrangères français (www.france.diplomatie.fr)

Ministère des Affaires étrangères de Belgique (http://diplomatie.belgium.be/fr)

Département fédéral des Affaires étrangères suisse (www.eda.admin.ch/eda/fr)

Ministère des Affaires étrangères du Canada (www.voyage.gc.ca)

Argent

L'unité monétaire en Indonésie est la rupiah (Rp). Il existe des pièces de 50, 100, 500 et 1 000 Rp et des billets de 2 000 Rp, 5 000 Rp, 10 000 Rp, 20 000 Rp, 50 000 Rp et 100 000 Rp.

Gardez toujours une bonne quantité de rupiah en petites coupures avec vous, car, dans l'île, les gens n'ont pas toujours la possibilité de rendre la monnaie sur un billet de 50 000 Rp ou plus.

Cartes de crédit

Les cartes Visa, MasterCard et Amex sont acceptées par la plupart des entreprises liées au tourisme. Vérifiez si la carte de crédit est acceptée dans l'établissement où vous comptez faire des achats avant de vous présenter sans espèces.

Change

Le dollar américain est la devise la plus facile à changer. Ayez si possible des billets neufs de 100 $.

Quelques conseils pour éviter les escroqueries :
» Consultez le taux de change en cours sur Internet. Toute personne offrant un meilleur taux devra forcément réaliser un profit par d'autres moyens.
» Adressez-vous uniquement aux banques, aux bureaux de change des aéroports ou aux grands opérateurs réputés.
» Fuyez les endroits qui offrent un taux de change trop avantageux, sans frais ni commissions.
» Évitez les bureaux de change dans les ruelles et autres endroits louches.
» Escroqueries les plus courantes : calculatrices truquées, tours de passe-passe, "erreurs" sur les taux affichés et employés qui exigent d'abord vos espèces avant que vous n'ayez compté la somme donnée en échange.

L'ART DE MARCHANDER

De nombreux achats se prêtent au marchandage à Bali. Les prix des hôtels sont fixes, mais vous pouvez essayer de négocier durant la basse saison ou pour un séjour de plusieurs jours.

Essayez de prendre le marchandage comme un jeu et de toujours garder votre sens de l'humour. Voici quelques conseils :
» Faites-vous une idée de la valeur de l'article.
» Déterminez un prix de départ – mieux vaut demander le prix au vendeur avant de faire une offre.
» Votre première offre peut s'élever entre un tiers et les deux tiers du prix demandé – à supposer que ce prix ne soit pas exagéré.
» De propositions en contre-propositions, approchez-vous d'un prix acceptable.
» Si le prix proposé ne vous convient pas, rien ne vous empêche de partir. Le vendeur vous rattrapera peut-être pour vous faire une offre plus intéressante.
» Lorsque vous avancez un prix, vous vous engagez à acheter l'article si l'offre est acceptée.

» Utilisez un distributeur automatique pour obtenir vos rupiahs.

Chèques de voyage

Ils sont devenus quasi inutilisables.

Distributeurs automatiques de billets (ATM)

On trouve des ATM (Automated Teller Machines) partout à Bali. La plupart accepteront votre carte de retrait internationale et les principales cartes de crédit pour les avances en espèces. Les taux de change des retraits auprès des ATM sont assez bons, mais renseignez-vous bien sur les frais facturés par votre banque, parfois très importants. À Bali, la plupart des ATM autorisent un retrait maximal de 1 000 000 Rp. Mieux vaut éviter les ATM portant l'autocollant "100 000 Rp", car cela signifie qu'ils ne distribuent que ces billets, sur lesquels vous aurez du mal à faire de la monnaie.

À Lombok, vous trouverez des ATM à Mataram et Praya, à Senggigi et sur les îles Gili.

Pourboires

S'il n'est pas d'usage ici d'accorder un pourcentage de l'addition, on peut néanmoins laisser 5 000 Rp ou un minimum de 10%.
» La plupart des hôtels et restaurants de catégorie moyenne, ainsi que tous ceux de catégorie supérieure, facturent 21% en sus pour le service et la taxe gouvernementale (appelée "plus plus"). Ce pourcentage est distribué au personnel (en principe).
» Remettez le pourboire directement aux membres du personnel que vous souhaitez récompenser.
» N'oubliez pas non plus de laisser un petit quelque chose aux chauffeurs de taxi, guides, masseurs, serveurs qui vous apportent à boire sur la plage, etc. De 5 000 Rp à 10 000 Rp constitue un pourboire généreux.

Assurance

À moins d'être sûr et certain que votre assurance vous couvre à Bali, n'hésitez pas à prendre une assurance voyage, et pensez à emporter un exemplaire de votre contrat. Choisissez une assurance qui prendra en charge les frais de rapatriement.

Certaines polices d'assurance ne couvrent pas les "activités dangereuses" comme la plongée, la location d'un deux-roues ou même la randonnée. Un permis moto acquis sur place n'a pas de validité pour certaines assurances.

Bénévolat

Il existe quantité de façons d'aider son prochain à Bali et à Lombok.

Bali Spirit (www.balispirit. com/ngos) dispose d'informations sur un certain nombre d'associations et groupes de bénévoles (y compris pour venir en aide aux chiens de Bali).

Sur place

Les organisations suivantes ont besoin de dons, de matériel et, souvent, de volontaires.

East Bali Poverty Project (☎0361-410071 ; www. eastbalipovertyproject.org). Aide les enfants pauvres des villages de montagnes de l'est de Bali.

Friends of the National Parks Foundation (☎0361-977 978 ; www.fnpf. org ; Jl Bisma, Ubud). Siège principal à Bali. Programmes de bénévolat dans le parc national de Tanjung Puting et ses environs, à Nusa Penida ou à Bornéo.

IDEP (Indonesian Development of Education & Permaculture ; ☎0361-294 993 ; www. idepfoundation.org). Projets environnementaux, sociaux et de prévention des catastrophes, dans toute l'Indonésie.

JED (Village Ecotourism Network ; ☎0361-366 9951 ; www.jed.or.id ; circuits à partir de 75 $US). Organise des visites (certaines avec hébergement) de petits

villages très appréciées. A souvent besoin de volontaires pour améliorer ses services et travailler avec les villageois.

ProFauna (☎081-7970 6066 ; www.profauna.or.id). Cette ONG de protection des animaux œuvre dans toute l'Indonésie. L'antenne de Bali a pris des positions très engagées pour protéger les tortues de mer. Elle a besoin de bénévoles pour aider au repeuplement des espèces et à la rédaction de publications.

Sacred Childhoods Foundation (www. sacredchildhoods.org). Organisation à but non lucratif réputée, offrant une vaste gamme de programmes pour aider les enfants de Bali et de Sulawesi.

Smile Foundation of Bali (Yayasan Senyum ; ☎0361-233 758 ; www.senyumbali.org). Fait opérer des personnes atteintes de déformations faciales et gère le **Smile Shop** (☎233 758 ; www. senyumbali.org ; Jl Sriwedari) à Ubud afin de récolter des fonds.

Wisnu (☎0361-735 321 ; www.wisnu.or.id ; Jl Pengubengan Kauh). Association de protection de l'environnement qui sensibilise les entreprises du secteur touristique à des pratiques plus écologiques. Recherche constamment des bénévoles.

Yakkum Bali (Yayasan Rama Sesana ; ☎0361-247 363 ; www.yrsbali.org). Se consacre à l'amélioration de la santé des femmes balinaises.

Yayasan Bumi Sehat (☎0361-970 002 ; www. bumisehatbali.org). Gère une clinique de réputation internationale et des services de sages-femmes pour les femmes désavantagées à Ubud ; accepte l'action bénévole de professionnels de la médecine.

YKIP (Humanitarian Foundation of Mother Earth ; ☎0361-761 208 ; www. ykip.org). Fondé après les attentats de 2002, YKIP développe et finance des projets dédiés à la santé et à l'éducation des enfants balinais.

À l'étranger

Comité de coordination pour le service volontaire international (CCVIS ; ☎01 45 68 49 36 ; www.unesco.org/ccivs), Maison de l'Unesco, 1 rue Miollis, 75732 Paris Cedex 15.

Jeunesse et Reconstruction (association créée après la Seconde Guerre mondiale pour la paix en Europe ; ☎01 47 70 15 88 ; www. volontariat.org ; 10 rue de Trévise, 75009 Paris)

Service civil international (SCI branche française, ☎01 42 54 62 43 ; www. sci-france.org ; 20 rue Camille-Flammarion, 75018 Paris). ONG qui vise, via des chantiers de volontaires, à la promotion de la paix et du développement durable. Possède 34 branches dans le monde et, en France, des antennes dans 19 villes.

Voluntary Service Overseas (www. vsointernational.org). Ce programme de volontariat britannique accepte toutes les nationalités.

Cartes et plans

Periplus Travel Maps propose une carte acceptable de Bali (1/250 000), avec une section détaillée sur le sud de l'île, ainsi que les cartes des principales agglomérations. Néanmoins, les noms de villes sont parfois incompréhensibles. La carte *Lombok et Sumbawa* du même éditeur peut être utile. Vous les trouverez dans la plupart des librairies de Bali.

Climat
Denpasar

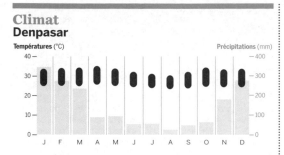

Températures (°C) — Précipitations (mm)

J F M A M J J A S O N D

Cours de langue

Ubud est un bon endroit pour apprendre les rudiments du bahasa indonesia. Parmi les écoles reconnues ;
Indonesia Australia Language Foundation (IALF ; ☎0361-225 243 ; www.ialf.edu ; Jl Raya Sesetan 190, Denpasar). Le meilleur endroit pour prendre des cours.
Seminyak Language School (☎0361-733 342 ; www.learnindonesianinbali.com ; Jl Raya Seminyak 7, Seminyak). Très appréciée et bien située, au bout d'un chemin, près du Bintang Supermarket.

Douanes

L'importation de drogue, d'armes, de fruits frais et de tout ce qui peut être considéré comme de la pornographie est interdite en Indonésie. Articles autorisés :
» 200 cigarettes (ou 50 cigares ou encore 100 g de tabac)
» une "quantité raisonnable" de parfum
» 1 l d'alcool

Les surfeurs transportant plus de 2 ou 3 planches sont souvent taxés, et d'autres articles peuvent être taxés si les douaniers vous soupçonnent de vouloir les vendre en Indonésie.
Les devises étrangères ne sont soumises à aucune restriction, mais l'importation ou l'exportation de rupiah est limitée à 5 000 000 Rp. Les montants supérieurs doivent être déclarés.

Électricité

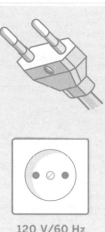

120 V/60 Hz

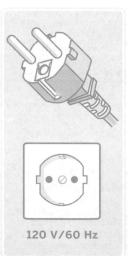

120 V/60 Hz

Femmes en voyage
Bali

Si les femmes voyageant seules à Bali sont toujours très sollicitées par les Balinais, ces derniers restent généralement très corrects. Bali est une destination sûre pour une femme seule et quelques précautions et un peu de bon sens devraient suffire, même si, dernièrement, des agressions sérieuses, commises dans le sud de Bali, ont rappelé la nécessité de rester prudent.

Lombok

La tradition veut que les femmes soient traitées avec respect, mais dans les régions touristiques, il arrive que les femmes étrangères rencontrent des problèmes. Les différents guides/prétendants/gigolos se montrent souvent insistants et parfois agressifs si on les ignore. Évitez les tenues trop suggestives et réservez vos vêtements de plage... pour la plage. Mieux vaut se déplacer en groupe de deux ou trois femmes, ou bien être accompagnée par un homme. Ne sortez pas seule la nuit.

Formalités et visas

Les conditions d'entrée à Bali changent régulièrement. Quel que soit le type de visa que vous utiliserez, votre passeport doit être valide pendant au moins six mois après votre date d'arrivée.
  Voici les principaux visas existants pour l'Indonésie :
» **Visa à l'avance** ("in Advance") : les citoyens des pays qui ne peuvent pas obtenir un visa gratuit ou un "visa à l'arrivée" doivent faire une demande avant leur départ pour l'Indonésie. Il s'agit d'un visa touristique de 30 ou 60 jours. Les procédures varient d'un

pays à l'autre, aussi contactez l'ambassade ou le consulat indonésien le plus proche. Notez que c'est le seul moyen d'obtenir un visa touristique de 60 jours, même si vous remplissez les conditions pour un visa à l'arrivée.

» **Visa à l'arrivée** ("on Arrival") : les citoyens de plus de 60 pays (incluant la France, la Belgique, le Canada et la Suisse) peuvent faire une demande de visa à leur arrivée à l'aéroport de Bali ou de Lombok. Ce visa coûte 25 $US ; prévoyez le montant exact en dollars américains. Il est valable 30 jours ; pour les prorogations, voir p. 370.

Quel que soit votre visa, on vous remettra à l'arrivée une carte touristique valable pendant 30 ou 60 jours (si vous avez obtenu un visa à l'avance de 60 jours, assurez-vous que l'agent de l'immigration vous donne bien une carte touristique de même durée). Rangez votre carte touristique avec votre passeport, car vous devrez la montrer à votre retour. Dépasser la date d'autorisation de séjour, ne serait-ce que d'une journée, vous vaudra très probablement une amende et des tracas.

Handicapés

Bali n'est pas la destination la plus simple pour les personnes à mobilité réduite. Si certaines compagnies aériennes desservant Bali sont connues pour leurs services aux personnes handicapées, l'aéroport, lui, n'est pas équipé.

Les transports publics ne sont pas accessibles aux personnes à mobilité réduite, pas plus que les minibus utilisés pour les navettes touristiques et par les voyagistes. Les hôtels et résidences sont rarement équipés de rampes d'accès et d'aménagements spécifiques. Vous aurez plus de chance avec les chaînes internationales, mais il faut les prévenir de vos besoins en la matière. Dans la rue, les trottoirs, quand il y en a, sont souvent étroits, accidentés et encombrés.

Hébergement

Bali, avec sa capacité d'accueil de 90 000 lits, offre un très grand choix d'hébergements. Le rapport qualité/prix est en général excellent, quel que soit votre budget. Les régions touristiques de Lombok et des îles Gili offrent la même gamme d'options que Bali. Ailleurs à Lombok, l'hébergement est plus simple et plus limité.

Tous les logements sont soumis à une taxe de 21% (appelée "plus plus"), souvent incluse dans les adresses bon marché, mais mieux vaut s'en assurer. De nombreux établissements de catégorie moyenne et de catégorie supérieure la comptent en supplément.

Les tarifs mentionnés dans ce guide sont ceux de la haute saison, taxes comprises. Il est difficile d'établir une échelle des prix, car certains établissements affichent les tarifs qu'ils prévoient d'appliquer, tandis que d'autres annoncent des montants purement fantaisistes, s'attendant à les réduire de 50%.

Les tarifs sont à peu près toujours négociables, surtout en dehors de la haute saison. En basse saison, la plupart des hôtels des catégories moyenne et supérieure proposent des réductions de 30 à 50%. À Bali, la fréquentation touristique record ces dernières années s'est traduite par une forte augmentation des prix.

Hôtels

La majorité des hôtels de Bali et de Lombok organisent des excursions, louent des voitures et offrent toutes sortes de services. Tous proposent un service de laverie, souvent bon marché et parfois gratuit. Pour plus de détails sur les nombreux hôtels de chaîne à prix modérés dans le sud de Bali, voir p. 67.

PROROGATION DE VISA

Il est possible de faire proroger une fois un visa de 30 jours obtenu à l'arrivée. Mais c'est compliqué :

» Au moins 7 jours avant l'expiration du visa, rendez-vous au **bureau de l'immigration de Kuta** (Jl Airport Ngurah Rai ; ⏰8h-16h lun-ven), à Tuban (et non Kuta), à côté de la route d'accès à l'aéroport.

» Munissez-vous d'une photocopie de votre passeport, de votre passeport et d'une copie de votre billet de départ d'Indonésie (dont la date doit tomber durant cette période de prorogation).

» Payez un droit de 250 000 Rp.

» Donnez une adresse à Kuta (dire "Je séjourne aux îles Gili" vous ferait envoyer à Lombok).

» Vous devrez peut-être retourner au bureau une seconde fois.

Pour éviter ces tracas, vous pouvez recourir à une agence comme **Channel1** (☏0361-780 4047 ; www.chan nel1.biz ; Jl Sunset Road 100X, Kerobokan), qui effectuera ces démarches moyennant finances.

PETITS BUDGETS

À Bali et à Lombok, les hébergements pour les voyageurs à petit budget sont simples mais propres et confortables. Le nom de ces établissements inclut souvent le terme *losmen* (petit hôtel, souvent tenu par une famille, et comprenant rarement plus d'une douzaine de chambres), "*homestay*", "*inn*" ou encore *pondok*. Ils sont souvent construits dans le style des maisons balinaises ; leur prix et les services qu'ils proposent peuvent être très différents.

Vous pouvez espérer :

» Éventuellement la climatisation

» Éventuellement l'eau chaude

» Une sdb avec douche et toilettes à l'occidentale

» Souvent une piscine

» Un petit-déjeuner simple

» Un personnel enjoué et insouciant

Les franchises internationales pour petits budgets ont réalisé une entrée remarquée dans le sud de Bali. Sachez néanmoins qu'une chambre à 9 $US atteint rapidement les 40 $US lorsqu'on y ajoute les divers taxes et suppléments inclus ailleurs, tels que l'Internet et les serviettes.

CATÉGORIE MOYENNE

Les hôtels de catégorie moyenne consistent souvent en des bungalows à la balinaise (ou à étage) installés dans un vaste parc avec piscine. Nombre d'entre eux offrent un cadre si séduisant que l'on est parfois tenté de reporter son départ ! Outre les prestations offertes dans un hôtel petit budget, vous pouvez espérer :

» Balcon, véranda ou patio

» Une TV satellite

» Un petit réfrigérateur

» Souvent le Wi-Fi

CATÉGORIE SUPÉRIEURE

Les hôtels balinais de catégorie supérieure sont

CATÉGORIES DE PRIX

Les catégories de prix référencées s'entendent pour une chambre avec sdb. Sauf indication contraire, les taxes sont incluses.

$ moins de 450 000 Rp (environ 46 $US/35 €)
$$ 450 000-1 400 000 Rp (46-144 $US/35-108 €)
$$$ plus de 1 400 000 Rp

d'excellente qualité. Le service est raffiné et la décoration est digne d'un magazine de décoration. Ils offrent en outre les prestations suivantes :

» Un service excellent

» Une vue – sur l'océan, de luxuriantes vallées et des rizières ou des jardins privés

» Un spa

» Éventuellement une piscine privée

» Aucune envie de repartir

Bons plans hôtel

Pour les hôtels, surtout de catégories moyenne et supérieure, on trouve souvent les meilleures offres en ligne. Si certains établissements proposent de bonnes affaires sur leur site, la majorité s'entendent avec des agents pour louer leurs chambres à des tarifs largement inférieurs aux prix affichés.

Bali Discovery (www. balidiscovery.com) offre des tarifs préférentiels pour des centaines d'établissements. Quelques autres sites Internet très utiles :

» www.asiarooms.com

» www.gilibookings.com

» www.agoda.com

Villas

Les villas poussent comme des champignons dans le sud de Bali. Le plus souvent, elles apparaissent comme par enchantement au milieu des rizières presque du jour au lendemain. Ce boom a été controversé tant pour des raisons écologiques qu'esthétiques et économiques. Nombre de

ces villas ne réclament pas les taxes gouvernementales à leurs clients, ce qui provoque la colère de leurs concurrents de l'hôtellerie de luxe.

Les grandes villas où séjourner à toute une bande d'amis se trouvent surtout à Kerobokan et à Canggu. D'autres villas plus petites et intimes font partie d'un lotissement – courant à Seminyak – ou d'un hôtel de catégorie supérieure. Vous pouvez espérer :

» Un jardin privé

» Une piscine privée

» Une cuisine

» Des chambres climatisées

» Un espace commun en plein air

Et éventuellement :

» Du personnel (cuisinier, chauffeur, personnel de ménage)

» Un jardin superbe

» Un espace privé devant la plage

» Un certain isolement (agréable ou non)

Les tarifs s'échelonnent entre moins de 200 $US/ nuit pour une modeste villa et 2 000 $US/semaine et plus pour jouir de son propre domaine tropical. On peut souvent discuter les prix, en particulier en basse saison et, à plusieurs couples, la location devient très abordable.

S'il est possible d'économiser en réservant à la dernière minute, les meilleures villas sont parfois louées des mois à l'avance pendant la haute saison. Notre sélection :

AVANT DE LOUER UNE VILLA

Il existe une multitude d'agences de location, certaines excellentes, d'autres non. L'essentiel est d'être aussi clair que possible sur vos desiderata. Voici quelques questions à ne pas oublier de poser :

» À quelle distance la villa se trouve-t-elle de la plage et des commerces ?

» Y a-t-il une voiture et/ou un service de chauffeur inclus ? Y a-t-il un cuisinier ? La nourriture est-elle incluse ?

» L'électricité est-elle comprise ou en supplément ?

» Le ménage est-il inclus ou en supplément ?

» Le lavage du linge est-il inclus ?

» Quelles sont les règles de remboursement de la caution, habituellement de 50% ?

» Y a-t-il le Wi-Fi ?

AGENCES DE LOCATION DE VILLAS

Bali Private Villas
(✆0361-316 6455 ; www.baliprivatevillas.com)

Bali Tropical Villas
(✆0361-732 083 ; www.bali-tropical-villas.com)

Bali Ultimate Villas
(✆0361-857 1658 ; www.baliultimatevillas.com)

Longs séjours

Pour des séjours plus longs, on trouve assez facilement des appartements loués de 300 à 800 $US par mois. Il suffit de regarder dans le **Bali Advertiser** (www.baliadvertiser.biz) et dans les bulletins d'informations comme celui du Café Moka de Seminyak et ceux d'Ubud. Il est possible de louer un bungalow au confort rudimentaire au milieu des rizières à Ubud.

Séjourner dans un village

Le réseau d'écotourisme **JED** (Village Ecotourism Network ; ✆0361-366 9951 ; www.jed.or.id ; circuit à partir de 75 $) est l'une des meilleures façons d'organiser un séjour dans un village. Autre option intéressante, le **Bali Homestay Program** (✆0817 067 1788 ; www.bali-homestay.

com ; ch à partir de 30 $US), au nord de Tabanan.

Heures d'ouverture

Les horaires habituels sont les suivants :

Banques 8h-14h lundi-jeudi, 8h-12h vendredi, 8h-11h samedi

Administration 8h-15h lundi-jeudi, 8h-12h vendredi (mais pas partout)

Poste 8h-14h lundi-vendredi ; plus tard dans les centres touristiques

Restaurants et cafés tous les jours 8h-22h

Boutiques et services destinés aux touristes 9h-20h

Heure locale

Bali et Lombok sont à l'heure Waktu Indonesian Tengah ou WIT (heure de l'Indonésie centrale), qui a 8 heures d'avance sur l'heure universelle GMT. Java a 1 heure de retard sur Bali et Lombok.

Si l'on ne tient pas compte de l'heure d'hiver et de l'heure d'été dans les pays étrangers, lorsqu'il est 12h à Bali et Lombok, il est 23h (la veille) à Montréal et 5h du matin à Paris, Bruxelles et Genève.

Homosexualité

Les voyageurs homosexuels rencontrent rarement des difficultés à Bali et de nombreux artistes expatriés s'affichent plus ou moins ouvertement gays. Le contact physique entre personnes du même sexe est généralement accepté et il est fréquent de voir des amis du même sexe se tenir par la main (ce qui ne signifie pas qu'ils sont homosexuels).

De nombreuses adresses réunissent les homosexuels, surtout à Seminyak, mais il n'existe aucun établissement réservé aux gays et encore moins aux lesbiennes. Dans l'archipel, les homosexuels sont appelés *homo* ou *gay*, qu'on ne confond pas avec les *waria* (travestis ou transsexuels).

De nombreux gays de tout le pays viennent vivre à Bali, car les habitants sont plus tolérants et les occasions de rencontres plus nombreuses.

À Lombok, les démonstrations publiques d'affection sont fortement déconseillées, aussi bien entre homosexuels qu'entre hétérosexuels.

Gaya Dewata (www.gayadewata.com). L'organisation gay balinaise.

Proyekcinta (www.proyekcinta.com). Site Internet de la communauté LGBT de Bali.

Organismes à connaître

Bali Pink Pages (www.balipinkpages.com). Site Internet de l'association gay et lesbienne de Bali.

Gaya Dewata (✆0361-780 8250 ; Denpasar). Organisme balinais gay et lesbien.

Hanafi (✆0361-756 454 ; www.hanafi.net ; Jl Pantai Kuta 1E). Voyagiste et guide gay-friendly basé à Kuta ; idéal pour découvrir les meilleures adresses locales.

Utopia Asia (www.utopia-asia.com). D'excellentes

informations sur la scène gay balinaise.

Internet (accès)

Vous n'aurez aucun problème pour trouver des centres Internet dans les régions touristiques. Comptez 300-500 Rp/min. La vitesse est généralement adaptée pour utiliser des applis comme Skype.

Le Wi-Fi est de plus en plus répandu dans les chambres d'hôtel, sauf dans les zones isolées. Nombre de cafés et de restaurants disposent également du Wi-Fi gratuit.

Indosat (www.indosatm2.com) possède un réseau 3G dans tout le sud de Bali.

À Lombok, l'accès Internet coûte 400-500 Rp/min. Excepté à Mataram et à Senggigi, les connexions sont partout très lentes.

Jours fériés

Les jours fériés listés ci-dessous sont fêtés dans toute l'Indonésie. La plupart des dates sont approximatives : elles varient en fonction des phases lunaires ou du calendrier religieux.

Tahun Baru Masehi (Nouvel An) 1er janvier

Idul Adha (fête du sacrifice musulman) février

Muharram (Nouvel An musulman) février/mars

Nyepi (Nouvel An hindou) mars/avril

Hari Paskah (Vendredi saint) avril

Ascension du Christ avril/mai

Hari Waisak (naissance, illumination et mort du Bouddha) avril/mai

Maulid an Nabi Muhammad ou Hari Natal (fête de la naissance du prophète Mahomet) mai

Hari Proklamasi Kemerdekaan (fête de l'Indépendance de l'Indonésie) 17 août

Isra Miraj Nabi Mohammed (ascension du prophète Mahomet) septembre

Hari Natal (Noël) 25 décembre

UN PROBLÈME D'IPOD ?

Si votre iPod ou un autre produit Apple ne fonctionne plus, **iTube** (☎0361-767 140 ; Jl Raya Kuta 100, Kuta) peut vous le réparer. Changer de batterie coûte beaucoup moins cher qu'en passant par Apple.

Les musulmans balinais respectent les fêtes et jours fériés propres à leur religion, y compris le ramadan. Voici les jours fériés célébrés à Lombok :

Anniversaire de Lombok Ouest (jour férié gouvernemental) 17 avril

Ramadan octobre, en général

Idul Fitri ("Aid al-Fitr", fin du ramadan) novembre/décembre

Tenggara Ouest (jour férié public) 17 décembre

HALTE AU TOURISME PÉDOPHILE

L'Indonésie est hélas devenue une destination prisée des étrangers en quête de relations sexuelles avec des enfants. Un ensemble de facteurs socio-économiques rend de nombreux enfants et jeunes adultes vulnérables à de tels abus et certains individus n'ont aucun scrupule à en profiter. L'abus sexuel et l'exploitation des enfants ont des répercussions irréparables sur les victimes, quand cela ne met pas leur vie en danger. Des lois rigoureuses s'appliquent en Indonésie pour punir ces délinquants et une législation extraterritoriale permet à de nombreux pays de poursuivre leurs ressortissants qui se rendraient coupables de tels crimes à l'étranger.

Les visiteurs peuvent contribuer à endiguer le tourisme pédophile en signalant tout comportement suspect, notamment auprès de l'**Anti Human Trafficking Unit** (☎021 721 8098), un service de la police indonésienne. Si vous connaissez la nationalité de l'individu, vous pouvez contacter directement l'ambassade correspondante.

Pour plus d'informations, contactez les organismes suivants :

ECPAT (End Child Prostitution & Trafficking ; www.ecpat-france.org). Réseau international de lutte contre la prostitution et le trafic d'enfants qui compte plus de 70 organisations affiliées à travers le monde.

Humantrafficking.org (www.humantrafficking.org). Organisation internationale qui collabore avec des groupes luttant contre l'exploitation des êtres humains en Indonésie.

PKPA (Center for Study & Child Protection ; www.pkpa-indonesia.org). Organisation vouée à la protection des enfants indonésiens et à la prévention du tourisme pédophile.

Offices du tourisme

À Bali

À part celui d'Ubud, excellente source d'information sur les événements culturels, les offices du tourisme sur l'île se révèlent inutiles.

Les meilleures informations figurent dans les nombreuses publications gratuites destinées aux touristes et aux expatriés qui sont distribuées dans le sud de Bali et à Ubud, ainsi que sur Internet. Voici quelques-uns des principaux sites :

Bali Advertiser (www.baliadvertiser.biz). Informations locales et nombreuses rubriques offrant des renseignements précieux.

Bali Discovery (www.balidiscovery.com) comprend une excellente section sur l'actualité balinaise et une foule d'informations sur le reste de l'île.

The Beat (www.beatmag.com). Excellent magazine bimensuel avec un agenda culturel et de loisirs détaillé.

La Gazette de Bali (www.lagazettedebali.info). Le seul média francophone en Indonésie, ce mensuel est d'abord destiné aux expatriés, mais il propose aussi de nombreuses pages pratiques et culturelles à l'intention des touristes.

Yak (www.theyakmag.com). Magazine des expatriés de Seminyak et d'Ubud.

À l'étranger

Il n'y a pas à proprement parler d'office du tourisme de Bali dans les pays francophones, mais les différentes ambassades d'Indonésie proposent un service d'information touristique, dont l'**ambassade d'Indonésie en France** (☎01 45 03 07 60 ; www.amb-indonesie.fr ; 47-49 rue Cortambert, 75016 Paris). Le site Internet de l'ambassade possède une section d'information à destination des touristes.

Poste

Toute ville d'une certaine importance possède un *kantor pos* (bureau de poste). Les centres touristiques sont dotés, de plus, d'agences postales qui ont souvent des horaires étendus et proposent des services d'expédition.

L'envoi de cartes postales et de lettres de moins de 20 g est bon marché mais très lent :

Europe : 3 semaines
Canada : 2 semaines

Les bureaux de poste peuvent emballer correctement vos envois de plus de 20 g, moyennant une faible somme. Les envois arrivent généralement, mais mieux vaut éviter la poste pour les envois auxquels vous tenez vraiment.

Les sociétés de livraison express comme Fedex et UPS, présentes à Bali, proposent un service rapide et fiable, quoique coûteux.

Problèmes juridiques

Le gouvernement indonésien prend très au sérieux les problèmes de contrebande, d'usage et de vente de drogue. En cas d'arrestation et d'emprisonnement, vous devrez peut-être attendre jusqu'à 6 mois avant d'être jugé. Les jeux d'argent sont illégaux (même si les paris sont courants, en particulier pour les combats de coqs), de même que la pornographie.

Les contrôles de police sont rares, sauf si vous louez un véhicule.

On trouve des postes de police dans toutes les capitales régionales de Bali et de Lombok. Si vous devez déclarer un délit ou engager une démarche auprès de la police, attendez-vous à un accueil très lent et bureaucratique. Habillez-vous le mieux possible, demandez à un ami qui parle indonésien de vous accompagner, arrivez tôt et montrez-vous poli. La **police touristique de Bali** (☎0361-224 111) peut aussi vous conseiller.

Certains policiers s'attendent à recevoir des pots-de-vin, soit pour fermer les yeux sur un délit, une incartade ou un procès-verbal, soit pour un service qu'ils doivent vous rendre de toute façon. En règle générale, le mieux est encore de payer tout de suite – plus tôt vous le ferez, moins vous

---

BALI ET LOMBOK PRATIQUE

» Il est difficile de se procurer la presse francophone à Bali, hormis *La Gazette de Bali* (voir p. 17), mensuel créé par des expatriés français. Certains quotidiens en anglais (*Jakarta Post* et l'*International Herald Tribune*) et magazines sont vendus dans les librairies et les supérettes d'Ubud et du sud de Bali.

» Parmi les radios de Bali, Gema Merdeka (97.7 FM), qui diffuse beaucoup de musique balinaise, est la plus prisée des insulaires.

» L'Indonésie utilise le système vidéo PAL, comme la plupart des pays d'Europe, incluant la France. Si vous achetez des DVD sur place, assurez-vous que votre lecteur est multizone ou qu'il correspond à la zone du DVD choisi.

» L'Indonésie a adopté le système métrique.

ENVOI D'ARTICLES ENCOMBRANTS

Pour les articles à envoyer par la poste, vous aurez à payer une caution égale à 40 ou 50% de leur prix, puis le solde (ainsi que différentes taxes) à la réception. Si possible, demandez à recevoir l'article chez vous. Au cas où vous choisiriez de le réceptionner dans le port ou centre de dépôt le plus proche, vous devrez acquitter des taxes supplémentaires.

La plupart des boutiques qui vendent des œuvres d'art ou des meubles encombrants peuvent se charger de l'emballage, de l'expédition et de l'assurance. Les frais d'envoi sont très variables en fonction de la société d'expédition, de la destination et du nombre d'articles – comptez environ 150 $US par mètre cube. Certaines sociétés proposent des forfaits incluant tous les frais d'emballage, d'assurance, de désinfection et autres.

Rim Cargo (☎0361-737670 ; www.rimcargo.com ; Jl Laksmana 32, Seminyak) est une importante société ayant l'habitude de satisfaire les demandes des accros du shopping.

paierez. On vous apprendra peut-être qu'il vous faut payer une "amende" sur place, ou l'on vous proposera de payer une "amende" pour régler l'affaire. En général, 50 000 Rp peuvent suffire à faire des merveilles. Si la demande vous paraît exagérée, toutefois, prenez le nom de l'agent et notez-le sous son nez.

Sécurité

Bali est une île assez sûre. S'il faut se méfier de quelques voyous qui en ont après votre argent, les risques d'agression sont très limités. La petite délinquance existe, mais elle est assez peu répandue.

Dangers
ALCOOL FRELATÉ

Plusieurs décès et lésions graves, ayant touché des ressortissants indonésiens et étrangers, ont été enregistrés à la suite de la consommation d'*arak* (alcool de canne ou de palme) frelaté au méthanol, un alcool primaire toxique. Évitez les cocktails gratuits et l'*arak*.

BAIGNADE

À Kuta Beach, et sur les plages au nord et au sud, les vagues et les courants sont très forts. Baignez-vous toujours entre les fanions.

Seules les plages de Kuta, de Legian, de Seminyak, de Nusa Dua, de Sanur et (parfois) de Senggigi sont surveillées. D'autres plages peuvent présenter des courants forts, même lorsqu'elles sont protégées par un récif.

La pollution peut aussi poser problème, notamment après la pluie. Tâchez de nager à bonne distance de tout courant que vous voyez se jeter dans la mer.

Soyez prudent lorsque vous nagez au-dessus du corail, et ne marchez jamais dessus. Vous risqueriez de vous couper (et la blessure de s'infecter) et d'endommager cet environnement fragile.

CIRCULATION

La circulation à Bali est dense et peut se révéler dangereuse, aussi bien pour les conducteurs que pour les piétons. Les trottoirs étant très irréguliers, vous devrez marcher sur la chaussée ; les trous dans la chaussée sont une des grandes causes de blessures. La nuit, munissez-vous d'une lampe torche.

DROGUE

Les retentissants procès pour des affaires de drogue qui ont régulièrement lieu à Bali et à Lombok devraient suffire à dissuader quiconque souhaiterait consommer des substances illicites. Quelques cachets d'ecstasy ou une faible dose de cannabis suffisent pour condamner quelqu'un à de lourdes amendes et/ou à plusieurs années dans la célèbre prison balinaise de Kerobokan. Les dealers s'exposent pour leur part à la peine de mort. Kuta regorge de policiers qui se font passer pour des revendeurs.

FAUX ORPHELINATS

Bali compte plusieurs "faux" orphelinats qui cherchent à extorquer de l'argent à des touristes crédules. Avant d'effectuer un don, vérifiez soigneusement la réputation de l'établissement sur Internet. Ceux qui se servent de chauffeurs de taxi comme rabatteurs sont particulièrement suspects.

VENDEURS DE RUES ET RABATTEURS

De nombreux visiteurs sont agacés par le harcèlement constant des camelots à Bali (et dans les régions touristiques de Lombok). Leurs terrains de chasse favoris ? Jl Legian à Kuta, Kuta Beach, le Gunung Batur et ses alentours, ainsi que d'autres temples très fréquentés comme le Pura Besakih ou le Pura Tanah Lot. Partout, vous serez accueilli au son des "transports ?".

Quelques conseils pour éviter d'être importuné :

CONSEILS DE SÉCURITÉ

» Mises en garde spécifiques à la région de Kuta : p. 73.

» Questions de santé : p. 389.

» Les nombreux services de bateau entre Bali et les îles voisines ne sont pas réglementés et des accidents ont été déplorés (p. 382).

» Ignorez complètement les camelots et rabatteurs.

» Ne croisez pas leur regard.

» Évitez de répondre poliment par un *tidak* ("non"), qui sera interprété comme un encouragement.

» Abstenez-vous de demander le prix ou de commenter la marchandise, à moins d'être intéressé.

Gardez néanmoins à l'esprit que ces personnes essaient de gagner leur vie. Si vous n'avez pas l'intention d'acheter, vous leur faites perdre leur temps en vous montrant trop poli.

VOL

Les vols avec violence sont rarissimes, mais les vols à l'arraché, les pickpockets et le vol dans les chambres et dans les voitures en stationnement ne sont pas rares. Quelques précautions :

» Rangez votre argent avant de quitter un distributeur.

» Ne laissez pas d'affaires précieuses sur la plage pendant que vous vous baignez.

» Utilisez le coffre-fort de la réception ou de la chambre.

Téléphone

Appels via Internet

La plupart des connexions Wi-Fi des hôtels du sud de Bali et d'Ubud permettent une communication via Skype. Les cybercafés majorent parfois le temps de communication (ex : 3 000 Rp/min).

Indicatifs téléphoniques

Les numéros commençant par 08 correspondent à des téléphones portables. Quelques numéros utiles :

Renseignements	☎108
Indicatif de l'Indonésie	☎62
Préfixe pour les appels à l'étranger	☎001/017
Opérateur international	☎102

Téléphones portables

Une carte SIM pour un téléphone débloqué (système GSM) coûte seulement 50 000 Rp à Bali et les appels internationaux sont bon marché (minimum 0,20 $US/min). Cartes en vente n'importe où.

Toilettes

Les toilettes à l'occidentale sont très répandues dans les zones touristiques.

En journée, cherchez un café ou un hôtel et demandez les toilettes en souriant (vous ne trouverez des toilettes publiques que dans les sites touristiques importants).

CE NUMÉRO N'EST PAS ATTRIBUÉ

À Bali, les numéros de téléphone fixes (ceux dont l'indicatif commencent par ☎0361, dans le sud et à Ubud) auront tous été modifiés d'ici à 2014. Pour répondre à la demande croissante de lignes, un chiffre va être ajouté au début des numéros actuels à 6 ou 7 chiffres. Ainsi, le ☎0361-761 xxxx pourrait devenir le ☎0361-4761 xxxx. La date de mise en service de ces nouveaux numéros change régulièrement. Cependant, un message, en indonésien puis en anglais, vous précisera le chiffre supplémentaire à composer.

Transports

DEPUIS/VERS BALI ET LOMBOK

La plupart des visiteurs étrangers arrivent à Bali par avion, le plus souvent via Jakarta ou Singapour. Ceux qui vont d'île en île utilisent les nombreux ferries reliant Java à Bali, et Bali à Lombok, ou empruntent les lignes aériennes intérieures. La majorité des voyageurs se rendant à Lombok le font en passant par Bali.

Entrer à Bali et à Lombok

Les formalités à l'aéroport international Ngurah Rai de Bali sont simples, même si la file de touristes est parfois longue à s'écouler aux services d'immigration, en particulier l'après-midi. Le grand terminal prévu pour 2014 pourrait néanmoins changer la donne.

Dans le hall de réception des bagages, des porteurs proposent leurs services, mais risquent de vous demander en échange jusqu'à 20 \$US – mettez-vous d'accord sur un prix avant d'accepter. Le tarif officiel est de 5 000 Rp par bagage.

Passé la douane, les tour-opérateurs, les rabatteurs et les chauffeurs de taxi attendent le client. Les rabatteurs feront tout pour vous entraîner dans un hôtel ou dans un *losmen* de Kuta ou de la région. Il vous en coûtera plus cher de les suivre que de vous présenter vous-même dans l'établissement en question, car les rabatteurs touchent de confortables commissions.

Passeport

Votre passeport doit être valable au moins six mois à partir de la date d'arrivée en Indonésie.

Voie aérienne

Si Jakarta, la capitale du pays, constitue la principale porte d'entrée aérienne du pays, de nombreux vols internationaux desservent également Bali et, dans une moindre mesure, Lombok.

Aéroports

AÉROPORT DE BALI

Le seul aéroport de Bali, **Ngurah Rai Airport** (DPS), est situé au sud de Kuta. De nombreuses agences de voyages y font néanmoins référence sous le nom de Denpasar (ou Bali).

En 2014, Bali comptera un nouveau grand terminal, assorti d'un parking et de routes d'accès. En attendant, l'aéroport est encore plus chaotique qu'à l'ordinaire, les travaux se traduisant par de nombreux équipements temporaires. On peut espérer que cette nouvelle structure sera mieux à même d'endiguer l'augmentation du nombre de visiteurs étrangers et indonésiens.

VOYAGES ET CHANGEMENTS CLIMATIQUES

Tous les moyens de transport fonctionnant à l'énergie fossile génèrent du CO_2 – la principale cause du changement climatique induit par l'homme. L'industrie du voyage est aujourd'hui dépendante des avions. Si ceux-ci ne consomment pas nécessairement plus de carburant par kilomètre et par personne que la plupart des voitures, ils parcourent en revanche des distances bien plus grandes et relâchent quantité de particules et de gaz à effet de serre dans les couches supérieures de l'atmosphère. De nombreux sites Internet utilisent des "compteurs de carbone" permettant aux voyageurs de compenser le niveau des gaz à effet de serre dont ils sont responsables par une contribution financière à des projets respectueux de l'environnement. Lonely Planet "compense" les émissions de tout son personnel et de ses auteurs.

TAXE D'AÉROPORT

Au départ de Bali et de Lombok, la taxe d'aéroport pour les vols domestiques s'élève à 50 000 Rp, et à 150 000 Rp pour les vols internationaux. Il est préférable d'avoir la somme exacte avec soi.

Un projet d'extension de la piste d'atterrissage rencontre de constantes résistances, notamment de la part des écologistes qui craignent pour la mangrove (ce qui n'a pourtant pas empêché la construction de la route à péage). La piste actuelle est trop courte pour accueillir les vols directs depuis/vers l'Europe, ce qui oblige les passagers à faire escale à Singapour ou à Jakarta.

Les **compagnies internationales** desservant Bali varient régulièrement. Le trafic est néanmoins en hausse.

Les **compagnies nationales** reliant Bali au reste de l'Indonésie changent fréquemment. Elles possèdent toutes un guichet dans le terminal. Vous devrez peut-être y recourir, car il n'est pas toujours aisé d'acheter des billets sur leur site Internet.

Air Asia (www.airasia.com). Dessert Jakarta, Bangkok, Kuala Lumpur et Singapour (aussi Darwin et Perth en Australie).

Cathay Pacific Airways (www.cathaypacific.com). Dessert Hong Kong.

China Airlines (www.china-airlines.com). Dessert Taipei.

Eva Air (www.evaair.com). Dessert Taipei.

Garuda Indonesia (www.garuda-indonesia.com). Dessert l'Australie, le Japon, la Corée et Singapour et plusieurs villes d'Indonésie.

KLM (www.klm.com). Dessert Amsterdam via Singapour.

Korean Air (www.koreanair.com). Dessert Séoul.

Lion Air (www.lionair.co.id). Dessert des villes indonésiennes et Singapour.

Malaysia Airlines (www.mas.com.my). Dessert Kuala Lumpur.

Merpati Airlines (www.merpati.co.id). Dessert de nombreuses petites villes indonésiennes en plus des principales.

Qatar Airways (www.qatarairways.com). Relie Doha via Singapour.

Singapore Airlines (www.singaporeair.com). Plusieurs vols par jour pour Singapour.

Thai Airways International (www.thaiair.com). Dessert Bangkok.

AÉROPORT DE LOMBOK

L'**aéroport international de Lombok** (Bandara Internasional Lombok ; LOP) a été récemment inauguré dans le sud de l'île, près de Praya. Il est relié à la région de Mataram par un nouvel axe routier. À part les vols intérieurs vers quelques grandes villes d'Indonésie, ses liaisons sont assez limitées.

Silk Air (☏0370-628 254 ; www.silkair.com ; Hotel Lombok Raya, Jl Panca Usaha 11). Vol direct pour Singapour cinq fois par semaine.

Batavia Air (☏021-3899 9888, 0370-648 998 ; www.batavia-air.com). Dessert quotidiennement Jakarta via Surabaya.

Wings Air (☏0370-629 333 ; www.lionair.co.id ; Hotel Sahid Legi, Jl Sriwijaya). Vols quotidiens pour Denpasar, Jakarta et Surabaya.

Merpati Airlines (☏0370-621 111 ; www.merpati.co.id ; Jl Pejanggik 69). Dessert l'essentiel de l'Indonésie grâce à quatre vols quotidiens pour Denpasar.

Trans Nusa (☏616 2428 ; www.transnusa.co.id). Dessert Bali tous les jours et Sumbawa Besar depuis Lombok.

Garuda (☏0804 180 7807 ; www.garuda-indonesia.com ; Jl Pejanggik 42). Trois vols quotidiens pour Jakarta ; un vol quotidien pour Bali.

Depuis la France

Il n'y a pas de vol direct pour Bali au départ de la France. La meilleure correspondance est sans doute Singapour ; Bangkok, Hong Kong ou Kuala Lumpur suivent de près. Comptez en moyenne entre 17 et 25 heures de vol.

En haute saison (juillet-août et vacances de Noël), le prix moyen d'un aller-retour Paris-Denpasar se situe aux alentours de 1 000 €. Hors saison, ou en réservant longtemps à l'avance, vous pouvez trouver des offres autour de 700 €.

Les transporteurs ci-dessous sont susceptibles d'obtenir des vols secs intéressants.

Air France (☏36 54 ; www.airfrance.fr). Assure un vol quotidien pour Denpasar via Singapour.

Cathay Pacific (☏01 41 43 75 75 ; www.cathaypacific.com). Propose un vol quotidien pour Denpasar avec changement à Hong Kong.

Korean Air (☏01 42 97 30 80 ; www.koreanair.com). Assure un vol quotidien pour Denpasar via Séoul.

Malaysia Airlines (☏08 92 35 08 10 ; www.malaysiaairlines.com). Propose six vols Paris-Denpasar par semaine via Kuala Lumpur.

Singapore Airlines (☏0 821 230 380 ; www.singaporeair.com). Un départ quotidien pour Denpasar avec escale à Singapour.

Thaï Airways (☏01 55 68 80 70 ; www.thaiairways.fr). Un vol quotidien. Départ de Paris et arrivée à Denpasar, via Bangkok.

Depuis la Belgique

Un vol (avec escales) revient à environ 1 000 € et dure au

moins 20 heures. Singapore Airlines, British Airways et Malaysia Airlines sont les principales compagnies aériennes desservant Bali, en général avec 2 escales. La compagnie nationale SN Brussels Airlines ne propose pas de vols à destination de l'Indonésie (il vous faudra transiter par Bangkok).

Quelques agences et transporteurs recommandés :

SN Brussels Airlines (☑0 826 10 18 18 ou 070/351 111 ; www.flysn.com)
Airstop (☑070 233 188 ; www.airstop.be ; bd E. Jacqmain 76, Bruxelles 1000)
British Airways (☑02/717 32 17 ; www.britishairways.com)
Connections (☑070 23 33 13 ; www.connections. be) ; Bruxelles (☑02/550 01 30 ; 19-21 rue du Midi, 1000 Bruxelles). Plusieurs agences en Belgique.
Gigatour-Éole (☑02/227 57 80 ; www.voyageseole.be ; chaussée de Haecht 39-41, 1210 Bruxelles)
Malaysia Airlines (☑02/648 30 41 ; www. malaysiaairlines.com)
Singapore Airlines (☑02/230 39 80 ; www. singaporeair.com)

Depuis la Suisse

Des vols avec 1 ou 2 escales relient fréquemment Genève (ou Zurich) à Denpasar. Comptez au moins 20 heures de trajet et au minimum 1 300 FS en basse saison et 1 900 FS en haute saison. Souvent en partage avec Singapore Airlines, Swiss assure plusieurs vols par semaine en direction de Bali. Parmi les autres compagnies desservant Bali depuis la Suisse, citons Lufthansa et Malaysia Airlines.

Quelques adresses utiles :
Swiss (☑0 820 04 05 06 ; www.swiss.com)
Jerrycan (☑022/346 92 82 ; www.jerrycan-travel.ch ; rue Sautter 11, Genève 1205)
Lufthansa (☑0 900 900 933 ; www.lufthansa.com ; CS Lichthof Paradeplatz, 8001 Zurich)
Malaysia Airlines (☑41 1 225 7272 ; www. malaysiaairlines.com ; Bahnhofplatz 3, 8023 Zurich)
Singapore Airlines (☑0 900 88 18 18 ; www.singaporeair.com ; Schützengasse 23, 8021 Zurich)
STA Travel (☑058 450 49 49 ; www.statravel.ch ; rue Rousseau 29, 1204 Genève)

Depuis le Canada

Depuis le Canada, il faudra transiter par un des grands aéroports d'Asie. Les compagnies Air Canada, Japan Airlines ou Singapore Airlines proposent des vols pour Denpasar depuis Toronto et Montréal avec escales (incluant une ville nord-américaine ou européenne et une ville d'Asie, en fonction de votre trajet). Le trajet Montréal-Denpasar prend au minimum 26 heures. Les tarifs aller-retour commencent à partir d'environ 1 600 $C.

Quelques transporteurs, comparateurs de vols et agences utiles :
Air Canada (☑1 888 247 2262 ; www.aircanada.ca)
Expedia (www.expedia.ca)

Japan Airlines (☑1 800 525 3663 ; www.ar.jal.com)
Singapore Airlines (☑1 800 663 3046 ; www.singaporeair.com)
Travelocity (www.travelocity.ca)
Voyages Campus-Travel Cuts (☑514 281 6662 ; www.travelcuts.com ; 225 Président Kennedy PK-R-206, Montréal, Québec H2X 3Y8). L'agence de voyages canadienne pour les étudiants. Bureaux dans toutes les grandes villes du pays.

Depuis/vers les autres îles indonésiennes

Depuis Bali, il est possible de rallier en avion les principales villes d'Indonésie, généralement pour moins de 50 $US et rarement plus de 100 $US. Pour faire votre choix, comparez les tarifs proposés aux divers guichets de l'aéroport, une grande partie des petites compagnies aériennes indonésiennes ne disposant pas de site Internet. Les meilleures offres pour Jakarta équivalent au prix d'un billet de bus (et l'on s'épargne 22 heures de trajet par la route).

Depuis Lombok, il est possible de trouver quelques bonnes affaires, mais les liaisons directes sont principalement limitées à Bali, à Surabaya et à Jakarta.

Voie terrestre

Bus

La traversée en ferry depuis Bali est incluse dans les trajets depuis/vers la nouvelle gare routière proche de Mengwi, assurés par de nombreuses compagnies. Il est conseillé d'acheter son billet au moins un jour à l'avance, dans une agence de voyages ou au terminal. En raison d'un marché aérien très concurrentiel, les billets d'avion pour Jakarta et

Surabaya sont comparables à ceux du bus.

Les tarifs varient selon les compagnies. Cela vaut la peine de payer un supplément pour profiter d'un siège correct et de la climatisation. Voici quelques exemples de tarifs et de durées depuis la nouvelle gare routière : Yogyakarta (250 000 Rp ; 16 heures) et Jakarta (350 000 Rp ; 24 heures). On trouvera aussi des bus à Singaraja, dans le nord de Bali.

À Lombok, des bus publics partent chaque jour du terminal de Mandalika vers les grandes villes de Java. La plupart sont confortables, équipés de la climatisation et de sièges inclinables.

Train

Si les trains sont absents à Bali, la **compagnie nationale de chemins de fer** (☑0361-227 131 ; www. kereta-api.co.id ; Jl Diponegoro 150/B4 ; ⏱8h30-18h30) compte un bureau à Denpasar. De là, des bus partent pour l'est de Java où des liaisons ferroviaires relient notamment Banyuwangi à Surabaya, à Yogyakarta et à Jakarta. Les prix et durées du trajet sont voisins de ceux du bus, mais les trains climatisés sont plus confortables, même en classe économique. Sur le site Internet, *jadwal* signifie "horaires".

Voie maritime

Vous pouvez rejoindre Java, à l'ouest de Bali, et Sumbawa, à l'est de Lombok, par ferry. Des bateaux de ligne desservent aussi les îles orientales d'Indonésie.

Java

Pour visiter Java au départ de Bali et de Lombok, il faut prévoir quelques déplacements par voie terrestre.

FERRY

Des **ferries** (Gilimanuk ; adulte/enfant 6 000/5 000 Rp, voiture et conducteur 114 000 Rp, moto 16 000 Rp ; ⏱24h/24) franchissent le détroit de Bali 24h/24 entre Gilimanuk, dans l'ouest de Bali, et Ketapang (Java). La traversée dure actuellement moins de 30 minutes, mais vous devrez aussi faire la queue, charger et décharger vos affaires. Les contrats de location interdisent en général de sortir les voitures de Bali.

Au départ de Ketapang, des *bemo* parcourent 4 km vers le nord jusqu'au terminal, où des bus partent pour les grandes villes javanaises.

Sumbawa

Des ferries très fréquents circulent entre Labuhan Lombok et Poto Tano, à Sumbawa.

Autres îles indonésiennes

Les liaisons vers les autres îles indonésiennes sont souvent aléatoires, à l'exception de celles qui sont assurées par la compagnie nationale **Pelni** (www.pelni.co.id), dont les énormes bateaux naviguent au long cours à travers l'Indonésie.

À Bali, les bateaux Pelni font régulièrement escale au port de Benoa. Vous trouverez horaires et tarifs sur le site Internet et pourrez réserver au bureau **Pelni** de Tuban (☑0361-763963, 021-7918 0606 ; www.pelni.co.id ; Jl Raya Kuta 299 ; ⏱8h-12h et 13h-16h lun-ven, 8h-13h sam).

Les bateaux Pelni relient Lembar, à Lombok, au reste de l'Indonésie. Les horaires et les billets sont disponibles au bureau **Pelni** (☑0370-637 212 ; Jl Industri 1 ; ⏱8h-12h et 13h-15h30 lun-jeu et sam, 8h-11h ven) à Mataram.

VOYAGES ORGANISÉS

Compte tenu de tous les atouts touristiques de Bali, il n'est pas surprenant de voir cette destination figurer au catalogue de nombreux voyagistes. Lombok n'est pas en reste, comme en témoignent les prestataires que nous avons sélectionnés ci-dessous. Le recours à un tour-opérateur vous facilitera la vie, en particulier si vous décidez d'axer vos vacances autour d'un thème particulier, comme la randonnée, la plongée ou la découverte de sites culturels.

Les spécialistes de l'Asie

Asia (☑0 825 897 602, 01 44 41 50 10 ; www.asia.fr ; 1 rue Dante, 75005 Paris). Le spécialiste de l'Asie offre un grand choix de séjours à Bali et à Lombok, en groupe, à la carte ou sur mesure.

Bali Authentique (www.baliauthentique. com ; 12 rue Paul-Janet, 67000 Strasbourg). Cette association organise notamment des "séjours aventure", "santé et bien-être" et "gastronomiques". Ces circuits sont réalisés sur place par l'agence PT Different Bali Indonesia Tours & Travel basée à Batubulan (☑0361-299093), qui s'efforce de promouvoir la culture balinaise hors des sentiers battus.

Bali Autrement (☑04 67 24 88 13 ; www. baliautrement.com ; Les Hauts de l'Embatut 16, 5 rue le Négafol, 34140 Mèze). Une équipe franco-belge et indonésienne qui propose de nombreux circuits découverte (sportifs, culturels, loisirs, solidarité) à Bali, à Lombok et dans le reste de l'Indonésie.

Clio (☑01 53 68 82 82 ; www.clio.fr ; 27 rue du Hameau, 75015 Paris). Le spécialiste des voyages culturels propose un circuit de 17 jours, "Java, les Célèbes et Bali : les îles de la Sonde".

Comptoirs du monde (📞01 44 54 84 54 ; www. comptoirsdumonde.fr ; 22 rue Saint-Paul, 75004 Paris). Propose des maisons d'hôtes (incluant Lombok) et un grand tour de Bali (de Jimbaran à Ubud).

Maison de l'Indochine (📞01 40 51 95 15 ; www. maisondelindochine.com ; 1 place Saint-Sulpice, 75006 Paris). Plusieurs circuits de 9 à 15 jours, dont "Bali : Mange, prie, aime", sur les traces du roman initiatique d'Elizabeth Gilbert...

Nouvelles Frontières (📞0 825 000 747 ; www. nouvelles-frontieres.fr). Les circuits organisés à Bali, comme "Bali, île bénie des dieux", combinent visites culturelles, ascension de volcans et détente.

Terres de charme et îles du Monde (📞01 55 42 74 10 ; www.terresdecharme. com ; 19 av. Franklin-Roosevelt, 75008 Paris). Voyage dans des hébergements de grand charme à Bali, à Lombok ou à Java.

Voyageurs du Monde (📞01 42 86 16 00 ; www.vdm.com ; 55 rue Sainte-Anne, 75002 Paris). Plusieurs voyages sur mesure en Indonésie (séjour plongée, voyages itinérants, etc.). Une quinzaine d'agences en France.

Activités sportives

Allibert (📞0 825 090 190 ; www.allibert-trekking. com) ; (📞01 44 59 35 35 ; 37 bd Beaumarchais, 75003 Paris) ; (📞04 76 45 50 50 ; rue de Longifan, 38530 Chapareillan). Ce spécialiste de la randonnée propose notamment un circuit "Rizières et volcans de Bali", de 14 jours, ou "La transbalinaise", en 16 jours. **Atalante** (📞01 55 42 81

00 ; www.atalante.fr ; 41 bd des Capucines, 75002 Paris) ; (📞04 72 53 24 80 ; 36 quai Arloing, 69009 Lyon). Avec son circuit "Bali, chemins du paradis", Atalante invite à découvrir un Bali loin des foules et au cœur de la culture balinaise. Aussi "Bali, Lombok et Komodo" dans diverses régions sauvages.

Aventure et volcans (📞04 78 60 51 11 ; www. aventurevolcans.com ; 73 cours de la Liberté, 69406 Lyon Cedex 03). Ce spécialiste des volcans propose un circuit de 10 jours avec l'ascension du Gunung Batur et d'autres circuits combinant l'ascension de volcans à Java, à Sumatra ou à Sulawesi.

Océanes (📞04 42 52 82 40 ; www.oceanes.com ; 231 rue Paul-Julien, 13100 Le Tholonet). Ce prestataire organise des séjours plongée en Indonésie et notamment à Bali.

Terres d'Aventure (📞0 825 700 825 ; www.terdav.com) ; (📞01 43 25 69 37 ; 30 rue Saint Augustin, 75002 Paris) ; (📞04 78 37 15 01 ; 5 quai Jules-Courmont, 69002 Lyon). Organise des circuits pédestres dont la "Grande traversée de Bali" en 17 jours, combinant trekking, ascension de volcans, visites de temples...

Ultramarina (📞0 825 02 98 02 ; www.ultramarina. com) ; (📞02 40 89 74 89 ; 37 rue Saint-Léonard, 44032 Nantes) ; (📞01 53 68 90 78 ; 29 rue de Clichy, 75009 Paris). Ce spécialiste de la plongée propose des sorties depuis 4 hôtels (avec club de plongée intégré) des côtes nord-ouest et nord-est de Bali.

Zig Zag (📞01 42 85 13 93 ; www.zigzag-randonnees.com ; 54 rue de Dunkerque, 75009 Paris). Le catalogue de ce spécialiste de la randonnée comprend une traversée de Bali ("Au fil des rizières") et "Trois îles, sept volcans", combinant Java, Bali et Lombok.

COMMENT CIRCULER

La meilleure façon de se déplacer, surtout à Bali, est en voiture, que vous recouriez ou non aux services d'un chauffeur, ou à moto. Vous serez ainsi libre d'aller où bon vous semble et vous pourrez explorer les régions les plus retirées.

Les transports publics sont très bon marché, mais les voyages se révèlent interminables dès que l'on sort des grands axes. En outre, de nombreuses destinations isolées sont inaccessibles.

Les navettes de bus touristiques sont à la fois économiques et confortables.

Avion

Plusieurs compagnies assurent une liaison quotidienne entre Bali et Lombok. Du fait de la concurrence féroce, les tarifs tournent autour de 600 000 Rp.

Depuis/vers l'aéroport

À Bali, l'**aéroport de Ngurah Rai** se situe au sud de Tuban et Kuta. On trouve des taxis à prix fixes à l'intérieur du terminal. Le paiement se fait au départ (plus cher qu'un taxi classique). Pour trouver un taxi avec taximètre, il faut sortir de l'aéroport. Pour les tarifs, voir les informations par région dans ce guide.

Si vous voyagez avec une planche de surf, vous devrez payer un supplément en fonction de la taille. Ignorez toute personne proposant des services ne faisant pas partie de l'infrastructure officielle.

Nombre d'hôtels offrent de venir vous chercher à l'aéroport, mais on peut tout à fait se passer de ce service s'il est plus cher que les tarifs mentionnés plus haut.

VOYAGER SANS RISQUE EN BATEAU

Le nombre de bateaux reliant Bali, Nusa Lembongan, Lombok et les îles Gili a considérablement augmenté, notamment depuis que ces deux dernières destinations sont devenues plus populaires. Bien souvent hélas, ces embarcations ne respectent aucune mesure de sécurité, et des accidents, parfois graves, surviennent régulièrement.

Les équipages n'ont généralement aucune formation en la matière : lors d'un accident, un capitaine a admis avoir paniqué et ne se souvenait même pas de ce qui était advenu de ses passagers. Il ne faut pas non plus trop compter sur les secours : une équipe de sauveteurs bénévoles dans l'est de Bali a même indiqué qu'elle n'avait pas de radio.

Les conditions en mer à Bali sont souvent difficiles. Bien que les îles soient proches les unes des autres, l'océan qui les sépare peut être très agité pour les petits hors-bord.

Par conséquent, vous devez prendre seul les mesures nécessaires pour votre sécurité. Gardez en tête les éléments suivants :

» **Optez pour les gros bateaux** Le voyage sera peut-être rallongé de 30 minutes, mais un bateau plus gros est plus fiable sur l'océan que les petits hors-bord filant à plein régime. De plus, les voyages sur les petits bateaux peuvent être désagréables du fait du battement incessant des vagues et de la fumée du moteur.

» **Contrôlez l'équipement de sécurité** Vérifiez qu'il y a des gilets de sauvetage à bord et que vous savez les utiliser. En cas d'urgence, n'attendez pas que l'équipage en panique vous les donne. Vérifiez aussi qu'il y a des canots de sauvetage. Certains bateaux, qui étaient livrés avec des canots à gonflement automatique, ont été délestés de cet équipement pour accueillir plus de passagers.

» **Évitez les bateaux surchargés** Si votre bateau prend plus de voyageurs que de sièges disponibles et que les valises bouchent l'accès aux allées, n'embarquez pas.

» **Repérez les sorties** Les cabines peuvent n'être dotées que d'une seule entrée très étroite, les rendant mortellement dangereuses en cas d'accident.

» **Évitez les armateurs véreux** Le bateau de pêche auquel on a ajouté une batterie de moteurs à l'arrière pour tirer profit du tourisme est par exemple un bon candidat au naufrage... Sachez que des prestataires équipés de bateaux sûrs peuvent ajouter des embarcations dangereuses à leur flotte afin de générer rapidement du profit.

» **Ne vous baladez pas sur le toit** C'est sans doute très agréable, mais vous risquez de passer par-dessus bord en cas de forte houle, et l'équipage ne sera peut-être pas capable de vous secourir.

» **Faites preuve de bon sens** Il y a certes de bons prestataires, mais ils changent constamment. Si une prestation vous paraît douteuse, changez de crémerie. Essayez de vous faire rembourser, mais ne risquez pas votre sécurité pour le prix d'un billet.

Si vous voyagez léger, sachez aussi que Kuta Beach est à moins de 30 minutes à pied vers le nord.

N'importe quel taxi vous conduira à l'aéroport pour un prix au compteur, normalement inférieur au tarif fixe pratiqué dans l'autre sens.

Bateau

Le bateau est plus reposant que l'avion entre Bali et Lombok, d'autant que les bateaux rapides sont compétitifs pour ce qui est du temps de trajet. Cependant, gardez en tête certaines règles de sécurité (voir l'encadré p. 382).

Des ferries publics circulent lentement entre Padangbai et Lembar, à Lombok. **Perama** (📞613 8514 ; www.peramatour. com) relie quotidiennement Padangbai (Bali) à Senggigi.

Plusieurs bateaux rapides circulent entre Bali et les îles Gili. Des bateaux à partir de Nusa Lembongan et d'Amed proposent des itinéraires intéressants.

Bemo

Le *bemo* désigne en général un minibus ou une camionnette offrant deux rangées de sièges en vis-à-vis. Il peut accueillir environ 12 personnes dans un espace très exigu.

Jadis le moyen de transport public roi, le *bemo* souffre aujourd'hui du nombre croissant de motos (parfois moins coûteuses au quotidien). À Lombok, toutefois, ils sont encore très présents.

Un trajet en *bemo* peut se révéler très amusant ou se transformer en cauchemar, selon l'humeur. En tout cas, il faut s'attendre à de longs parcours et ce n'est certainement pas la meilleure option pour visiter plusieurs endroits. À Bali, les voyageurs étrangers utilisent très peu les *bemo*.

À Lombok, les *bemo* sont des minibus ou des pick-up et constituent le principal moyen de transport des visiteurs.

Tarifs

Les *bemo* parcourent un itinéraire à tarif fixe (mais non affiché). Le prix minimum est de 5 000 Rp. Si vous montez dans un *bemo* vide, précisez toujours que vous n'avez pas l'intention de le "chartériser".

Terminaux et itinéraires

Chaque ville possède au moins une gare *(terminal bis)* pour tous les types de transports publics. Les grandes villes en ont plusieurs. Par exemple, Denpasar comprend quatre gares principales de bus/ *bemo* et trois secondaires. Si les arrêts ne sont pas toujours très clairs, la plupart des *bemo* et des bus portent des pancartes. En cas de doute, renseignez-vous auprès du chauffeur.

Pour se déplacer d'un point à un autre, on doit souvent passer par une ou deux gares routières. Par exemple, pour se rendre de Sanur à Ubud en *bemo*, on va jusqu'à la gare routière de Kereneng, à Denpasar, avant de prendre une correspondance jusqu'à Batubulan, puis de prendre un troisième *bemo* pour Ubud. Pour éviter ces pertes de temps, de nombreux voyageurs préfèrent utiliser d'autres moyens de transport.

Bus

Les distances étant assez courtes à Bali et à Lombok, il est souvent inutile d'emprunter des bus, sauf pour aller d'île en île ou d'un bout à l'autre de l'île.

Bus publics
BALI

Les gros minibus et les bus font de longs parcours, en particulier les liaisons entre Denpasar, Singaraja et Gilimanuk. Ils partent des mêmes arrêts que les *bemo*. Toutefois, vous risquez d'attendre plus longtemps à la gare routière, car les bus se remplissent moins vite depuis que les habitants sont de plus en plus nombreux à posséder leur propre moto.

LOMBOK
À Lombok, les bus et les *bemo* de différentes tailles sont les meilleurs moyens de transport. Des camions assurent les trajets sur les routes cahoteuses des régions retirées. Mandalika à Bertais est la principale gare routière de Lombok. Les gares régionales de Praya et de Pancor (près de Selong) peuvent aussi vous être utiles. Vous devrez certainement passer par une ou plusieurs gares pour vous rendre d'un point à l'autre de Lombok.

Les tarifs des transports publics sont fixés par le gouvernement local et affichés devant la gare routière de Mandalika. Attendez-vous à payer un supplément si vous avez un gros sac ou une planche de surf.

Bus touristiques

La société **Perama** (☑0361-751 170 ; www.peramatour. com) exerce un quasi-monopole sur ces services à Bali (vous verrez cependant à Kuta des concurrents faire leur pub). Elle dispose d'agences à Kuta, à Sanur, à Ubud, à Lovina, à Padangbai et à Candidasa. Au moins un bus par jour relie ces villes touristiques à l'aéroport. Des liaisons sont également assurées jusqu'à Kintamani et sur la côte est, de Lovina à Candidasa, en passant par Amed (sur demande). Perama propose aussi un service très limité autour de Senggigi à Lombok.

Pesez le pour et le contre avant de réserver un billet (un jour à l'avance si possible).

Avantages :
» Des prix raisonnables (par ex. 100 000 Rp pour Kuta-Lovina).
» L'air conditionné.
» Rencontrer d'autres voyageurs.

Inconvénients :
» Les arrêts de Perama sont souvent en dehors du centre, d'où le recours à une autre navette ou à un taxi.
» Les bus peuvent ne pas proposer de service direct – s'arrêtant par exemple

---

LA NOUVELLE GARE ROUTIÈRE DE BALI

La **gare routière longue distance** (Mengwi) de Bali s'est installée à 12 km au nord-ouest de Denpasar, dans un grand terminal neuf proche de Mengwi, non loin de la route principale qui dessert l'ouest de Bali. Elle dispose même d'une "tour de contrôle" de style aéroport, probablement pour guider les bus en provenance de Java.

De là, prenez un *bemo* pour rallier le terminal de Batubulan à Denpasar (20 000 Rp), puis poursuivez jusqu'à Padangbai (50 000 Rp) pour prendre le ferry vers Lombok. Pour gagner Kerobokan et Kuta en taxi, comptez respectivement 100 000 Rp et 120 000 Rp.

DISTANCES KILOMÉTRIQUE À BALI (KM)

	Amed	Bangli	Bedugul	Candidasa	Denpasar	Gilimanuk	Kintamani	Kuta	Lovina	Negara	Nusa Dua	Padangbai	Sanur	Semarapura	Singaraja	Tirtagangga
Bangli	59															
Bedugul	144	97														
Candidasa	32	52	88													
Denpasar	57	47	78	31												
Gilimanuk	197	181	148	165	134											
Kintamani	108	20	89	71	67	135										
Kuta	73	57	57	41	10	144	77									
Lovina	89	86	41	139	89	79	70	99								
Negara	161	135	115	126	95	33	163	104	107							
Nusa Dua	81	81	102	55	24	158	91	14	113	109						
Padangbai	45	39	75	13	18	178	58	28	126	154	42					
Sanur	64	40	85	38	7	141	78	15	96	102	22	37				
Semarapura	37	26	61	27	47	181	46	57	112	124	71	14	52			
Singaraja	78	75	30	128	78	90	59	88	11	118	92	115	85	105		
Tirtagangga	14	65	101	13	84	212	85	95	112	179	108	26	91	44	142	
Ubud	68	29	35	54	23	157	29	33	40	120	47	41	30	29	95	67

à Ubud entre Kuta et Padangbai.

» À l'instar du *bemo*, le service ne s'est pas développé. Les lignes sont les mêmes depuis des années et les nouvelles destinations phares, comme Bingen ou Seminyak, n'ont pas été ajoutées.

» La location d'une voiture ou d'un chauffeur à partir de 3 personnes revient moins cher.

Vélo

Les visiteurs sont de plus en plus nombreux à circuler sur l'île à *sepeda* (vélo). Un grand nombre d'entre eux parcourent les villes à vélo ou partent pour des balades d'une journée à Bali comme à Lombok. Les circuits à vélo sont très prisés (voir p. 38).

Location

Les loueurs sont nombreux dans les régions touristiques, mais les vélos sont parfois mal entretenus. Sur Lombok, il est possible de trouver de bons vélos à Senggigi.

Renseignez-vous auprès de votre hôtel pour savoir où louer un vélo. Le plus souvent, ils disposent de leur propre service de location. Compter 35 000 Rp/jour.

Voiture et moto

La location d'une voiture ou d'une moto (presque toujours une mobylette ou une petite cylindrée) à Bali ou à Lombok permet de nombreuses explorations et offre un gain de temps appréciable. Cela vous donnera non seulement la liberté de gérer votre temps, mais aussi de partir à la découverte d'une myriade de petites routes secondaires. Rares sont les visiteurs qui louent un véhicule pour toute la durée de leur séjour ; la plupart se contentent de partir à l'aventure pour quelques jours.

À certaines heures, la circulation peut être éprouvante sur les îles.

Assurance

Les agences de location et les propriétaires affirment qu'une assurance minimale est comprise dans le contrat de location – avec, en général, une franchise d'environ 100 $US pour une moto et de 500 $US pour une voiture.

Vérifiez ce que couvre votre propre assurance auto-santé-voyage, en particulier si vous louez une moto.

Code de la route

On entend fréquemment les visiteurs se plaindre de la conduite des Balinais, mais peu d'entre eux ont assimilé les pratiques locales. Ainsi, les Balinais utilisent plus le klaxon pour signaler leur présence que pour exprimer leur mécontentement à un conducteur.

» Regardez toujours devant – c'est à vous qu'il revient d'éviter tout ce qui peut surgir devant votre pare-chocs. Une voiture ou une moto qui débouche d'un chemin a la priorité.

» Bien souvent, le conducteur ne prendra pas la peine de regarder si une voiture arrive lorsqu'il tourne à un carrefour (mais il fait attention aux klaxons).

» Utilisez impérativement votre klaxon pour avertir toute personne devant vous de votre présence, surtout si vous allez doubler.

» Conduisez du côté gauche de la route, même si vous devez souvent vous contenter de rouler là où vous pouvez.

Essence

Le *bensin* (carburant) est vendu par la compagnie publique Pertamina autour de 4 500 Rp/litre. Les stations-service ne manquent pas à Bali. À Lombok, on les trouve dans les villes principales.

État des routes

La circulation est parfois éprouvante dans le sud de Bali jusqu'à Ubud, Padangbai à l'est et Tabanan à l'ouest. Il est difficile de se repérer dans les grands sites touristiques, car les routes ne sont pas toujours bien indiquées et les cartes sont peu fiables. En dehors des grands axes, les routes sont souvent cahoteuses, mais goudronnées.

Les routes de Lombok sont souvent en mauvais état, mais la circulation y est moins dense qu'à Bali.

Évitez de conduire de nuit ou au crépuscule. La plupart des vélos, charrettes et véhicules ne possèdent pas de feux de signalisation et les routes sont mal éclairées.

Location

Peu d'agences, à Bali, acceptent que les véhicules de location soient utilisés jusqu'à Lombok, où l'assurance n'est plus valable.

VOITURE

Le véhicule de location le plus prisé est la jeep, un modèle compact, idéal pour les petites routes balinaises. Ici, on ne connaît pas les boîtes de vitesse automatiques.

Dans les zones touristiques, les agences de location et de voyages louent des véhicules à des tarifs assez intéressants. Une petite jeep coûte 200 000 Rp/jour (prix négociable), incluant un kilométrage illimité et une assurance très restreinte. Les journées supplémentaires coûtent souvent beaucoup moins cher que la journée initiale.

Il est inutile de réserver une voiture de location à l'avance ou dans le cadre d'une formule, car vous paierez probablement davantage. N'importe quel hébergement peut organiser la location, tout comme les innombrables rabatteurs officiant dans les rues.

MOTO

La moto est un moyen de locomotion très apprécié à Bali et à Lombok – certains habitants la conduisent depuis leur plus jeune âge.

Les motos sont parfaitement adaptées aux minuscules routes cahoteuses de Lombok, très difficiles d'accès en voiture. Dès que vous sortez des centres urbains ou que

LOUER UN VÉHICULE AVEC CHAUFFEUR

Louer une voiture avec chauffeur et guide vous donne la possibilité de vous organiser un circuit sur mesure. Très semblable à un voyage en indépendant, cette manière de voir le pays est plus confortable, permet de gagner un temps précieux et de s'arrêter où on le souhaite en chemin, contrairement aux circuits organisés habituels.

La plupart des voyagistes fournissent des voitures avec chauffeur. Un guide compétent, à la fois interprète et compagnon de voyage, ouvre des portes et partage avec vous ses connaissances sur les multiples aspects de la culture locale. À l'inverse, un mauvais guide peut gâcher votre voyage. Les conseils qui suivent vous aideront à bien choisir :

» Essayez de rencontrer votre guide-chauffeur avant de partir afin d'être sûr qu'il vous convient.

» Renseignez-vous sur son niveau de français ou d'anglais.

» Le chauffeur paie normalement ses dépenses personnelles telles que repas et hébergement, mais l'essence reste à votre charge. Vérifiez que c'est bien le cas.

» Mettez-vous d'accord avec l'agence sur l'itinéraire et demandez à celle-ci une copie écrite. Si le chauffeur improvise en cours de route, vous pourrez vous en servir pour le rappeler à l'ordre.

» Exprimez clairement votre souhait d'éviter les restaurants et boutiques pièges à touristes.

» Laissez un pourboire si vous êtes satisfait du service.

vous quittez les artères principales, les routes sont surtout fréquentées par des marcheurs, des buffles, des chiens et d'autres motos.

Il est facile d'en louer. Demandez au personnel de votre hébergement ou dans la rue. Généralement, ce ne sont pas de grosses cylindrées (125 cm³) ; elles consomment peu et ne sont pas très rapides.

La location par jour coûte entre 30 000 et 50 000 Rp ; c'est moins cher à la semaine. Elle comprend une assurance minimale qui couvre la moto (avec une franchise d'environ 100 $US), mais pas les dommages causés à d'autres véhicules ou à d'autres personnes. Beaucoup sont équipées d'un rack pour arrimer une planche de surf.

Réfléchissez à deux fois avant de louer une moto : c'est dangereux et chaque année des visiteurs sont gravement blessés. Si vous n'êtes pas expérimenté, abstenez-vous ! Et sachez que le port du casque est obligatoire.

Permis de conduire
PERMIS VOITURE
Si vous avez l'intention de conduire, vous devez être en possession d'un permis international. Il s'obtient facilement auprès de la préfecture de votre domicile. Vous devrez présenter vos deux permis en cas de contrôle. Sans le permis international, toute amende sera majorée de 50 000 Rp.

PERMIS MOTO
Si vous avez un permis moto, demandez aussi un permis moto international. Avec ce dernier, vous ne rencontrerez aucune difficulté. Sinon, vous devrez obtenir un permis local, ce qui est une autre paire de manches.

En cas de contrôle, il faut s'attendre à une amende de 2 000 000 Rp si on roule sans permis et à voir la

moto confisquée ; l'agent de police se contente souvent d'un pot-de-vin (moyennant 50 000 Rp environ). En outre, si vous avez un accident sans permis, votre compagnie d'assurance refusera peut-être de vous couvrir.

Pour obtenir un permis local à Bali (valable un an), rendez-vous au **Poltabes Denpasar** (poste de police ; ☎0361-1427352 ; Jl Gunung Sanhyang ; ⏰8h-13h lun-sam), qui se trouve au nord-ouest de Kerobokan sur la route de Denpasar. Prenez votre passeport, une photocopie de ce dernier (la page avec votre photo) et une photo d'identité. Puis suivez ces étapes :

» N'entrez pas dans le hall où se bousculent les candidats.

» Prenez un air désarmé et demandez "permis moto ?" aux fonctionnaires en uniforme.

» Trouvez les fonctionnaires parlant anglais et payez 250 000 Rp.

» Faites le test écrit (en anglais ; les réponses figurent sur un test-exemple).

» Retirez votre permis. Certes, cela coûte plus cher qu'en passant par le grand hall, mais qui s'en plaindra ?

Police
Certains agents de police arrêtent les conducteurs pour un rien. Si l'un d'entre eux voit votre roue dépasser la ligne de stop de quelques centimètres, si votre casque

n'est pas bien attaché ou si vous ne respectez pas les voies à sens unique (qui changent sans arrêt et sont très mal indiquées), vous risquez une amende.

L'agent demandera à voir votre permis et les papiers du véhicule en vous expliquant la gravité de vos actes. Restez calme et ne discutez pas. Ne lui proposez pas de pot-de-vin. Il finira peut-être par vous suggérer de lui verser une somme d'argent pour oublier votre délit. S'il s'agit d'une très forte somme, répondez-lui poliment que vous n'avez pas tout cet argent. Ce type d'affaire peut être réglé pour 10 000 à 100 000 Rp ; mais cette somme peut augmenter si vous protestez.

En stop
Vous pouvez faire du stop à Bali et à Lombok, mais les transports publics sont si peu chers et si fréquents que ce n'est pas vraiment utile.

N'oubliez pas, en outre, que vous prenez toujours un risque en faisant du stop, quel que soit le pays. Nous vous le déconseillons donc.

Transports locaux
Dokar et cidomo
Les petits *dokar* (calèches tirées par des chevaux) sont encore en service dans certaines régions isolées de Bali, et même dans la région

DISTANCES KILOMÉTRIQUE À LOMBOK (KM)

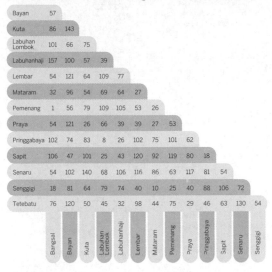

	Bangsal	Bayan	Kuta	Labuhan Lombok	Labuhanhaji	Lembar	Mataram	Pemenang	Praya	Pringgabaya	Sapit	Senaru
Bayan	57											
Kuta	86	143										
Labuhan Lombok	101	66	75									
Labuhanhaji	157	100	57	39								
Lembar	54	121	64	109	77							
Mataram	32	96	54	69	64	27						
Pemenang	1	56	79	109	105	53	26					
Praya	54	121	26	66	39	39	27	53				
Pringgabaya	102	74	83	8	26	102	75	101	62			
Sapit	106	47	101	25	43	120	92	119	80	18		
Senaru	54	102	140	68	106	116	86	63	117	81	54	
Senggigi	18	81	64	79	74	40	10	25	40	88	106	72
Tetebatu	76	120	50	45	32	98	44	75	29	46	63	130	54

de Denpasar et de Kuta, mais ils restent rares, très lents et assez chers.

Ces calèches sont appelées *cidomo* à Lombok – contraction de *cika* (charrette traditionnelle), *dokar* et *mobil*. Le *cidomo* type comporte deux bancs étroits face à face. Les visiteurs pensent souvent que les chevaux ou poneys sont maltraités, mais, en règle générale, les cochers prennent soin d'eux, ne serait-ce que parce que leurs revenus en dépendent. Les *cidomo* sont très usités à Lombok et vont souvent dans des endroits où les *bemo* ne peuvent ou ne veulent pas aller.

Les tarifs ne sont pas fixés par le gouvernement. Ils commencent à 5 000 Rp par personne pour un court trajet (3 000-5 000 Rp à Lombok), mais sont facilement négociables.

Ojek

Dans les villes et sur les routes, on trouvera toujours un *ojek* (moto-taxi). Maintenant que tout propriétaire de moto peut offrir ses services en indépendant (postez-vous ostensiblement au bord d'une route et l'on s'arrêtera), l'*ojek* officiel se fait plus rare. S'ils font l'affaire sur les routes de campagne désertes, les *ojek* sont risqués dans les grandes villes. Ils sont plus répandus à Lombok.

Les tarifs sont négociables, mais comptez environ 20 000 Rp pour 5 km.

Taxi
BALI

Les taxis avec compteur sont courants dans le sud de Bali, à Denpasar (mais pas à Ubud). Ils sont indispensables dans la région de Kuta et de Seminyak, où vous pourrez les héler facilement. De façon générale, ils vous éviteront d'avoir à marchander longuement avec un chauffeur de *bemo* ou de voiture privée.

Comptez environ 5 000 Rp au départ, puis 4 000 Rp/km, mais les tarifs sont plus élevés le soir. Si vous appelez un taxi, vous paierez une prise en charge minimale de 10 000 Rp. Évitez les chauffeurs qui vous affirment que leur compteur est en panne ou qui refusent de l'utiliser.

La société de taxis balinaise la plus réputée est **Bluebird Taxi** (📞701 111), dont les véhicules bleus sont surmontés d'un signal lumineux arborant un merle bleu. Attention aux nombreuses contrefaçons. Guettez l'inscription "Blue Bird" sur le pare-brise et le numéro de téléphone. Les chauffeurs parlent un anglais correct et utilisent systématiquement le taximètre. Nombre d'expatriés ne jurent que par cette société aux chauffeurs formidablement volubiles.

Les autres sociétés sont moins fiables. Certaines proposent un service acceptable, même s'il faut parfois lutter pour que le chauffeur branche son taximètre en soirée. D'autres jurent que leur compteur est hors service ou inexistant. Les tarifs négociés peuvent alors se révéler très largement excessifs.

LOMBOK

Ce ne sont pas les *bemo* ni les taxis qui manquent dans la région de Mataram et de Senggigi. À Lombok, les taxis Bluebird de **Lombok Taksi** (📞627 000) utilisent toujours un compteur et constituent la meilleure option. Ce n'est que sur le port de Bangsal que vous aurez à négocier le prix de la course (mais pas sur la route principale de Pemenang).

Circuits organisés locaux

Les circuits organisés sont une bonne manière de visiter quelques endroits à Bali. Il existe une myriade d'agences qui offrent ce type de services. Les plus intéressantes sont celles spécialisées dans des circuits hors des sentiers battus, lesquels offrent des expériences mémorables ou vous permettent d'appréhender Bali et Lombok différemment. Vous pouvez aussi organiser votre propre visite.

Les agences organisant des circuits partant de Lombok sont basées à Senggigi. Vous pouvez réserver des visites de marchés à Mataram, une balade sur les Gili ou un voyage vers la côte sud.

À la journée

Typiquement, un minibus climatisé de 8 à 12 places vient vous chercher à votre hôtel. Les prix varient entre 50 000 et 200 000 Rp pour les mêmes prestations d'un établissement à un autre, n'hésitez donc pas à comparer les offres.

Quelques éléments à garder en tête :

» Est-ce que le déjeuner sera organisé autour d'un grand buffet touristique ou dans un endroit plus intéressant ?

» Combien de temps passerez-vous dans les boutiques touristiques ?

» Est-ce que le niveau d'anglais du guide sera satisfaisant ?

» Est-ce que les points de rendez-vous tôt le matin sont pratiques pour vous ? Ou devez-vous rejoindre un lieu central qui vous oblige à prendre un autre bus ?

Voici quelques-unes des excursions les plus courantes à Bali. Elles sont proposées par la plupart des hôtels et des agences de voyages.

» **Bedugul** Inclut la visite de Sangeh ou d'Alas Kedaton, de Mengwi, de Jatiluwih, de Candikuning et le coucher du soleil à Tanah Lot.

» **Besakih** Inclut la visite de boutiques d'artisanat dans des villages proches d'Ubud, Gianyar, Semarapura (Klungkung), le Pura Besakih, en passant par Bukit Jambal au retour.

» **Denpasar** Comprend la visite du centre artistique, des marchés, du musée et parfois d'un ou deux temples.

» **Est de Bali** Inclut la visite des habituelles boutiques d'artisanat de Semarapura (Klungkung), Kusamba, Goa Lawah, Candidasa et Tenganan.

» **Kintamani-Gunung Batur** Boutiques d'artisanat de Celuk, Mas et Batuan, spectacle de danse à Batubulan, Tampaksiring et observation du Gunung Batur. Possibilité de passer par Goa Gajah, Pejeng, Tampaksiring et Kintamani.

» **Singaraja-Lovina** Visite de Mengwi, de Bedugul, de Gitgit, de Singaraja, de Lovina, de Banjar et de Pupuan.

» **"Sunset"** Comprend Mengwi, Marga, Alas Kedaton et le coucher du soleil à Tanah Lot.

Hors des sentiers battus

Plusieurs agences de Bali proposent des circuits sortant de l'ordinaire. Il s'agit souvent d'expériences culturelles difficilement accessibles aux visiteurs, comme les crémations ou la découverte de la vie rurale balinaise, inchangée depuis des décennies. Vous éviterez ainsi le minibus de touristes et vous voyagerez dans des véhicules insolites ou très confortables.

Voir le chapitre *Sports et activités* pour les circuits incluant notamment des randonnées et du VTT ; Ubud offre une riche sélection de circuits.

Nous recommandons les agences suivantes. Si la gamme de prix est très variable, les formules sont généralement plus coûteuses que les circuits de base :

JED (Village Ecotourism Network ; ☎0361-366 9951 ; www.jed.or.id ; circuits à partir de 75 $US). Organise des visites de petits villages très prisées, parfois avec une nuit sur place.

Bali Discovery Tours (☎0361-286 283 ; www. balidiscovery.com). Circuits personnalisés à travers Bali.

Suta Tours (☎0361-788 8865, 0361-741 6665 ; www. sutatour.com). Outre les circuits classiques, on peut assister à des cérémonies de crémation et à des fêtes exceptionnelles dans des temples, ou visiter des marchés.

Santé

En cas de blessure légère ou de problème de santé sans gravité, vous n'aurez pas de mal à trouver un traitement à Bali ou, dans une moindre mesure, à Lombok. En cas de problème grave, il vous faudra quitter ces îles.

Les voyageurs ont tendance à s'inquiéter des maladies infectieuses contractées dans les pays tropicaux, mais il est rare qu'une infection provoque des maladies graves. Les problèmes les plus sérieux sont généralement liés à des soucis médicaux préexistants comme des maladies cardiaques et à des blessures accidentelles (en particulier les accidents de la route). Il est assez courant d'être malade à un moment ou à un autre : gastroentérite, insolation ou autres maux classiques en voyage.

Certaines précautions sont à suivre à Bali et à Lombok, notamment celles relatives à la rage, aux piqûres de moustiques et au soleil tropical.

Les conseils suivants ne sont qu'indicatifs et ne peuvent en aucun cas remplacer l'avis d'un médecin.

AVANT LE DÉPART

Assurances et services médicaux

Il est conseillé de souscrire à une police d'assurance qui vous couvrira en cas d'annulation de votre voyage, de vol, de perte de vos affaires, de maladie ou encore d'accident.

Vérifiez notamment que les "sports à risques", comme la plongée, la moto ou même la randonnée, ne sont pas exclus de votre contrat, ou encore que le rapatriement médical d'urgence, en ambulance ou en avion, est couvert. De même, le fait d'acquérir un véhicule dans un autre pays ne signifie pas nécessairement que vous serez protégé par votre propre assurance.

Vous pouvez contracter une assurance qui réglera directement les hôpitaux et les médecins, vous évitant ainsi d'avancer des sommes qui ne vous seront remboursées qu'à votre retour. Si vous n'êtes pas assuré, l'évacuation d'urgence peut ainsi être extrêmement onéreuse.

Avant de souscrire une police d'assurance, vérifiez bien que vous ne bénéficiez pas déjà d'une assistance par votre carte de crédit, votre mutuelle ou votre assurance automobile.

N'oubliez pas de prendre avec vous les documents relatifs à l'assurance, ainsi que les numéros à appeler en cas d'urgence.

Assurez-vous que vous êtes en bonne santé avant de partir. Si vous partez pour un long voyage, faites contrôler l'état de vos dents.

Si vous suivez un traitement de façon régulière, n'oubliez pas votre ordonnance (avec le nom du principe actif plutôt que la marque du médicament, afin de pouvoir trouver un équivalent local, le cas échéant). De plus, l'ordonnance vous permettra de prouver que vos médicaments vous sont légalement prescrits, des médicaments en vente libre dans certains pays ne l'étant pas dans d'autres.

Vaccins

Plus vous vous éloignez des circuits classiques, plus il vous faut prendre de précautions. Faites inscrire vos vaccinations dans un carnet international de vaccination que vous pourrez vous procurer auprès de votre médecin ou d'un centre.

Le ministère des Affaires étrangères effectue une veille sanitaire et met régulièrement en ligne (www.diplomatie. gouv.fr/voyageurs) des recommandations concernant les vaccinations.

Planifiez vos vaccinations à l'avance (au moins six semaines avant le départ), car certaines demandent des rappels ou sont incompatibles entre elles. Les vaccins ont des durées d'efficacité très variables ; certains sont contre-indiqués pour les femmes enceintes.

Quelques centres de vaccination :

Air France (☎01 43 17 22 00 ; 148 rue de l'Université, 75007 Paris)

Centre de vaccinations (☎04 72 76 88 66 ; 7 rue Jean-Marie-Chavant, 69007 Lyon)

Hôpital Félix-Houphouët-Boigny (☎04 91 96 89 11 ; chemin des Bourrely, 13015 Marseille)

Institut Pasteur (☎0 890 71 08 11 ; 211 rue de Vaugirard, 75015 Paris)

La liste des centres de vaccination en France se trouve sur le site du ministère des Affaires étrangères.

Pour les séjours en Asie du Sud-Est, l'OMS préconise les vaccins suivants :

» **Hépatite A** Protège presque à 100% pendant un an ; un rappel au bout de 12 mois immunise pour une vingtaine d'années au moins. Effets secondaires : maux de tête et douleurs au bras dans 5 à 10% des cas.

» **Hépatite B** Trois injections en l'espace de 6 mois ou formule plus rapide combinant hépatites A et B. Effets secondaires légers et rares : maux de tête et douleurs au bras. Protection à vie dans 95% des cas.

» **Rougeole, oreillons et rubéole** Deux doses sont nécessaires si vous n'avez jamais contracté ces maladies. Certaines personnes développent parfois des rougeurs et des symptômes ressemblant à la grippe une semaine après la vaccination. Les jeunes adultes ont souvent besoin d'un rappel.

» **Typhoïde** Recommandé pour les séjours de plus d'une semaine et en dehors des zones urbaines développées. Administré en une seule injection, le vaccin protège à 70% pendant deux à trois ans. On peut aussi prendre des cachets, mais ils causent davantage d'effets secondaires, tels que douleurs au bras et fièvre.

Les vaccinations suivantes sont conseillées pour les voyageurs qui séjournent plus d'un mois dans la région et les personnes à risque :

» **Méningite** Une seule injection. Il existe deux types de vaccination : le vaccin quadrivalent protège pendant deux à trois ans, celui contre la méningite C pendant une dizaine d'années. Recommandé aux moins de 25 ans qui entreprennent un voyage sac au dos de longue durée.

» **Rage** Trois injections plus un rappel au bout d'un an immunisent pendant dix ans. Rares effets secondaires : maux de tête et douleurs au bras.

Sites Internet

Agence de santé publique du Canada (www.santevoyage.gc.ca). Pour les ressortissants canadiens.

Ministère des Affaires étrangères (www.france.diplomatie.fr). Bonne rubrique Santé dans les Conseils aux voyageurs.

Orphanet (www.orpha.net). Un portail sur les maladies rares rédigé par des experts européens.

Vous trouverez d'autres liens sur le site web de Lonely Planet, à la rubrique Ressources.

Trousse médicale de voyage

Veillez à emporter avec vous une petite trousse à pharmacie contenant quelques produits indispensables. Certains ne sont délivrés que sur ordonnance. Attention, les liquides et les objets contondants sont interdits en cabine.

» Des antibiotiques, à utiliser uniquement aux doses et aux périodes prescrites. Il n'est pas absurde de demander à votre médecin traitant de vous en prescrire pour le voyage

» Un antidiarrhéique, en cas de forte diarrhée, surtout si vous voyagez avec des enfants

» Un antihistaminique en cas de rhumes, allergies, piqûres d'insectes, mal des transports – évitez de boire de l'alcool

» Un antiseptique ou un désinfectant pour les coupures, les égratignures superficielles et les brûlures, ainsi que des pansements gras pour les brûlures

» De l'aspirine ou du paracétamol (douleurs, fièvre)

» Une bande Velpeau et des pansements pour les petites blessures

» Une paire de lunettes de secours (si vous portez des lunettes ou des lentilles de contact) et la copie de votre ordonnance

» Une paire de ciseaux à bouts ronds, une pince à épiler et un thermomètre à alcool

» Une petite trousse de matériel stérile comprenant une seringue, des aiguilles, du fil à suture, une lame de scalpel et des compresses

» Des préservatifs

À BALI ET LOMBOK

Disponibilité et coût des soins

Dans le sud de Bali et à Ubud, des cliniques locales reçoivent les touristes, et n'importe quel hôtel peut vous mettre en relation avec un médecin parlant au moins l'anglais.

CLINIQUES PRIVÉES INTERNATIONALES

En cas d'affections graves, les étrangers sont mieux reçus dans les cliniques privées qui soignent les touristes et les expatriés. Pour les deux établissements suivants, vérifiez que vous êtes couvert par l'assurance. Si l'on considère que vous êtes dans un état grave, vous pourrez être évacué par voie aérienne jusqu'à un hôpital de Jakarta ou de Singapour. Sachez que ces vols sanitaires peuvent coûter plus de 10 000 $US.

BIMC (☎0361-761263 ; www.bimcbali.com ; Jl Ngurah Rai 100X ; ⊘24h/24). Sur la bretelle de contournement juste à l'est de Kuta, près de la Bali Galleria. Cette clinique moderne est tenue par des Australiens qui effectuent des examens, des visites à l'hôtel et peuvent organiser une évacuation sanitaire. Une consultation avec un généraliste coûte 100 $US ou plus.

International SOS Medical Clinic (☎0361-710 505 ; www.sos-bali.com ; Jl Ngurah Rai 505X ; ⊘24h/24). Clinique destinée à la clientèle touristique ; le personnel parle anglais.

HÔPITAUX
Deux établissements à Denpasar offrent de bons soins, et sont moins chers que les cliniques privées internationales.

BaliMed Hospital (☎0361-484 748 ; www.balimedhospital.co.id ; Jl Mahendradatta 57). À Denpasar, du côté de Kerobokan, cet hôpital privé propose une variété de soins médicaux. Une consultation de base coûte 220 000 Rp.

Rumah Sakit Umum Propinsi Sanglah (Sanglah Hospital ; ☎227 911 ; ⊘24h/24). Le centre hospitalier de la ville possède un service d'urgences et son personnel parle anglais. Meilleur hôpital de l'île, il abrite un service spécial pour les étrangers assurés, le **Paviliun Amerta Wing International** (☎257 499).

DANS LES ZONES ÉLOIGNÉES
Dans les zones isolées, les installations sont rudimentaires : en général, il y a un petit hôpital public, un cabinet médical ou

puskesmas (centre de soins communautaire). Dans les cliniques et les hôpitaux publics, les repas, le nécessaire de toilette et la blanchisserie sont fournis par la famille du patient.

Le tout nouveau **Rumah Sakit Harapan Keluarga** (☎670 000, 617 7000 ; www.harapan keluarga.co.id/rshk ; Jl Ahmad Yani 9), à Mataram, est le meilleur hôpital de Lombok.

PHARMACIES
La chaîne **Kimia Farma** (☎0361-916 6509) est digne de confiance et compte de nombreuses succursales. La chaîne singapourienne Guardian est implantée dans les zones touristiques. Ailleurs, davantage de précautions s'imposent, car les médicaments faux, mal stockés ou périmés sont courants.

Maladies infectieuses
DENGUE
Cette maladie transmise par les moustiques est problématique à Bali et à Lombok et de nombreuses personnes en sont mortes ces dernières années. Il n'existe pas de traitement prophylactique. La seule prévention consiste à éviter les piqûres. Poussée de fièvre, maux de tête, douleurs articulaires et musculaires précèdent une éruption cutanée sur le tronc qui s'étend ensuite aux membres puis au visage, et parfois des diarrhées. En l'absence de traitement spécifique, il est conseillé de se reposer et de prendre du paracétamol (pas d'aspirine, qui augmente les risques d'hémorragie). Consultez un médecin et faites-vous suivre médicalement.

GRIPPE AVIAIRE
Le virus H5N1, plus connu sous le nom de grippe aviaire, a fait plus de

100 victimes en Indonésie, la plupart sur l'île de Java. Il est difficile de le traiter, même si un médicament, le Tamiflu, semble avoir un certain effet.

HÉPATITES
L'hépatite est un terme général qui désigne une inflammation du foie. Elle est le plus souvent due à un virus. Dans les formes les plus discrètes, le patient n'a aucun symptôme. Les formes les plus habituelles se manifestent par une fièvre, une fatigue qui peut être intense, des douleurs abdominales, des nausées, des vomissements, associés à la présence d'urines très foncées et de selles décolorées presque blanches. La peau et le blanc des yeux prennent une teinte jaune (ictère). L'hépatite peut parfois se résumer à un simple épisode de fatigue sur quelques jours ou quelques semaines.

» **Hépatite A** C'est la plus répandue en Asie du Sud-Est et la contamination est alimentaire. Il n'y a pas de traitement médical ; il faut simplement se reposer, boire beaucoup, manger légèrement en évitant les graisses et s'abstenir de toute boisson alcoolisée pendant au moins six mois. L'hépatite A se transmet par l'eau, les coquillages et, d'une manière générale, tous les produits manipulés à mains nues. Il existe un fort risque d'exposition et il vaut mieux se faire vacciner.

» **Hépatite B** Elle se transmet par voie sexuelle ou sanguine (piqûre, transfusion). Évitez de vous faire percer les oreilles, tatouer, raser ou de vous faire soigner par piqûres si vous avez des doutes quant à l'hygiène des lieux. Les symptômes de l'hépatite B sont les mêmes que ceux de l'hépatite A. Le vaccin est très efficace. Il existe jusqu'à 20% de porteurs chroniques en Asie du Sud-Est.

SE PROTÉGER DES MOUSTIQUES

Hormis les traitements préventifs, la protection contre les piqûres de moustique est le premier moyen d'éviter d'être contaminé par le paludisme. Le soir, dès le coucher du soleil, couvrez vos bras et surtout vos chevilles, mettez de la crème antimoustique. Ils sont parfois attirés par le parfum ou l'après-rasage.

En dehors du port de vêtements longs, l'utilisation d'insecticides ou de répulsifs à base de DEET (de type Cinq sur Cinq) sur les parties découvertes du corps est à recommander.

Les moustiquaires, en vente en pharmacie, constituent en outre une protection efficace, à condition qu'elles soient imprégnées d'insecticide. De plus, elles sont radicales contre tout insecte (puces, punaises, etc.) et permettent d'éloigner serpents et scorpions.

Notez enfin que, d'une manière générale, le risque de contamination est plus élevé en zone rurale et pendant la saison des pluies.

PALUDISME

En Indonésie, c'est dans les zones rurales que le risque de contracter le paludisme (malaria) est le plus élevé. Généralement, le problème ne concerne pas Bali ou les grandes zones touristiques de Lombok. Soyez vigilant si vous visitez des zones isolées ou sortez des deux îles principales.

Le paludisme est transmis par un moustique, l'anophèle, dont la femelle pique surtout la nuit, entre le coucher et le lever du soleil.

Le paludisme survient généralement dans le mois suivant le retour de la zone d'endémie. Symptômes : maux de tête, fièvre et troubles digestifs. Non traité, il peut avoir des suites graves, parfois mortelles. Il existe différentes formes de paludisme, dont celui à *Plasmodium falciparum* pour lequel le traitement devient de plus en plus difficile à mesure que la résistance du parasite aux médicaments gagne en intensité.

Les médicaments antipaludéens n'empêchent pas la contamination, mais ils suppriment les symptômes de la maladie. Si vous voyagez dans des régions où la maladie est endémique, il faut absolument suivre un traitement préventif. La chimioprophylaxie fait le plus souvent appel à la chloroquine (seule ou associée au proguanil), ou à la méfloquine en fonction de la zone géographique du séjour, mais d'autres produits sont utilisables, comme la malarone. Renseignez-vous impérativement auprès d'un médecin spécialisé, car le traitement n'est pas toujours identique à l'intérieur d'un même pays, et certains médicaments antipaludéens peuvent avoir d'importants effets secondaires.

Tout voyageur atteint de fièvre ou montrant les symptômes de la grippe doit se faire examiner. Il suffit d'une analyse de sang pour établir le diagnostic. Contrairement à certaines croyances, une crise de paludisme ne signifie pas que l'on est touché à vie.

RAGE

Cette maladie est transmise par un animal contaminé : chien, singe et chat principalement. Si vous avez été infecté, il faut vous faire vacciner aussitôt, car l'issue est fatale. Bali a connu une importante épidémie en 2008 et l'on compte de nouvelles victimes chaque année.

Pour minimiser les risques, pensez au vaccin antirabique (en tout trois vaccins). Un rappel un an plus tard vous permettra d'être protégé pendant 10 ans. Une option à envisager compte tenu de la vague de rage à Bali, actuellement. Sachez par ailleurs que ces vaccins sont souvent indisponibles à Bali.

Faites très attention à ne pas vous faire mordre et surveillez de près vos enfants.

La vaccination préventive ne dispense pas d'un traitement antirabique immédiatement après un contact avec un animal enragé ou dont le comportement est suspect. Si vous êtes mordu ou griffé, lavez bien votre blessure avec de l'eau et du savon et appliquez un antiseptique à base d'iode. Puis allez consulter un médecin.

Si vous n'êtes pas vacciné, vous devrez recevoir un traitement antirabique dès que possible. Lavez immédiatement la blessure et allez consulter un médecin. Bali manque cruellement d'immunoglobuline contre la rage, attendez-vous à rejoindre aussitôt Singapour pour recevoir votre traitement.

INTOXICATION PAR L'ALCOOL

Des cas de lésions et de décès causés par de l'*arak* (normalement distillé à partir de sucre de palme ou de canne) frelaté avec du méthanol, un alcool primaire toxique, ont été signalés parmi les touristes et les habitants. Évitez les cocktails gratuits et l'*arak* en général.

VIH/SIDA

L'infection à VIH (virus de l'immunodéficience humaine), agent causal du sida (syndrome d'immunodéficience acquise), est un problème grave dans de nombreux pays asiatiques, et Bali compte parmi les plus hauts taux d'infection d'Indonésie. Les rapports sexuels avec des habitants, des prostituées ou d'autres voyageurs constituent le risque principal.

L'utilisation d'un préservatif *(kondom)* réduit de façon significative le risque de transmission du virus. Ils s'achètent dans les supermarchés, aux étals de rue et dans les magasins des zones touristiques, ainsi que dans les *apotik* (pharmacies) de presque toutes les villes (de 1 500 à 3 000 Rp pièce). Choisissez la marque la plus chère (normalement la plus fiable).

TYPHOÏDE

La fièvre typhoïde est une infection du tube digestif. La vaccination n'est pas entièrement efficace et l'infection est particulièrement dangereuse.

Premiers symptômes : les mêmes que ceux d'un mauvais rhume ou d'une grippe, mal de tête et de gorge, fièvre qui augmente régulièrement pour atteindre 40°C ou plus. Le pouls est souvent lent par rapport à la température élevée et ralentit à mesure que la fièvre augmente. Ces symptômes peuvent être accompagnés de vomissements, de diarrhée ou de constipation. Un suivi médical est indispensable, car les complications sont fréquentes, en particulier la pneumonie (infection aiguë des poumons) et la péritonite (éclatement de l'appendice). De plus, la typhoïde est très contagieuse.

Mieux vaut garder le malade dans une pièce fraîche et veiller à ce qu'il ne se déshydrate pas.

BOIRE DE L'EAU

» Ne buvez jamais l'eau du robinet en Indonésie.

» Facile à trouver et peu chère, l'eau en bouteille est généralement sûre ; vérifiez toutefois que le bouchon n'a pas été décapsulé. Vous pouvez aussi refaire le plein d'eau à certains endroits, ce qui réduit ainsi la formation de déchets.

» Les glaçons dans les restaurants sont bons s'ils sont de taille identique et faits en usine (dans les grandes villes et les régions touristiques). Évitez ceux qui sont irréguliers (plutôt dans les zones rurales).

» Évitez les jus de fruits en dehors des restaurants et cafés touristiques.

La vaccination est recommandée pour tous les voyageurs qui passent plus d'une semaine dans le Sud-Est asiatique, ou qui voyagent en dehors des grandes villes.

Diarrhée

Le changement de nourriture, d'eau ou de climat suffit à la provoquer ; si elle est causée par des aliments ou de l'eau contaminés, le problème est plus grave. En dépit de toutes vos précautions, vous aurez peut-être la "turista", mais quelques visites aux toilettes sans aucun autre symptôme n'ont rien d'alarmant. La déshydratation est le danger principal lié à toute diarrhée, particulièrement chez les enfants. Ainsi, le premier traitement consiste à boire beaucoup : idéalement, il faut mélanger huit cuillerées à café de sucre et une de sel dans un litre d'eau. Sinon, du thé noir léger, avec peu de sucre, des boissons gazeuses qu'on laisse se dégazéifier et qu'on dilue à 50% avec de l'eau purifiée sont à recommander.

En cas de forte diarrhée, il faut prendre une solution réhydratante pour remplacer les sels minéraux. Quand vous irez mieux, continuez à manger légèrement. Les antibiotiques peuvent être utiles dans le traitement de diarrhées très fortes, en particulier si elles sont accompagnées de nausées, de vomissements, de crampes d'estomac ou d'une fièvre légère. Trois jours de traitement sont généralement suffisants, et on constate normalement une amélioration dans les 24 heures. Toutefois, lorsque la diarrhée persiste au-delà de 48 heures ou s'il y a présence de sang dans les selles, il est préférable de consulter un médecin.

GIARDIASE

Ce parasite intestinal est présent dans l'eau souillée ou dans les aliments souillés par l'eau. Symptômes : crampes d'estomac, nausées, estomac ballonné, selles très liquides et nauséabondes, et gaz fréquents. La giardiase peut n'apparaître que plusieurs semaines après la contamination. Les symptômes peuvent disparaître pendant quelques jours puis réapparaître, et ce pendant plusieurs semaines.

Affections liées à l'environnement

COUP DE CHALEUR

La plupart des régions d'Indonésie sont chaudes et humides toute l'année.

La majorité des voyageurs s'acclimateront à la chaleur au bout de deux semaines seulement.

Le coup de chaleur, qui peut être grave, parfois mortel, survient quand le mécanisme de régulation thermique du corps ne fonctionne plus : la température s'élève alors de façon dangereuse. De longues périodes d'exposition à des températures élevées peuvent vous rendre vulnérable au coup de chaleur. Évitez l'alcool et les activités fatigantes lorsque vous arrivez dans un pays à climat chaud.

Symptômes : malaise général, transpiration faible ou inexistante et forte fièvre (39 à 41°C). Là où la transpiration a cessé, la peau devient rouge. La personne qui souffre d'un coup de chaleur est atteinte d'une céphalée lancinante et éprouve des difficultés à coordonner ses mouvements ; elle peut aussi donner des signes de confusion mentale ou d'agressivité. Enfin, elle délire et est en proie à des convulsions. Il faut absolument hospitaliser le malade. En attendant les secours, installez-le à l'ombre, ôtez-lui ses vêtements, couvrez-le d'un drap ou d'une serviette mouillés et éventez-le continuellement.

COUP DE SOLEIL
Même par temps couvert il est possible d'avoir un coup de soleil, surtout près de l'équateur. Pensez à :
» Utiliser une crème solaire à fort indice (au moins 30).
» Appliquer votre crème après chaque baignade.
» Porter un chapeau à larges bords et des lunettes de soleil.
» Éviter les expositions au soleil entre 10h et 14h (heures les plus chaudes).

INSOLATION
Une exposition prolongée au soleil peut provoquer une insolation. Symptômes : nausées, peau chaude, maux de tête. Dans ce cas, il faut rester dans le noir, appliquer une compresse d'eau froide sur les yeux et prendre de l'aspirine.

PLONGÉE
Il est recommandé aux plongeurs et aux surfeurs de s'informer auprès d'un professionnel avant le départ pour s'assurer que leur trousse de secours contient les médicaments appropriés en cas de coupure par du corail ou d'infection des oreilles, ainsi que pour les problèmes habituels. Si vous plongez, assurez-vous que vous êtes couvert en cas d'accident (notamment de décompression), ou contractez une assurance spéciale auprès d'un organisme tel que **Divers Alert Network** (DAN; www.danseap.org). Passez un examen médical avant de partir.

Sanur possède une **chambre de décompression**, proche en bateau rapide de Nusa Lembongan. S'y rendre du nord de Bali peut prendre entre trois et quatre heures.

PIQÛRES ET MORSURES
» **Méduses** La plupart sont irritantes plus que dangereuses. Leur piqûre peut être très douloureuse, mais elle est rarement mortelle. Si vous vous faites piquer, passez du vinaigre sur la partie infectée afin de neutraliser le poison. Des antihistaminiques et des analgésiques limiteront la réaction et la douleur. Si celle-ci persiste, n'hésitez pas à consulter.
» **Punaises** Elles affectionnent la literie douteuse. Si vous repérez de petites taches de sang sur les draps ou les murs autour du lit, cherchez un

autre hôtel. Les piqûres de punaises forment des alignements réguliers. Une pommade calmante apaisera la démangeaison.
» **Tiques** On les trouve dans les zones rurales. Elles se logent derrière les oreilles, sur le ventre et sous les aisselles. Si, après avoir été piqué, vous ressentez une démangeaison, de la fièvre et des douleurs musculaires, consultez un médecin.

PROBLÈMES DE PEAU
» **Infections fongiques**
Elles sont courantes dans les climats humides. Elles apparaissent souvent sur les parties du corps les moins "aérées" (aine, aisselles, orteils) et se caractérisent par une tache rouge qui grossit lentement, souvent accompagnée de démangeaisons. Le traitement consiste à garder la peau sèche, à éviter les frottements et à utiliser une crème antifongique comme le clotrimazole ou la lamisil.
» **Coupures et égratignures**
Les blessures s'infectent très facilement dans les climats chauds et cicatrisent difficilement. Coupures et égratignures doivent être traitées avec un antiseptique et du désinfectant cutané. Évitez si possible bandages et pansements, qui empêchent la plaie de sécher. Les plongeurs et les surfeurs feront attention aux coupures de corail, susceptibles et s'infecter et longues à cicatriser.

Santé au féminin
Dans les secteurs touristiques et les grandes villes, on trouve facilement des serviettes et des tampons hygiéniques. Dans les zones rurales, il est plus difficile de s'en procurer.

Il peut être difficile de trouver des contraceptifs ; mieux vaut les emporter dans vos bagages.

Langue

GUIDE DE CONVERSATION

Pour approfondir un peu la connaissance de la langue et maîtriser un certain nombre de phrases d'usage, le guide de conversation *Indonesian Phrasebook* (en anglais) constitue une excellente introduction.

L'indonésien, ou bahasa indonesia, est la langue nationale officielle. Elle est parlée par environ 220 millions de personnes, mais ce n'est la langue maternelle que de 20 millions d'entre eux. À Bali et à Lombok, la plupart des gens parlent aussi leur langue d'origine qui sont, respectivement, le balinais et le sasak. L'apprentissage de ces deux langues n'est pas impératif pour le voyageur moyen, mais il peut être amusant de connaître quelques mots, comme ceux que nous avons inclus dans ce chapitre. Toutefois, dans un but pratique, mieux vaut sans doute se concentrer sur le bahasa indonesia.

La prononciation de l'indonésien ne pose pas de difficulté. Chaque lettre représente toujours le même son et la plupart des lettres se prononcent plus ou moins de la même manière qu'en français. Toutefois, le *c* se prononce "tch" (comme "macho"), le *e* se prononce parfois à peine, parfois "é" et parfois "eu", le *j* se prononce "dj" (comme dans jet), le *k* ne se prononce pas en fin de mot (la gorge se ferme sans émettre de son), le *r* est légèrement roulé et le *u* se prononce "ou".

Presque toutes les syllabes se prononcent de la même manière, mais la règle générale est d'accentuer l'avant-dernière. La principale exception est le *e* non accentué dans les mots comme *besar* (grand).

L'indonésien écrit se révèle parfois fantaisiste avec des orthographes variables pour les noms de lieux. Les noms composés peuvent s'écrire en un ou deux mots, par exemple Airsanih ou Air Sanih, Padangbai ou Padang Bai. Les termes commençant par "Ker" perdent parfois le *e*, comme dans Kerobokan/Krobokan. Certaines variantes orthographiques datant de l'ère néerlandaise ont aussi subsisté, avec *tj* au lieu du *c* actuel (comme dans Tjampuhan/Campuan), ou *oe* au lieu de *u* (Soekarno/Sukarno).

Les pronoms, en particulier "tu/vous", sont rarement utilisés en indonésien. *Anda* est la forme égalitaire utilisée pour remplacer la pléthore de mots pour "tu/vous".

VOCABULAIRE DE BASE

Salut	*Salam*
Au revoir (si on part)	*Selamat tinggal*
Au revoir (si on reste)	*Selamat jalan*
Comment allez-vous ?	*Apa kabar ?*
Je vais bien, et vous ?	*Kabar baik, Anda bagaimana ?*
Excusez-moi	*Permisi*
Désolé	*Maaf*
S'il vous plaît	*Silahkan*
Merci	*Terima kasih*
Bienvenue	*Kembali*
Oui/Non	*Ya/Tidak*
Monsieur	*Bapak*
Madame	*Ibu*
Mademoiselle	*Nona*
Quel est votre nom ?	*Siapa nama Anda ?*
Je m'appelle...	*Nama saya...*
Parlez-vous anglais ?	*Bisa berbicara Bahasa Inggris ?*
Je ne comprends pas.	*Saya tidak mengerti*

HÉBERGEMENT

Avez-vous une chambre disponible ?	*Ada kamar kosong ?*
Quel est le prix par jour/personne ?	*Berapa satu malam/orang ?*
Le petit-déjeuner est-il inclus ?	*Apakah harganya ter masuk makan pagi ?*
Je cherche une place dans un dortoir	*Saya mau satu tempat tidur di asrama*
camping	*tempat kemah*
pension	*losmen*
hôtel	*hotel*
auberge de jeunesse	*pemuda*

une chambre...	*kamar...*
simple	*untuk satu orang*
double	*untuk dua orang*

climatisée	*dengan AC*
salle de bains	*kamar mandi*
berceau	*velbet*
fenêtre	*jendela*

DIRECTIONS

Où se trouve... ?	*Di mana... ?*
Quelle est l'adresse ?	*Alamatnya di mana ?*
Pouvez-vous me l'écrire s'il vous plaît ?	*Anda bisa tolong tuliskan ?*
Pouvez-vous me montrer (sur la carte) ?	*Anda bisa tolong tunjukkan pada saya (di peta) ?*

à l'angle	*di sudut*
aux feux de (circulation)	*di lampu merah*
derrière	*di belakang*
en face de	*di depan*
loin (de)	*jauh (dari)*
gauche	*kiri*
près (de)	*dekat (dengan)*
à côté de	*di samping*
en face	*di seberang*
droite	*kanan*
tout droit	*lurus*

AU RESTAURANT

Que recommandez-vous ?	*Apa yang Anda rekomendasikan ?*
Qu'est-ce qu'il y a dans ce plat ?	*Hidangan ituisinya apa ?*
C'était délicieux.	*Ini enak sekali.*
Santé !	*Bersulang !*
L'addition, s'il vous plaît.	*Tolong bawa kuitansi.*

MODÈLES DE CONSTRUCTION

Pour dire quelques mots en indonésien, utilisez ces modèles de phrase en y insérant les mots de votre choix :

Quand est (le prochain bus) ?
Jam berapa (bis yang berikutnya) ?
Où se trouve (la gare) ?
Di mana (stasiun) ?
Quel est le prix (par jour) ?
Berapa (satu malam) ?
Je cherche (un hôtel).
Saya cari (hotel).
Avez-vous (une carte locale) ?
Ada (peta daerah) ?
Où sont (les toilettes) ?
Ada (kamar kecil) ?
Puis-je (entrer) ?
Boleh saya (masuk) ?
Ai-je besoin (d'un visa) ?
Saya harus pakai (visa) ?
J'ai (une réservation).
Saya (sudah punya booking).
J'ai besoin (d'aide).
Saya perlu (dibantu).
J'aimerais (le menu).
Saya minta (daftar makanan).
Je voudrais (louer une voiture).
Saya mau (sewa mobil).
Pouvez-vous (m'aider) ?
Bisa Anda (bantu) saya ?

Je ne mange pas de...	*Saya tidak mau makan...*
produits laitiers	*susu dan keju*
poisson	*ikan*
viande (rouge)	*daging (merah)*
cacahuètes	*kacang tanah*
fruits de mer	*makanan laut*
une table...	*meja...*
à (8) heures	*pada jam (delapan)*
pour (deux) personnes	*untuk (dua) orang*

Mots clés

assiette	*piring*
avec	*dengan*
bar	*bar*
bouteille	*botol*
bol	*mangkuk*
petit-déjeuner	*sarapan*
café	*kafe*
chaise haute	*kursi tinggi*
chaud	*panas*
couteau	*pisau*

Panneaux	
Buka	Ouvert
Dilarang	Interdit
Kamar Kecil	Toilettes
Keluar	Sorties
Masuk	Entrée
Pria	Hommes
Tutup	Fermé
Wanitai	Femmes

cuillère	*sendok*
déjeuner	*makan siang*
dîner	*makan malam*
épicé	*pedas*
fourchette	*garpu*
froid	*dingin*
carte des boissons	*daftar minuman*
marché	*pasar*
menu/carte	*daftar makanan*
menu enfant	*menu untuk anak-anak*
nourriture	*makanan*
nourriture pour bébé	*susu kaleng*
(lait maternisé)	
nourriture	*makanan tanpa daging*
végétarienne	
poisson	*piring*
restaurant	*rumah makan*
salade	*selada*
sans	*tanpa*
serviette (de table)	*tisu*
soupe	*sop*
stand de nourriture	*warung*
verre	*gelas*

Viande et poisson

bœuf	*daging sapi*
canard	*bebek*
carpe	*ikan mas*
crevette	*udang*
dinde	*kalkun*
maquereau	*tenggiri*
mouton	*daging anak domba*
poisson	*ikan*
porc	*daging babi*
poulet	*ayam*
thon	*cakalang*
viande	*daging*

Fruits et légumes

ananas	*nenas*
aubergine	*terung*
banane	*pisang*
carotte	*wortel*
chou	*kol*
chou-fleur	*blumkol*
citron	*jeruk asam*
concombre	*timun*
dattes	*kurma*
épinard	*bayam*
fruit	*buah*
haricots	*kacang*
légumes	*sayur-mayur*
orange	*jeruk manis*
pastèque	*semangka*
pomme	*apel*
pomme de terre	*kentang*
raisin	*buah anggur*
raisins secs	*kismis*

Autres

beurre	*mentega*
confiture	*selai*
fromage	*keju*
huile	*minyak*
œuf	*telur*
miel	*madu*
nouilles	*mie*
pain	*roti*
piment	*cabai*
poivre	*lada*
riz	*nasi*
sauce au piment	*sambal*
sauce de soja	*kecap*
sel	*garam*
sucre	*gula*
vinaigre	*cuka*

Boissons

bière	*bir*
boisson non alcoolisée	*minuman ringan*
café	*kopi*
eau	*air*
jus	*jus*
lait	*susu*
lait de coco	*santan*
thé	*teh*
vin blanc	*anggur putih*
vin de palme	*tuak*
vin rouge	*anggur merah*
yoghourt	*susu masam kental*

URGENCES

À l'aide !	*Tolong saya !*
Je suis perdu	*Saya tersesat*

Laissez-moi tranquille !	*Jangan ganggu saya !*
Il est arrivé un accident	*Ada kecelakaan*
Puis-je utiliser votre téléphone ?	*Boleh saya pakai telpon genggamnya ?*
Appelez un médecin !	*Panggil dokter !*
Appelez la police !	*Panggil polisi !*
Je suis malade	*Saya sakit*
J'ai mal ici	*Sakitnya di sini*
Je suis allergiques aux (antibiotiques)	*Saya alergi (antibiotik)*

ACHATS ET SERVICES

J'aimerais acheter...	*Saya mau beli...*
Je regarde seulement	*Saya lihat-lihat saja*
Puis-je le regarder ?	*Boleh saya lihat ?*
Je ne l'aime pas	*Saya tidak suka*
Combien ça coûte ?	*Berapa harganya ?*
C'est trop cher	*Itu terlalu mahal*
Pouvez-vous baisser le prix ?	*Boleh kurang ?*
Il y a une erreur dans l'addition	*Ada kesalahan dalam kuitansi ini*
carte de crédit	*kartu kredit*
bureau de change	*kantor penukaran mata uang asing*
cybercafé	*warnet*
téléphone portable	*hanpon*
poste	*kantor pos*
signature	*tanda tangan*
office du tourisme	*kantor pariwisata*

HEURES ET DATES

Quelle heure est-il ?	*Jam berapa sekarang ?*
Il est (10) heures	*Jam (sepuluh)*
(6) heures et demie	*Setengah (tujuh)*
le matin	*pagi*
l'après-midi	*siang*
le soir	*malam*
aujourd'hui	*hari ini*
demain	*besok*
hier	*kemarin*

Mots interrogatifs

Comment ?	*Bagaimana ?*
Quoi ?	*Apa ?*
Quand ?	*Kapan ?*
Où ?	*Di mana ?*
Lequel ?	*Yang mana ?*
Qui ?	*Siapa ?*
Pourquoi ?	*Kenapa ?*

lundi	*hari Senin*
mardi	*hari Selasa*
mercredi	*hari Rabu*
jeudi	*hari Kamis*
vendredi	*hari Jumat*
samedi	*hari Sabtu*
dimanche	*hari Minggu*
janvier	*Januari*
février	*Februari*
mars	*Maret*
avril	*April*
mai	*Mei*
juin	*Juni*
juillet	*Juli*
août	*Agustus*
septembre	*September*
octobre	*Oktober*
novembre	*Nopember*
décembre	*Desember*

TRANSPORTS

Transports publics

cyclo-pousse	*becak*
bateau (en général)	*kapal*
bateau (local)	*perahu*
bus	*bis*
minibus	*bemo*
autorickshaw	*bajaj*
moto-taxi	*ojek*
avion	*pesawat*
taxi	*taksi*
train	*kereta api*
Je veux aller à	*Saya mau ke...*
Combien est-ce pour... ?	*Ongkos ke ... berapa ?*
À quelle heure part-il ?	*Jam berapa berangkat ?*
À quelle heure arrive-t-il à... ?	*Jam berapa sampai di... ?*
Est-ce qu'il s'arrête à... ?	*Di ... berhenti ?*
Quel est le prochain arrêt ?	*Apa nama halte berikutnya ?*
Pouvez-vous me dire quand nous arrivons à... ?	*Tolong, beritahu waktu kita sampai di... ?*
Arrêtez-vous ici, s'il vous plaît	*Tolong, berhenti di sini*
le premier	*pertama*
le dernier	*terakhir*

Nombres

1	satu
2	dua
3	tiga
4	empat
5	lima
6	enam
7	tujuh
8	delapan
9	sembilan
10	sepuluh
20	duapuluh
30	tigapuluh
40	empatpuluh
50	limapuluh
60	enampuluh
70	tujuhpuluh
80	delapanpuluh
90	sembilanpuluh
100	seratus
1 000	seribu

le suivant	yang berikutnya
un billet...	tiket...
1re classe	kelas satu
2e classe	kelas dua
aller simple	sekali jalan
aller-retour	pulang pergi
place côté couloir	tempat duduk dekat gang
place côté fenêtre	tempat duduk dekat jendela
annulé	dibatalkan
retardé	terlambat
quai	peron
billetterie	loket tiket
(indicateur) horaire	jadwal
gare ferroviaire	stasiun kereta api

Voiture et moto

J'aimerais louer un(e)...	Saya mau sewa...
4x4	gardan ganda
vélo	sepeda
voiture	mobil
moto	sepeda motor
siège enfant	kursi anak untuk di mobil
diesel	solar
casque	helem
mécanique	montir
essence	bensin
pompe (à vélo)	pompa sepeda
station-service	pompa bensin

Est-ce que c'est la route pour... ?	Apakah jalan ini ke... ?
(Combien de temps)	(Berapa lama) Saya
Puis-je stationner ici ?	boleh parkir di sini ?
La voiture/moto est en panne	Mobil/Motor mogok
J'ai un pneu à plat	Ban saya kempes
Je n'ai plus d'essence	Saya kehabisan bensin

LANGUES LOCALES

Balinais

Comment allez-vous ?	Kenken kabare ?
Quel est votre nom ?	Sire wastene ?
Je m'appelle...	Adan tiange...
Je ne comprends pas.	Tiang sing ngerti.
Combien coûte ceci ?	Ji kude niki ?
Merci	Matur suksma
Comment appelez-vous cela en balinais ?	Ne ape adane di Bali ?
Quel est le chemin pour... ?	Kije jalan lakar kel... ?

Sasak

Quel est votre nom ?	Saik aranm side ?
Je m'appelle...	Arankah aku...
Je ne comprends pas.	Endek ngerti.
Combien coûte ceci ?	Pire ajin sak iyak ?
Merci	Tampak asih
Comment appelez-vous cela en sasak ?	Ape aran sak iyak elek bahase Sasek ?
Quel est le chemin pour... ?	Lamun lek ..., embe eak langantah ?

GLOSSAIRE

adat – us et coutumes

adharma – mal

aling aling – petit mur qui protège l'entrée des maisons

alus – les "gentils" dans un *arja* (forme de théâtre)

anak-anak – enfants

angker – maléfique, sinistre

angklung – version portable du *gamelan*

anjing – chiens

apotik – pharmacie

arja – forme raffinée de théâtre balinais, opéra dansé

Arjuna – l'un des héros du *Mahabharata* et image populaire de gardien de temple

bahasa – langue ; le bahasa indonesia est la langue nationale de l'Indonésie

bale – pavillon ouvert doté d'un toit de chaume pentu

bale banjar – lieu de réunion du *banjar* ; maison où l'on se réunit et où s'entraîne le *gamelan*

bale tani – maison familiale à Lombok ; voir aussi *serambi*

balian – guérisseur

banian – arbre du genre ficus, voisin du figuier, souvent considéré comme sacré ; voir aussi *waringin*

banjar – division territoriale d'un village représentée par tous les hommes adultes mariés

bapak – père et vocatif poli quand on s'adresse à un vieil homme ; voir aussi *pak*

Barong – créature mythique mi-lion, mi-chien

Barong tengkok – nom du *gamelan* portable utilisé à Lombok lors des processions de mariage et des cérémonies de circoncision

baten tegeh – pyramides décoratives de fruits, de gâteaux de riz et de fleurs

batik – procédé d'impression d'un tissu qui consiste à en recouvrir une partie avec de la cire, puis à teindre l'autre avant de faire fondre la cire. La partie enduite n'a donc pas pris la teinture et l'on répète l'opération pour chaque couleur

batu bolong – pierre trouée

belalu – bois léger tiré d'un arbre qui pousse très vite

bemo – moyen de transport très utilisé à Bali et à Lombok ; c'est généralement un minibus, mais aussi parfois un pick-up dans les campagnes

bensin – essence (carburant)

beruga – salle de réunion communale à Bali ; pavillon ouvert à Lombok

bhur – monde des démons

bhwah – monde des humains

bioskop – cinéma

Brahma – le créateur, l'un des dieux de la trinité hindouiste

Brahmana – la caste des prêtres et la plus haute des castes balinaises ; si tous les prêtres sont des brahmanes, tous les brahmanes ne sont pas des prêtres

bu – mère ; forme abrégée d'*ibu*

bukit – colline ; nom de la péninsule du sud de Bali

bulau – mois

cabang – grand réservoir d'eau en prévision de la saison sèche

candi – sanctuaire, de plan javanais à l'origine ; également appelé *prasada*

candi bentar – porte d'entrée d'un temple

cendrawasih – oiseaux de paradis

cengceng – cymbales

cidomo – petite carriole à cheval, avec des roues de voiture (Lombok)

cili – représentations de Dewi Sri, déesse du riz

dalang – marionnettiste et conteur d'un spectacle de *wayang kulit*

Dalem Bedaulu – dernier souverain légendaire de la dynastie Pejeng

danau – lac

dangdut – musique pop

desa – village

dewa – divinité ou esprit surnaturel

dewi – déesse

Dewi Sri – déesse du riz

dharma – bon, bien

dokar – carriole à cheval ; appelée *cidomo* à Lombok

Durga – déesse de la mort et de la destruction, épouse de Shiva

dusun – petit village

endek – tissu élégant, comme le *songket*, dont la trame est préteinte

Gajah Mada – célèbre Premier ministre Majapahit qui vainquit le dernier roi de Bali et étendit le pouvoir des Majapahit sur l'île

Galungan – grande fête balinaise qui a lieu, chaque année, le 210e jour du calendrier balinais *wuku*

gamelan – orchestre traditionnel balinais, composé essentiellement de percussions, telles que grands xylophones et gongs ; il peut compter de un à plus d'une vingtaine de musiciens ; terme également utilisé pour l'instrument lui-même tel que le tambour ; aussi appelé *gong*

Ganesh – fils de Shiva à tête d'éléphant

gang – ruelle ou chemin

Garuda –créature mythique mi-homme, mi-oiseau, véhicule de Vishnu ; symbole moderne de l'Indonésie et de la compagnie aérienne nationale

gedong – lieu saint

genggong – spectacle musical de Lombok

gili – petite île (Lombok)

goa – grotte ; aussi orthographié *gua*

gong – voir *gamelan*

gong gede – grand orchestre ; forme traditionnelle du *gamelan* comportant de 35 à 40 musiciens

gong kebyar – forme moderne d'un *gong gede*, qui comprend jusqu'à 25 instruments

gua – (ou *goa*) grotte

gunung – montagne

gunung api – volcan

gusti – titre de politesse des membres de la caste *Wesia*

Hanuman – le dieu-singe qui joue un rôle majeur dans le *Ramayana*

harga biasa – prix standard

harga turis – prix gonflé pour les touristes

homestay – petit hébergement tenu par une famille ; voir aussi *losmen*

ibu – mère ; et vocatif poli quand on s'adresse à une femme d'un certain âge

Ida Bagus – titre honorifique pour un *brahmane*

ider-ider – longs rouleaux peints servant à décorer les temples

ikat – tissu dont les motifs sont obtenus en teignant individuellement les fils avant le tissage

Indra – roi des dieux

jalak putih – nom local de l'étourneau de Bali

jalan – route ou rue ; abrégé en *Jl*

jepun – frangipanier

jidur – grand tambour cylindrique très courant à Lombok

Jl – *jalan* ; route ou rue

kahyangan jagat – temples directionnels

kain – pièce de tissu que l'on enroule autour de la taille et des hanches, par-dessus un sarong

kain poleng – pièce de tissu à carreaux noirs et blancs

kaja – dans la direction des montagnes ; voir aussi *kelod*

kaja-kangin – coin de la cour

kaki lima – carriole de vendeur de nourriture ambulant

kala – face démoniaque surmontant souvent la porte des temples

kalendar cetakan – calendrier balinais utilisé pour programmer une myriade d'activités

kamben – pièce de *songket* enroulée autour de la poitrine pour les grandes occasions

kampung – village ou quartier

kangin – lever du soleil

kantor – bureau

kantor imigrasi – bureau de l'immigration

kantor pos – bureau de poste

kawi – javanais classique ; langue de la poésie

kebyar – type de danse

kecak – danse balinaise traditionnelle retraçant un épisode du *Ramayana* et mettant en scène le prince Rama et la princesse Sita

kedais – café (lieu)

kelod – la direction opposée à la montagne, vers la mer ; voir aussi *kaja*

kelurahan – subdivision locale

kemben – écharpe de poitrine pour les femmes

kempli – gong

kendang – tambours

kepala desa – chef de village

kori agung – porche qui mène à la deuxième cour dans un temple

kota – ville

kras – les "méchants" dans un spectacle *arja*

kriss – dague traditionnelle

ksatriyasa – deuxième caste balinaise

kuah – côté du soleil couchant

kulkul – tambour façonné dans un tronc d'arbre qu'on frappe pour sonner l'alarme ou appeler à un rassemblement

labuhan – port ; aussi appelé *pelabuhan*

laki-laki – garçon

lamak – longues bandes en feuilles de palmier tressées qu'on accroche dans les temples pendant les cérémonies et les fêtes

lambung – long sarong noir porté par les femmes *sasak* ; voir aussi *sabuk*

langse – tentures décoratives rectangulaires qu'on suspend dans les palais et les temples

legong – danse classique balinais ; jeunes filles qui dansent le *legong*

leyak – esprit malin qui peut prendre toutes sortes de formes fantastiques, grâce à la magie noire

lontar – feuilles de palme ayant subi une préparation spéciale

losmen – petit hôtel balinais, souvent tenu par une famille

lukisan antic – peintures antiques

lulur – masque corporel

lumbung – grenier à riz surmonté d'un toit rond ; symbole architectural de Lombok

Mahabharata – grand poème épique racontant la bataille entre les Kaurava et les Pandava ; l'un des grands livres sacrés de l'hindouisme

Majapahit – la dernière grande dynastie hindoue de Java

mata air panas – sources chaudes naturelles

meditasi – baignade et bain de soleil

mekepung – courses traditionnelles de buffles

meru – sanctuaire à plusieurs toits dans les

temples ; le nom vient du Mahameru, la montagne sacrée des hindouistes

mobil – voiture

moksa – libération des désirs terrestres

muncak – chevrotain

naga – créature mythique qui ressemble à un serpent

nusa – île ; aussi *pulau*

Nusa Tenggara Barat (NTB) – Nusa Tenggara Ouest ; province d'Indonésie comprenant les îles de Lombok et de Sumbawa

nyale – poisson ressemblant à un ver pêché au large de Kuta, à Lombok

Nyepi – grande fête annuelle du calendrier hindouiste *saka*, jour de repos total et d'immobilité après une nuit passée à pourchasser les mauvais esprits

ogoh-ogoh – énormes dragons que l'on voit lors de la fête du *Nyepi*

ojek – moto-taxi

oong – champignons hallucinogènes

open – hauts bâtiments en brique rouge

padi – riz sur pied

padmasana – dans un temple, autel à l'allure de siège vide

pak – père ; forme raccourcie de *bapak*

palinggihs – dans un temple, autel consistant en un simple petit trône

panca dewata – le centre et les 4 points cardinaux dans un temple

pantai – plage

paras – roche volcanique tendre, de couleur grise, utilisée dans la sculpture

pasar – marché

pasar malam – marché nocturne

pecalang – police d'un village ou d'un *banjar*

pedagang – marchands ambulants

pedanda – grand prêtre

pelabuhan – port ; aussi appelé *labuhan*

Pelni – compagnie de navigation nationale

pemangku – gardiens du temple et prêtres chargés des rites

perempuan – fille

pitra yadna – crémation

plus plus – supplément de 21%, correspondant à l'ensemble taxe et service, ajouté à la note par les hébergements et les restaurants de catégories moyenne et supérieure

pondok – hébergement sommaire ou paillote

prada – tissu rehaussé de feuille d'or, ou de peinture et de fils d'argent ou d'or

prahu – bateau traditionnel indonésien à balancier

prasada – sanctuaire ; voir aussi *candi*

prasasti – assiette de cuivre gravé

pria – homme ; mâle

propinsi – province. L'Indonésie compte 27 *propinsi* – Bali est un *propinsi*, Lombok et l'île voisine de Sumbawa forment le *propinsi* Nusa Tenggara Barat (NTB)

puasa – jeûner, ou un jeûne

pulau – île ; aussi *nusa*

puputan – combat jusqu'à la mort, une option suicidaire mais honorable face à un ennemi invincible

pura – temple

pura dalem – temple des morts

pura desa – temple du village pour les rites quotidiens

pura puseh – temple des fondateurs ou pères d'un village, en hommage à ses origines

pura subak – temple de l'association des riziculteurs

puri – palais

pusit kota – indique, sur les panneaux routiers, le centre de la ville

raja – seigneur ou prince

ramadan – mois de jeûne pour les musulmans

Ramayana – poème épique dont les épisodes forment la trame centrale de maints contes et danses balinais ; l'un des grands textes sacrés de l'hindouisme

Rangda – sorcière-veuve qui représente le mal dans le théâtre et la danse balinais

raya – grand-route ; ainsi, Jl Raya Ubud signifie "la grand-route d'Ubud"

RRI – Radio Republik Indonesia ; radio nationale indonésienne

rumah makan – restaurant ; littéralement "maison pour manger"

sabuk – écharpe de 4 m de longueur qui maintient le *lambung* en place

sadkahyangan – "sanctuaire du monde" (la plupart des temples sacrés)

saiban – offrande

saka – calendrier balinais fondé sur le cycle lunaire ; voir aussi *wuku*

Sasak – ethnie originaire de Lombok ; désigne aussi la langue

sate – satay

sawah – rizière ; voir aussi *subak*

selat – détroit

sepeda – vélo

sepeda motor – moto

serambi – véranda ouverte sur un *bale tani,* maison familiale traditionnelle à Lombok

Shiva – le créateur et le destructeur ; l'un des trois grands dieux hindous

sinetron – feuilleton

songket – tissu brodé de fils d'or ou d'argent, tissé à la main selon la technique de la trame flottante

stupa – sanctuaire en forme de dôme renfermant des reliques du Bouddha ou de hauts dignitaires religieux

subak – association villageoise qui organise les rizières en terrasses et répartit l'eau pour l'irrigation

sudra – caste inférieure à laquelle appartiennent la plupart des Balinais

sungai – rivière

swah – monde des dieux

tahun – année

taksu – messager des dieux

tambulilingan – bourdons

tanjung – cap, promontoire

teluk – golf ou baie

tika – pièce de tissu imprimée ou de bois sculpté représentant le cycle du Pawukon

tirta ou **toya** – eau

trimurti – trinité hindouiste

triwangsa – les trois castes *brahmana*, *ksatriyasa* et *wesia*

TU – Telepon Umum ; téléphone public

undagi – celui qui conçoit un bâtiment, généralement un architecte-prêtre

Vishnu – des trois grands dieux hindous, c'est celui qui préserve l'univers

wanita – femme ; femelle

wantilan – grand *bale* (pavillon) où ont lieu des réunions, des représentations et des combats de coqs ; aire communautaire

waria – travesti ou transsexuel ; dérivé des termes *wanita* et *pria*

waringin – grand arbre très large pourvu de racines aériennes qui s'enfoncent dans la terre pour donner naissance à d'autres arbres ; voir *banian*

warnet – *warung* offrant un accès Internet

wartel – bureau téléphonique public ; contraction de *warung telekomunikasi*

warung – stand de nourriture ou gargote

wayang kulit – marionnettes en cuir du théâtre d'ombres ; voir aussi *dalang*

wetu telu – religion spécifique à Lombok, originaire de Bayan et qui combine de nombreux principes de l'islam à divers aspects d'autres religions

Wesia – caste des fonctionnaires et des commerçants

wuku – calendrier balinais composé de 10 semaines qui durent de 1 à 10 jours et se déroulent simultanément ; voir aussi *saka*

yeh – eau ou rivière

yoni – symbole de l'organe sexuel féminin

En coulisses

VOS RÉACTIONS ?

Vos commentaires nous sont très précieux et nous permettent d'améliorer constamment nos guides. Notre équipe lit toutes vos lettres avec la plus grande attention. Nous ne pouvons pas répondre individuellement à tous ceux qui nous écrivent, mais vos commentaires sont transmis aux auteurs concernés. Tous les lecteurs qui prennent la peine de nous communiquer des informations sont remerciés dans l'édition suivante, et ceux qui nous fournissent les renseignements les plus utiles se voient offrir un guide.

Pour nous faire part de vos réactions, prendre connaissance de notre catalogue et vous abonner à Comète, notre lettre d'information, consultez notre site web : **www.lonelyplanet.fr**

Nous reprenons parfois des extraits de notre courrier pour les publier dans nos produits, guides ou sites web. Si vous ne souhaitez pas que vos commentaires soient repris ou que votre nom apparaisse, merci de nous le préciser. Pour connaître notre politique en matière de confidentialité, connectez-vous à :-**www.lonelyplanet.fr/confidentialite/index.cfm**

À NOS LECTEURS

Nous remercions tous les lecteurs qui ont utilisé la précédente édition de ce guide et ont pris la peine de nous écrire pour nous communiquer informations, commentaires et anecdotes :

A Alyne, André, Caroline Arsenault **B** Amandine Baudon, Mlle Bellot, Nicolas Bonis **C** Stéphanie Cardine, Guillaume Carnevale, Charly **D** Pascale Darmendrail, Carole Deshons, Hélène Dujardin, Guillaume Durieux **E** Thomas Exbrayat **G** Jean-Michel Gallet, Pierre Gelot, Sara Grandpierre **J** Joffre, Guilhem Julia, Juma **K** Marc Koehler, Sandra Kulyk **L** Delphine Lebreton, Yann Leonard **M** Patrice Marquois, Serge Menard, Anaïs Monborne **S** René Smets. **T** Déborah Tartiere **S** M. Vallée, Kerilia Verger, Jacques Vibert **W** Anne et Yves Walter **Z** Thierry Ziesel

UN MOT DES AUTEURS

Ryan Ver Berkmoes

Cette liste semble s'allonger chaque jour davantage. Mille mercis, entre autres, à mes amis Pattycakes Miklautsch, Ibu Cat, Hanafi, Nengah, Eliot Cohen, Jamie James, Kerry et Milton Turner, Pascal et Pika. Chez Lonely Planet, tous mes remerciements à ma camarade Ilaria Walker et à l'ensemble de l'équipe éditoriale. Adam, coauteur de ce guide, s'est révélé une formidable recrue.

Enfin, une pensée pour Frank Sinatra, qui m'a accompagné nuit et jour.

Adam Skolnick

Merci à Simion Liddiard, Marcus Stevens, Andy Wheatcroft, Fern Perry, Will Goodman, Harriet Chaterley, Astrid et Grace à Karma Kayak, à Alina à Senggigi, à Barbara de Lombok Guide, à l'équipe de Gili Air Divers, à Pak Achok sur Gili T,

LES AUTEURS LONELY PLANET

Lonely Planet réalise ses guides en toute indépendance et n'accepte aucune publicité. Tous les établissements et prestataires mentionnés dans l'ouvrage le sont sur la foi du seul jugement des auteurs, qui ne bénéficient d'aucune rétribution ou de réduction de prix en échange de leurs commentaires.

Sillonnant le pays en profondeur, les auteurs de Lonely Planet savent sortir des sentiers battus sans omettre les lieux incontournables. Ils visitent en personne des milliers d'hôtels, restaurants, bars, café, monuments et musées, dont ils s'appliquent à faire un compte-rendu précis.

À propos de cet ouvrage

Cette 8e édition française est la traduction de la 14e édition du guide *Bali & Lombok* en anglais, mis à jour par Ryan Ver Berkmoes et Adam Skolnick. Le premier est retourné à Bali pour la énième fois tandis que le second a parcouru Lombok et les îles Gili

Traduction
Aurélie Belle, Cécile Duteil et Pierre-Yves Raoult

Direction éditoriale
Didier Férat

Adaptation française
Régis Couturier

Responsable prépresse
Jean-Noël Doan

Maquette
Pierre Brégiroux

Cartographie
Cartes originales d'Anita Banh, Mark Griffiths, Anthony Phelan, Diana Von Holdt, adaptées en français par Nicolas Chauveau

Couverture
Adaptée en français par Annabelle Henry

Remerciements à
Muriel Chalandre et Angélique Adagio pour leur contribution au texte, à Marjorie Bensaada pour sa relecture, à Charlotte Bories pour la préparation du manuscrit anglais, à Virginie Cornu pour les renvois de pages, ainsi qu'à toute l'équipe du bureau de Paris, en particulier à Dominique Spaety pour son soutien. Merci aussi à Darren O'Connell, Chris Love, Craig Kilburn, Carol Jackson, Sally Darmody et Jacqui Saunders du bureau australien ; Clare Mercer, Tracey Kislingbury, Joe Revill et Luan Angel du bureau londonien.

à Pak Saleh sur Gili Air, à Anders d'Adeng Adeng, à George et à toute l'équipe du Dive Zone. Je remercie également Brett et Made à Bali, Ryan Ver Berkmoes, ainsi que l'adorable Georgiana Johnson.

Les cartes climatiques sont adaptées de Peel MC, Finlayson BL & McMahon TA (2007) "Updated World Map of the Köppen-Geiger Climate Classification", *Hydrology and Earth System Sciences*, 11, 163344.

CRÉDITS PHOTOGRAPHIQUES

Photographie de couverture : Plage et soleil levant sur le Gunung Agung, David Hannah/Getty©.

index

Les références des cartes sont indiquées **en gras,** celles des photos **en bleu**

Les références des cartes sont indiquées **en gras,** celles des photos **en bleu**

INDEX DES ENCADRÉS

INDEX DES ENCADRÉS (SUITE)

Comment utiliser ce guide

Ces symboles vous aideront à identifier les différentes rubriques :

👁 À voir
🏃 Activités
🍵 Cours
👉 Circuits organisés

🎎 Fêtes et festivals
🛏 Où se loger
🍴 Où se restaurer
🍺 Où prendre un verre

☆ Où sortir
🔒 Achats
ℹ Renseignements/transports

Les pictos pour se repérer

💗 Les coups de cœur de l'auteur

GRATUIT Des sites libre d'accès

📄 Les adresses écoresponsables

Nos auteurs ont sélectionné ces adresses pour leur engagement dans le développement durable – par leur soutien envers des communautés ou des producteurs locaux, leur fonctionnement écologique ou leur investissement dans des projets de protection de l'environnement.

Ces symboles vous donneront des informations essentielles au sein de chaque rubrique :

☎ Numéro de téléphone
🕐 Horaires d'ouverture
P Parking
🚭 Non-fumeurs
❄ Climatisation
@ Accès Internet
s Chambre simple
f Chambre familiale

📶 Wi-Fi
🏊 Piscine
🥗 Végétarien
👪 Familles bienvenues
🐾 Animaux acceptés
dort Dortoir
d Chambre double
app Appartement

🚌 Bus
⛴ Ferry
Ⓜ Métro
🚊 Tramway
🚆 Train
ch Chambre
tr Chambre triple
ste Suite

Les adresses sont présentées par ordre de préférence de l'auteur.

Légende des cartes

À voir
- ⊙ Centre d'intérêt
- Ⓒ Château
- Ⓔ Église/cathédrale
- Ⓜ Monument
- ⊕ Musée/galerie
- Ⓜ Mosquée
- Ⓟ Plage
- Ⓡ Ruines
- Ⓢ Synagogue
- Ⓣ Temple bouddhiste
- Ⓣ Temple hindou
- Ⓥ Vignoble
- Ⓩ Zoo

Activités
- ⊙ Plongée/snorkeling
- Ⓒ Canoë/kayak
- Ⓢ Ski
- Ⓢ Surf
- Ⓟ Piscine/baignade
- Ⓡ Randonnée
- Ⓟ Planche à voile
- • Autres activités

Se loger
- Ⓗ Hébergement
- Ⓒ Camping

Se restaurer
- Ⓡ Restauration

Prendre un verre
- 🍷 Bar
- ☕ Café

Sortir
- Ⓢ Spectacle

Achats
- Ⓜ Magasin

Renseignements
- ⊕ Poste
- ℹ Point d'information

Transports
- ✈ Aéroport/aérodrome
- ⊗ Poste frontière
- Ⓑ Bus
- ⊹⊹ Téléphérique/funiculaire
- Piste cyclable
- Ferry
- Ⓜ Métro
- Monorail
- Ⓟ Parking
- Ⓢ S-Bahn
- Ⓣ Taxi
- Train/rail
- Tramway
- ⊕ Tube
- Ⓤ U-Bahn
- • Autre moyen de transport

Routes
- Autoroute à péage
- Autoroute
- Nationale
- Départementale
- Cantonale
- Chemin
- Route non goudronnée
- Rue piétonne
- Escalier
- Tunnel
- Passerelle
- Promenade à pied
- Promenade à pied (variante)
- Sentier

Limites et frontières
- Pays
- Province/État
- Contestée
- Région/banlieue
- Parc maritime
- Falaise/escarpement
- Rempart

Population
- ⊙ Capitale (pays)
- ⊚ Capitale (État/province)
- ⊙ Grande ville
- • Petite ville/village

Géographie
- ⊙ Refuge/gîte
- Ⓟ Phare
- ⊙ Point de vue
- ▲ Montagne/volcan
- ⊙ Oasis
- ⊙ Parc
-)(Col
- ⊙ Aire de pique-nique
- ⊙ Cascade

Hydrographie
- Rivière
- Rivière intermittente
- Marais/mangrove
- Récif
- Canal
- Eau
- Lac asséché/salé/intermittent
- Glacier

Topographie
- Plage/désert
- + + + Cimetière (chrétien)
- × × × Cimetière (autre religion)
- Parc/forêt
- Terrain de sport
- Site (édifice)
- Site incontournable (édifice)

LES GUIDES LONELY PLANET

Une vieille voiture déglinguée, quelques dollars en poche et le goût de l'aventure, c'est tout ce dont Tony et Maureen Wheeler eurent besoin pour réaliser, en 1972, le voyage d'une vie : rallier l'Australie par voie terrestre via l'Europe et l'Asie. De retour après un périple harassant de plusieurs mois, et forts de cette expérience formatrice, ils rédigèrent sur un coin de table leur premier guide, Across Asia on the Cheap, qui se vend à 1 500 exemplaires en l'espace d'une semaine. Ainsi naquit Lonely Planet, qui possède aujourd'hui des bureaux à Melbourne, Londres et Oakland, et emploie plus de 600 personnes. Nous partageons l'opinion de Tony, pour qui un bon guide doit à la fois informer, éduquer et distraire.

NOS AUTEURS

Ryan Ver Berkmoes

Auteur-coordinateur ; Kuta et Seminyak, Sud de Bali et les îles, Ubud et ses environs, Est de Bali, Montagnes du Centre, Nord de Bali, Ouest de Bali.
Ryan Ver Berkmoes a d'abord été fasciné par l'écho du gamelan balinais en 1993. Depuis, lors de ses visites, il a exploré presque tous les recoins de l'île – tout en faisant quelques voyages à Nusa Lembongan, Nusa Penida, aux îles Gili et à Lombok. Alors qu'il pense tout connaître de Bali, il découvre, par exemple, un temple en bord de mer qui ne figure sur aucune carte. Ryan ne se lasse jamais de l'île, sur laquelle sa vie sociale est trépidante. Quand il est loin des gamelans, Ryan écrit, notamment sur le voyage, sur ryanverberkmoes.com et sur Twitter (@ryanvb).

Pour en savoir plus sur Ryan, voir :
lonelyplanet.com/members/ryanverberkmoes

Adam Skolnick

Lombok, Îles Gili. Adam Skolnick écrit sur les voyages, la culture, la santé et la politique pour Lonely Planet, *Outside*, *Men's Health* et *Travel & Leisure*. Il est coauteur pour Lonely Planet de 18 guides en Europe, aux États-Unis, en Amérique centrale et en Asie. Lors de son dernier voyage à Lombok, il a effectué plusieurs plongées épiques et découvert d'incroyables hôtels, restaurants, plages et îles. Il a également assisté à une collision entre des calèches et une voiture, et s'est retrouvé encerclé par une cinquantaine de personnes qui voulaient le tuer. Mais il a survécu ! Vous pouvez lire son travail sur adamskolnick.com ou le suivre sur Twitter (@adamskolnick).

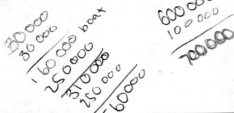

Bali et Lombok
8e édition
Traduit et adapté de l'ouvrage *Bali & Lombok, 14th edition, April 2013*

© Lonely Planet Publications Pty Ltd 2013
© Lonely Planet et Place des éditeurs 2013
Photographes © comme indiqué 2013

Dépôt légal Juin 2013
ISBN 978-2-81613-351-6
Imprimé par IME (Imprimerie Moderne de l'Est), Baume-les-Dames, France

Bien que les auteurs et Lonely Planet aient préparé ce guide avec tout le soin nécessaire, nous ne pouvons garantir l'exhaustivité ni l'exactitude du contenu. Lonely Planet ne pourra être tenu responsable des dommages que pourraient subir les personnes utilisant cet ouvrage.

MIXTE
Issu de sources responsables
FSC® C003309
www.fsc.org

En Voyage Éditions | un département place des éditeurs